JN140438

第4版

消費税 医療・介護・福祉における実務

Q&A 169問 収録

医療・介護・福祉サービスにおける
税務のポイントを網羅的に解説!!

齋藤 文雄 著

インボイス関連Q&A
を多数収録!!

一般財団法人 大蔵財務協会

第４版の刊行に当たって

第３版の刊行後、医療・介護・福祉を取り巻く状況も変わっています。

消費税に関係するところでも、医療の分野においては、新型コロナウイルス感染症が感染症法の第５類に移行し、ワクチン接種も全額公費負担ではなくなりました。また、医療技術の進化による先進医療が評価医療となる一方で、選定医療となったものも複数あります。

介護の分野では、介護サービスや各種施策も地域との関係を重視するものが増えてきています。また、福祉の分野では、令和４年にこども家庭庁が設置され、同年に大きな改正のあった児童福祉法が令和６年に施行され、消費税が非課税となる福祉事業に新たなものが加わることになりました。

消費税固有の制度としては、複数税率制度の下で仕入税額控除を円滑に行えるようにするための方策として、令和５年10月からインボイス制度が実施されています。医療・介護・福祉に係る資産の譲渡等を行う事業者の取引相手はその多くが消費者ですが、相手方のためにインボイスを交付するケースも少なからずあると思われます。また、インボイス事業者以外の者からの課税仕入れにより取戻し対象特定収入が発生し、仕入控除税額を再調整するケースも出てくると考えられます。

第３版の刊行後４年が経過し、医療・介護・福祉を取り巻く以上のような状況の変化があったことを踏まえ、この度、それらの変化に対応できるように所要の改訂を行った第４版を刊行することといたしました。

本書が、医療・介護・福祉分野の事業に係る消費税実務に携わる皆様のお役に立てば幸いです。

令和７年４月

税理士　齋藤　文雄

はじめに（初版）

出版社から医療・介護・福祉事業において消費税実務に携わる方々のお役に立つような実用書を作りましょうというお話をいただいたときに、まず考えたことは、それらの事業がほかの多くのものとどこがどう違っているのか、その特異性をよくよく見極めないと、役に立つものは作れないということでした。

私なりに医療・介護・福祉という事業の分野の特異性として整理できたのは、次のようなことでした。

① いずれも、物を作ったり、販売する事業ではなく、多くの国民が多かれ少なかれお世話になる対人的なサービスを提供するビジネスである。

② 多額の税金や公的保険制度による資金で賄われるビジネスであり、それゆえに誰でも自由に始められるものではなく、所管省庁もしくは地方公共団体の許認可・監督の下に営まれるものである。

③ 事業の実施主体が国・地方公共団体から営利法人まで、実に多様性に富んでおり、税制面でもそれぞれの実施主体に応じた特例の適用を受けることとなる。

④ こと消費税に関していえば、事業の中心的な役務の提供は非課税とされているものの、規制緩和という大きな流れの中で、利用者の求めに応じた付加的なサービスが多種多様に提供されるため、課税上の取扱いの判断も難しいものとなっている。

したがって、医療・介護・福祉という実務に携わる方々のお役に立つような図書とするためには、上記の特異性をカバーできるものでなければならず、上梓させることに一抹の不安は感じつつも、大いに闘志を掻き立てられたのでした。

幸いなことに、平成12年に介護保険制度がスタートし、消費税についても非課税項目として追加された際に、大蔵財務協会から「介護保険事業者のための消費税」なる実務書を送りだした経験があったので、本書の出版を決意した次第です。

本書が、医療・介護・福祉の実務に携わる方々にいささかなりともお役に立てることを願ってやみません。

税理士　齋藤　文雄

目　次

第１章　概説

第１節　消費税の性格 ―― 2
第２節　消費税収の使途 ―― 5
第３節　消費税に非課税取引を設けることについての考え方 ―― 8
第４節　非課税であることと損税への対応等 ―― 12

第２章　消費税の概要

第１節　国内取引に係る消費税の仕組み ―― 20
第２節　輸入取引に係る消費税の仕組み ―― 42

第３章　医療の非課税

第１節　医療の非課税の変遷 ―― 46
第２節　医療非課税の具体的な内容 ―― 59
第３節　公費負担医療 ―― 65
第４節　特別の病室の提供等についての取扱い ―― 68
第５節　助産 ―― 76
第６節　医療関係Ｑ＆Ａ〔33問〕 ―― 81

第４章　介護サービスの非課税

第１節　介護の非課税の変遷 ―― 141
第２節　介護サービス非課税の具体的な内容 ―― 159
第３節　その他の日常生活費の取扱い ―― 187
第４節　介護関係Ｑ＆Ａ〔29問〕 ―― 190

第５章　社会福祉事業の非課税

第１節　社会福祉の非課税の変遷 ―― 262
第２節　社会福祉非課税の具体的な内容 ―― 281
第３節　社会福祉事業関係Ｑ＆Ａ〔25問〕 ―― 302

第６章　納税義務者

第１節　原則 ―― 364
第２節　小規模事業者に対する納税義務の免除 ―― 369
第３節　Ｑ＆Ａ〔５問〕 ―― 405

第７章　適格請求書発行事業者

第１節　適格請求書発行事業者の登録等の手続 ―― 417
第２節　適格請求書発行事業者の義務等 ―― 426
第３節　Ｑ＆Ａ〔８問〕 ―― 433

第８章　課税標準と税率

第１節　課税標準 —— 452

第２節　税率 —— 457

第３節　課税標準額と売上税額の計算 —— 462

第４節　Ｑ＆Ａ〔11問〕 —— 468

第９章　仕入税額控除

第１節　仕入税額控除の対象 —— 495

第２節　仕入税額控除の要件 —— 501

第３節　仕入控除税額の計算方法 —— 512

第４節　仕入控除税額の具体的な計算（積上げ計算の場合） —— 524

第５節　仕入返品などがある場合 —— 531

第６節　調整対象固定資産に係る仕入控除税額の調整 —— 534

第７節　納税義務の免除を受けないこととなった場合等の仕入控除税額の調整 —— 539

第８節　居住用賃貸建物を課税転用等した場合の仕入控除税額の調整 —— 546

第９節　Ｑ＆Ａ〔23問〕 —— 551

第10章　簡易課税制度

第１節　制度の仕組み —— 608

第２節　事業区分 —— 619

第３節　仕入控除税額の計算方法 —— 629

第４節　Q＆A〔11問〕 634

第11章　特定収入がある場合の仕入税額控除の特例

第１節　特例の概要 652
第２節　特定収入の範囲 656
第３節　特定収入に係る課税仕入れ等の税額の調整計算 663
第４節　取戻し対象特定収入がある場合の調整 669
第５節　Q＆A〔11問〕 676

第12章　申告書の書き方

第１節　申告に当たっての留意事項 696
第２節　一般課税の場合 703
第３節　簡易課税の場合 721
第４節　特定収入に係る調整がある場合（課税売上割合が95％未満の場合） 737

第13章　消費税等の経理処理と控除対象外消費税額等の取扱い

第１節　消費税等の経理処理 760
第２節　控除対象外消費税額等の処理 764
第３節　Q＆A〔３問〕 772

第14章　その他

第１節　申告関係Ｑ＆Ａ〔２問〕　780
第２節　総額表示関係Ｑ＆Ａ〔４問〕　785
第３節　新型コロナウイルス感染症関係Ｑ＆Ａ〔４問〕　795

参考資料　805

用語索引　1071

Q&A 目 次

〔★は第４版における追加事例〕

第３章 医療の非課税

Q３－１ 非課税とされる医療の範囲 ― 81
Q３－２ 課税される医療の範囲 ― 83
Q３－３ 予防接種法の規定に基づく医療費の支給に係る医療の意義 ― 85
Q３－４ 資格証明書による受診の課非 ― 87
Q３－５ 自賠責保険の支払限度額を超える治療費となる場合 ― 88
Q３－６ 評価療養の対象とされていた医療行為が選定療養の対象となった場合の課税関係 ― 89
Q３－７ 医療費の過払分の取扱い ― 91
Q３－８ 市が全額負担して職員を対象に行う予防接種等の課非 ― 92
Q３－９ 市が一部負担する鍼灸施術の課非 ― 93
Q３－10 産業医の報酬の取扱い ― 94
Q３－11 ストレスチェックに係る産業医報酬 ― 95
Q３－12 医療法人が特別養護老人ホームから受ける報酬の取扱い ― 98
Q３－13 高齢者医療確保法に基づく健康診査等の取扱い ― 100
Q３－14 医薬品の治験に係る診療において、治験依頼者が支出する負担金の取扱い ― 102
Q３－15 連携する他の医療機関（DPC対象病院）から受領する報酬の課税関係★ ― 105
Q３－16 麻酔科医が他の保険医療機関の手術で役務の提供を行った場合の課税関係★ ― 108

Q３－17　社会保険医療の一環として行われる酸素の販売の課非 ― 111
Q３－18　医療扶助に係る治療材料の販売の課税関係 ― 112
Q３－19　補聴器の譲渡の課非 ― 114
Q３－20　不妊治療における体外受精についての消費税の取扱い ― 117
Q３－21　産科医院での羊水検査 ― 118
Q３－22　妊娠中毒症等の入院に係る差額ベッド料の取扱い ― 119
Q３－23　市区町村が医療機関に委託する妊婦検診の委託費 ― 120
Q３－24　妊娠検査薬販売の課非 ― 122
Q３－25　胎盤処理費の課非 ― 123
Q３－26　助産施設として利用されていた建物の譲渡の課非 ― 124
Q３－27　外国人旅行者に対する診療の取扱い ― 125
Q３－28　外交官、領事官等を治療した場合の消費税の免税 ― 126
Q３－29　従業員寮の貸付けの課非 ― 128
Q３－30　看護師等養成奨学金の取扱い ― 130
Q３－31　医業未収金債権を譲渡した場合の取扱い ― 132
Q３－32　MS法人が医療法人から受領する受託業務サービスに係る人件費相当額の課税関係 ― 134
Q３－33　医療法人成りに際してリース資産の移転を行った場合の課税関係 ― 136

第４章　介護サービスの非課税

Q４－１　NPO法人が介護サービス事業を行う場合の消費税の取扱い ― 190
Q４－２　要介護者が負担する介護サービス費用の１割相当額の取扱い ― 191

Q４－３　介護サービスにおいて発生する「日常生活に要する費用」の課税関係 ―― 192
Q４－４　居宅サービスにおける全額利用者負担の費用の取扱い ―― 194
Q４－５　ケアプランの範囲を超えて提供される居宅サービスの取扱い ―― 197
Q４－６　訪問介護サービスの提供に伴って受領する交通費の課非 ―― 199
Q４－７　特定施設入居者生活介護（有料老人ホーム）の課税関係 ―― 201
Q４－８　有料老人ホームにおける食事の提供の課非 ―― 203
Q４－９　非課税となる「施設介護サービス費の支給に係る施設サービス」の具体的な範囲 ―― 206
Q４－10　介護老人保健施設において入所者に行う予防接種の課税関係 ―― 209
Q４－11　特別養護老人ホームから依頼されて行う入居者に対する理美容サービスの課税関係 ―― 212
Q４－12　施設サービスにおける特別な食事の提供等の課税関係 ―― 214
Q４－13　認知症対応型共同生活介護における食事代の課税関係 ―― 216
Q４－14　複合型サービス事業における消費税の課税関係 ―― 218
Q４－15　介護予防・日常生活支援総合事業である第一号訪問事業等を地域包括支援センター等に委託する場合★ ―― 221
Q４－16　包括的支援事業を地域包括支援センター等に委託する場合★ ―― 223
Q４－17　第一号介護予防支援事業を地域包括支援センター等に委託する場合★ ―― 225
Q４－18　指定居宅介護支援事業者が指定を受けて指定介護予防支援を行う場合★ ―― 228

Q４－19　地域包括支援センターの設置者が総合相談支援事業の一部を委託する場合★ — 230
Q４－20　市町村特別給付の取扱い — 233
Q４－21　市から委託された高齢者等に対する配食サービスで市が費用の３分の１を負担するもの — 235
Q４－22　介護保険法における福祉用具の貸与等の消費税の取扱い — 237
Q４－23　福祉用具貸与の際の搬出入に係る取扱い — 242
Q４－24　住宅改修費の支給に係る消費税の取扱い — 244
Q４－25　介護サービス事業者からの依頼によりバス会社等が行う通所介護等を利用する者の送迎の課非 — 246
Q４－26　要介護認定等に際し市町村が支払う委託手数料等の課非 — 248
Q４－27　認知症高齢者グループホーム用建物の賃貸に係る賃料収入及びその取得費用に係る消費税の取扱い — 250
Q４－28　入所者からの預り金に係る管理料についての消費税の課非★ — 257
Q４－29　介護職員処遇改善加算等に係る収入の課税上の取扱い★ — 259

第５章　社会福祉事業の非課税

Q５－１　課税となる授産施設等における資産の譲渡等 — 302
Q５－２　社会福祉事業に該当しない小規模な児童福祉施設での資産の譲渡等の課税関係 — 303
Q５－３　老人福祉センター等を経営する事業において老人等以外の人に利用させる場合の取扱い — 306
Q５－４　生活福祉資金貸付制度等における貸付業務を一部委託した場合の消費税の取扱い — 307

Q５－５　非課税とされる認可外保育所を経営する事業における非課税の範囲 ―― 309
Q５－６　英語による保育を行う認可外保育施設における非課税となる資産の譲渡等の範囲 ―― 311
Q５－７　児童福祉法に基づく「事業所内保育事業」における保育料収入に係る消費税の取扱いについて ―― 313
Q５－８　子ども・子育て支援と幼稚園における給食費、スクールバス代の課税関係 ―― 321
Q５－９　ベビーシッター事業に係る消費税の課税関係 ―― 323
Q５－10　非課税となる産後ケア事業 ―― 326
Q５－11　地域支援事業に係る消費税の取扱い ―― 328
Q５－12　身体障害者用物品に該当する自動車のメンテナンスリースの取扱い ―― 332
Q５－13　身体障害者用自動車の附属品の取扱い ―― 334
Q５－14　児童厚生施設を経営する社会福祉法人が運営する駐車場の収入の課非について ―― 336
Q５－15　福祉人材センターが行う研修の課税関係 ―― 338
Q５－16　福祉有償運送事業の取扱い ―― 340
Q５－17　医師会が市から委託された在宅医療・介護連携に関する相談事業及び認知症初期集中支援チームによる支援事業の課税関係 ―― 342
Q５－18　ＮＰＯ法人が行うフリースクールでの学習支援等の課税関係 ―― 345
Q５－19　成年後見人の報酬についての課税上の取扱い★ ―― 347
Q５－20　認可外保育所の保育業務を受託した場合の課税関係 ―― 350
Q５－21　障害者相談支援事業を受託した場合の消費税の取扱い★ － 354

Q５－22　放課後児童健全育成事業を受託した場合の消費税の取扱い★ —— 356
Q５－23　産後ケア事業を一部受託した場合の消費税の取扱い★ —— 358
Q５－24　社会福祉法人が行う特別養護老人ホーム等の受託経営 —— 360
Q５－25　共同生活援助に係る生活支援員の業務を受託した場合 —— 361

第６章　納税義務者

Q６－１　勤務医が独立開業する場合の消費税の還付 —— 405
Q６－２　新設の基金拠出型社団医療法人における新設法人の納税義務の免除の特例の適用関係 —— 407
Q６－３　基金拠出型社団医療法人へ現物を拠出した場合の消費税の取扱い —— 409
Q６－４　社会医療法人の認定を受けた場合 —— 411
Q６－５　個人の開業医が法人成りした場合の納税義務 —— 413

第７章　適格請求書発行事業者

Q７－１　適格請求書発行事業者の登録の任意性★ —— 433
Q７－２　適格請求書発行事業者における課税事業者届出書の提出★ —— 435
Q７－３　適格簡易請求書を交付することができる事業の具体例★ —— 436
Q７－４　セミナー参加費に係る適格請求書の交付方法★ —— 438
Q７－５　免税事業者の交付する請求書等★ —— 441
Q７－６　年の中途から登録を受けた場合における消費税の確定申告が必要となる期間（個人事業者の場合）★ —— 443

Ｑ７－７　適格請求書に記載する消費税額の１円未満の端数処理★ — 445
Ｑ７－８　適格請求書への「軽減対象課税資産の譲渡等である旨」の記載方法★ — 448

第８章　課税標準と税率

Ｑ８－１　標準税率の適用されるケータリングから除かれる飲食料品の提供 — 468
Ｑ８－２　軽減税率の適用対象とされる有料老人ホームにおける飲食料品の提供の範囲 — 471
Ｑ８－３　有料老人ホームが食事の提供の対価を１日当たりの食材費と１月当たりの調理業務委託費に基づいて月単位で徴収する場合の適用税率 — 473
Ｑ８－４　病院食についての軽減税率の適否 — 478
Ｑ８－５　飲食料品の提供に係る委託の軽減税率の適否 — 479
Ｑ８－６　特別養護老人ホームの調理業務を受託した場合において食材費を区分して請求するときの適用税率 — 480
Ｑ８－７　社員食堂での飲食料品の提供についての軽減税率の適否 — 481
Ｑ８－８　歯の矯正治療・インプラント治療に係る経過措置の適用 — 482
Ｑ８－９　売上税額の積上げ計算の前提とされる「交付した適格請求書等の写しの保存」の意義★ — 484
Ｑ８－10　２割特例を適用できない課税期間★ — 486
Ｑ８－11　２割特例を適用した後に一般課税により更正の請求をすることの可否★ — 489

第９章　仕入税額控除

Q９－１　病院における医薬品の課税仕入れの用途区分 ―― 551
Q９－２　調剤薬局における薬品の課税仕入れの用途区分 ―― 552
Q９－３　医療機関において適用可能な課税売上割合に準ずる割合 ―― 555
Q９－４　老人ホーム用建物の一棟借りに係る課税関係 ―― 556
Q９－５　医療機器をリースした場合の取扱い ―― 560
Q９－６　就労継続支援Ｂ型事業に係る工賃 ―― 562
Q９－７　パート医に対する報酬の取扱い ―― 566
Q９－８　医師会の会費等の取扱い ―― 568
Q９－９　医療機器をリースにより導入した医療法人が簡易課税から本則課税となった場合 ―― 570
Q９－10　医療機器の買替えに際して古い機器を下取りしてもらう場合 ―― 572
Q９－11　海外の電子版医学雑誌の購読料 ―― 574
Q９－12　従業員寮に係る課税仕入れ等の仕入税額控除 ―― 578
Q９－13　出張旅費、宿泊費、日当等★ ―― 581
Q９－14　実費精算の出張旅費等★ ―― 582
Q９－15　派遣社員等や内定者等へ支払った出張旅費等の仕入税額控除★ ―― 584
Q９－16　通勤手当★ ―― 587
Q９－17　クレジットカードにより決済されるタクシーチケットに係る回収特例の適用★ ―― 588
Q９－18　自動販売機特例又は回収特例における３万円未満の判定単位★ ―― 590

Q９－19　一定規模以下の事業者に対する事務負担の軽減措置（少額特例）における１万円未満の判定単位★ ―― 592
Q９－20　診療所建設に係る消費税の控除時期（設計と建設工事が異なる事業年度の場合） ―― 594
Q９－21　不動産の譲渡の時期を譲渡契約の効力発生日とすることの可否★ ―― 596
Q９－22　「軽減対象課税資産の譲渡等である旨」の帳簿への記載方法★ ―― 603
Q９－23　免税事業者から行った課税仕入れについて「軽減対象課税資産の譲渡等である旨」等の記載のない請求書等の交付を受けた場合★ ―― 605

第10章　簡易課税制度

Q10－１　特定収入がある公益財団法人の簡易課税制度の選択適用★ ―― 634
Q10－２　歯科技工業の事業区分 ―― 636
Q10－３　歯科技工業における材料代の取扱い ―― 638
Q10－４　病院における差額ベッド代の事業区分 ―― 640
Q10－５　介護老人保健施設における差額ベッド代の事業区分 ―― 641
Q10－６　有料老人ホームにおけるベッド等のレンタル料の事業区分 ―― 642
Q10－７　サービス付き高齢者向け住宅が調理委託した飲食料品を利用者等に提供する場合★ ―― 644
Q10－８　調剤薬局の事業譲渡★ ―― 645
Q10－９　デイサービスの利用料★ ―― 646

Q10－10　サービス付き高齢者向け住宅の入居者から受領する料金★ —— 648
Q10－11　公共施設の指定管理者が利用者から受領する利用料★ —— 649

第11章　特定収入がある場合の仕入税額控除の特例

Q11－1　公益法人等の申告単位 —— 676
Q11－2　消費税の還付金の特定収入該当の有無 —— 678
Q11－3　人件費に使途が特定されている補助金の取扱い —— 679
Q11－4　借入金の利子の支払に使用することとされている補助金 － 680
Q11－5　公益法人における諸収入 —— 681
Q11－6　基金に充てるための金銭の特定収入該当の有無 —— 683
Q11－7　学校法人が収受する寄附金の取扱い —— 685
Q11－8　社会福祉法人が収受する寄附金に係る使途の特定の取扱い —— 687
Q11－9　特定収入がある公益財団法人の簡易課税制度の選択 —— 689
Q11－10　病院内保育所運営費補助金の取扱い —— 690
Q11－11　公益法人等における補助金等の使途の特定方法 —— 692

第13章　消費税等の経理処理と控除対象外消費税額等の取扱い

Q13－1　インボイス制度実施に伴う経過措置期間中（令和５年10月～令和８年９月）に免税事業者から課税仕入れを行った場合の法人税法上の取扱い★ —— 772
Q13－2　居住用賃貸建物に係る控除対象外消費税額等の取扱い — 775
Q13－3　売却した固定資産に係る繰延消費税額等の取扱い★ —— 777

第14章　その他

〔第１節　申告関係Q＆A〕
Q14－１　法人に係る消費税の申告期限の特例 —— 780
Q14－２　社会福祉法改正に伴う社会福祉法人の消費税の申告期限について —— 782
〔第２節　総額表示関係Q＆A〕
Q14－３　令和３年４月１日以降の価格表示 —— 785
Q14－４　店内飲食とテイクアウトがある飲食料品の総額表示 —— 789
Q14－５　商品本体における価格表示が税抜価格のみの表示になっている場合の総額表示義務の履行方法 —— 792
Q14－６　総額表示において税込価格と税抜価格を併記する場合 — 793
〔第３節　新型コロナウイルス感染症関係Q＆A〕
Q14－７　新型コロナウイルス感染症等の影響を受けた事業者における課税選択の変更に係る特例 —— 795
Q14－８　新型コロナ税特法に基づく特例承認の要件としての「事業としての収入の著しい減少」 —— 799
Q14－９　新型コロナウイルス感染症等の影響を受けた場合の簡易課税制度の適用の特例 —— 801
Q14－10　医療機関が受領するワクチンの接種事業に係る委託料の課税関係 —— 803

凡　　例

本書の文中、文末引用条文の略称は、次のとおりです。

消法……………消費税法
消令……………消費税法施行令
消規……………消費税法施行規則
消基通…………消費税法基本通達
様式通達………消費税関係申告書等の様式の制定について
24年改正法……社会保障の安定財源の確保等を図る税制の抜本的な改革を行うための消費税法の一部を改正する等の法律（平成24年８月20日法律第68号）
27年改正法……所得税法等の一部を改正する法律（平成27年法律第９号）
28年改正法……所得税法等の一部を改正する法律（平成28年３月31日法律第15号）
30年改正法……所得税法等の一部を改正する法律（平成30年３月31日法律第７号）
令和２年改正法……所得税法等の一部を改正する法律（令和２年３月31日法律第８号）
令和６年改正法……所得税法等の一部を改正する法律（令和６年３月30日法律第８号）
令和７年改正法……所得税法等の一部を改正する法律（令和７年３月31日法律第13号）
25年改正令……消費税法施行令の一部を改正する政令（平成25年３月13日政令第56号）
26年改正令……消費税法施行令の一部を改正する政令（平成26年９月30日政令第317号）
28年改正令……消費税法施行令等の一部を改正する政令（平成28年３

月31日政令第148号）

30年改正令……消費税法施行令の一部を改正する政令（平成30年３月31日政令第135号）

令和３年改正令……消費税法施行令等の一部を改正する政令（令和３年政令第116号）

令和６年改正令……消費税法施行令等の一部を改正する政令（令和６年３月30日政令第145号）

27年改正規……消費税法施行規則等の一部を改正する省令（平成27年３月31日財務省令第27号）

28年改正規……消費税法施行規則等の一部を改正する省令（平成28年３月31日財務省令第20号）

30年改正規……消費税法施行規則等の一部を改正する省令（平成30年３月31日財務省令第18号）

基準額告示……消費税法施行令等の一部を改正する政令（平成28年政令第148号）附則第３条第２項の規定に基づき、財務大臣の定める基準を定める件（平成28年３月31日財務省告示第100号）

31年経過措置通達……平成31年10月１日以後に行われる資産の譲渡等に適用される消費税率等に関する経過措置の取扱いについて（法令解釈通達）（平成26年10月27日課消１－35ほか４課）

軽減様式通達…消費税の軽減税率制度に関する申告書等の様式の制定について（法令解釈通達）（平成28年４月25日課軽２－５ほか５課）

インボイス様式通達……消費税の仕入税額控除制度における適格請求書等保存方式に関する申請書等の様式の制定について（法令解釈通達）（平成30年６月６日軽消２－10ほか６課）

消費税経理通達……消費税法等の施行に伴う法人税の取扱いについて（法令解釈通達）（平成元年３月１日直法２－１）

電帳法…………電子計算機を使用して作成する国税関係帳簿書類の保存方法等の特例に関する法律（平成10年3月31日法律第25号）

電帳規…………電子計算機を使用して作成する国税関係帳簿書類の保存方法等の特例に関する法律施行規則（平成10年3月31日大蔵省令第43号）

総額表示ガイドライン……総額表示義務に関する特例の適用を受けるために必要となる誤認防止措置に関する考え方（平成25年9月10日財務省）

転嫁特措法……消費税の円滑かつ適正な転嫁の確保のための消費税の転嫁を阻害する行為の是正等に関する特別措置法

通法……………国税通則法

所法……………所得税法

所令……………所得税法施行令

法法……………法人税法

法令……………法人税法施行令

法規……………法人税法施行規則

租特法…………租税特別措置法

租特令…………租税特別措置法施行令

新型コロナ税特法……新型コロナウイルス感染症等の影響に対応するための国税関係法律の臨時特例に関する法律（令和2年4月30日法律第25号）

新型コロナ税特令……新型コロナウイルス感染症等の影響に対応するための国税関係法律の臨時特例に関する法律施行令（令和2年4月30日政令第160号）

新型コロナ税特規……新型コロナウイルス感染症等の影響に対応するための国税関係法律の臨時特例に関する法律施行規則（令和2年4月30日省令第44号）

新型コロナ税特法通……新型コロナウイルス感染症等の影響に対応す

るための国税関係法律の臨時特例に関する法律の施行に伴う消費税の取扱いについて（法令解釈通達）（令和２年４月30日課消２－７）

介法……介護保険法（平成９年法律第123号）

介規……介護保険法施行規則（平成11年厚生省令第36号）

本書は、令和７年４月１日現在の法令・通達等により解説しています。

第 1 章

概　説

消費税が課税の対象とする国内取引と輸入取引のうち本書が対象とする医療・介護・福祉と関係の深いのは国内取引です。また、消費税はそもそも国民福祉の充実等に必要な歳入構造の安定化に資することが創設の目的の一つだったこともあり（税制改革法10①）、税収の使途の面でも医療・介護・福祉の分野とは深いつながりがあります。そこで、本章では第１節で消費税の性格を、第２節において消費税の使途を概観し、第３節及び第４節で非課税の考え方や影響についてみていくこととします。

第１節　消費税の性格

１　租税の分類と間接税

租税に関する代表的な分類として、直接税と間接税とに区分するものがあります。この分類では、税の転嫁の有無により、実際に税金を負担する者（担税者）と、その税金を直接納める者（法律上の納税義務者）とが同一となるものを直接税と呼び、異なるものを間接税と呼びます。

この分類によれば、所得税や法人税は、直接税に属し、消費税は、物品の販売やサービスの提供を業とする者を納税義務者としているものの、その物品やサービスの取引価格に上乗せされて、これらを購入する消費者に税負担が転嫁されることを予定していることから、間接税に属することとなります。

なお、転嫁の有無は、租税の種類によって一様ではなく、これを区分の基準とするのは正確ではないことから、所得や財産など担税力の直接の指標と考えられるものを対象として課される租税を直接税と呼び、消費や取引など担税力を間接的に推定させる事実を対象として課される租税を間接税と呼ぶことが多くなっています㈰。

㈰　金子宏「租税法（第24版）」（弘文堂）13、14頁。

2　間接税の特徴

間接税は、財・サービスの消費・流通に対して課税することとしており、消費の大きさが等しければ、等しい負担を課することとなるため、税負担の「水平的公平」を図る上で優れるとされます。

その反面、税を負担する者の所得水準に応じた累進的な負担による「垂直的公平」が求めにくく、所得に対して逆進的であるとされます。

3　消費税の種類

消費税は、直接消費税と間接消費税とに区分されます。直接消費税は、最終的な消費行為そのものを対象として課される租税であり、ゴルフ場利用税、入湯税などがあります。また、間接消費税は、最終的な消費行為よりも前の段階で物品やサービスに対する課税が行われ、税負担が物品やサービスのコストに含められて最終的に消費者に転嫁することが予定されている租税であり、わが国の税目としての「消費税」や酒税等があります。

さらに、間接消費税は、一般消費税と個別消費税とに区分されます。一般消費税は、原則としてすべての物品及びサービスの消費に対して課される租税であり、個別消費税は、特に課税の対象とされた物品やサービスに対してのみ課される租税です。

また、これとは別に、間接消費税は、製造から小売に至る一つの取引段階でのみ課税するか、それとも複数の段階で課税するかにより、単段階消費税と多段階消費税とに分類されることがあります。

したがって、可能な制度としては、単段階個別消費税、多段階個別消費税、単段階一般消費税及び多段階一般消費税の四つがあることになります。

そして、現行の「消費税」は、多段階一般消費税のタイプに属するものです。

第２節　消費税収の使途

1　社会保障目的税化の経緯

消費税は、消費税創設前の個別間接税制度が直面していた問題点を根本的に解決し、税体系全体を通じた税負担の公平を図るとともに、国民福祉の充実などのために必要な歳入構造の安定化に資する観点から、消費一般に広く公平に負担を求める一般財源の税として平成元年に創設されましたが、平成11年度予算以降は、国分の消費税収を高齢者３経費（基礎年金、老人医療、介護）に充てることを毎年度の予算総則に明記するいわゆる福祉目的化が行われていました。

しかし、消費税収に比べて高齢者３経費は急速に増加し、更なる高齢化の進展による社会保障費の増加に対応できない状況となっていました。

このため、平成26年（2014年）４月１日からの消費税率の引上げに当たっては、社会保障・税一体改革の趣旨を踏まえ、国民が負担した消費税は、年金、医療、介護、更には少子化対策という形で国民に還元され、他の経費には使われないということを消費税法上、明確にすることとしました。

【国税・地方税の内訳（令和６年度当初予算額）】

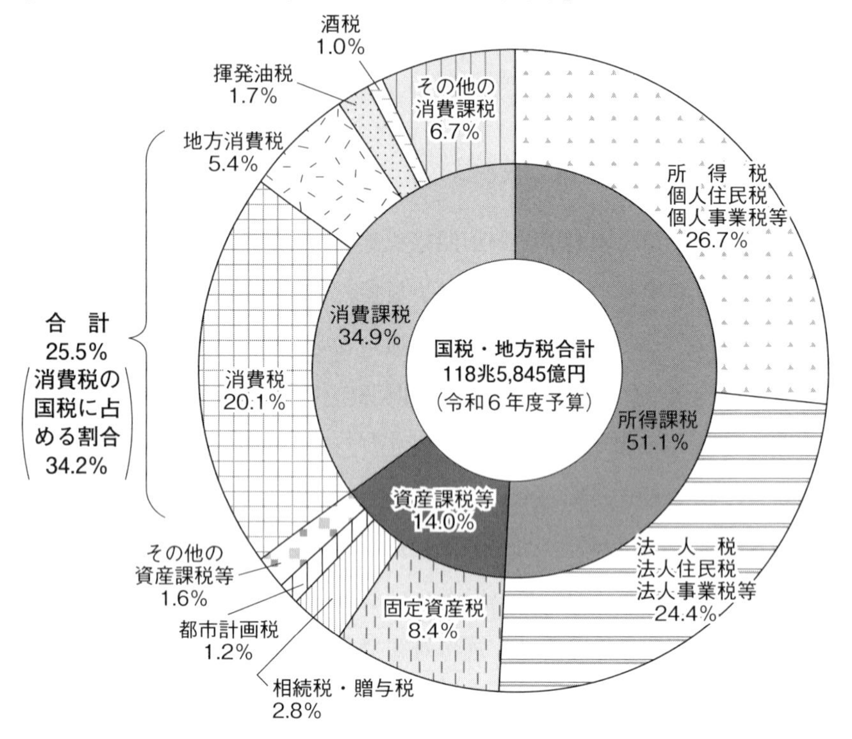

国税及び地方税の税収は、令和６年度予算で、合計で118兆5,845億円、このうち、消費税及び地方消費税の税収は、全体の25.5%となっています。

また、国税についてみると、国税収入69兆6,080億円に占める消費税の割合は、34.2%となっています。

2　社会保障目的税化の内容

消費税の収入については、地方交付税法に定めるところによるほか、毎年度、制度として確立された年金、医療及び介護の社会保障給付並びに少子化に対処するための施策に要する経費に充てることとされました（社会保障目的税化）（消法1②）。

また、地方分の消費税収（地方消費税1％分を除きます。）については、地方税法72条の116（地方消費税の使途）において、消費税法1条2項に規定する社会保障4経費を含む社会保障施策に要する経費に充てる（社会保障財源化）こととされています。

なお、消費税収のうち地方交付税に充当することとされている分については、地方交付税法3条2項（運営の基本）において、「国は、交付税の交付に当っては、地方自治の本旨を尊重し、条件をつけ、又はその使途を制限してはならない。」と定められていることを踏まえ、消費税法においては、それ以外の分の使途を定めています。

【消費税収の使途】

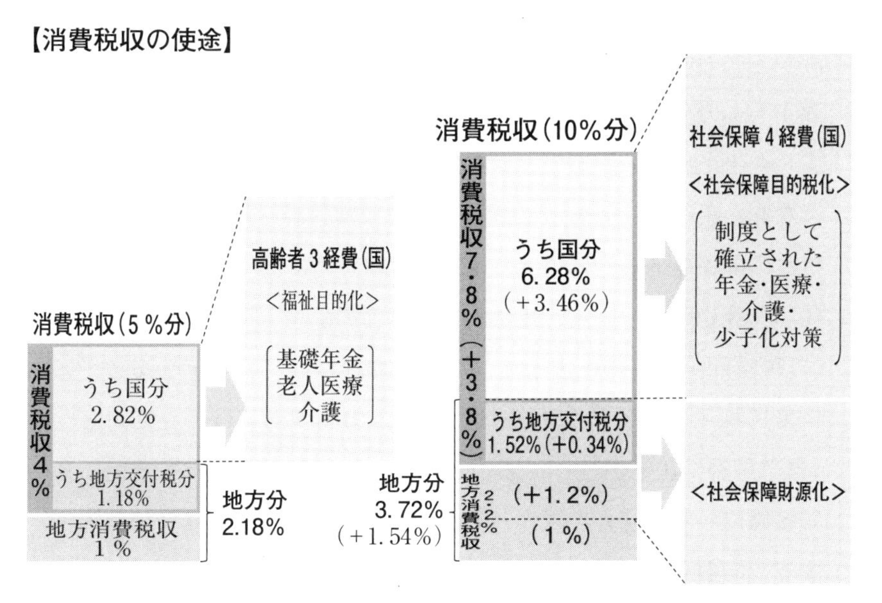

（財務省ホームページより）

第3節　消費税に非課税取引を設けることについての考え方

本書が対象とする医療・介護・福祉という事業の分野において提供される資産の譲渡等の中心的な部分は、消費税が非課税とされていると考えられます。

現行の消費税の導入について具体的に提言したのは、税制調査会が昭和63年（1988年）4月28日に発表した「税制改革についての中間答申」（以下「中間答申」といいます。）ですが、この中間答申では、いくつかの多段階課税の方式を示した上で、次のように述べています。

> これらの方法のうちいずれを採用するかの問題は、非課税取引や税率（単一税率か複数税率か）の設定、事業者免税点の水準、簡易な課税方式の取扱い等の今後具体的に決定すべき諸項目の取扱いと関連するものであるので、更に検討を進め、その利害得失を十分に考慮した上で慎重に決定すべきものと考える。
>
> なお、累積排除の方法の選択と次項で検討する非課税取引の設定等との関係を一般的に述べれば次のとおりである。
>
> ○　非課税取引の設定、複数税率制度との関連
>
> 『税額別記の書類による方法』は、非課税取引の設定や複数税率制度の採用に比較的弾力的に対処できる面がある。これに対し、『自己記録による方法』においては、非課税取引を設定すると、多種多様にわたる仕入を課税と非課税にふるい分ける事務負担が増大する。複数税率制度を採る場合にも同様の問題がある。
>
> （中間答申－第二　個別の検討－四　望ましい間接税制度－4　新しい方式の間接税の導入－(3)　多段階課税の検討－②－ハ）

更に、新しい方式の間接税の具体的な仕組み等についての検討に関しては次のようにまとめています。

非課税取引は、一般に、(イ)消費税としての性格上課税対象とすることになじみにくいもの、(ロ)社会政策等の特別の配慮に基づくもの、(ハ)現行の個別間接税との関係に配慮するものに大別できよう。

まず、土地や有価証券等の譲渡、貸付金の受取利子、保険料収入等は、消費税としてのこの税の性格上本来課税対象とすることになじみにくいものであり、課税対象から除外することが適当である。これらは、いわば「不課税」ともいうべき性格をもつものであって、他の非課税取引とは質的に異なる範ちゅうに属するものである。

所得に対する逆進性の緩和等の政策的配慮に基づき設定される非課税取引は、各国にその例を見るが、この種の非課税取引の設定は制度の複雑化や納税事務負担の増加をもたらし、また、非課税取引が増えれば課税取引に適用される税率の上昇を招くなどの問題を抱えている。また、所得水準が上昇し、平準化し、国民の価値観が多様化している現状を踏まえると、いかなる取引を政策的に非課税とすべきかについての客観的基準を国民的な合意の下に見出すことは極めて困難であって、特定のものをあえて非課税とすれば、売上税をめぐる経緯にもみられるように、逆に不公平な税制と映りやすいという現実的な側面からの指摘もあった。

この種の非課税取引をどの程度設けるかは、政策的配慮と税制の中立性や制度の簡素性との間の比較考量によることになろう。当調査会においても種々議論されたが、新消費税の課税の趣旨や売上税をめぐる議論等からすれば、そのような非課税取引は基本的には設けるべきではないとする意見が多かった。地方公聴会においても意見の大勢であったように思われる。

なお、これに対しては、逆進性の緩和の要請に応えるため飲食料品の譲渡を非課税とするほか、EC 諸国の例に倣って、社会保険医療サービス、一定の学校教育サービス、一定の社会福祉サービスに限って非課税とすることも考えられるとの意見もあった。

(中間答申－第二　個別の検討－四　望ましい間接税制度－４　新しい方式の間接税の導入－(4)　新しい方式の間接税の具体的な仕組み等についての検討－②－非課税取引)

以上から、中間答申の非課税についての考え方を整理すると、次のようになります。

(1)　非課税には、その当時施行されていた個別間接税との関係に配慮すべきものを別として、

①　消費税としての性格上課税対象とすることになじみにくいもの、

②　社会政策等の特別の配慮に基づくもの

の２つに大別できる。

(2)　社会政策等の特別の配慮に基づく非課税取引の設定は制度の複雑化や納税事務負担の増加をもたらし、また、非課税取引が増えれば課税取引に適用される税率の上昇を招く。

(3)　社会政策等の特別の配慮に基づきいかなる取引を非課税とすべきかについての客観的基準を国民的な合意の下に見出すことは極めて困難であって、特定のものをあえて非課税とすれば、逆に不公平な税制と映りやすい。

(4)　社会政策等の特別の配慮に基づくものは少ないほどよい（基本的には設けるべきではない）。

(5)　所得に対する逆進性緩和の要請に応えるため、飲食料品、社会保

険医療サービス、一定の学校教育サービス、一定の社会福祉サービスに限って社会政策等の特別の配慮に基づく非課税とすることも考えられる。

その後、消費税法成立までに種々の議論がなされ、結果として、政策的配慮に基づく非課税は10ページのなお書にあるEU諸国の例に倣ったものに落ち着いたのでした。

第４節　非課税であることと損税への対応等

1　非課税の影響

消費税法の規定によれば、事業者が行う資産の譲渡等（事業として対価を得て行われる資産の譲渡及び貸付け並びに役務の提供）が非課税とされると、消費税について次のように取り扱われることになります。

① その資産の譲渡等については、消費税が課されない（消法６）。

② 課税資産の譲渡等の対価の額の合計額から税抜売上対価の返還等の金額の合計額を控除した残額が１千万円以下となると、原則として、その翌々年又は翌々事業年度は、免税事業者となる（消法９①）。

③ 免税事業者に該当する年又は事業年度（課税期間）は、課税資産の譲渡等を行っても納税義務が免除されるが、一方で、課税仕入れを行っても、それに係る消費税額を控除することができない（消法30①）。

この場合、課税仕入れに係る消費税額以上の消費税を資産の譲渡等の対価の額に上乗せ（過剰転嫁）すると益税が発生し、課税仕入れに係る消費税額の全額を上乗せ（適正転嫁）できないと損税が発生することになる。

④ 免税事業者に該当しない場合でも、非課税となる資産の譲渡等が多いと、課税売上割合は低くなる。

⑤ 課税売上割合が95％未満の場合は、課税仕入れに係る消費税額の控除が制限される（一部分しか控除できない　＝　控除対象外消費税額等の発生）（消法30②）。

この場合、控除対象外消費税額等を非課税とされる資産の譲渡等の対価の額に転嫁できないと損税が発生することになる。

2 医療分野での対応

(1) 厚生労働省

いわゆる損税を解消するために非課税を見直そうという考えがあり、とりわけ医療分野では根強いものがあるように思われます。

これに対して、医療・介護・福祉分野の所管庁である厚生労働省は、平成26年（2014年）4月に消費税率が8％に引き上げられた際に次のように対応した旨、パンフレット「消費税と診療報酬」において説明しています。

> 医療機関は、卸業者から社会保険診療に必要な医薬品等を仕入れています。その際、医療機関は消費税込みの金額で卸業者から購入します。ここでは医療機関が卸業者に支払う金額は、仕入本体価格1,000円＋消費税80円です。
>
> 他方、社会保険診療は非課税取引であるため、医療機関が患者及び保険者から消費税を受け取ることはありませんし、卸業者に支払った消費税80円は仕入税額控除ができません。
>
> 消費税は事業者にとって実質的な負担となるべきものではないことから、診療報酬や薬価等を設定する際には、上記のような医療機関等が仕入れに際して支払う消費税が医療機関等にとって実質的な負担となることがないよう、対応をしてきています。
>
> すなわち、平成元年、平成9年及び平成26年の消費税導入・引上げ時においては診療報酬や薬価・特定保険医療材料価格（＝公的医療保険における保険償還価格が設定されているモノ代。以下「薬価等」という。）の改定を行い、医療機関等が仕入れに際して支払う消費税に応じた上乗せ措置を行っています。図2［編注：14ページの図］で

言えば、80円分が診療報酬に上乗せされています（ただし後述のとおり、すべての報酬項目に一律に消費税対応の上乗せが行われているわけではなく、一部の報酬項目に代表させて上乗せ措置を講じてきています）。

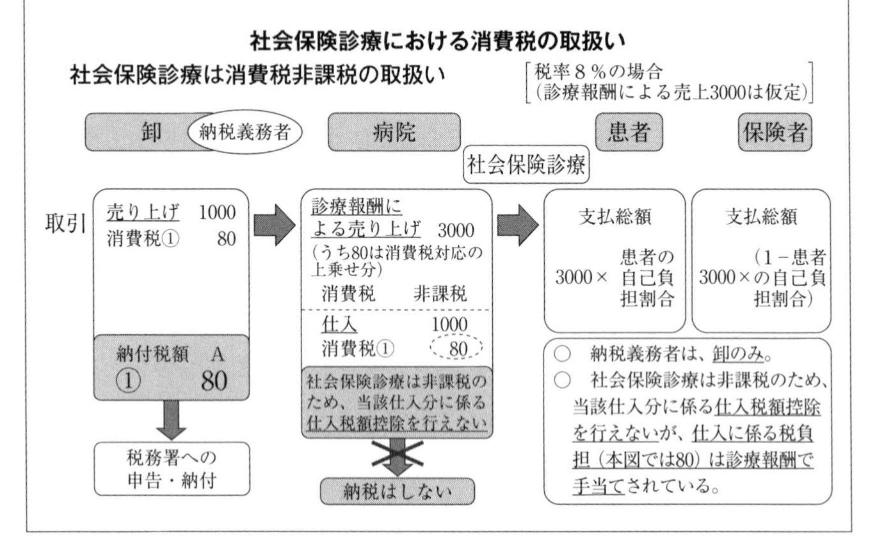

（厚生労働省ホームページ掲載資料「消費税と診療報酬について」より抜粋のうえ、一部修正）

参考　令和元年（2019年）10月の消費税率10％への引上げに伴って、医療機関等の負担増を補填するために、同月以後、例えば、初診料を現在よりも６点引き上げ288点に、再診料を１点引き上げ73点に、外来診療料を１点引き上げ74点に、急性期一般入院料１を59点引き上げ1650点にするなどの改定が行われています（平成31年（2019年）２月13日　第408回　中央社会保険医療協議会　総会）。

また、平成31年度税制改正により、医療用機器の特別償却制度の拡充等の措置が講じられ、令和９年３月31日まで延長されています（租特法12の２、45の２）。

(2) 自由民主党・公明党

他方、医療業界においては、1－③や⑤（12ページ参照）によって生ずる損税を消費税の制度的な問題、すなわち、社会保険診療について消費税が非課税とされていることに原因があるとして、改正要望を続けています。

これに対しては、自由民主党・公明党は次のとおり対応しています。

【平成29年度税制改正大綱】

医療に係る消費税等の税制の在り方については、消費税率が10%に引き上げられるまでに、医療機関の仕入れ税額の負担及び患者等の負担に十分配慮し、関係者の負担の公平、透明性を確保しつつ抜本的な解決に向けて適切な措置を講ずることができるよう、実態の正確な把握を行いつつ、医療保険制度における手当のあり方等の検討等とあわせて、医療関係者、保険者等の意見、特に高額な設備投資にかかる負担が大きいとの指摘等も踏まえ、総合的に検討し、結論を得る（平成28年12月８日　自由民主党・公明党「平成29年度税制改正大綱」131頁）。

【平成31年度税制改正大綱】

1　消費税率の引上げに伴う対応等

(3)　医療に係る措置

社会保険診療等に係る医療は消費税非課税である一方、その価格は診療報酬制度による公定価格となっている。このため、平成元年の消費税導入以来、仕入れ税額相当分を診療報酬で補てんする措置が講じられてきたが、補てんにばらつきがある等の指摘があった。今般の消費税率10%への引上げに際しては、診療報酬の配点方法を精緻化することにより、医療機関種別の補てんのばらつきが是正されることとなる。今後、所管省庁を中心に、実際の補てん状況を継続的に調査するとともに、その結果を踏まえて、必要に応じて、診療報酬の配点方法の見直しなど対応していくことが望まれる。

なお、長時間労働の実態が指摘される医師の勤務時間短縮のため必要な器具及び備品、ソフトウェア、また地域医療提供体制の確保のため地域医療構想で合意された病床の再編等の建物及びその附属設備、さらに共同利用の推進など効率的な配置の促進に向けた高額医療機器の３点において、特別償却制度の拡充・見直しを行う（平成30年12月14日　自由民主党・公明党「平成31年度税制改正大綱」５頁）。

3　医療分野での損税の発生原因

神戸大学の渕圭吾教授は、医療分野における損税の発生原因について次のように述べています。

事業者から見て「ちょうどよく転嫁できている」か、「益税が生じている」か、「損税が生じている」かは、相手方との取引の状況に応じて決まる。仕入税額控除制度がないから全く転嫁できず仕入れ税額を全額事業者が負担している、と断定するべきではない。医療機関の場合の問題（あるとすれば）は、社会保険診療報酬が法定されており、個々の医療機関の課税仕入れの割合に応じて柔軟に価格を変動させることが困難な場合があることであろう。

……最終消費者との間の取引に消費税が課される事業者であっても同様に値上げを断念せざるを得ない場合があり得ることに注意すべきである。事業者が仕入税額相当額を事実上自ら負担することは、仕入税額控除が認められる場合でもあり得るからである（日税研論集 Vol 70「消費税の研究」319頁）。

4　非課税から課税に転じた事例

損税の観点からではなく、非課税取引であることで製品を購入する取引先が仕入税額控除を受けられなくなることが事業活動を阻害する要因になるとして、課税に転換した事例があります。

社会福祉事業である授産施設における授産活動（現在の「生産活動」）として行われる資産の譲渡等は、消費税導入時には、その他の多くの社会福祉事業と同様に非課税とされていました。しかし、授産施設において、授産活動としての作業に基づき行われる資産の譲渡等（授産活動において製作された物品等の売上げ）を非課税とすると、その取引の相手方の事業者にとっては、その仕入れが仕入税額控除の対象とならないことから、取引から排除されるという問題が生じ、授産施設を経営する事業者から課税取引を望む声が多く出されました。そこで、平成３年の非課税範囲の見直しの一環として、授産活動としての作業に基づき行われる資産の譲渡等については、非課税の範囲から除かれることとなりました。また、第二種社会福祉事業に該当する精神保健法の精神障害者授産施設を経営する事業における授産活動についても、同様の取扱いとなりました（平成３年法律第73号による改正後の消法別表第一（現行の消法別表第二）７号）。

第 2 章

消費税の概要

本章では、医療・介護・社会福祉の分野における消費税の詳しい取扱いを解説する前に、消費税の全体的な仕組みを概観します。

第1節　国内取引に係る消費税の仕組み

1　納税義務者

事業者は、国内において行った課税資産の譲渡等（特定資産の譲渡等に該当するものを除きます。）及び特定課税仕入れにつき、消費税の納税義務があります（消法4①、5①）。

ただし、その課税期間の基準期間（個人事業者は前々年、法人は原則として前々事業年度）における課税売上高及び特定期間（個人事業者は前年1月1日から6月30日までの期間、法人は原則として前事業年度開始の日以後6月の期間）における課税売上高が1,000万円以下の事業者（適格請求書発行事業者を除きます。）は、納税義務が免除されます（消法9①、9の2①）。

㈱1　特定資産の譲渡等及び特定課税仕入れについては、365頁参照。
2　特定期間における課税売上高については、国外事業者を除き、特定期間中に支払った給与等の金額の合計額で判定することもできます（消法9の2③）。
3　基準期間における課税売上高が1,000万円以下の事業者は課税事業者を選択することができます（消法9④）。課税事業者を選択した場合、特定期間における課税売上高により納税義務を判定する規定は適用されません（消法9の2①）。

2　適格請求書発行事業者

令和5年（2023年）10月1日から実施されているインボイス制度（適格請求書等保存方式）の下での仕入税額控除については、原則として、課税仕入れ等の内容が記載された帳簿及び適格請求書発行事業者から交付を受けた「適格請求書」等を保存する必要があります（消法30①、⑦、⑧、⑨）。この適格請求書の交付は、適格請求書発行事業者に限られています。

適格請求書発行事業者とは、適格請求書（適格簡易請求書を含みます。）を交付するために納税地を所轄する税務署長の登録を受けた事業者をいいます（消法２①七の二、57の２①）。

適格請求書発行事業者には事業者免税点が適用されないことから、適格請求書発行事業者は基準期間における課税売上高及び特定期間における課税売上高が1,000万円以下の課税期間についても消費税の申告・納付が必要となります（消法９①、45①、57の４、57の５）。

適格請求書を交付しようとする課税事業者は、所轄税務署長の登録を受けることができます（消法57の２①）が、登録を受けるか受けないかは任意です。ただし、登録を受けない場合には、課税事業者であっても適格請求書（インボイス）を交付できませんから、取引の相手方は、原則として仕入税額控除できないこととなります（消法30①、⑦、⑨、57の４、57の５）。

㈱ 適格請求書発行事業者の登録等については、インボイス制度の実施に伴う経過措置が設けられています（28年改正法附則44ほか）。

3　課税の対象

課税の対象は、国内において事業者が行った資産の譲渡等（事業として対価を得て行う資産の譲渡、資産の貸付け及び役務の提供をいい、特定資産の譲渡等に該当するものを除きます。）及び特定仕入れです（消法４①）。

	要件	課税の対象	課税対象外の取引
資産の譲渡等	①国内において行われる取引であること	消費税は、国内で消費される財貨・サービスに対して負担を求めるものであることから、国内において行われる取引のみが課税の対象です。	国外で行われる取引は、そもそも課税の対象になりません。

	要件	課税の対象	課税対象外の取引
資産の譲渡等	②事業者が事業として行う取引であること	事業者が事業として行う取引が課税の対象です。 なお、事業活動に付随して行われる取引は、事業として行う取引に含まれます。	事業者以外の者が行う取引や個人事業者が家事のために行う取引は、課税の対象になりません。
	③対価を得て行う取引であること	消費税は対価を得て行われる取引に対して課されます。 個人事業者が棚卸資産又は棚卸資産以外の資産で事業の用に供していたものを家事のために消費若しくは使用した場合及び法人が資産をその役員に対して贈与した場合には、対価を得ていなくとも事業として対価を得て行われる資産の譲渡とみなされます。	無償の取引は原則として課税の対象になりません。
	④資産の譲渡、資産の貸付け又は役務の提供であること	資産の譲渡とは、資産につきその同一性を保持しつつ、他人に移転させることをいいます。なお、資産とは、取引の対象となる一切の資産を意味し、棚卸資産や固定資産のような有形資産に限らず、権利その他の無形資産も資産に含まれます。 資産の貸付けには、資産に係る権利の設定その他他の者に資産を使用させる一切の行為が含まれます。資産に係る権利の設定とは、例えば、土地に係る地上権若しくは地役権、特許権等の工業所有権に係る実施権若しくは使用権又は著作物に係る出版権の設定等をいい、「資産を使用させる一切の行為」とは、例えば、工業所有権等の使用、提供や著作物の複製、上演等をいいます。 役務の提供とは、例えば、土木工事、修繕、保管、印刷、広告等のサービスを提供することをいい、弁護士、会計士等いわゆる自由業もこれに該当しま	資産に係る権利の消滅は資産の譲渡、資産の貸付けに該当しません。

	要件	課税の対象	課税対象外の取引
		す。 なお、代物弁済、負担付き贈与、現物出資など特定の取引は、対価を得て行われる資産の譲渡に含まれます。	
特定仕入れ		特定仕入れとは、事業として他の者から受けた特定資産の譲渡等をいいます。 特定資産の譲渡等とは、事業者向け電気通信利用役務の提供及び特定役務の提供をいいます。	いわゆる消費者向けの電気通信利用役務の提供を受けることや、国内事業者から事業者向けの電気通信利用役務の提供を受けることは課税の対象となりません。

資産の譲渡等については、①～④の要件を満たす取引のうち非課税取引及び免税取引に該当しないもので、納税義務を免除されない事業者の行ったものに消費税の申告・納付の義務が発生することになります。また、特定仕入れについては、国内において行った課税仕入れのうち特定仕入れに該当するもの（特定課税仕入れ）で、納税義務を免除されない事業者の行ったものにリバースチャージによる消費税の申告・納付の義務が発生することになります。

4　非課税

国内において行われる資産の譲渡等のうち、消費に負担を求める税としての性格上、課税の対象とすることになじまないものや社会政策的観点から課税することが適当でないものについては消費税を課さないこととされています（消法6①、別表第二）。

また、保税地域から引き取られる外国貨物のうち有価証券等、身体障害者用物品などについても消費税を課さないこととされています（消法6②、別表第二の二）。

㈱　非課税取引の表は令和５年10月１日から別表第二（従前は別表第一）、別表第二の二（従前は別表第二）となっています。

<table>
<tr><th></th><th></th><th>内容</th></tr>
<tr><td rowspan="13">非課税取引の範囲</td><td rowspan="5">消費税としての性格上課税対象とすることになじまないもの</td><td>①　土地の譲渡、貸付け（一時的に使用させる場合等を除きます。）</td></tr>
<tr><td>②　有価証券等又は支払手段（収集品、販売用のものは除きます。）の譲渡等</td></tr>
<tr><td>③　利子を対価とする資産の貸付け等の金融取引、保険料を対価とする役務の提供等</td></tr>
<tr><td>④・日本郵便株式会社及び一定の販売所が行う郵便切手類又は印紙の譲渡、地方公共団体の行う証紙の譲渡
・物品切手等の譲渡</td></tr>
<tr><td>⑤・国、地方公共団体、公共法人、公益法人等が法令に基づき行う一定の役務の提供に係る手数料等
・外国為替及び外国貿易法に規定する一定の外国為替業務としての役務の提供</td></tr>
<tr><td rowspan="8">社会政策等の特別の配慮に基づくもの</td><td>⑥　健康保険法等の医療保険各法や公費負担医療制度に基づいて行われる医療の給付等</td></tr>
<tr><td>⑦・介護保険法の規定に基づく居宅介護サービス、施設介護サービス等
・社会福祉事業、更生保護事業等として行われる資産の譲渡等</td></tr>
<tr><td>⑧　助産に係る資産の譲渡等</td></tr>
<tr><td>⑨　埋葬料、火葬料を対価とする役務の提供</td></tr>
<tr><td>⑩　一定の身体障害者用物品の譲渡、貸付け等</td></tr>
<tr><td>⑪　学校等における授業料、入学金、施設設備費、入学検定料、学籍証明等手数料を対価とする役務の提供</td></tr>
<tr><td>⑫　一定の教科用図書の譲渡</td></tr>
<tr><td>⑬　住宅の貸付け（一時的に使用させる場合を除きます。）</td></tr>
</table>

※⑥～⑧及び⑩の取引が本書の中心テーマとなるものです。

5　輸出免税

消費税は、国内において消費される財貨・サービスに負担を求める税であるので、輸出や輸出に類似した取引については、売上げに対して課税を行わないとともに、仕入税額控除と控除不足額の還付を行うことで、国外で行われる消費に税負担を求めない仕組み（仕向地主義又は消費地課税主義）となっています。

次の取引が、輸出免税の対象とされています（消法７①）。

輸出免税の対象となる取引	
	①　本邦からの輸出として行われる資産の譲渡又は貸付け
	②　外国貨物の譲渡又は貸付け
	③　国際運輸、国際通信、国際郵便及び国際間の信書便
	④　船舶運航事業者等に対する外航船舶等の譲渡、貸付け等
	⑤　外航船舶等の水先、誘導等の役務の提供等
	⑥　外国貨物の荷役、運送、保管等の役務の提供
	⑦　鉱業権、工業所有権、著作権等の譲渡又は貸付けで非居住者に対するもの
	⑧　非居住者に対して行われる役務の提供で次に掲げるもの以外のもの イ　国内に所在する資産に係る運送又は保管 ロ　国内における飲食又は宿泊 ハ　イ及びロに準ずるもので、国内において直接便益を享受するもの

6　資産の譲渡等の時期

消費税の納税義務は、課税資産の譲渡等又は特定課税仕入れをした時に成立します（通法15②七）が、消費税も期間税ですから、資産の譲渡等の時期に基づいて、各課税期間に課税資産の譲渡等やその他の資産の譲渡等を帰属させ、事業者免税点の判定や、申告税額の計算を行うことになります。

資産の譲渡等の時期は、資産の譲渡、資産の貸付け又は役務の提供が行われた時です。

具体的には、引渡し基準等により判定することになりますが、資産の譲渡等の時期に関し、次の特例措置が設けられています。

特例措置	
	① リース譲渡等に係る資産の譲渡等の時期の特例（消法16）㈱
	② 工事の請負に係る資産の譲渡等の時期の特例（消法17）
	③ 小規模事業者等に係る資産の譲渡等の時期の特例（消法18）

㈱ 平成30年度税制改正において、長期割賦販売等に該当する資産の譲渡等につき延払基準により資産の譲渡等の対価の額を計算できるとする選択制度は、リース譲渡等の場合の特例のみを残して、廃止されました。

なお、消費税法16条の規定は、令和7年度税制改正においても改正され、令和7年4月1日以後は個人事業者の山林所得又は譲渡所得の基因となる延払条件付譲渡のみが対象となっています。

7 納税地

消費税の納税地は、所得税や法人税の納税地と同様であり、原則として、個人事業者はその住所地、法人は本店又は主たる事務所の所在地です（消法20、22）。

8 課税標準

(1) 課税資産の譲渡等

課税資産の譲渡等に係る消費税の課税標準は、課税資産の譲渡等の対価の額（その課税資産の譲渡等につき課されるべき消費税及び地方消費税に相当する金額を除きます。）です（消法28①）。

なお、酒税、揮発油税等の個別消費税額は、対価の一部を構成するものですから、消費税の課税標準に含まれます（消基通10－1－11前段）。

(2) 特定課税仕入れ

特定課税仕入れに係る消費税の課税標準は、特定仕入れに係る支払対価の額です（消法28②）。

9　税率

(1)　原則

令和元年（2019年）10月１日から消費税率は7.8％に引き上げられていますが、同時に消費税額を課税標準として78分の22の税率で課税する地方消費税がありますから、消費税と地方消費税を合わせた税負担率は10％となります（消法29一、地方税法72の83）。

(注)　一定の要件を充たす課税資産の譲渡等及び特定課税仕入れについては、改正前の税率（6.3％）を適用する経過措置が設けられています（24年改正法附則16、26年改正令附則４、５）。

(2)　軽減税率制度

令和元年（2019年）10月１日からの税率引上げに伴い、所得に対して逆進的であるという消費税の性格を踏まえ、所得の低い者に配慮して、「医薬品等・酒類・外食を除く飲食料品の譲渡」及び「週２回以上発行される新聞の定期購読契約に基づく譲渡」を対象とする軽減税率制度が導入されています。

消費税の軽減税率は6.24％であり、地方消費税率は消費税額の78分の22ですから、消費税と地方消費税を合わせた軽減税率対象取引に係る税負担率は８％となります（消法２①九の二、29二、十一の二、別表第二）。

(3)　消費税率等の推移

適用開始日	平成元年（1989年）4月1日	平成９年（1997年）4月1日	平成26年（2014年）4月1日	令和元年（2019年）10月1日
消費税率	3％	4％	6.3％	7.8％（6.24％）
地方消費税率	－	1％（消費税額の$\frac{25}{100}$）	1.7％（消費税額の$\frac{17}{63}$）	2.2％（1.76％）（消費税額の$\frac{22}{78}$）
合計	3％	5％	8％	10％（8％）

10　仕入税額控除等

(1)　仕入控除税額の計算方法（一般課税（本則課税））

多段階課税方式を採る消費税では、税の累積を排除するために、仕入税額控除制度が設けられています。

課税事業者（納税義務が免除されない事業者をいいます。以下同じ。）は、国内において課税仕入れを行った日若しくは特定課税仕入れを行った日又は保税地域から課税貨物を引き取った日（特例申告の場合には特例申告書を提出した日）の属する課税期間における課税標準額に対する消費税額から、次の区分に応じてその課税期間中に国内において行った課税仕入れに係る消費税額、特定課税仕入れに係る消費税額及びその課税期間中に保税地域から引き取った課税貨物に係る消費税額（課税仕入れ等の税額）の合計額の全部又は一部を控除することができます（消法30①）。

ただし、令和２年（2020年）10月１日以後、居住用賃貸建物に係る課税仕入れ等の税額については、仕入税額控除制度が適用されません（消法30⑩）。

なお、仕入税額控除については、課税仕入れ等の税額の控除に係る帳簿及び適格請求書（インボイス）等を７年間保存することが要件とされています（消法30⑦）。

(注)　令和５年（2023年）10月１日から適格請求書等保存方式（インボイス制度）が実施され、適格請求書等の保存がない課税仕入れは、原則として仕入税額控除を受けられないことになりました。

仕入控除税額	課税資産の譲渡等のみを行っている場合	全　額　控　除
	その課税期間における課税売上高が5億円以下で課税売上割合が95%以上の場合	
	その課税期間における課税売上高が5億円超の場合	個別対応方式又は一括比例配分方式で計算
	その課税期間における課税売上割合が95%未満の場合	

イ　個別対応方式で計算する場合

その課税期間中の課税仕入れ等を、

(イ)　課税資産の譲渡等にのみ要するもの

(ロ)　その他の資産の譲渡等（課税資産の譲渡等以外の資産の譲渡等）にのみ要するもの

(ハ)　課税資産の譲渡等とその他の資産の譲渡等に共通して要するもの

に区分し、次の算式により計算した金額を控除することができます（消法30②一）。

仕入控除税額 ＝ (イ)に係る税額 ＋ (ハ)に係る税額 × 課税売上割合

なお、個別対応方式による場合は、課税売上割合に代えて、課税売上割合に準ずる割合（合理的な基準により算出したものとして税務署長の承認を受けたもの）を乗じて計算することも認められます（消法30③）。

ロ　一括比例配分方式で計算する場合

次の算式により計算した金額を控除することができます（消法30②二）。

仕入控除税額	=	その課税期間中の 課税仕入れ等の税額	×	課税売上割合

なお、一括比例配分方式を選択した場合には、２年間は継続して適用しなければなりません（消法30⑤）。

⑵ 簡易課税制度

中小事業者の納税事務負担の軽減を図る観点から、基準期間における課税売上高が5,000万円以下の課税期間については、課税事業者の選択により、課税標準額に対する消費税額（注１）を基礎として簡易に納付税額の計算を行える簡易課税制度が設けられています（消法37①）。

なお、この簡易課税制度を選択した場合には、原則として２年間は継続して適用しなければならないこととされています（消法37⑥）。

仕入控除税額	=	課税標準額に 対する消費税額	×	みなし仕入率（注２）

（みなし仕入率（消令57①、⑤)**）**

① 第１種事業（卸売業）……………………………………………90％
② 第２種事業（小売業等）（注３）………………………………80％
③ 第３種事業（製造業等）（注３）………………………………70％
④ 第４種事業（その他の事業）…………………………………60％
⑤ 第５種事業（運輸通信業、金融業、保険業、サービス業）……50％
⑥ 第６種事業（不動産業）………………………………………40％

㊟１　ここでいう課税標準額に対する消費税額とは、本来の課税標準額に対する消費税額から売上対価の返還等に係る消費税額の合計額を控除した残額のことです（消法37①一）。
２　上記算式に関しては、第10章第１節「２　簡易課税制度による仕入控除税額の計算」参照。
３　農林水産業のうち「飲食料品の譲渡を行う部分」については、令和元年(2019年）10月１日以後、第２種事業となり、みなし仕入率が80％に引き上げられています（消令57⑤二）。
４　上記のみなし仕入率の異なる二種類以上の事業を営んでいる場合は、みなし仕入率の異なるごとに計算した額の合計額が仕入控除税額となりますが、一種類の事業の課税売上高が課税売上高全体の75％以上となる場合や二種類の事業の課税売上高の合計額が課税売上高全体の75％以上となる場合に適用できる特例も設けられています（消令57②、③）（第10章第３節参照）。

5　令和６年10月１日以後に開始する課税期間からは、その初日において恒久的施設を有しない国外事業者には、簡易課税制度の適用を認めないこととされました（消法37①、令和６年改正法附則13⑩）。

11　申告・納付

(1)　確定申告及び中間申告

課税事業者は課税期間ごとに消費税及び地方消費税（以下単に「消費税」といいます。）の確定申告・納付を行うほか、直前の課税期間の確定消費税額に応じて中間申告・納付を行うこととされています（消法45①、42）。

なお、それぞれの中間申告対象期間ごとに仮決算を行い、その結果に基づいて消費税額及び地方消費税額を算出して中間申告・納付することもできます（消法43①）。

ただし、仮決算に基づく中間申告の税額がマイナスとなっても、還付を受けることはできません。

(注)　令和元年（2019年）10月１日以後に終了する課税期間分の申告においては、軽減税率制度の実施に伴い、課税標準額及び課税標準額に対する消費税額は税率の異なるごとに区分して計算することとされています（消法45①一、二）。

<table>
<tr><td>確定申告・納付</td><td colspan="5">課税事業者は、課税期間ごとに、原則としてその課税期間の末日の翌日から２月以内（個人事業者の場合は３月以内）に、確定申告書を提出し、申告税額を納付しなければなりません。</td></tr>
<tr><td rowspan="5">中間申告・納付</td><td>直前の課税期間の確定消費税額
（地方消費税込の税額）</td><td>48万円以下
（61万5,300円以下）</td><td>48万円超～400万円以下
（512万8,200円以下）</td><td>400万円超～4,800万円以下
（6,153万8,400円以下）</td><td>4,800万円超
（6,153万8,400円超）</td></tr>
<tr><td>中間申告の回数</td><td rowspan="3">中間申告不要</td><td>年１回
（６月中間申告）</td><td>年３回
（３月中間申告）</td><td>年11回
（１月中間申告）</td></tr>
<tr><td>中間納付期限</td><td colspan="2">各中間申告の対象となる期間の末日の翌日から２月以内</td><td>個人事業者の場合は最初の２回、法人の場合は初回について期限がずれます。</td></tr>
<tr><td>中間納付税額</td><td>直前の課税期間の確定消費税額の$\frac{1}{2}$</td><td>直前の課税期間の確定消費税額の$\frac{1}{4}$</td><td>直前の課税期間の確定消費税額の$\frac{1}{12}$</td></tr>
<tr><td>１年の合計申告回数</td><td>年１回
（確定申告１回）</td><td>年２回
（確定申告１回
中間申告１回）</td><td>年４回
（確定申告１回
中間申告３回）</td><td>年12回
（確定申告１回
中間申告11回）</td></tr>
</table>

⑵ 法人の申告期限延長制度

令和３年（2021年）３月31日以後に終了する事業年度の末日の属する課税期間から、法人税について確定申告書の提出期限延長の特例の適用を受ける法人が「消費税申告期限延長届出書（様式通達第28－⒁号様式）」を提出した場合には、提出をした日の属する事業年度以後の各事業年度の末日の属する課税期間に係る消費税の確定申告期限は１月延長されます（消法45の２、令和２年改正法附則45）。

⑶ 大法人等の電子申告義務化

令和２年（2020年）４月１日以後に開始する課税期間について、特定法人である事業者（免税事業者を除きます。）は、原則として、電子情報処理組織を使用する方法で、納税申告書等又はその添付書類に記載すべきものとされている事項を提供することにより、消費税の申告を行わなければなりません（消法46の２①）。

㈵１　「特定法人」とは、次に掲げる事業者をいいます（消法46の２②）。
(1)　その事業年度開始の時における資本金の額、出資の金額等が１億円を超える法人（法人税法２条４項に規定する外国法人を除きます。）
(2)　保険業法２条５項に規定する相互会社
(3)　投資信託及び投資法人に関する法律２条12項に規定する投資法人（上記(1)に掲げる法人を除きます。）
(4)　資産の流動化に関する法律２条３項に規定する特定目的会社（上記(1)に掲げる法人を除きます。）
(5)　国又は地方公共団体
２　「電子情報処理組織」とは、国税庁の使用に係る電子計算機（入出力装置を含みます。）とその申告をする事業者の使用に係る電子計算機（入出力装置を含みます。）とを電気通信回線で接続した電子情報処理組織「国税電子申告・納税システム（e-Tax）」をいいます。

(4)　任意の中間申告制度

直前の課税期間の確定消費税額が48万円以下の場合は、中間申告・納付の義務はありませんが、６月中間申告を行おうとする旨を記載した届出書を所轄税務署長に提出した場合には、中間申告書を提出することができます（消法42⑧）。

12　その他

(1)　届出書（主なもの）の提出

下表の左欄に掲げる場合には、それに対応する右欄の届出書を所轄税務署長に提出しなければなりません。

なお、※の付いた届出書については、提出日によって効力発生時期が異なりますから注意が必要です。

届出が必要な場合	届出書名
基準期間における課税売上高が1,000万円超となったとき（消法57①一）	消費税課税事業者届出書（基準期間用）（第３－(1)号様式）

	届出が必要な場合	届出書名
	特定期間における課税売上高が1,000万円超となったとき（消法57①一）	消費税課税事業者届出書（特定期間用）（第３－⑵号様式）
	基準期間における課税売上高が1,000万円以下となったとき（消法57①二）	消費税の納税義務者でなくなった旨の届出書（第５号様式）
	高額特定資産を取得したこと等により事業者免税点の適用がない課税期間の基準期間における課税売上高が1,000万円以下となったとき（消法57①二の二）	高額特定資産の取得等に係る課税事業者である旨の届出書（第５－⑵号様式）
※	免税事業者が課税事業者になることを選択しようとするとき（消法９④）	消費税課税事業者選択届出書（第１号様式）
※	課税事業者を選択していた事業者が免税事業者に戻ろうとするとき（消法９⑤）	消費税課税事業者選択不適用届出書（第２号様式）
	新設法人に該当することとなったとき（消法57②）	消費税の新設法人に該当する旨の届出書（第10－⑵号様式）
	特定新規設立法人に該当することとなったとき（消法57②）	消費税の特定新規設立法人に該当する旨の届出書（第10－⑶号様式）
※	簡易課税制度を選択しようとするとき（消法37①）	消費税簡易課税制度選択届出書（第24号様式）
※	簡易課税制度の選択をやめようとするとき（消法37⑤）	消費税簡易課税制度選択不適用届出書（第25号様式）
※	課税期間の特例の適用を選択又は変更しようとするとき（消法19①三～四の２）	消費税課税期間特例選択・変更届出書（第13号様式）
※	課税期間の特例の適用をやめようとするとき（消法19③）	消費税課税期間特例選択不適用届出書（第14号様式）
※	任意の中間申告制度を選択するとき（消法42⑧）	任意の中間申告書を提出する旨の届出書（第26－⑵号様式）
※	任意の中間申告制度の適用をやめようとするとき（消法42⑨）	任意の中間申告書を提出することの取りやめ届出書（第26－⑶号様式）
※	法人税の申告期限延長の特例の適用を受けている法人が消費税の確定申告期限を延長しようとする場合（消法45の２①、②）	消費税申告期限延長届出書（第28－⒁号様式）
	課税事業者が事業を廃止したとき（消法57①三）	事業廃止届出書（第６号様式）

	届出が必要な場合	届出書名
	個人の課税事業者が死亡したとき（相続人が届出）（消法57①四）	個人事業者の死亡届出書（第７号様式）
	法人の課税事業者が合併により消滅したとき（合併に係る合併法人が届出）（消法57①五）	合併による法人の消滅届出書（第８号様式）
	法人の納税地等に異動があったとき（納税地の異動の場合には、遅滞なく異動前の納税地の所轄税務署長に提出）（消法25）	法人の消費税異動届出書（第11号様式） （個人事業者は令和５年１月１日以後の異動について提出不要）
※	承認を受けた課税売上割合に準ずる割合の適用をやめようとするとき（消法30③）	消費税課税売上割合に準ずる割合の不適用届出書（第23号様式）
	インボイス制度の実施に伴い簡易課税制度を選択しようとするとき（28年改正法附則51の２⑥、30年改正令附則18）	消費税簡易課税制度選択届出書（インボイス様式通達第９号様式）
※	適格請求書発行事業者の登録を受けようとするとき（消法57の２②）	適格請求書発行事業者の登録申請書（インボイス様式通達第１－⑶号様式）（2023年10月１日～2030年９月29日に提出する場合）
	適格請求書発行事業者登録簿の登載事項に変更があったとき（消法57の２⑧）	適格請求書発行事業者登録簿の登載事項変更届出書（インボイス様式通達第２－⑵号様式）
※	適格請求書発行事業者の登録の取消しを求めるとき（消法57の２⑩一）	適格請求書発行事業者の登録の取消しを求める旨の届出書（インボイス様式通達第３号様式）
	適格請求書発行事業者である個人事業者が死亡した場合（相続人が届出）（消法57の３①）	適格請求書発行事業者の死亡届出書（インボイス様式通達第４号様式）

㈱「届出書名」欄の様式番号が単に「第○号様式」となっているものは、様式通達（平成７年12月25日課消２－26）に定める様式です。

⑵　帳簿の備付け等

課税事業者は、帳簿を備え付けて、これに資産の譲渡等に関する事項等を記録し、かつ、これを７年間、納税地等に保存しなければなりません（消法58）。

⑶　総額表示（税込価格表示）の義務付け

課税事業者が取引の相手方である消費者に対して、値札、チラシ、カタログなどによって、商品やサービスなどの価格をあらかじめ表示する場合には、消費税額（地方消費税額を含みます。）を含めた支払総額（税込価格）の表示が義務付けられています（消法63）。

なお、現に表示する価格が税込価格であると誤認されないための措置（誤認防止措置）を講じている場合に限り、「税込価格」を表示することを要しないこととする特例（転嫁特措法10①）は、令和３年（2021年）３月31日限りで失効しました（転嫁特措法附則２①）。

13　国等に対する特例

国、地方公共団体等であっても資産の譲渡等を行えば、それは課税の対象となり、また、仕入税額控除等に関する消費税の仕組みも基本的にはそのまま適用されます。

しかし、国等については一般の事業者とは異なる特殊性がありますから、いくつかの特例規定が設けられています。具体的には、国若しくは地方公共団体、消費税法別表第三に掲げる法人又は人格のない社団等については、次のような特例規定（ここでは主なもののみ取り上げます。）が設けられています。

⑴　事業単位の特例

国、地方公共団体が一般会計に係る業務として行う事業又は特別会計を設けて行う事業については、それぞれの会計ごとに一の法人が行う事業とみなされます（消法60①）。

例えば、水道事業、公共下水道事業、交通事業、病院事業を行う地方公共団体の場合は、４法人がそれぞれの事業を行っているものとみなされます。

(2) 資産の譲渡等の時期の特例

国、地方公共団体又はこれに準ずる法人の資産の譲渡等及び課税仕入れ等の時期については、その会計年度の末日に行われたものとすることができます（消法60②、③）。

(3) 仕入税額控除の特例

国、地方公共団体が特別会計を設けて行う事業、消費税法別表第三に掲げる法人又は人格のない社団等にあっては、課税標準額に対する消費税額から控除することができる課税仕入れ等の税額（仕入控除税額）については、一般の事業者と同じ方法で計算した仕入控除税額から、特定収入に係る課税仕入れ等の税額を控除することになります（消法60④）。

イ　特定収入の意義

特定収入とは、資産の譲渡等の対価以外の収入で、次の(イ)～(ヘ)に掲げる収入以外のものをいいます（消令75①）。したがって、租税、補助金、交付金、寄附金、出資に係る配当金、保険金及び損害賠償金等が特定収入に該当します。

(イ)　借入金及び債券の発行に係る収入で、法令によりその返済又は償還のため補助金、負担金等の交付を受けることが規定されているもの以外のもの

(ロ)　出資金

(ハ)　預金、貯金及び預り金

(ニ)　貸付回収金

(ホ)　返還金及び還付金

(ヘ)　次に掲げる収入

A　法令又は交付要綱等において、特定支出のためにのみ使用することとされている収入

人件費補助金、利子補給金、土地の購入のための補助金等がこれに当たります。

B　国又は地方公共団体が合理的な方法により資産の譲渡等の対価以外の収入の使途を明らかにした文書において、特定支出のためにのみ使用することとされている収入

C　公益社団法人又は公益財団法人が作成した寄附金の募集に係る文書において、特定支出のためにのみ使用することとされている当該寄附金の収入（当該寄附金が次に掲げる要件のすべてを満たすことについて当該寄附金の募集に係る文書において明らかにされていることにつき、公益社団法人及び公益財団法人の認定等に関する法律第３条《行政庁》に規定する行政庁の確認を受けているものに限られます。）

a　特定の活動に係る特定支出のためにのみ使用されること。

b　期間を限定して募集されること。

c　他の資金と明確に区分して管理されること。

【特定収入の意義】

<table>
<tr><td rowspan="5">収入</td><td colspan="3">課税売上げ</td><td rowspan="2">資産の譲渡等の対価としての収入</td></tr>
<tr><td colspan="3">非課税売上げ</td></tr>
<tr><td rowspan="3">不課税収入（対価性のない収入）</td><td colspan="2">特定収入に該当しない収入（消令75①一～五）
一　通常の借入金等
二　出資金
三　預金、貯金、預り金
四　貸付回収金
五　返還金、還付金</td><td>非特定収入</td></tr>
<tr><td rowspan="2">例示（消基通16－２－１）
(1)　租税
(2)　補助金
(3)　交付金
(4)　寄附金
(5)　出資に対する配当金
(6)　保険金
(7)　損害賠償金
(8)　資産の譲渡等の対価に該当しない負担金、他会計繰入金、会費、喜捨金等</td><td>特定支出のためにのみ使用することとされている収入（消令75①六イ、ロ、ハ）</td><td>非特定収入</td></tr>
<tr><td>特定収入</td><td>課税仕入れ等に係る特定収入
使途不特定の特定収入</td></tr>
</table>

特定支出：　①課税仕入れ、②特定課税仕入れ、③課税貨物又は④通常の借入金等の返還・償還金（消令75①六イ(1)～(4)）以外のための支出で、例えば、人件費、利子、土地購入費などの支出がこれに当たります。

□　特定収入がある場合の仕入控除税額の調整

国等が簡易課税制度を適用せずに仕入控除税額を計算する場合で、特定収入割合が５％を超えるときは、一般の事業者が行うのと同じ計算方法によって算出した仕入控除税額から一定の方法によって計算した特定収入に係る課税仕入れ等の税額を控除した残額をその課税期間の仕入控除税額とする調整を行わなければなりません（消法60④、消令75④、⑤）。

ただし、国等が簡易課税制度を適用している場合、２割特例を適用している場合又は特定収入割合が５％以下である場合には、この調整は必要ありません（消法60④、28年改正法附則51の２④、消令75③）。

特定収入割合とは、その課税期間中の特定収入の合計額をその課税期間中の税抜課税売上額、免税売上額及び非課税売上額（資産の譲渡等の対価の額の合計額）並びに特定収入の合計額の総合計額で除した割合です。

【算式】

$$\text{特定収入割合} = \frac{\text{特定収入の合計額}}{\text{資産の譲渡等の対価の額の合計額} + \text{特定収入の合計額}}$$

(4) 取戻し対象特定収入がある場合の調整

課税仕入れ等に係る特定収入により控除対象外仕入れ（仕入税額控除の対象外となる適格請求書発行事業者以外の者からの課税仕入れをいいます。）を一定程度行い、当該特定収入（取戻し対象特定収入）について仕入控除税額の制限を受けた場合において、国等へ報告することとされている文書（実績報告書など）又は国、地方公共団体が合理的な方法により使途を明らかにした文書により、その控除対象外仕入れに係る支払対価の額の合計額を明らかにしているときは、控除対象外仕入れに係る仕入控除税額の制限額に相当する額を、その明らかにした課税期間（免税事業者である課税期間及び簡易課税制度又は２割特例の適用を受ける課税期間を除きます。）における課税仕入れ等の税額の合計額に加算できます（消令75⑧、30年改正令附則21の２）。

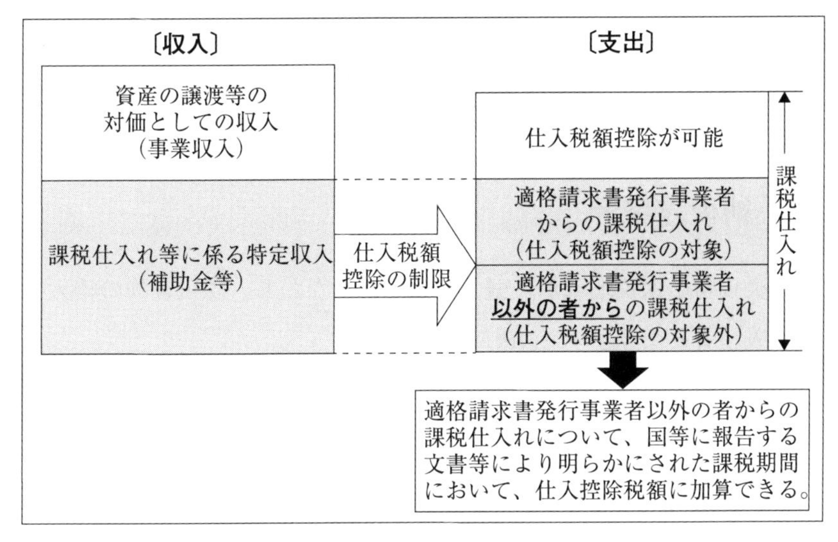

出典：国税庁「国、地方公共団体や公共・公益法人等と消費税（令和６年６月）」

⑸ 一般会計の特例

国又は地方公共団体が一般会計に係る業務として行う事業にあっては、課税標準額に対する消費税額から控除することができる消費税額はその課税標準額に対する消費税額と同額とみなして、確定申告書の提出等の義務を課さないこととしています（消法60⑥）。

第２節　輸入取引に係る消費税の仕組み

1　納税義務者

課税貨物を保税地域から引き取る者、すなわち、課税貨物の輸入者が納税義務者となります（消法５②）。

国内取引と異なり輸入取引では、事業者ではない個人も納税義務者となります。

2　課税の対象

保税地域（指定保税地域、保税蔵置場、保税工場、保税展示場及び総合保税地域）から引き取られる外国貨物は、取引の有償、無償を問わず、課税の対象となります（消法４②）。

なお、次の外国貨物は、非課税とされています（消法６②、別表第二の二）。

①　有価証券等	⑤　物品切手等
②　郵便切手類	⑥　身体障害者用物品
③　印紙	⑦　教科用図書
④　証紙	

3　納税地

納税地は、原則として外国貨物の引取りに係る保税地域の所在地です（消法26）。

4 課税標準

課税貨物に係る消費税の課税標準は、関税課税価額（CIF）に個別消費税額及び関税額を加算した金額です（消法28④）。

5 税率

7.8％です（消法29）。

㈱ 消費税（7.8％）と地方消費税（2.2％）を合わせた税負担率は10％です。

なお、飲食料品（医薬品等、酒類を除きます。）の輸入については、軽減税率6.24％（地方消費税と合わせて８％）が適用されます（消法別表一の二）。

6 申告・納付

課税貨物を保税地域から引き取ろうとする者は、その引取りの際に、関税の輸入申告と併せて消費税及び地方消費税の申告をし、納付することとされています（消法47①）。

この場合において、担保を提供したときには、３月以内の納期限の延長が認められます（消法51①、②）。

なお、保税地域から引き取った課税貨物について特例申告書を提出する者は、関税の特例申告と併せて引き取った日の属する月の翌月末日までに申告し、納付することとされています（消法47③）。

この場合にも、申請により２月以内の納期限の延長が認められます（必要に応じて担保の提供が命じられます。）（消法51③）。

第 3 章

医療の非課税

公的保険制度に基づく医療は消費税導入時から非課税とされていますが、介護保険制度の創設や医療行政の変化に伴い、非課税の範囲も変わってきています。

医療に関する資産の譲渡等に係る消費税の課税関係を概説すれば次表のとおりですが、本章では、非課税の範囲を中心に詳しくみていきます。

【療養・医療の課税関係の概要】

<table>
<tr><td rowspan="3">消費税法別表第二6号イ～トに掲げる療養・医療</td><td>入院時食事療養・入院時生活療養・選定療養以外</td><td rowspan="2">非課税</td></tr>
<tr><td>入院時食事療養・入院時生活療養・選定療養のうち財務大臣が定める金額部分</td></tr>
<tr><td>入院時食事療養・入院時生活療養・選定療養のうち財務大臣が定める金額を超える部分</td><td rowspan="3">課　税</td></tr>
<tr><td colspan="2">消費税法別表第二6号イ～トに掲げる療養・医療以外の療養・医療</td></tr>
<tr><td colspan="2">療養・医療と直接関係のないサービス（文書料・予防接種等）</td></tr>
</table>

第1節　医療の非課税の変遷

平成元年（1989年）（消費税導入時）

消費税導入時は、次に掲げるものが非課税とされていました（旧消法別表第一6号、旧消令14）。

なお、これには被保険者又は被保険者の家族の医療に際し、被保険者が負担する一部負担金に係る療養も含まれています（ただし、特別の病室の提供、前歯部の鋳造歯冠修復又は歯冠継続歯に使用する金合金又は白金地金の支給等については、一定の金額に相当する部分についてのみ非課税とされました（平成元年蔵告第7号））。

(1) 健康保険法、国民健康保険法等の規定に基づく療養の給付、特定療養費、療養費、家族療養費又は特別療養費の支給に係る療養

(2) 老人保健法の規定に基づく医療及び特定療養費又は医療費の支給に係る療養並びに老人医療受給対象者に係る施設療養(注)

(3) 身体障害者福祉法の規定に基づく更生医療の給付又は更生医療に要する費用の支給に係る医療、精神保健法の規定に基づく医療、生活保護法の規定に基づく医療扶助のための医療の給付又は医療扶助のための金銭給付に係る医療並びに原子爆弾被爆者の医療等に関する法律の規定に基づく医療の給付又は医療費若しくは一般疾病医療費の支給に係る医療

(4) 公害健康被害の補償等に関する法律の規定に基づく療養の給付又は療養費の支給に係る療養

(5) 労働者災害補償保険法の規定に基づく療養の給付又は療養の費用の支給に係る療養及び同法の規定による労働福祉事業として行われる医療の措置又は医療に要する費用の支給に係る医療

(6) 自動車損害賠償補償法の規定による損害賠償の支払(損害を填補するための支払を含む。)を受けるべき被害者に対する当該支払に係る療養

(7) その他これらに類するもの(例えば、学校保健法の規定に基づく医療に要する費用の援助に係る医療、母子保健法の規定に基づく養育医療の給付又は養育医療に要する費用の支給に係る医療等、国又は地方公共団体の施策に基づきその要する費用の全部又は一部が国又は地方公共団体により負担される医療及び療養(いわゆる公費負担医療))

(注) この当時、「老人医療受給対象者に係る施設療養」は医療として非課税とされていましたが、平成12年(2000年)4月の介護保険制度の実施に伴い、施設介護サービス費の支給に係る施設サービスとしての非課税に移行しています。

平成４年（1992年）施行

○　施設療養の範囲拡大

消費税においては、健康保険法等の規定に基づく公的な医療保障制度に係る療養、医療、施設療養等が原則として非課税とされていましたが、特別の病室の提供その他の大蔵大臣の定めるものにあっては、大蔵大臣の定める金額の部分のみが非課税とされており（旧消法別表第一６号）、この規定を受けて、「消費税法別表第一第６号に規定する大蔵大臣の定める資産の譲渡等及び金額を定める件」という大蔵省告示（平成元年大蔵省告示第７号）が定められていました。

この大蔵省告示において、老人保健法の規定に基づく施設療養については、それまで、厚生大臣の定める金額（公費負担である施設療養費）並びに食費及び通所者に係る入浴費部分が非課税とされていました。平成４年の改正では、この告示の改正により施設療養の範囲が拡大されました。

〈具体的な改正の内容〉

老人保健施設において行われる施設療養サービスのうちデイ・ケアに対して支給される施設療養費は一日６時間を標準として積算されていますが、従来、老人保健施設は、公費負担対象外である６時間を超えるデイ・ケアを行っても、利用者からその費用を徴収できる仕組みとなっていませんでした。

この問題に対して厚生省は、平成４年（1992年）２月に老人保健法施行規則の改正を行い、平成４年（1992年）４月１日から、長時間デイ・ケア部分に係る費用を老人保健施設が利用者から徴収することを認めることとしました。

この長時間デイ・ケアは、公費負担のある施設療養の一連の行為の一部と認められることから、老人保健法の規定に基づく施設療養として既に非課税とされている厚生大臣の定める金額（公費負担である施設療養費）並びに食費（老人保健法施行規則23の２一）及び通所者に係る入浴費（同条二）に加えて、長時間デイ・ケア部分に係る費用の額（同条三）を非課税としたものです。

なお、利用者の支払う利用料のうち、食費、入浴料、長時間デイ・ケア料以外の部分、すなわち、例えば、特別療養室料、理美容料、教養娯楽費等については、引き続き課税対象とされました。

平成16年（2004年）施行

○　心神喪失者等医療観察法の制定に伴う非課税医療の範囲拡大

平成15年（2003年）７月、心神喪失等の状態で重大な他害行為を行った者に対し、継続的かつ適切な医療並びにその確保のために必要な観察及び指導を行うことによって、病状の改善及びこれに伴う同様行為の再発防止を図り、もってその者の社会復帰を促進しようとすることを目的とした「心神喪失等の状態で重大な他害行為を行った者の医療及び観察等に関する法律」（平成15年法律第110号。以下「心神喪失者等医療観察法」といいます。）が制定されました。

この心神喪失者等医療観察法の規定に基づく医療（心神喪失者等医療観察法81）は、心神喪失等の状態で重大な他害行為を行った者に対して行われる全額国費負担の医療であり、従来の精神保健福祉法の規定に基づく医療に類する公費負担医療であることから、消費税が非課税とされる医療等の範囲に追加されたものです（旧消令14八）。

平成18年（2006年）10月１日施行

○入院時生活療養費制度の導入と特定療養費制度の保険外併用療養制度への拡充に伴う見直し

患者は医療上の必要性から入院しており、病院での食事・居住サービスは入院している患者の病状に応じ、医学的管理の下に保障する必要があることから、食費・居住費についても保険給付の対象とするよう健康保険法等が改正されました。これに伴い、非課税の範囲に入院時生活療養費の支給に係る療養が加えられました（旧消法別表第一６号イ）。

また、新しい医療技術の出現や患者ニーズの多様化に適切に対応すべく一定のルールの下で保険外診療との併用を認める制度として導入された特定療養費制度が評価療養と選定療養に再編されるとともに、未承認薬等を迅速に使用したいという困難な病気と闘う患者の思いに応えるべく患者からの申出を起点とする患者申出療養を加えて、保険外併用療養制度へと拡充されました。これに伴い特定療養費の支給に係る療養が非課税の範囲から除かれ、新たに保険外併用療養費の支給に係る療養が追加されました。

なお、保険外併用療養制度では、一般の診療と共通する部分（診察・検査・投薬・入院料等）については医療保険が適用されます（非課税）。また、評価療養の上乗せ部分（先進医療、薬事法承認後で保険収載前の医薬品など）、患者申出療養（未承認薬など）は、全額自己負担となりますが、消費税については、自己負担部分も含めて非課税となりました（消基通６－６－３）。

ただし、選定療養については、保険算定額を超える部分は非課税から除かれています（平成元年大蔵省告示第７号）。

（参考）入院時食事療養費及び入院時生活療養費の創設経緯について

～昭和46年 （1971年）	○　療養の給付（診療報酬） ・入院時基本診療料の一部（給食加算）として評価
昭和47年～ （1972年） 平成５年 （1993年）	○　療養の給付（診療報酬） ・入院時基本診療料とは別に、給食料を新設し、評価
平成６年～ （1994年）	○　入院時食事療養費制度の導入 ・入院時の食費は、保険給付の対象としつつ、在宅と入院の費用負担の公平化の観点から、在宅と入院双方にかかる費用として、食材料費相当額を自己負担化 ・患者側のコスト負担意識を高めることによる、食事の質向上の効果も期待
平成17年～ （2005年）	（参考）介護保険における食費・居住費の見直し ➢　在宅と施設の給付と負担の公平性、介護保険給付と年金給付との調整の観点から、**介護保険施設において食費（食材料費＋調理費相当）及び居住費（光熱水費相当）を原則として、保険給付外**。 ➢　低所得者に対する負担軽減措置として、**補足給付制度を創設**
平成18年～ （2006年）	○　**入院時生活療養費制度の導入** ・患者は医療上の必要性から入院しており、病院での食事・居住サービスは、入院している患者の病状に応じ、医学的管理の下に保障する必要があることから、**医療保険においては、食費・居住費についても保険給付の対象**とする。 ・一方、療養病床については、介護病床と同様に「住まい」としての機能を有していることに着目し、介護保険における食費・居住費の見直しを踏まえ、**介護施設において通常本人や家族が負担している食費（食材料費＋調理費相当）及び居住費（光熱水費相当）を自己負担化**

〔厚生労働省ホームページより〕

第３章　医療の非課税

（参考）保険外併用療養制度について

（平成18年の法改正により創設）
（特定療養費制度から範囲拡大）

○　保険診療との併用が認められている療養

①　評価療養
②　患者申出療養 ｝保険導入のための評価を行うもの
③　選定療養 ──→ 保険導入を前提としないもの

保険外併用療養費の仕組み
［評価療養の場合］

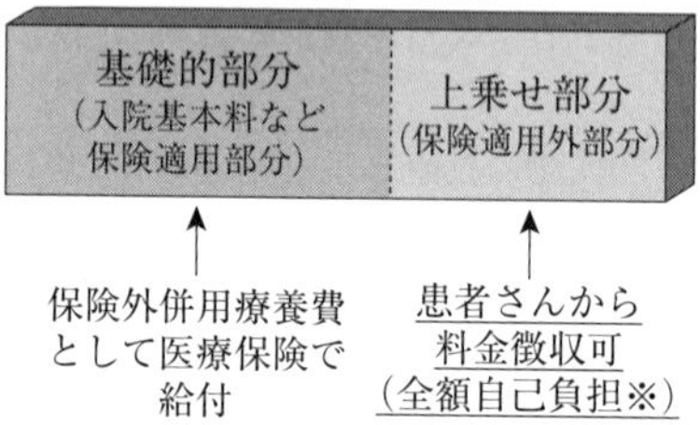

※保険医療機関は、保険外併用療養費の支給対象となる先進医療等を行うに当たり、あらかじめ患者さんに対し、その内容及び費用に関して説明を行い、患者さんの自由な選択に基づき、文書によりその同意を得る必要があります。また、その費用については、社会的にみて妥当適切な範囲の額としています。

○　評価療養

・先進医療（先進Ａ：25種類、先進Ｂ：49種類　令和７年２月時点）
・医薬品、医療機器、再生医療等製品の治験に係る診療
・薬機法承認後で保険収載前の医薬品、医療機器、再生医療等製品の使用
・薬価基準収載医薬品の適応外使用（用法・用量・効能・効果の一部変更の承認申請がなされたもの）
・保険適用医療機器、再生医療等製品の適応外使用（使用目的・効能・効果等の一部変更の承認申請がなされたもの）

○　患者申出療養〔編注次頁参照〕

○　選定療養

・特別の療養環境（差額ベッド）
・歯科の金合金等
・金属床総義歯
・予約診療
・時間外診療
・大病院の初診
・大病院の再診
・小児う蝕の指導管理
・180日以上の入院
・制限回数を超える医療行為
・白内障多焦点眼内レンズの支給
・保険適用期間終了後のプログラム医療機器
・間歇スキャン式持続血糖測定器
・精子の凍結及び融解
・後発医薬品がある先発医薬品

患者申出療養について

1　基本的な考え方

我が国においては、国民皆保険の理念の下、必要かつ適切な医療は基本的に保険収載しています。その上で、保険収載されていないものの、将来的な保険収載を目指す先進的な医療等については、保険外併用療養費制度として、安全性・有効性等を確認するなどの一定のルールにより保険診療との併用を認めています。

患者申出療養は、困難な病気と闘う患者の思いに応えるため、先進的な医療について、患者の申出を起点とし、安全性・有効性等を確認しつつ、身近な医療機関で迅速に受けられるようにするものです。

これは、国において安全性・有効性等を確認すること、保険収載に向けた実施計画の作成を臨床研究中核病院に求め、国において確認すること、及び実施状況等の報告を臨床研究中核病院に求めることとした上で、保険外併用療養費制度の中に位置付けるものであるため、いわゆる「混合診療」を無制限に解禁するものではなく、国民皆保険の堅持を前提とするものです。

2　対象となる医療の類型

患者申出療養として実施されることが想定される医療の類型については次のとおりです。

・　先進医療の対象にならないが、一定の安全性・有効性が確認された以下のような医療

①　既に実施されている先進医療を身近な医療機関で実施することを希望する患者に対する療養

②　先進医療の実施計画（適格基準）対象外の患者に対する療養

③　既に実施されていて、新規組入が終了した先進医療を実施することを希望する患者に対する療養

④　先進医療として実施されていない療養

・　現行の治験の対象外の患者に対して治験薬等を用いる医療

なお、患者申出療養は、一定の安全性・有効性等が確認され、保険収載を目指すものを対象としています。

3　患者の費用負担

未承認薬などを治療で使うと全額自己負担となりますが、患者申出療養では保険給付の対象の分、自己負担が軽く済みます。

［患者さん負担のイメージ図］

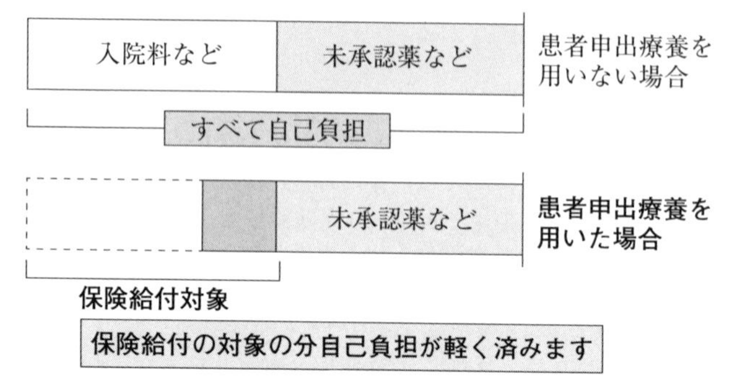

（厚生労働省ホームページより）

平成25年（2013年）4月13日適用

○　新型インフルエンザ等対策特別措置法の施行に伴う改正

全国的かつ急速なまん延のおそれのある新型インフルエンザ及び新感染症に対する対策の強化を図り、国民の生命及び健康を保護し、国民生活及び国民経済に及ぼす影響を最少とすることを目的とする「新型インフルエンザ等対策特別措置法」（平成24年法律第31号。以下「新型インフル特措法」といいます。）が平成24年（2012年）5月に公布されました。

新型インフル特措法においては、都道府県知事の要請に応じ、又は指示に従って患者等に対する医療の提供を行う医療関係者が、そのため死亡し、負傷し、若しくは疾病にかかり、又は障害の状態となったときは、都道府県は、その者又はその者の遺族若しくは被扶養者がこれらの原因によって受ける損害を補償することとされています（新型インフル特措法63①）。

新型インフル特措法に基づく「損害補償に係る療養の費用の支給に係る療養」は、消費税法施行令14条19号に規定する「武力攻撃事態等における国民の保護のための措置に関する法律の規定に基づく損害補償に係る療養の給付又は療養の費用の支給に係る療養」と同様の公費負担医療であることから、同号に「新型インフルエンザ等対策特別措置法第63条（損害補償）の規定に基づく損害の補償に係る療養の費用の支給に係る療養」が追加されたものです（旧消令14十九）。

平成27年（2015年）1月1日適用

○　難病新法の制定等に伴う規定の整備

①　難病新法の規定に基づく特定医療費の支給に係る医療の非課税範囲への追加

これまで難病の患者に対する医療費助成については、法令に基づかない予算事業（特定疾患治療研究事業）として実施されており、当該医療については、旧消費税法別表第一６号イからハの規定又は消費税法施行令14条23号（公費負担医療）の規定に基づき非課税とされていました。

平成27年（2015年）から「難病の患者に対する医療等に関する法律（平成26年法律第50号。以下「難病新法」といいます。）」５条１項の規定に基づき指定難病の患者が受ける指定特定医療につき特定医療費を支給することとされたことを受けて、「難病新法の規定に基づく特定医療費の支給に係る医療」が消費税法施行令14条（療養、医療等の範囲）に位置付けられました（消令14七）。

なお、難病の患者に対する医療については、それまでも消費税の非課税対象とされていますので、この改正により非課税範囲が拡大したわけではありません。

参考　指定難病の患者に対する医療については、難病新法12条（他の法令による給付との調整）の規定により健康保険法等の規定が優先適用され、生活保護を受ける者にあっては、生活保護法4条2項の規定により、他の法令に基づく給付が優先されるため難病新法の規定が優先適用されます。

② 児童福祉法の規定に基づく小児慢性特定疾病医療費の支給に係る医療の非課税範囲への追加

それまで小児慢性特定疾病医療に係る費用の助成に係る医療については、旧消費税法別表第一6号イからハの規定又は旧消費税法施行令14条8号の規定に基づき非課税とされていました。

しかし、児童福祉法の改正（児童福祉法の一部を改正する法律（平成26年法律第47号。以下「改正児童福祉法」といいます。））により、小児慢性特定疾病（児童福祉法6の2①）にかかっている児童のうちその疾病の程度が一定以上である者の保護者に対して、その医療に要した費用につき小児慢性特定疾病医療費（同法19の2①）を支給することとされたことを受けて、当該「小児慢性特定疾病医療費の支給に係る医療」が消費税法施行令14条（療養、医療等の範囲）に位置付けられました（消令14九）。

また、旧消費税法施行令14条8号に規定されていた「児童福祉法第21条の5の規定に基づく事業に係る医療の給付又は医療に要する費用の支給に係る医療」については、上記「小児慢性特定疾病」に包含されたことから、同令14条8号の規定からも削除されています。

参考 小児慢性特定疾病医療費の支給に係る医療については、児童福祉法19条の7の規定により健康保険法等が優先適用され、生活保護を受ける者にあっては、生活保護法4条2項の規定により、他の法令に基づく給付が優先されるため児童福祉法の規定が優先適用されます。

令和６年（2024年）４月１日施行

○　婦人補導院法の廃止に伴う規定の整備

困難な問題を抱える女性への支援に関する法律（令和４年法律第52号）附則４条の規定により売春防止法の補導処分が廃止され、附則10条の規定により婦人補導院法が廃止されることになりました。これらの改正は、2024年４月１日から施行されています。

これに伴い、令和５年度改正において非課税とされる医療の範囲を規定する消費税法施行令14条14号及び15号の改正が行われ（令和５年政令第137号）、婦人補導院の在院者に係る医療及び更生保護法の規定に基づく救護のうち婦人補導院を仮退院中の保護観察者に対して準用する部分が削除されました。これらの改正は、令和６年４月１日から施行されています（令和５年改正令附則１三）。

なお、困難な問題を抱える女性への支援に関する法律12条１項は、都道府県は困難な問題を抱える女性を入所させて、その保護を行うとともに、その心身の健康の回復を図るための医学的又は心理学的な援助を行い、及びその自立の促進のためにその生活を支援し、あわせて退所した者について相談その他の援助を行うこと（自立支援）を目的とする施設として女性自立支援施設を設置することができるとしています。

これを受けて、社会福祉法では、女性自立支援施設を経営する事業は第一種社会福祉事業とされました（社会福祉法２②六）から、困難な問題を抱える女性に対する医学的な援助は、社会福祉法に規定する社会福祉事業として行われる資産の譲渡等として非課税になります。

令和６年（2024年）10月１日から実施

○　新型コロナウイルス感染症の５類移行に伴うワクチン接種

令和５年（2023年）５月８日から、新型コロナウイルス感染症の感染法上の取扱いが、季節性インフルエンザと同じ第５類に移行しました。これに伴い、令和５年度末まで全額国費により実施されていた新型コロナワクチンの予防接種については、令和６年度から定期接種化され、被接種者に費用負担が生ずることになりました。

この定期接種は、予防接種法上のＢ類疾病に位置付けられており、65歳以上の高齢者と60歳以上65歳未満で特定の基礎疾患がある者が対象となります（予防接種法施行令２、３①）。

なお、定期接種の対象とならない者については任意接種となるため、原則として全額自己負担となります。

第2節　医療非課税の具体的な内容

次の表の根拠法令に基づく療養・医療が非課税とされています（消法別表第二6号、消令14）。

ただし、これらのうち特別の病室その他の財務大臣が定めるものについては財務大臣が定める金額の部分に限って非課税とされています（平成元年大蔵省告示第7号）。

順号	根拠法令	非課税の内容
6－イ	健康保険法、国民健康保険法、船員保険法、国家公務員共済組合法(注)、地方公務員等共済組合法、私立学校教職員共済法 (注)　防衛省の職員の給与等に関する法律22条1項（療養等）においてその例によるものとされる場合を含む。	・療養の給付 ・入院時食事療養費、入院時生活療養費、保険外併用療養費、療養費、家族療養費又は特別療養費の支給に係る療養 ・訪問看護療養費又は家族訪問看護療養費の支給に係る指定訪問看護
6－ロ	高齢者の医療の確保に関する法律	・療養の給付 ・入院時食事療養費、入院時生活療養費、保険外併用療養費、療養費又は特別療養費の支給に係る療養 ・訪問看護療養費の支給に係る指定訪問看護
6－ハ	精神保健及び精神障害者福祉に関する法律	・医療
	生活保護法	・医療扶助のための医療の給付 ・医療扶助のための金銭給付に係る医療
	原子爆弾被爆者に対する援護に関する法律	・医療の給付 ・医療費又は一般疾病医療費の支給に係る医療
	障害者の日常生活及び社会生活を総合的に支援するための法律	・自立支援医療費、療養介護医療費又は基準該当療養介護医療費の支給に係る医療

順号	根拠法令	非課税の内容
6－ニ	公害健康被害の補償等に関する法律	・療養の給付 ・療養費の支給に係る療養
6－ホ	労働者災害補償保険法	・療養の給付 ・療養の費用の支給に係る療養 ・社会復帰促進等事業として行われる医療の措置 ・社会復帰促進等事業として行われる医療に要する費用の支給に係る医療
6－ヘ	自動車損害賠償保障法	・損害賠償額の支払（同法72条1項（定義）の規定による損害を填補するための支払を含む。）を受けるべき被害者に対する当該支払に係る療養
6－ト	6－イから6－ヘまでに掲げる療養又は医療に類するものとして政令で定めるもの（消令14）	
令14－一	戦傷病者特別援護法	・療養の給付 ・療養費の支給に係る療養 ・更生医療の給付 ・更生医療に要する費用の支給に係る医療
令14－二	中国残留邦人等の円滑な帰国の促進並びに永住帰国した中国残留邦人等及び特定配偶者の自立の支援に関する法律(注)、中国残留邦人等の円滑な帰国の促進及び永住帰国後の自立の支援に関する法律の一部を改正する法律（平成25年法律第106号）附則2条1項若しくは2項（支援給付の実施に関する経過措置）の規定によりなお従前の例によることとされる同法による改正前の中国残留邦人等の円滑な帰国の促進及び永住帰国後の自立の支援に関する法律 (注)　中国残留邦人等の円滑な帰国の促進及び永住帰国後の自立の	・医療支援給付のための医療の給付 ・医療支援給付のための金銭給付に係る医療

順号	根拠法令	非課税の内容
	支援に関する法律の一部を改正する法律（平成19年法律第127号）附則４条２項（施行前死亡者の配偶者に対する支援給付の実施）において準用する場合を含む。	
令14－三	予防接種法、新型インフルエンザ予防接種による健康被害の救済に関する特別措置法	・医療費の支給に係る医療
令14－四	麻薬及び向精神薬取締法、感染症の予防及び感染症の患者に対する医療に関する法律	・医療
令14－五	検疫法	・入院に係る医療
令14－六	沖縄の復帰に伴う厚生省関係法令の適用の特別措置等に関する政令３条（精神障害者の医療に関する特別措置）、４条（結核患者の医療に関する特別措置）	・医療費の支給に係る医療
令14－七	難病の患者に対する医療等に関する法律	・特定医療費の支給に係る医療
令14－八	学校保健安全法24条（地方公共団体の援助）	・医療に要する費用の援助に係る医療
令14－九	児童福祉法	・小児慢性特定疾病医療費の支給に係る医療 ・療育の給付に係る医療 ・肢体不自由児通所医療費及び障害児入所医療費の支給に係る医療 ・同法22条１項（助産の実施）の規定による助産の実施 ・同法27条１項３号（都道府県のとるべき措置）に規定する措置に係る医療 ・同条２項に規定する指定発達支援医療機関への委託措置に係る医療 ・同法33条（児童の一時保護）に規定する一時保護に係る医療

順号	根拠法令	非課税の内容
令14－十	身体障害者福祉法18条２項（障害福祉サービス、障害者支援施設等への入所等の措置）	・主務省令で定める施設への入所に係る医療 ・指定医療機関への入院に係る医療
令14－十一	心神喪失等の状態で重大な他害行為を行った者の医療及び観察等に関する法律	・医療
令14－十二	母子保健法	・養育医療の給付 ・養育医療に要する費用の支給に係る医療
令14－十三	行旅病人及行旅死亡人取扱法	・救護に係る医療
令14－十四	刑事収容施設及び被収容者等の処遇に関する法律２条１号（定義）、２号、３号、288条（労役場留置者の処遇）、289条１項（被監置者の処遇）、少年院法２条１号（定義）、133条３項（仮収容）、少年鑑別所法２条２号（定義）	・被収容者、被留置者、海上保安被留置者、労役場留置者、監置場留置者、在院者、少年院に仮収容されている者又は在所者に係る医療
令14－十五	更生保護法62条２項（応急の救護）㈲、85条（更生緊急保護）	・救護に係る医療 ・更生緊急保護に係る医療
令14－十六	公立学校の学校医、学校歯科医及び学校薬剤師の公務災害補償に関する法律	・療養補償に係る療養
令14－十七	国家公務員災害補償法㈲ ㈲　次の法令でその例によるものとされる場合又は準用する場合を含む。 ・特別職の職員の給与に関する法律15条（災害補償） ・裁判官の災害補償に関する法律 ・防衛省の職員の給与等に関する法律27条１項（国家公務員災害補償法の準用） ・裁判所職員臨時措置法	・療養補償に係る療養の給付 ・療養補償に係る療養の費用の支給に係る療養 ・福祉事業として行われる医療の措置 ・福祉事業として行われる医療に要する費用の支給に係る医療

順号	根拠法令	非課税の内容
令14－十八	国会議員の歳費、旅費及び手当等に関する法律12条の３（公務上の災害に対する補償等）、国会議員の秘書の給与等に関する法律18条（災害補償）、国会職員法26条の２（公務上の災害又は通勤による災害に対する補償等）	・補償等に係る療養及び医療で前号に掲げる療養及び医療に相当するもの
令14－十九	地方公務員災害補償法	・療養補償に係る療養の給付 ・療養補償に係る療養の費用の支給に係る療養 ・福祉事業として行われる医療の措置 ・福祉事業として行われる医療に要する費用の支給に係る医療
	同法69条（非常勤の地方公務員に係る補償の制度）の規定に基づき定められた補償の制度	・療養及び医療
令14－二十	消防組織法24条（非常勤消防団員に対する公務災害補償）、水防法６条の２（公務災害補償）	・損害の補償に係る療養の給付 ・損害の補償に係る療養の費用の支給に係る療養 ・福祉事業として行われる医療の措置 ・福祉事業として行われる医療に要する費用の支給に係る医療
	消防法36条の３（消防作業に従事した者等に対する損害補償）、水防法45条（第24条の規定により水防に従事した者に対する災害補償）、災害対策基本法84条（応急措置の業務に従事した者に対する損害補償）、武力攻撃事態等における国民の保護のための措置に関する法律160条（損害補償）（同法183条（準用）において準用する場合を含む。）	・損害の補償に係る療養の給付 ・損害の補償に係る療養の費用の支給に係る療養
	新型インフルエンザ等対策特別措置法63条（損害補償）	・損害の補償に係る療養の費用の支給に係る療養

順号	根拠法令	非課税の内容
令14－二十一	警察官の職務に協力援助した者の災害給付に関する法律、海上保安官に協力援助した者等の災害給付に関する法律、証人等の被害についての給付に関する法律	・療養の給付 ・療養に要する費用の給付に係る療養
令14－二十二	石綿による健康被害の救済に関する法律	・医療費の支給に係る医療
令14－二十三	水俣病被害者の救済及び水俣病問題の解決に関する特別措置法5条7項（救済措置の方針）、6条2項（水俣病被害者手帳）	・これらの規定により支給するものとされる療養費の支給に係る療養
令14－二十四	国又は地方公共団体の施策	・その要する費用の全部又は一部が国又は地方公共団体により負担される医療及び療養（「第3節公費負担医療」を参照）

※　表中の「療養費の支給に係る療養」や「医療費の支給に係る医療」とは、支給された金額に対応する療養又は医療だけに限定されるものではなく、支給の対象となった療養又は医療行為の全体をいうものとされています。

第3節　公費負担医療

消費税法施行令14条24号は、非課税となる医療の一項目として「前各号に掲げるもののほか、国又は地方公共団体の施策に基づき、その要する費用の全部又は一部が国又は地方公共団体により負担される医療及び療養」（いわゆる公費負担医療）を規定しています。このうち、国が予算措置を講じている医療及び療養としては、例えば次のようなものがあります。

区分	備考
「毒ガス障害者救済対策事業の実施について」（昭和59年４月10日厚生省公衆衛生局長通知）により医療費を支給する医療	毒ガス障害者がガス障害について医療を受けた場合には、医療保険等の自己負担相当額を支給する。
「平成19年度保健医療助成事業について」（平成19年３月22日健発第0322003号）により医療費を支給する医療	在外被爆者が住んでいる国で医療機関にかかったときの医療費等について
「特定疾患治療研究事業について」（昭和48年４月17日厚生省公衆衛生局長通知）による治療研究に係る医療の給付	難病の患者に対する医療等に関する法律（平成26年法律第50号。以下「難病法」という。）の施行前に特定疾患治療研究事業で対象とされてきた特定疾患のうち、難病法に基づく特定医療費の支給対象となる指定難病以外の疾患患者を対象に医療費を支給
「らい療養所費補助金の交付」（昭和42年４月14日厚生事務次官通知）による私立ハンセン病療養所医療及び国から委託を受けた者が行う在宅のハンセン病患者の医療	・私立ハンセン病療養所の入所患者医療の補助 ・在宅のハンセン病患者の医療（公益社団法人沖縄ゆうな協会へのハンセン病対策事業委託）
「スモン総合対策について」（昭和53年11月21日厚生事務次官通知）に基づき都	はり等の治療研究を担当するのに適当な施術所において施術を受けたスモン患

区分	備考
道府県がその費用を負担する施術	者を対象にはり・きゅう・マッサージの施術に要する費用を支給
「ポリオ生ワクチン２次感染対策事業の実施について」（平成16年３月30日厚生労働省健康局長通知）により医療費を支給する医療	ポリオ生ワクチンの２次感染者に対して、医療保険の自己負担相当額を支給する。
「進行性筋萎縮症者療養等給付事業について」（昭和44年７月14日厚生省社会局長通知）による療養の給付	り患している身体障害者を医療機関に収容し、又は通所させ必要な療養を行う
「海外在留邦人等の新型コロナウイルスワクチン接種後健康被害救済事業実施要綱」に係る医療の給付	予防接種法に基づく臨時接種を受けることのできない一時帰国中の海外在留邦人等が、新型コロナワクチン接種をしたことにより、健康被害を生じた場合に対する救済給付を実施
「公害医療研究費の国庫補助について」（昭和59年10月29日環境庁事務次官通知）による研究治療費、はり・きゅう施術費及びはり・きゅう・マッサージ施術費を対価とする役務の提供	水俣病に係る申請者医療事業（認定審査保留者等に対するもの）及び特別医療事業（認定申請棄却者のうち四肢の感覚障害を有する者に対するもの）による医療・はり・灸・マッサージ
「海外法人の引揚げに関する件」（昭和27年３月18日閣議決定）に基づき国又は国から委託を受けた者がその費用を負担して行われる医療の給付	・引揚者等に対する医療の給付（生活保護法が適用されるまでの間のつなぎ） ・中国残留日本人孤児の訪日調査による在邦期間中の医療の給付 ・定着促進事業宿泊施設の入所者に対する医療の給付
「生活に困窮する外国人に対する生活保護の措置について」（昭和29年５月８日厚生省社会局長通知）に基づく医療扶助のための医療給付及び医療扶助のための金銭給付に係る医療	・生活保護法の準用による困窮のため最低限度の生活を維持することのできない外国人に対する医療扶助 ・医療扶助の方法として現物給付によることができない場合等は金銭給付によって行うことができる。
「先天性血液凝固因子障害等治療研究事業」（平成元年７月24日厚生省保健医療局長通知）による治療研究に係る医療の給付	・先天性血液凝固因子欠乏症及び血液凝固因子製剤に起因するHIV感染症患者の医療保険等の自己負担分を支給

区分	備考
「感染症対策特別促進事業について」（平成20年３月31日厚生労働省健康局長通知）の別添「肝炎治療特別促進事業実施要綱」に基づく医療費の助成	・インターフェロン治療、インターフェロンフリー治療及び核酸アナログ製剤治療を必要とするＢ型及びＣ型肝炎患者に対して、医療費の助成を行う
「肝がん・重度肝硬変治療研究促進事業について」（平成30年６月27日厚生労働省健康局長通知）に基づき国及び都道府県が医療費の自己負担額の一部を負担	・Ｂ型・Ｃ型肝炎ウイルスに起因する肝がん及び重度肝硬変患者の医療費について、一定の要件の下、自己負担額の一部を支給

第４節　特別の病室の提供等についての取扱い

消費税法別表第二６号は、特別の病室の提供その他の財務大臣の定めるものについて、財務大臣の定める金額に相当する部分に限り、非課税としています。

具体的には、平成元年１月26日大蔵省告示第７号「消費税法別表第二第六号に規定する財務大臣の定める資産の譲渡等及び金額を定める件」において規定しています。これにより下表の左欄の療養については、右欄の金額に限って非課税となり、これを超える部分については消費税が課税されることになります（消基通６－６－３㈡）。

資産の譲渡等	非課税となる金額
一　健康保険法63条２項１号（療養の給付）の規定に基づく食事療養に該当するもの（入院時食事療養）	健康保険法85条２項（入院時食事療養費）の規定に基づき厚生労働大臣が定める基準により算定される金額 （高齢者の医療の確保に関する法律その他の法令に基づき、入院時食事療養に要する費用につき、当該基準と異なる基準が定められている場合にあっては、当該法令に基づき定められている基準により算定される金額）
二　健康保険法63条２項２号の規定に基づく生活療養に該当するもの（入院時生活療養）	健康保険法85条の２第２項（入院時生活療養費）の規定に基づき厚生労働大臣が定める基準により算定される金額 （高齢者の医療の確保に関する法律その他の法令に基づき、入院時生活療養に要する費用につき、当該基準と異なる基準が定められている場合にあっては、当該法令に基づき定められている基準により算定される金額）
三　資産の譲渡等を受ける者の選定に係る厚生労働大臣の定める評価療養、患者申出療養及び選定療養	健康保険法86条２項１号（保険外併用療養費）の規定に基づき厚生労働大臣が定めるところにより算定される金額

資産の譲渡等	非課税となる金額
(平成18年厚生労働省告示第495号)2条各号(選定療養)に掲げる資産の譲渡等に該当するもの	(高齢者の医療の確保に関する法律の規定に基づく保険外併用療養費の支給に係る療養にあっては同法76条2項1号(保険外併用療養費)の規定に基づき厚生労働大臣が定める基準により算定される金額、公害健康被害の補償等に関する法律の規定に基づく療養の給付及び療養費の支給に係る療養にあっては当該療養に要する費用の額として同法22条(診療方針及び診療報酬)の規定に基づき環境大臣が定めるところにより算定される金額)

これを図で示すと、次のようになります。

1　入院時食事療養

入院給食に係る保険給付の仕組みは平成6年(1994年)10月1日から、それまでの「療養の給付」が「入院時食事療養費の支給」に改正され、これに伴い、消費税法においても「入院時食事療養費の支給に係る療養」として非課税とされています。

入院時食事療養では、患者は自己の選択により保険算定額を超える給食契約を締結することができますが、非課税となるのは保険算定額の範囲内であり、自己選択部分については、課税となります。

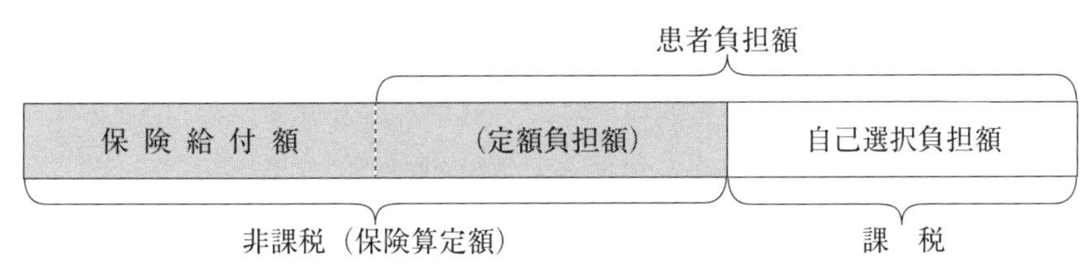

(注)　保険算定額に関する基準については、参考資料(825頁)を参照。

2　入院時生活療養

入院時生活療養費は、65歳以上の者が保険医療機関の療養病床に入院したときに必要となる食費及び居住費について、その一部を支給するものです。入院時生活療養では、患者は自己の選択により保険算定額を超える生活療養に係る契約を締結することができますが、非課税となるのは保険算定額の範囲内であり、自己選択部分については、課税となります。

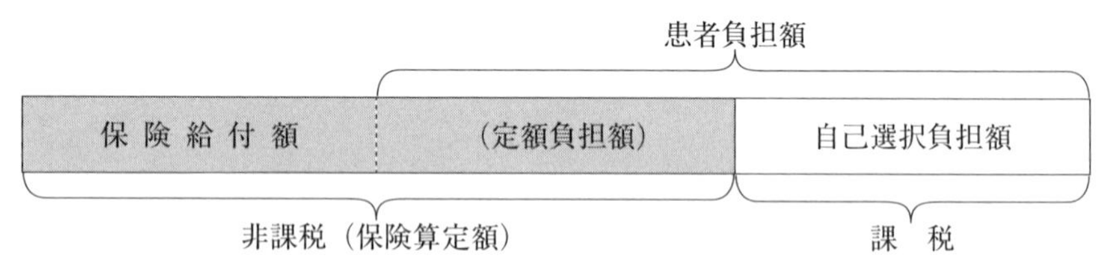

(注)　保険算定額に関する基準については、参考資料（825頁）を参照。

3　選定療養

保険外併用療養費の支給に係る療養のうち、療養を受ける者の選定に係る「厚生労働大臣の定める評価療養、患者申出療養及び選定療養（平成18年厚生労働省告示第495号）」２条各号（選定療養）に掲げる資産の譲渡等に該当するものについては、健康保険法86条２項１号の規定に基づき厚生労働大臣が定めるところにより算定される金額に相当する部分のみが非課税となります。

したがって、いわゆる差額徴収部分は課税となります。

(注)　評価療養及び患者申出療養については、課税の対象となりません。

① 特別の療養環境（特別の病室）の提供における保険算定額を超える金額に係る部分（いわゆる差額ベッド代）

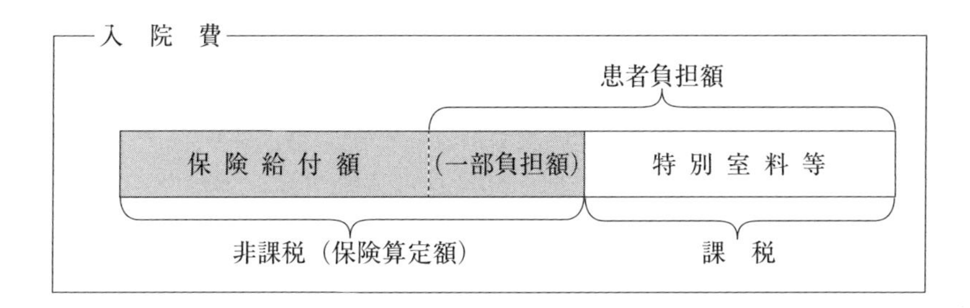

② 予約診察又は時間外診察における保険算定額を超える金額に係る部分（予約診察料、時間外診察料）

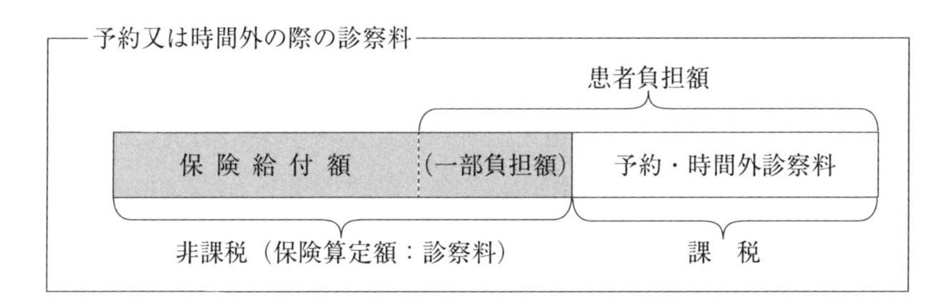

③ 病床数が200以上の病院での初診（他の病院等から文書による紹介がある場合及び緊急やむを得ない場合に受けたものを除きます。）又は再診（病床数が200未満の他の病院等を文書により紹介する旨の申出を行っていない場合及び緊急やむを得ない場合に受けたものを除きます。）における保険算定額を超える金額に係る部分（初診又は再診に係る特別の料金）

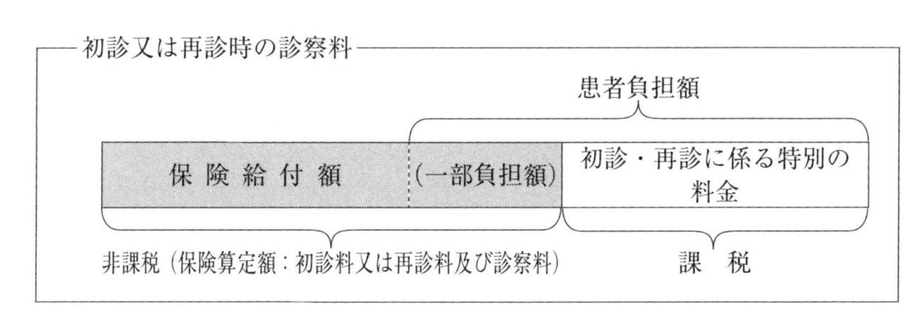

参考　高度の医療の提供等を行う特定機能病院（医療法４の２①)、地域医療を担うかかりつけ医、かかりつけ歯科医の支援等を行う地域医療支援病院（同法４①)、紹介受診重点医療機関（医療法30の18の２による公表）で一般病床200床以上の病院が該当します。

④　診療報酬の算定方法（平成20年厚生労働省告示第59号）に規定する回数を超えて受けた診療に係る部分（腫瘍マーカー検査等）

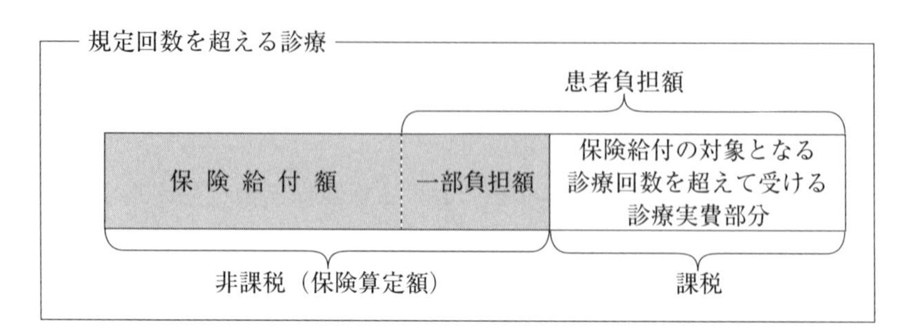

⑤　入院期間が180日を超えた日以後の入院療養において保険給付の対象部分を超える金額に係る部分（180日を超える入院の保険給付対象額は180日以内の入院の場合の85％とされています。）

なお、別に厚生労働大臣告示「保険外併用療養費に係る厚生労働大臣が定める医薬品等（平成18年厚生労働省告示第498号）」９号に定める場合（180日を超える入院が必要な場合など）の180日を超える入院は全体が非課税となります。

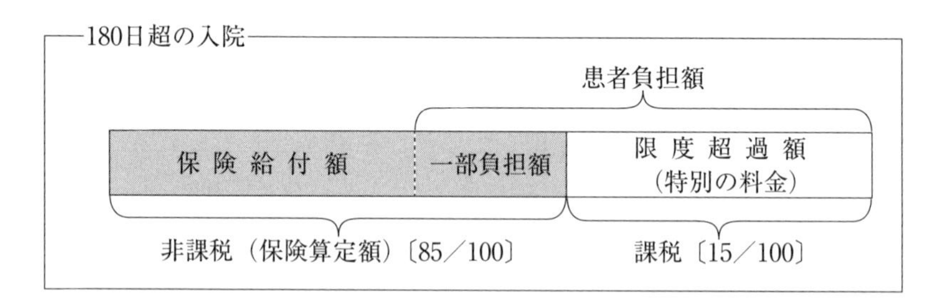

⑥　前歯の金属歯冠修復に使用する金合金又は白金加金の支給における保険算定額を超える金額に係る部分（歯科差額部分）

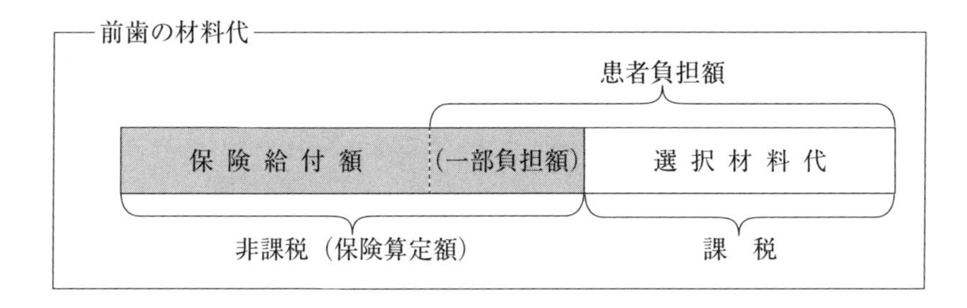

⑦　金属床による総義歯の提供における保険算定額を超える金額に係る部分（金属床総義歯の特定療養費）

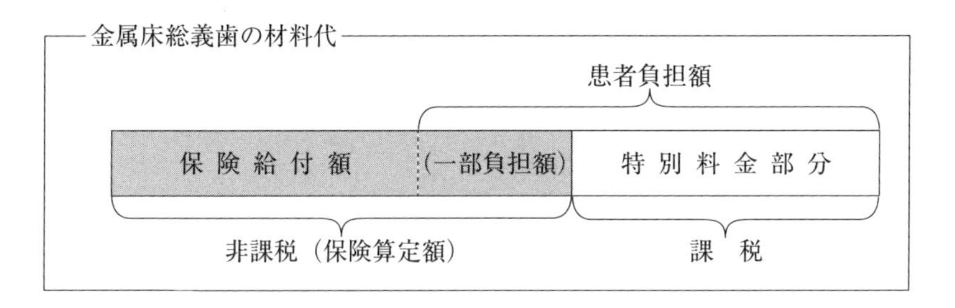

⑧　齲蝕に罹患している患者（齲蝕多発傾向を有しないものに限ります。）であって継続的な指導管理を要するものに対する指導管理における保険算定額を超える金額に係る部分（フッ化物局所応用又は小窩裂溝填塞に係る料金）

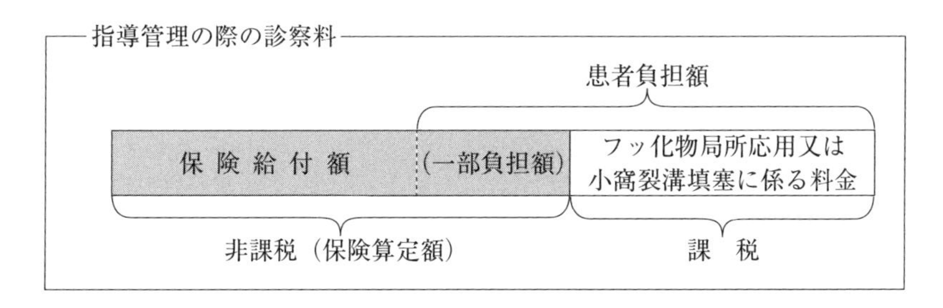

⑨　白内障に罹患している患者に対する多焦点眼内レンズの支給における保険算定額を超える金額に係る部分（選択材料代等＝診療報酬点数表に規定する水晶体再建術において使用される眼内レンズとの差額及び多焦点眼内レンズの支給に必要な検査に係る費用）

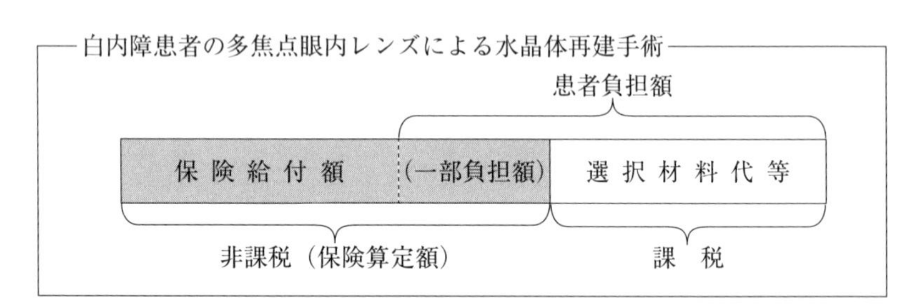

⑩　後発医薬品（ジェネリック医薬品）がある場合に先発医薬品の処方を希望した時の特別料金（先発医薬品と後発医薬品との価格差の４分の１相当）（先発医薬品を処方・調剤する医療上の必要がある場合等を除きます。）

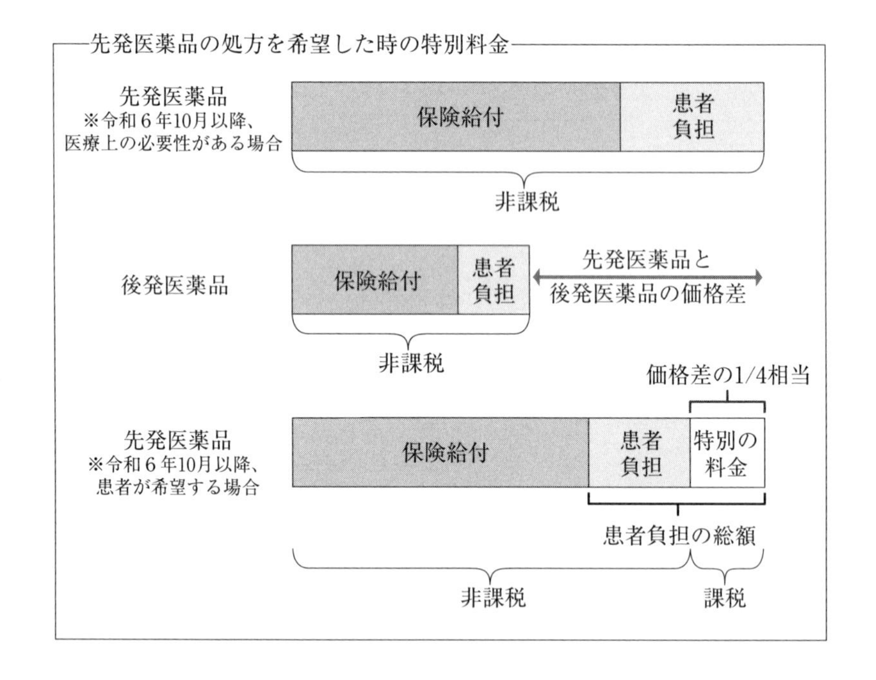

このほかに、令和６年６月１日以後選択療養となるものとして、

⑪　主として患者が操作等を行うプログラム医療機器であって、保険適用期間の終了後において患者の希望に基づき使用することが適当と認められるものの使用

⑫　間歇スキャン式持続血糖測定器の使用（診察報酬の算定方法に掲げる療養としての使用を除く。）

⑬　医療上必要があると認められない、患者の都合による精子の凍結又は融解

があります。

第５節　助産

助産については、消費税法別表第二８号において、「医師、助産師その他医療に関する施設の開設者による助産に係る資産の譲渡等」を非課税としています。なお、社会保険医療（消法別表第二６号）や介護サービス（消法別表第二７号イ）、社会福祉事業（消法別表第二７号ロ、ハ）として非課税とされているものは、本号の助産に係る資産の譲渡等から除かれています。

「助産に係る資産の譲渡等」とは、次のものをいうこととされています（消基通６－８－１）。

⑴　妊娠しているか否かの検査

⑵　妊娠の判明時以降の検診、入院

⑶　分娩の介助

⑷　出産後（２月以内）に行われる母体の回復検診

⑸　新生児の検診、入院

妊娠しているか否かの検査は、その検査の結果を問わず、「助産に係る資産の譲渡等」に該当し、非課税となります。

また、死産及び流産に係る資産の譲渡等については、社会保険医療に係る部分については、消費税法別表第二６号の医療として非課税となり、その他のものについては、「助産に係る資産の譲渡等」に該当し、非課税となります。

なお、人工妊娠中絶に係る資産の譲渡等は「助産に係る資産の譲渡等」に該当しませんから、課税となります。

〔妊娠中及び出産後の入院〕

妊娠中及び出産後の入院については、次のとおりとなります（消基通6－8－2）。

⑴ 妊娠中の入院については、産婦人科医が必要と認めた入院（妊娠中毒症、切迫流産等）及び他の疾病（骨折等）による入院のうち産婦人科医が共同して管理する間の入院は、助産に係る資産の譲渡等に該当します。

⑵ 出産後の入院のうち、産婦人科医が必要と認めた入院及び他の疾病による入院のうち産婦人科医が共同して管理する間については、出産の日から１月を限度として助産に係る資産の譲渡等に該当します。

⑶ 新生児については⑵に準じて取り扱われます。

〔妊娠中及び出産後の入院に係る差額ベッド代等〕

助産に係る資産の譲渡等については、平成元年１月26日付大蔵省告示第７号「消費税法別表第二第六号に規定する財務大臣の定める資産の譲渡等及び金額を定める件」の表の下欄の金額（非課税となる金額）を超える場合であってもその全額が非課税となります（消基通6－8－3）。

㈱ 告示については、第４節「特別の病室の提供等についての取扱い」参照。

したがって、妊娠中の入院及び出産後の入院（異常分娩に伴う入院を含みます。）における差額ベッド代及び特別給食費並びに大学病院等の初診料についても非課税となります。

〔産後ケア〕

令和３年（2021年）４月１日以後、母子保健法17条の２第１項《産後ケア事業》に規定する産後ケア事業として行われる資産の譲渡等については、社会福祉事業に類するものとして、非課税となりました（消令14の３七、令和３年改正令附則）が、産後ケア事業として行われる資産の譲渡等のうち助産に係る資産の譲渡等に該当するもの（例えば、乳房マッサージ）については、引き続き、助産に係る資産の譲渡等として非課税となります（消令14の３七かっこ書）。

参考

○ 消費税法の改正について

（平成３年６月19日　健政発第362号　厚生省健康政策局長通知（抜粋））

３　助産に係る資産の譲渡等に係る消費税の非課税措置について

⑴　助産に係る資産の譲渡等の範囲

新消費税法別表第一第８号（助産に係る資産の譲渡等）に規定する「医師、助産婦その他医療に関する施設の開設者による助産に係る資産の譲渡等」には、正常分娩及び異常分娩（自然流産、早産、死産を含む。）のいずれであるかを問わず、次のものが該当する。なお、文書料については、従前通り課税であるから注意すること。

㈠　妊娠しているか否かの検査

検査の結果、妊娠していないと判明した場合も含め、非課税となる。

㈡　妊娠していることが判明した時以降の検診、入院

妊娠していることが判明した時以降の検診、往診についても、非課税となる。

入院生活を営む上で必要とされるものについては、非課税とされる。具体的には、入院費用として徴収する室料、看護料、食事代、寝具料、洗濯代、電気代、お産パッド代、保健指導料、薬剤料等が非課税となる。

㈢　分娩の介助

分娩介助料、薬剤料等は非課税となる。

㈣　出産の日以後２か月以内に行われる母体の回復検診

回復検診については、その回数を問わず非課税とされるものである。

㈤　新生児に係る検診及び入院

入院生活を営む上で必要とされるものについては、非課税とされる。具体的には、新生児入院費用として徴収する新生児室料、新生児看護料、ミルク代、おむつ代等が非課税となる。

⑵　差額ベッド料等の取扱い

助産に係る資産の譲渡等については、平成元年１月26日付大蔵省告示第７号「消費税法別表第一第６号に規定する大蔵大臣の定める資産の譲渡等及び金額を定める件」の表の下欄の金額を超える場合であっても非課税となる。

したがって、妊娠中の入院及び出産後の入院（⑶に掲げる入院に限るものとし、異常分娩に伴う入院を含む。）における差額ベッド料及び特別給食費並びに大学病院等の初診料についても非課税となる。

⑶　入院費用の取扱い

妊娠中及び出産後の入院については、次のとおりとなる。

㋐　妊娠中の入院については、産婦人科医が必要と認めた入院（妊娠中毒症、切迫流産等）及び他の疾病（骨折等）による入院のうち産婦人科医が共同して管理する間の入院は、助産に係る資産の譲渡等に該当する。

㋑　出産後の入院のうち、産婦人科医が必要と認めた入院及び他の疾病による入院のうち産婦人科医が共同して管理する間については、出産の日から１月を限度として助産に係る資産の譲渡等に該当する。

㋒　新生児については、㋑の取扱いに準ずる。

⑷　施行日前に行われた資産の譲渡等の区分

新消費税法別表第一第８号（助産に係る資産の譲渡等）に規定する資産の譲渡等が非課税となるのは、施行日以後に行われた資産の譲渡等に限られる。

したがって、妊娠に伴う入院等施行日前から施行日以後に引き続いて役務の提供を行うものについては、施行日前に行われた資産の譲渡等と施行日以後に行われた資産の譲渡等を区分する必要があることとなり、施行日以後に行われた資産の譲渡等のみが非課税となる。

別添１、２略

第6節　医療関係Q＆A

Q3－1

非課税とされる医療の範囲

消費税が非課税とされる医療には、具体的にどのようなものが該当しますか。

A　消費税が非課税とされる医療等については、次のように定められています（消法6①、別表第二6号、消令14、消基通6－6－1）。

(1)　健康保険法、国民健康保険法等の規定に基づく療養の給付及び入院時食事療養費、入院時生活療養費、保険外併用療養費、療養費、家族療養費又は特別療養費の支給に係る療養並びに訪問看護療養費又は家族訪問看護療養費の支給に係る指定訪問看護

(2)　高齢者の医療の確保に関する法律の規定に基づく療養の給付及び入院時食事療養費、入院時生活療養費、保険外併用療養費、療養費又は特別療養費の支給に係る療養並びに訪問看護療養費の支給に係る指定訪問看護

(3)　精神保健及び精神障害者福祉に関する法律の規定に基づく医療、生活保護法の規定に基づく医療扶助のための医療の給付及び医療扶助のための金銭給付に係る医療、原子爆弾被爆者に対する援護に関する法律の規定に基づく医療の給付及び医療費又は一般疾病医療費の支給に係る医療並びに障害者の日常生活及び社会生活を総合的に支援するための法律の規定に基づく自立支援医療費、療養介護医療費又は基準該当療養介護医療費の支給に係る医療

(4)　公害健康被害の補償等に関する法律の規定に基づく療養の給付及び

療養費の支給に係る療養

(5) 労働者災害補償保険法の規定に基づく療養の給付及び療養の費用の支給に係る療養並びに同法の規定による社会復帰促進等事業として行われる医療の措置及び医療に要する費用の支給に係る医療

(6) 自動車損害賠償保障法の規定による損害賠償額の支払を受けるべき被害者に対するその支払に係る医療

(7) その他、これらに類するものとして、例えば、学校保健安全法の規定に基づく医療に要する費用の援助に係る医療、母子保健法の規定に基づく養育医療の給付又は養育医療に要する費用の支給に係る医療等、国又は地方公共団体の施策に基づきその要する費用の全部又は一部を国又は地方公共団体により負担される医療及び療養（いわゆる公費負担医療）

なお、健康保険法等の規定に基づく療養費、医療費等の支給に係る療養等については、被保険者や被保険者の家族の療養に際し、被保険者が負担する一部負担金に係る療養も含めて非課税とされています。

Q３－２

課税される医療の範囲

社会保険診療等で消費税が課税されるものにはどのようなものがありますか。

A　社会保険診療等は原則として非課税となりますが、社会保険診療等であっても、特別の病室（療養室）の提供のうちいわゆる差額ベッド代部分、前歯の金合金又は白金加金の支給の場合の歯科差額分、病床数200以上の病院での初診又は再診に係る特別料金、入院時食事療養における給食の自己選択部分等、平成元年大蔵省告示第７号により定められた金額を超える部分については、課税の対象となります（第４節「特別の病室の提供等についての取扱い」参照）。

また、社会保険医療等に該当しない次のような医療等は課税の対象となります（消基通６－６－１）。

(1)　予防接種

(2)　美容整形

(3)　人工妊娠中絶

(4)　健康診断、人間ドック

(5)　医療相談

(6)　診断書の作成（労働者災害補償保険法等において医療に要する費用と認められるものを除きます。）

(7)　生命保険会社からの依頼による審査

(8)　歯科自由診療（インプラント、一般的な歯科矯正等）

(9)　その他の自由診療

(10)　後期高齢者医療広域連合から委託を受けて行われる高齢者の医療の確保に関する法律に規定する健康診査や市町村からの委託を受け

て行われる妊婦・乳児の健康診査（ただし、消費税法６条１項、別表第二８号《助産に係る資産の譲渡等》の規定により非課税とされているものは除きます。）

Q3－3

予防接種法の規定に基づく医療費の支給に係る医療の意義

予防接種は、原則として課税の対象とのことですが、消費税法施行令14条3号の規定により非課税の対象とされる「予防接種法の規定に基づく医療費の支給に係る医療」とはどのようなものですか。

A　消費税法施行令14条3号の規定は、具体的には予防接種法2条2項のA類疾病及び同条3項のB類疾病の定期の予防接種若しくは臨時の予防接種を受けたことに基因する疾病に係る医療費の支給に係る医療のことを定めたものであり、A類疾病及びB類疾病の定期の予防接種若しくは臨時の予防接種そのものではありません。

考え方

予防接種法2条2項が、その発生及びまん延を予防することを目的に同法の定めるところにより予防接種を行うA類疾病として規定するのは、⑴ジフテリア、⑵百日せき、⑶急性灰白髄炎、⑷麻しん、⑸風しん、⑹日本脳炎、⑺破傷風、⑻結核、⑼Hib感染症、⑽肺炎球菌感染症（小児がかかるものに限る。）、⑾ヒトパピローマウィルス感染症、⑿新型インフルエンザ等感染症、指定感染症、新感染症で政令で定める疾病、⒀その他政令で定める疾病（予防接種法施行令1条の痘そう、水痘、B型肝炎、ロタウイルス感染症）であり、また、予防接種法2条3項が、個人の発病又はその重症化を防止し、併せてこれによりそのまん延の予防に資することを目的に同法の定めるところにより予防接種を行うB類疾病として規定するのは、⑴インフルエンザ、⑵新型インフルエンザ等感染症、指定感染症又は新感染症で政令で定める疾病、⑶その他政令で定める疾病（予防接種法施行令2条の肺炎球菌感染症（高齢者がかかるものに限る。）、新型コロナウイルス感染症及び帯状疱疹）となっています。

㈲　A類疾病の⑿及びB類疾病の⑵について、令和7年4月1日時点で政令で定めるものはありません。

そして、予防接種法15条1項は、「市町村長は、当該市町村の区域内に居住する間に定期の予防接種又は臨時の予防接種を受けた者が、疾病にかかり、……当該疾病……が当該予防接種等を受けたことによるものであると厚生労働大臣が認定したときは、次条及び第17条に定めるところにより医療費の給付を行う。」と規定しています。

また、新型インフルエンザ予防接種による健康被害の救済に関する特別措置法においても、同様に、新型インフルエンザ（平成21年（2009年）に流行したA/（H1N1）pdm09ウイルスによる感染症）のための予防接種による健康被害者に対して医療費の給付を行うこととされています。

参考

予防接種は原則として保険給付の対象となりませんので課税対象になりますが、発病予防の目的で行われる、例えば次の予防接種については保険給付が認められますので、非課税となります。

【保険給付のある予防接種の例】

⑴　麻しん、百日せき………麻しん又は百日せき患者に接触した場合のガンマグロブリン注射

⑵　破傷風……………………破傷風感染の危険性がある場合の発病前の破傷風トキソイド及び抗毒素血清注射

⑶　狂犬病……………………犬に咬まれた場合の狂犬病予防注射

これらの予防接種は、いずれも一般的な予防接種とは異なり、発症の蓋然性が高いため、その発症を未然に防止するための接種であり、医療行為と認められるものです。

Q3－4

資格証明書による受診の課非

国民健康保険料の滞納等で保険証の交付を受けられない者は、いわゆる資格証明書により診療を受け、その医療費は診療を受ける者が全額支払うことになりますが、この場合でも消費税は非課税となりますか。

A　非課税となります。

考え方

被保険者証の交付を受けられない者が被保険者資格証明書により自己の負担で受ける診療であっても、当該診療は国民健康保険法の規定に基づく診療ですから非課税となります（消法別表第二６号）。

参考

1　被保険者資格証明書により診療を受けた被保険者は、後日、市区町村（保険者）の窓口で、本来の自己負担分を除いた額（一般的には医療費の７割）の払戻しを申請することになります（ただし、それまでに滞納している保険料（保険税）があると相殺されるようです。）。

2　紙の健康保険証が廃止され、マイナンバーカードと健康保険証が一体化されることに伴い、長期にわたる保険料滞納者に対する保険料の納付を促す取組みとして行われてきた被保険者資格証明書の交付に代えて特別療養費を支給する旨の事前通知を行うこととされています。

Q3−5

自賠責保険の支払限度額を超える治療費となる場合

自動車による交通事故の治療を行った医療機関へは、その治療の対価は、まず、強制加入となっている自動車損害賠償責任保険（以下「自賠責」といいます。）から支払われ（傷害120万円まで）、これを超える部分の金額は任意保険から支払われます。この場合、任意保険から支払われる金額についても消費税は非課税となりますか。

A　非課税となります。

考え方

自動車損害賠償保障法の規定に基づいて自動車事故につき損害賠償金の支払を受けるべき被害者に対する当該支払に係る療養は、非課税とされています（消法別表第二６号へ）。

これは、自賠責の支払額を限度（限度額・傷害120万円）として非課税とするものではなく、賠償金が支払われることとなる療養の全体を非課税とするものです。したがって、任意保険で支払われる部分や加害者が自ら負担する部分についても、非課税となります。

なお、自動車損害賠償保障法72条が適用される次のケースについても同様です。

・自動車にひき逃げされ、その車の保有者が明らかでない場合

・無保険車との交通事故によって負傷した場合

また、医療機関が、自動車事故の被害者に対して必要と認めた療養に要する費用（衛生材料代、おむつ代、松葉杖の賃借料、付添寝具料、同賄料、電気料等を含みます。）も非課税となります。

Q3－6

評価療養の対象とされていた医療行為が選定療養の対象となった場合の課税関係

当医療法人では、眼科において「多焦点眼内レンズを使用する白内障手術」を行っています。この白内障手術については、令和2年3月までは厚生労働省の定める評価療養としての先進医療に含まれていましたが、同年4月からは選定療養として取り扱われることになりました。

評価療養から選定療養に変わったことで、消費税の課税関係にも違いが出てくるのでしょうか。

A　「多焦点眼内レンズを使用する白内障手術」については、令和2年(2020年) 4月1日以後は選定療養として、厚生労働大臣が定めるところにより算定される金額に相当する部分を超える部分は課税の対象になります。

考え方

保険外併用療養費の支給に係る療養は、消費税が非課税とされています。この保険外併用療養費の支給に係る療養には、評価療養、患者申出療養及び選定療養があります。

保険外併用療養制度では、一般の診療と共通する部分（診察・検査・投薬・入院料等）については、医療保険制度が適用されますから、消費税は非課税となります。また、評価療養の上乗せ部分（先進医療、薬事法承認後で保険収載前の医薬品など）、患者申出療養（未承認薬など）は、全額自己負担となるものの、保険外併用療養費の支給に係る療養として非課税となります。

しかし、選定療養については、厚生労働大臣が定めるところにより算定される金額に相当する部分のみが非課税とされています（消法別表第二6号イ、平成元年大蔵省告示第7号三）から、選定療養のうちこれを超える部分は課税となります（消基通6－6－3）。

選定療養の範囲については、「厚生労働大臣の定める評価療養、患者申出療養及び選定療養（平成18年厚生労働省告示第495号）」2条各号《選定療養》で定められています。ご質問の「多焦点眼内レンズを使用する白内障手術」は、令和2年（2020年）3月までは評価療養に当たる先進医療として全体が非課税として取り扱われましたが、令和2年厚生労働省告示第10号による改正で「白内障に罹患している患者に対する水晶体再建に使用する眼鏡装用率の軽減効果を有する多焦点眼内レンズの支給」として、平成18年厚生労働省告示第495号2条11号に追加され、令和2年4月1日から適用されています。

その結果、「多焦点眼内レンズを使用する白内障手術」については、同日以後、厚生労働大臣が定めるところにより算定される金額に相当する部分を超える部分は課税の対象になっています（74頁参照）。

同じ医療・療養に要する費用であっても、このように消費税の課税関係が異なることとなるのは、医療技術の変遷等により非課税とすべき要請の度合が違ってきたことを反映したものと考えられます。

Q3－7

医療費の過払分の取扱い

社会保険診療については、社会保険診療報酬支払基金の審査委員会による査定の結果、受診時に患者から徴収した一部負担金が過払いとされることがあります。

この過払分は、不当利得に当たることとなり、患者から請求を受けた場合には返還することとされています。この過払い分を患者に返還した場合、消費税法上の取扱いはどうなりますか。また、現実には患者に返還されることはあまりありませんが、患者に返還しなかった場合はどうなるのですか。

A 患者負担金の過払い分も保険診療に伴い収受したものですから、その過払い分も患者に返還するまでは非課税売上げに該当するものとして取り扱うことになります（消法別表第二6号）。なお、患者に返還した場合は、非課税売上げに係る対価の返還として、その返還をした日の属する課税期間の非課税売上げから減額することになります。

考え方

社会保険診療に係る患者負担金は非課税売上げですが、課税売上割合の計算を通じて仕入控除税額、ひいては消費税の納付税額や還付税額に影響することになります。

Q３－８

市が全額負担して職員を対象に行う予防接種等の課非

当市では、職員に対して次のような予防接種等を当市の全額負担によって行っています。

日本脳炎の予防接種…全職員を対象

Ｂ型肝炎の検査………特定の職務の職員を対象

健康診断………………35歳以上の職員を対象

これらの予防接種等は、すべて当市の負担で行うものであることから、消費税法施行令14条24号《国等の施策に基づく医療》の規定により消費税は非課税となると考えてよいでしょうか。

なお、これらの予防接種等の費用負担は、法令の規定に基づくものではなく、当市の予算の内から支出されています。

A　非課税とはなりません（課税の対象）。

考え方

消費税法施行令14条24号の規定により非課税とされる医療・療養は、法令等の規定に基づき、公的保険としてその費用を負担することとしている医療・療養が対象とされていますから、ご質問の場合のように国、地方公共団体等の機関が自己の職員のみを対象として、自己の予算のうちから費用を支出するようなものは、同号の対象とはなりません。

ご質問の予防接種等は、いずれも課税の対象となります。

Q3－9

市が一部負担する鍼灸施術の課非

市が国民健康保険法82条の規定に基づいて、国民健康保険の被保険者の健康の保持増進を目的とする施策として施術料の一部を負担している鍼灸師が行う施術は、消費税法施行令14条24号《国等の施策に基づく医療》に規定する「医療及び療養」に該当して消費税は非課税となりますか。

A　非課税とはなりません（課税の対象）。

考え方

ご質問の施術に係る負担金は、市の施策に基づきその要する費用の一部を市が負担しているものですが、

⑴　国民健康保険法の規定に基づく療養費の支給が行われるものではないこと、

⑵　保険者である市が、条例及び施設利用規則に基づき療養費を支給しているものでもないこと、

⑶　当該施策は、市が被保険者の健康の保持増進を目的として行う国民健康保険法82条の規定に基づいて行う保健事業であると認められること

から、本件施術は、国又は地方公共団体の施策に基づく「療養又は医療の給付に係る療養又は医療」及び「療養費又は医療費等の支給に係る療養又は医療」とは認められません。

したがって、非課税とされる消費税法施行令14条24号に規定する「医療及び療養」には該当しません（平成20年５月13日裁決　裁決事例集 No.75－680頁）。

Q 3−10

産業医の報酬の取扱い

医療法人である病院が、事業者との間の契約に基づき、勤務医を当該事業者の労働安全衛生法13条に規定する産業医として派遣した場合に、その対価として当該事業者から受け取る委託料は消費税が非課税となりますか。

A 非課税とはなりません（課税の対象）。

考え方

ご質問の医療法人がその勤務医を産業医として派遣した対価として受領する委託料は、医療法人の医業収入となるものですが、社会保険診療又はこれに類するものの対価ではありませんから、非課税に該当せず、課税の対象となります（消法２①八、九、４①、６①）。

㈱ 個人の開業医（医療法人の代表者等が個人の立場で契約する場合を含みます。）が産業医として受ける報酬は、所得税法上は原則として給与に該当するものとして取り扱われていますから、消費税の課税対象外（不課税）となります。

Q３−11

ストレスチェックに係る産業医報酬

Ａ社では、労働安全衛生法で定められたストレスチェックを実施するにあたり、Ａ社の嘱託産業医（個人医師）と次のような契約を締結して委託しています。その際に、産業医に支払う報酬に対する消費税の取扱いはどのようになるでしょうか。

なお、通常の産業医報酬は給与所得に該当するものとして、課税仕入れにはしていません。

【ストレスチェックに係る産業医契約書】

（職務の内容）

●●医師（乙）は、Ａ社（甲）の従業員に対し、次の各号に挙げる業務を行うものとする。

⑴　ストレスチェックの実施

⑵　ストレスチェックの結果に基づくストレス程度の評価及び評価結果の通知

⑶　ストレスチェックの結果に基づく集団ごとの集計・分析及び集計・分析結果の事業主への通知

⑷　高ストレス者に対する面接指導申出の勧奨及び面接指導の実施

⑸　面接指導の結果についての事業主への意見陳述

⑹　その他ストレスチェックに係る産業医活動

（報酬）

乙が本契約に基づいて行った業務に関し、甲は報酬として次の各号に定める額を支払うものとする。

⑴　基本料金／50人毎に●●●円（データ等の保管、集団ごとの集計・分析を含む）

⑵　実施料金／１人あたり●●●円（問診票を配布した対象者数）

⑶　ストレスチェック結果の通知等、郵送にかかった費用は実費を支払うものとする。

⑷　面接指導料／１人あたり30分●●●円

（実施場所）

乙の開設する医院において実施する。

A　ストレスチェックに係る産業医に支払う報酬は、課税仕入れに該当します。

考え方

産業医は、労働安全衛生法13条１項の規定に基づいて選任され、同項に定める労働者の健康管理等を行うこととされています。なお、同項の規定では、「事業者は、……産業医を選任し、その者に労働者の健康管理その他の厚生労働省令で定める事項を行わせなければならない。」との規定となっています。

一方、ご質問のストレスチェックは、同法66条の10第１項の「医師、保健師その他の厚生労働省令で定める者による心理的な負担の程度を把握するための検査を行わなければならない。」との規定に基づいて実施されるものです。

どちらも事業者の義務ではありますが、規定振りからしますと、健康管理等の実施主体は産業医であり、他方、ストレスチェックは、産業医が担当することは可能ではありますが、事業者が実施主体であり、医師等は実施者として事業者から依頼されて行うことになる点で異なっていると思われます。

また、個人医が産業医となる場合は、A社と同様に雇用契約に準じた形態により、その対価も日又は月を単位として定められるのが一般的なようですが、ご質問の「ストレスチェックに係る産業医契約書」によりますと、業務量に応じた報酬体系となっていることから、請負又は委任に類する契約に該当するものと考えられます。

これらの点から、ご質問のストレスチェックに係る産業医の報酬は、給与等を対価とする役務の提供に係るものではなく、また、非課税とされる社会保険診療等にも該当しない（消費税の課税対象）と考えられますので、支払うA社においては課税仕入れに該当するものと考えます（消法2①十二）。

Q 3 −12

医療法人が特別養護老人ホームから受ける報酬の取扱い

当医療法人は、勤務する医師を特別養護老人ホームに週１回派遣して入居者の健康・医療管理のために診察するとともに、入居者に異常があった場合にはすぐ駆けつけるサービスを提供しており、その対価として、特別養護老人ホームを経営する社会福祉法人から１か月50万円の報酬を得ています。

なお、この報酬には、健康診断・診察料が含まれていますが、薬の処方料については社会保険から診療報酬を得ています。この場合、社会福祉法人からの報酬は消費税の課税の対象となるでしょうか。

A　課税の対象となります。

考え方

医療法人が社会福祉法人との契約に基づいて行う特別養護老人ホームの入居者に対する健康・医療管理のための診察は、高齢者の医療の確保に関する法律の規定に基づいてその被保険者に対して行う療養の給付又は療養費の支給に係る療養に該当しません。また、当該医療法人は、社会福祉法２条に規定する社会福祉事業である特別養護老人ホームを経営する事業として本件健康・医療管理を行うのではなく、当該特別養護老人ホームを経営する社会福祉法人から依頼されて行っているに過ぎません。

したがって、本件健康・医療管理は消費税法別表第二６号及び７号ロに該当せず、課税の対象となります（消法２①八、九、４①、６①）。

なお、薬の処方に係る診察が、消費税法別表第二６号ロに該当し、当該医療法人が保険手続を行う場合は非課税になります。

高齢者の医療の確保に関する法律の規定に基づく療養の給付及び入院

時食事療養費、入院時生活療養費、保険外併用療養費、療養費又は特別療養費の支給に係る療養並びに訪問看護療養費の支給に係る指定訪問看護については、非課税とされています（消法別表第二6号ロ）が、同法の規定に基づくものであっても、健康相談、機能訓練、健康診査、健康教育、訪問指導等に係る報酬は、課税の対象となります。

Q3−13

高齢者医療確保法に基づく健康診査等の取扱い

高齢者の医療の確保に関する法律に基づいて行われる特定健康診査及び特定保健指導に関する収入は、国民健康保険組合団体連合会等から一般の診療報酬とともに振り込まれますので、消費税は非課税ということでよいでしょうか。

A 課税の対象となります。

考え方

消費税法別表第二6号の規定により非課税とされるのは、健康保険法等の規定に基づく療養や療養費等の支給に係る療養等に限定されます。

この結果、療養費の支給対象外である予防接種、人工妊娠中絶、健康診断（人間ドックを含みます。）、自由診療等については、非課税となる療養等の範囲から除かれることになります。

高齢者の医療の確保に関する法律に基づく特定健康診査、特定保健指導も、健康診断と同様のものです。

したがって、いずれも、診査、指導を受けた高齢者が自己負担する部分も含めて、消費税の課税の対象となります（消法2①八、九、4①、6①）。

参考(1)　「特定健康診査」、「特定保健指導」とは

高齢者の医療の確保に関する法律18条１項（特定健康診査等基本指針）において、それぞれ次のように定義しています。

①　特定健康診査……糖尿病その他の政令で定める生活習慣病に関する健康診査をいう。

※　同法施行令１条の３は、生活習慣病として、「高血圧症、脂質異常症、糖尿病その他の生活習慣病であって、内臓脂肪（腹腔内の腸間膜、大網等に存在する脂肪細胞内に貯蔵された脂肪をいう。）の蓄積に起因するもの」を定めています。

②　特定保健指導……特定健康診査の結果により健康の保持に努める必要がある者として厚生労働省令で定めるものに対し、保健指導に関する専門的知識及び技術を有する者として厚生労働省令で定めるものが行う保健指導をいう。

参考(2)　所得税の医療費控除の取扱い（平成20年５月12日　国税庁文書回答事例）

特定保健指導を受けた者が日本高血圧学会（血圧測定）、日本動脈硬化学会（血中脂質検査）又は日本糖尿病学会（血糖検査）の診断基準を満たす場合の当該指導料（自己負担額）は、医療費控除の対象となる医療費に該当するものとされています。

また、特定健康診査の結果が所得税法施行規則40条の３第１項２号に掲げる状態と診断され、かつ、引き続き特定健康診査を行った医師の指示に基づき特定保健指導が行われた場合には、当該特定健康診査のための費用（自己負担額）も医療費控除の対象となる医療費に該当するものとされています。

Q 3 −14

医薬品の治験に係る診療において、治験依頼者が支出する負担金の取扱い

治験依頼者であるＢ製薬（株）は、医薬品の治験に係る診療について、検査、画像診断、投薬、注射及び治験薬の費用並びに治験に係るデータを管理するための費用を負担しています。

当該治験は、保険外併用療養制度上の評価療養に分類されることから、当該負担金は消費税が非課税となると考えてよいでしょうか。

A 治験依頼者が負担する検査、画像診断、投薬、注射及び治験薬の費用並びに治験に係るデータを管理するための費用は、非課税とはなりません（課税の対象）。

考え方

⑴ 検査、画像診断、投薬、注射及び治験薬の費用

医薬品、医療機器等の品質、有効性及び安全性の確保等に関する法律２条17項（定義）に規定する医薬品等の治験に係る診療は、評価療養に分類され、健康保険法等の規定に基づく保険外併用療養費の支給に係る療養に該当することから、保険算定額のうち被保険者（患者）が負担する費用も非課税となります。

しかし、治験依頼者が負担する検査等の費用については、治験の実施に際して治験依頼者と医療機関との間で締結される治験の契約に基づいて支払われるものであることから、非課税とはなりません（消法２①八、九、４①、６①）。

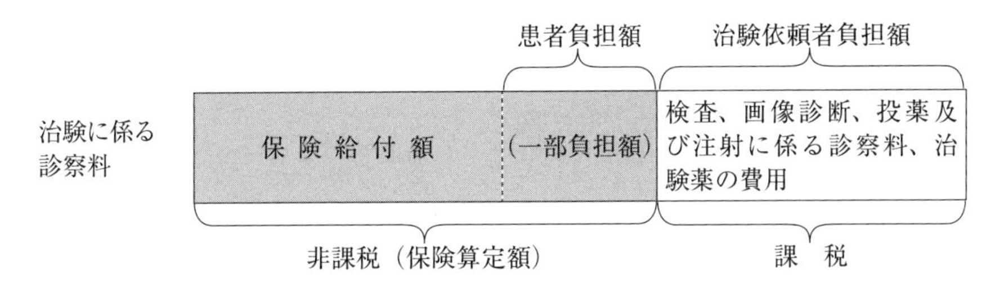

(2)　治験に係るデータを管理するための費用

健康保険法等の規定に基づく保険外併用療養費の支給に係る療養以外の治験依頼者と医療機関の契約に基づいて支払われるものであることから、非課税とはなりません(消法2①八、九、4①、6①)。

第3章 医療の非課税

〔医薬品の治験に係る診療に関する保険外併用療養費の取扱い〕

医薬品の治験に係る診療は、評価療養に分類され、健康保険法等の規定に基づく保険外併用療養費の支給に係る療養に該当しますが、次の費用は保険外併用治療費の支給対象から除かれています(平成18年9月29日付保医発第0929002号「『診療報酬の算定方法の制定等に伴う実施上の留意事項について』等の一部改正について」)。

(1)　治験依頼者の依頼による治験(企業依頼の治験)

医療保険制度と治験依頼者との適切な費用分担を図る観点から、治験に係る診療で、検査及び画像診断に係る費用、投薬及び注射に係る費用のうち当該治験の対象とされる薬物の予定される効能又は効果と同様の効能又は効果を有する医薬品に係るものについては、保険外併用療養費の支給対象とはしないものとされています。

(2)　自ら治験を実施する者による治験(医師主導の治験)

治験に係る診療のうち、当該治験の対象とされる薬物の予定される効能又は効果と同様の効能又は効果を有する医薬品に係る投薬及び注射に係る費用については、保険外併用療養費の支給対象とはしないものとされています。

なお、患者から当該治験の対象とされる薬物の薬剤料等を特別の料金として徴収する場合、患者に対し、保険外併用療養費の一部負担に係る徴収額と特別の料金に相当する自費負担に係る徴収額を明確に区分した当該特別の料金の徴収に係る領収書を交付するものとされています。

評価療養に係る費用の消費税の取扱いについて

（平成19年２月23日　厚生労働省保険局医療課事務連絡（抜粋））

薬事法第２条第15項に規定する治験（人体に直接使用される薬物に係るものに限る。）であって、治験依頼者の依頼による治験に係る診療の場合

保険外併用療養費の支給に係る療養

①保険外併用療養費　…………　非課税

（「診療報酬の算定方法」により算定した費用の額（検査、画像診断、投薬、注射以外）－　②）

②被保険者負担額　……………　非課税

（「診療報酬の算定方法」により算定した費用の額（検査、画像診断、投薬、注射以外）×　３割）

③治験スポンサー等被保険者以外の負担額　…………　課　税

（（検査、画像診断、投薬、注射）＋　治験薬の費用）

保険外併用療養費の支給に係る療養以外

④治験スポンサー等被保険者以外の負担額　…………　課　税

（治験に係るデータを管理するための費用（治験コーディネーターなどの医療機関が雇用するための人件費）など）

Q 3 −15

連携する他の医療機関（DPC 対象病院）から受領する報酬の課税関係

当病院は、DPC 対象病院となっている他の医療機関と連携しています。

DPC 対象病院の DPC 算定病棟に入院中の患者に対し、DPC 対象病院において診療を行うことができない専門的な診療が必要となった場合等のやむを得ない場合には、当該患者に対して当病院で診療することがあります。この場合、当病院では、診療に係る費用については、DPC 対象病院の保険医が実施した診療の費用とともに DPC 対象病院において請求し、医療機関間での相互の合議に基づいた金額を DPC 対象病院から受領しています。

この場合に当病院が DPC 対象病院から得た収入についても、健康保険法等の規定に基づく療養の給付等として、消費税は非課税となるのでしょうか。

A　ご質問の場合、貴病院は、DPC対象病院との連携に基づいてDPC対象病院の入院患者に対して診療を行い、診療に係る費用についてもDPC対象病院が一括して請求し、その一部を診療報酬として受領することになります。しかし、貴病院が行う診療が社会保険診療であることから、DPC対象病院において貴病院の診療に係る費用も含めて社会保険診療報酬の支払団体に請求しているものと認められ、貴病院が行った療養の給付に係る診療報酬についてDPC対象病院との合議に基づいて受け取るとしても、そのことで貴病院が行った診療の本質が変わるものではありません。また、当該合議により得る収入については、診療報酬に照らして妥当であればよく、必ずしも他の医療機関が単独で診療を行った場合の診療報酬と同額である必要はないとされているようです。

したがって、貴病院がDPC対象病院から受領する収入は、非課税になるものと考えます。

考え方

厚生労働省が、医療の質の標準化を図ることを目的として導入したDPC制度の下での入院医療費の計算は、従来の医療行為ごとに計算する「出来高払方式」とは異なり、疾患や診療内容（診断群分類区分）によって決められた1日当たりの定額料金を基に医療費を計算する「包括払方式」が適用されます。

(注) DPC（Diagnosis Procedure Combination）制度は、急性期入院医療を対象とし、疾患や症状、治療などから診断群分類（DPC）に基づいて、包括評価部分（入院基本料、検査、投薬、注射、画像診断など）について1日当たりの定額医療費を算定する制度です。出来高評価部分（手術、胃カメラ、リハビリなど）については従来どおりであり、両者の合計により入院医療費が算定されます。

この制度の対象とされるDPC対象病院のDPC算定病棟に入院中の患者に対し他の医療機関での診療が必要となり、当該入院中の患者が他の医療機関を受診した場合（当該入院医療機関において診療を行うことができない専門的な診療が必要となった場合等のやむを得ない場合に限ります。）の他の医療機関において実施された診療に係る費用は、DPC対象病院の保険医が実施した診療の費用と同様の取扱いとし、DPC対象病院において請求し、医療機関間での診療報酬の分配は、相互の合議に委ねるものとされています。

この分配により他の医療機関が得た収入については、当該他の医療機関が行った社会保険診療に係るものであり、それゆえに、DPC対象病院において一括して請求しているものとみとめられます。また、厚生労働省は、他の医療機関がDPC対象病院から合議に基づいて受け取る収入については、診療報酬に照らして妥当であればよく、必ずしも他の医療機関が単独で診療した場合の診療報酬と同額である必要はないとしています。

したがって、貴病院がDPC対象病院から受領する収入は、非課税になるものと考えます（消法別表第二6号、平成24年8月9日厚生労働省保険局医療課事務連絡「疑義解釈資料の送付について（その8）」問13－9）。

〔連携病理診断の仕組みにより病理診断医が受領する診療報酬〕

保険医療機関として認可された病理診断クリニックは、病院や診療所と提携し、病理診断を行うことができることから、病院や診療所からの依頼を受けて、病理標本を観察し、最終的にがんの識別をも含めた病理診断書を依頼者である医療機関に提供することがあります（連携病理診断）。

この連携病理診断についても、健康保険、国民健康保険等の支払機関への診療報酬の請求は、依頼者である医療機関が「病理診断料」を含めて請求し、病理診断クリニックは、依頼者である医療機関から協議により決定した金額を受領します。

この連携病理診断において病理診断クリニックが依頼者である医療機関から受領する金額も、健康保険法等の規定に基づく療養の給付の対価に該当し、非課税になるものと考えます。

（令和7年3月11日国税庁文書回答事例も同旨）

Q３－16

麻酔科医が他の保険医療機関の手術で役務の提供を行った場合の課税関係

個人で保険医療機関Ａクリニックを開設する麻酔科医甲は、他の保険医療機関で実施された手術について業務委託契約に基づき麻酔関連医療業務に係る役務の提供を行いました。

なお、手術の実施に当たって、執刀医、看護師や臨床工学技士などの医療従事者や手術に必要な設備や器具、薬剤等は、他の医療機関が全て用意し、提供しています。

この場合、麻酔科医甲が役務の提供により他の保険医療機関から受領した報酬も、健康保険法等の規定に基づく療養の給付の対価として非課税になると考えてよいでしょうか。

A　麻酔科医甲は、自ら主体として健康保険法等の規定に基づく療養の給付を行ったものではないことから、他の保険医療機関から受領した報酬は、療養の給付の対価には当たらず、非課税にはならないものと考えます（課税の対象）。

考え方

ある患者の治療等について複数の保険医療機関が関与する場合、一方の保険医療機関のみならず他方の保険医療機関も自ら主体となって療養の給付を行ったと評価されるためには、各保険医療機関の医師等が当該患者の治療等のために行った行為の具体的内容及びその関与の程度、各保険医療機関における物的設備等の負担の有無及び程度、他方の保険医療機関が当該患者の治療等に関与することとなった経緯及び双方の保険医療機関の関係等の事情を考慮して、他方の保険医療機関における関与が、人と物とが結合された組織体である保険医療機関として、自ら主体となって当該患者に対しその傷病の治療等に必要かつ相当と認められる医療サービスの給付を行ったものと評価することができるか否かという観点から判断することが相当と解されています（東京地裁・令和2年1月30日判決（税資第270号－15（順号13375)、東京高裁・令和3年1月27日判決（税資第271号－10（順号13512)

ご質問の麻酔科医甲は、他の保険医療機関が実施する手術において、麻酔施術を行っていますが、一般に、手術においては、執刀医による執刀のほか、患者に対する各種の処置、病理検査などの各種医学検査、手術中に必要とされる薬剤等の使用など、医師その他の医療従事者による各種の医療関係行為が一体となって行われるものであり、麻酔施術もその一環として行われるものです。

ご質問の事例においては、手術の実施に当たって、執刀医、看護師や臨床工学技士などの医療従事者や手術に必要な設備や器具、薬剤等は、他の医療機関が全て用意し、提供していますから、他の医療機関が自ら主体となって本件手術を実施したものであることは明らかです。そうすると、当該患者の治療等への甲の関与は、他の病院が主体となって実施した手術における各種の医療関係行為のうちの麻酔施術に係る麻酔専門医としての役務の提供にとどまります。

また、甲が他の保険医療機関での手術及び麻酔施術に関与することとなったのは、他の保険医療機関との間で各業務委託契約を締結し、他の保険医療機関での手術における麻酔関連医療業務（本件業務）を受託したことによるものであり、麻酔専門医が不在ないし不足している他の保険医療機関において、業務委託契約を締結することによって、麻酔に関する専門的な知識経験を有する医師を安定的に確保することにより、手術の安全性を高めようとしたものと考えられます。

以上から、麻酔科医甲は、他の保険医療機関との業務委託契約に基づき、当該他の医療機関が実施した手術において麻酔施術を行ったにすぎず、自ら主体となって当該他の医療機関と共に手術を実施したとまでは言えません。また、手術における各種の医療関係行為の一環として行われた麻酔施術を、本体である手術から切り離して、これとは別個の医療サービスの給付と解することは相当ではありません。

したがって、麻酔科医甲は、自ら主体として療養の給付を行ったとは認められませんから、他の保険医療機関から支払を受けた報酬は療養の給付の対価には当たらず、非課税とはならないものと考えます（消法別表第二6号）。

Q３−17

社会保険医療の一環として行われる酸素の販売の課非

当社は、医師の指示に従って、社会保険医療の対象となる酸素を在宅患者に配達し、その代金を医師に請求しています。この場合の酸素代金も消費税は非課税となりますか。

A　非課税とはなりません（課税の対象）（消基通６－６－２）。

考え方

社会保険医療として消費税が非課税とされるのは、医療機関が被保険者等に対して行う医療、療養やそれらに類する資産の譲渡等です（消法別表第二６号）。したがって、医薬品販売業者が医師に医薬品を販売する取引やご質問の取引は、非課税とはなりません（消法２①八、九、４①、６①）。

Q３−18

医療扶助に係る治療材料の販売の課税関係

当法人では、生活保護法の規定による医療扶助として行われる治療材料の給付に関して、次のような形態で、その治療材料の販売を行っています。当法人の行う治療材料の販売は、消費税の非課税取引となるでしょうか。なお、医療扶助には限度額があり、販売した治療材料がその限度額を超える場合には、差額を被保護者から受領することになります。

1．被保護者に治療材料を販売します。

2．代金のうち医療扶助の限度内の金額は被保護者から受け取った治療材料券を添えて福祉事務所へ請求します。

3．代金のうち医療扶助の限度超過額については、被保護者へ請求します。

A　医療扶助の限度額を超える部分も含めて非課税となります。

考え方

消費税法別表第二６号ハにより、「生活保護法の規定に基づく医療扶助のための医療の給付及び医療扶助のための金銭給付に係る医療」は非課税とされています。

また、生活保護法15条では、医療扶助は、困窮のため最低限度の生活を維持することのできない者に対して、次に掲げる事項の範囲内で行われることとされています。

①　診察

②　薬剤又は治療材料

③　医学的処置、手術及びその他の治療並びに施術

④　居宅における療養上の管理及びその療養に伴う世話その他の看護

⑤　病院又は診療所への入院及びその療養に伴う世話その他の看護

⑥　移送

お尋ねの医療扶助に係る治療材料の販売は、②に該当するものと認められます。治療材料には、輸血用の生血、義肢、装具、収尿器、ストーマ装具、尿中糖半定量検査用試験紙、吸引器、ネブライザー等があり、給付に際しては、福祉事務所がその必要性について指定医療機関から給付要否意見書を求め、必要と認めれば被保護者に治療材料券を交付しています。なお、治療材料の給付は現物給付として行われ、給付方法は貸与又は修理によることが原則とされていますが、貸与を適当としない物品である場合や貸与又は修理の方が高額となる場合は購入によることとされています。

消費税の取扱いですが、医療分野における非課税の範囲は、特別室や特別食などを除いて、公的給付の限度額を超えて被保護者が負担する部分を含めた医療の全体が非課税とされています（消基通６－６－３）。お尋ねの医療扶助に係る治療材料の販売も、「生活保護法の規定に基づく医療扶助のための医療の給付及び医療扶助のための金銭給付に係る医療」に該当すると認められますから、医療扶助の限度額を超える部分も含めて非課税になるものと考えます。

Q３－19

補聴器の譲渡の課非

当店はメガネ・補聴器の販売と修理を行っていますが、補聴器の譲渡について消費税は非課税となるでしょうか。

A　非課税とはなりません（課税の対象）。

考え方

補聴器は耳の遠い人のために、外界からの音の強さを拡大して聴力を補う装置であり、視力が弱い人が使う眼鏡と同様、その譲渡は原則として消費税の課税の対象となります。

非課税とされる医療の範囲は、消費税法別表第二６号にその範囲が定められていますが、補聴器の譲渡はその範囲に含まれていません。

なお、身体障害者用物品に該当する補聴器（平成18年厚生労働省告示第528号の別表の１の(8)のその他の表の補聴器の項に掲げるものに限ります。）については、非課税となります（消法別表第二10号、消令14の４）。

〔参考〕

補装具の種目、購入等に要する費用の額の算定等に関する基準（抜粋）
（平成18年厚生労働省告示第528号（最終改正：令和６年こども家庭庁・厚生労働省告示第６号））

別表

1 −(8)その他

種目	名　称	定　義	付属品	上限価格 円	耐用年数 年	備　考
補聴器	高度難聴用ポケット型	次のいずれかを満たすもの ① JIS C 5512−2000による。 90デシベル最大出力音圧のピーク値の表示値が140デシベル未満のもの。 90デシベル最大出力音圧のピーク値が125デシベル以上に及ぶ場合は出力制限装置を付けること。 ② JIS C 5512−2015による。 90デシベル入力最大出力音圧レベルの最大値（ピーク）の公称値が130デシベル未満のもの。 90デシベル入力最大出力音圧レベルの最大値（ピーク）の公称値が120デシベル以上に及ぶ場合は出力制限装置をつけること。	電池 イヤモールド	44,000	5	上限価格は電池、骨導レシーバー又はヘッドバンドを含むものであること。ただし、電池については補聴器購入時のみの付属品であり、修理による支給は認められないこと。 身体の障害の状況により、イヤモールドを必要とする場合は、修理基準の表に掲げる交換の額の範囲内で必要な額を加算すること。 ダンパー入りフックとした場合は、250円増しとすること。 平面レンズを必要とする場合は、修理基準の表に掲げる交換の額の範囲内で必要な額を、また、矯正用レンズ又は遮光矯正用レンズを必要とする場合は、眼鏡の
	高度難聴用耳かけ型			46,400		
	重度難聴用ポケット型	次のいずれかを満たすもの	電池 イヤモールド	59,000		

種目	名称	定義	付属品	上限価格 円	耐用年数 年	備考
	重度難聴用耳かけ型	① JIS C 5512－2000による90デシベル最大出力音圧のピーク値の表示値が140デシベル以上のもの。その他は高度難聴用ポケット型及び高度難聴用耳かけ型の①に準ずる。 ② JIS C 5512－2015による90デシベル入力最大出力音圧レベルの最大値（ピーク）の公称値が130デシベル以上のもの。その他は高度難聴用ポケット型及び高度難聴用耳かけ型の②に準ずる。		71,200		修理基準の表に掲げる交換の額の範囲内で必要な額を加算すること。 重度難聴用耳かけ型で受信機、オーディオシュー、ワイヤレスマイクを必要とする場合は、修理基準の表に掲げる交換の額の範囲内で必要な額を加算すること。 デジタル式補聴器で、補聴器の装用に関し専門的な知識・技能を有する者による調整が必要な場合は、2,000円を加算すること。
	耳あな型(レディメイド)	高度難聴用ポケット型及び高度難聴用耳かけ型に準ずる。ただし、オーダーメイドの出力制限装置は内蔵型を含むこと。	電池 イヤモールド	92,000		
	耳あな型(オーダーメイド)		電池	144,900		
	骨導式ポケット型	IEC 60118－9（1985）による。90デシベル最大フォースレベルの表示値が110デシベル以上のもの。	電池 骨導レシーバー ヘッドバンド	74,100		
	骨導式眼鏡型		電池 平面レンズ	126,900		

Q 3 −20

不妊治療における体外受精についての消費税の取扱い

産婦人科での不妊治療における体外受精については、保険の適用がありませんが、この診療に係る収入は、助産に係る資産の譲渡等として消費税は非課税となりますか。

A 非課税となります。

考え方

医師、助産師その他医療に関する施設の開設者による助産に係る資産の譲渡等は非課税とされています（消法6①、別表第二8号、消基通6－8－1、6－8－2、6－8－3）。ここにいう「助産」とは、分娩を助け、産婦や新生児の世話をすることをいうものと解されますが、不妊治療における体外受精という医療行為は、妊娠に係るものではありますが、分娩には該当しないため、助産に係る資産の譲渡等としての非課税とはなりません。

ただし、令和4年4月から、人口受精等の「一般的不妊治療」、体外受精・顕微受精等の「生殖補助医療」について保険適用されています（社会保険診療として非課税（消法別表第二6号））。

「生殖補助医療」については、採卵から胚移植に至るまでの一連の基本的な診療は全て保険適用され、患者の状態等に応じ追加的に実施される可能性のある治療のうち、先進医療に位置づけられたものについては、保険診療と併用可能です。

なお、保険診療でも、年齢に応じた回数制限があります。

（出典：こども家庭庁ホームページ）

Q 3 −21

産科医院での羊水検査

産科医院においては、胎児の染色体異常を検査する羊水検査を行っています。この羊水検査は、通常の妊婦検診と同様に胎児の発育状況を検査するものと考えられますので、助産に係る資産の譲渡等に該当し、消費税は非課税となると考えてよいでしょうか。

A お尋ねの羊水検査は、自由診療である医療に該当して、消費税の課税対象となります。

考え方

助産に係る資産の譲渡等に該当し、消費税が非課税とされるのは次のものです（消費税法別表第二第８号、消基通６－８－１）。

①妊娠しているか否かの検査、②妊娠していることが判明した時以降の検診、入院、③分娩の介助、④出産の日以後２月以内に行われる母体の回復検診、⑤新生児に係る検診及び入院

お尋ねでは、羊水染色体検査は②の妊婦検診と同様に考えられるとのことですが、胎児の病気や障害に関する検査は、胎児の生育状況を調べるための妊婦検診とは異なり、医療である診断として行われていますから、助産に係る資産の譲渡等には該当しないと考えられます。また、羊水を採取する際に腹部に針を刺すことにより流産・破水・出血・子宮内感染症・胎児の受傷・早産などの危険が伴うことから、医療としても、患者の意志による自由診療とされています。

以上の点から、お尋ねの羊水検査は、非課税となる助産に係る資産の譲渡等、公的医療保険制度に基づく医療のいずれにも該当せず、いわゆる自由診療として消費税は課税になるものと考えられます。

㈲　新型出生前診断（NIPT）についても、同様と考えられます。

Q3−22

妊娠中毒症等の入院に係る差額ベッド料の取扱い

妊娠中毒症や切迫流産等のため妊娠中に入院した患者から差額ベッド料を収受した場合、通常の医療の場合と同様に消費税は課税となるのでしょうか。

A 課税とはなりません（非課税）。

考え方

妊娠中の入院については、妊娠中毒症や切迫流産などで産婦人科医が必要と認めたもの及びその他の疾病（骨折等）による入院のうち産婦人科医が共同して管理する入院は、助産に係る資産の譲渡等に該当するものとして取り扱われます（消基通6−8−2）。

ところで、医療に係る非課税規定では、いわゆる差額ベッド料や特別給食費、大学病院等の初診料などを非課税から除外していますが、助産に関してはそのような規定になっていません。

したがって、その診療が助産に係る資産の譲渡等に該当して非課税となる場合は、差額ベッド料等も非課税となります（消法別表第二8号）。

参考 **出産後の入院の取扱い**

異常分娩のための出産後の入院についても、出産の日から1か月を限度として助産に係る資産の譲渡等に該当しますので、差額ベッド料は非課税となります（消基通6−8−3）。

ただし、異常分娩のための出産後の入院でも消費税法別表第二6号の「医療」及び7号イの「介護サービス」、同号ロの「社会福祉事業」の規定に該当するものは、それらの規定により非課税となりますので、それらの規定により非課税から除かれている差額ベッド料は、助産に係る資産の譲渡等として非課税となります。

Q３－23

市区町村が医療機関に委託する妊婦検診の委託費

市区町村が実施主体となり医療機関に母子保健事業に基づく妊婦健康診査事業を委託している場合に、医療機関が契約により市区町村から受領している委託料は、消費税の課税の対象となるでしょうか。

A　課税の対象ではありません（非課税）。

考え方

(1)　消費税法別表第二８号の規定により非課税となる「助産に係る資産の譲渡等」の範囲は、①妊娠しているか否かの検査、②妊娠していることが判明した時以降の健診、入院、③分娩の介助、④出産の日以後２月以内に行われる母体の回復健診、⑤新生児に係る健診及び入院とされています（消基通６－８－１）。

したがって、これらの範囲以外の医療、療養等については、社会保険診療に該当する場合は「非課税」となりますが、該当しない健康診断・診査については課税ということになります。

ただし、母子保健法の規定に基づく養育医療（１歳未満の未熟児で、指定病院の医師が入院して治療する必要があると認めた子どもに対する医療）の給付又は養育医療に要する費用の支給に係る医療等は「非課税」とされています（消令14十二）。

(2)　ご質問の妊婦健康診査委託料については、上記(1)の助産に係る資産の譲渡等の範囲の受診妊婦に要する医療費の助成と認められますので、原則として、「非課税」に該当すると考えられます。

参考

子ども・子育て支援法59条13号は、母子保健法に基づく妊婦健診を「地域子ども・子育て支援事業」と位置付けていますが、消費税法施行令14条の３第６号（社会福祉事業として行われる資産の譲渡等に類するものの範囲）の非課税となる資産の譲渡等には該当しないため、助産に係る資産の譲渡等として非課税となります。

Q 3 −24

妊娠検査薬販売の課非

妊娠しているかどうかを自分で調べる検査薬を薬局が販売した場合、助産に係る資産の譲渡等として消費税は非課税となりますか。

A 非課税とはなりません（課税の対象）。

考え方

医師等が行う妊娠しているかどうかの検査ではありませんので、課税の対象となります（消法２①八、九、４①、６①、別表第二８号）。

非課税となるのは医師、助産師その他医療施設の開設者による助産に係る資産の譲渡等とされています。

Q 3 −25

胎盤処理費の課非

出産の際の胎盤処理費について、

(1) 処理業者が医師等に請求する場合

(2) 医師等が出産した女性に請求する場合

はどちらも消費税が非課税となりますか。

A (1)は非課税とはなりません（課税の対象）。

(2)は非課税となります。

考え方

(1) 処理業者が行う胎盤の処理は、医師等の医療の施設の開設者が行う役務の提供ではないので、非課税の対象となりません（課税の対象）。

(2) 胎盤の処理は助産のためには必要な行為であり、当該処理費を助産費用として合計で請求している場合に限り、全体が助産に係る資産の譲渡等の対価として非課税となります（消法別表第二８号）。

Q３－26

助産施設として利用されていた建物の譲渡の課非

産婦人科医院を個人で開業していた医師が、医療法人化に伴って、助産施設として利用していた建物を医療法人に譲渡した場合、「助産に係る資産の譲渡等」に当たり、消費税は非課税となるでしょうか。

A　非課税とはなりません（課税の対象）。

考え方

消費税法別表第二８号に規定する「助産に係る資産の譲渡等」とは、医師等の資格を有する者の医学的判断及び技術をもって行われる分娩の介助等ないしはそれに付随する妊産婦等に対する必要な処置及び世話等をいうものと解されます。したがって、助産の用に供されている施設、建物の譲渡が「助産に係る資産の譲渡等」に該当することはなく、非課税となることはありません（平成24年１月31日裁決参照）。

Q 3 −27

外国人旅行者に対する診療の取扱い

当診療所では、病気になった外国人旅行者に対して治療を行うことがしばしばありますが、消費税については、輸出免税の対象となるでしょうか。

A 外国人旅行者に対する医療の提供については、消費税の課税対象となります。

考え方

非居住者に対して行われる役務の提供に係る消費税の取扱い

消費税法上、外国人旅行者のように国内に住所を有さない者は非居住者に該当します（消令１②二）。そして非居住者に対する役務の提供は輸出免税に該当しますが、以下のものは輸出免税の対象から除かれます（消法７①三、消令17②七）。

⑴　国内に所在する資産に係る運送又は保管

⑵　国内における飲食又は宿泊

⑶　⑴及び⑵に準ずるもので、国内において直接便益を享受するもの

外国人旅行者に対して行う医療行為は非居住者に対する役務の提供に当たりますが、上記⑵の国内における飲食や宿泊と同じように国内において直接便益を享受するものとして上記⑶に該当すると考えられますから、輸出免税の適用対象から除外されることになります（消基通７－２－16⑺）。

また、外国人旅行者はわが国における公的な医療保険制度に加入していませんから、非課税にも該当せず、消費税の課税対象となります。

Q 3 −28

外交官、領事官等を治療した場合の消費税の免税

医療機関が、外交官、領事官等の病気やけがを治療する場合、消費税は免税になるのでしょうか。

A 免税指定店舗である医療機関が、所定の手続により外交官等を治療する場合には、消費税は免除されます。

考え方

消費税法においては、健康保険、国民健康保険等の公的医療保険制度に基づく医療は非課税とされています（消法別表第二6号)。逆に、公的医療保険制度に基づかない医療は、課税の対象となります。

また、非居住者に対する役務の提供でも、国内に所在する資産に係る運送・保管、国内における飲食・宿泊及びこれらに準ずるもので国内において直接便益を享受するものは、輸出免税の対象とはなりません（消令17②七)。非居住者に対する医療も、これらに該当し、輸出免税の対象とはならないこととされています（消基通7－2－16(7))。

したがって、医療機関が外交官等を治療しても、消費税法の規定からは、消費税は免除されないことになります。

しかし、外国公館等については、租税特別措置法により課税資産の譲渡等に対する消費税を免除する規定が設けられています（租特法86)。ただし、当該免除規定は、外国にある本邦の大使館等又は外国に派遣された大使等に対して、当該国が消費税に類似する租税の免除に制限を付す場合は、本邦も相互条件により免除の範囲を制限することとしており（租特法86ただし書)、外国公館等には、外務省儀典官から相互条件により免税の範囲が異なる「免税カード」が交付されています。

外国公館等に対する消費税の免除規定（外国公館等用免税）の対象とな

る者は、外国の大使館、公使館、領事館その他これらに準ずる機関又は本邦に派遣された外国の大使、公使、領事その他これらに準ずる者とされ、大使等についてはその家族を含むものとされています（平成８年課消２－８「外国公館等に対する課税資産の譲渡等に係る消費税の免除の取扱いについて」(外国公館等用免税通達１、２)。

また、外国公館等に対して免税で課税資産の譲渡等を行うことができるのは、国税庁長官の指定を受けた免税指定店舗に限られます。外国公館等は、課税資産の譲渡等を受ける場合は、免税カードを提示するとともに、「外国公館等用免税購入表」を提出し、免税指定店舗は、当該購入表を７年間保存することとされています（租特令45の４、外国公館等用免税通達６)。

ご質問のように医療機関が外交官等を治療する場合、①その医療機関が免税指定店舗であること、②治療を受ける外交官等が医療を含むサービスも免除される者であること、③対価の額が免税対象額以上であること、④所定の手続に基づいて治療を行うことの全ての要件を充足していれば、消費税が免除されることになります。

㈱１　免税カードの提示については、令和６年４月１日以後、外務省が整備及び管理をする情報システムによる当該免税カードに係る情報の提供をもって代えることができます（租特令45の４②)。

２「外国公館等用免税購入表」の提出については、令和６年４月１日以後、当該書類に記載すべき事項に係る電磁的記録の提供をもって代えることができます（租特令45の４②)。

３　免税指定店舗が保存する「外国公館等用免税購入表」には、令和６年４月１日以後、上記２の電磁的記録を含むものとされました（租特令45の４③)。

Q 3 −29

従業員寮の貸付けの課非

当医療法人では、仕事がら勤務時間が不規則になるため、従業員寮を用意しています。この従業員寮には、当医療法人が所有するものと、住宅のオーナーから当医療法人が賃借したものとがありますが、いずれについても入居する従業員からは毎月所定の家賃を収受しています。

この場合の従業員から収受する家賃について、消費税の取扱いはどのようになりますか。

A いずれの場合も、住宅の貸付けとして非課税となります。

考え方

(1) 住宅の範囲

住宅とは、人の居住の用に供する家屋又は家屋のうち人の居住の用に供する部分をいい、一戸建ての住宅のほか、マンション、アパート、社宅、寮、貸間等が含まれます。

(2) 住宅の貸付けの範囲

非課税となるのは、その貸付けに係る契約において人の居住の用に供することが明らかにされている場合（その契約において貸付けに係る用途が明らかにされていない場合に、その貸付け等の状況からみて人の居住の用に供されていることが明らかな場合を含みます。）に限られます。また、①貸付期間が１月未満の場合、②旅館業法２条１項に規定する旅館業に係る施設の貸付けに該当する場合は、住宅の貸付けから除かれます。

(3) 非課税の範囲

非課税となる住宅家賃には、月極め等の家賃のほか、敷金、保証金、一時金等のうち返還しない部分も含まれます。

また、共同住宅における共用部分に係る費用（エレベーターの運行費用、廊下等の光熱費、集会所の維持費等）を入居者が応分に負担する、いわゆる共益費も家賃に含まれます。

なお、入居者から家賃とは別に収受する専有部分の電気、ガス、水道等の利用料は、非課税とされる家賃には含まれません。

また、食事も提供される、いわゆる「まかない」付きの従業員寮の場合、まかないサービス部分は課税となり、部屋代部分だけが非課税となります。

⑷　転貸する場合の取扱い

病院が家主から住宅を賃借し、これを社宅として従業員に転貸する場合であっても、家主との賃貸借契約において従業員等の居住の用に供する目的で転貸することが明らかであれば、家主からの賃借は非課税となり（病院の非課税仕入れ）、病院から従業員に対する転貸も非課税となります（消法6、別表第二13号、消令16の2、消基通6－13－1～6－13－9）。

⑸　無償貸付けの場合

従業員寮の貸付けが無償で行われる場合は、対価を得て行われる資産の貸付けに該当しませんから、課税の対象外（不課税）です（消法4①、2①八、消基通5－1－2後段）。

Q３−30 看護師等養成奨学金の取扱い

当医療法人では、看護師、助産師を志し、養成施設（専門学校、短大、大学等）に在籍する学生で、将来当医療法人の病院等への勤務を希望する者を対象とした奨学金制度を設けています。

この奨学金は、貸与決定時から卒業まで月額５万円を無利子で貸与するもので、貸与された期間と同じ期間当医療法人に勤務した場合は、返還が免除されます。しかし、それまでに退職した場合は、全額返還してもらうこととなっており、その場合は、完済まで所定の利子を付すこととなっています。

この奨学金についての消費税の取扱いはどのようになるでしょうか。

A 無利子で行われる奨学金の貸与は、消費税の課税対象外（不課税）となります。また、貸与した奨学金の返済免除は、課税仕入れに該当しません。

中途退職の場合に奨学金の完済まで付すこととされている利子は、金銭の貸付けの対価として非課税売上げとなります。

考え方

金銭の貸付けについて、消費税は非課税とされています（消法６①、別表第二３号）が、無利子での貸付けは対価を得て行う資産の貸付けに該当しませんから、そもそも消費税の対象外（不課税）です（消法４①、２①八、消基通５－１－２後段）。

また、所定の期間勤務した場合に奨学金の返済を免除する取扱いは、免除を受ける者（奨学金の受給者）から資産の譲渡、資産の貸付け又は役務の提供を受けたことに対する反対給付に代えて行う債務免除ではありませんから、奨学金を支給し、その免除を行った医療法人にとっては、課税仕入れとならず、消費税についてその他の課税関係も生じません。

なお、中途退職の場合に返済する金額のうち元金部分については、貸していたものを返してもらうだけですから、消費税の課税関係は生じませんが、完済されるまで付すこととしている利子は、金銭の貸付けの対価ですから、奨学金を貸与した医療法人の非課税売上げとなります。

Q3－31

医業未収金債権を譲渡した場合の取扱い

当医療法人では、資金繰りの都合から、医業未収金債権をファクタリング会社に譲渡することがあります。この場合の消費税の取扱いはどのようになるでしょうか。

A　医業未収金債権の譲渡は非課税となります。

なお、課税売上割合の計算においては、その譲渡対価の額を分母に加算する必要はありません。

考え方

売掛金その他の金銭債権は、消費税法上有価証券に類するものとされています（消令9①四）。したがって、金銭債権の譲渡は、有価証券等の譲渡として非課税となります（消法別表第二2号）。

医業未収金債権も売掛金その他の金銭債権に該当しますから、その譲渡は非課税となり、例えば、100の医業未収金債権を90で譲渡した場合は、90が非課税売上げとなります。

なお、医療未収金債権の譲渡は、医療の提供という資産の譲渡等の対価として取得したものの譲渡ですから、その譲渡対価の額は課税売上割合の計算上、分母、分子に加算されません（消令48②二）。この取扱いは、その医業未収金債権が、非課税とされる社会保険診療等の提供によって取得したものであっても、課税対象の自由診療によって取得したものであっても異なることはありません（注）。

(注)　社会保険診療等の提供による非課税売上高は、課税売上割合の計算上、分母に加算し、自由診療による課税売上高は分母、分子に加算する必要があります。

参考

資産の譲渡等の対価として取得した金銭債権以外の金銭債権（例えば、貸金債権や自動車リサイクル法の規定による預託金債権など）の譲渡については、平成26年（2014年）４月１日以後、有価証券の譲渡と同様に、譲渡対価の５％相当額を分母に含めることとされています（消令48⑤）。

Q３－32

MS 法人が医療法人から受領する受託業務サービスに係る人件費相当額の課税関係

医療法人Aは、系列のメディカル・サービス法人（MS法人）Bに対し医療事務・清掃・給食等の業務を委託しています。この業務委託について、Aにおいては業務委託費を課税仕入れと不課税取引に区分し、Bにおいては業務受託収入を課税売上げと不課税取引とに区分しています。この「不課税部分」はBが雇用する受託業務サービスに従事する従業員の給料相当額で、受託収入の約90％を占めているため、Bは免税事業者に該当するとして消費税の申告を行っていませんが、このような取扱いで差し支えないのでしょうか。

A　MS法人Bが受領する業務受託収入の全額が消費税の課税の対象となります。

考え方

人材派遣会社や人工出しを行う建設業者等においては、派遣社員や建設労働者に支払う給与に相当する金額部分も当然ながら派遣や請負の対価を構成するものですから、その部分も含めた金額が課税売上げとされています（消法28①）。

委託者である医療法人に対して人的役務を提供するスタッフに支払う給与相当額を除いた手数料部分のみが消費税の課税の対象となるケースとしては、看護師紹介所による紹介のように、人的役務の提供を行うスタッフと当該スタッフを派遣する事業者との間に雇用関係が存在しない場合です（この場合は、派遣されるスタッフと派遣先との間で雇用契約が締結されます。）。

ご質問の場合、医療法人で受託業務を行うスタッフはMS法人との間に雇用関係が成立しており、MS 法人のスタッフとして委託者である医療法人に対して医療事務、清掃、給食等の役務を提供しているわけですから、MS 法人がそれらの役務の提供の対価として医療法人から受領する金額の全部が課税売上げとなります。その結果、基準期間における課税売上高又は特定期間における課税売上高が1,000万円超となる場合には、MS 法人は課税事業者として消費税の申告義務を負うこととなります。なお、委託者である医療法人においては、支払った全額が課税仕入れに該当することになります。

Q3−33

医療法人成りに際してリース資産の移転を行った場合の課税関係

医師Aは個人事業者として診療所を経営していましたが、このほど当該診療所を医療法人とし、自らは理事長に就任しました。法人成りに伴い、個人所有であった診療所の資産を医療法人に移転させることとしました。移転させる資産には所有権移転外ファイナンス・リースにより取得した資産が含まれています。このリース物件の移転も、個人から医療法人への資産の譲渡として、消費税の課税の対象となるのでしょうか。

なお、移転するリース物件については、取得時にリース料総額に係る消費税額を一括して仕入税額控除しています。また、リース物件の移転に伴い、リース未払金（リース債務）も医療法人に移転させるため、対価の授受は行われません。

A　リース物件の個人から医療法人への譲渡として消費税の課税対象となることはないものの、残存リース料相当額については、リース会社からの仕入れに係る対価の返還等として、リース会社との間で合意解約した日の属する課税期間において仕入控除税額を減額調整する必要があると考えます。

考え方

税務上売買とみなされるリースであっても、リース物件の実際の所有者はリース会社です。したがって、ご質問の場合のように、リース物件の借主が従前の個人事業者から法人成りした新設法人に変更になる場合には、リース契約を変更するか新たなリース契約が締結されるものと思われますから、少なくとも、個人事業者と新設法人との間におけるリース物件の売買という契約関係にはならないと思われます。そうしますと、ご質問の場合も、リース物件の借主の変更が、リース物件の旧借主である個人医から新借主である医療法人へのリース物件の譲渡として消費税の課税対象となることはないと考えます。

ただし、リース開始時にリース料の全額に係る消費税を一括して控除している場合に、旧借主とリース会社との間の合意解約に伴い、残存リース料の一部又は全部が減額されたときは、この減額された金額は仕入れに係る対価の返還等として取り扱われます（国税庁質疑応答事例「所有権移転外ファイナンス・リース取引に係る残存リース料の取扱い」）ので、ご質問の場合も、残存リース料の全額が医療法人に引き継がれることによりリース会社から残存リース料が減額されるのであれば、リース会社との合意解約の日の属する課税期間において個人医は仕入控除税額の減額調整を行うことになると考えます（消法32①）。なお、医療法人とリース会社との間では、新たなリース取引として消費税の課税関係を判定することになります。

（参考）　賃貸借処理を行い、消費税の控除について分割控除を行っている場合は、合意解約までに支払ったリース料に係る消費税額についてのみ仕入税額控除していますから、個人医においては特段の処理は要しないことになります。

第 4 章

介護サービスの非課税

高齢者に対する介護サービスについては、平成12年（2000年）に介護保険制度の下に一本化されましたが、その後、地域における医療及び介護の総合的な確保を推進する方針の下に所要の整備が進められました。

本章では、介護サービスに関する資産の譲渡等に係る消費税の課税上の取扱いについて、非課税の範囲を中心に詳しくみていくこととします。

第１節　介護の非課税の変遷

平成12年（2000年）４月１日（介護保険制度導入）

我が国の急速な高齢化に対応し、介護を社会全体で支え、利用者の希望を尊重した総合的なサービスが安心して受けられる介護保険制度が平成12年（2000年）４月１日から実施されました。

介護保険の給付対象となるサービスは、そもそも老人保健法、老人福祉法等の規定に基づくものであり、それまでも医療又は社会福祉事業として消費税は原則非課税となっていたことから、「介護保険法」の規定に基づく一定のサービスも非課税とするよう「介護保険法施行法」において消費税法の一部改正が行われました。

「介護保険法」及び「介護保険法施行法」は、平成９年（1997年）12月17日に公布されていましたが、具体的内容の多くが厚生省令に委任されていたことから、消費税が非課税となる介護サービス等の具体的範囲についても政省令及び関係告示で規定することになり、平成12年（2000年）４月１日からの実施となったものです。

なお、介護保険制度は、利用者の選択により、保健・医療・福祉にわたる介護サービスを総合的に利用できる仕組みであることから、利用者の選択に基づき、介護保険サービス等の一環として『特別な食事』や『特別な居室』等を提供することが認められています。介護保険サービスの一環として提供されるこれらのサービスについても「居宅介護サービス費の支給に係る居宅サービス」等に該当することとなりますが、『特別な食事』や『特別な居室』といった自己の選択による付加サービスについては、課税の公平性や医療等の扱いとの均衡を図る観点から、消費税が非課税となる居宅サービス等から除かれました（平成12年大蔵省告示第27号）。

○　介護保険制度導入時において非課税とされた介護サービス等の具体的範囲

⑴　居宅介護（支援）サービス費の支給に係る居宅サービス

〔網かけ部分が非課税〕

①　訪問介護（介護保険法７⑥）

←居宅介護（支援）サービス費の支給に係る居宅サービス→		
居宅介護（支援）サービス費	本人負担額（１割）	自己選定による交通費（規20③）

(注)１　「規」は、指定居宅サービス等の事業の人員、設備及び運営に関する基準（平11年厚生省令第37号）をいいます（以下同じ。）。

２　法令の条項は当時のものです（以下同じ。）。

②　訪問入浴介護（介護保険法７⑦）

←居宅介護（支援）サービス費の支給に係る居宅サービス→			
居宅介護（支援）サービス費	本人負担額（１割）	自己選定による交通費（規48③一）	特別な浴槽水等の提供（規48③二）

③　訪問看護（介護保険法７⑧）

←居宅介護（支援）サービス費の支給に係る居宅サービス→		
居宅介護（支援）サービス費	本人負担額（１割）	自己選定による交通費（規66③）

④　訪問リハビリテーション（介護保険法７⑨）

←居宅介護（支援）サービス費の支給に係る居宅サービス→		
居宅介護（支援）サービス費	本人負担額（１割）	自己選定による交通費（規78③）

⑤　居宅療養管理指導（介護保険法７⑩）

←居宅介護(支援)サービス費の支給に係る居宅サービス→

居宅介護（支援）サービス費	本人負担額（１割）	交通費（規87③）

⑥　通所介護（介護保険法７⑪）

←居宅介護（支援）サービス費の支給に係る居宅サービス→

居宅介護（支援）サービス費	本人負担額（１割）	自己負担による延長（規96③二）	日常生活費 食材料費、おむつ代他（規96③三～五）	自己選定による送迎費（規96③一）

⑦　通所リハビリテーション（介護保険法７⑫）

←居宅介護（支援）サービス費の支給に係る居宅サービス→

居宅介護（支援）サービス費	本人負担額（１割）	自己負担による延長（規96③二）	日常生活費 食材料費、おむつ代他（規96③三～五）	自己選定による送迎費（規96③一）

㈲　利用料等の受領に関しては、規96を準用（規119）。

⑧　短期入所生活介護（介護保険法７⑬）

←居宅介護（支援）サービス費の支給に係る居宅サービス→

居宅介護（支援）サービス費	本人負担額（１割）	日常生活費 食材料費、理美容代他（規127③三～五）	自己選定による特別な居室費（規127③一）	自己選定による送迎費（規127③二）

⑨　短期入所療養介護（介護保険法７⑭）

←居宅介護（支援）サービス費の支給に係る居宅サービス→

居宅介護（支援）サービス費	本人負担額（１割）	日常生活費 食材料費、理美容代他（規145③三～五）	自己選定による特別な療養室費（規145③一）	自己選定による送迎費（規145③二）

⑩　痴呆対応型共同生活介護（介護保険法７⑮）

←居宅介護サービス費の支給に係る居宅サービス→

居宅介護サービス費	本人負担額（１割）	日常生活費 食材料費、理美容代、おむつ代他（規162③）

⑪　特定施設入所者生活介護（介護保険法７⑯）

←居宅介護（支援）サービス費の支給に係る居宅サービス→

居宅介護サービス費	本人負担額（１割）	日常生活費 おむつ代他（規182③二、三）	自己選定による便宜に要する費用（規182③一）

なお、保険給付の対象となる居宅サービスのうち、福祉用具貸与については、消費税が非課税となる「訪問介護等」には含まれていませんが、当該福祉用具が旧消費税法別表第一10号に規定する身体障害者用物品に該当するときは、同号の規定により非課税とされました。

(2)　施設介護サービス費の支給に係る施設サービスの範囲

〔網かけ部分が非課税〕

①　指定介護福祉施設サービス（介護保険法48①一）

←施設介護サービス費の支給に係る施設サービス→

施設介護サービス費	本人負担額（１割）	食事提供（法48②二）		日常生活費	自己選定による特別な居室費（規９③一）	自己選定による特別な食事費（規９③二）
		施設介護サービス費	標準負担額（法48②二）	理美容代他（規9③三、四）		

㈲「規」は、指定介護老人福祉施設の人員、設備及び運営に関する基準（平成11年厚生省令第39号）をいいます。

② 介護保健施設サービス（介護保険法48①二）

←施設介護サービス費の支給に係る施設サービス→

施設介護サービス費	本人負担額（1割）	食事提供（法48②二）		日常生活費	自己選定による特別療養室費（規11③一）	自己選定による特別な食事費（規11③二）
		施設介護サービス費	標準負担額（法48②二）	理美容代他（規11③三、四）		

(注) 「規」は、介護老人保健施設の人員、施設及び設備並びに運営に関する基準（平成11年厚生省令第40号）をいいます。

③ 指定介護療養施設サービス（介護保険法48①三）

←施設介護サービス費の支給に係る施設サービス→

施設介護サービス費	本人負担額（1割）	食事提供（法48②二）		日常生活費	自己選定による特別な病室費（規12③一）	自己選定による特別な食事費（規12③二）
		施設介護サービス費	標準負担額（法48②二）	理美容代他（規12③三、四）		

(注) 「規」は、指定介護療養型医療施設の人員、設備及び運営に関する基準（平成11年厚生省令第41号）をいいます。

施設サービスにおいても、介護保険法48条1項の規定により指定施設サービスに要した費用から除かれる日常生活に要する費用として厚生省令で定める費用に係るサービスを含め、原則として非課税となりますが、①から③に掲げる施設サービスとして提供されるサービスであっても、利用者の選定による特別な居室等の提供や特別な食事の提供については、非課税対象となる資産の譲渡等から除かれています（平成12年大蔵省告示第27号）。

(3) その他の介護サービス

以下のサービスは、居宅介護サービス費の支給に係る居宅サービス又は施設介護サービス費の支給に係る施設サービスに類するものとして、消費税の非課税対象とされました（旧消法別表第一6号イ、旧消令14の2③）。

① 特例居宅介護サービス費の支給（介護保険法42）に係る訪問介護等又はこれに相当するサービス

② 特例施設介護サービス費の支給（介護保険法49）に係る施設サービス

③ 居宅支援サービス費の支給（介護保険法53）に係る訪問介護等（痴呆対応型共同生活介護（介護保険法７⑮）を除く。）

④ 特例居宅支援サービス費の支給（介護保険法54）に係る訪問介護等（痴呆対応型共同生活介護（介護保険法７⑮）を除く。）又はこれに相当するサービス

⑤ 居宅介護サービス計画費又は居宅支援サービス計画費の支給（介護保険法46、58）に係る居宅介護支援（いわゆる「ケアプラン」の作成等）

⑥ 特例居宅介護サービス計画費又は特例居宅支援サービス計画費の支給（介護保険法47、59）に係る居宅介護支援又はこれに相当するサービス

⑦ 市町村特別給付（介護保険法62）として行われる資産の譲渡等のうち訪問介護等に類するものとして厚生大臣が大蔵大臣と協議して指定するもの。具体的には、「要介護者等に対してその者の居宅において食事を提供する事業」が指定されました（平成12年厚生省告示第126号）。

⑧ 生活保護法の規定に基づく介護扶助のための居宅介護（同法第15条の２第２項（介護扶助）に規定する訪問介護、訪問入浴介護、訪問看護、訪問リハビリテーション、居宅療養管理指導、通所介護、通所リハビリテーション、短期入所生活介護、短期入所療養介護、痴呆対応型共同生活介護及び特定施設入居者生活介護並びにこれらに相当するサービス㈵として

厚生大臣が大蔵大臣と協議して指定するもの）及び施設介護

(注)「これらに相当するサービス」には、生活保護法15条の２第３項に規定する居宅介護支援計画を作成するサービスなどが指定されました（平成12年厚生省告示第190号）。

なお、これらに該当するサービスであっても、利用者の選択に基づき提供される一定のサービスについては、非課税となる資産の譲渡等から除かれました。具体的には、①、③、④に該当するサービスのうち居宅サービスで非課税対象から除かれるサービス、②に該当するサービスのうち施設サービスで非課税対象から除かれるサービスが該当します（平成12年大蔵省告示第27号）。

平成17年（2005年）、18年（2006年）施行

平成17年（2005年）６月に公布された改正介護保険法（平成17年法律第77号）では、高齢化の一層の進展等社会経済情勢の変化に対応した持続可能な介護保険制度を構築するとともに、高齢者が尊厳を保持し、その有する能力に応じ自立した日常生活を営むことができる社会の実現に資するため、予防給付の給付内容の見直し、食費及び居住費に係る保険給付の見直し等保険給付の効率化及び重点化、地域密着型サービスの創設等新たなサービス類型の創設その他の見直し等の措置が講じられました。

この介護保険制度の改革に伴う消費税の改正については、消費税法施行令の一部を改正する政令（平成18年政令第129号）等により所要の整備が行われました。

(1) 施設サービスに係る居住費・食費の見直し（平成17年（2005年）10月１日施行分）

介護保険サービスのうち、施設サービスにおける居住費用や食費

（いわゆるホテルコスト）について、在宅の場合の利用者負担との公平を図るため、保険給付の対象外（全額自己負担）とする見直しが行われました。

一方、消費税では、施設介護サービス費又は特例施設介護サービス費の支給に係る施設サービスが原則として非課税とされています。この場合の「支給に係る」とは、１割の利用者負担部分はもとより、施設介護サービス費の支給対象となる介護サービスの一環として当然にそのサービスに付随して提供される不可欠のサービスも含む概念とされています。したがって、介護保険制度の改革により利用者の全額自己負担となったホテルコスト部分も、消費税は、これまでどおり非課税のままとされ、取扱いに変更はありませんでした。

ただし、利用者の選定に基づく特別な居室及び特別な食事に係る費用については、それまでと同様に、消費税が非課税となる施設サービスから除かれるようにするため財務省告示（平成12年大蔵省告示第27号）について所要の整備が行われました。

⑵　非課税とされる居宅サービス等の範囲に関する所要の整備（平成18年（2006年）４月１日施行分）

①　「地域密着型介護サービス費」及び「特例地域密着型介護サービス費」の創設（要介護者向け介護サービスの新設）

介護保険サービスについては、認知症高齢者や独居高齢者の増加等を踏まえ、高齢者が要介護状態となっても、できる限り住み慣れた地域で生活を継続できるようにする観点から、原則として日常生活圏域内でサービスの利用及び提供が完結する新たなサービスとして、地域密着型介護サービスが創設されました。このサービスでは、各市町村が指定及び指導・監督（それまでの指定等は都道府県が行っていました。）を行い、地域の実情に応じて独自に指定基準や介護報酬の設定を行うことが可能となりました。

具体的には、「地域密着型介護サービス費」又は「特例地域密着型介護サービス費」が支給されることとなった次のイ～ニの介護サービスについても、消費税が非課税となりました（旧消令14の2③二、三）。

イ　夜間対応型訪問介護（介護保険法8⑮）

これまでの「訪問介護」について、夜間において定期的な巡回訪問を行う介護を類型化したもの。

ロ　認知症対応型通所介護（介護保険法8⑯）**及び認知症対応型共同生活介護**（介護保険法8⑱）

これまでの「通所介護」（デイサービス）について、認知症要介護者に対して行うものを類型化するとともに、当該介護サービス及び「認知症対応型共同生活介護」（グループホーム）のサービス提供事業者の指導監督権限を市町村に移管するもの。

ハ　小規模多機能型居宅介護（介護保険法8⑰）

これまでの「訪問介護」、「通所介護」（デイサービス）及び「短期入所生活介護」（ショートステイ）を包括的に同一の事業者が提供することを認めたもの。

ニ　地域密着型特定施設入居者生活介護（介護保険法8⑲）**及び地域密着型介護老人福祉施設入所者生活介護**（介護保険法8⑳）

特定施設（有料老人ホーム等）及び介護老人福祉施設（特別養護老人ホーム）のうち小規模（29人以下）の施設において行う介護サービスにつき、サービス事業者の指導監督権限を市町村に移管するもの。

②「介護予防サービス費」及び「特例介護予防サービス費」関係（要支援者向け介護サービスの再編等）

要支援者及び要介護１の者が急増している状況等を踏まえ、要介護状態の軽減、悪化防止に効果的なサービスを提供する観点から、それまでの「居宅支援サービス費」の支給対象者に要介護１のうち軽度の者を加える等の見直しを行い「介護予防サービス費」等に再編するとともに、それぞれの名称も介護予防サービス固有の名称とするなどの整備が行われました。

具体的には、「介護予防サービス費」又は「特例介護予防サービス費」の支給される次のイ～ヌの介護サービスを消費税が非課税とされる介護サービスの範囲に加えました（旧消令14の２③五、六）。

イ　介護予防訪問介護（介護保険法８の２②）

居宅で受ける入浴、排泄、食事等の介護その他日常生活上の支援

ロ　介護予防訪問入浴介護（介護保険法８の２③）

居宅で浴槽を提供されて受ける入浴の介護

ハ　介護予防訪問看護（介護保険法８の２④）

居宅で受ける療養上の世話

ニ　介護予防訪問リハビリテーション（介護保険法８の２⑤）

居宅で受ける理学療法、作業療法その他必要なリハビリテーション

ホ　介護予防居宅療養管理指導（介護保険法８の２⑥）

医師等から受ける療養上の管理、指導

ヘ　介護予防通所介護（介護保険法８の２⑦）

デイサービスセンター等に通って受ける入浴、食事の提供

その他日常生活上の支援、機能訓練（デイサービス）

ト　介護予防通所リハビリテーション（介護保険法８の２⑧）

医療機関で受ける理学療法、作業療法その他必要なリハビリテーション（デイ・ケア）

チ　介護予防短期入所生活介護（介護保険法８の２⑨）

特別養護老人ホーム等への短期入所で受ける入浴、排泄、食事等の介護その他日常生活上の支援、機能訓練（ショートステイ）

リ　介護予防短期入所療養介護（介護保険法８の２⑩）

老人保健施設、医療施設等への短期入所で受ける看護、医学的管理下の介護、機能訓練（ショートステイ）

ヌ　介護予防特定施設入居者生活介護（介護保険法８の２⑪）

有料老人ホーム等で受ける入浴、排泄、食事等の介護その他日常生活上の支援

③　「地域密着型介護予防サービス費」及び「特例地域密着型介護予防サービス費」の創設（要支援者向け介護サービスの新設）

要支援者向けに創設された地域密着型サービスの類型で、これらのサービスも消費税が非課税とされる介護サービスの範囲に加えました（消令14の２③七、八）。

④　その他

見直しが行われた要支援者向けのケアプランの作成に係る介護サービス及び生活保護法の規定に基づく介護サービスについても、引き続き消費税が非課税となるよう所要の整備が行われました（旧消令14の２③九、十、十二）。

また、以上の改正後においても、利用者の選定に基づく特別な室

料や特別な食費その他の費用については、これまでどおり消費税が非課税となる介護サービスから除かれるよう財務省告示（平成12年大蔵省告示第27号）について所要の整備が行われました。

(3) 包括的支援事業として行われる資産の譲渡等に係る非課税措置（平成18年（2006年）4月1日施行分）

要支援・要介護状態になる前からの介護予防を推進し、併せて、地域における包括的・継続的なマネジメント機能を強化するため、市町村が実施する「地域支援事業」が創設されました。

これに伴い、これまで老人介護支援センター（老人福祉法20の7の2に規定する老人介護支援センターをいいます。）で行われていた事業のうち次の4事業を「包括的支援事業」として、要介護状態等となる者の増加防止策を強化することとしました。

① （要支援・要介護者でない者に対する）介護予防事業のマネジメント（介護保険法115の38①二）
② 高齢者や家族からの相談、関係機関等との連絡調整（総合相談・支援）（介護保険法115の38①三）
③ 高齢者に対する虐待防止等の権利擁護事業（介護保険法115の38①四）
④ 支援困難ケースなどに係るケアマネジャーへの支援等（包括的・継続的マネジメント）（介護保険法115の38①五）

この包括的支援事業は

A：市町村が自ら実施するケース、

B：老人介護支援センターの設置者である法人に委託して行うケース、

C：（地域の実情に応じて、）市町村が老人介護支援センターの設置者以外の法人に委託して行うケースがあります。

これらの包括的支援事業は、老人介護支援センターを経営する事業の一環として行われる場合には、当該事業は第二種社会福祉事業に該当するため、消費税は非課税となります。

他方、老人介護支援センター以外の法人が行う場合には第二種社会福祉事業に該当しないこととなるため、同様の事業を行う範囲内で社会福祉事業に類するものとして非課税となるよう所要の整備が行われました（旧消令14の３五）。

なお、この整備により社会福祉事業に類するものとして非課税とされた範囲については、厚生労働省告示において具体的な内容が定められました（平成18年厚生労働省告示第311号）。

平成27年（2015年）、28年（2016年）施行

介護保険制度については、「持続可能な社会保障制度の確立を図るための改革の推進に関する法律」（平成25年法律第112号）に基づく措置として、地域において効率的かつ質の高い医療提供体制を構築するとともに地域包括ケアシステム（地域の実情に応じて、高齢者が、可能な限り、住み慣れた地域でその有する能力に応じ自立した日常生活を営むことができるよう、医療、介護、介護予防、住まい及び自立した日常生活の支援が包括的に確保される体制）を構築することを通じ、地域における医療及び介護の総合的な確保を推進するため、「地域における医療及び介護の総合的な確保を推進するための関係法律の整備等に関する法律」（平成26年法律第83号。以下「医療介護総合確保推進法」といいます。）が平成26年（2014年）６月公布されました。

この法律に基づく介護保険制度の改革に伴う消費税関係の改正については、消費税法施行令等の一部を改正する政令（平成27年政令第145号）等

により所要の整備が行われました。

(1) 小規模通所介護の地域密着型サービスへの移行（平成28年（2016年）４月１日施行分）

介護保険法に規定する居宅サービスの一類型である通所介護のうち、小規模型の通所介護については「地域密着型通所介護」（介護保険法８⑰）として地域密着型サービスに位置付けられました。この改正を踏まえ、消費税が非課税とされる地域密着型サービスの対象に地域密着型通所介護が加えられました（旧消令14の２③二）。

(2) 介護予防訪問介護及び介護予防通所介護の地域支援事業への移行（平成27年（2015年）４月１日施行分）

介護保険法における介護予防サービスとして、これまでサービスの種類や内容等につき全国一律の基準によって行われていた介護予防訪問介護及び介護予防通所介護（旧介護保険法８の２②⑦）については、市町村が地域の実情に応じ、住民主体の取組を含めた多様な主体による柔軟な取組により効果的かつ効率的にサービスを提供できるよう地域支援事業に移行され、新たな地域支援事業における介護予防・日常生活支援総合事業（以下「新介護予防・日常生活支援総合事業」といいます。）として位置付けられました（介護保険法115の45①。下記(3)参照）。

また、これに関連して次の経過措置が設けられました。

イ　平成27年（2015年）３月31日時点で要支援認定等を受けていた被保険者等については、この改正法の施行日以後引き続き当該認定有効期間の末日等までの間は、旧介護保険法の規定による介護予防訪問介護及び介護予防通所介護を利用できる（医療介護総合確保推進法附則11）。

ロ　介護予防訪問介護及び介護予防通所介護の地域支援事業への

移行を猶予される市町村（医療介護総合確保推進法附則14①の対象となる市町村）については、これらの市町村において行う旧介護保険法の規定による介護予防訪問介護及び介護予防通所介護に係る関係規定の適用があり、この改正法の施行日以後も旧介護保険法の規定による保険給付が行われる（医療介護総合確保推進法附則14②）。

上記の介護保険法の改正及び経過措置を踏まえ、消費税が非課税とされる介護予防サービス及び特例介護予防サービスの対象から介護予防訪問介護及び介護予防通所介護を除くとともに、経過措置によりなおその効力を有するものとされる旧介護保険法の規定による介護予防訪問介護及び介護予防通所介護については、非課税とされる介護予防サービス及び特例介護予防サービスの対象に加える等の規定の整備が行われています（旧消令14の２③五、六）。

㊟　上記の経過措置の対象となる介護予防訪問介護及び介護予防通所介護について消費税が非課税とされるのは、最長で平成30年（2018年）３月31日まででした。

(3)　地域支援事業の見直し（新介護予防・日常生活支援総合事業）関係（平成27年（2015年）４月１日施行分）

地域支援事業については、市町村に実施を義務付ける新たな「介護予防・日常生活支援総合事業」（介護保険法115の45①）と地域包括支援センターが行う包括的支援事業について事業内容を再編したもの（介護保険法115の45②）の二本建てとされました。前者は旧介護予防訪問介護、旧介護予防通所介護及び医療介護総合確保推進法５条による改正前の介護予防・日常生活支援総合事業（以下「旧介護予防・日常生活支援総合事業」といいます。）の概念を含むものです。

上記の介護保険法の改正を踏まえ、消費税が非課税とされる介護サービスの対象に、介護保険法の規定に基づく地域支援事業として居宅要支援被保険者等に対して行われる新介護予防・日常生活支援総合事業が加えられました（旧消令14の2③十二）。また、消費税が非課税とされる新介護予防・日常生活支援総合事業の具体的な範囲について、厚生労働省告示の所要の整備が行われました（平成24年厚生労働省告示第307号）。

(注) 平成27年（2015年）3月31日までに、新介護予防・日常生活支援総合事業を行うことが困難である市町村が、その旨を各市町村の条例で定めた場合には、平成29年3月31日までの間において当該条例で定める日までの間は、引き続き旧介護予防・日常生活支援総合事業の関係規定（旧介護保険法115の45等）は、なおその効力を有することとする経過措置が置かれていました（医療介護総合確保推進法附則14①）。この経過措置の対象となる旧介護予防・日常生活支援総合事業について消費税が非課税となるのも最長で平成29年（2017年）3月31日まででした。

(4) その他

① 生活保護法の介護扶助の対象拡大

医療介護総合確保推進法10条（生活保護法の一部改正）により、生活保護法の介護扶助の対象に介護保険法における新介護予防・日常生活支援総合事業に相当する支援（以下「介護予防・日常生活支援」といいます。）が加えられたことを踏まえ、介護予防・日常生活支援を消費税が非課税とされる介護サービスの対象に加えることとされました（消令14の2③十三）。なお、消費税が非課税とされる介護予防・日常生活支援の具体的な範囲を規定している厚生労働省告示について、介護予防・日常生活支援として行われる具体的なサービスを追加する等の所要の整備が行われました（平成12年厚生省告示第190号）。

② 地域包括支援センターが行う包括的支援事業の拡大

医療介護総合確保推進法5条（介護保険法の一部改正）により、地域包括支援センターが行う包括的支援事業について、在宅医療と介護との連携を推進するための事業、生活支援・介護予防の体制整備のための事業及び認知症施策の推進のための事業（以下「在宅医療介護連携推進事業等」といいます。）が加えられました。

地域包括支援センターが行う包括的支援事業として行われる資産の譲渡等のうち、老人福祉法に規定する老人介護支援センターの事業に類する事業として行われる資産の譲渡等については、社会福祉事業に類するものとして消費税が非課税とされていますが、上記改正に伴い、消費税が非課税とされる包括的支援事業として行われる資産の譲渡等の具体的な範囲を指定している厚生労働省告示に、在宅医療介護連携推進事業等を追加する等の所要の整備が行われています（平成18年厚生労働省告示第311号）。

③　非課税から除かれる介護サービスに関する告示の整備

医療介護総合確保推進法５条（介護保険法の一部改正）により介護保険法上の介護予防サービスについて改正が行われたことを踏まえ、消費税が非課税とされる介護サービスから除かれる資産の譲渡等（特別な居室や食事の提供、利用者の選定による実施地域外での介護サービスに要する交通費又は送迎費等）を定める財務省告示について、所要の整備が行われています（平成12年大蔵省告示第27号）。

平成30年（2018年）適用

○介護医療院の創設

地域包括ケアシステムの強化のための介護保険法等の一部を改正する法律（平成29年法律第52号）により改正された介護保険法（平成30年（2018年）４月１日施行）に基づいて新たな介護保険施設として介護医療院が創設され、当該施設において要介護被保険者等に対して行われる所定の介護サービスについては、施設介護サービス費の支給対象となりました。

消費税法は、介護保険法の規定に基づく施設介護サービス費の支給に係る施設サービスを非課税としています（旧消法別表第一７号イ）から、介護保険法の改正により、介護医療院における所定の介護サービスは自動的に消費税が非課税となりました。

ただし、施設介護サービスのうち特別の居室の提供等一定の資産の譲渡等は非課税の対象とならないこととされており（旧消法別表第一７号イかっこ書、旧消令14の２②）、その内容は具体的には告示（平成12年大蔵省告示第27号）で定められているため、介護医療院でのサービスのうち非課税の対象とならない資産の譲渡等を定める告示の改正が行われました（平成30年財務省告示第87号）。

具体的には、平成12年大蔵省告示第27号の別表第二㈢において特別な療養室の提供及び特別な食事の提供が非課税の対象とならない旨、定められています。

令和６年４月施行

○指定介護予防支援事業者の指定対象と第一号介護予防支援事業の再委託についての改正

「全世代対応型の持続可能な社会保障制度を構築するための健康保険法等の一部を改正する法律（令和５年法律第31号）」第13条の規定により改正された介護保険法（令和５年改正介護保険法）が令和６年４月１日から施行され、同法第115条の22第１項の規定により、指定居宅介護支援事業者が指定介護予防支援事業者としての指定を受けることができることとされるとともに、第115条の47第４項の規定により、地域包括支援センターの設置者は、総合相談支援事業の一部を委託することができることとされました。

第２節　介護サービス非課税の具体的な内容

消費税法上非課税とされる介護サービスには、次のものが規定されています（消法別表第二７号イ）。

(1)　介護保険法の規定に基づく居宅介護サービス費の支給に係る居宅サービス（訪問介護、訪問入浴介護その他の政令で定めるものに限ります。）

(2)　介護保険法の規定に基づく施設介護サービス費の支給に係る施設サービス（政令で定めるものを除きます。）

(3)　その他これらに類するものとして政令で定めるもの

参考　介護保険の保険給付等の内容

	総合事業におけるサービス
都道府県が指定・監督を行うサービス	–
市町村が指定・監督を行うサービス	・介護予防・日常生活支援総合事業 第一号訪問事業 第一号通所事業 第一号生活支援事業 第一号介護予防支援事業 （消令14の2③十二）
その他	–

※　「地域の自主性及び自立性を高めるための改革の推進を図るための関係法律の整備に関する法律（平成23年法律第105号）」の一部施行に伴い、都道府県が指定・監督を行うサービスについて、指定都市・中核市に権限移譲されています。

※　各サービス右側の表示は消費税非課税の根拠規定を示しています。

予防給付におけるサービス	介護給付におけるサービス
・介護予防サービス 介護予防訪問入浴介護 介護予防訪問看護 介護予防訪問リハビリテーション 介護予防居宅療養管理指導 介護予防通所リハビリテーション 介護予防短期入所生活介護 介護予防短期入所療養介護 介護予防特定施設入居者生活介護 （以上、消令14の2③五） 介護予防福祉用具貸与 特定介護予防福祉用具販売	・居宅サービス 訪問介護 訪問入浴介護 訪問看護 訪問リハビリテーション 居宅療養管理指導 通所介護 通所リハビリテーション 短期入所生活介護 短期入所療養介護 特定施設入居者生活介護 （以上、消法別表二7号イ、消令14の2①） 福祉用具貸与 特定福祉用具販売 ・施設サービス 介護老人福祉施設 介護老人保健施設 介護医療院 （以上、消法別表二7号イ）
・介護予防支援（消令14の2③九） ・地域密着型介護予防サービス 介護予防認知症対応型通所介護 介護予防小規模多機能型居宅介護 介護予防認知症対応型共同生活介護 （以上、消令14の2③七）	・居宅介護支援（消令14の2③九） ・地域密着型サービス 定期巡回・随時対応型訪問介護看護 夜間対応型訪問介護 地域密着型通所介護 認知症対応型通所介護 小規模多機能型居宅介護 認知症対応型共同生活介護 地域密着型特定施設入居者生活介護 地域密着型介護老人福祉施設入所者生活介護 看護小規模多機能型居宅介護（複合型サービス） （以上、消令14の2③二）
・住宅改修	・住宅改修

（令和5年版　厚生労働白書・資料編233頁を加工）

1　居宅介護サービス費の支給に係る居宅サービス

介護保険法41条１項は、「市町村は、要介護認定を受けた被保険者のうち居宅において介護を受けるもの（居宅要介護被保険者）が、都道府県知事が指定する者（指定居宅サービス事業者）から当該指定に係る居宅サービス事業を行う事業所により行われる居宅サービス（指定居宅サービス）を受けたときは、当該居宅要介護被保険者に対し、当該指定居宅サービスに要した費用について、居宅介護サービス費を支給する。」と規定しています。

消費税が非課税とされる「居宅介護サービス費の支給に係る居宅サービス」は、同項の規定に基づき、指定居宅サービス事業者により行われる同法８条２項から11項までに規定する訪問介護、訪問入浴介護、訪問看護、訪問リハビリテーション、居宅療養管理指導、通所介護、通所リハビリテーション、短期入所生活介護、短期入所療養介護及び特定施設入居者生活介護（以下「訪問介護等」といいます。）をいうこととされています（消令14の２①）。

また、この場合の「……支給に係る」とは、居宅介護サービス費の支給対象となる介護サービスに付随して一体的に提供されるサービスも含む概念であることから、「指定居宅サービス事業者により行われる訪問介護等」であれば、居宅要介護被保険者の本人負担分１割はもとより、居宅介護サービス費支給限度額（介護保険法43条）を超えて行われる訪問介護等、さらには、指定居宅サービスに要した費用から除かれる食事の提供に要する費用、滞在に要する費用その他の日常生活に要する費用として厚生労働省令で定める費用（介護保険法41①）に係るサービスも、原則として非課税となります（消基通６－７－２）。

ただし、これらの介護保険サービスの一環として提供されるサービスであっても、特別の居室の提供その他の財務大臣が指定するものについては、非課税の対象となる資産の譲渡等から除かれています（消法別表第二７号イかっこ書、消令14の２①）。

この財務大臣の定める資産の譲渡等の範囲は、財務省告示において居宅サービス等の内容ごとに定められています（平成12年大蔵省告示第27号１、別表第一）。

同告示の内容を図で示すと、次のようになります（網かけ部分が非課税です。）。

(1) 訪問介護（介護保険法８条２項）

←居宅介護サービス費の支給に係る居宅サービス→

居宅介護サービス費	本人負担額（１割）	自己選定による交通費（規20③、39の３、43）

㈨「規」は、指定居宅サービス等の事業の人員、設備及び運営に関する基準（平成11年厚生省令第37号）（以下同じ。）

(2) 訪問入浴介護（介護保険法８条３項）

←居宅介護サービス費の支給に係る居宅サービス→

居宅介護サービス費	本人負担額（１割）	自己選定による交通費（規48③一、58）	特別な浴槽水等の提供（規48③二、58）

(3) 訪問看護（介護保険法８条４項）

←居宅介護サービス費の支給に係る居宅サービス→

居宅介護サービス費	本人負担額（１割）	自己選定による交通費（規66③）

⑷　訪問リハビリテーション（介護保険法8条5項）

←居宅介護サービス費の支給に係る居宅サービス→		
居宅介護サービス費	本人負担額（1割）	自己選定による交通費(規78③)

⑸　居宅療養管理指導（介護保険法8条6項）

←居宅介護サービス費の支給に係る居宅サービス→		
居宅介護サービス費	本人負担額（1割）	交通費(規87③)

㈿　利用者が病院等に通ってサービスを受けることが想定されていることから、医師等が利用者の居宅に赴いてサービスを提供する場合の出張サービス部分はそもそも居宅介護サービス費の支給に係る居宅サービスに含まれていません。このため、規87条3項の規定により利用者から受け取ることができることとされている交通費は課税となります。

⑹　通所介護（介護保険法8条7項）

←居宅介護サービス費の支給に係る居宅サービス→					
居宅介護サービス費	本人負担額（1割）	自己負担による延長（規96③二、105の3、109）	食事提供に要する費用（規96③三、105の3、109）	日常生活費 おむつ代他（規96③四、五、105の3、109）	自己選定による送迎費（規96③一、105の3、109）

⑺　通所リハビリテーション（介護保険法8条8項）

←居宅介護サービス費の支給に係る居宅サービス→					
居宅介護サービス費	本人負担額（1割）	自己負担による延長（規96③二）	食事提供に要する費用（規96③三）	日常生活費 おむつ代他（規96③四、五）	自己選定による送迎費（規96③一）

㈿　利用料等の受領に関しては、規96条を準用しています（規119）。

⑻ 短期入所生活介護（介護保険法８条９項）

←――居宅介護サービス費の支給に係る居宅サービス――→

居宅介護サービス費	本人負担額（１割）	食事提供に要する費用（規127③一、140の6③一、140の15、140の32）	滞在に要する費用（規127③二、140の6③二、140の15、140の32）	日常生活費 理美容代他（規127③六、七、140の6③六、七、140の15、140の32）	自己選定による特別な居室費（規127③三、140の6③三、140の15、140の32）	自己選定による特別な食事費（規127③四、140の6③四、140の15、140の32）	自己選定による送迎費（規127③五、140の6③五、140の15、140の32）

⑼ 短期入所療養介護（介護保険法８条10項）

←――居宅介護サービス費の支給に係る居宅サービス――→

居宅介護サービス費	本人負担額（１割）	食事提供に要する費用（規145③一、155の5③一）	滞在に要する費用（規145③二、155の5③二）	日常生活費 理美容代他（規145③六、七、155の5③六、七）	自己選定による特別な療養室費等（規145③三、155の５③三）	自己選定による特別な食事費（規145③四、155の5③四）	自己選定による送迎費（規145③五、155の５③五）

⑽ 特定施設入居者生活介護（介護保険法８条11項）

←――居宅介護サービス費の支給に係る居宅サービス――→

居宅介護サービス費	本人負担額（１割）	日常生活費 おむつ代他（規182③二、三、192の12）	自己選定による便宜に要する費用（規182③一、192の12）

㈱　外部サービス利用型指定特定施設入居者生活介護の事業にも準用されます（規192の12）。

2　施設介護サービス費の支給に係る施設サービス

介護保険法48条１項は、「市町村は、要介護被保険者が指定施設サービス等を受けたときは、当該要介護被保険者に対し、当該指定施設サービス等に要した費用について、施設介護サービス費を支給する。」と規定しています。

消費税が非課税となる「施設介護サービス費の支給に係る施設サービス」には、以下のサービスが該当します。

(1) 指定介護老人福祉施設に入所する要介護被保険者に対して行われる指定介護福祉施設サービス（介護保険法48①一）

(2) 介護老人保健施設に入所する要介護被保険者に対して行われる介護保健施設サービス（介護保険法48①二）

(3) 介護医療院に入所する要介護被保険者に対して行われる介護医療院サービス（介護保険法48①三）

なお、介護保険法48条1項の規定により指定施設サービス等に要した費用から除かれる食事の提供に要する費用、居住に要する費用その他の日常生活に要する費用として厚生労働省令で定める費用に係るサービスも、原則として非課税となる点は居宅サービスの場合と同様です。

また、施設サービスとして提供されるものであっても、特別の居室の提供その他の財務大臣が財務省告示において指定するものは、非課税となる資産の譲渡等から除かれています（消法別表第二7号イかっこ書、消令14の2②、平成12年大蔵省告示第27号2、別表第二）。

同告示の内容を図示すると、次のようになります（網かけ部分が非課税です。）。

⑴ 指定介護福祉施設サービス（介護保険法48条１項１号）

←施設介護サービス費の支給に係る施設サービス→

施設介護サービス費	本人負担額（１割）	食事提供に要する費用（規９③一、41③一）	滞在に要する費用（規９③二、41③二）	日常生活費 理美容代他（規９③五、六、41③五、六）	自己選定による特別な居室費（規９③三、41③三）	自己選定による特別な食事費（規９③四、41③四）

(注)「規」は、指定介護老人福祉施設の人員、設備及び運営に関する基準（平成11年厚生省令第39号）

⑵ 介護保健施設サービス（介護保険法48条１項２号）

←施設介護サービス費の支給に係る施設サービス→

施設介護サービス費	本人負担額（１割）	食事提供に要する費用（規11③一、42③一）	滞在に要する費用（規11③二、42③二）	日常生活費 理美容代他（規11③五、六、42③五、六）	自己選定による特別な療養室費（規11③三、42③三）	自己選定による特別な食事費（規11③四、42③四）

(注)「規」は、介護老人保健施設の人員、施設及び設備並びに運営に関する基準（平成11年厚生省令第40号）

⑶ 介護医療院サービス（介護保険法48条１項３号）

←施設介護サービス費の支給に係る施設サービス→

施設介護サービス費	本人負担額（１割）	食事提供に要する費用（規14③一、46③一）	居住に要する費用（規14③二、46③二）	日常生活費 理美容代他（規14③五、六、46③五、六）	自己選定による特別な療養室費（規14③三、46③三）	自己選定による特別な食事費（規14③四、46③四）

(注)「規」は、介護医療院の人員、施設及び設備並びに運営に関する基準（平成30年厚生労働省令第５号）

3　居宅サービス・施設サービスに類するもの

居宅介護サービス費の支給に係る居宅サービス又は施設介護サービス費の支給に係る施設サービスに類するものとして、非課税とされるのは次のサービスです（消令14の２③）。

なお、この場合も、特別の居室の提供その他の財務省告示において財務大臣が指定するものは非課税から除かれます（消法別表第二７号イ、消令14の２③かっこ書、平成12年大蔵省告示第27号３、別表第三）。

順号	根拠法令	非課税の内容
③一	介護保険法	○特例居宅介護サービス費の支給に係る訪問介護等又はこれに相当するサービス ㊟　訪問介護等とは、訪問介護、訪問入浴介護、訪問看護、訪問リハビリテーション、居宅療養管理指導、通所介護、通所リハビリテーション、短期入所生活介護、短期入所療養介護及び特定施設入居者生活介護をいいます（消令14の２①）。
③二	介護保険法	○地域密着型介護サービス費の支給に係る次のサービス ・定期巡回・随時対応型訪問介護看護 ・夜間対応型訪問介護 ・地域密着型通所介護 ・認知症対応型通所介護 ・小規模多機能型居宅介護 ・認知症対応型共同生活介護 ・地域密着型特定施設入居者生活介護 ・地域密着型介護老人福祉施設入所者生活介護 ・複合型サービス （以上を併せて「定期巡回・随時対応型訪問介護看護等」といいます。）
③三	介護保険法	○特例地域密着型介護サービス費の支給に係る定期巡回・随時対応型訪問介護看護等又はこれに相当するサービス
③四	介護保険法	○特例施設介護サービス費の支給に係る施設サービス
③五	介護保険法	○介護予防サービス費の支給に係る次のサービス ・介護予防訪問入浴介護 ・介護予防訪問看護 ・介護予防訪問リハビリテーション ・介護予防居宅療養管理指導

順号	根拠法令	非課税の内容
		・介護予防通所リハビリテーション ・介護予防短期入所生活介護 ・介護予防短期入所療養介護 ・介護予防特定施設入居者生活介護 （以上を併せて「介護予防訪問入浴介護等」といいます。）
③六	介護保険法	○特例介護予防サービス費の支給に係る介護予防訪問入浴介護等又はこれに相当するサービス
③七	介護保険法	○地域密着型介護予防サービス費の支給に係る次のサービス ・介護予防認知症対応型通所介護 ・介護予防小規模多機能型居宅介護 ・介護予防認知症対応型共同生活介護 （以上を併せて「介護予防認知症対応型通所介護等」といいます。）
③八	介護保険法	○特例地域密着型介護予防サービス費の支給に係る介護予防認知症対応型通所介護等又はこれに相当するサービス
③九	介護保険法	○居宅介護サービス計画費の支給に係る居宅介護支援及び介護予防サービス計画費の支給に係る介護予防支援
③十	介護保険法	○特例居宅介護サービス計画費の支給に係る居宅介護支援又はこれに相当するサービス ○特例介護予防サービス計画費の支給に係る介護予防支援又はこれに相当するサービス
③十一	・介護保険法、 ・平12厚生省告示126号	○市町村特別給付として行われる資産の譲渡等（訪問介護等に類するものとして厚生労働大臣が財務大臣と協議して指定するものに限る。） →要介護被保険者又は居宅要支援被保険者に対してその者の居宅において食事を提供する事業
③十二	・介護保険法、 ・平24厚生労働省告示307号	具体的には、介護保険法115条の45第１項に規定する介護予防・日常生活支援総合事業として居宅要支援被保険者等に対して行われる同項第１号イ～ニに規定する次の事業として行われる資産の譲渡等で、当該事業の利用者の選定により、通常の事業の実施地域以外の地域の居宅において行う場合に要した交通費、通常の事業の実施地域以外

第４章 介護サービスの非課税

順号	根拠法令	非課税の内容
		の地域に居住する利用者に対して行う場合の送迎費に係る部分以外のもの イ　居宅要支援被保険者等の介護予防を目的として、当該居宅要支援被保険者等の居宅において、厚生労働省令で定める基準に従って、厚生労働省令で定める期間にわたり日常生活上の支援を行う事業（第一号訪問事業） ロ　居宅要支援被保険者等の介護予防を目的として、厚生労働省令で定める施設において、厚生労働省令で定める基準に従って、厚生労働省令で定める期間にわたり日常生活上の支援又は機能訓練を行う事業（第一号通所事業） ハ　厚生労働省令で定める基準に従って、介護予防サービス事業若しくは地域密着型介護予防サービス事業又は第一号訪問事業若しくは第一号通所事業と一体的に行われる場合に効果があると認められる居宅要支援被保険者等の地域における自立した日常生活の支援として厚生労働省令で定めるものを行う事業（第一号生活支援事業） ニ　居宅要支援被保険者等（指定介護予防支援又は特例介護予防サービス計画費に係る介護予防支援を受けている者を除く。）の介護予防を目的として、厚生労働省令で定める基準に従って、その心身の状況、その置かれている環境その他の状況に応じて、その選択に基づき、第一号訪問事業、第一号通所事業又は第一号生活支援事業その他の適切な事業が包括的かつ効率的に提供されるよう必要な援助を行う事業（第一号介護予防支援事業）
③十三	・生活保護法 ・中国残留邦人等の円滑な帰国の促進並びに永住帰国した中国残留邦人等及び特定配偶者の自立の支援に関する	○介護扶助又は介護支援給付のための次のもの ・居宅介護（訪問介護等及び定期巡回・随時対応型訪問介護看護等（③二の地域密着型介護老人福祉施設入所者生活介護を除く。）並びにこれらに相当するサービスに限る。） ・施設介護 ・介護予防（介護予防訪問入浴介護等及び介護予防認知症対応型通所介護等並びにこれらに

順号	根拠法令	非課税の内容
	法律（平成19年法律127号附則4条2項において準用する場合を含む。） ・中国残留邦人等の円滑な帰国の促進及び永住帰国後の自立の支援に関する法律の一部を改正する法律附則2条1項若しくは2項の規定によりなお従前の例によることとされる改正前の中国残留邦人等の円滑な帰国の促進及び永住帰国後の自立の支援に関する法律 ・平成12年厚生省告示190号	相当するサービスに限る。） ・介護予防・日常生活支援（生活保護法15の2第7項に規定する第一号訪問事業、第一号通所事業及び第一号生活支援事業による支援に相当する支援に限る。）

以上の居宅サービス又は施設サービスに類するものについて、非課税から除かれるものを図示すると、次のようになります（網かけ部分が非課税です。）。

なお、特例居宅介護サービス費の支給に係る訪問介護等又はこれに相当するサービスで非課税から除かれるものは、前記1「居宅介護サービス費の支給に係る居宅サービス」の場合と同じであり、特例施設介護サービス費の支給に係る施設サービスで非課税から除かれるものは、前記2「施設介護サービス費の支給に係る施設サービス」の場合と同じです（平12蔵告第27号3）。

【定期巡回・随時対応型訪問介護看護等】

(1) 定期巡回・随時対応型訪問介護看護（介護保険法８条15項）

←地域密着型介護サービス費の支給に係る定期巡回・随時対応型訪問介護看護等→		
地域密着型介護サービス費	本人負担額（１割）	自己選定による交通費（規３の19③）

(注)「規」は、指定地域密着型サービスの事業の人員、設備及び運営に関する基準（平成18年厚生労働省令第34号）（以下同じ。）

(2) 夜間対応型訪問介護（介護保険法８条16項）

←地域密着型介護サービス費の支給に係る定期巡回・随時対応型訪問介護看護等→		
地域密着型介護サービス費	本人負担額（１割）	自己選定による交通費（規３の19③）

(3) 地域密着型通所介護（介護保険法８条17項）

←地域密着型介護サービス費の支給に係る定期巡回・随時対応型訪問介護看護等→					
				日常生活費	
地域密着型介護サービス費	本人負担額（１割）	自己負担による延長（規24③二、37の３、40の16）	食事提供に要する費用（規24③三、37の３、40の16）	おむつ代他（規24③四、五、37の３、40の16）	自己選定による送迎費（規24③一、37の３、40の16）

(4) 認知症対応型通所介護（介護保険法８条18項）

←地域密着型介護サービス費の支給に係る定期巡回・随時対応型訪問介護看護等→					
				日常生活費	
地域密着型介護サービス費	本人負担額（１割）	自己負担による延長（規24③二）	食事提供に要する費用（規24③三）	おむつ代他（規24③四、五）	自己選定による送迎費（規24③一）

(注) 利用料等の受領に関しては、規24条を準用しています（規61）。

(5) 小規模多機能型居宅介護（介護保険法8条19項）

←地域密着型介護サービス費の支給に係る定期巡回・随時対応型訪問介護看護等→						
地域密着型介護サービス費	本人負担額（1割）	食事提供に要する費用（規71③三）	宿泊に要する費用（規71③四）	日常生活費 おむつ代他（規71③五、六）	自己選定による送迎費（規71③一）	自己選定による交通費（規71③二）

(6) 地域密着型特定施設入居者生活介護（介護保険法8条21項）

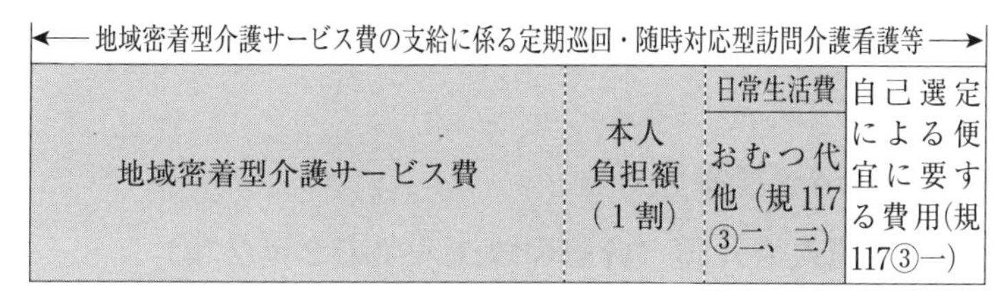

←地域密着型介護サービス費の支給に係る定期巡回・随時対応型訪問介護看護等→			
地域密着型介護サービス費	本人負担額（1割）	日常生活費 おむつ代他（規117③二、三）	自己選定による便宜に要する費用（規117③一）

(7) 地域密着型介護老人福祉施設入所者生活介護（介護保険法8条22項）

←地域密着型介護サービス費の支給に係る定期巡回・随時対応型訪問介護看護等→						
地域密着型介護サービス費	本人負担額（1割）	食事提供に要する費用（規136③一、161③一）	居住に要する費用（規136③二、161③二）	日常生活費 理美容代他（規136③五、六、161③五、六）	自己選定による特別な居室費（規136③三、161③三）	自己選定による特別な食事費（規136③四、161③四）

(8) 複合型サービス（介護保険法8条23項）

←地域密着型介護サービス費の支給に係る定期巡回・随時対応型訪問介護看護等→						
地域密着型介護サービス費	本人負担額（1割）	食事提供に要する費用（規71③三）	宿泊に要する費用（規71③四）	日常生活費 おむつ代他（規71③五、六）	自己選定による送迎費（規71③一）	自己選定による交通費（規71③二）

参考　**認知症対応型共同生活介護（介護保険法８条20項）について**

認知症対応型共同生活介護では、そもそも利用者の食事その他の家事等は、原則として利用者と介護従業者が共同で行うよう努めることとされているなど、指定認知症対応型共同生活介護事業者が、利用者から利用料を受領して特別サービスを提供することは介護サービスを提供する上で予定されていないことから、前述の告示においても消費税が課税となるサービスは定められていません。

【介護予防訪問入浴介護等】

(1)　介護予防訪問入浴介護（介護保険法８条の２第２項）

←介護予防サービス費の支給に係る介護予防訪問入浴介護等→			
介護予防サービス費	本人負担額（１割）	自己選定による交通費（規50③一、61）	特別な浴槽水等の提供（規50③二、61）

規：指定介護予防サービス等の事業の人員、設備及び運営並びに指定介護予防サービス等に係る介護予防のための効果的な支援の方法に関する基準（平成18年厚生労働省令第35号）（以下同じ。）

(2)　介護予防訪問看護（介護保険法８条の２第３項）

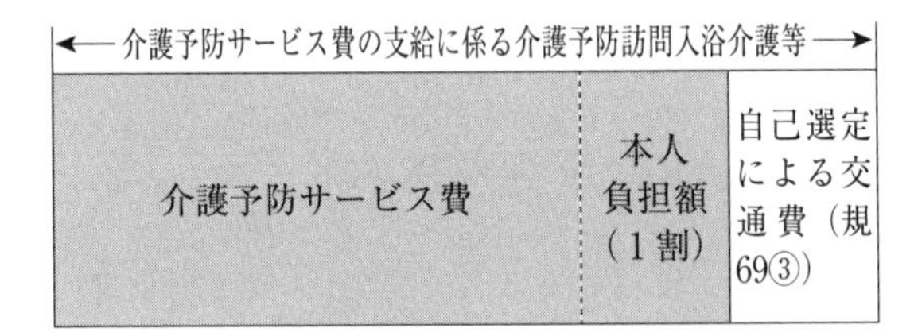

⑶ 介護予防訪問リハビリテーション（介護保険法８条の２第４項）

←介護予防サービス費の支給に係る介護予防訪問入浴介護等→

介護予防サービス費	本人負担額（１割）	自己選定による交通費（規81③）

⑷ 介護予防居宅療養管理指導（介護保険法８条の２第５項）

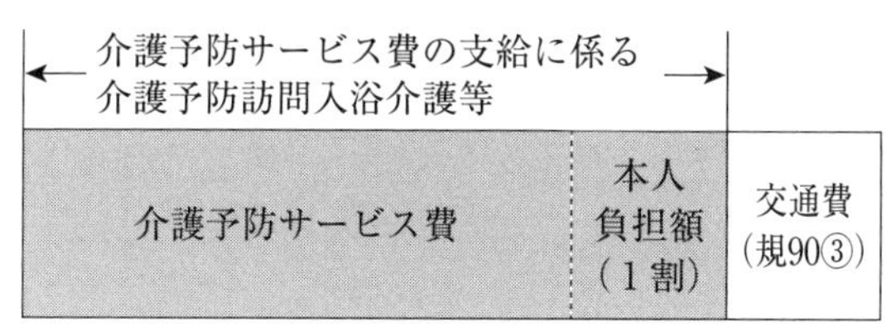

←介護予防サービス費の支給に係る介護予防訪問入浴介護等→

介護予防サービス費	本人負担額（１割）	交通費（規90③）

㈡　利用者が病院等に通ってサービスを受けることが想定されていることから、医師等が利用者の居宅に赴いてサービスを提供する場合の出張サービス部分（交通費）は、そもそも介護予防サービス費の支給に係る介護予防サービスには該当しません。

⑸ 介護予防通所リハビリテーション（介護保険法８条の２第６項）

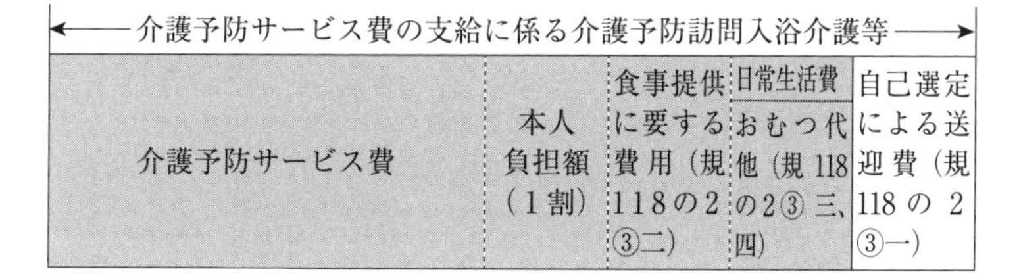

←介護予防サービス費の支給に係る介護予防訪問入浴介護等→

介護予防サービス費	本人負担額（１割）	食事提供に要する費用（規118の２③二）	日常生活費 おむつ代他（規118の２③三、四）	自己選定による送迎費（規118の２③一）

⑹ 介護予防短期入所生活介護（介護保険法８条の２第７項）

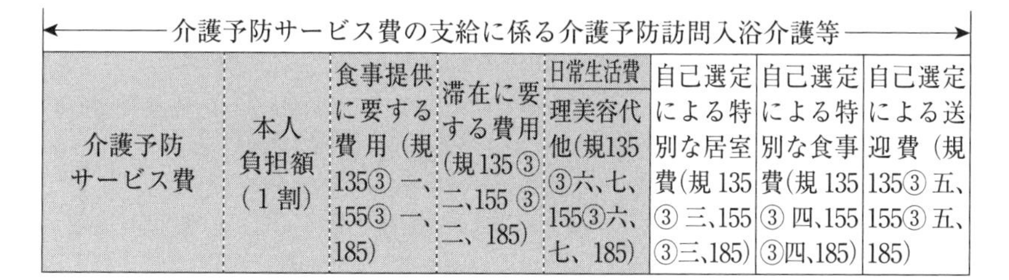

←介護予防サービス費の支給に係る介護予防訪問入浴介護等→

介護予防サービス費	本人負担額（１割）	食事提供に要する費用（規135③一、155③一、185）	滞在に要する費用（規135③二、155③二、185）	日常生活費 理美容代他（規135③六、七、155③六、七、185）	自己選定による特別な居室費（規135③三、155③三、185）	自己選定による特別な食事費（規135③四、155③四、185）	自己選定による送迎費（規135③五、155③五、185）

(7) 介護予防短期入所療養介護（介護保険法８条の２第８項）

←介護予防サービス費の支給に係る介護予防訪問入浴介護等→

介護予防サービス費	本人負担額（１割）	食事提供に要する費用（規190③一、206③一）	滞在に要する費用（規190③二、206③二）	日常生活費 理美容代他（規190③六、七、206③六、七）	自己選定による特別な療養室費等（規190③三、206③三）	自己選定による特別な食事費（規190③四、206③四）	自己選定による送迎費（規190③五、206③五）

(8) 介護予防特定施設入居者生活介護（介護保険法８条の２第９項）

←介護予防サービス費の支給に係る介護予防訪問入浴介護等→

介護予防サービス費	本人負担額（１割）	日常生活費 おむつ代他（規238③二、三、262）	自己選定による便宜に要する費用（規238③一、262）

【介護予防認知症対応型通所介護等】

(1) 介護予防認知症対応型通所介護（介護保険法８条の２第13項）

←地域密着型介護予防サービス費の支給に係る介護予防認知症対応型通所介護等→

地域密着型介護予防サービス費	本人負担額（１割）	自己負担による延長（規22③二）	食事提供に要する費用（規22③三）	日常生活費 おむつ代他（規22③四、五）	自己選定による送迎費（規22③一）

(注) 「規」は、指定地域密着型介護予防サービスの事業の人員、設備及び運営並びに指定地域密着型介護予防サービスに係る介護予防のための効果的な支援の方法に関する基準（平成18年厚生労働省令第36号）（以下同じ。）

(2) 介護予防小規模多機能型居宅介護（介護保険法８条の２第14項）

←地域密着型介護予防サービス費の支給に係る介護予防認知症対応型通所介護等→

地域密着型介護予防サービス費	本人負担額（１割）	食事提供に要する費用（規52③三）	宿泊に要する費用（規52③四）	日常生活費 おむつ代他（規52③五、六）	自己選定による送迎費（規52③一）	自己選定による交通費（規52③二）

参考　介護予防認知症対応型共同生活介護（介護保険法８条の２第15項）について

介護予防認知症対応型共同生活介護では、そもそも利用者の食事その他の家事等は、原則として利用者と介護従業者が共同で行うよう努めることとされているなど、指定介護予防認知症対応型共同生活介護事業者が、利用者から利用料を受領して特別なサービスを提供することは介護予防サービスを提供する上で予定されていないことから、前述の告示においても消費税が課税となるサービスは定められていません。

4　介護保険法の地域支援事業について

地域支援事業は、被保険者が要介護状態又は要支援状態（要介護状態等）となることを予防し、社会に参加しつつ、地域において自立した日常生活を営むことができるよう支援することを目的とし、地域における包括的な相談及び支援体制、多様な主体の参画による日常生活の支援体制、在宅医療と介護の連携体制及び認知症高齢者への支援体制の構築等を一体的に推進するものとされています（厚生労働省「地域支援事業実施要綱」）。

地域支援事業には、次の事業があります（地域支援事業実施要綱２）。

① **総合事業**……介護保険法第115条の45第１項に規定する介護予防・日常生活支援総合事業

② **包括的支援事業（地域包括支援センターの運営）**……介護保険法第115条の46第１項に規定する包括的支援事業（第115条の45第２項第４号から第６号に掲げる事業を除く。）

③ **包括的支援事業（社会保障充実分）**……介護保険法第115条の46第１項に規定する包括的支援事業（第115条の45第２項第４号から第６号に掲げる事業に限る。）及び第115条の48第１項に規定する会議を開催する事

第４章　介護サービスの非課税

業

④　**任意事業**……介護保険法第115条の45第３項に掲げる事業

⑴　総合事業

サービス・活動事業（介護保険法第115条の45第１項第１号に規定する第１号事業をいう。）及び第１号被保険者の介護予防等のために実施する同項第２号に定める事業（一般介護予防事業）からなります（地域支援事業実施要綱別記１－１－⑶）。

なお、実施主体である市町村は、総合事業（第１号介護予防支援事業にあっては、居宅要支援被保険者に係るものに限る。）については、総合事業を適切に実施することができるものとして厚生労働省令で定める基準に適合する者に対して、総合事業の実施を委託することができることとされています（介法115の47⑤、介規140の69）。

㈱　厚生労働省令で定める基準は、①介護保険法施行規則第140条の62の３第２項各号に掲げる基準を遵守している者であること、②第１号介護予防支援事業を実施する場合にあっては、地域包括支援センターの設置者であること、とされています。

【サービス・活動事業】

居宅要支援被保険者等を対象に、以下のとおり事業を実施するものとされています。

イ　訪問型サービス（介護保険法第115条の45第１項第１号イに規定する第１号訪問事業をいう。）

ロ　通所型サービス（同号ロに規定する第１号通所事業をいう。）

ハ　その他生活支援サービス（同号ハに規定する第１号生活支援事業をいう。）

ニ　介護予防ケアマネジメント（同号ニに規定する第１号介護予防支援事業をいう。）

【一般介護予防事業】

一般介護予防事業を構成する次の５事業のうち必要な事業を組み合わせて、地域の実情に応じて効果的かつ効率的に実施するものとされています。

イ　介護予防把握事業

ロ　介護予防普及啓発事業

ハ　地域介護予防活動支援事業

ニ　一般介護予防事業評価事業

ホ　地域リハビリテーション活動支援事業

㈱　介護保険法第115条の45第１項第２号に定める事業（一般介護予防事業）には、上記イ～ホのほかに、認知症総合支援事業があります。

消費税の取扱い

消費税法は、介護保険法の規定に基づく居宅介護サービス費の支給に係る居宅サービス、施設介護サービス費の支給に係る施設サービスその他これらに類するものとして政令で定めるものを非課税としています（消法別表第二７号イ）。

この政令で定めるものの一つに、介護保険法の規定に基づく地域支援事業として居宅要支援被保険者等に対して行われる介護予防・日常生活支援総合事業（総合事業）があります（消令14の２③十二）。ただし、これにより非課税とされるのは、厚生労働大臣が財務大臣と協議して指定するものに限られていますから、上記【サービス・活動事業】に該当するサービスが非課税となります（平成24年厚生労働省告示第307号）。

なお、非課税とされる居宅サービスや施設サービスに類するものとして非課税とされていますから、上記【サービス・活動事業】に該当するサービスの対価については、利用者負担額も非課税となりますが、利用者の選定により通常の事業実施地域以外の地域の居宅においてサービスを提供する場合の交通費や、通常の事業実施地域以外に居住する利用者についての送迎費は非課税とならないことになります。

⑵　包括的支援事業（地域包括支援センターの運営）

地域包括支援センターは、下記イ～ニの事業その他厚生労働省令で定める事業を実施し、地域住民の心身の健康の保持及び生活の安定のために必要な援助を行うことにより、その保健医療の向上及び福祉の増進を包括的に支援することを目的とする施設とされ、市町村のほか、市町村から委託を受けた者が、市町村に届け出て、設置することができます（介法115の46①～③）。

包括的支援事業（地域包括支援センターの運営）については、次に掲げる事業から構成されます（介法115の46①、地域支援事業実施要綱別記２－１－⑵）。

イ　第１号介護予防支援事業（居宅要支援被保険者に係るものを除く。）

ロ　総合相談支援事業（介護保険法第115条の45第２項第１号に掲げる事業）
……被保険者の心身の状況、その居宅における生活の実態その他の必要な実情の把握、保健医療、公衆衛生、社会福祉その他の関連施策に関する総合的な情報の提供、関係機関との連絡調整その他の被保険者の保健医療の向上及び福祉の増進を図るための総合的な支援を行う事業

ハ　権利擁護事業（介護保険法第115条の45第２項第２号に掲げる事業）
……被保険者に対する虐待の防止及びその早期発見のための事業その他の被保険者の権利擁護のため必要な援助を行う事業

ニ　包括的・継続的ケアマネジメント支援事業（介護保険法第115条の45第２項第３号に掲げる事業）

……保健医療及び福祉に関する専門的知識を有する者による被保険者の居宅サービス計画、施設サービス計画及び介護予防サービス計画の検証、その心身の状況、介護給付等対象サービスの利用状況その他の状況に関する定期的な協議その他の取組を通じ、当該被保険者が地域において自立した日常生活を営むことができるよう、包括的かつ継続的な支援を行う事業

【包括的支援事業（地域包括支援センターの運営）の委託】

実施主体である市町村は、老人介護支援センターの設置者その他の厚生労働省令で定める者（一部事務組合又は広域連合を組織する市町村、医療法人、社会福祉法人、特定非営利活動法人その他市町村が適当と認めるもの）に対し、厚生労働省令で定めるところにより、包括的支援事業の実施に係る方針を示して、包括的支援事業を委託することができることとされていますが、この場合の委託は、全てにつき一括して行わなければならないこととされています（介法115の47①、②、介規140の67）。

【総合相談支援事業の一部委託】

地域包括支援センターの設置者は、あらかじめ地域包括支援センター運営協議会の意見を聞いた上で、市町村に届出を行うことにより、総合相談支援事業の一部を、指定居宅介護支援事業者のほか、総合相談支援事業の一部を適切、公正、中立かつ効率的に実施することができる法人であって、老人介護支援センターの設置者、一部事務組合又は広域連合を組織する市町村、医療法人、社会福祉法人、特定非営利活動法人その他市町村が適当と認めるもの（センターの設置者を除く。）に委託することができることとされています（介法115の47④、介規140の68の2、地域支援事業実施要綱別紙2－2－(2)－ウ）。

消費税の取扱い

包括的支援事業（地域包括支援センターの運営）については、もともとが老人介護支援センターで行われていた事業を再編したものであり（152頁参照）、市町村又は市町村から委託を受けた老人介護支援センターを経営する法人が行う場合には、第二種社会福祉事業である老人介護支援センターを経営する事業として行う資産の譲渡等として非課税となります（消法別表第二７号ロ）。

老人介護支援センターを経営していない法人が市町村から委託を受けて行う場合は、第二種社会福祉事業に該当しないことになりますが、老人介護支援センターを経営する法人との衡平の観点から、同様の事業を行う範囲で社会福祉事業に類するものとして非課税とされています（消令14の３五、平成18年厚生労働省告示第311号）。

ただし、包括的支援事業（地域包括支援センターの運営）については、その全てを一括して行わなければならないこととされていますから、市町村から一括して委託を受けた老人介護支援センター等が一部を再委託した場合は、それは包括的支援事業として行われる資産の譲渡等とはいえないため、他の非課税規定に該当しない限り、課税の対象となります。

なお、地域包括支援センターの設置者である老人介護支援センターを設置する者が総合相談支援事業の一部を指定居宅介護支援事業者等の市町村が適当と認めるものに委託する場合は、包括的支援事業として行われる資産の譲渡等として非課税になると考えます。

(3) 包括的支援事業（社会保障充実分）

具体的には、次の事業が該当します。

イ　在宅医療・介護連携推進事業（介護保険法第115条の45第２項第４号に掲げる事業）……医療に関する専門的知識を有する者が、介護サービス事業者、居宅における医療を提供する医療機関その他の関係者の連携を推進するものとして厚生労働省令で定める事業（介護保険法第115条の45第２項第３号に掲げる事業を除く。）

なお、市町村は、事業の実施にあたっては、事業の全部又は一部について、介護保険法施行規則（以下「省令」という。）第140条の67に基づき、適当と認める者に委託することができます（地域支援事業実施要綱別記３－１－(2)）。

ロ　生活支援体制整備事業（介護保険法第115条の45第２項第５号に掲げる事業）……被保険者の地域における自立した日常生活の支援及び要介護状態等となることの予防又は要介護状態等の軽減若しくは悪化の防止に係る体制の整備その他のこれらを促進する事業

なお、市町村は、省令第140条の67に定める者に対し、介護保険法第115条の47第１項の規定に基づき、事業の実施に係る方針を示して、事業の全部又は一部を委託することができます（地域支援事業実施要綱別記３－２－(2)）。

ハ　認知症総合支援事業（介護保険法第115条の45第２項第６号に掲げる事業）……保健医療及び福祉に関する専門的知識を有する者による認知症の早期における症状の悪化の防止のための支援その他の認知症である又はその疑いのある被保険者に対する総合的な支援を行う事業

なお、市町村は、事業の全部又は一部について、省令第140条の67に基づき、市町村が適当と認める者（地域包括支援センター、認知症疾患医療センター、診療所等）に委託することができます（地域支援事業実施要綱別記３－３－(1)－イ）。

ニ　地域ケア会議推進事業……その設置が市町村の努力義務とされている地域ケア会議（包括的・継続的ケアマネジメント支援事業の効果的な実施のために、介護支援専門員、保健医療及び福祉に関する専門的知識を有する者、民生委員その他の関係者、関係機関及び関係団体により構成される会議）に係る事業（介護保険法第115条の48第１項、地域支援事業実施要綱別記３－４）。

消費税の取扱い

包括的支援事業（社会保障充実分）については、市町村又は市町村から委託を受けた老人介護支援センターを経営する法人が行う場合は、第二種社会福祉事業である老人介護支援センターを経営する事業として行う資産の譲渡等として非課税となります（消法別表第二７号ロ）。

また、包括的支援事業（地域包括支援センターの運営）と異なり、包括的支援事業（社会保障充実分）について一括して委託すべきという制約もありませんから、地域包括支援センター以外の法人が上記イ～ハの事業を個別に受託している場合でも、平成18年厚生労働省告示第311号に掲げられている事業に該当するものは、社会福祉事業として非課税になります（消令14の３五、平成18年厚生労働省告示第311号）。

(4)　任意事業

任意事業は、介護保険法第115条の45第３項各号において、介護給付等費用適正化事業、家族介護支援事業、その他介護保険事業の運営の安定化及び被保険者の地域における自立した日常生活の支援のため必要な事業が規定されていますが、地域の実情に応じ、創意工夫を生かした多様な事業形態が可能であり、具体的には、次に掲げる事業が対象とされています（地域支援事業実施要綱別紙４－３）。

①　介護給付等費用適正化事業

介護（予防）給付について真に必要な介護サービス以外の不要なサービスが提供されていないかの検証、本事業の趣旨の徹底や良質な事業展開のために必要な情報の提供、介護サービス事業者間による連絡協議会の開催等により、利用者に適切なサービスを提供できる環境の整備を図るとともに、介護給付等（指定事業者によるサービス・活動事業も含む。）に要する費用の適正化のための事業を実施する。

②　家族介護支援事業

介護方法の指導その他の要介護被保険者を現に介護する者の支援のため必要な事業を実施する。

イ　介護教室の開催

ロ　認知症高齢者見守り事業

ハ　家族介護継続支援事業

⑴　健康相談・疾病予防等事業

⑵　介護者交流会の開催

⑶　介護自立支援事業

③　その他の事業

介護保険事業の運営の安定化及び被保険者の地域における自立した日常生活の支援のため必要な事業を実施する。

イ　成年後見制度利用支援事業

ロ　福祉用具・住宅改修支援事業

ハ　認知症対応型共同生活介護事業所の家賃等助成事業

ニ　認知症サポーター等養成事業

ホ　重度のALS患者の入院におけるコミュニケーション支援事業

ヘ　地域自立生活支援事業

⑴　高齢者の安心な住まいの確保に資する事業

(ロ) 介護サービス等の質の向上に資する事業

(ハ) 地域資源を活用したネットワーク形成に資する事業

(ニ) 家庭内の事故等への対応の体制整備に資する事業

なお、実施主体である市町村は、第115条の45第3項各号に掲げる事業の全部又は一部について、老人福祉法第20条の7の2第1項に規定する老人介護支援センターの設置者その他の当該市町村が適当と認める者に対し、その実施を委託することができるものとされています(介護保険法115の47⑩)。

消費税の取扱い

任意事業において行われる資産の譲渡等は、介護保険法の規定に基づく地域支援事業として行われる介護予防・日常生活支援総合事業に係るものではありません。また、第二種社会福祉事業あるいはそれに類するものとされる介護保険法に規定する包括的支援事業として行われるものでもありません。

したがって、他の規定により非課税となるかどうかを個別に検討する必要があります。

第３節　その他の日常生活費の取扱い

１「その他の日常生活費」について

消費税が非課税とれる介護サービスには、介護保険給付の対象から除かれる「日常生活に要する費用」に係る資産の譲渡等も含まれます（消基通６－７－２⑵）（注）。

しかし、介護保険関係法令においては、通所介護等の提供において提供される便宜のうち、日常生活においても通常必要となるものに係る費用であって、その利用者等に負担させることが適当と認められるもの（以下「その他の日常生活費」といいます。）について、具体的なところが定められていません。そのため、厚生労働省は、「通所介護等における日常生活に要する費用の取扱いについて（平成12年３月30日　老企第54号　厚生省老人保健福祉局企画課長通知）」（介護関係 参考資料８⒂参照）により、「その他の日常生活費」を具体的に示しています。

㈱　平成12年大蔵省告示第27号「消費税法施行令第14条の２第１項、第２項及び第３項の規定に基づき財務大臣が指定する資産の譲渡等を定める件」に規定する資産の譲渡等については、非課税となりません。

２　具体的な取扱い

居宅サービス、施設サービス及び地域密着型サービスにおける「その他の日常生活費」に該当して消費税が非課税となるものは、介護サービスの区分に応じてそれぞれ次の表のとおりとなります。

㈱　平成12年３月30日老企第54号通知の別添「その他の日常生活費」に関するQ&Aにおいて、サービス提供とは関係のない費用として徴収が認められているものは、非課税となる介護サービスに該当しません。

順号	介護サービスの区分	その他の日常生活費の内容	具体的な事例
1	通所介護、通所リハビリテーション及び認知症対応型通所介護並びに介護予防通所介護、介護予防通所リハビリテーション及び介護予防認知症対応型通所介護	①　利用者の希望によって、身の回り品として日常生活に必要なものを事業者が提供する場合に係る費用 ②　利用者の希望によって、教養娯楽として日常生活に必要なものを事業者が提供する場合に係る費用	○「身の回り品として日常生活に必要なもの」とは、一般的に要介護者等の日常生活に最低限必要と考えられる物品（例えば、歯ブラシや化粧品等の個人用の日用品等）であって、利用者等の希望を確認した上で提供されるものをいう。 ○「教養娯楽として日常生活に必要なもの」とは、例えば、事業者又は施設がサービスの提供の一環として実施するクラブ活動や行事における材料費等が想定されるものである。
2	短期入所生活介護及び短期入所療養介護並びに介護予防短期入所生活介護及び介護予防短期入所療養介護	①　利用者の希望によって、身の回り品として日常生活に必要なものを事業者が提供する場合に係る費用 ②　利用者の希望によって、教養娯楽として日常生活に必要なものを事業者が提供する場合に係る費用	
3	特定施設入居者生活介護及び地域密着型特定施設入居者生活介護並びに介護予防特定施設入居者生活介護	①　利用者の希望によって、身の回り品として日常生活に必要なものを事業者が提供する場合に係る費用	
4	介護福祉施設サービス、介護保健施設サービス、介護療養施設サービス及び介護医療院サービス並びに地域密着型介護老人保健施設入所者生活介護	①　入所者、入居者又は入院患者（以下「入所者等」という。）の希望によって、身の回り品として日常生活に必要なものを施設が提供する場合に係る費用 ②　入所者等の希望によって、教養娯楽として日常生活に必要なものを施設が提供する場合に係る費用 ③　健康管理費（インフルエンザ予防接種に係る費用等） ④　預り金の出納管理に係る費用	

順号	介護サービスの区分	その他の日常生活費の内容	具体的な事例
		⑤　私物の洗濯代	
5	小規模多機能型居宅介護、複合型サービス及び介護予防小規模多機能型居宅介護	①　利用者の希望によって、身の回り品として日常生活に必要なものを事業者が提供する場合に係る費用 ②　利用者の希望によって、教養娯楽として日常生活に必要なものを事業者が提供する場合に係る費用	
6	認知症対応型共同生活介護及び介護予防認知症対応型共同生活介護	①　利用者の希望によって，身の回り品として日常生活に必要なものを事業者が提供する場合に係る費用	

第４節　介護関係 Q&A

Q４－１

NPO 法人が介護サービス事業を行う場合の消費税の取扱い

特定非営利活動法人（NPO法人）が介護保険法の介護サービス事業を行う場合にも消費税は非課税となるのでしょうか。

A　原則として、非課税となります。

考え方

介護保険制度における居宅介護サービス費の支給に係る居宅サービス、施設介護サービス費の支給に係る施設サービス、地域密着型介護サービス費の支給に係る定期巡回・随時対応型訪問介護看護等については、これらのサービスを提供する介護サービス事業者が、地方公共団体や社会福祉法人である場合に限らず、いわゆる NPO 法人であっても、原則として、消費税は非課税となります（消法別表第二７号イ）。

㈱　NPO 法人とは、特定非営利活動促進法の規定に基づいて設立される特定非営利活動法人のことであり、同法70条２項において、消費税法の適用に関しては消費税法別表第三に掲げる法人とみなすこととされています。

Q４－２ 要介護者が負担する介護サービス費用の１割相当額の取扱い

介護保険制度では、原則として、厚生労働大臣が定める基準により算定した費用の９割が保険給付されることになりますが、要介護者が負担する１割相当額も消費税は非課税となるのでしょうか。

A 非課税となります。

考え方

介護保険制度では、サービスを利用した被保険者は、サービスを提供した事業者に対してサービスに要した費用の１割を利用者負担として支払うこととされています。

消費税法上、居宅サービスの場合、そのサービスが居宅介護サービス費の給付対象となる種類のサービスであれば、保険者（市町村）から給付される居宅介護サービス費の９割部分に限らず、利用者が負担することとなる１割相当額についても消費税は非課税となります（消法別表第二７号イ、消基通６－７－２）。

ただし、居宅介護サービス費の給付対象となる居宅サービスの提供に付随して提供されるサービスのうち、居宅介護サービス費の給付対象から除かれている利用者の選定に係る特定のもの（通常の事業実施区域外の介護サービス事業者を利用した場合の交通費や訪問入浴介護における特別な浴槽水等）は課税の対象になります（消令14の２①、平成12年大蔵省告示第27号別表第一（前節参照））。

なお、施設介護サービス費の支給対象となる施設サービス、地域密着型介護サービス費の支給に係る定期巡回・随時対応型訪問介護看護等についても、同様です（入所者が選定する特別な居室の室料、特別な食事の料金等の利用者負担部分については、課税の対象となります。（消令14の２②、③、平成12年大蔵省告示第27号別表第二、別表第三））。

Q4－3

介護サービスにおいて発生する「日常生活に要する費用」の課税関係

通所介護、短期入所生活介護等の居宅サービス、介護保健施設サービス等の施設サービス等を提供した場合に要介護者等の利用者から収受する「日常生活に要する費用」については、介護保険の給付対象とはなっておらず、全額利用者の負担とされていますが、消費税はどのような取扱いになるのでしょうか。

A　通所介護等の居宅サービスや施設サービスのほか、これらに類する地域密着型サービスについては、その介護サービスの性質上、当然にそのサービスに付随して提供されることが予定される日常生活に要する費用（例えば、通所系の食事の提供に要する費用・おむつ代等、入所系の食事の提供に要する費用・居住費用・理美容代等）も、非課税となります。

考え方

通所介護、短期入所生活介護等の居宅サービスや施設サービスのほか、これらに類する地域密着型サービスにおいて発生する「日常生活に要する費用」とは、通所先又は入所先において、看護・介護の提供と同時にサービス事業者側から提供されることが一般に想定されるサービスであって、利用者もそのサービスを日常的に受けることを期待していると考えられるものに係る費用です。

「日常生活に要する費用」については、指定居宅サービス等の事業の人員、設備及び運営に関する基準（平成11年厚生省令第37号）等により、あらかじめ、利用者又はその家族に対し、当該サービスの内容及び費用について説明を行い、利用者の同意を得ることを条件として、利用者からの受領が認められています。例えば、通所介護については、同省令96

条３項３号から５号までおいて規定されています。

（３号）　食事の提供に要する費用

（４号）　おむつ代

（５号）　前各号に掲げるもののほか、指定通所介護の提供において提供される便宜のうち、日常生活においても通常必要となるものに係る費用であって、その利用者に負担させることが適当と認められる費用（その他の日常生活費。具体的な取扱いについては、188頁を参照。）

消費税においては、その介護サービスの性質上、日常生活に要する費用に係るサービスを提供することが通常であるものは、居宅介護サービス費の支給に係る居宅サービス、施設介護サービス費の支給に係る施設サービス又は地域密着型サービスに含まれ、非課税とされています（消基通６－７－２）。

Q 4－4

居宅サービスにおける全額利用者負担の費用の取扱い

介護保険法の居宅サービスにおいては、全額利用者の負担とされている各種の費用がありますが、いずれも消費税は課税の対象になると考えてよいでしょうか。

A 課税の対象になるものと非課税になるものがあり、居宅サービスの種類の区分ごとに異なります。

考え方

介護保険法は、居宅サービスの種類の区分に応じ、次に掲げる費用について居宅介護サービス費の給付対象から除外していますから、利用者の全額負担となります（介法41①、④一、二、42②、介規61、基準省令）が、これらの費用に対する消費税の取扱いは、それぞれ次のとおりとなります（消法別表第二７号イ、消令14の２、平12年大蔵省告示第27号）。

なお、これら以外の利用料は、そもそも介護保険法が居宅サービスとして提供することを予定していないサービスに係るものですから、その全額が課税の対象となります。

居宅サービスの種類	全額自己負担のサービスの内容	消費税の課非
訪問介護（介法８②、基準省令20③、39の３、43）	通常の事業実施地域以外の地域の居宅において訪問介護を行う場合の交通費	課税
訪問入浴介護（介法８③、基準省令48③、58）	通常の事業実施地域以外の地域の居宅において訪問入浴介護を行う場合の交通費	課税
	利用者の選定により提供される特別な浴槽水等の費用	課税
訪問看護及び訪問リハビリテーション（介法８④、⑤、基準省令66③、78③）	通常の事業実施地域以外の地域の居宅において訪問看護等を行う場合の交通費	課税

居宅サービスの種類	全額自己負担のサービスの内容	消費税の課非
居宅療養管理指導（介法8⑥、基準省令87③）	居宅療養管理指導の提供に要する交通費	課税
通所介護及び通所リハビリテーション（介法8⑦、⑧、基準省令96③、105の3、109、119）	通常の事業実施地域以外の地域に居住する利用者に対して行う送迎に要する費用	課税
	通常要する時間を超える通所介護であって利用者の選定に係るものの提供に伴い必要となる費用の範囲内において、居宅介護サービス費用基準額を超える費用	非課税
	食事の提供に要する費用	非課税
	おむつ代	非課税
	その他通所介護又は通所リハビリテーションにおいて提供される便宜のうち、日常生活においても通常必要となるものに係る費用であって、その利用者に負担させることが適当と認められるもの	非課税
短期入所生活介護及び短期入所療養介護（介法8⑨、⑩、基準省令127③、140の6③、140の15、140の32、145③、155の5③）	食事の提供に要する費用	非課税
	滞在に要する費用	非課税
	利用者が選定する特別な居室（療養室）等の提供を行ったことに伴い必要となる費用	課税
	利用者が選定する特別な食事の提供を行ったことに伴い必要となる費用	課税
	送迎に要する費用	課税
	理美容代	非課税
	その他短期入所生活介護又は短期入所療養介護において提供される便宜のうち、日常生活においても通常必要となるものに係る費用であって、その利用者に負担させることが適当と認められるもの	非課税

居宅サービスの種類	全額自己負担のサービスの内容	消費税の課非
特定施設入居者生活介護（介法8⑪、基準省令182③、192の12）	利用者の選定により提供される介護その他の日常生活上の便宜に要する費用	課税
	おむつ代	非課税
	その他特定施設入居者生活介護において提供される便宜のうち、日常生活においても通常必要となるものに係る費用であって、その利用者に負担させることが適当と認められるもの	非課税

【関係法令等】

介護保険法（介法）

介護保険法施行規則（介規）

指定居宅サービス等の事業の人員、設備及び運営に関する基準（平成11年厚生省令第37号）（基準省令）

Q４－５

ケアプランの範囲を超えて提供される居宅サービスの取扱い

消費税法は、消費税が非課税となる居宅サービスを「居宅介護サービス費の支給に係る居宅サービス」と規定していますが、例えばケアプランの時間や回数を超えて提供される利用者が全額負担する居宅サービスも非課税となるのでしょうか。

A　ケアプランの範囲を超えて提供されるため、居宅介護サービス費が支給されず、利用者が全額負担することとなる居宅サービスであっても、要介護者に対して提供される指定居宅サービスについては、消費税は非課税となります。

考え方

消費税法に規定する「居宅介護サービス費の支給に係る居宅サービス」とは、介護保険法の規定に基づき、保険者（市町村）から要介護者に対して、実際に支給される居宅介護サービス費に対応する部分の居宅サービスに限って消費税を非課税とするというものではなく、非課税となる居宅サービスの種類を介護保険法41条１項《居宅介護サービス費の支給》に規定する指定居宅サービス（福祉用具貸与及び特定福祉用具販売を除きます。）に特定し、消費税法施行令14条の２第１項《居宅サービスの範囲等》において、介護保険法８条２項から11項までに規定する訪問介護等を、非課税となる居宅サービスの範囲（特別の居室の提供その他の財務大臣が指定するサービスを除きます。）として定めています。

したがって、介護保険法43条《居宅介護サービス費等に係る支給限度額》に規定する支給限度額を超えて提供される居宅サービス（例えば、ケアプランの範囲（時間、回数、種類）を超えて提供される居宅サービス）は居宅介護サービス費が支給されません（利用者が全額負担）が、要介護者に対して提供される指定居宅サービスについては、消費税は非課税となります（消基通６－７－２）。

このほか、通所系又は入所系のサービスにおいて、その介護サービスの性質上、当然にそのサービスに付随して提供されることが予定される日常生活に要する費用（例えば、通所系サービスの食事提供費用・おむつ代等、入所系サービスの食事提供費用・居住費用・理美容代等）についても、居宅介護サービス費の支給に係る居宅サービスに含まれ、消費税は非課税となります。

参考 消費税法施行令14条の２第１項に規定する居宅サービスの系統と種類（介法８②～⑪）

- 訪問系
  - ・訪問介護
  - ・訪問入浴介護
  - ・訪問看護
  - ・訪問リハビリテーション
- ・居宅療養管理指導
- 通所系
  - ・通所介護
  - ・通所リハビリテーション
- 入所系
  - ・短期入所生活介護
  - ・短期入所療養介護
- ・特定施設入居者生活介護

Q4－6

訪問介護サービスの提供に伴って受領する交通費の課非

当社は、介護保険法上の訪問介護サービスを行う事業者です。訪問介護サービスの提供は、主として通常の事業の実施地域内の要介護者等に対して行っていますが、要介護者等の事情で、通常の事業の実施地域以外で行うこともあります。当社では、訪問介護サービスの提供に当たって必要な交通費は、相手方の要介護者等が通常の事業実施地域内の者であるかどうかにかかわらず、その相手方から全額を受領しています。この場合の交通費は、介護保険法に規定する介護サービスの対価の一部を構成するものとして消費税が非課税になると考えてよいでしょうか。

A　消費税の課税の対象となります。

考え方

1　介護保険法に規定する居宅介護サービス費の支給に係る訪問介護サービスは、原則として消費税が非課税とされていますが、財務大臣が指定する資産の譲渡等は除かれています（消法別表第二７号イ、消令14の２①）。

訪問介護に関しては、「指定居宅サービス等の事業の人員、設備及び運営に関する基準（平成11年厚生省令37号（以下、「基準省令」といいます。））20条３項（利用料等の受領）に規定する「交通費を対価とする資産の譲渡等」が、非課税から除かれるものとして財務大臣から指定されています（平成12年大蔵省告示27号別表第一㈠）。

ここで非課税から除かれる「交通費を対価とする資産の譲渡等」とは、訪問介護事業者が利用者の選定により「通常の事業の実施地域以外の地域」の居宅において介護保険法上の訪問介護サービスを行う場合に、利用者から受けることができる交通費の額を対価とする役務の提供をいうこととされています。

2　そうしますと、「通常の事業の実施地域内」の居宅において訪問介護サービスを行う場合の、交通費の額を対価とする役務の提供は非課税のように考えられますが、次の理由から、課税の対象となると解されます。

すなわち、訪問介護は、そもそも要介護者等の居宅において行われる介護サービスですから、訪問介護事業者が「通常の事業の実施地域内」にある要介護者等の居宅との間の移動に要する交通費は、その訪問介護事業者に支払われる居宅介護サービス費の額の算定のベースとなる居宅介護サービス費用基準額に織り込み済のものであり、訪問介護事業者が、要介護者等から訪問介護サービスの対価として居宅介護サービス費用基準額から保険者（市町村）が支払う居宅介護サービス費の額を控除した残額（要介護者等が支払う１割相当額）とは別途に、「通常の事業の実施地域内」にある要介護者等の居宅との間の移動に要する交通費を受領することは、基準省令の想定するところではないということになります。したがって、そのような金銭を収受しているのであれば、それは居宅介護サービス費の支給に係る居宅サービスに該当しない一般の役務の提供の対価ということになり、消費税法別表第二に掲げる非課税取引にも該当するものはありませんから、課税の対象ということになります。

Q4−7

特定施設入居者生活介護（有料老人ホーム）の課税関係

当社は、県知事から特定施設入居者生活介護の認定を受けた有料老人ホームを経営していますが、利用者が支払う負担金の課税関係はどのようになりますか。

A　課税となるものと非課税となるものがあります。

考え方

(1)　有料老人ホームに入居している要介護者に対して、介護計画に基づいて行われる入浴・排せつ・食事の介護、その他の日常生活上必要な便宜の供与は、居宅介護サービス費の支給に係る居宅サービスの一つである特定施設入居者生活介護に該当して非課税となります（介法8①、消法別表第二7号イ、消令14の2①）。

具体的には、①介護計画に基づいて行われた介護に対して支給される特定施設入居者生活介護サービス費（利用者負担分を含む。）、②サービス費支給限度額を超えて行われる特定施設入居者生活介護の費用（全額利用者負担）、③介護保険給付の対象から除かれている日常生活に要する費用として利用者から収受するおむつ代又は利用者の希望を確認した上で提供される歯ブラシ、歯みがき粉、化粧品、シャンプー、タオル等日用品費用が非課税となります。

(2)　有料老人ホームに入居している要介護者から収受する自己選定により提供される介護やその他の日常生活上の便宜に要する費用は、介護保険給付対象外の介護サービスであり、原則として、課税の対象となります。

具体的には、①施設の人員配置が手厚い場合の介護サービス利用料、②要介護者の希望により行われる買い物・旅行等の外出介助及び施設指定外の医療機関への通院又は入院の際の介助費用、③要介護者の希望により行われる買い物等の代行で、買い物先が施設の決めている範囲以外の店舗の場合の当該代行に係る費用、④施設の標準的な回数を超えた入浴を行った場合の介助に要する費用等が該当します。

(3)　有料老人ホームは入居者が日常生活を営む場所ですから、居室だけでなく、入居者が日常生活を送る上で必要な部分を含めた部分は住宅に該当し、入居者が支払う負担金のうち住宅部分の貸付けの対価（住宅家賃）に相当する部分の金額は、入居者が要介護者かどうかにかかわらず非課税となります（消法別表第二13号）。

参考

・　指定居宅サービス等の事業の人員、設備及び運営に関する基準182条３項（参考資料904頁）

・　平成12年２月28日　老振第13号「有料老人ホームにおける特定施設入居者生活介護に係る消費税の取扱いについて」（参考資料857頁）

・　平成12年３月30日　老企第52号「特定施設入居者生活介護事業者が受領する介護保険の給付対象外の介護サービス費用について」（参考資料859頁）

Q 4－8

有料老人ホームにおける食事の提供の課非

当社会福祉法人では、有料老人ホームを新設する予定です。有料老人ホームが介護保険の指定居宅サービス事業者として入居者である要介護者等から受領する金銭については、おおむね消費税が非課税になると理解していますが、食事を提供する場合の食事代も非課税と考えてよいでしょうか。

A　消費税の課税の対象となります。

考え方

1　有料老人ホームに入居している要介護者等に対して、介護計画に基づいて行われる入浴・排せつ・食事の介護、その他の日常生活上必要な便宜の供与は、居宅介護サービス費の支給に係る居宅サービスとして非課税となります（消法別表第二７号イ、消令14の２①)。

ここでいう「食事の介護」とは、「自立して食事を摂ることができない要介護者等に対して、食事を摂ることを手助けすること」と解されます。

2　介護保険法は、要介護者等がケアプランに従って指定居宅サービス事業者から指定居宅サービスを受けた場合には居宅介護サービス費を支給することとしています。しかし、「日常生活に要する費用として厚生労働省令で定める費用」によるサービスは支給対象から除外することとされています（介法41①)。

これを受けて、介護保険法施行規則61条は、居宅介護サービス費の支給対象から除かれるサービスに係る費用を居宅介護サービスごとに規定しています。同条では、通所介護、通所リハビリテーション、短期入所生活介護、短期入所療養介護については、「食事の提供に要する費用」が含まれていますが、有料老人ホームでの介護サービスである特定施設入居者生活介護については、「おむつ代」、「その他特定施設入居者生活介護において提供される便宜のうち、日常生活においても通常必要となるものに係る費用であって、その利用者に負担させることが適当と認められるもの」と規定されており、「食事の提供に要する費用」は含まれていません。

3　他方、指定居宅サービスの質的基準を定める指定居宅サービス等の事業の人員、設備及び運営に関する基準（平成11年厚生省令37号、以下「基準省令」といいます。）は、指定居宅サービス事業者が介護保険から支給される居宅介護サービス費のほかに要介護者等から受領することができる費用（要介護者等の自己負担）を定めており、そのなかに、通所介護、通所リハビリテーション、短期入所生活介護、短期入所療養介護における「食事の提供に要する費用」が含まれています。しかし、特定施設入居者生活介護については、「日常生活上の便宜に要する費用」を定めるものの、「食事の提供に要する費用」は含まれていません（基準省令96③三、127③一、145③一）。

4　以上を踏まえますと、特定施設入居者生活介護において、指定居宅サービス事業者が居宅サービスとして有料老人ホームの入居者である要介護者等に対して食事の提供をすることは、介護保険制度の予定するところではないということになります。したがって、特定施設入居者生活介護において指定居宅サービス事業者が要介護者等に対して食事の提供をすることは、消費税が非課税となる居宅介護サービス費の支給に係る居宅サービスには該当せず、課税の対象になります（令和3年3月10日福岡地裁判決（税資271号順号13540）（令和4年6月21日最高裁決定（確定））。

㈠　福岡地裁判決では、食事の提供が特定施設入居者生活介護に含まれないという解釈は困難であったため、加算税を免除する「正当な理由」があるとする原告の主張について、課税庁の処分の時点において、特定施設入居者生活介護に食事の提供が含まれるという解釈（有料老人ホームにおける食事の提供が非課税であるという解釈）が一般的であったとはいえないし、この点に関する課税庁の解釈が変遷し予測可能性を欠く状況があったというような事情も見当たらないとして斥けています。

おやつの提供についても同様です。なお、入居者に対するその他のサービスについての取扱いは次のとおりです（平成29年４月20日裁決（非公開））。

①寝具貸与……課税の対象（特定施設入居者生活介護に非該当）

②洗濯・ドライクリーニング……非課税（日常生活上の世話又は支援に該当、利用者選定介護に非該当）

③要介護者等の退去時における居室清掃、カーテンクリーニング……課税の対象（日常生活上の世話又は支援に非該当）

④通院介助（協力医療機関以外の医療機関への送迎、介助、その他の外出先への送迎、介助）……課税の対象（利用者選定介護に該当）

Q4－9

非課税となる「施設介護サービス費の支給に係る施設サービス」の具体的な範囲

消費税が非課税となる「施設介護サービス費の支給に係る施設サービス」とはどのようなものをいいますか。

A　非課税となる施設サービスには、介護保険法上、「介護福祉施設サービス」、「介護保険施設サービス」及び「介護医療院サービス」の３種類があります（介法８㉖）。

施設サービスとして提供されるサービスであっても、利用者の選定による特別な居室等の提供や特別な食事の提供は、課税の対象になります（消令14の２②、平成12年大蔵省告示第27号別表第二）。

参考

⑴　介護福祉施設サービス

介護福祉施設サービスとは、介護老人福祉施設に入所する要介護者に対し、施設サービス計画に基づいて行われる入浴、排せつ、食事等の介護その他の日常生活上の世話、機能訓練、健康管理及び療養上の世話をいいます。

ここにいう介護老人福祉施設とは、老人福祉法20条の５に規定する特別養護老人ホーム（入所定員が30人以上であるものに限る。）であって、当該特別養護老人ホームに入所する要介護者に対し、施設サービス計画に基づいて、入浴、排せつ、食事等の介護その他の日常生活上の世話、機能訓練、健康管理及び療養上の世話を行うことを目的とする施設をいうこととされています（介法８㉗）。

⑵　介護保険施設サービス

介護保険施設サービスとは、介護老人保健施設に入所する要介護者に対し、施設サービス計画に基づいて行われる看護、医学的管理の下における介護及び機能訓練その他必要な医療並びに日常生活上の世話をいいます。

ここにいう介護老人保健施設とは、要介護者（その治療の必要の程度につき厚生労働省令で定めるものに限る。）に対し、施設サービス計画に基づいて、看護、医学的管理の下における介護及び機能訓練その他必要な医療並びに日常生活上の世話を行うことを目的とする施設として、介護保険法94条１項の都道府県知事の許可を受けたものをいうこととされています（介法８㉘）。

⑶　**介護医療院サービス**

介護医療院サービスとは、介護医療院に入所する要介護者に対し、施設サービス計画に基づいて行われる療養上の管理、看護、医学的管理の下における介護及び機能訓練その他必要な医療並びに日常生活上の世話をいいます。

ここにいう介護医療院とは、要介護者であって、主として長期にわたり療養が必要である者（その治療の必要の程度につき厚生労働省令で定めるものに限る。）に対し、施設サービス計画に基づいて、療養上の管理、看護、医学的管理の下における介護及び機能訓練その他必要な医療並びに日常生活上の世話を行うことを目的とする施設として、介護保険法107条１項の都道府県知事の許可を受けたものをいいます（介法８㉙）。

⑷　在宅サービスは一般の民間企業の参入が認められていますが、施設サービスは社会福祉法人や医療法人でなければ参入できません。

⑸　介護保険法48条１項において施設サービス費の支給対象とされるのは、上記⑴のうち都道府県知事が指定する介護老人福祉施設（指定介護老人福祉施設）により行われる介護福祉施設サービス（指定介護福祉施設サービス）、上記⑵の介護保健施設サービス及び上記⑶の介護医療院

サービスであり、非課税となるのはこれらの施設サービスです（消法別表第二７号イ）。

(6)　入所定員が29人以下の特別養護老人ホームに入所する要介護者に対して行う上記(1)と同種のサービスは、地域密着型介護老人福祉施設入所者生活介護として非課税となります（介法８㉒、消令14の２③二）。

(注)　介護療養型医療施設での介護療養施設サービスについても非課税とされていましたが、当該サービスを非課税とする取扱いは、介護療養型医療施設の介護医療院への移行に伴い、令和６年３月31日で廃止されています。

Q 4 −10

介護老人保健施設において入所者に行う予防接種の課税関係

当社会福祉法人が運営する介護老人保健施設では、インフルエンザの予防の観点から、希望する入所者に対してインフルエンザの予防接種を行い、その実費相当額を入所者から徴収しています。

このような実態にあるインフルエンザ等の予防接種料は、介護保険法上の「日常生活に要する費用」に該当し、消費税が非課税になると考えてよいでしょうか。

A 介護老人保健施設において希望する入所者に対して実施するインフルエンザの予防接種の料金については、消費税が非課税となります。

考え方

1 医療としての検討

医療として消費税が非課税となるのは、健康保険等の規定に基づく療養・医療の給付であり、予防接種については、麻しん、破傷風、狂犬病等に対するものを除いて、健康保険等の給付対象となりませんから、インフルエンザの予防接種も医療としては非課税となりません（消法別表第二6号）。

2 介護サービスとしての検討

介護保険法の規定に基づく施設介護サービス費の支給に係る施設サービスは、特別の病室の提供等財務大臣が指定するもの（平成12年大蔵省告示第27号別表第二）を除き、非課税とされています（消法別表第二7号イ）。

なお、介護保険の給付に関して、介護保険法48条《施設介護サービス費の支給》及び介護保険法施行規則79条《日常生活に要する費用》

は施設サービス費の支給対象を定めていますが、「日常生活に通常必要となるもののうち、その利用者に負担させることが適当と認められるもの」については支給対象から除外しています。

そして、「介護老人保健施設の人員、施設及び設備並びに運営に関する基準（平成11年厚生省令第40号）」11条３項６号は、介護老人保健施設が利用者から支払を受けることができる費用として、「日常生活に通常必要となるもののうち、その利用者に負担させることが適当と認められるもの」を掲げています。

また、消費税法の適用に関しては、介護保険法の規定により要介護被保険者に対して支給される施設介護サービス費に対応する部分の施設サービスのみではなく、介護保険給付の対象から除かれる「日常生活に通常必要となるもののうち、その利用者に負担させることが適当と認められるもの」に係る資産の譲渡等も非課税とされています（消基通６－７－２）。

以上から、ご質問の介護老人保健施設において希望する入所者に対して実施するインフルエンザの予防接種の料金が非課税となるかどうかは、それが「日常生活に通常必要となるもののうち、その利用者に負担させることが適当と認められるもの」に該当するかどうかによることとなります。

この点について、厚生省老人保健福祉局企画課長通知「通所介護等における日常生活に要する費用の取扱いについて（平成12年３月30日老企第54号）」は、介護老人保健施設が介護保健施設サービスにおいて「健康管理費（インフルエンザ予防接種に係る費用等）」として利用者から支払を受ける費用も「日常生活に通常必要となるもののうち、その利用者に負担させることが適当と認められるもの」に該当する旨通知しています（第３節参照）。

したがって、介護老人保健施設において希望する入所者に対して実施するインフルエンザ予防接種の料金は、介護老人保健施設における施設サービスの対価として非課税となります。

参考

介護老人保健施設からの依頼を受けて予防接種を行った医療機関等が当該介護老人保健施設から受領する予防接種料金は、消費税の課税対象になります。

Q４－11

特別養護老人ホームから依頼されて行う入居者に対する理美容サービスの課税関係

NPO 法人Ａは、出張理美容業を営んでおり、特別養護老人ホームから依頼されて、その老人ホームに出張し、入居者全員の髪をカットするサービスを提供することがあります。この特別養護老人ホームへの出張理美容サービスの代金については、直接入所者から受領していますが、出張先の特別養護老人ホームから依頼を受けて出張サービスを提供しているものであり、入所者がサービスを選定しているわけではありませんので、受領するカット代金は入所者に対して一律提供される介護サービスの対価として、消費税は非課税と考えてよいでしょうか。

A　消費税の課税の対象になると考えます。

考え方

消費税法別表第二７号イで非課税としているのは、介護保険法の規定に基づく居宅介護サービス費の支給に係る居宅サービス、施設介護サービス費の支給に係る施設サービスです。

お尋ねの特別養護老人ホームにおいて提供される介護サービスは、居宅サービスである通所介護、短期入所生活介護、施設サービスである介護福祉施設サービス等があります。

短期入所生活介護においては、指定介護事業者が利用者から受領することが認められている日常生活に要する費用として理美容代が掲げられています（指定居宅サービス等の事業の人員、設備及び運営に関する基準（平成11年厚生省令第37号）127)。また、指定介護福祉施設サービスにおいても、同様です（指定介護福祉施設の人員、設備及び運営に関する基準（平成11年厚生省令第39号）9)。これらの規定において指定介護事業者が利用者から受領することが認められている日常生活に要する費用は、消費税法で非課税とされている「介護保険法の規定に基づく居宅介護サービス費の支給に係る居宅サービス、施設介護サービス費の支給に係る施設サービス」等に含まれるものと解されています。したがって、短期入所生活介護の利用者や介護福祉施設サービスの提供を受ける入所者の理美容代を日常生活に要する費用として指定介護事業者が受領する場合には非課税となります。

しかし、ご質問のNPO法人が特別養護老人ホームの入所者から直接受領するカット代金は、指定介護事業者である特別養護老人ホームがその入所者から受領する日常生活に要する費用（理美容代）ではありませんから、非課税には当たらないことになると考えます。また、仮に、ご質問のNPO法人が特別養護老人ホームから入所者のカットを依頼されてその代金を当該特別養護老人ホームから受領する場合でも、その代金は、当該特別養護老人ホームに対して入所者の理美容サービスを提供した対価となりますから、やはり非課税には当たらないものと考えます。

Q 4 −12

施設サービスにおける特別な食事の提供等の課税関係

特別養護老人ホーム等での施設サービスにおける特別な食事の提供等の自己選択サービスについても、消費税は非課税となるのでしょうか。

A 施設サービスにおいて提供される特別な食事等の自己選択サービスについては、消費税は非課税とはなりません（課税の対象）。

考え方

介護保険法の規定に基づく施設サービスとしては、特別養護老人ホーム等の施設の入所者に対して介護サービスを提供する介護福祉施設サービス、介護老人保健施設の入所者に対して介護サービスを提供する介護保健施設サービス、介護医療院の入所者に対して介護サービスを提供する介護医療院サービス等があります。

これらの施設サービスとして提供される資産の譲渡等であっても、政令で定めるものは非課税から除かれています（消法別表第二７号イ）。除かれるものは、「特別の居室の提供その他の財務大臣が指定する資産の譲渡等」とされており（消令14の２②）、具体的には、「消費税法施行令第14条の２第１項、第２項及び第３項の規定に基づき財務大臣が指定する資産の譲渡等を定める件（平成12年大蔵省告示第27号）」の別表第二において次のように指定されています。

施設サービスの区分	非課税とならない資産の譲渡等
介護福祉施設サービス	・特別な居室の提供（福祉施設基準省令９③三、41③三） ・特別な食事の提供（福祉施設基準省令９③四、41③四）
介護保健施設サービス	・特別な療養室の提供（保健施設基準省令11③三、42③三） ・特別な食事の提供（保健施設基準省令11③四、42③四）
介護医療院サービス	・特別な療養室の提供（医療院基準省令14③三、46③三） ・特別な食事の提供（医療院基準省令14③四、46③四）

【関係法令等】

指定介護老人福祉施設の人員、設備及び運営に関する基準（平成11年厚生省令第39号）（福祉施設基準省令）

介護老人保健施設の人員、施設及び設備並びに運営に関する基準（平成11年厚生省令第40号）（保健施設基準省令）

介護医療院の人員、施設及び設備並びに運営に関する基準（平成30年厚生省令第５号）（医療院基準省令）

㈱　居宅サービスである短期入所生活介護及び短期入所療養介護において提供される特別な食事についても、同様です（平成12年大蔵省告示第27号別表第一）。

Q 4 −13

認知症対応型共同生活介護における食事代の課税関係

当医療法人では、介護保険法に規定する認知症対応型共同生活介護サービスを提供するグループホームを新たに経営することを予定していますが、そのグループホームで利用者に提供する食事の代金は、消費税が非課税となるでしょうか。

A 介護保険法上、認知症対応型共同生活介護を提供するグループホームが利用者から受領することが認められている食事の提供に関する費用の額は「食材料費」ですから、消費税が非課税となるのは「食材料費」に限られると考えます。

考え方

介護保険法に規定する地域密着型サービスに該当する認知症対応型共同生活介護においては、利用者である要介護被保険者に係る食材料費は、地域密着型介護サービス費の支給対象から除かれています（介法42の２①、介規65の３①四）。

しかし、指定認知症対応型共同生活介護事業者は、地域密着型介護サービス費の支給対象とならないサービスに係るものであっても、日常生活においても通常必要となるものに係る費用で、その利用者に負担させることが適当と認められるものは利用者から支払を受けることができるとされています。そのような費用の一つに「食材料費」の額があります（基準省令96③一）。

日常生活においても通常必要となるものに係る費用として利用者から支払を受けることが認められているものについては、消費税が非課税とされる「地域密着型介護サービス費の支給に係るサービス」の対価に含まれるものと解されていますから、ご質問の認知症対応型共同生活介護を提供するグループホームが利用者から受領する「食材料費」も、非課税となると認められます（消法6①、別表第二7号イ、消令14の2③二、平成12年大蔵省告示第27号3、別表第三）。

なお、認知症対応型共同生活介護においては、そもそも利用者の食事その他の家事等は、原則として利用者と介護従業者が共同で行うよう努めることとされていることから、他の地域密着型サービスにおける日常生活費用のように「食事の提供に要する費用」として支払を受けることは想定されていません。したがって、非課税となるのは「食材料費」に限られることに留意する必要があります。

【関係法令等】

介護保険法（介法）42の2①

介護保険法施行規則（介規）65の3①二

指定地域密着型サービスの事業の人員、設備及び運営に関する基準（平成18年厚生労働省令第34号）（基準省令）96③一

Q 4－14

複合型サービス事業における消費税の課税関係

当医療法人は、介護保険法の複合型サービス事業を開始することとしています。

この複合型サービス事業においては、介護給付の対象とならない次のような料金に係るサービスも、全額利用者負担により提供することとしていますが、消費税の課税関係はどのようになるでしょうか。

1　要介護者等の宿泊費

2　おむつ代

3　食事の提供に要する費用

4　趣味のサークル活動の材料費

5　買物の同行料

6　家族の依頼による死後の処置に要する費用

7　家族宿泊費

8　家族食事代

9　領収書発行料

A　1～4の料金については非課税となり、5～9の料金については課税の対象になると考えます。

考え方

介護保険法において地域密着型サービスの一つとして保険給付の対象とされる「複合型サービス」とは、訪問看護及び小規模多機能型居宅介護の組合せにより提供されるサービス（看護小規模多機能型居宅介護）をいうものとされ（介法8㉓、介規17の12）、居宅サービス又は施設サービスに類するものとして、財務大臣が指定するものを除いて非課税とされています（消法別表第二7号イ、消令14の2③二）。そして、非課税から除かれるものとして、財務省告示は、①利用者の選定により通常の事業の実施地域以外の地域に居住する利用者に対して行う送迎に要する費用及び②利用者の選択により通常の事業の実施地域以外の地域の居宅において訪問サービスを提供する場合の、それに要した交通費の額を対価とする資産の譲渡等を指定しています（平成12年大蔵省告示第27号別表第三（八））。

したがって、複合型サービスについては、地域密着型介護サービス費の支給対象となる介護サービスのほか、支給対象とならないものであっても、基準省令182条《準用》の規定により準用される基準省令71条3項3号から6号までの食事の提供に要する費用（3号）、宿泊に要する費用（4号）、おむつ代（5号）及び指定小規模多機能型居宅介護の提供において提供される便宜のうち、日常生活においても通常必要となるものに係る費用であって、その利用者に負担させることが適当と認められる費用（6号）は非課税となります。

6号に該当する費用としては、①利用者の希望によって、身の回り品（歯ブラシ、タオル等）として日常的に必要なものを事業者が提供する場合に係る費用、②利用者の希望によって、教養娯楽として日常的に必要なものを事業者が提供する場合に係る費用（習字、お花、絵画等の材料費）が該当するとされています（第3節参照）。ただし、6号に規定する費用については、利用者の希望によって提供することが前提とされていますから、利用者全員に対して一率で提供する場合は、料金の徴収はできないとされています。

なお、基準省令71条3項3号から6号までの費用以外の費用については、介護サービスとして提供することが予定されていないサービスに係るものですから、消費税の課税の対象となります。

以上から、ご質問の料金については、いずれも介護保険の保険給付の対象とはなりませんが、消費税の課税関係は、次のようになると考えます。

1～4について　……消費税は非課税となります。

5について……消費税の課税の対象となります。

特定施設入居者生活介護（有料老人ホーム）では、要介護者の希望により行われる指定外の医療機関への通院の介助や買物等の外出介助の料金については、「指定居宅サービス等の人員、設備及び運営に関する基準（平成11年厚生省令第14号）」182条３項１号において「利用者の選定により提供される介護その他の日常生活上の便宜に要する費用」として、利用者から受領することが認められていますが、平成12年大蔵省告示第27号別表第一（九）により、非課税から除かれています。複合サービスにおいては、基準省令71条３項各号において同旨の規定が設けられていませんので、そもそも介護サービスとして提供することが予定されていないサービスに係るものと思われます。したがって、消費税の課税の対象と考えます。

6～9について……介護サービスの対価ではありませんから、消費税の課税の対象になります。

Q 4－15

介護予防・日常生活支援総合事業である第一号訪問事業等を地域包括支援センター等に委託する場合

介護保険法第115条の45第１項に規定する介護予防・日常生活支援総合事業のうち、同項第１号イ～ハに規定する第一号訪問事業、第一号通所事業又は第一号生活支援事業を、市町村が地域包括支援センター等に委託して実施する場合、消費税の取扱いはどのようになるでしょうか。

A 居宅介護サービス費の支給に係る居宅サービスに類するものとして、非課税となります。

考え方

介護保険法に規定する地域支援事業の一つに介護予防・日常生活支援総合事業（以下「総合事業」といいます。）があります。総合事業の実施主体である市町村は、総合事業（第一号介護予防支援事業にあっては、居宅要支援被保険者に係るものに限る。）については、総合事業を適切に実施することができるものとして厚生労働省令で定める基準に適合する者に対して、総合事業の実施を委託することができることとされています（介法115の47⑤、介規140の69）。

この場合の厚生労働省令で定める基準は、①介護保険法施行規則第140条の62の３第２項各号に掲げる基準を遵守している者であること、②第一号介護予防支援事業を実施する場合にあっては、地域包括支援センターの設置者であること、とされています。

したがって、ご質問の第一号訪問事業、第一号通所事業又は第一号生活支援事業を、市町村が上記①の基準に該当する者に委託した場合、受託者がこれらの事業として行う資産の譲渡等は、居宅介護サービス費の支給に係る居宅サービスに類するものに該当することになり、非課税となります（消法別表第二７号イ、消令14の２③十二、平成24年厚生労働省告示第307号、令和６年６月28日　厚生労働省老健局認知症施策・地域介護推進課事務連絡「地域支援事業を委託して実施する場合における消費税の取扱いについて」）

㈱　介護予防・日常生活支援総合事業の事業内容については、「地域支援事業の実施について（平成18年６月９日厚生労働省老健局長通知）」の別紙「地域支援事業実施要綱」の「別記１」参照。

Q 4 −16

包括的支援事業を地域包括支援センター等に委託する場合

介護保険法第115条の46第１項に規定する包括的支援事業のうち、同法第115条の45第２項各号に掲げる事業について、市町村が地域包括支援センター等に委託して実施する場合、消費税の取扱いはどのようになるでしょうか。

A　社会福祉法に規定する社会福祉事業として行われる資産の譲渡等に類するものとして非課税となります。

考え方

介護保険法に規定する地域支援事業の一つに包括的支援事業があります。包括的支援事業とは、地域住民の心身の健康の保持及び生活の安定のために必要な援助を行うことにより、その保健医療の向上及び福祉の増進を包括的に支援することを目的とする施設である地域包括支援センターの行う事業であり、介護保険法第115条の45第１項第１号ニに規定する第一号介護予防支援事業（居宅要支援被保険者に係るものを除く。）及び介護保険法第115条の45第２項各号に掲げる事業で構成されます（介法115の46①）。

地域包括支援センターは、市町村のほか、一定の要件を満たす老人介護支援センターの設置者等の市町村から包括的支援事業の委託を受けた者が、市町村長に届け出て設置することができます（介法115の46①、②、115の47①）。

市町村が包括的支援事業を委託する場合は、介護保険法第115条の45第２項第４号から第６号までに掲げる事業を除き、その全てにつき一括して行わなければならないこととされています（介法115の47②）から、少なくとも、市町村は地域包括支援センター等に第一号介護予防支援事

第４章　介護サービスの非課税

業（居宅要支援被保険者に係るものを除く。）及び介護保険法第115条の45第２項第１号から第３号までの事業を一括して委託するものと考えられます。

そうしますと、地域包括支援センター等が市町村から委託を受けて行うご質問の資産の譲渡等は、包括的支援事業として行う資産の譲渡等に該当し、社会福祉事業として非課税になると考えます（消令14の３五、平成18年厚生労働省告示第311号、令和６年６月28日　厚生労働省老健局認知症施策・地域介護推進課事務連絡「地域支援事業を委託して実施する場合における消費税の取扱いについて」）。

また、市町村が介護保険法第115条の45第２項第４号から第６号までに掲げる事業を委託する場合は、一括して委託しなければならないという制約はありませんから、事業ごとに委託する場合でも、包括的支援事業として行う資産の譲渡等に該当し、社会福祉事業として非課税になると考えます。

㈱　介護保険法第115条の46第１項に規定する包括的支援事業の事業内容については、「地域支援事業の実施について（平成18年６月９日厚生労働省老健局長通知）」の別紙「地域支援事業実施要綱」の「別記２」参照。

Q 4－17

第一号介護予防支援事業を地域包括支援センター等に委託する場合

介護保険法第115条の45第１項第１号ニに規定する第一号介護予防支援事業を、市町村が地域包括支援センター等に委託して実施する場合、消費税の取扱いはどのようになるでしょうか。

A　非課税となります。

考え方

介護保険法第115条の45第１項第１号ニに規定する第一号介護予防支援事業は、介護予防・日常生活支援総合事業（以下「総合事業」といいます。）として、居宅要支援被保険者等（指定介護予防支援又は特例介護予防サービス計画費に係る介護予防支援を受けている者を除く。）に対して行われるものですが、居宅要支援被保険者以外の者を対象とした第一号介護予防支援事業は、包括的支援事業として、地域包括支援センターにおいても行われます（介法115の46①）。

市町村は、総合事業（第一号介護予防支援事業にあっては、居宅要支援被保険者に係るものに限る。）については、当該総合事業を適切に実施することができるものとして厚生労働省令で定める基準に適合する者に対して、当該総合事業の実施を委託することができるとされています（介法115の47⑤）。また、市町村は、老人介護支援センターの設置者その他の厚生労働省令で定める者に対し、厚生労働省令で定めるところにより、包括的支援事業の実施に係る方針を示して、当該包括的支援事業を委託することができるとされています（介法115の47①）。市町村から第一号介護予防支援事業の委託を受ける地域包括支援センター等は、いずれも委託を受ける者としてこれらの規定に該当するものと認められます。

1　介護予防・日常生活支援総合事業（総合事業）としての第一号介護予防支援事業を委託して実施する場合、受託者がこれらの事業として行う資産の譲渡等は、居宅介護サービス費の支給に係る居宅サービスに類するものに該当することになり、非課税となります（消法別表第二7号イ、消令14の2③十二、平成24年厚生労働省告示第307号）。

(注)　介護予防・日常生活支援総合事業及び包括的支援事業については、「地域支援事業の実施について（平成18年6月9日厚生労働省老健局長通知）」の別紙「地域支援事業実施要綱」の「別記1」及び「別記2」参照。

2　居宅要支援被保険者以外の者に対する事業については、介護保険法第115条の47第1項の規定に基づき、包括的支援事業として委託されるものですが、総合事業としての委託と一体的に実施されているものであれば、総合事業として委託されている場合と同様に、非課税となると考えます（令和6年6月28日　厚生労働省老健局認知症施策・地域介護推進課事務連絡「地域支援事業を委託して実施する場合における消費税の取扱いについて」）。

参考　居宅要支援被保険者等

居宅要支援被保険者等とは、次の被保険者が該当します（介規140の62の4）。

(1)　居宅要支援被保険者

(2)　厚生労働大臣が定める基準に該当する第一号被保険者（2回以上にわたり当該基準の該当の有無を判断した場合においては、直近の当該基準の該当の有無の判断の際に当該基準に該当した第一号被保険者）（要介護認定を受けた第一号被保険者においては、当該要介護認定による介護給付に係る居宅サービス、地域密着型サービス及び施設サービス並びにこれらに相当するサービスを受けた日から当該要介護認定の有効期間の満了の日までの期間を除く。）

(3) 居宅要介護被保険者であって、要介護認定を受ける日以前に(1)、(2)のいずれかに該当し、次に掲げる事業のサービスを受けていたもののうち、要介護認定を受けた日以後も継続的にこれらの事業のサービスを受けるもの（市町村が必要と認める者に限る。）

イ 介護保険法第115条の45第１項第１号イに規定する第一号訪問事業のうち、介護保険法施行規則第140条の63の６第１号の基準に従い行うもの及び３月以上６月以下の期間を定めて保健医療に関する専門的な知識を有する者により提供されるもの（要介護状態等となることの予防又は要支援状態の軽減若しくは悪化の防止のための効果が高いものに限る。ロにおいて同じ。）を除いたもの

ロ 第一号通所事業のうち、介護保険法施行規則第140条の63の６第１号の基準に従い行うもの及び３月以上６月以下の期間を定めて保健医療に関する専門的な知識を有する者により提供されるものを除いたもの

ハ 介護保険法第115条の45第１項第１号ハに規定する第一号生活支援事業

Q４－18

指定居宅介護支援事業者が指定を受けて指定介護予防支援を行う場合

指定居宅介護支援事業者が指定介護予防支援事業者としての指定を受けて指定介護予防支援を行う場合、消費税は非課税となるでしょうか。

A　非課税となります。

考え方

「全世代対応型の持続可能な社会保障制度を構築するための健康保険法等の一部を改正する法律（令和５年法律第31号）」第13条の規定により改正された介護保険法（令和５年改正介護保険法）が令和６年４月１日から施行され、同法第115条の22第１項の規定により、指定居宅介護支援事業者が指定介護予防支援事業者としての指定を受けることができることとされています。

この改正により、指定居宅介護支援事業者が指定介護予防支援事業者としての指定を受けて指定介護予防支援を行う場合、地域包括支援センターの設置者が指定介護予防支援事業者としての指定を受けて指定介護予防支援を行う場合と同様に、消費税法別表第二第７号イ及び消費税法施行令第14条の２第３項第９号の規定に基づき、介護予防サービス計画費の支給に係る介護予防支援として、消費税は非課税になると考えます。

なお、指定居宅介護支援事業者が、指定介護予防支援を地域包括支援センターの設置者からの一部委託により行う場合は、介護予防サービス計画費の支給に係る介護予防支援を行うのは地域包括支援センターの設置者であり、指定居宅介護支援事業者は委託者である地域包括支援センターの設置者に対して役務の提供を行うことになりますから、指定居宅介護支援事業者においては、消費税は課税になると考えます。

【参考法令等】

令和６年４月26日老認発0426第１号「全世代対応型の持続可能な社会保障制度を構築するための健康保険法等の一部を改正する法律第13条の規定による改正後の介護保険法施行後の消費税の取扱いについて」

Q 4 －19

地域包括支援センターの設置者が総合相談支援事業の一部を委託する場合

地域包括支援センターの設置者が包括的支援事業としての総合相談支援事業の一部を委託した場合、消費税の取扱いはどのようになるでしょうか。

A　社会福祉法に規定する社会福祉事業として行われる資産の譲渡等に類するものとして非課税となります。

考え方

「全世代対応型の持続可能な社会保障制度を構築するための健康保険法等の一部を改正する法律（令和５年法律第31号）」第13条の規定により改正された介護保険法（令和５年改正介護保険法）が令和６年４月１日から施行され、地域包括支援センターの設置者は、指定居宅介護支援事業者等に第115条の45第２項第１号に掲げる事業（包括的支援事業としての総合相談支援事業）の一部を委託することができることとされています（介法115の47④）。

令和５年改正介護保険法が施行される令和６年４月１日以降、地域包括支援センターから総合相談支援事業の一部委託を受けた者が、当該一部委託を受けた事業を行い、その対価として地域包括支援センターから委託手数料等を受領する場合における当該一部委託に係る事業として行う資産の譲渡等は、消費税法施行令第14条の３第５号の規定に基づき厚生労働大臣が指定する資産の譲渡等（平成18年厚生労働省告示第311号）第１号から第３号までに掲げる事業として行われるものに該当することから、社会福祉事業として非課税となると考えます（消法別表第二７号ハ及び、消令14の３五）。

参考

1　総合相談支援事業とは、「被保険者の心身の状況、その居宅における生活の実態その他の必要な実情の把握、保健医療、公衆衛生、社会福祉その他の関連施策に関する総合的な情報の提供、関係機関との連絡調整その他の被保険者の保健医療の向上及び福祉の増進を図るための総合的な支援を行う事業」をいうものとされています（介法115の45②一）。

2　平成18年厚生労働省告示第311号第１号から第３号までに掲げる事業は、次の事業です。

第１号　地域の老人の福祉に関する各般の問題につき、老人、その者を現に養護する者（以下「養護者」という。）、地域住民その他の者からの相談に応じ、介護保険法第24条第２項に規定する介護給付等対象サービス（以下「介護給付等対象サービス」という。）その他の保健医療サービス又は福祉サービス、権利擁護のための必要な援助等の利用に必要な助言を行う事業

第２号　地域における保健医療、福祉の関係者その他の者との連携体制の構築及びその連携体制の活用、居宅への訪問等の方法による主として居宅において介護を受ける老人（以下「介護を受ける老人」という。）に係る状況の把握を行う事業

第３号　介護給付等対象サービスその他の保健医療サービス又は福祉サービス、権利擁護のための必要な援助等を利用できるよう、介護を受ける老人又は養護者と市町村、老人居宅生活支援事業を行う者、老人福祉施設、医療施設、老人クラブその他老人の福祉を増進することを目的とする事業を行う者等との連絡調整を行う事業

【参考法令等】

令和６年４月26日老認発0426第１号「全世代対応型の持続可能な社会保障制度を構築するための健康保険法等の一部を改正する法律第13条の規定による改正後の介護保険法施行後の消費税の取扱いについて」

Q4−20

市町村特別給付の取扱い

市町村が特別給付として介護保険法に規定する介護給付及び予防給付以外のサービスを提供する場合も非課税となりますか。

A　非課税となる事業は「配食サービス」に限られます。

考え方

市町村は要介護被保険者又は居宅要支援被保険者（以下「要介護被保険者等」といいます。）に対し、介護保険法で定められた介護給付及び予防給付以外の給付を条例で定めることにより独自に行うことができるとされています（介法62）。

市町村特別給付として行われるサービスのうち消費税が非課税とされているのは、要介護被保険者等に対してその者の居宅において食事を提供する事業（配食サービス）に限られています（消令14の2③十一、平12年厚生省告示126号）。

したがって、これ以外のサービス、例えば、寝具丸洗い乾燥サービス、通所介護における移送サービス、居宅での理髪サービス等を市町村特別給付として行った場合、それらの資産の譲渡等は消費税の課税対象となります。

参考

○消費税法施行令第14条の２第３項第11号の規定に基づき厚生労働大臣が指定する資産の譲渡等

（平成12年３月30日
厚生省告示第126号

最終改正
平成18年３月31日
厚生労働省告示第308号）

消費税法施行令（昭和63年政令第360号）第14条の２第３項第７号〔編注：現行＝第11号〕の規定に基づき、消費税法施行令第14条の２第３項第７号の規定に基づき厚生大臣が指定する資産の譲渡等を次のように定め、平成12年４月１日から適用する。

介護保険法（平成９年法律第123号）第18条第３号に規定する市町村特別給付として要介護被保険者又は居宅要支援被保険者に対してその者の居宅において食事を提供する事業

Q 4－21

市から委託された高齢者等に対する配食サービスで市が費用の3分の1を負担するもの

A市では、ひとり暮らしの高齢者又は高齢者のみの世帯において老衰、心身の障害、傷病等の理由により食事の調理が困難な者に対する配食サービスを行っていますが、実際のサービスはA市から委託されて、当社会福祉法人が行っています。

この委託事業に要する費用は、A市が3分の1、利用者が3分の2を負担しています。当社会福祉法人が行うこの配食サービスは非課税となるでしょうか。

A　非課税とはなりません（課税対象）。

考え方

ご質問の事業は、所定の条件が充たされていれば、平成3年厚生省告示第129号「消費税法施行令第14条の3第8号の規定に基づき厚生労働大臣が指定する資産の譲渡等を定める件」第5号に規定する「身体に障害がある児童等に対してその者の居宅において食事を提供する事業」として社会福祉事業に類する事業に該当すると認められます（消令14の3八）。

(注)　告示の本文では「第14条の2第5号」となっていますが、現行政令では告示の名称のとおり「第14条の3第8号」が該当します。

この場合の所定の条件とは、同告示において、「その要する費用の2分の1以上が国又は地方公共団体により負担される事業として行われる資産の譲渡等」であることとされています。

ご質問の場合は、A市の費用負担分が2分の1未満ですので、この条件を満たしていないため、非課税とされる資産の譲渡等には該当しないことになります。

参考

介護保険においても市町村特別給付として要介護被保険者等に対してその者の居宅において食事を提供する事業は非課税とされています（消令14の２③十一、平成12年厚生省告示第126号）が、その対象者は要介護被保険者等に限られ、高齢者一般を対象とするものではありません。

Q 4 −22

介護保険法における福祉用具の貸与等の消費税の取扱い

介護保険制度における福祉用具の貸与又は譲渡に係る収入も、消費税は非課税となりますか。

A　介護サービスとしては非課税となりません。

ただし、貸与又は譲渡する福祉用具が身体障害者用物品に該当する場合は、その貸付け又は譲渡は非課税となります。

考え方

介護保険制度では、心身の機能が低下し、日常生活を営むのに支障のある居宅要介護者又は居宅要支援者に対して、日常生活の便宜を図るための用具や機能訓練のための用具で日常生活の自立を助けるためのもの（福祉用具）の貸付けを行うこととされています（福祉用具貸与（介法8⑫)、介護予防福祉用具貸与（介法8の2⑩))。

また、居宅要介護者等が、入浴又は排泄の用に供する福祉用具その他一定の福祉用具（特定福祉用具、特定介護予防福祉用具）を購入したときは保険が給付されます（居宅介護福祉用具購入費の支給（介法44①)、介護予防福祉用具購入費の支給（介法56①))。

これらの給付に係る福祉用具（車いす、特殊寝台、腰かけ便座、入浴用いすなど）の貸付け及び譲渡は、消費税が非課税とされる居宅サービスに含まれませんが、消費税法別表第二10号に規定する身体障害者用物品の貸付け又は譲渡に該当するときには、同号の規定により消費税は非課税となります（消基通6－7－3)。

参考１

○　厚生労働大臣が定める福祉用具貸与及び介護予防福祉用具貸与に係る福祉用具の種目　（平成11年３月31日厚生省告示第93号（最終改正　平成30年厚労告第180号））

種目	内容
1　車いす	自走用標準型車いす、普通型電動車いす又は介助用標準型車いすに限る。
2　車いす付属品	クッション、電動補助装置等であって、車いすと一体的に使用されるものに限る。
3　特殊寝台	サイドレールが取り付けてあるもの又は取り付けることが可能なものであって、次に掲げる機能のいずれかを有するもの 一　背部又は脚部の傾斜角度が調整できる機能 二　床板の高さが無段階に調整できる機能
4　特殊寝台付属品	マットレス、サイドレール等であって、特殊寝台と一体的に使用されるものに限る。
5　床ずれ防止用具	次のいずれかに該当するものに限る。 一　送風装置又は空気圧調整装置を備えた空気マット 二　水等によって減圧による体圧分散効果をもつ全身用のマット
6　体位変換器	空気パッド等を身体の下に挿入することにより、居宅要介護者等の体位を容易に変換できる機能を有するものに限り、体位の保持のみを目的とするものを除く。
7　手すり	取付けに際し工事を伴わないものに限る。
8　スロープ	段差解消のためのものであって、取付けに際し工事を伴わないものに限る。
9　歩行器	歩行が困難な者の歩行機能を補う機能を有し、移動時に体重を支える構造を有するものであって、次のいずれかに該当するものに限る。 一　車輪を有するものにあっては、体の前及び左右を囲む把手等を有するもの 二　四脚を有するものにあっては、上肢で保持して移動させることが可能なもの
10　歩行補助つえ	松葉づえ、カナディアン・クラッチ、ロフストランド・クラッチ、プラットホームクラッチ及び多点杖に限る。

11　認知症老人徘徊感知機器	介護保険法5条の2第1項に規定する認知症である老人が屋外へ出ようとした時等、センサーにより感知し、家族、隣人等へ通報するもの
12　移動用リフト（つり具の部分を除く。）	床走行式、固定式又は据置式であり、かつ、身体をつり上げ又は体重を支える構造を有するものであって、その構造により、自力での移動が困難な者の移動を補助する機能を有するもの（取付けに住宅の改修を伴うものを除く。）
13　自動排泄処理装置	尿又は便が自動的に吸引されるものであり、かつ、尿や便の経路となる部分を分割することが可能な構造を有するものであって、居宅要介護者等又はその介護を行う者が容易に使用できるもの（交換可能部品（レシーバー、チューブ、タンク等のうち、尿や便の経路となるものであって、居宅要介護者等又はその介護を行う者が容易に交換できるものをいう。）を除く。）

参考２

○　厚生労働大臣が定める特定福祉用具販売に係る特定福祉用具の種目及び厚生労働大臣が定める特定介護予防福祉用具販売に係る特定介護予防福祉用具の種目　（平成11年３月31日厚生省告示第94号（最終改正　令和６年厚労告第86号））

1　腰掛便座	次のいずれかに該当するものに限る。 一　和式便器の上に置いて腰掛式に変換するもの 二　洋式便器の上に置いて高さを補うもの 三　電動式又はスプリング式で便座から立ち上がる際に補助できる機能を有しているもの 四　便座、バケツ等からなり、移動可能である便器（居室において利用可能であるものに限る。）
2　自動排泄処理装置の交換可能部品	（参考１の「13　自動排泄処理装置」を参照）
3　排泄予測支援機器	膀胱内の状態を感知し、尿量を推定するものであって、排尿の機会を居宅要介護者等又はその介護を行う者に通知するもの
4　入浴補助用具	座位の保持、浴槽への出入り等の入浴に際しての補助を目的とする用具であって次のいずれかに該当するものに限る。 一　入浴用椅子 二　浴槽用手すり 三　浴槽内椅子 四　入浴台 浴槽の縁にかけて利用する台であって、浴槽への出入りのためのもの 五　浴室内すのこ 六　浴槽内すのこ 七　入浴用介助ベルト
5　簡易浴槽	空気式又は折りたたみ式等で容易に移動できるものであって、取水又は排水のために工事を伴わないもの
6　移動用リフトのつり具の部分	（参考１の「12　移動用リフト（つり具の部分を除く。）を参照）

7　スロープ	段差解消のためのものであって、取付けに際し工事を伴わないものに限る。
8　歩行器	歩行が困難な者の歩行機能を補う機能を有し、移動時に体重を支える構造を有するものであって、四脚を有し、上肢で保持して移動させることが可能なもの
9　歩行補助つえ	カナディアン・クラッチ、ロフストランド・クラッチ、プラットホームクラッチ及び多点杖に限る。

Q 4 −23

福祉用具貸与の際の搬出入に係る取扱い

介護保険制度により福祉用具を貸与する場合には、当該福祉用具の搬出入に係る費用を別途受領することがありますが、当該費用に係る消費税の取扱いはどのようになるのでしょうか。

A 福祉用具の搬出入に際して、特別な措置が必要な場合は、貸与される福祉用具が身体障害者用物品に該当するものであっても、その措置に要する費用については、消費税の課税の対象となります。

考え方

1 介護保険法の規定に基づく福祉用具の貸付けは、消費税法別表第二7号イに規定する資産の譲渡等に該当しませんが、当該福祉用具の貸付けが同法別表第二10号に規定する身体障害者用物品の貸付けに該当するときには、消費税は非課税となります（消令14の4、平3厚生省告示130号、消基通6－7－3）。

2 福祉用具貸与に際して発生する福祉用具の搬出入に要する費用は、指定居宅サービスに要する費用の額の算定に関する基準（平12厚生省告示19号）により、「現に指定福祉用具貸与に要した費用（貸与価格）」に含むものとされていますから、貸与する福祉用具が身体障害者用物品に該当するときは、当該費用を含む貸与価格の全体について消費税は非課税となります。

㈲ 貸与する福祉用具が身体障害者用物品に該当しないときは、当該費用を含む貸与価格の全体が消費税の課税対象となります。

3 しかし、福祉用具の搬出入に際して、特別な措置が必要な場合（指定居宅サービス等の事業の人員、設備及び運営に関する基準（平11厚生省令37号）197条3項《利用料等の受領》）に該当する費用の額については、貸与価格には含まれず、利用者の全額負担とされています。

したがって、貸与される福祉用具が身体障害者用物品に該当するものであっても、その措置に要する費用、例えば、通常の事業の実施地域以外の地域において福祉用具貸与を行う場合の交通費や、階段・エレベータによる搬出入が困難でクレーンを使用する場合の費用等については、役務の提供の対価として課税の対象となります。

Q 4 −24

住宅改修費の支給に係る消費税の取扱い

介護保険法に規定する住宅改修費の支給に係る住宅の改修を行った場合、消費税は非課税となりますか。

A 非課税とはなりません（課税の対象）。

考え方

介護保険制度においては、居宅要介護被保険者が、手すりの取付け、段差の解消、洋式便器等への便器の取替等の厚生労働大臣が定める種類の住宅改修を行ったときは、現に当該住宅改修に要した費用の額の100分の90に相当する額の居宅介護住宅改修費を支給することとされています（介法45①③）。また、居宅要支援被保険者が住宅改修を行った場合には、同様に、介護予防住宅改修費を支給することとされています（介法57①③）。

住宅改修費の支給は、事業者指定制度のない償還払い方式（居宅要介護被保険者等が支払った費用相当額の一定割合を後日の請求により支給する方式）により行われるものですが、消費税法上、非課税となる介護サービスには該当しません（消法別表第二７号イ、ロ、消令14の２）。

参考 厚生労働大臣が定める居宅介護住宅改修費等の支給に係る住宅改修の種類 （平成11年３月31日厚生省告示第95号（最終改正　平成12年厚生省告示第481号））

介護保険法45条１項に規定する厚生労働大臣が定める居宅介護住宅改修費等の支給に係る住宅改修の種類は、一種類とし、次に掲げる住宅改修がこれに含まれるものとする。	一　手すりの取付け 二　段差の解消 三　滑りの防止及び移動の円滑化等のための床又は通路面の材料の変更 四　引き戸等への扉の取替え 五　洋式便器等への便器の取替え 六　その他前各号の住宅改修に付帯して必要となる住宅改修

Q 4 −25

介護サービス事業者からの依頼によりバス会社等が行う通所介護等を利用する者の送迎の課非

バス会社等が、介護サービス事業者から依頼されて通所介護サービス等を受ける要介護者等の送迎を行う場合、その送迎は非課税となりますか。

A 非課税とはなりません（課税の対象）。

考え方

非課税とされるのは、居宅サービス事業者等が居宅要介護者又は居宅要支援者に対して提供する居宅介護サービス費の支給に係る居宅サービス（訪問介護等所定のものに限られます。）及びそれらに類する一定の資産の譲渡等に限られています（消法別表第二７イ、消令14の２）。

介護サービス事業者等の依頼によりバス会社等が行う居宅要介護者等の送迎は、その介護サービス事業者に対する役務の提供であり、消費税の課税の対象になります（消基通６－７－４）。

なお、通所介護、短期入所生活介護等の介護サービスの利用者の送迎（通常の事業実施地域以外の地域への送迎）については、その介護サービスを提供する事業者が料金を徴収して自ら行った場合でも、非課税とはなりません（消法別表第二７号イ、消令14の２①、平成12年大蔵省告示第27号別表第一）。

参考

通所介護、短期入所生活介護等の利用者の送迎（通常の事業実施地域以外の地域への送迎）を行った場合でも、その送迎に要する費用は、居宅介護サービス費の支給対象とされていませんから、有料で行う場合には全額が利用者の負担となります。

なお、通常の事業実施地域内における送迎については、指定居宅サービス等の事業の人員、設備及び運営に関する基準（平成11年厚生省令第37号）において利用者から費用を徴収することが認められていません。

Q 4 −26

要介護認定等に際し市町村が支払う委託手数料等の課非

要介護（支援）認定を受けようとする介護保険の被保険者に対する認定調査等を委託された場合に収受する次の金額に係る消費税の取扱いは、どのようになりますか。

1　市町村が要介護認定調査等を委託した事業者に支払う委託手数料

2　市町村が要介護認定等に際し主治医に支払う意見書作成費用

A　いずれも課税の対象となります。

考え方

1　市町村が要介護認定調査等を委託した事業者に支払う委託手数料

介護保険法による介護給付又は予防給付を受けようとする被保険者は、要介護者又は要支援者に該当するかどうかについて、また、要介護者に該当する場合には要介護状態の程度（要介護状態区分）についても市町村の認定（要介護（支援）認定）を受けなければならないとされています。市町村は介護保険の被保険者から要介護認定等に係る申請があった場合、この要介護認定に係る調査等については、指定居宅介護支援事業者（介護支援専門員＝ケアマネジャーが在籍する。）又は介護保険施設に委託することができるとされています。市町村が指定居宅介護支援事業者等に対して支払う要介護認定調査等に係る委託手数料については、非課税とされる資産の譲渡等のいずれにも該当しないことから、消費税の課税の対象になります。

2　市町村が要介護認定等に際し主治医に支払う意見書作成費用

市町村は、被保険者から要介護認定等に係る申請があった場合、当該申請に係る被保険者の主治医に対して意見書を求めることとされていますが、この場合に市町村から主治医に支払われる意見書の作成費用（診断、検査費用を含みます。）も、非課税とされる資産の譲渡等のいずれにも該当せず、消費税の課税の対象になります。

参考

介護が必要かどうかについては、訪問調査の結果とかかりつけ医の意見書をもとに保健、医療、福祉の専門家が集まった「介護認定審査会」で審査判定し、その結果に基づいて市町村が認定します。

Q4－27

認知症高齢者グループホーム用建物の賃貸に係る賃料収入及びその取得費用に係る消費税の取扱い

私は、令和2年12月1日に認知症高齢者グループホーム用の建物（以下「本件建物」といいます。）を1億円（税抜き）で取得し、本件建物を「グループホーム○○荘」の名称で、介護保険の居宅サービス事業である認知症対応型共同生活介護事業用として、(株) A（以下「介護事業者」といいます。）に賃貸しています。また、介護事業者は、認知症高齢者グループホームの入居者との間で「認知症対応型共同生活介護契約書」を締結し、本件建物において、入居者に対して介護保険法に定める認知症対応型共同生活介護に係る介護サービス （以下「本件介護サービス」といいます。）を提供しています。

本件建物については、その一部を介護事業者が当該グループホームのための事務室等として使用していますが、本件建物の貸付けは、その全体が住宅の貸付けに該当し、賃料収入の全額を非課税として取り扱って差し支えないでしょうか。

また、本件建物の取得に係る消費税の取扱いはどのようになるでしょうか。

なお、本件建物の貸付けについては、私と介護事業者との間で締結されている本件建物に係る建物賃貸借契約書（以下「賃貸借契約書」といいます。）において、介護事業者が本件建物を認知症高齢者グループホームの用に供し、入居者に対して本件建物を住居として提供することが明らかにされています。

また、本件建物は、居室のほか、共用スペースとしてリビング、浴室・脱衣所・トイレ、廊下・エレベーター・階段を備えるほか、介護職員が介護サービスを提供するため必要な洗濯室、台所、事務室や談話室兼休憩室、ロッカールーム、ウォークインクローゼットを備えています。

A　認知症高齢者グループホームの用に供される建物の全体が住宅に該当し、その貸付けは、住宅の貸付けとして非課税となります。

また、当該建物の取得に係る消費税は、非課税売上げ対応の課税仕入れに該当することになります。しかし、本件建物の取得が令和２年10月１日以後であり、本件建物が「居住用賃貸建物」に該当することから、本件建物に係る課税仕入れ等の税額は仕入税額控除の対象にならないことになります（消法30⑩）。

考え方

1　消費税法の規定等

(1)　住宅の貸付けに係る非課税規定

消費税法上、「住宅の貸付け」は非課税とされており、この場合の「住宅」とは、人の居住の用に供する家屋又は家屋のうち人の居住の用に供する部分をいい、「住宅の貸付け」とは、当該貸付けに係る契約において人の居住の用に供することが明らかにされている場合（当該契約において当該貸付けに係る用途が明らかにされていない場合に当該貸付け等の状況からみて人の居住の用に供されていることが明らかな場合を含むこととされています。）に限られます（消法６、消法別表第二13号）。

また、「住宅の貸付け」には、庭、塀その他これらに類するもので、通常、住宅に付随して貸し付けられると認められるものや住宅の附属設備として住宅と一体となって貸し付けられると認められるものが含まれますが、住宅の附属設備又は通常住宅に付随する施設等と認められるものであっても、当事者間において住宅とは別の賃貸借の目的物として、住宅の貸付けの対価とは別に使用料等を収受している場合には、当該設備又は施設の使用料等は非課税とはならないとされています（消基通６－13－１）。

なお、消費税が非課税となるものとして「土地の貸付け」がありますが、建物等の施設の利用に伴って土地が使用される場合のその土地を使用させる行為は、土地の貸付けから除くとされています（消基通６－１－５）。

(2) 店舗等併設住宅の取扱い

住宅と店舗又は事務所等の事業用施設が併設されている建物を一括して貸し付ける場合には、住宅として貸し付けた部分のみが非課税となります。この場合は、当該建物の貸付けに係る対価の額を住宅の貸付けに係る対価の額と事業用の施設の貸付けに係る対価の額とに合理的に区分することとされています（消基通６－13－５）。

(3) 転貸する場合の取扱い

住宅用の建物を賃貸する場合において、賃借人が自ら使用しない場合であっても、当該賃貸借に係る契約において、賃借人が住宅として転貸することが契約書その他において明らかなときには、当該住宅用の建物の貸付けは、住宅の貸付けに含めるとされています（消基通６－13－７）。

(4) 個別対応方式により仕入れに係る消費税額の計算をする場合

事業者は、その課税期間中の課税売上割合が95％未満の場合には、当該課税期間中の課税売上げに係る消費税額から、課税仕入れ等に係る消費税額のうち、課税売上げに対応する部分のみを控除の対象とすることとされており、個別対応方式による場合の計算方法は、次のとおりとされています（消法30）。

その課税期間中の課税仕入れ等に係る消費税額の全てを、

① 課税資産の譲渡等にのみ要する課税仕入れ等に係るもの

② 課税資産の譲渡等以外の資産の譲渡等にのみ要する課税仕入れ等に係るもの

③ 課税資産の譲渡等と課税資産の譲渡等以外の資産の譲渡等に共通して要する課税仕入れ等に係るもの

に区分し、「①＋（③×課税売上割合）」の算式により仕入控除税額を計算します。

2 裁決事例

介護付有料老人ホームの用に供される前提で建物を賃貸した場合における住宅の貸付けの範囲について、平成22年6月25日付国税不服審判所裁決では、「消費税法上、その貸付けが非課税となる住宅とは、住宅賃借人が日常生活の用に供する場所を指すものと解されるから、住宅の貸付けの範囲の判定に当たっては、住宅賃借人が日常生活を送るために必要な場所と認められる部分は、全て住宅に含まれると解するのが相当である。」と判断しています。

また、消費税法上、非課税となる住宅の貸付けの範囲の判定に当たっては、「介護付有料老人ホームは、入居した老人が、入浴、排せつ、食事などに係る介護を受けながら日常生活を送る場所であるところ、その建物が介護付有料老人ホームの用に供されている場合にあっては、単に寝食の場ということではなく、入居した老人が介護等のサービスを受けながら日常生活を営む場であるというべきであるから、介護付有料老人ホーム用建物の内部に設置された介護サービスを提供するための施設は、入居した老人が日常生活を送る上で必要不可欠な場所であるというべきであり、住宅に含まれると判断するのが相当である。」と判断しています。

当該裁決では、介護付有料老人ホームの各部分について入居者が日常生活を送る上で必要と認められる部分に該当するか否かを判断しており、①個室及び居間・食堂等、②宿直室等、③厨房等、④スタッフステーション等及び⑤事務室（入居者のための介護サービスに関する事務を行うために使用する部分）は、いずれも入居者が生活を営む場及び日常生活を送る上で必要な部分と認め、住宅に含まれるとしています。

3　認知症高齢者グループホームの住宅該当性

上記２のとおり、当該裁決では、消費税が非課税とされる「住宅の貸付け」の範囲の判定に当たっては、住宅賃借人が日常生活を送るために必要な場所と認められる部分は、全て住宅に含まれると解するのが相当であるとされています。

認知症高齢者グループホームは、入居者が、共同生活を営む住居において、入浴、排せつ、食事等の介護その他日常生活上の世話を受ける場所であることから、単に寝食の場ということでなく、入居者が介護サービスの提供を受けながら日常生活を営む場であると考えられます。

そして、本件建物についても、居室やリビング、浴室・脱衣所・トイレ、廊下・エレベーター・階段の部分は、入居者が日常生活を営む場であり、また、本件建物の内部に設置された談話室兼休憩室や洗濯室、台所、事務室、ロッカールーム、ウォークインクローゼットの部分は、介護職員が入居者に対して本件介護サービスを提供するために必要な部分であることから、入居者が日常生活を送る上で必要な場所であると認められ、住宅に含まれると判断するのが相当であると考えます。

したがって、本件建物の全体が住宅に該当することになります。

4　住宅として転貸することが契約書において明らかであること

質問者及び介護事業者は、入居者が本件介護サービスの提供を受けながら共同生活を営む住居のことを「グループホーム」と称しており、賃貸借契約書では、本件建物の使用目的を「介護保険居宅サービス事業」、用途を「グループホーム」と明示していることから、介護事業者が本件建物を認知症高齢者グループホームの用に供し、入居者に対し本件建物を住居として提供することが明らかであると認められ、本件建物の貸付けは、消費税法基本通達６－13－７の「賃借人が住宅として転貸することが契約書その他において明らかな場合」に該当し、住宅の貸付けに含まれることになります。

5　消費税の課税関係

(1)　本件建物の貸付けに係る消費税の取扱い

本件建物は、認知症高齢者グループホームの用に供され、介護事業者が事務室等として使用する部分は、入居者が日常生活を送る上で必要な場所であることから、本件建物全体が住宅に該当すると認められ、また、賃貸借契約書において、介護事業者が本件建物を認知症高齢者グループホームの用に供し、入居者に対し本件建物を住居として提供することが明らかであると認められることから、本件建物の貸付けは、住宅の貸付けに該当するものと考えます。

したがって、本件建物の貸付け（本件敷地を含みます。）は、その全体が住宅の貸付けに該当し、賃料収入の全額が非課税となります。

(2)　本件建物の取得に係る課税仕入れ

本件建物の取得は、事業者である質問者が、事業として他の者から資産（本件建物）を譲り受けたものであることから、消費税法上の課税仕入れに該当します。

そして、個別対応方式により仕入れに係る消費税額を計算する場合の区分については、本件建物は、非課税となる住宅の貸付けの用に供されるものであることから、課税資産の譲渡等以外の資産の譲渡等にのみ要するもの（非課税売上げ対応の課税仕入れ）に該当することになります。

しかし、本件建物の取得は令和２年10月１日以後であり、その税抜の取得価額が１億円であることから、本件建物は「居住用賃貸建物」に該当することとなり、その建物に係る課税仕入れ等の税額は仕入税額控除の対象にならないことになります（消法30⑩）。

Q 4 −28

入所者からの預り金に係る管理料についての消費税の課非

当社会福祉法人は特別養護老人ホームを運営しています。

入所者のうち金銭の自己管理が困難な者については、預り金に関する約定書を締結して、入院生活に必要な金銭の入金、保管及び出金の出納管理を代行するサービスを提供しています。

このサービスに要する費用として入院患者から管理料を徴収していますが、消費税の課税関係はどのようになるでしょうか。

A　適切な出納管理が行われている場合には、非課税になると考えます。

考え方

厚生労働省は、介護福祉施設サービス、介護保険施設サービス、介護療養施設サービス等において行う「預り金の出納管理に係る費用」について、所定の要件を充足する場合には「その他の日常生活費」として入所者等から受領することを認めています（第３節参照）。

介護保険法上、「介護福祉施設サービス」とは、介護老人福祉施設に入所する要介護者に対し、施設サービス計画に基づいて行われる入浴、排せつ、食事等の介護その他の日常生活上の世話、機能訓練、健康管理及び療養上の世話をいい、また、「介護老人福祉施設」とは、老人福祉法第20条の５に規定する特別養護老人ホーム（入所定員が30人以上であるものに限る。）であって、当該特別養護老人ホームに入所する要介護者に対し、施設サービス計画に基づいて、入浴、排せつ、食事等の介護その他の日常生活上の世話、機能訓練、健康管理及び療養上の世話を行うことを目的とする施設をいうものとされています（介法８㉗）。

また、上記厚生省通知では、「預り金の出納管理に係る費用」を受領できるのは、次のような状況により、適切な出納管理がおこなわれることを要件としています。

① 責任者及び補助者が選定され、印鑑と通帳が別々に保管されていること。

② 適切な管理がおこなわれていることの確認が複数の者により常に行える体制で出納事務が行われること。

③ 入所者等との保管依頼書（契約書）、個人別出納台帳等、必要な書類を備えていること。

その上で、同通知は、入所者から出納管理に係る費用を徴収する場合にあっては、「その積算根拠を明確にし、適切な額を定めることとし、例えば、預り金の額に対し、月当たり一定額とするような取扱いは認められない」としています。

ご質問の特別養護老人ホームは対象施設の要件は充足しますから、ご質問の場合に、以上の要件を充足する「預り金の出納管理に係る費用」の徴収が行われる場合には、「その他の日常生活費」の徴収として、消費税は非課税になると考えます（消法別表第二7号イ、消基通6－7－2）。

Q 4 −29

介護職員処遇改善加算等に係る収入の課税上の取扱い

当社会福祉法人は、指定事業者として介護保険法上の通所介護、短期入所生活介護等の介護サービスを提供しています。市から受領する通常の介護報酬については非課税売上げとされていますが、これと一緒に受領する「介護職員処遇改善加算」、「介護職員等特定処遇改善加算」又は「介護職員等ベースアップ等支援加算」に係る収入は、介護サービスの従事者に対する給与の支給に充てるものとして受領することから、消費税は不課税となるのでしょうか。また、不課税の場合には、特定収入に該当することになるのでしょうか。

A 「介護職員処遇改善加算」等の収入は、居宅介護サービス費に含まれて非課税となると考えます。

考え方

介護保険法に基づく居宅介護サービス費は、要介護被保険者等が介護事業者から居宅介護サービスを受けた場合の費用の額の90％相当額を介護保険の保険者である市町村が支払うもので、通常は、介護事業者が法定代理受領しています。これが一般的に介護報酬といわれているものです。そして、この費用の額とは、指定居宅サービスに要する平均的な費用の額を勘案して厚生労働大臣が定める基準により算定した費用の額をいうものとされています。

指定居宅サービスに要する費用の額の算定に関する基準（平成12年厚生省告示第19号）によれば、「介護職員処遇改善加算」に係る収入は、事業所の状況に応じた区分ごとに加算する単位数が定められていますから、介護報酬に加算することで介護サービスに携わる人々の処遇改善を図ろうというものであるとしても、居宅介護サービス費を構成するものと認

第4章 介護サービスの非課税

められます。「介護職員等特定処遇改善加算」又は「介護職員等ベースアップ等支援加算」に係る収入も同様に、居宅介護サービス費を構成するものと考えます。

したがって、ご質問の「介護職員処遇改善加算」等の収入は、居宅介護サービス費に含まれて非課税となると考えます（消法別表第二７号イ）。

なお、介護職員等の処遇改善のために交付される「介護職員処遇改善支援補助金」については、介護事業者が都道府県に補助金として交付申請し、交付されるものですから、課税対象外（不課税）と考えます（消法4①）。

そうすると、「介護職員処遇改善支援補助金」は資産の譲渡等の対価以外の収入に該当することになりますが、その使途が交付要綱等において介護職員の給与の一部としてのみ支出することとされていれば、特定支出のためにのみ使用することとされている収入になりますから、特定収入には該当しないことになります（消法60④、消令75①六）。

㈲　「特定収入」については、第11章を参照。

第 5 章

社会福祉事業の非課税

社会福祉事業は消費税導入時から非課税とされていますが、その後、生産活動として行われる資産の譲渡等が課税の対象に変わり、更に介護保険制度の導入や、子ども・子育て支援新制度の実施に伴い、非課税の範囲も変わっています。

本章では、社会福祉事業において行われる資産の譲渡等に対する消費税の課税上の取扱いについて非課税範囲を中心に詳しくみていくこととします。

第1節　社会福祉の非課税の変遷

平成元年（1989年）（消費税導入時）

社会福祉関係については、次に掲げるものが非課税とされていました（旧消法別表第一7号）。

(1)　第一種社会福祉事業として行われる資産の譲渡等

第一種社会福祉事業とは、次のものでした（旧社会福祉事業法2①）。

①　生活保護法にいう救護施設、更生施設その他生計困難者を無料又は低額な料金で収容して生活の扶助を行うことを目的とする施設を経営する事業及び生計困難者に対して助葬を行う事業

②　児童福祉法にいう乳児院、母子寮、養護施設、精神薄弱児施設、精神薄弱児通園施設、盲ろうあ児施設、虚弱児施設、肢体不自由児施設、重症心身障害児施設、情緒障害児短期治療施設又は教護院を経営する事業

③　老人福祉法にいう養護老人ホーム、特別養護老人ホーム又は軽費老人ホームを経営する事業

④　身体障害者福祉法にいう身体障害者更生施設、身体障害者養

護施設、身体障害者福祉ホーム又は身体障害者授産施設を経営する事業

⑤ 精神薄弱者福祉法にいう精神薄弱者更生施設又は精神薄弱者授産施設を経営する事業

⑥ 売春防止法にいう婦人保護施設を経営する事業

⑦ 公益質屋又は授産施設を経営する事業及び生計困難者に対して無利子又は低利で資金を融通する事業

(2) 第二種社会福祉事業のうち児童福祉法にいう助産施設又は保育所を経営する事業として行われる資産の譲渡等

(3) 更生緊急保護法2条2項に規定する更生保護を行う事業として行われる資産の譲渡等

平成3年（1991年）10月1日施行

平成3年（1991年）の改正（平成3年法律第73号）では、旧社会福祉事業法に規定する第二種社会福祉事業として行われる資産の譲渡等及び社会福祉事業等として行われる資産の譲渡等に類する一定の資産の譲渡等が新たに非課税とされました。

そのほか、助産に係る資産の譲渡等、埋葬料や火葬料を対価とする役務の提供及び身体障害者用物品の譲渡、貸付けが新たに非課税とされました。

なお、社会福祉事業として行われる資産の譲渡等のうち、授産施設を経営する事業において、授産活動としての作業に基づき行われる資産の譲渡等については、非課税範囲から除かれました（旧消法別表第一7号）。

⑴　非課税となる第二種社会福祉事業の範囲

平成３年（1991年）の改正で新たに非課税となった第二種社会福祉事業とは、次に掲げるものです（旧社会福祉事業法２③）。

①　生計困難者に対して、その住居で衣食その他日常の生活必需品若しくはこれに要する金銭を与え、又は生活に関する相談に応ずる事業

②　児童福祉法にいう児童居宅介護等事業、児童デイサービス事業又は児童短期入所事業及び助産施設、保育所又は児童厚生施設を経営する事業並びに児童の福祉の増進について相談に応ずる事業

㈾　助産施設及び保育所を経営する事業は、従前から非課税対象となっていました。

③　母子及び寡婦福祉法にいう母子家庭居宅介護等事業又は寡婦居宅介護等事業及び母子福祉施設を経営する事業並びに父子家庭居宅介護等事業

④　老人福祉法にいう老人居宅介護等事業、老人デイサービス事業又は老人短期入所事業及び老人デイサービスセンター、老人短期入所施設又は老人福祉センターを経営する事業

⑤　身体障害者福祉法にいう身体障害者居宅介護等事業、身体障害者デイサービス事業又は身体障害者短期入所事業及び身体障害者福祉センター、補装具製作施設又は視聴覚障害者情報提供施設を経営する事業並びに身体障害者の更生相談に応ずる事業

⑥　精神薄弱者福祉法にいう精神薄弱者居宅介護等事業、精神薄弱者短期入所事業又は精神薄弱者地域生活援助事業及び精神薄弱者の更生相談に応ずる事業

⑦　精神保健法にいう精神障害者社会復帰施設を経営する事業

⑧　生計困難者のために、無料又は低額な料金で、簡易住宅を貸し付け、又は宿泊所その他の施設を利用させる事業

⑨　生計困難者のために、無料又は低額な料金で診療を行う事業

⑩　生計困難者に対して、無料又は低額な費用で老人保健法にいう老人保健施設を利用させる事業

⑪　隣保事業（隣保館等の施設を設け、その近隣地域における福祉に欠けた住民を対象として、無料又は低額な料金でこれを利用させる等、当該住民の生活の改善及び向上を図るための各種の事業を行うものをいいます。）

⑫　第一種社会福祉事業・第二種社会福祉事業に関する連絡又は助成を行う事業に基づき心身障害者福祉協会が設置する福祉施設において行う精神薄弱者の援護

⑬　その他、第二種社会福祉事業に該当する児童居宅生活支援事業、老人居宅生活支援事業、身体障害者生活支援事業、精神薄弱者生活支援事業に類する事業として行われる資産の譲渡等で、国又は地方公共団体の施策に基づきその要する費用が国又は地方公共団体により負担されるものとして厚生大臣が大蔵大臣と協議して指定するもの

㈱　この規定に基づき、厚生大臣から、社会福祉事業等に類する資産の譲渡等として、身体障害者等に対して行われるホームヘルパー、デイサービス、短期入所事業等のうち、その要する費用の２分の１以上が国又は地方公共団体により負担される事業として行われるものを指定する旨の告示が出されました（平成３年６月厚生省告示第129号）。

(2)　授産施設を経営する事業の課税対象への移行

第一種社会福祉事業に該当する授産施設（身体障害者授産施設、精神薄

弱者授産施設、福祉工場等の授産施設）を経営する事業として行われる資産の譲渡等については、それまで非課税とされていました。しかし、授産施設において、授産活動としての作業に基づき行われる資産の譲渡等（授産施設において製作された物品等の売上げ）を非課税とすると、その取引の相手方の事業者にとっては、その仕入れが仕入税額控除の対象とならないことから、取引から排除されるという問題が生じ、授産施設を経営する事業者から課税取引を望む声が上がっていました。これを受けて、授産活動としての作業に基づき行われる資産の譲渡等については、非課税の範囲から除外されました。また、第二種社会福祉事業に該当する精神保健法にいう精神障害者授産施設を経営する事業において授産活動としての作業に基づき行われる資産の譲渡等についても、同様の趣旨から、非課税範囲から除かれました（旧消法別表第一7号）。

平成17年（2005年）施行

○　一定の認可外保育施設の利用料の非課税措置

平成17年度の税制改正においては、消費税法施行令の一部を改正する政令（平成17年政令第102号）により、消費税が非課税とされる社会福祉事業として行われる資産の譲渡等に類するものの範囲に、保育所を経営する事業に類する事業として行われる資産の譲渡等が加えられました。

(1)　改正前の状況

保育所を経営する事業は第二種社会福祉事業に該当し、消費税が非課税とされていました（旧消法別表第一7号ロ、消令14の3）。

ここでいう保育所は、児童福祉法に規定する保育所であり、日々保護者の委託を受けて、保育に欠ける乳児又は幼児を保育することを目的とする施設として、同法に定める児童福祉施設の一つに位置付けられていました。また、児童福祉施設は、都道府県等以外の者が設置しようとする場合には、都道府県知事の認可を得ることが必要とされていました。

このため、都道府県知事の認可を受けていない施設（認可外保育施設）を経営する事業は、社会福祉事業には該当せず、非課税とされていませんでした。

(2) 改正の内容

① 証明書交付制度の導入

児童の保育をめぐっては、認可保育所に入所できない待機児童が多数存在し、これらの児童が認可外保育施設を利用せざるを得ない状況にありました。こうした状況を踏まえ、認可外保育施設についても一定の質を確保し、児童の安全を確保すべく、厚生労働省は、認可外保育施設に対するそれまでの指導監督制度を更に充実させ、「認可外保育施設指導監督基準」を満たす施設に対して都道府県知事等がその旨を証明する証明書を交付するとともに、一般に公表する仕組みを導入しました。

② 一定の認可外保育施設に係る非課税

都道府県知事等から上記の証明書の交付を受ける認可外保育施設については、認可保育所に準じた一定の保育サービスを提供する施設として、福祉行政上の位置付けが明確になることから、認可保育所と同様に、その利用料を非課税とすることとしたものです。

具体的には、消費税法施行令に定める社会福祉事業として行われる資産の譲渡等に類するものとして非課税とされるものの範囲に「児童福祉法第７条（児童福祉施設）に規定する保育所を経営する事業に類する事業として行われる資産の譲渡等として厚生労働大臣が財務大臣と協議して指定するもの」が加えられました（旧消令14の3一）。

また、この消費税法施行令の規定に基づき、「保育所を経営する事業に類する事業として行われる資産の譲渡等」の詳細が、厚生労働省告示（平成17年厚生労働省告示第128号）により定められました。

平成25年（2013年）4月1日適用

○　一定の幼稚園併設型認可外保育施設の利用料に係る非課税措置

幼稚園が併設する認可外保育施設は、消費税が非課税とされている認可外保育施設と同様に児童福祉法39条1項に規定する業務を目的とする施設ですが、それまで児童福祉法59条の2第1項の届出対象外の施設とされていました（児童福祉法59の2①、児童福祉法施行規則49の2四）。その結果、都道府県知事による立入調査を受けることがなく、また、厚生労働省告示（平成17年厚生労働省告示第128号）に定める要件を満たしている旨の証明書の交付を受けることもできない状況にありました。

こうした幼稚園併設型認可外保育施設については、それまで一定の質を担保するための証明を行う手続がないことから、消費税の非課税対象とはされていませんでしたが、学校教育法等他の仕組みによってその質が担保されていることを踏まえ、幼稚園併設型認可外保育施設のうち一定の基準を満たすものが行う資産の譲渡等については、消費税の非課税対象に加えることとされたものです。

具体的には、『消費税法施行令第14条の3第1号の規定に基づき厚生労働大臣が指定する保育所を経営する事業に類する事業として行われる資産の譲渡等』（平成17年厚生労働省告示第128号）に次の資産の譲渡等が新たに追加されました。

幼稚園を設置する者がその幼稚園と併せて設置している施設であって、「就学前の子どもに関する教育、保育等の総合的な提供の推進に関する法律」（平成18年法律第77号。いわゆる「認定こども園法」）３条３項（教育、保育等を総合的に提供する施設の認定等）の規定による認定を受けているもの又は同条５項の規定による公示がされているもの（同条１項の条例で定める要件に適合していると認められるものを除きます。）において、乳幼児を保育する業務として行われる資産の譲渡等

平成27年（2015年）施行

○　生活困窮者自立支援法の施行に伴う規定の整備

⑴　制度の概要

社会政策的な配慮から社会福祉事業及び更生保護事業として行われる資産の譲渡等は非課税とされていますが、社会福祉事業及び更生保護事業として行われる資産の譲渡等のうち、障害者支援施設、授産施設等を経営する事業等において生産活動としての作業に基づき行われるものについては、当該事業による資産の譲渡等を受ける事業者の仕入税額控除を可能とする観点から、非課税の対象から除かれています（旧消法別表第一７号ロ、消令14の３）。

⑵　改正の内容

平成27年（2015年）４月１日から、生活困窮者に対する自立支援措置を講ずることにより生活保護に至る前の段階の自立支援策の強化を図ることを目的とした生活困窮者自立支援法（平成25年法律第105号）が施行されることとなりました。

同法では、生活困窮者に対する自立の支援に関する措置の一環として、雇用による就業を継続して行うことが困難な生活困窮者に対し、就労の機会を提供するとともに、就労に必要な知識及び能力の向上のために必要な訓練等を行う事業について、都道府県知事等が認定を行うことができることとされていますが、この認定を受けた事業（認定生活困窮者就労訓練事業）は社会福祉法に規定する第二種社会福祉事業に該当することになりました。

そのままでは、社会福祉事業として行われる資産の譲渡等は消費税法上非課税となるわけですが、認定生活困窮者就労訓練事業において生産活動としての作業に基づき行われる資産の譲渡等については、障害者支援施設、授産施設等を経営する事業等において生産活動としての作業に基づき行われるものと同様、当該資産の譲渡等を受ける事業者の仕入税額控除を可能とする観点から、非課税の対象から除くこととされました（平成27年法律第９号による改正後の消法別表第一７号ロ）。

この改正は、平成27年（2015年）４月１日から適用されています（改正法附則１）。

○　子ども・子育て支援法の施行に伴う非課税範囲の拡大

平成24年（2012年）８月に成立した「子ども・子育て支援法（平成24年法律第65号）」、「認定こども園法の一部改正法（平成24年法律第66号）」、「子ども・子育て支援法及び認定こども園法の一部改正法の施行に伴う関係法律の整備等に関する法律（平成24年法律第67号）」の子ども・子育て関連三法に基づく制度、『子ども・子育て支援新制度』が、平成27年（2015年）４月１日から始まりました。

この制度は、「子どもは欲しいが仕事と両立できるか不安」、「仕事や介護のために子どもを預けたいが、保育所が満員で預けられない」、「子育てについて、身近に相談できる相手がいない」等の日本の子ども・子育てをめぐる様々な課題を解決するために設けられたものです。

この制度が目指すのは、幼児期の学校教育や保育、地域の子育て支援を量と質の両面から拡充し、社会全体で子どもの育ちや子育てを支えていくことであり、市区町村が主体となって、地域の実情に応じて次のような取組が行われます。

(1)　支援の量を拡充

①　待機児童を解消する。

②　教育・保育の場の選択肢を増やす。

―地域の実情に応じた認定こども園の普及や地域型保育の創設

③　在宅の子育て家庭に対する支援も行う。

④　放課後児童クラブを充実させて「小１の壁」を解消する。

(2)　支援の質を向上

①　幼稚園や保育所、認定こども園等の職員配置を改善する。

―職員１人が担当する子どもの人数を減らして、より目が行き届くようにする。

②　幼稚園や保育所、認定こども園等の職員の処遇を改善する。

―給与アップ、研修の充実などにより、職場への定着と質の高い人材確保を目指す。

この制度の財源として、消費税率引上げによる増収分が活用されています。

この『子ども・子育て支援新制度』のスタートに対応して、消費税法も所要の改正が行われました。具体的には、非課税とされる社会福祉事業等として行われる資産の譲渡等に類するものの範囲を定める消費税法施行令14条の３が改正され（平成26年政令第141号）、新たに子ども・子育て支援法の規定に基づく施設型給付費、特例施設型給付費、地域型保育給付費又は特例地域型保育給付費の支給に係る事業として行われる資産の譲渡等が追加されました（消令14の３六)。この規定は、平成27年（2015年）４月１日から施行されています。なお、従来から社会福祉事業やこれに類するもの又は学校教育法上の学校における教育として非課税とされている資産の譲渡等については、旧消費税法別表第一７号ロ、11号イ、同法施行令14条の３第１号により非課税となりますから、同条６号の規定により非課税とされるのは、これら以外の資産の譲渡等ということです。

（参考）子ども・子育て支援新制度について

子ども・子育て支援制度の概要

令和４年７月内閣府子ども・子育て本部（「子ども・子育て支援新制度について」より抜粋）

国・地方の負担（補助）割合

		国	都道府県	市町村	備考
施設型給付	私立	$\frac{1}{2}$（注1、2）	$\frac{1}{4}$（注1、2）	$\frac{1}{4}$（注1、2）	
	公立	—	—	$\frac{10}{10}$	
地域型保育給付（公私共通）		$\frac{1}{2}$（注1）	$\frac{1}{4}$（注1）	$\frac{1}{4}$（注1）	
子育てのための施設等利用給付		$\frac{1}{2}$	$\frac{1}{4}$	$\frac{1}{4}$	
地域子ども・子育て支援事業		$\frac{1}{3}$	$\frac{1}{3}$	$\frac{1}{3}$	妊婦健康診査、延長保育事業（公立分）のみ市町村$\frac{10}{10}$

(注)1　０歳～２歳児相当分については、事業主拠出金の充当割合（令和３年度15.44％）を控除した後の負担割合。
2　１号給付に係る国、地方の負担については、経過措置有り。
令和４年７月内閣府子ども・子育て本部（「子ども・子育て支援新制度について」より抜粋）

令和２年（2020年）10月１日施行

○　認可外保育施設の利用料に係る非課税措置の拡大

平成17年度税制改正により、都道府県知事等から認可外保育施設指導監督基準を満たす施設としての証明書の交付を受けた認可外保育施設については、その利用料が非課税とされていますが、令和２年度税制改正により、その利用料が非課税とされる認可外保育施設の範囲が拡大され、令和２年10月１日から施行されました。

(1)　改正前の状況

認可外保育施設のうち１日に保育する乳幼児の数が６人以上の施設で各都道府県知事等から「認可外保育施設に対する指導監督の実施に

ついて」（平成13年３月29日付雇児発第177号厚生労働省雇用均等・児童家庭局長通知）の別添「認可外保育施設指導監督基準」（以下「指導監督基準」といいます。）に定める要件を満たす旨の証明書の交付を受けた施設については、都道府県知事等の認可を受けた保育所に準じた一定の保育サービスを提供する施設としてその利用料に係る消費税が非課税とされていました。

一方、１日に保育する乳幼児の数が５人以下である、①認可外の居宅訪問型保育事業（いわゆるベビーシッター）や②認可外の家庭的保育事業（いわゆる保育ママ等）及び事業所内保育事業を行う施設については、その保育従事者に関する資格や研修受講に関する基準がなく、都道府県知事等から指導監督基準を満たす施設としての証明書の交付を受けられないことなどから、その利用料は課税とされてきました。

第5章
社会福祉事業の非課税

(2) 改正の内容

令和元年10月１日から開始された幼児教育・保育の無償化を契機に、認可外保育施設の質の確保・向上を図るため、指導監督基準が改正され、(1)の①又は②の事業に従事する者に係る資格・研修受講の基準を新たに創設し、これに基づき、都道府県等が指導監督を実施していくこととされました。

これを受けて、新たに指導監督基準が設けられた(1)の①又は②の事業に係る資産の譲渡等について、消費税の非課税対象に加えることとされました。具体的には、「消費税法施行令第14条の３第１号の規定に基づき厚生労働大臣が指定する保育所を経営する事業に類する事業として行われる資産の譲渡等」（平成17年厚労省告示第128号）が改正され、同告示に(1)の①及び②の事業に係るそれぞれの基準が新たに設けられました。

この改正により、⑴の①又は②の事業を行う施設が、改正後の指導監督基準を満たすものとして都道府県知事等から当該基準を満たす旨の証明書の交付を受けた場合には、その利用料については非課税となりました。

令和３年（2021年）４月１日施行

○　産後ケア事業の非課税化

近年、核家族化や晩婚化、若年妊娠等によって、産前産後の身体的・精神的に不安定な時期に家族等の身近な人の助けが十分に得られず、不安や孤立感を抱いたり、うつ状態の中で育児を行う母親が少なからず存在している状況を受けて、家族等から十分な育児等の支援が得られず、心身の不調や育児不安等を抱える出産後１年以内の母親とその子を対象に、助産師等の看護職が中心となり、母親の身体的回復や心理的な安定を促進するとともに、母子の愛着形成を促し、母子とその家族が健やかに生活できるよう支援するため、産後ケア事業の全国展開を図ることを目的として、議員立法により令和元年11月に母子保健法の改正が行われました。この母子保健法の一部を改正する法律（令和元年法律第69号）は、令和元年12月６日に公布され、令和２年政令第195号において令和３年４月１日から施行されることになりました。

更に、少子化社会対策大綱（令和２年５月29日閣議決定）においても、産後ケア事業について、令和６年度末までの全国展開を目指すこととされています。

これらを踏まえ、事業者負担を軽減し、産後ケア事業の全国展開を推進するとともに、産後ケア事業の利用者負担を軽減し、利用者のニーズに応じて、産後ケア事業をより利用しやすい環境を整備することを通して、母子とその家族が暮らしている地域で健やかに生活できるよう更に支援することを目的に、母子保健法17条の２に定める産後ケア事業について、消費税を非課税とすることとされました（消令14の３七）。

なお、母子保健法17条の２第１項では、次のサービスを産後ケア事業として定めています。

① ショートステイ型（産後ケアセンターへの短期入所による生活支援等）

② デイサービス型（保健センター等での相談等）

③ アウトリーチ型（居宅訪問での乳房ケア等）

令和５年４月１日施行

○ こども家庭庁設置法等の施行

こどもが自立した個人としてひとしく健やかに成長することのできる社会の実現に向け、子育てにおける家庭の役割の重要性を踏まえつつ、こどもの年齢及び発達の程度に応じ、その意見を尊重し、その最善の利益を優先して考慮することを基本とし、こども及びこどものある家庭の福祉の増進及び保健の向上その他のこどもの健やかな成長及びこどものある家庭における子育てに対する支援並びにこどもの権利利益の擁護に関する事務を行うとともに、当該任務に関連する特定の内閣の重要政策に関する内閣の事務を助けることを任務とするこども家庭庁を、内閣府の外局として設置することとし、その所掌事務及び組織に関する事項を定める、こども家庭庁設置法（令和４年法律第75号）が成立し、令和５年４月１日に施行されました。

併せて、こども家庭庁にその権限の一部が移管されることに伴い、内閣府本府、文部科学省及び厚生労働省について、所掌事務の規定並びに審議会及び特別の機関の規定の整理を行うとともに、児童福祉法その他の関係法律について所要の規定の整備を行うため、こども家庭庁設置法の施行に伴う関係法律の整備に関する法律（令和４年法律第76号）が施行されました。

○　改正児童福祉法等の施行

子育てに困難を抱える世帯がこれまで以上に顕在化してきている状況等を踏まえ、児童等に対する家庭及び養育環境の支援を強化し、児童の権利の擁護が図られた児童福祉施策を推進するため、要保護児童等への包括的かつ計画的な支援の実施の市町村業務への追加、市町村における児童福祉及び母子保健に関し包括的な支援を行うこども家庭センターの設置の努力義務化、子ども家庭福祉分野の認定資格創設、市区町村における子育て家庭への支援の充実等を内容とする「児童福祉法等の一部を改正する法律（令和４年法律第66号）」が令和４年６月８日に成立し、令和６年４月１日（下記〔改正の概要〕の５は令和７年６月１日、７の一部は令和４年９月15日又は令和５年４月１日）に施行されました。

〔改正の概要〕

1　子育て世帯に対する包括的な支援のための体制強化及び事業の拡充【児童福祉法、母子保健法】

①　市区町村は、全ての妊産婦・子育て世帯・こどもの包括的な相談支援等を行うこども家庭センター（※）の設置や、身近な子育て支援の場（保育所等）における相談機関の整備に努める。こども家庭センターは、支援を要するこどもや妊産婦等への支援計画（サポートプラン）を作成する。

※　子ども家庭総合支援拠点と子育て世代包括支援センターの見直し。

②　訪問による家事支援、児童の居場所づくりの支援、親子関係の形

成の支援等を行う事業をそれぞれ新設する。これらを含む家庭支援の事業について市区町村が必要に応じ利用勧奨・措置を実施する。

③　児童発達支援センターが地域における障害児支援の中核的役割を担うことの明確化や、障害種別にかかわらず障害児を支援できるよう児童発達支援の類型（福祉型、医療型）の一元化を行う。

2　一時保護施設及び児童相談所による児童への処遇や支援、困難を抱える妊産婦等への支援の質の向上【児童福祉法】

①　一時保護施設の設備・運営基準を策定して一時保護施設の環境改善を図る。児童相談所による支援の強化として、民間との協働による親子再統合の事業の実施や、里親支援センターの児童福祉施設としての位置づけ等を行う。

②　困難を抱える妊産婦等に一時的な住居や食事提供、その後の養育等に係る情報提供等を行う事業を創設する。

3　社会的養育経験者・障害児入所施設の入所児童等に対する自立支援の強化【児童福祉法】

①　児童自立生活援助の年齢による一律の利用制限を弾力化する。社会的養育経験者等を通所や訪問等により支援する拠点を設置する事業を創設する。

②　障害児入所施設の入所児童等が地域生活等へ移行する際の調整の責任主体（都道府県・政令市）を明確化するとともに、22歳までの入所継続を可能とする。

4　児童の意見聴取等の仕組みの整備【児童福祉法】

児童相談所等は入所措置や一時保護等の際に児童の最善の利益を考慮しつつ、児童の意見・意向を勘案して措置を行うため、児童の意見聴取等の措置を講ずることとする。都道府県は児童の意見・意向表明や権利擁護に向けた必要な環境整備を行う。

5　一時保護開始時の判断に関する司法審査の導入【児童福祉法】

児童相談所が一時保護を開始する際に、親権者等が同意した場合等を除き、事前又は保護開始から7日以内に裁判官に一時保護状を請求する等の手続を設ける。

6　こども家庭福祉の実務者の専門性の向上【児童福祉法】

児童虐待を受けた児童の保護等の専門的な対応を要する事項について十分な知識・技術を有する者を新たに児童福祉司の任用要件に追加する。

7　児童をわいせつ行為から守る環境整備（性犯罪歴等の証明を求める仕組み（日本版DBS）の導入に先駆けた取組強化）等【児童福祉法】

児童にわいせつ行為を行った保育士の資格管理の厳格化を行うとともに、ベビーシッター等に対する事業停止命令等の情報の公表や共有を可能とするほか、児童福祉施設等の運営について、国が定める基準に従い、条例で基準を定めるべき事項に児童の安全の確保を加えるなど所要の改正を行う。

第2節　社会福祉非課税の具体的な内容

1　社会福祉事業及び更生保護事業関係

社会福祉に関する資産の譲渡等で消費税が非課税とされるのは、医療として非課税となるものを除く次のものです（消法別表第二7号ロ、ハ）。

(1)　社会福祉法2条《定義》に規定する社会福祉事業として行われる資産の譲渡等

(2)　更生保護事業法2条1項《定義》に規定する更生保護事業として行われる資産の譲渡等

ただし、次の①から⑤に掲げる事業において生産活動（従来の授産活動）として行われる資産の譲渡等は、非課税とされる社会福祉事業の範囲から除かれ、課税対象とされています（消基通6－7－6(2)）。

①　社会福祉法2条2項4号に規定する障害者支援施設を経営する事業

②　社会福祉法2条2項7号に規定する授産施設を経営する事業

③　社会福祉法2条3項1号の2に規定する認定生活困窮者就労訓練事業

④　社会福祉法2条3項4号の2に規定する地域活動支援センターを経営する事業

⑤　社会福祉法2条3項4号の2に規定する障害福祉サービス事業（障害者の日常生活及び社会生活を総合的に支援するための法律（障害者総合支援法）5条7項、13項又は14項に規定する生活介護、就労移行支援、就労継続支援を行う事業に限る。）

(3)　上記(1)及び(2)の資産の譲渡等に類するもの

〔社会福祉事業及び更生保護事業関係の非課税〕

非課税とされる資産の譲渡等のうち(1)及び(2)に該当するものの具体的な内容は、次のとおりです。

区分	その事業として行う資産の譲渡等が非課税となる事業
第一種社会福祉事業	イ　生活保護法に規定する救護施設、更生施設その他生計困難者を無料又は低額な料金で入所させて生活の扶助を行うことを目的とする施設を経営する事業及び生計困難者に対して助葬を行う事業
	ロ　児童福祉法に規定する乳児院、母子生活支援施設、児童養護施設、障害児入所施設、児童心理治療施設又は児童自立支援施設を経営する事業
	ハ　老人福祉法に規定する養護老人ホーム、特別養護老人ホーム又は軽費老人ホームを経営する事業
	ニ　障害者総合支援法に規定する障害者支援施設を経営する事業（障害者支援施設を経営する事業において生産活動としての作業に基づき行われる資産の譲渡等を除く。）
	ホ　困難な問題を抱える女性への支援に関する法律（女性支援新法）に規定する女性自立支援施設を経営する事業
	ヘ　授産施設を経営する事業及び生計困難者に対して無利子又は低利で資金を融通する事業（授産施設を経営する事業において生産活動としての作業に基づき行われる資産の譲渡等を除く。）
第二種社会福祉事業	イ　生計困難者に対して、その住居で衣食その他日常の生活必需品若しくはこれに要する金銭を与え、又は生活に関する相談に応ずる事業
	ロ　生活困窮者自立支援法に規定する認定生活困窮者就労訓練事業（認定生活困窮者就労訓練事業において生産活動としての作業に基づき行われる資産の譲渡等を除く。）
	ハ　児童福祉法に規定する障害児通所支援事業、障害児相談支援事業、児童自立生活援助事業、放課後児童健全育成事業、子育て短期支援事業、乳児家庭全戸訪問事業、養育支援訪問事業、地域子育て支援拠点事業、一時預かり事業、小規模住居型児童養育事業、小規模保育事業、病児保育事業、子育て援助活動支援事業、親子再統合支援事業、社会的養護自立支援拠点事業、意思表明等支援事業、妊産婦等生活援助事業、子育て世帯訪問支援事業、児童育成支援拠点事業、親子関係形成支援事業又は乳児等通園支援事業、同法に規定する助産施設、保育所、児童厚生施設、児童家庭支援センター又は里親支援センターを経営する事業及び児童の福祉の増進について相談に応ずる事業
	ニ　就学前の子どもに関する教育、保育等の総合的な提供の推進に関する法律（平成18年法律第77号）に規定する幼保連携型認定子ども園を経営する事業

区分	その事業として行う資産の譲渡等が非課税となる事業
第二種社会福祉事業	ホ　民間あっせん機関による養子縁組のあっせんに係る児童の保護等に関する法律に規定する養子縁組あっせん事業
	ヘ　母子及び父子並びに寡婦福祉法に規定する母子家庭日常生活支援事業、父子家庭日常生活支援事業又は寡婦日常生活支援事業及び同法に規定する母子・父子福祉施設を経営する事業
	ト　老人福祉法に規定する老人居宅介護等事業、老人デイサービス事業、老人短期入所事業、小規模多機能型居宅介護事業、認知症対応型老人共同生活援助事業又は複合型サービス福祉事業及び同法に規定する老人デイサービスセンター、老人短期入所施設、老人福祉センター又は老人介護支援センターを経営する事業
	チ　障害者総合支援法に規定する障害福祉サービス事業、一般相談支援事業、特定相談支援事業又は移動支援事業及び同法に規定する地域活動支援センター又は福祉ホームを経営する事業（障害福祉サービス事業（同法5条7項、13項又は14項に規定する生活介護、就労移行支援又は就労継続支援を行う事業に限る。）又は地域活動支援センターを経営する事業において生産活動としての作業に基づき行われる資産の譲渡等を除く。）
	リ　身体障害者福祉法に規定する身体障害者生活訓練等事業、手話通訳事業又は介助犬訓練事業若しくは聴導犬訓練事業、同法に規定する身体障害者福祉センター、補装具製作施設、盲導犬訓練施設又は視聴覚障害者情報提供施設を経営する事業及び身体障害者の更生相談に応ずる事業
	ヌ　知的障害者福祉法に規定する知的障害者の更生相談に応ずる事業
	ル　生計困難者のために、無料又は低額な料金で、簡易住宅を貸し付け、又は宿泊所その他の施設を利用させる事業
	ヲ　生計困難者のために、無料又は低額な料金で診療を行う事業
	ワ　生計困難者に対して、無料又は低額な費用で介護保険法に規定する介護老人保健施設又は介護医療院を利用させる事業
	カ　隣保事業（隣保館等の施設を設け、無料又は低額な料金でこれを利用させることその他その近隣地域における住民の生活の改善及び向上を図るための各種の事業を行うものをいう。）
	ヨ　福祉サービス利用援助事業（精神上の理由により日常生活を営むのに支障がある者に対して、無料又は低額な料金で、福祉サービス（第一種社会福祉事業及び第二種社会福祉事業のイ～カの事業において提供されるものに限る。）の利用に関し相談に応じ、及び助言を行い、並びに福祉サービスの提供を受けるために必要な手続又は福祉サービスの利用に要する費用の支払に関する便宜を供与することその他の福祉サービスの適切な利用のための一連の援助を一体的に行う事業をいう。）

区分	その事業として行う資産の譲渡等が非課税となる事業
	タ　第一種社会福祉事業及び第二種社会福祉事業のイ～ヨの事業に関する連絡又は助成を行う事業
更生保護事業	イ　継続保護事業（保護観察中の者及び刑余者等（少年院仮退院者を含む。）であって現に改善更生のため保護を必要としているものを更生保護施設に収容して保護する事業）
	ロ　一時保護事業（イの者に対し宿泊場所への帰住、医療又は就職を助け金品を給与し、又は貸与し生活の相談に応じる等の保護を行う事業）
	ハ　連絡助成事業（イ、ロその他改善更生を助けることを目的とする事業に関する啓発、連絡、調整又は助成を行う事業）

2　社会福祉事業等として行われる資産の譲渡等に類するもの

社会福祉法２条の社会福祉事業や更生保護事業法２条１項の更生保護事業として行われる資産の譲渡等に類するものとして消費税が非課税となるのは、次のものです（消令14の３）。

	順号	根拠法令	非課税となる資産の譲渡等
社会福祉事業等として行われる資産の譲渡等に類するもの	一	児童福祉法６条の３第23項及び７条１項《定義》	○　乳児等通園支援事業として行われる資産の譲渡等（消法別表第二７号ロに掲げるものを除く。） ○　児童福祉施設を経営する事業として行われる資産の譲渡等（消法別表第二７号ロに掲げるものを除く。） ○　保育所を経営する事業に類する事業として行われる資産の譲渡等として内閣総理大臣が財務大臣と協議して指定するもの
	二	児童福祉法27条２項《都道府県のとるべき措置》	○　指定発達支援医療機関が行う同項に規定する治療等
	三	児童福祉法33条《児童の一時保護》	○　一時保護
	四	障害者総合支援法29条１項《介護給付費又は訓練等給付費》又は30条１項《特例介護給付費又は特例訓練等給付	○　独立行政法人国立重度知的障害者総合施設のぞみの園がその設置する施設において行うこれらの規定に規定する介護給付費若しくは訓練等給

	順号	根拠法令	非課税となる資産の譲渡等
社会福祉事業等として行われる資産の譲渡等に類するもの		費》	付費又は特例介護給付費若しくは特例訓練等給付費の支給に係る同法5条1項《定義》に規定する施設障害福祉サービス
		知的障害者福祉法16条1項2号《障害者支援施設等への入所等の措置》	○　独立行政法人国立重度知的障害者総合施設のぞみの園がその設置する施設において行う同号の更生援護
	五	介護保険法115条の46第1項《地域包括支援センター》	○　包括的支援事業として行われる資産の譲渡等（社会福祉法2条3項4号《定義》に規定する老人介護支援センターを経営する事業に類する事業として行われる資産の譲渡等として厚生労働大臣が財務大臣と協議して指定するものに限る。）
	六	子ども・子育て支援法	○　施設型給付費、特例施設型給付費、地域型保育給付費又は特例地域型保育給付費の支給に係る事業として行われる資産の譲渡等（消法別表第二7号ロ及び11号イ並びに消令14条の3第1号に掲げるものを除く。）
	七	母子保健法17条の2第1項《産後ケア事業》	産後ケア事業として行われる資産の譲渡等（消法別表第二8号に掲げるものを除く。）
	八	老人福祉法5条の2第1項《定義》	○　老人居宅生活支援事業
		障害者総合支援法5条1項《定義》	○　障害福祉サービス事業（同項に規定する居宅介護、重度訪問介護、同行援護、行動援護、短期入所及び共同生活援助に係るものに限る。）
		消費税法施行令14条の3第8号、平成3年厚生省告示第129号	○　その他これらに類する事業として行われる資産の譲渡等（消法別表第二7号ロに掲げるものを除く。）のうち、国又は地方公共団体の施策に基づきその要する費用が国又は地方公共団体により負担されるものとして内閣総理大臣が財務大臣と協議して指定するもの

3　類するものの具体的な取扱い

(1)　児童福祉施設を経営する事業として行われる資産の譲渡等の具体例

消費税法施行令14条の３第１号では、児童福祉法７条１項に規定する児童福祉施設を経営する事業として行う資産の譲渡等を非課税としています。

しかしながら、同号の規定が「法別表第二第７号ロに掲げるものを除く。」としているように、児童福祉法に規定する児童福祉施設を経営する事業の多くは社会福祉法２条に規定する社会福祉事業に該当します（284頁参照）。したがって、ここで非課税とされるのは、社会福祉法２条４項４号の規定によって同法上は社会福祉事業に含まれないこととされている「常時保護を受ける者が、入所させて保護を行うものにあっては５人、その他のものにあっては20人（政令で定めるものにあっては、10人）に満たない」事業ということになります（消基通６－７－７）。

なお、児童福祉法に規定する児童福祉施設のうち、幼保連携型認定子ども園は就学前の子どもに関する教育、保育等の総合的な提供の推進に関する法律（平成18年法律第77号（認定子ども園法））に規定する施設を経営する事業として、第二種社会福祉事業に該当し非課税となります（282頁参照）。

また、児童発達支援センターは通所する肢体不自由児に対して医療を提供していますが、「肢体不自由児通所医療費の支給に係る医療」は、非課税となる療養・医療として規定されています（消法別表第二６号、消令14九、61頁参照）。

(2) 非課税となる認可外保育

消費税法施行令14条の３第１号は、児童福祉法７条１項に規定する保育所を経営する事業に類する事業として行われる資産の譲渡等として内閣総理大臣が財務大臣と協議して指定するものを非課税として定めています。これは、一定の基準を満たしているいわゆる認可外保育施設を経営する事業のことです。

保育所とは、日々保護者の委託を受けて、保育に欠けるその乳児又は幼児を保育することを目的とする施設であり、児童福祉法に定める児童福祉施設の一つに位置づけられています。児童福祉施設は、都道府県等以外の者が設置しようとする場合には、都道府県知事の認可を得ることが必要とされており、このような都道府県知事の認可を受けた保育所（以下「認可保育所」という。）を経営する事業は第二種社会福祉事業に該当し、消費税が非課税とされています。しかし、認可を受けていない保育施設（認可外保育施設）を経営する事業は、社会福祉事業には該当しません。

そこで、この認可外保育施設のうち一定のものについて、同号においてその利用料を非課税として定めたものです（消令14の３一、平成17年厚生労働省告示第128号「消費税法施行令第14条の３第１号の規定に基づき内閣総理大臣が指定する保育所を経営する事業に類する事業として行われる資産の譲渡等」（以下「平成17年告示」という。）、消基通６－７－７の２）。

非課税対象となるのは、以下の施設です。

① 児童福祉法59条の２第１項《認可外保育施設の届出》の規定による届出が行われた施設であって、同法の規定に基づく都道府県知事等の立入調査を受け、平成17年厚生労働省告示第128号に定める要件を満たし、当該満たしていることにつき都道府県知事等から証明書の交付を受けている施設

第５章 社会福祉事業の非課税

イ　１日に保育する乳幼児の数が６人以上である施設の場合……平成17年告示第一の要件を満たす施設

ロ　１日に保育する乳幼児の数が５人以下であり、家族的保育事業又は事業所内保育事業を営む施設の場合……平成17年告示第二の要件を満たす施設

ハ　居宅訪問型保育事業を営む施設であって、複数の保育従事者を雇用している施設の場合……平成17年告示第三の要件を満たす施設

ニ　居宅訪問型保育事業を営む施設であって、複数の保育従事者を雇用する施設以外の施設の場合……平成17年告示第四の要件を満たす施設

非課税の対象となる資産の譲渡等の範囲は、上記の要件を満たす施設において、乳児又は幼児を保育する業務として行われる資産の譲渡等であり、認可保育所における保育サービスと同様に、保育料や保育を受けるために必要な予約料、年会費、入園料などが非課税の対象とされています。

㈲　ロ～ニの認可外保育施設における資産の譲渡等は、令和２年10月１日から非課税となっています。

②　幼稚園が併設する認可外保育施設（以下「幼稚園併設型認可外保育施設」といいます。）のうち、認定子ども園法３条３項《教育、保育等を総合的に提供する施設の認定等》の規定により、都道府県等の条例で定める要件に適合している旨の都道府県知事等の認定を受けているもの

幼稚園併設型認可外保育施設は、①の認可外保育施設と同様に児童福祉法39条１項に規定する業務を目的とする施設ですが、幼稚園

所管部局が幼稚園に対する指導監督の一環として、その幼稚園に併設される認可外保育施設も含めて指導監督をしており、それにより一定の質が担保されているという理由から児童福祉法59条の２第１項の届出対象外の施設とされています（児童福祉法59の２①、児童福祉法施行規則49の２三）。その結果、都道府県知事等による立入調査を受けることがなく、また、平成17年告示に定める要件を満たしていることにつき都道府県知事等から証明書の交付を受けることもできないことになります。

このような幼稚園併設型認可外保育施設のうち、都道府県知事の認定を受けているものについては、都道府県知事等による立入調査や証明書の交付は受けられないものの、保育施設として一定の質が担保されていると認められることから、当該施設において乳幼児を保育する業務として行われる資産の譲渡等についても非課税とされています（平成17年告示本文後段）。

③　都道府県等が設置する幼稚園併設型認可外保育施設のうち認定子ども園法３条10項の規定により都道府県知事等が公示するもの

都道府県が設置する幼稚園併設型認可外保育施設の場合には、認定子ども園法３条３項の規定による認定ではなく、同条10項の規定により同条３項の条例で定める要件に適合していると認めるものについてこれを公示するものとされているので、当該施設において乳幼児を保育する業務として行われる資産の譲渡等についても非課税とされています（平成17年告示本文後段）。

(注)　認定子ども園法３条１項の認定は、学校教育法上の幼稚園又は児童福祉法上の保育所等が受けるものですから、同項の認定を受けている施設（幼保連携型認定こども園以外の認定こども園）については、消費税法上、通常の幼稚園や保育所等と同様の取扱いとなっています（同条10項において、同条１

項の条例で定める要件に適合していると認められるものとして公示がされている場合の当該施設も同様です)。

(3) 介護保険法の包括的支援事業

消費税法施行令14条の3第5号は、介護保険法115条の46第1項に規定する包括的支援事業として行われる資産の譲渡等(社会福祉法2条3項4号に規定する老人介護支援センターを経営する事業に類する事業として行われる資産の譲渡等として厚生労働大臣が財務大臣と協議して指定するものに限ります。)を非課税として定めています。

(注) 包括的支援事業の内容については180頁参照。

包括的支援事業は、市町村が自ら実施するだけでなく、老人介護支援センターの設置者である法人に委託して行う場合や地域の実情に応じて、市町村が老人介護支援センターの設置者以外の法人(非設置法人)に委託して行う場合があります。

老人介護支援センターの設置者である法人が市町村からの委託を受けて行う場合は、老人介護支援センターを経営する事業として行う資産の譲渡等に該当し、消費税法別表第二7号ロ《社会福祉事業等に係る資産の譲渡等》に規定する社会福祉事業として行われる資産の譲渡等として非課税となります。また、老人介護支援センター以外の法人が行う場合は、消費税法施行令14条の3第5号の規定により、老人介護支援センターと、同様の事業を行う範囲内で社会福祉事業に類するものとして非課税となります(消基通6－7－10)。

なお、包括的支援事業として行われる資産の譲渡等のうち社会福祉事業に類するものとして非課税とされる範囲については、厚生労働省告示(平成18年厚生労働省告示第311号(参考資料975頁))においてその具体的な内容が定められています。

(4) 子ども・子育て支援法に基づく施設型給付費等の支給に係る事業

消費税法施行令14条の3第6号は、平成27年（2015年）4月1日に施行された子ども・子育て支援法の規定に基づく「施設型給付費（若しくは特例施設型給付費）」又は「地域型保育給付費（若しくは特例地域型保育給付費）」の支給に係る事業として行われる資産の譲渡等のうち、消費税法別表第二7号ロ、11号イ及び消費税法施行令14条の3第1号の規定により非課税とされる保育所、幼稚園及び都道府県知事等から所定の基準を満たす施設であることの証明書の交付を受けている又は都道府県知事等の認定を受けている若しくは都道府県知事等が公示する認可外保育施設が行う資産の譲渡等以外のものを、社会福祉事業等に類するものとして非課税としています（(2)参照）。

(注) それまで施設の設置根拠により別々の制度であった小学校就学前の子どもに対する学校教育や保育、地域の子ども・子育てに対する財政的支援は、子ども・子育て支援法により、認定こども園、幼稚園及び保育所を通じた共通の給付（施設型給付費等）並びに小規模保育等への給付（地域型保育給付費等）となりました。

① 施設型給付費及び特例施設型給付費

これらは特定教育・保育施設（子ども・子育て支援法27条に規定する認定こども園、幼稚園及び保育所のうち市町村の確認を受けた施設）において教育・保育を受けた子どもの保護者に対して支給されるものですが、これらの支給に係る教育・保育は、原則として、消費税法別表第二7号ロ、11号イ又は消費税法施行令14条の3第1号の規定により非課税とされているものです。

したがって、消費税法施行令14条の3第6号の規定により非課税となるのは、幼稚園における給食費やスクールバス代などを対価とする資産の譲渡等のように教育に係る役務の提供として非課税とされているもの（消令14の5）以外のものであって、これらが施設型給付費の支給に係る事業として行われる資産の譲渡等に該当するものということになります。

参考

1．施設型給付費等の支援を受ける子どもの認定区分

○子ども・子育て支援法では、教育・保育を利用する子どもについて3つの認定区分が設けられ、これに従って施設型給付等が行われる。（施設・事業者が代理受領）

認定区分	給付の内容	利用定員を設定し、給付を受けることとなる施設・事業
満3歳以上の小学校就学前の子どもであって、2号認定子ども以外のもの（1号認定子ども）　（第19条第1項第1号）	教育標準時間（※）	幼稚園 認定こども園
満3歳以上の小学校就学前の子どもであって、保護者の労働又は疾病その他の内閣府令で定める事由により家庭において必要な保育を受けることが困難であるもの（2号認定子ども）　（第19条第1項第2号）	保育短時間 保育標準時間	保育所 認定こども園
満3歳未満の小学校就学前の子どもであって、保護者の労働又は疾病その他の内閣府令で定める事由により家庭において必要な保育を受けることが困難であるもの（3号認定子ども）　（第19条第1項第3号）	保育短時間 保育標準時間	保育所 認定こども園 小規模保育等

（※）教育標準時間外の利用については、一時預かり事業（幼稚園型）等の対象となる。

出典：令和4年7月　内閣府子ども・子育て本部「子ども・子育て支援新制度について」より抜粋

2．子ども・子育て支援新制度における幼稚園の選択肢

<table>
<tr><th colspan="2"></th><th>位置付け・役割</th><th colspan="2">施設の認可・指導監督等
（認可）　　（確認）</th><th>財政措置</th><th>選考・保育料等の取扱い</th></tr>
<tr><td rowspan="2">新制度</td><td>「施設型給付」を受ける認定こども園
（幼保連携型）
（幼稚園型）</td><td>○学校教育と保育を提供する機関
（幼保連携型）
：学校と児童福祉施設の位置付け
（幼稚園型）
：保育機能を認定
○市町村計画で把握された「教育・保育ニーズ」に対応</td><td>○幼保連携型
都道府県・指定都市・中核市が、認可・指導監督
○幼稚園型
都道府県が認可・認定・指導監督</td><td>○幼保連携型・幼稚園型共通
「給付の支給対象施設」として、市町村が確認・指導監督</td><td rowspan="1">○「保育の必要性」の認定を受けた利用者
：「保育時間」に対応する「施設型給付」※2
○その他の利用者
：「標準時間」に対応する「施設型給付」※2
○私学助成（特別補助等）※3</td><td rowspan="2">○応諾義務
＊「正当な理由」がある場合を除く
○保育料ゼロ
＊教育・保育の質の向上に必要な対価（上乗せ徴収）の徴収可能（保護者から文章での同意が必要）
＊物品購入費、行事費、給食費、通園送迎費の徴収可能（保護者からの同意が必要）</td></tr>
<tr><td>「施設型給付」を受ける幼稚園</td><td>○学校教育を提供する機関
○市町村計画で把握された「教育ニーズ」に対応</td><td>○都道府県が認可・指導監督</td><td>○「給付の支給対象施設」として、市町村が確認・指導監督</td><td>○「標準時間」に対応する「施設型給付」※2
○私学助成（特別補助等）※3</td></tr>
<tr><td colspan="2"></td><td colspan="5">※新制度において、認可・指導監督等の一本化、給付の共通化を行うことにより、幼保連携型認定こども園の二重行政を解消
※認可等の際、都道府県は実施主体である市町村との協議を行う</td></tr>
<tr><td>従前どおり</td><td>「施設型給付」を受けない幼稚園※1</td><td>○学校教育を提供する機関</td><td>○都道府県が認可・指導監督</td><td>○「給付の支給対象施設」として、市町村が確認・指導監督</td><td>○「施設等利用給付」※2
○私学助成（一般補助・特別補助）</td><td>○建学の精神に基づく選考
○利用者負担は設置者が設定</td></tr>
</table>

※1　従前の私立幼稚園は、別段の申出を行わない限り「施設型給付」の対象として市町村から確認を受けたものとみなされている。

※2　「施設型給付」「施設等利用給付」は国等が義務的に支出しなければならない経費であり、消費税財源が充当される。

※3　特別支援教育や特色ある幼児教育の取組等に対する補助を実施。

出典：令和4年7月　内閣府子ども・子育て本部「子ども・子育て支援新制度について」より抜粋

3．幼保連携型認定こども園とその他の認定こども園の比較（主なもの）

	幼保連携型認定こども園	幼稚園型認定こども園	保育所型認定こども園	地方裁量型認定こども園
法的性格	学校かつ児童福祉施設	学校（幼稚園＋保育所機能）	児童福祉施設（保育所＋幼稚園機能）	幼稚園機能＋保育所機能
職員の性格	保育教諭（注１）（幼稚園教諭＋保育士資格）	満３歳以上→両免許・資格の併有が望ましいがいずれかでも可 満３歳未満→保育士資格が必要	満３歳以上→両免許・資格の併有が望ましいがいずれかでも可 満３歳未満→保育士資格が必要 ※ただし、２・３号子どもに対する保育に従事する場合は、保育士資格が必要	満３歳以上→両免許・資格の併有が望ましいがいずれかでも可 満３歳未満→保育士資格が必要
給食の提供	２・３号子どもに対する食事の提供義務 自園調理が原則・調理室の設置義務（満３歳以上は、外部搬入可）	２・３号子どもに対する食事の提供義務 自園調理が原則・調理室の設置義務（満３歳以上は、外部搬入可） ※ただし、基準は参酌基準のため、各都道府県の条例等により、異なる場合がある。	２・３号子どもに対する食事の提供義務 自園調理が原則・調理室の設置義務（満３歳以上は、外部搬入可）	２・３号子どもに対する食事の提供義務 自園調理が原則・調理室の設置義務（満３歳以上は、外部搬入可） ※ただし、基準は参酌基準のため、各都道府県の条例等により、異なる場合がある。
開園日・開園時間	11時間開園、土曜日が開園が原則（弾力運用可）	地域の実情に応じて設定	11時間開園、土曜日が開園が原則（弾力運用可）	地域の実情に応じて設定

注１）　一定の経過措置あり
注２）　施設整備費について
・安心こども基金により対象となっていた各類型の施設整備に係る費用については、新制度施行後においても引き続き、認定こども園施設整備交付金や保育所等整備交付金等により、補助の対象となります。
・１号認定子どもに係る費用については公定価格上減価償却に係る費用が算定されています。また２・３号認定子どもに係る費用については、施設整備費補助を受けずに整備した施設について同加算が受けられます。

出典：令和４年７月　内閣府子ども・子育て本部「子ども・子育て支援新制度について」より抜粋

4．共働き等家庭の子どもが幼稚園を利用する場合の教育・保育給付認定等

<table>
<tr><th colspan="2" rowspan="2">保護者の
利用希望等</th><th colspan="2">給付・認定の種類</th><th colspan="2">無償化の対象時間</th></tr>
<tr><th>子どものための教育・保育給付</th><th>子育てのための施設等利用給付</th><th>通常の教育時間</th><th>預かり保育</th></tr>
<tr><td colspan="2">新制度の対象とならない幼稚園（私学助成幼稚園、国立大学附属幼稚園）、特別支援学校</td><td>なし</td><td rowspan="2">新２号認定（満３歳入園児は新３号認定）</td><td>施設等利用費（新２・３号）の対象</td><td rowspan="4">施設等利用費（新２・３号）の対象</td></tr>
<tr><td rowspan="2">新たに教育・保育給付認定を受ける場合</td><td>●幼稚園等※1のみを希望</td><td>１号認定</td><td>施設型給付費（１号）の対象</td></tr>
<tr><td>●幼稚園等と保育所等※2の両方を希望（併願）
①利用調整の結果、保育所等の入所待機となったため、併願し内定していた幼稚園等※1に入園
②利用調整の結果、入所可能な保育所等を示されたが、併願し内定していた幼稚園等が最も希望に合致したため、幼稚園等に入園
●保育所等のみを希望
③通園可能な域内に保育所等がなかったため、幼稚園等の利用を申し込んで入園
④利用調整の結果、入所待機となったため、幼稚園等の利用を申し込んで入園</td><td>２号認定</td><td rowspan="2">新２号認定（満３歳入園児は新３号認定）
※現在の２号認定を新２・３号認定とみなし、新給付の認定申請は不要（第30条の５第７項）</td><td rowspan="2">幼稚園特例施設型給付費（２号）の対象

認定こども園施設型給付費（１号）の対象
※認定こども園には特例施設型給付がない</td></tr>
<tr><td colspan="2">**保育認定を既に受けている場合**
①小規模保育の卒園者が入園、②保育所等から転園</td><td>既に有する２号認定を活用</td></tr>
</table>

保育所等への転園の希望がない場合は１号認定へ変更することが考えられる。
特に認定こども園（１号認定）の利用定員で入園した場合は、特例施設型給付がないため、１号認定へ変更することが必要。

※１　幼稚園又は認定こども園（教育標準時間認定（１号認定）の利用定員）を指す。以下同じ。
※２　保育所又は認定こども園（満３歳以上・保育認定（２号認定）の利用定員）を指す。以下同じ。
出典：令和４年７月　内閣府子ども・子育て本部「子ども・子育て支援新制度について」より抜粋

② 地域型保育給付費及び特例地域型保育給付費

これらは、市町村の確認を受けた児童福祉法6条の3第9項から12項に規定する次の事業による保育を受けた子どもの保護者に対して支給されるものであり、これらの支給に係る資産の譲渡等が非課税となります。

・ 小規模保育事業（利用定員6人以上19人以下）
・ 家庭的保育事業（利用定員5人以下）
・ 居宅訪問型保育事業
・ 事業所内保育事業

なお、平成17年厚生労働省告示第128号「消費税法施行令第14条の3第1号の規定に基づき内閣総理大臣が指定する保育所を経営する事業に類する事業として行われる資産の譲渡等」の改正により、令和2年10月1日以後は、上記の保育事業に係る施設についても所定の基準を満たしている場合には都道府県知事等から証明書の交付を受けられることとなりましたから、当該証明書の交付を受けた施設については、消費税法施行令14条の3第1号後段の規定により、非課税となります。

参考

1．地域型保育事業について

○　子ども・子育て支援新制度では、教育・保育施設を対象とする施設型給付・委託費に加え、以下の保育を市町村による認可事業（地域型保育事業）として、児童福祉法に位置付けた上で、地域型保育給付の対象とし、多様な施設や事業の中から利用者が選択できる仕組みとすることにしている。

◇小規模保育（利用定員６人以上 19 人以下）

◇家庭的保育（利用定員５人以下）

◇居宅訪問型保育

◇事業所内保育（主として従業員の子どものほか、地域において保育を必要とする子どもにも保育を提供）

○　都市部では、認定こども園等を連携施設として、小規模保育等を増やすことによって、待機児童の解消を図り、人口減少地域では、隣接自治体の認定こども園等と連携しながら、小規模保育等の拠点によって、地域の子育て支援機能を維持・確保することを目指す。

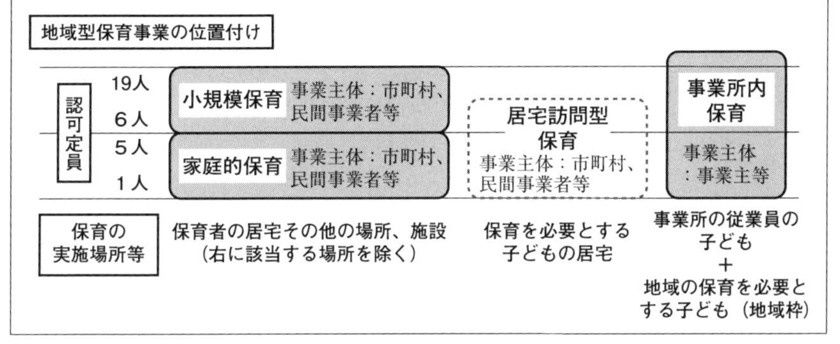

出典：令和４年７月　内閣府子ども・子育て本部「子ども・子育て支援新制度について」より抜粋

2．地域型保育事業の認可基準について

小規模保育事業の認可基準について

○　小規模保育事業については、多様な事業からの移行を想定し、A型（保育所分園、ミニ保育所に近い類型）、C型（家庭的保育（グループ型小規模保育）に近い類型）、B型（中間型）の３類型を設け、認可基準を設定する。

○　特に、B型については、様々な事業形態からの移行が円滑に行われるよう、保育士の割合を1/2以上としているが、同時に、小規模な事業であることに鑑み、保育所と同数の職員配置とせず、１名の追加配置を求めて、質の確保を図る。

○　また、保育士の配置比率の向上に伴い、きめ細かな公定価格の設定とすることで、B型で開始した事業所が段階的にA型に移行するよう促し、更に質を高めていくこととしていく。

出典：令和４年７月　内閣府子ども・子育て本部「子ども・子育て支援新制度について」より抜粋

<小規模保育事業の主な認可基準>

		保育所	小規模保育事業		
			A型	B型	C型
職員	職員数	0歳児　3：1 1・2歳児　6：1	保育所の配置基準＋1名	保育所の配置基準＋1名	0～2歳児 3：1 （補助者を置く場合、5：2）
	資格	保育士 ※保健師又は看護師等の特例有（1人まで）	保育士 ※保育所と同様、保健師又は看護師等の特例を設ける。	1/2以上保育士 ※保育所と同様、保健師又は看護師等の特例を設ける。 ※保育士以外には研修実施	家庭的保育者 ※市町村長が行う研修を修了した保育士、保育士と同等以上の知識及び経験を有すると市町村長が認める者
設備・面積	保育室等	0歳・1歳児 乳児室　1人当たり1.65㎡ ほふく室　1人当たり3.3㎡ 2歳児以上 保育室等　1人当たり1.98㎡	0歳・1歳児 1人当たり3.3㎡ 2歳児 1人当たり1.98㎡	0歳・1歳児 1人当たり3.3㎡ 2歳児 1人当たり1.98㎡	0歳～2歳児 いずれも1人当たり3.3㎡
処遇等	給食	自園調理 ※公立は外部搬入可（特区） 調理室 調理員	自園調理 （連携施設等からの搬入可） 調理設備 調理員	自園調理 （連携施設等からの搬入可） 調理設備 調理員	自園調理 （連携施設等からの搬入可） 調理設備 調理員

※　小規模保育事業については、小規模かつ0～2歳児までの事業であることから、保育内容の支援及び卒園後の受け皿の役割を担う連携施設の設定を求める。

※　連携施設や保育従事者の確保等が期待できない離島・へき地に関しては、連携施設等について、特例措置を設ける。

※　また、給食、連携施設の確保に関しては、移行に当たっての経過措置を設ける。

※　保健師又は看護師に係る職員資格の特例については、地方分権に関する政府方針を踏まえ、平成27年（2015年）4月1日から准看護師についても対象とされている。

出典：令和4年7月　内閣府子ども・子育て本部「子ども・子育て支援新制度について」より抜粋

家庭的保育事業等の認可基準について

○　家庭的保育事業等については、従前の事業からの移行や、それぞれの事業形態、特徴等を踏まえ、基準を設定する。

＜家庭的保育事業等の主な認可基準＞

<table>
<tr><th colspan="2"></th><th>家庭的保育業</th><th>事業所内保育事業</th><th>居宅訪問型保育事業</th></tr>
<tr><td rowspan="2">職員</td><td>職員数</td><td>0～2歳児　3：1
家庭的保育補助者を置く場合
5：2</td><td rowspan="3">定員20名以上
保育所の基準と同様

定員19名以下
小規模保育事業A型、B型の基準と同様</td><td>0～2歳児　1：1</td></tr>
<tr><td>資格</td><td>家庭的保育者
（＋家庭的保育補助者）
＊市町村長が行う研修を修了した保育士、保育士と同等以上の知識及び経験を有すると市町村長が認める者</td><td>必要な研修を修了し、保育士、保育士と同等以上の知識及び経験を有すると市町村長が認める者</td></tr>
<tr><td>設備・面積</td><td>保育室等</td><td>0歳～2歳児
1人当たり3.3㎡</td><td>—</td></tr>
<tr><td>処遇等</td><td>給食</td><td>自園調理
（連携施設等からの搬入可）
調理設備
調理員
（3名以下の場合、家庭的保育補助者を置き調理を担当すること可）</td><td>自園調理
（連携施設等からの搬入可）
調理設備
調理員</td><td>—</td></tr>
</table>

※　家庭的保育事業、事業所内保育事業については、小規模かつ0～2歳児までの事業であることから、保育内容の支援及び卒園後の受け皿の役割を担う連携施設の設定を求める。（事業所内の卒園後の受け皿に関しては、地域枠の子どものみ対象）

※　連携施設や保育従業者の確保等が期待できない離島・へき地に関しては、連携施設等について、特例措置を設ける。

※　また、給食、連携施設の確保に関しては、移行に当たっての経過措置を設ける。

出典：令和4年7月　内閣府子ども・子育て本部「子ども・子育て支援新制度について」より抜粋

(5) その他の事業

消費税法施行令14条の３第８号は、１号から７号までに掲げるもののほか、老人福祉法に規定する老人居宅生活支援事業（老人居宅介護等事業、老人デイサービス事業、老人短期入所事業、小規模多機能型居宅介護事業、認知症対応型老人共同生活援助事業及び複合型サービス福祉事業）、障害者総合支援法に規定する障害福祉サービス事業（居宅介護、重度訪問介護、同行援護、行動援護、短期入所及び共同生活援助に係るものに限ります。）その他これらに類する事業として行われる資産の譲渡等のうち、国又は地方公共団体の施策に基づきその要する費用が国又は地方公共団体により負担されるものとして厚生労働大臣が財務大臣と協議して指定するものを非課税としています。

この取扱いは、次のような考え方によるものです。

例えば、通所による入浴、食事の提供、機能訓練、介護方法の指導その他の便宜供与の対象者が65歳以上の要介護者又は要支援者（要介護老人等）で、その施設が特別養護老人ホーム、養護老人ホーム又は老人福祉センター等である場合の当該事業は、老人福祉法に規定する「老人デイサービス事業」に該当する（老人福祉法５の２③、10の４①二、介護保険法８⑦、⑯、８の２⑦、⑮）ことから、社会福祉法上の第二種社会福祉事業に該当して（社会福祉法２③四）非課税となります（消法別表第二７号ロ）。他方、便宜供与の対象者が「要介護・要支援者でない者」である場合には、社会福祉法上の社会福祉事業には該当しないことになります。

そこで、便宜供与の対象者が「要介護・要支援者でない者」であっても、身体上又は精神上の障害があるために日常生活を営むのに支障がある65歳以上の者（65歳未満であって特に必要があると認められる者を含みます。以下「障害高齢者」といいます。）を施設（特別養議老人ホーム等である必要はありません。）に通わせ、入浴、食事の提供、機能訓練、介護方法の指導その他の便宜を供与する事業のうち、その要する費用のうち２分の１以上が国又は地方公共団体により負担される事業は、社会福祉法上の社会福祉事業には該当しないものの、社会福祉事業に類するものとして非課税としたものです（消法別表第二７号ハ、消令14の３七、平成３年厚生省告示第129号「消費税法施行令第14条の３第８号の規定に基づく厚生労働大臣が指定する資産の譲渡等を定める件」一ロ）。

なお、在宅の障害高齢者や身体障害者等に対しても、同様の取扱いが定められています（平成３年厚生省告示第129号一イ、ハ、二～五）。

第３節　社会福祉事業関係Ｑ＆Ａ

Ｑ５－１

課税となる授産施設等における資産の譲渡等

授産施設等を経営する事業として行われる資産の譲渡等で課税となるものはどのようなものがありますか。

Ａ　社会福祉法２条２項《定義》に掲げる第一種社会福祉事業として行われる資産の譲渡等は非課税とされていますが、このうち同項４号《障害者支援施設》又は７号《授産施設》に規定する障害者支援施設及び授産施設を経営する事業において生産活動（注１）としての作業に基づき行われる資産の譲渡等は課税となります。

また、同条３項に掲げる第二種社会福祉事業のうち認定生活困窮者就労訓練事業（１号の２）、地域活動支援センター（４号の２）又は障害福祉サービス事業（４号の２）（注２）を経営する事業において生産活動としての作業に基づき行われる資産の譲渡等も課税となります。

(注)１　「生産活動」とは、上記の事業において身体上若しくは精神上又は世帯の事情等により就業能力の限られている要援護者の「自立」、「自活」、「社会復帰」のための訓練、職業供与等の活動において行われる物品の販売、サービスの提供その他の資産の譲渡等をいいます。

２　障害福祉サービス事業については、障害者総合支援法５条７項、13項、14項に規定する生活保護、就労移行支援又は就労継続支援を行う事業に限られます。

参考

上記の事業ではこのような生産活動の他に一般の社会福祉施設と同様の日常生活上の便宜供与（給食、入浴等）等も行われていますが、これは、生産活動には該当しないこととされていますから、非課税となります（消基通６－７－６(1)なお書）。

Q5－2

社会福祉事業に該当しない小規模な児童福祉施設での資産の譲渡等の課税関係

当社会福祉法人は、児童福祉法に規定する児童厚生施設を経営しています。

この施設は、定員が社会福祉法2条4項4号に規定する人数に満たない小規模な施設のため、社会福祉事業には含まれないことになります。

この場合、当該施設を経営する事業として行われる資産の譲渡等は、消費税が課税されることとなるのでしょうか。

A 社会福祉法上の社会福祉事業に該当しない小規模の児童福祉施設で行われる資産の譲渡等であっても、消費税が非課税となるものもあります。

考え方

児童厚生施設は、児童福祉法7条1項に規定する児童福祉施設に該当します。

この児童福祉施設を経営する事業の多くは、社会福祉法上の第一種社会福祉事業又は第二種社会福祉事業に該当することとされていますが、入所させて保護を行うものの場合は常時保護を受ける者が5人、その他のものの場合は常時保護を受ける者が20人（政令で定めるものの場合は10人）に満たないものについては社会福祉法上の社会福祉事業に含まれないものとされています。また、第一種社会福祉事業、第二種社会福祉事業のいずれにも含まれていないものもあります。しかし、それらの場合においても、児童福祉施設を経営する事業として行われる資産の譲渡等は、社会福祉事業として行われる資産の譲渡等に類するものとして非課税となります（消法6①、別表第二7号ハ、消令14の3一）。

なお、社会福祉事業として行われる資産の譲渡等に類する事業として行われる資産の譲渡等に該当して非課税となるものは、上記の小規模な児童福祉施設や一定の認可外保育施設で行われるもののほか次のものがあります（消令14の3二～八）。

① 児童福祉法27条2項《都道府県のとるべき措置》の規定に基づき同項に規定する指定発達支援医療機関が行う同項に規定する治療等

② 児童福祉法33条《児童の一時保護》に規定する一時保護

③ 障害者総合支援法29条1項《介護給付費又は訓練等給付費》又は30条1項《特例介護給付費又は特例訓練等給付費》の規定に基づき独立行政法人国立重度知的障害者総合施設のぞみの園がその設置する施設において行うこれらの規定に規定する介護給付費若しくは訓練等給付費又は特例介護給付費若しくは特例訓練等給付費の支給に係る同法5条1項《定義》に規定する施設障害福祉サービス及び知的障害者福祉法16条1項2号《障害者支援施設等への入所等の措置》の規定に基づき独立行政法人国立重度知的障害者総合施設のぞみの園がその設置する施設において行う同号の更生援護

④ 介護保険法115条の46第1項《地域包括支援センター》に規定する包括的支援事業として行われる資産の譲渡等で、社会福祉法2条3項4号に規定する老人介護支援センターを経営する事業に類する事業として行われる資産の譲渡等として厚生労働大臣が財務大臣と協議して指定するもの

⑤ 子ども・子育て支援法の規定に基づく施設型給付費、特例施設型給付費、地域型保育給与費又は特例地域型保育給付費の支給に係る事業として行われる資産の譲渡等

⑥ 母子保健法17条の2第1項《産後ケア事業》に規定する産後ケア事

業として行われる資産の譲渡等

⑦　老人居宅生活支援事業、障害福祉サービス事業等で国又は地方公共団体の施策に基づきその要する費用が国又は地方公共団体により負担されるものとして厚生労働大臣が財務大臣と協議して指定するもの

Q5－3

老人福祉センター等を経営する事業において老人等以外の人に利用させる場合の取扱い

老人福祉センターを経営する事業や、児童厚生施設を経営する事業は非課税とされていますが、例えばたまたま空いている時間に老人以外の者が老人福祉センターを利用する場合や児童以外の者が児童厚生施設を利用する場合に、当該利用者から徴収する利用料の消費税の取扱いはどうなるのでしょうか。

A　非課税となります。

考え方　(1)　老人福祉センターや児童厚生施設を経営する事業は、消費税法上、非課税となる社会福祉事業に該当し、それぞれ「経営する事業」を非課税としていますから、当該施設等が本来の趣旨に従い利用されている限り、ご質問のような場合の利用料についても非課税となります（消法別表第二7号ロ）。

(2)　「経営する事業」の考え方

社会福祉事業関係では「○○を経営する事業」として非課税とされているものが少なくありません。老人福祉センターを経営する事業を例にとれば、老人福祉のために老人を対象としてセンターを利用させることが本来の趣旨ということになりますが、たまたまそのセンターに老人の利用がない場合に老人以外の者に利用させることがあっても、それは本来の趣旨を逸脱するものではないと考えられることから、そのような利用があることも想定の上で、全体として非課税とするというのが「経営する事業」の考え方です。

児童厚生施設についても同様で、本来の趣旨を逸脱するものでなければ、児童以外の者が利用することがあっても、その利用料金は非課税となります。

Q５－４

生活福祉資金貸付制度等における貸付業務を一部委託した場合の消費税の取扱い

生活福祉資金貸付制度（注１）又は臨時特例つなぎ資金貸付制度（注２）に基づく資金の貸付けは、いずれも都道府県社会福祉協議会が実施主体として実施しており、消費税法別表第二７号ロの「社会福祉法第２条に規定する社会福祉事業」に該当するものです。

これらの貸付制度の実施に当たっては、その貸付業務の一部をその都道府県の区域内にある市町村社会福祉協議会に委託できることとされていますが、この貸付業務の一部委託に係る受託者についての消費税の課税関係はどうなるのでしょうか。

(注)１　生活福祉資金貸付制度は、低所得者、障害者又は高齢者に対し、資金の貸付けと必要な相談支援を行うことにより、その経済的自立及び生活意欲の助長促進並びに在宅福祉及び社会参加の促進を図り、安定した生活を送れるようにすることを目的とした制度です。

２　臨時特例つなぎ資金貸付制度は、離職者を支援するための公的給付制度又は公的貸付制度を申請している住居のない離職者に対して、当該給付金又は貸付金の交付を受けるまでの当面の生活費を迅速に貸し付けることにより、その自立を支援することを目的とした制度です。

A　非課税となります。

考え方

ご質問の生活福祉資金貸付制度及び臨時特例つなぎ資金貸付制度については、それぞれの制度要綱（厚生労働事務次官が定める「生活福祉資金貸付制度要綱」及び「臨時特例つなぎ資金貸付制度要綱」をいいます。）において、都道府県社会福祉協議会は貸付業務の一部を市町村社会福祉協議会に委託することができると定めており、当該委託を含めた事業が社会福祉法２条２項７号の規定に基づく第一種社会福祉事業に該当するものと考えられます。

したがって、それぞれの制度要綱に基づき実施される貸付業務の一部委託は、社会福祉法２条２項７号に規定する「生計困難者に対して無利子又は低利で資金を融通する事業」の範囲で行われる取引であると認められることから、受託者においても消費税法別表第二７号ロに規定する社会福祉事業に該当し、消費税が非課税となります。

Q5－5

非課税とされる認可外保育所を経営する事業における非課税の範囲

認可外保育施設指導監督基準を満たした認可外保育施設として都道府県知事から証明書の交付を受けている施設において、乳幼児を保育する業務として行われる資産の譲渡等は非課税とされていますが、認可外保育所の利用料等で非課税となるのは、具体的にどのようなものですか。

A　非課税の対象となる資産の譲渡等は、認可保育所における保育サービスと同様のサービスであり、証明書の交付を受けた認可外保育所において行われるものです。具体的には、次に掲げる料金等（利用料）を対価とする資産の譲渡等が該当します（（参考資料（966頁））平成17年3月31日付雇児保発第0331003号「一定の認可外保育施設の利用料に係る消費税の非課税措置の施行について」（厚生労働省雇用均等・児童家庭局保育課長通知））。

(1)　保育料（延長保育、一時保育、病後児保育に係るものを含みます。）

(2)　保育を受けるために必要な予約料、年会費、入園料（入会金・登録料）、送迎料、児童福祉法6条の3第11項に規定する業務を目的とする施設において保育に従事する者（ベビーシッター）が乳児、幼児又は児童の居宅まで移動する際に必要となる交通費

(注)　給食費、おやつ代、施設に備え付ける教材を購入するために徴収する教材費、傷害・賠償保険料の負担金、施設費（暖房費、光熱水費）等のように通常保育料として領収される料金等については、これらが保育料とは別の名目で領収される場合であっても、保育に必要不可欠なものである限りにおいては、上記(1)及び(2)と同様に取り扱われます。

参考

例えば、当該施設において施設利用者に対して販売する教材等の販売代金のほか施設利用者の選択により付加的なサービスを受けるため

のクリーニング代、おむつサービス代、スイミングスクール等の習い事の講習料等を対価とする資産の譲渡等は、課税の対象です。

Q5−6

英語による保育を行う認可外保育施設における非課税となる資産の譲渡等の範囲

乳幼児に対して、日常から英語で教育を行い、幼児期からの英語教育を目的とするインターナショナルスクールを経営している普通法人が、県知事から認可外保育施設指導監督基準を満たした認可外保育施設としての証明書の交付を受けた場合において日常会話を英語として行う次の役務の提供は、消費税法施行令14条の3第1項1号の保育所を経営する事業に類する事業として行われる資産の譲渡等に該当して非課税となるでしょうか。

○　役務の提供

	対象年齢等	コース名	曜日	レッスン・授業時間等
1	1歳～2歳	月極ロング保育	月～金	8：00～18：00
		月極ショート保育	月～金・曜日選択可能	10：00～14：00
		半月極め保育	曜日選択可能	8：00～18：00
		延長保育	曜日選択可能	8：00～10：00、14：00～18：00（30分単位）
		時間外保育	〃	7：30～8：00、18：00～19：00（30分単位）
2	3歳～5歳	月極ロング保育	月～金	8：00～18：00
		延長保育	〃	8：00～9：00、14：30又は15：30～18：00（30分単位）
		時間外保育	〃	7：30～8：00、18：00～19：00
		サタデースクール	土（月2又は4回）	10：00～14：00

	対象年齢等	コース名	曜日	レッスン・授業時間等
3	6か月～2歳	○○クラス	水・金	9：10～9：50（保護者と授業に参加）
	3歳～5歳	中国語	週1日又は5日	17：00～17：30又は17：30～18：00

A　1及び2の役務の提供については、乳幼児を保育する業務として行われる資産の譲渡等と認められ、非課税になると考えられます。なお、3の役務の提供については、課税対象となります。

考え方

1及び2についての役務の提供

本件のインターナショナルスクールが英語教育を実施している場合であっても、県知事からの証明書が有効に継続している限り、1及び2の役務の提供については、県知事に認められた保育内容に基づく乳幼児の保育であり、また、英語教育も習い事としての英会話ではなく、あくまで保育業務の一環と認められますから、非課税に該当すると考えられます。

3の役務の提供について

「保育所とは、日々保護者の委託を受けて、保育に欠けるその乳児又は幼児を保育することを目的とする施設とする」とされている（児童福祉法39）ことから、保護者と一緒に授業に参加することとなっている「○○クラス」における役務の提供は保育事業に該当しません。

また、乳幼児に対する中国語コースについては、施設利用者の選択による付加的なサービスである習い事と認められることから、保育事業には該当しません。

したがって、3の役務提供は、いずれも保育事業に係る資産の譲渡等に該当せず、課税対象となります。

Q5－7

児童福祉法に基づく「事業所内保育事業」における保育料収入に係る消費税の取扱いについて

当社は、事業所内に保育施設を設置し、児童福祉法に規定する事業所内保育事業として、①「基本保育」、②「延長保育」、③「一時保育」及び④「病児保育」を行う予定です。なお、本件保育についての事実関係は次のとおりです。

この場合、当社がこれらの保育の対価として従業員等子どもの保護者から受領する保育料は、非課税となるでしょうか。

〔事実関係〕

(1)　本件事業所内保育事業について

保育の種類は、下表のとおりです。

①　基本保育（時間内）	3歳未満の支給認定こどもに対し、保育必要量の範囲内で行われる保育であり、地域型保育給付費の支給対象となる保育です。
②　延長保育（時間外）	上記①における保育必要量の範囲を超えて行われる保育であり、地域型保育給付費の支給対象とならない保育です。
③　一時保育	児童福祉法に規定する一時預かり事業として、上記①の定員に空きがある場合等に行われる保育であり、地域型保育給付費の支給対象とならない保育です。
④　病児保育	児童福祉法に規定する病児保育事業として、上記①及び②において保育を受ける子どもが体調不良の場合に行われる保育であり、地域型保育給付費の支給対象とならない保育です。

(2)　その他の事項

①　本件保育施設は、児童福祉法に規定する保育所及びその他の児童福祉施設に該当しません。

②　本件保育施設は、児童福祉法59条の2第1項に規定する認可外保育施設及び児童福祉法施行規則49条の2第3号に規定する施設のいずれにも該当しません。

③　本件保育施設において行われる一時保育及び病児保育は、社会福祉法に規定する第二種社会福祉事業（一時預かり事業及び病児保育事業）に該当します。

A　いずれも非課税となります。

考え方

本件保育施設は、児童福祉法に規定する保育所に該当せず、また、児童福祉法59条の2第1項に規定する認可外保育施設及び児童福祉法施行規則49条の2第3号に規定する施設のいずれにも該当しないことから、本件保育料は、保育所を経営する事業及び保育所を経営する事業に類する事業として行われる資産の譲渡等の対価には該当しません（消法別表第二7号ロ、ハ、消令14の3一）。したがって、本件保育料については、各保育の内容ごとに、非課税となるかどうかを検討することになります。

(1)　基本保育に係るもの

地域型保育給付費の支給に係る事業として行われる資産の譲渡等は、非課税とされており（消令14の3六）、本件基本保育は、地域型保育給付費が支給される保育であることから、当該保育に係る本件保育料は、非課税となります。

(2)　延長保育に係るもの

本件延長保育は、保育必要量の範囲を超えて行われるものであり、地域型保育給付費の支給対象ではありませんが、次の理由から非課税となると考えられます。

①　本件延長保育は、単独で行われるものではなく、支給認定子どもに対して地域型保育事業（事業所内保育事業）として行われる基本保育の延長として行われるものであること。

②　消費税法施行令14条の3第6号は非課税とされる資産の譲渡につ

いて「地域型保育給付費の支給に係る事業として行われる資産の譲渡等」と規定しており、当該給付費の支給対象となる「(基本) 保育」のみを非課税の対象としているものではないことから、事業所内保育事業の一環として行われる延長保育も、これに含まれると考えられること。

(3) 一時保育に係るもの

本件一時保育は、児童福祉法に規定する一時預かり事業として行われるものです。

児童福祉法に規定する一時預かり事業は、第二種社会福祉事業に該当し、社会福祉事業として行われる資産の譲渡等は、消費税法別表第二７号ロの規定により非課税となります。

したがって、本件一時保育に係る保育料は、非課税となります。

(4) 病児保育に係るもの

本件病児保育は、児童福祉法に規定する病児保育事業として行われるものです。

児童福祉法に規定する病児保育事業は、第二種社会福祉事業に該当し、社会福祉事業として行われる資産の譲渡等は、消費税法別表第二７号ロの規定により非課税となります。

したがって、本件病児保育に係る保育料は、非課税となります。

参考１

(1) 地域型保育事業について

平成24年 (2012年) ８月に成立した「子ども・子育て支援法」(以下「支援法」といいます。) に基づく子ども・子育て支援新制度によって、「地域型保育事業」を利用する保護者等に対する給付制度 (地域型保育給付) の創設や、認定こども園制度の改正等が行われました。

これに伴い、消費税法上、「支援法の規定に基づく『地域型保育給付費』の支給に係る事業として行われる資産の譲渡等」が非課税とされました（消令14の３六）。

地域型保育事業の種類と特徴等は、次のとおりです。

種類	家庭的保育事業	小規模保育事業	居宅訪問型保育事業	事業所内保育事業
特徴	家庭的な雰囲気の下で、少人数を対象にきめ細やかな保育を実施する。	比較的小規模で家庭的保育事業に近い雰囲気の下で、きめ細やかな保育を実施する。	障害・疾患などで個別のケアが必要な場合や、施設が無くなった地域で保育を維持する必要がある場合などに、保護者の自宅で１対１で保育を行う。	会社の事業所の保育施設などで、従業員の子どもと地域の子どもを一緒に保育する。
規模	定員５人以下	定員６～19人	１対１	数人～数十人
場所	家庭的保育者の自宅等	多様なスペース	利用する保護者・子どもの居宅	事業所内の保育施設等

㈲「小規模保育事業」は、第二種社会福祉事業に該当し（社会福祉法２③二）、消費税法別表第二７号ロにより、また、「家庭的保育事業」、「居宅訪問型保育事業」及び「事業所内保育事業」については、都道府県知事等から証明書の交付を受けている施設が行う場合、消費税法施行令14条の３第１号により非課税となりますので、消費税法施行令14条の３第６号からは除かれます。

(2) 地域型保育給付費の支給について

市町村は、満３歳未満の一定の認定を受けた子ども（支給認定こども）が、地域型保育（注）を行う事業者から当該地域型保育を受けたときは、当該子どもの保護者に対し、当該地域型保育（保育必要量の範囲内のものに限ります。）に要した費用について、地域型保育給付費を支給するとされています（支援法29①）。

また、「保育必要量」については、地域型保育給付費等を支給する保育の量とされ（支援法20③）、１月当たり平均275時間まで（１日当たり11時間までに限る。）又は平均200時間まで（１日当たり８時間までに限る。）とされています（支援法施行規則４①）。

(注) 「地域型保育」とは、家庭的保育、小規模保育、居宅訪問型保育及び事業所内保育をいい、「地域型保育事業」とは、地域型保育を行う事業をいうとされています（支援法7⑤）。

(3) 事業所内保育事業等について

① 事業所内保育事業……保育を必要とする乳児・幼児であって満3歳未満のものについて、事業主がその雇用する労働者の監護する乳児若しくは幼児及びその他の乳児若しくは幼児を保育するために自ら設置する施設等や、共済組合等が共済組合等の構成員の監護する乳児若しくは幼児及びその他の乳児若しくは幼児を保育するために自ら設置する施設等において、保育を行う事業をいうとされています（児童福祉法6の3⑫）。

② 一時預かり事業……家庭において保育を受けることが一時的に困難となった又は、子育てに係る保護者の負担を軽減するため、保育所等において一時的に預かることが望ましいと認められる乳児又は幼児について、厚生労働省令で定めるところにより、主として昼間において、保育所、認定こども園その他の場所において、一時的に預かり、必要な保護を行う事業をいうとされています（児童福祉法6の3⑦）。

③ 病児保育事業……保育を必要とする乳児・幼児又は保護者の労働若しくは疾病その他の事由により家庭において保育を受けることが困難となった小学校に就学している児童であって、疾病にかかっているものについて、保育所、認定こども園、病院、診療所その他厚生労働省令で定める施設において、保育を行う事業をいうとされています（児童福祉法6の3⑬）。

参考２

(1) 延長保育事業について

○　市町村の認定を受けた児童について、通常の利用日及び利用時間帯以外の日及び時間において保育所等で引き続き保育を実施する事業。

（・標準時間認定　11時間の開所時間を超えて保育を実施。
・短時間認定　各事業所が設定した短時間認定児の処遇を行う時間を超えて保育を実施。）

１．一般型

(1) 実施場所　都道府県及び市町村以外の者が設置する保育所又は認定こども園（以下「民間保育所等」という。）、小規模保育事業所、事業所内保育事業所、家庭的保育事業所、駅前等利便性の高い場所、公共的施設の空き部屋等適切に事業が実施できる施設等。

(2) 対象児童　子ども・子育て支援法第19条第１項第２号又は第３号の支給要件を満たし、同法第20条第１項により市町村の認定を受け、民間保育所等、小規模保育事業所、事業所内保育事業所、家庭的保育事業所を利用する児童。

２．訪問型

(1) 実施場所　利用児童の居宅

(2) 対象児童　子ども・子育て支援法第19条第１項第２号又は第３号の支給要件を満たし、同法第20条第１項により市町村の認定を受け、民間保育所等、小規模保育事業所、事業所内保育事業所、家庭的保育事業所、居宅訪問型保育事業所を利用する児童であって、以下のいずれかに該当するもの。

① 居宅訪問型保育事業を利用する児童で利用時間を超える場合

② 民間保育所等における延長保育の利用児童数が１名となった場合

○　実施主体　市区町村（市区町村が認めた者へ委託等も可）

○　実施要件　・対象児童の年齢及び人数に応じて保育士等を配置
・各延長時間帯毎に定める一定の利用人数（日数）を満たしていること
・訪問型の利用にあたっては、利用者と市町村と協議の上、利用の決定を行うこと

○　交付実績（平成30年度実績報告ベース）：28,476か所　1,069,291人（年間実利用児童数）

○　負担割合：国１／３、都道府県１／３、市区町村１／３

出典：令和２年10月　内閣府子ども・子育て本部「子ども・子育て支援新制度について」より抜粋

(2)　一時預かり事業について

○　日常生活上の突発的な事情や社会参加などにより、一時的に家庭での保育が困難となった乳幼児を保育所等で一時的に預かる事業

	①一般型	②幼稚園型Ⅰ	③幼稚園型Ⅱ	④余裕活用型	⑤居宅訪問型	⑥地域密着Ⅱ型
実施主体	市区町村（市区町村が認めた者への委託可）					
対象児童	主として**保育所**、幼稚園、認定こども園**等に通っていない、又は在籍していない乳幼児**	主として**幼稚園等に在籍する満3歳以上の幼児**で、教育時間の前後又は長期休業日等に当該幼稚園等において一時的に保護を受ける者	**3号認定を受けた2歳児**	主として**保育所**、幼稚園、認定こども園**等に通っていない、又は在籍していない乳幼児**	以下の要件に該当する者 ▼障害、疾病等の程度を勘案して**集団保育が著しく困難**であると認められる場合 ▼**ひとり親家庭等**で、保護者が**一時的に夜間及び深夜の就労等を行う**場合 ▼**離島その他の地域**において、保護者が**一時的に就労等を行う**場合	乳幼児
実施場所	保育所、幼稚園、認定こども園、地域子育て支援拠点又は駅周辺等利便性の高い場所など	**幼稚園又は認定こども園**	幼稚園（**新制度園及び私学助成園**） ※　認定こども園は対象外	保育所、認定こども園、家庭的保育事業所、小規模保育事業所、事業所内保育事業所において、**利用児童数が定員に満たない場合**	**利用児童の居宅**	地域子育て支援拠点や駅周辺等利便性の高い場所など
実施要件	設備基準					
	「児童福祉施設の設備及び運営に関する基準」に定める**保育所の基準を遵守**。				−	「児童福祉施設の設備及び運営に関する基準」に定める**保育所の基準に準じて**行う。
	乳幼児の年齢及び人数に応じて保育従事者等を配置し、そのうち**保育士等を1/2以上**。保育士等以外の保育従事者等は研修を修了した者。保育従事者等の数は2名を下ることはできないが、保育所等と一体的に実施し、当該保育所等の職員による支援を受けられる場合には、保育士等1人とすることができる。 ※　一般型については、1日当たり平均利用児童数が3人以下の場合には、家庭的保育者を保育士とみなすことができる。 ※　幼稚園型については当分の間保育士等の配置の割合、保育士等以外の教育・保育従事者の資格について緩和措置あり。				**研修を修了した保育士、家庭的保育者**又はこれらの者と同等以上と認められる者。ただし、家庭的保育者1人が保育することができる児童の数は1人とする。	**担当者**のうち、保育について経験豊富な**保育士を1名以上**配置。担当者は2人を下ることはできない。 保育士以外の担当者は、市町村が実施する研修を修了していること。
実施か所数（H30年度）	9,382か所	6,371か所	116か所	585か所	0か所	（※一般型の内数）

出典：令和2年10月　内閣府子ども・子育て本部「子ども・子育て支援新制度について」より抜粋

(3) 病児保育事業について

事業類型毎の比較

	① 病児対応型・病後児対応型	② 体調不良児対応型	③ 非施設型（訪問型）	④ 送迎対応
事業内容	地域の病児・病後児について、病院・保育所等に付設された専用スペース等において看護師等が一時的に保育する事業	保育中の体調不良児を一時的に預かるほか、保育所入所児に対する保健的な対応や地域の子育て家庭や妊産婦等に対する相談支援を実施する事業	地域の病児・病後児について、看護師等が保護者の自宅へ訪問し、一時的に保育する事業 ※ 平成23年度から実施	病児・病後児対応型及び体調不良児対応型について、保育中に体調不良となった児童を送迎し、病院等の専用スペースで一時的に保育をする事業
対象児童	当面症状の急変は認められないが、病気の回復期に至っていないことから（病後児の場合は、病気の回復期）、集団保育が困難であり、かつ保護者の勤務等の都合により家庭で保育を行うことが困難な児童であって、市町村が必要と認めた乳幼児又は小学校に就学している児童	事業実施保育所に通所しており、保育中に微熱を出すなど体調不良となった児童であって、保護者が迎えに来るまでの間、緊急的な対応を必要とする児童	病児及び病後児	保育中に体調不良となった児童であって、保護者が迎えに来るまでの間、緊急的な対応を必要とする児童
実施要件	■ 看護師等：利用児童おおむね10人につき１人以上配置 ■ 保 育 士：利用児童おおむね３人につき１人以上配置 ■ 病院・診療所、保育所等に付設された専用スペース又は本事業のための専用施設 等	■ 看護師等を常時１人以上配置（預かる体調不良児の人数は、看護師等１人に対して２人程度） ■ 保育所の医務室、余裕スペース等で、衛生面に配慮されており、対象児童の安静が確保されている場 等	■ 預かる病児の人数は、一定の研修を修了した看護師等、保育士、家庭的保育者のいずれか１人に対して、１人程度とすること 等	■ 保育所等から体調不良児の送迎を行う際は、送迎用に自動車に看護師又は保育士が同乗し、安全面に配慮が必要 ■ 送迎はタクシーによる送迎を原則とする
実績	（令和２年度実績ベース） 病 児：1,194か所 病後児： 635か所	（令和２年度実績ベース） 1,747か所	（令和２年度実績ベース） ６か所	—

○ **子ども・子育て支援新制度施行に伴う改善（平成27年度～）**

1　病児対応型、病後児対応型について、利用の少ない日において地域の保育所等への情報提供や巡回など地域全体の保育の質の向上につながる機能を評価し、基本分補助単価の改善を行う。

2　体調不良児対応型について、看護師等２人以上配置としている実施要件を、看護師等１人以上の配置で実施できるよう改善を行う。

○ **送迎対応の創設（平成28年度～）**

出典：令和４年７月　内閣府子ども・子育て本部「子ども・子育て支援新制度について」より抜粋

Q5－8

子ども・子育て支援と幼稚園における給食費、スクールバス代の課税関係

子ども・子育て支援新制度により、幼稚園の給食費やスクールバス代について消費税が非課税になったと聞きましたが、どのような場合も非課税となるのでしょうか。

A 子ども・子育て支援法の規定に基づき市町村の確認を受けた幼稚園における給食費やスクールバス代が非課税となります。

考え方

(1) 子ども・子育て支援法の施行前の取扱い

幼稚園においては、食育の推進の観点から提供される給食は、教育活動として一体的に行われるものであり、給食に係る経費も授業料と一体として徴収すべきものであるという実態を踏まえ、給食に係る経費を含めて「授業料」として徴収している場合には、その授業料の全体を非課税として取り扱うこととされていました（旧消法別表第一11号イ）。

また、スクールバスによる送迎は、徒歩では通園できない幼児の安全確保の手段として幼稚園の運営に必要な設備であるスクールバスを利用しているものであり、同時に、スクールバスは園外活動等を実施する場合の移動手段としても使用するもので、幼稚園の設備として重要な機能を果たすものであることに鑑み、スクールバスの維持・運営に必要な費用を算定し、「施設設備費」として徴収する場合には、登降園時の送迎が含まれている場合でも、その全体を非課税として取り扱うこととされていました（旧消法別表第一11号イ）。

このような取扱いは、幼児教育固有の必要性に基づくものであり、

その他の学校が給食や送迎の対価を同様の方法により徴収しても非課税とならないことは言うまでもありません。また、幼稚園が、給食や送迎の対価を授業料や施設設備費とは別途に徴収する場合は、当然に課税の対象となりました。

(2) 子ども・子育て支援法の施行に伴う取扱い

子ども・子育て支援法が施行されたことに伴い、平成27年（2015年）4月1日以後、同法の規定に基づく施設型給付費や特例施設型給付費の支給に係る事業として行われる資産の譲渡等は非課税となりました（消令14の3六）。ただし、消費税法別表第二7号ロ《社会福祉事業の非課税》、11号イ《学校教育の非課税》及び消費税法施行令14条の3第1号《児童福祉施設を経営する事業等に類する事業の非課税》に該当するものは、それぞれの規定により非課税とされています。

したがって、幼稚園における給食費やスクールバス代などのように、消費税法施行令14条の5各号《教育に係る役務の提供の範囲》に定められている料金以外のものが、同令14条の3第6号の規定により非課税となることになります。

ただし、子ども・子育て支援法の規定に基づく施設型給付費や特例施設型給付費は、同法27条（施設型給付費の支給）に規定する認定こども園、幼稚園及び保育所のうち市町村の確認を受けた施設（特定教育・保育施設）において教育・保育を受けた子供の保護者に対して支給することとされていますから、この確認を受けていない幼稚園における給食費やスクールバス代については、子ども・子育て支援法施行後も上記(1)の取扱いによることとなります。

Q5－9

ベビーシッター事業に係る消費税の課税関係

保育料等について消費税が非課税とされる認可外保育施設の範囲が拡大されたということですが、ベビーシッター事業も非課税になるのでしょうか。

A　認可外保育施設に対する指導監督基準が見直されたことにより、都道府県知事等から見直し後の指導監督基準を満たすベビーシッター事業を行う施設としての証明書の交付を受けた場合には、令和２年10月１日以後その利用料（保育料、予約料、年会費、入会金、送迎料等）は消費税が非課税となります。

考え方

1　従来の非課税対象

乳幼児に対する教育や保育として行われる次に掲げる役務の提供については、従来から社会政策的な配慮により消費税が非課税とされています。

(1)　学校教育法１条に規定する幼稚園を設置する者が、幼稚園における教育として行う役務の提供（旧消法別表１十一イ、消令14の５）

(2)　第二種社会福祉事業に該当する保育所を経営する事業として行う役務の提供（旧消法別表１七ロ）

(3)　保育所（第二種社会福祉事業に該当しない保育所に限ります。）を経営する事業として行う役務の提供（旧消法別表１七ハ、消令14の３一）

(4)　認可外保育施設（都道府県知事等の認可を受けていない保育施設をいいます。）のうち、保育所を経営する事業に類する事業として行われる資産の譲渡等（旧消法別表１七ハ、消令14の３一、平成17年厚労省告示第128号）

(注)1　社会福祉法では、児童福祉法に規定する保育所を経営する事業は第二種社会福祉事業とされています（上記(2)に該当、社会福祉法２③二）が、常時保護を受ける者が20人に満たないものは、社会福祉法上の「社会福祉事業」には含まれないものとされている（社会福祉法２④四）ため、上記(3)により非課税となりました。

2　上記のほか、子ども・子育て支援法の規定に基づく給付費の支給に係る事業として行われる資産の譲渡等（旧消法別表１七、八、消令14の３六）が非課税とされていますから、学校教育としての非課税に該当しない幼稚園における給食費、スクールバス代等も非課税となりました。

2　令和２年度改正

保育所を経営する事業に類する事業として行われる資産の譲渡等が非課税となる上記１－(4)）の認可外保育施設は、従来、１日に保育する乳幼児の数が６人以上の施設で各都道府県知事等から「認可外保育施設に対する指導監督の実施について」（平成13年３月29日付雇児発第177号厚生労働省雇用均等・児童家庭局長通知）の別添「認可外保育施設指導監督基準」（以下「指導監督基準」といいます。）に定める要件を満たす旨の証明書の交付を受けた施設に限られていました。

このため、１日に保育する乳幼児の数が５人以下である、①認可外の居宅訪問型保育事業（いわゆるベビーシッター）、②認可外の家庭的保育事業（いわゆる保育ママ等）及び事業所内保育事業を行う施設については、その保育従事者に関する資格や研修受講に関する基準が存在しなかったことなどから、その利用料は課税とされてきました。

しかし、令和元年10月１日から幼児教育・保育の無償化が開始されたことを契機として、認可外保育施設の質の確保・向上を図るため、指導監督基準が改正され、ベビーシッター事業又は保育ママ等の事業に従事する者に係る資格・研修受講の基準を新たに創設し、これに基づき都道府県等が指導監督を実施していくこととされました。具体的には、

①のベビーシッター事業を行う施設については、保育に従事する者の全ての者が保育士若しくは看護師又は一定の研修を修了した者でなければならない旨。

②の保育ママ等の事業を行う施設については、保育に従事する者のうち一人以上は保育士若しくは看護師又は一定の研修を修了した者でなければならない旨

がそれぞれ指導監督基準に新たに規定されました。

このように認可外保育施設に対する更なる指導監督の充実が図られたことを踏まえ、改正後の指導監督基準を満たすこれらの事業に係る資産の譲渡等についても、消費税の非課税対象に加えることとされました。具体的には、「消費税法施行令第14条の3第1号の規定に基づき厚生労働大臣が指定する保育所を経営する事業に類する事業として行われる資産の譲渡等」（平成17年厚労省告示第128号）が改正され、同告示にこれらの事業に係るそれぞれの基準が新たに設けられました。

この改正により、これらの事業を行う施設が、改正後の指導監督基準を満たすものとして都道府県知事等から当該基準を満たす旨の証明書の交付を受けた場合には、その利用料（保育料、予約料、年会費、入会金、送迎料等）については非課税となります。

3　適用関係

この改正は、令和2年10月1日から施行されています（令和2年厚労省告示第150号）。

Q 5 −10

非課税となる産後ケア事業

産後ケア事業については消費税が非課税となったということですが、すべての産後ケアが非課税になるのでしょうか。

A 母子保健法17条の２第１項に規定する産後ケア事業として行われる資産の譲渡等が非課税となります。

考え方

近年、核家族化や晩婚化、若年妊娠等によって、産前産後の身体的・精神的に不安定な時期に家族等の身近な人の助けが十分に得られず、不安や孤立感を抱いたり、うつ状態の中で育児を行う母親が少なからず存在している状況を受けて、家族等から十分な育児等の支援が得られず、心身の不調や育児不安等を抱える出産後１年以内の母親とその子を対象に、助産師等の看護職が中心となり、母親の身体的回復や心理的な安定を促進するとともに、母子の愛着形成を促し、母子とその家族が健やかに生活できるよう支援するため、産後ケア事業の全国展開を図ることを目的として、令和元年11月に母子保健法の改正が行われました。

この母子保健法の一部を改正する法律（令和元年法律第69号）が令和３年４月１日から施行されることに合わせて、消費税についても母子保健法17条の２第１項に規定する次の産後ケア事業（旧消法別表第一８号に掲げるものを除きます。）を非課税とすることになりました（消令14の３七）。

① ショートステイ型（産後ケアセンターへの短期入所による生活支援等）

② デイサービス型（保健センター等での相談等）

③ アウトリーチ型（居宅訪問で乳房ケア等）

㈱ 産後ケア事業として行われるものであっても、旧消法別表第一（現消法別表第二）８号の助産に係る資産の譲渡等として従来から非課税とされているもの

（例えば、乳房マッサージ）については、引き続き、同号の規定が適用されて非課税となります。

参考

○　**母子保健法**（昭和40年法律第141号）
（最終改正　令和６年法律第53号）

（産後ケア事業）

第17条の２　市町村は、出産後１年を経過しない女子及び乳児の心身の状態に応じた保健指導、療養に伴う世話又は育児に関する指導、相談その他の援助（以下この項において「産後ケア」という。）を必要とする出産後１年を経過しない女子及び乳児につき、次の各号のいずれかに掲げる事業（以下この条及び第19条の２第１項において「産後ケア事業」という。）を行うよう努めなければならない。

一　病院、診療所、助産所その他内閣府令で定める施設であって、産後ケアを行うもの（次号において「産後ケアセンター」という。）に産後ケアを必要とする出産後１年を経過しない女子及び乳児を短期間入所させ、産後ケアを行う事業

二　産後ケアセンターその他の内閣府令で定める施設に産後ケアを必要とする出産後１年を経過しない女子及び乳児を通わせ、産後ケアを行う事業

三　産後ケアを必要とする出産後１年を経過しない女子及び乳児の居宅を訪問し、産後ケアを行う事業

２　市町村は、産後ケア事業を行うに当たっては、産後ケア事業の人員、設備及び運営に関する基準として内閣府令で定める基準に従って行わなければならない。

３　市町村は、産後ケア事業の実施に当たっては、妊娠中から出産後に至る支援を切れ目なく行う観点から、児童福祉法第10条の２第１項のこども家庭センター（次章において単に「こども家庭センター」という。）その他の関係機関との必要な連絡調整並びにこの法律に基づく母子保健に関する他の事業並びに児童福祉法その他の法令に基づく母性及び乳児の保健及び福祉に関する事業との連携を図ることにより、妊産婦及び乳児に対する支援の一体的な実施その他の措置を講ずるよう努めなければならない。

Q5−11

地域支援事業に係る消費税の取扱い

当市が社会福祉協議会に委託して「地域支援事業」として行っている次の(1)〜(5)の事業は、いずれも消費税が非課税となるでしょうか。

なお、利用者はいずれの事業についても利用料金を支払うことなく利用できることとなっています。

(1) 介護予防特定高齢者通所型事業

イ　重点型運動器の機能向上事業	
対象者	特定高齢者として把握され、地域包括支援センターにおいて立案された介護予防プランにより、運動機能の向上が必要とされた者 (注) 「特定高齢者」とは、保健福祉センターや医療機関で実施している基本健診（生活機能チェック）や主治医の判断で生活機能の低下が疑われ、要支援・要介護になるおそれのある65歳以上の者をいいます（以下同じ。）。
概　要	マシンを用いたトレーニングを週２回、フットケアを週１回、計24回を１クールとして行わせること等により、運動機能の向上を図るものです。
実施場所	在宅サービスセンター
ロ　口腔機能向上事業	
対象者	特定高齢者として把握され、地域包括支援センターにおいて立案された介護予防プランにより、口腔機能の向上が必要とされた者
概　要	月１回、３回を１クールとして口腔機能の向上教育、口腔清掃の指導・実施、摂食・嚥下機能に関する訓練の指導・実施により、口腔機能の向上を図るものです。
実施場所	在宅サービスセンター
ハ　栄養改善事業	
対象者	特定高齢者として把握され、地域包括支援センターにおいて立案された介護予防プランにより、栄養改善が必要とされた者
概　要	在宅サービスセンターにおいて、情報提供（配食サービス等の紹介）、食についての講義、調理実習を実施することにより、低栄養状態を改善するものです。 なお、調理実習の食材費は自己負担となります。

実施場所	在宅サービスセンター

(2) **家族介護教室事業**

対象者	介護を要する高齢者を現に在宅で介護している家族等
概　要	次のいずれかの内容の教室を開催します。 ・　介護方法や介護技術の知識・技術の習得に関すること ・　高齢者の福祉制度やサービスの適切な利用方法等に関すること ・　介護予防についての知識、技術の習得に関すること ・　高齢者を介護している家族同士の交流を深めること
実施場所	在宅サービスセンター

(3) **高齢者医療健康相談事業**

対象者	高齢者
概　要	医師による健康・医療相談を実施し、事後の指導、助言に役立てるため、相談の内容及び指導、助言の内容等を記録し、整理・保存するものです。
実施場所	老人福祉センターなど高齢者が集いやすい身近な場所

A　上記(1)、(2)の事業は社会福祉事業に類するものに該当し、市から社会福祉協議会に支払われる委託料は非課税となります。

一方、(3)の「高齢者医療健康相談事業」は社会福祉事業に類するものに該当しないことから、市から社会福祉協議会に支払われる委託料は課税の対象となります。

考え方

(1)　介護予防特定高齢者通所型事業

ご質問の事業は地域支援事業として行われているものを社会福祉協議会が市から受託して行うものですが、包括的支援事業として行われるものではありません（個別の事業でみても平成18年厚生労働省告示第311号に掲げるものに該当しません。）から、それ以外の社会福祉事業に類するものに該当するか検討することになります。

ご質問の事業はその対象が、「要介護・要支援者でない者」であることから、社会福祉法に規定する社会福祉事業（老人福祉法に規定する「老人デイサービス事業」）に該当しないことが考えられます（以下⑵及び⑶において同じです。）。

しかし、障害高齢者を施設に通わせ、入浴、食事の提供、機能訓練、介護方法の指導その他の便宜を供与する事業は、社会福祉事業に類するものとされています（消令14の３八、平成３年厚生省告示第129号一ロ）。

「介護予防特定高齢者通所型事業」の対象者は「障害高齢者」に該当し、「運動機能及び口腔機能の向上を図ること」は「機能訓練」に該当すると認められ、また、その費用の全額を市が負担することから、社会福祉事業に類するものとして非課税となると考えます。

なお、調理実習も平成３年厚生省告示第129号の第１号ロに規定する「食事の提供、機能訓練、介護方法の指導その他の便宜を供与する事業」に該当することから、栄養改善事業における調理実習を実施する際の食材費を利用者が自己負担するとしても全体としては市が費用の２分の１以上を負担していれば非課税となると考えます。

⑵　家族介護教室

介護老人を現に養護する者に対して介護方法の指導をする事業は、社会福祉事業に類するものとされています（消令14の３八、平成３年厚生省告示第129号一ロ）。

「家族介護教室」の対象者は「障害高齢者を現に養護する者」に該当し、その内容も介護方法の指導であると認められ、また、その費用の全額を市が負担することから、非課税となると考えます。

⑶　高齢者医療健康相談事業

高齢者から相談を受け、地域における適切な保健・医療・福祉サービス機関又は制度の利用につなげる等の支援を行う事業は、介護保険法に規定する包括的支援事業として行われる資産の譲渡等で非課税となるものを定める平成18年厚生労働省告示第311号の第2号に規定する「地域における保険医療、福祉の関係者その他の者との連携体制の構築及びその連携体制の活用、居宅への訪問等の方法による主として居宅において介護を受ける老人に係る状況の把握を行う事業」に該当し、また介護保険法115条の45第2項1号の事業に該当すると考えられます。しかし、包括的支援事業（地域包括支援センターの運営）として一括して委託されるものではないことから、非課税となる社会福祉事業に類するものである包括的支援事業として行われる資産の譲渡等には該当しないものと考えられます。したがって、「高齢者医療健康相談事業」は課税となると考えます。

㈡　介護保険法に規定する包括的支援事業のうち地域包括支援センターの運営に関するものは、その全てにつき一括して委託しなければならないとされています（介護保険法115の47②）。

なお地域支援事業及び包括的支援事業については、第4章第2節「4　介護保険法の地域支援事業について」を参照。

Q 5 −12

身体障害者用物品に該当する自動車のメンテナンスリースの取扱い

身体障害者用物品に該当する自動車（以下「身体障害者用自動車」といいます。）の貸付けにおいて、当該車両本体の貸付けに加えて、車両の点検整備・一般修理・車検整備等、車両の維持管理に関する一切のサービス（メンテナンスサービス）が付加されているメンテナンスリース契約であっても、そのリース全体が身体障害者用自動車の貸付けに該当し、非課税となるでしょうか。

A　メンテナンスリース取引全体が非課税となります。

考え方

自動車リースの契約形態は、一般的に、①リース会社が車両及び税金・保険関係費用のみを負担し、車両の維持管理に要する費用は使用者が負担する契約（ファイナンスリース契約）と②車両及び税金・保険関係費用のほか車両の維持管理に関する一切の費用をリース会社が負担する契約（メンテナンスリース契約）の２種類に大別されます。

また、リース料金の算定は、リースを行うためのコストを基礎として計算され、一般的には、①リース車両の購入代金とその購入資金に必要な金融費用、②リース期間中に必要な自動車諸税、③自動車保険料、④登録・納車諸経費、⑤手数料、⑥保守管理料（メンテナンスリース契約の場合のみ）をリース期間で按分して算出されます。

自動車のファイナンスリース契約におけるリース料は、リース車両の本体価格に自動車諸税、保険、利息、登録諸費用等のすべての費用を基に計算され、メンテナンスリース契約においてもこれに保守管理（メンテナンスサービス）を付加した費用を基にリース料が計算されています。

ご質問のメンテナンスサービスは、賃借人がリース契約締結時に、リース会社があらかじめ設定したメンテナンス項目（車検、法定点検、一般修理、オイル・タイヤ交換等）の中から任意に選択することとなりますが、それは賃貸人がリースの対象となった自動車の貸付けに係る賃貸人の本来の義務として行うもの（通常の賃貸借において賃貸物件について賃貸人が負う保守義務）であり、その費用を貸付けの対価であるリース料の算定に織り込んでいるものです。

したがって、身体障害者用自動車のメンテナンスリース契約におけるリース料は、その全体が身体障害者用自動車の貸付けの対価となり、メンテナンスサービス部分を含めたリース取引全体が非課税に該当することとなります（消法別表第二10号）。

Q 5 −13

身体障害者用自動車の附属品の取扱い

消費税の非課税の対象となる身体障害者用に改造する自動車に装着する冷房装置、ラジオ受信機、立体音響装置等の附属品（オプション）についても消費税は非課税になるのでしょうか。

A　身体障害者用の自動車と一体として取引される場合は、附属品を含めて非課税となります。

考え方

非課税となる身体障害者用の自動車に係る附属品については、当該自動車の引渡しの時に当該自動車に取り付けられていて、当該自動車と一体として取引されるもので、使用に当たって常時当該自動車と一体性があると認められるものは、当該附属品を含めた全体が身体障害者用の自動車に該当して非課税となります（消法６①、別表第二10号、消令14の４）。

非課税となる附属品としては、例えば次のようなものがあります。

カーオーディオ、カーラジオ

カークーラー、エアコン

空気清浄器

字光式ナンバープレート

フォグランプ

アルミホイール

リアスポイラー

ハイマウントストップランプ

エアフォルムバンパー

フロントガード

フードオーナーメント

カーナビゲーション

　また、納車時までに備えられるフロアマット、愛車セット等の備品についても身体障害者用の自動車の車両と一体とみなして非課税として差し支えないこととされています。

Q5－14

児童厚生施設を経営する社会福祉法人が運営する駐車場の収入の課非について

社会福祉法人甲協会は、児童福祉法40条に規定する児童厚生施設である児童遊園を経営しています。

児童厚生施設を経営する事業は、社会福祉法に規定する第二種社会福祉事業に該当し、非課税とされていますが、当該法人が運営する園外に設けられた駐車場（園利用者のみを対象としたものではありません。）に係る利用料も、「児童厚生施設を経営する事業」に該当し、消費税は非課税となるでしょうか。

A　当該駐車場利用料は、「児童厚生施設を経営する事業」には該当せず、課税の対象となります。

考え方

児童福祉法に規定する「児童厚生施設を経営する事業」は、社会福祉法2条に規定する社会福祉事業に該当し、消費税法上、非課税とされています（消法別表第二7号ロ）。

また、児童福祉法7条に規定する児童厚生施設とは、児童遊園、児童館等児童に健全な遊びを与えて、その健康を増進し又は情操を豊かにすることを目的とする施設（児童福祉法40）とされています。したがって、このような目的を達成するための施設を経営する事業は、当該施設が本来の趣旨に従い利用されている限り、社会福祉事業である、「児童厚生施設を経営する事業」として非課税となります。

ところで、児童福祉施設に附属する施設等については、その施設等が専ら施設利用者のみを対象としてその便宜に資するためのもの、例えば、入場料を支払って入場した人のみが専ら利用する売店や食堂等であれば、それ自体を独立した事業として捉えることは適当ではなく、社会福祉事業の一部を形成するものと考えられることから非課税とされています。

ご質問の園外に設けられた駐車場については、園利用者の利便を図るために設けられたものかもしれませんが、その運営の形態は園利用者のみを対象としたものではありませんから、広く一般の利用に供されているものと解されます。したがって、たとえ利用実態が結果的に園利用者となっているとしても、独立した事業として捉えることが適当であり、社会福祉事業の一部を形成するものとは認められません。

ご質問の駐車場の運営については、社会福祉事業に該当する児童福祉施設の経営とは独立した事業であり、児童厚生施設を経営する事業には該当しないことから、課税の対象となります。

Q5－15

福祉人材センターが行う研修の課税関係

当社会福祉協議会（社会福祉法人）は、各種の研修会を開催しており、参加者から受講料を受領していますが、当社会福祉協議会が受領する受講料は、消費税が非課税となるのでしょうか。

なお、当社会福祉協議会は、知事から福祉人材センターとして指定を受けており、各種の研修会は福祉人材センターの業務として行っています。

A　福祉人材センターとして実施する研修は、非課税となります。

考え方

福祉人材センターは、社会福祉事業等に関する連絡及び援助を行うこと等により社会福祉事業等従事者の確保を図ることを目的として設立された社会福祉法人で、都道府県知事の指定を受けたものであり、次の業務を行うものとされています（社会福祉法93、94）。

① 社会福祉事業等に関する啓発活動を行うこと。

② 社会福祉事業等従事者の確保に関する調査研究を行うこと。

③ 社会福祉事業等を経営する者に対し、社会福祉法89条２項２号に規定する措置の内容に即した措置の実施に関する技術的事項について相談その他の援助を行うこと。

④ 社会福祉事業等の業務に関し、社会福祉事業等従事者及び社会福祉事業等に従事しようとする者に対して研修を行うこと。

⑤ 社会福祉事業等従事者の確保に関する連絡を行うこと。

⑥ 社会福祉事業等に従事しようとする者について、無料の職業紹介事業を行うこと。

⑦ 社会福祉事業等に従事しようとする者に対し、その就業の促進に関

する情報の提供、相談その他の援助を行うこと。

⑧　前各号に掲げるもののほか、社会福祉事業等従事者の確保を図るために必要な業務を行うこと。

社会福祉法２条３項13号は、第一種社会福祉事業及び同項１号から12号の事業（第二種社会福祉事業）に関する連絡又は助成を行う事業も第二種社会福祉事業としています。

したがって、社会福祉協議会が福祉人材センターとして行う業務は社会福祉事業として消費税が非課税となりますから、社会福祉法人が福祉人材センターとして実施する研修の受講料も非課税ということになります（消法別表第二７号ロ）。

ただし、研修と直接関連する収入ではないもの、例えば、受講者の宿泊代は、福祉人材センターの収入であっても、上記①～⑧に該当するものではないことから、課税の対象となります。

また、社会福祉協議会が福祉人材センターとしての研修ではなく、自ら企画、実施する研修、例えば、一般市民を対象とした介護教室、手話・点訳教室、ボランティア講座等については、それらの研修事業が社会福祉事業ではないため、消費税の課税の対象となります。

Q５－16

福祉有償運送事業の取扱い

社会福祉法人Ａ会では、介護保険の要介護３から要支援１までの認定を受けている高齢者を対象とした福祉有償運送事業を計画しています。利用者からは、運賃のほかに、迎車料金や片道利用の場合の回送料金をいただく予定です。当該事業に対する消費税の取扱いはどのようになるでしょう。

A　福祉有償運送に係るサービスが移動支援事業に係るサービスを構成する場合は、そのサービスの全体が非課税となります。

考え方

日常生活に支障のある人々の移動を支援する事業の一つとして、障害者の日常生活及び社会生活を総合的に支援するための法律（障害者総合支援法）に規定する「移動支援事業」があります。障害者総合支援法は、「移動支援事業」について「障害者等が円滑に外出することができるよう、障害者等の移動を支援する事業をいう。」と定義しています（障害者総合支援法５㉖）。ただし、この事業に係るサービスを提供するためには、事前に移動支援事業所としての登録を受けなければならず、その前提として、「障害者の日常生活及び社会生活を総合的に支援するための法律に基づく指定障害福祉サービスの事業等の人員、設備及び運営に関する基準（平成18年厚生労働省令171号）」に定める居宅介護（重度訪問介護）の指定基準を満たしている必要があるとされています。

障害者総合支援法に規定する移動支援事業は、社会福祉法において第二種社会福祉事業とされています（社会福祉法２③四の二）から、消費税は非課税となります（消法別表第二７号ロ）。

他方、バス、タクシー等が運行されていない過疎地域などにおいて、住民の日常生活における移動手段を確保するため、登録を受けた市町村、NPO 法人等が自家用車を用いて有償で運送するサービスに、道路運送法の特例である「自家用有償旅客運送」というものがあり、そのうちの一つが福祉有償運送と呼ばれるものです。福祉有償運送は、タクシー等の公共交通機関によっては要介護者、身体障害者等に対する十分な輸送サービスが確保できない場合に認められるもので、NPO 法人や社会福祉法人などが、実費の範囲内（営利とは認められない範囲）の対価により、乗車定員10人以下の自家用自動車を使用して当該法人等の会員に対して行う個別の輸送サービスです。福祉有償運送を行う場合には、道路運送法79条の登録を受けることが要件とされていますが、障害者総合支援法の規定する移動支援事業所としての登録を受けることは求められていません。

以上を踏まえますと、お尋ねの福祉有償運送事業に対する消費税の課税上の取扱いも二つのケースが考えられます。

① まず、福祉有償運送に係るサービスが、障害者総合支援法の規定する移動支援事業所としての登録を受けて行う同法の移動支援事業に係るサービスを構成する場合です。この場合は、そのサービスの全体が社会福祉法上の第二種社会福祉事業に該当しますから、運賃だけでなく、迎車料金や回送料金も非課税となります。

② 次に、お尋ねの福祉有償運送が、移動支援事業所としての登録を受けず、道路運送法79条の登録だけで行われる場合です。この場合は、介護保険法の規定に基づく居宅介護サービス費の支給に係る居宅サービスその他の非課税規定にも該当しませんから、運賃のほか、迎車料金や回送料金も、消費税の課税対象となります。

Q 5－17

医師会が市から委託された在宅医療・介護連携に関する相談事業及び認知症初期集中支援チームによる支援事業の課税関係

一般社団法人（非営利型）である医師会は、在宅医療・介護連携支援センターが行うこととされる以下の事業を市から委託されました。これらの事業の対価として市から受領する委託料は消費税の課税の対象となるでしょうか。

〔委託契約書に定められた委託業務の具体的な内容〕

(1)　在宅医療・介護連携に関する相談事業

①　在宅医療・介護連携に関する連携の支援

②　地域の医療・介護関係者、地域包括支援センター等からの在宅医療・介護連携に関する事項の相談に応じること

③　在宅医療・介護連携支援相談に関する地域住民への普及啓発

④　在宅医療・介護連携支援に関するネットワークの構築

(2)　認知症初期集中支援チームによる支援事業

⑤　認知症初期集中支援チームに関する地域住民への普及啓発

⑥　認知症初期集中支援チームによる支援の実施（訪問支援対象者の把握、情報収集及び観察・評価、初回訪問時の支援、専門医を含めたチーム員会議の開催、初期集中支援の実施、引継ぎのモニタリング、記録等の保管等）

(3)　(1)及び(2)に関する実績報告

A　いずれも非課税に該当します。

考え方

1　医療・介護事業としての非課税の検討

消費税法上、非課税とされる療養・医療及び介護サービスは次のも

のとされています。

①　健康保険法等公的医療保険各法の規定に基づく療養・医療の給付（消法別表第二6号）。

②　介護保険法の規定に基づく居宅介護サービス費の支給に係る介護サービス、施設介護サービス費の支給に係る施設サービス及びこれらに類するもの（消法別表第二7号イ、消令14の2③）。

在宅医療・介護連携支援センターが行うこととされる在宅医療・介護連携に関する相談事業及び認知症初期集中支援チームによる支援事業を医師会が市から委託されて行う場合、それらの業務は医療、介護に関係するものではありますが、上記①又は②に該当するとは認められませんので、療養・医療又は介護サービスとしては非課税となりません。

2　社会福祉事業としての非課税の検討

介護保険法において市町村が実施すべきものとされる事業の一つに同法115条の45第2項各号に規定する包括的支援事業があります。お尋ねの在宅医療・介護連携に関する相談事業は同項4号の事業、認知症初期集中支援チームによる支援事業は同項6号の事業に該当するものと認められます。

この包括的支援事業の実施について、市町村は、老人介護支援センターの設置者その他の者に対し、当該包括的支援事業を委託することができるとされています（介護保険法115の47①）。また、この規定による委託は、包括的支援事業の全てにつき一括して行わなければならないとしつつも、同項4号から6号までに掲げる事業はその制限が外されています（介護保険法115の47②）。なお、介護保険法施行規則は、包括的支援事業を適切、公正、中立かつ効率的に実施することができる者で、市町村が適当と認めるものであれば、老人介護支援センターの設置者以外の一般社団法人等への委託を可能としています（介護保険法施行規則140の67）。

包括的支援事業を市町村から委託された老人介護支援センターを経営する法人が行う場合は、社会福祉法上の第二種社会福祉事業（老人福祉法に規定する老人介護支援センターを経営する事業）に該当します（社会福祉法2③）から、委託料は消費税が非課税となります。

また、老人介護支援センターを設置していない法人が市町村から委託を受けて行う場合は、第二種社会福祉事業には該当しないことになりますが、老人介護支援センターを経営する事業が非課税とされていることとの権衡から、老人介護支援センターと同様の事業を行う範囲を厚生労働省告示で定め、社会福祉事業に類するものとして非課税としています（消令14の３五、平成18年厚生労働省告示第311号）。お尋ねの在宅医療・介護連携に関する相談事業は同告示４号ハに、また認知症初期集中支援チームによる支援事業は同告示４号ホに該当するものと認められます。

したがって、お尋ねの事業について受領する委託料は、いずれも社会福祉事業に類する資産の譲渡等の対価として非課税になると考えます。

Q５－18

ＮＰＯ法人が行うフリースクールでの学習支援等の課税関係

特定非営利活動法人（NPO法人）甲は、フリースクールを開設し、不登校の児童等に対する学習支援等の役務の提供を行っています。このフリースクールでの役務の提供について保護者等から受領する料金は、非課税となるでしょうか。

A　消費税の課税対象となります。

考え方

①　非課税とされる教育に関する役務の提供に該当するか

教育に関する役務の提供として非課税となるのは、学校教育法に規定する学校、専修学校、各種学校又は各種法令に基づく施設等を設置する者が教育として行う役務の提供とされています（消法別表第二11号、消令16）。

したがって、ＮＰＯ法人甲がフリースクールで行う学習支援等が学校教育法上の学校等で行う教育の内容と異なるものではないとしても、消費税が非課税となる教育に関する役務の提供には該当しないことになります（平成22年６月16日裁決（tains F0-5-108））。

②　非課税とされる社会福祉事業等として行われる資産の譲渡等に該当するか

社会福祉事業等として行われる資産の譲渡等に該当して非課税となるのは、社会福祉法２条に規定する社会福祉事業又は更生保護事業法２条１項に規定する更生保護事業として行われる資産の譲渡等のほか、これらの資産の譲渡等に類するものとして政令で定めるものに限られています（消法別表第二７号ロ、ハ、消令14の３）。

ＮＰＯ法人甲がフリースクールで行う学習支援等の役務の提供に教育

相談等が含まれているとしても、現状では、上記の社会福祉事業等として行われる資産の譲渡等に該当するものは見当たりません。

以上から、ＮＰＯ法人がフリースクールを開設して行う学習支援等の役務の提供は、非課税には該当せず、課税の対象になると考えられます。

Q５－19

成年後見人の報酬についての課税上の取扱い

社会福祉法人Ａは、判断能力が不十分な人の保護・支援として成年後見事務を行っています。

この後見において、家庭裁判所に報酬付与の申し立てを行い、報酬が付与された場合、消費税の課税の対象になるでしょうか。

A　課税の対象になります。

考え方

法人が行う成年後見事業は、民法843条《成年後見人の選任》の規定に基づく成年後見を社会福祉法人等が行うものです。同条４項は、成年後見人の選任に当たっては、成年被後見人の心身の状態等一切の事情を考慮すべきこととしていますが、「利害関係者の有無」に関して、「成年後見人となる者が法人であるときは、その事業の種類及び内容並びにその法人及びその代表者と成年被後見人との利害関係の有無」を考慮すべきとしています。このことから、民法は法人が成年後見人となることも予定していることになりますが、成年後見人となる法人について、営利法人を除くとか、公益法人に限るというような資格制限は設けていないようです。

また、成年後見に係る報酬や費用については、成年被後見人の財産の中から支払われます（家庭裁判所から報酬付与の審判をうけて報酬額が決まります。）。

他方で、障害者総合支援法77条１項《市町村の地域生活支援事業》は、市町村が行う地域生活支援事業として、「障害福祉サービスの利用の観点から成年後見制度を利用することが有用であると認められる障害者で成年後見制度に要する費用について補助を受けなければ成年後見制度の利用が困難であると認められるものにつき、当該費用のうち厚生労働省令で定める費用を支給する事業（4号）」、「障害者に係る民法に規定する後見、保佐及び補助の業務を適正に行うことができる人材の育成及び活用を図るための研修を行う事業（5号）」を掲げています。これらの事業は、地域生活支援事業費補助金が交付されており、事業費の1/2を国が、1/4を都道府県と市町村が負担することとされています。

このうち、成年後見人の報酬に関するものは4号事業ですが、その対象が「成年後見制度に要する費用について補助を受けなければ成年後見制度の利用が困難であると認められる」障害者に限られていること、公費が障害者への助成として支出されていること、また、法人が行う後見事業は、消費税が非課税とされる障害者総合支援法に規定する障害福祉サービスや地域活動支援センターを経営する事業には該当しないと考えられることからすると、法人が行う成年後見の報酬は、社会福祉法人が行う場合であっても、成年後見という役務の提供の対価として、消費税の課税の対象になると考えます。

参考

成年後見制度とは、判断能力が十分でない方のために、後見人等が支援する仕組みです。この成年後見制度には、任意後見と法定後見の二つがあります。

任意後見は、被後見人に判断能力があるうちに、判断力が衰えてきた際に、誰を後見人にするか、何を頼むかなどを自分で決めておくものであり、他方、法定後見は、すでに判断能力が衰えている被後見人のためのもので、家庭裁判所が適切な者を選ぶものとされています。

法定後見に選ばれた者が受け取る報酬についての所得税の所得は、弁護士・司法書士等において事業所得、税理士（税理士法2条）、親族の場合は雑所得と解されています。

したがって、これらの後見人が得る報酬も、親族が行う後見で事業として行うものでない場合を除いて、消費税の課税の対象となります。

Q５－20

認可外保育所の保育業務を受託した場合の課税関係

Ａ社が運営する事業所内保育所は、児童福祉法59条の２第１項《保育施設の届出》の規定による届出施設であり、所定の基準を満たす施設であることの証明書を県知事から交付されていることで、保護者等から受ける保育料等は消費税が非課税となっています。当社は、この事業所内保育所の業務のうち総務、人事、経理等の業務以外の保育部分のみをＡ社から受託することになりましたが、地方公共団体が設置した社会福祉施設の経営を委託された場合と同様に、当社がＡ社から受領する委託費についても消費税は非課税になるのでしょうか。

A　保育業務の委託に係る委託費は非課税にならないものと考えます。

考え方

１　認可外保育所の設置者の課税関係

ご質問の事例では、保育料等について消費税が非課税となる認可外保育所を設置したのはＡ社ですから、Ａ社が保護者等から受ける保育料等は、保育所を経営する事業に類する事業として行われる資産の譲渡等の対価として非課税となります（消令14の３一、平成17年厚生労働省告示第128号）。

２　認可外保育所に係る保育業務の委託費の課税関係

受託者が設置者からの委託に基づき行う保育のみの業務は、消費税の非課税とはならず課税対象になるものと考えます。

なお、消費税基本通達６－７－９本文では、地方公共団体等が設置した社会福祉施設の経営を委託された場合に受託者である社会福祉法人等が行う当該社会福祉施設の経営は、非課税になるとしていますが、同通達の対象は社会福祉施設の「経営の委託」であり、ご質問の事例の場合は保育のみの業務委託であることから同通達本文には該当しないものと考えます。

【関係法令等】

平成17年厚生労働省告示128号（消費税法施行令第14条の３第１号の規定に基づき厚生労働大臣が指定する保育所を経営する事業に類する事業として行われる資産の譲渡等）

参考　企業主導型保育施設の運営を委託した場合の消費税の取扱い

「企業主導型保育事業」に係る次の企業主導型保育施設を設置する法人X社が、当該施設の運営の全てをA社に委託している場合、A社がX社に対して行う「企業主導型保育施設の運営受託」という役務提供は、社会福祉事業として行われる資産の譲渡等に類するものとして、消費税は非課税となるとされています。

（X社の設置する企業主導型保育施設）

児童福祉法59条の２第１項の規定に基づき認可外保育施設としての届出を行っており、また、「消費税法施行令第14条の３第１号の規定に基づき内閣総理大臣が指定する保育所を経営する事業に類する事業として行われる資産の譲渡等」（平成17年厚生労働省告示第128号）に定める要件を満たす旨の証明書の交付をB県知事から受けています。

この取扱いは、次のような考え方によるものとされています（国税庁質疑応答事例「企業主導型保育施設の運営を委託した場合の消費税の取扱い」）。

都道府県知事の認可を受けた保育所（認可保育所）を経営する事業は、社会福祉事業として行われる資産の譲渡等として、非課税となります（消法別表第二７ロ）。

また、都道府県知事の認可を受けない保育施設（認可外保育施設）を経営する事業については、社会福祉事業には該当しませんが、児童福祉法59条の２第１項の規定に基づく都道府県知事への届出が行われた施設であって、同法59条１項に基づく都道府県知事の立入調査を受け、平成17年厚生労働省告示第128号に定める要件を全て満たし、その満たしていることにつき都道府県知事等から証明書の交付を受けている施設において、乳幼児を保育する業務として行われる資産の譲渡等については、社会福祉事業として行われる資産の譲渡等に類するものとして、非課税となります（消法別表第二７ハ、消令14の３①一、消基通６－７－７の２、平成17年厚生労働省告示第128号）。

さらに、社会福祉法人等が地方公共団体等から当該地方公共団体等が設置した社会福祉施設の経営を委託された場合に、当該社会福祉法人等が行う当該社会福祉施設の経営は、社会福祉事業として行われる資産の譲渡等に該当し、非課税となります（消基通６－７－９）。

以上から、Ａ社がＸ社に対して行う「企業主導型保育施設の運営受託」という役務提供は社会福祉事業として行われる資産の譲渡等に類するものに該当し、消費税は非課税として取り扱われることになり、Ｘ社がＡ社に支払う委託料は、課税仕入れとはなりません（消法２①十二）。

ポイント

児童福祉法59条の２第１項の規定に基づく都道府県知事への届出が行われた施設であって、同法59条１項に基づく都道府県知事の立入調査を受け、平成17年厚生労働省告示第128号に定める要件を全て満たし、その満たしていることにつき都道府県知事等から証明書の交付を受けている施設に係る受託業務であっても、消費税が非課税となるのは、その保育施設を経営する事業として運営全般を受託する場合であって、その施設の経営に関する総務・人事・経理等の業務を除き、保育のみの業務を受託する場合には、社会福祉事業の一部を受託する場合の考え方によれば、その受託した一部の事業自体が社会福祉事業に該当して非課税となる場合を除き、非課税とならないものと考えます。

Q５－21

障害者相談支援事業を受託した場合の消費税の取扱い

社会福祉法人Ａは、市から委託を受けて、障害者総合支援法77条１項３号の規定に基づく「障害者相談支援事業」を行っています。

Ａが当該事業について市から受領する委託料は、消費税が非課税となるでしょうか。

A　消費税の課税の対象です。

考え方

「障害者相談支援事業」は障害者総合支援法77条１項３号の規定に基づき、市町村が行うものとされている事業であり、障害者等が障害福祉サービスを利用しつつ、自立した日常生活及び社会生活を営むことができるよう、地域の障害者等の福祉に関する各般の問題につき、障害者等からの相談に応じ、必要な情報の提供及び助言その他の便宜を供与するとともに、障害者等に対する虐待の防止及びその早期発見のための関係機関との連絡調整その他の障害者等の権利の擁護のために必要な援助を行う事業とされています。

社会福祉法上、障害者総合支援法に規定する「一般相談支援事業」及び「特定相談支援事業」は第二種社会福祉事業とされています（社会福祉法２③四の二）が、「障害者相談支援事業」は、障害者に対する日常生活上の相談支援を行うものであり、入所施設や病院からの地域移行等の相談を行う「一般相談支援事業」や、障害福祉サービスの利用に係る計画作成等の支援を行う「特定相談支援事業」には該当せず、また、社会福祉法に規定する他の社会福祉事業のいずれにも該当しません。さらに、当該事業は消費税法上、非課税の対象として規定されているものでもありません。

したがって、当該事業の委託は、非課税となる資産の譲渡等には該当せず、受託者が受け取る委託料は、課税の対象となります（消法別表第二７号ロ、消基通６－７－９（注））。

参考

障害児（者）の相談支援に関する事業である次の事業も、社会福祉事業には該当せず、消費税関係法令上、他に非課税とする規定もないことから、消費税の課税の対象となります。したがって、これらの事業について地方公共団体が社会福祉法人等に委託する場合に、受託者である社会福祉法人等が受け取る委託料も、消費税の課税の対象となります（令和５年10月４日　こども家庭庁支援局障害児支援課・厚生労働省社会援護局障害福祉部障害福祉課ほか事務連絡）。

①　障害者総合支援法77条１項３号関係

・住宅入居等支援事業（居住サポート事業）

②　障害者総合支援法77条の２関係

・基幹相談支援センターを運営する事業（基幹相談支援センター等機能強化事業を含む。）

③　障害者総合支援法78条１項関係

・障害児等療育支援事業

・発達障害者支援センターを運営する事業

・高次脳機能障害及びその関連障害に対する支援普及事業

④　その他

・医療的ケア児支援センターを運営する事業

Q５－22

放課後児童健全育成事業を受託した場合の消費税の取扱い

社会福祉法人であるＡは、市から放課後児童健全育成事業の全てを受託し、当該受託に係る委託料を受領していますが、消費税は非課税となるでしょうか。

なお、Ａは当該受託に当たり、市に対し、児童福祉法施行規則に定める事項の届出を行っています。また、当該事業を実施する児童クラブの登録児童数は、30人です。

A　Ａが市からの委託を受けて行う放課後児童健全育成事業は、社会福祉事業に該当しますから、委託料は非課税となります。

考え方

社会福祉法上、児童福祉法に規定する「放課後児童健全育成事業」は、第二種社会福祉事業に該当するものとされており、また、市町村が「放課後児童健全育成事業」の全てを社会福祉法人等に委託した場合に、その社会福祉法人等が市町村に対して行う受託事業も「放課後児童健全育成事業」として、第二種社会福祉事業に該当します。

なお、社会福祉法に社会福祉事業として列挙されている事業であっても、入所させて保護を行うもの以外のもので、常時保護を受ける者が20人未満の事業については、社会福祉事業に含まれないものとされています（社会福祉法２④四）が、ご質問の場合は、この規定には該当しません。

また、児童福祉法上、「放課後児童健全育成事業」を国、都道府県及び市町村以外の者が行う場合には、あらかじめ児童福祉法施行規則36条の32の６第１項に定める事項を市町村長に届け出る必要があるとされていますが、ご質問の場合は、この条件も満たしています。

したがって、ご質問の場合にＡが市からの委託を受けて行う「放課後児童健全育成事業」は第二種社会福祉事業に該当し、その市から受領する委託料は非課税となります（消法別表第二７号ロ、消基通６－７－５、６－７－９）。

Q５－23

産後ケア事業を一部受託した場合の消費税の取扱い

医療法人である当社は、市との委託契約に基づき、ショートステイ（宿泊型）の「産後ケア事業」を市の施設で行っており、当該事業に係る委託料を受領しています。

市から受託した「産後ケア事業」は、その中心的業務である保健指導、療養に伴う世話、育児に関する指導・相談等の業務のほか、当該施設の清掃業務やベッドシーツのクリーニング等の洗濯業務が含まれていますが、当社が市から受領する委託料の消費税の取扱いはどうなるのでしょうか。

また、当社は市から受託した業務のうち、ベッドシーツのクリーニング等の洗濯業務をＡ社に委託し、Ａ社に委託料を支払っていますが、当該委託料の消費税の取扱いはどうなるのでしょうか。

なお、当社が市から受託する「産後ケア事業」は、母子保健法第17条の２第１項第１号に規定するショートステイ（宿泊型）の産後ケア事業に該当します。

A　ご質問の貴社が受託した「産後ケア事業」は、社会福祉事業に類するものとして非課税となります。

また、貴社がＡ社に委託する洗濯業務は、非課税となる資産の譲渡等には該当しないことから、貴社の課税仕入れにはなりません。

考え方

母子保健法第17条の２第１項に規定する産後ケア事業として行われる資産の譲渡等は、社会福祉事業に類するものとして非課税となります（消令14の３七）。

母子保健法第17条の２第１項第１号では「病院、診療所、助産所その他内閣府令で定める施設であって、産後ケアを行うものに産後ケアを必要とする出産後一年を経過しない女子及び乳児を短期間入所させ、産後ケアを行う事業」が対象事業として掲げられており、貴社が受託したショートステイ（宿泊型）の「産後ケア事業」は、保健指導等の中心的業務はもとより、当該業務と併せて実施する当該施設の清掃業務やベッドシーツのクリーニング等の洗濯業務についても、ショートステイ（宿泊型）の「産後ケア事業」を遂行するに当たり必要とされる付随的業務と認められることから、その全てが同号に掲げる事業に該当し、非課税となります。

また、貴社がＡ社に委託する洗濯業務については、ショートステイ（宿泊型）の「産後ケア事業」を遂行するに当たり必要とされる業務ではあるものの、中心的業務と併せて委託するわけではありません。付随的業務のみを委託した場合は、母子保健法第17条の２第１項第１号に規定する産後ケア事業として行われる資産の譲渡等には該当せず、課税の対象となります（消法別表第二６号）から、貴社の課税仕入れとはなりません。

Q5－24

社会福祉法人が行う特別養護老人ホーム等の受託経営

当社会福祉法人では、県が設置する次のような社会福祉施設等の経営を県から委託されています。これらの社会福祉施設等の受託経営は、いずれも消費税が非課税になると考えてよいでしょうか。

① 特別養護老人ホーム

② リハビリテーション病院

A 特別養護老人ホームの受託経営については非課税となりますが、リハビリテーション病院の受託経営については課税の対象となります。

考え方

社会福祉法2条2項《定義》に規定する第一種社会福祉事業として行われる資産の譲渡等については、消費税が非課税とされており、特別養護老人ホームを経営する事業もこれに該当します。

また、第一種社会福祉事業として行われる資産の譲渡等には、第一種社会福祉事業に係る社会福祉施設の設置者が自ら行う養護、治療、指導等の役務の提供のほかに、社会福祉法人等が社会福祉施設の設置者である地方公共団体等からの委託を受けて当該設置者のために行う当該社会福祉施設等の経営も含むこととされています。

したがって、特別養護老人ホームの受託経営については、委託者である県から収受する経営委託料は消費税が非課税となります（消法6①、別表第二7号、消基通6－7－9）。

一方、リハビリテーション病院については、そこで行われる保険診療等が非課税となりますが、その保険診療等の非課税収入は病院の設置者に帰属することになりますので、当該病院の経営の委託を受けた事業者がその設置者から収受する経営委託料は、消費税の課税の対象となります（消法6①、別表第二6号）。

Q 5 −25

共同生活援助に係る生活支援員の業務を受託した場合

当法人では、障害者の日常生活及び社会生活を総合的に支援する法律（障害者総合支援法）に規定する「共同生活援助」事業を営む社会福祉法人から、当該共同生活援助に係る生活支援員の業務を受託しました。当該業務の管理及び指揮命令は委託者である社会福祉法人が行いますが、この場合、当法人が受け取る委託料は消費税の課税の対象となるのでしょうか。

A　課税の対象となります。

考え方

障害者総合支援法５条17項に規定する「共同生活援助」を行う事業は、同条１項に規定する「障害福祉サービス事業」に該当し、国及び都道府県以外の者は、同法79条２項の規定に基づき、都道府県知事にあらかじめ届出を行うことにより障害福祉サービス事業を行うことができることとされています。また、この「障害福祉サービス事業」は、社会福祉法２条３項に規定する第二種社会福祉事業に該当しますから、国及び都道府県以外の者が第二種社会福祉事業を開始したときは、同法69条の規定に基づき、事業経営地の都道府県知事に届出を行わなければなりません。

ご質問の受託者の行う共同生活援助に係る生活支援員の業務は、「障害者の日常生活及び社会生活を総合的に支援するための法律に基づく指定障害福祉サービスの事業等の人員、設備及び運営に関する基準（平成18年厚生労働省令第171号）」212条３項及び４項の規定に基づき、指定共同生活援助事業者が指定共同生活援助に係る生活支援員の業務の全部又は一部を委託により他の事業者に行わせる場合の業務に該当しますが、当該基準には、当該業務を行う受託者の要件についての定めはありませんので、あくまで当該業務の管理及び指揮命令は委託者が行い、受託者は当該業務の実施主体とはなり得ません。

受託者が、障害者総合支援法79条又は社会福祉法69条の規定に基づく都道府県知事へ所定の届出を行って当該業務を行うものでもない以上、当該業務は、障害者総合支援法79条に規定する障害福祉サービス事業又は社会福祉法２条３項に規定する第二種社会福祉事業のいずれにも該当しませんから、当該業務は、非課税となる資産の譲渡等には該当せず、受託者が受け取る委託料は、課税の対象となると考えます（消法別表第二７号ロ、消基通６－７－９(注)）。

第 6 章

納税義務者

医療・介護・社会福祉事業の経営主体は、国・地方公共団体・独立行政法人等から、公共法人・公益法人、医療法人、株式会社、人格のない社団等や個人まで、多種多様です。

一方、国内取引に係る消費税は、事業者が納税義務者とされていますが（消法5①)、取引の各段階で価格に上乗せされ、最終的には消費者が負担することが予定されている税ですから、経営主体によって納税義務が免除されたり、税率が異なるということはありません。

しかし、事業者の規模は様々ですから、消費税の事務負担能力の乏しい事業者については、事務負担に配慮した特例が設けられています。

本章では、それらの特例を含め、消費税の納税義務についてみていくこととします。

第1節　原則

1　納税義務者

(1)　国内取引に係る消費税の納税義務者

国内取引（国内における課税資産の譲渡等）に係る消費税の納税義務者は事業者とされています（消法5①)。

ここでいう事業者とは、個人事業者（事業を行う個人）及び法人をいい（消法2①四)、人格のない社団等は法人とみなされますから（消法3)、原則として、事業を行う者はすべて消費税の納税義務者となります。

また、事業を行う外国人や外国法人（国外事業者）も、国内取引を行う限り、納税義務者となります。

〔特定資産の譲渡等について〕

特定資産の譲渡等である事業者向け電気通信利用役務の提供及び特定役務の提供は、事業者が納税義務を負うべき課税資産の譲渡等から除かれていますので、国内において特定資産の譲渡等を行った国外事業者は、納税義務を負わないことになります（消法5①カッコ書）。

特定資産の譲渡等に該当する事業者向け電気通信利用役務の提供及び特定役務の提供については、国内において特定資産の譲渡等を受けた、すなわち特定課税仕入れを行った国内事業者が納税義務者となります（いわゆるリバースチャージ方式の適用）（消法5①）。

(注)1　特定資産の譲渡等とは、事業者向け電気通信利用役務の提供及び特定役務の提供をいいます（消法2①八の二）。
2　電気通信利用役務の提供とは、資産の譲渡等のうち、電気通信回線を介して行われる著作物の提供その他の電気通信回線を介して行われる役務の提供をいいます（消法2①八の三）。
3　事業者向け電気通信利用役務の提供とは、国外事業者が行う電気通信利用役務の提供のうち、役務の性質又は役務の提供に係る取引条件等から当該役務の提供を受ける者が通常事業者に限られるものをいいます（消法2①八の四）。
4　特定役務の提供とは、資産の譲渡等のうち、映画若しくは演劇の俳優、音楽家その他の芸能人又は職業運動家の役務の提供を主たる内容とする事業として行う役務の提供で、国外事業者が他の事業者に対して行う役務の提供（当該国外事業者が不特定かつ多数の者に対して行う役務の提供を除きます。）をいいます（消法2①八の五、消令2の2）。
5　特定課税仕入れとは、課税仕入れのうち特定仕入れ（事業として他の者から事業者向け電気通信利用役務の提供及び特定役務の提供を受けること）に該当するものをいいます。
6　リバースチャージ方式は、当分の間、その課税期間について一般課税により申告する場合で、課税売上割合が95％未満である事業者にのみ適用されます（27年改正法附則42、44②）

〔プラットフォーム課税について〕

国外事業者がデジタルプラットフォームを介して行う電気通信利用

役務の提供のうち事業者向け電気通信利用役務の提供以外のもの（消費者向け電気通信利用役務の提供）で、かつ、特定プラットフォーム事業者を介してその対価を収受するものについては、令和７年（2025年）４月１日以後、当該特定プラットフォーム事業者が当該消費者向け電気通信利用役務の提供を行ったものとみなして申告・納税を行うこととされました（プラットフォーム課税）（消法15の２①）。

㈱１　国外事業者が行う消費者向け電気通信利用役務の提供でプラットフォーム課税の要件に該当しないもの及び国内事業者が行う電気通信利用役務の提供は、従来どおり、それらの電気通信利用役務の提供を行った事業者が納税義務を負うことになります。

２　特定プラットフォーム事業者とは、指定要件を満たす事業者として、国税庁長官から指定を受けた事業者をいいます。

指定要件とは、プラットフォーム事業者のその課税期間において、その提供するデジタルプラットフォームを介して国外事業者が日本国内において行う消費者向け電気通信利用役務の提供に係る対価の額のうち、当該プラットフォーム事業者を介して収受するものの合計額（年換算）が、50億円を超えることとされています（消法15の２②）。

⑵　輸入取引

輸入取引については、課税貨物を保税地域から引き取る者が納税義務者となります。なお、国内取引について納税義務が免除される小規模事業者（免税事業者）や消費者たる個人が輸入する場合であっても、納税義務者となります（消法５②）。

2　資産の譲渡等を行った者の実質判定

その資産の譲渡等に係る事業を行っているのはだれか、すなわちその事業に係る消費税の納税義務者がだれであるかは、資産の譲渡等に係る対価を実質的に享受している者がだれであるかにより判定します（消法13①、消基通４－１－１）。

また、生計を一にしている親族間における事業に係る事業者がだれであるかの判定をする場合には、その事業の経営方針の決定につき支配的影響力を有すると認められる者が、その事業主に該当するものと推定されます（消基通4－1－2）。

3　個人事業者と給与所得者の区分

事業者とは、自己の計算において独立して事業を行う者をいいますから、個人が雇用契約又はこれに準ずる契約に基づき他の者に従属し、かつ、当該他の者の計算により行われる事業に役務を提供する場合（いわゆるサラリーマンなどの場合）は、事業には該当しません。

したがって、出来高払の給与を対価とする役務の提供は事業に該当せず、請負による報酬を対価とする役務の提供は事業に該当します。

なお、支払を受けた役務の提供の対価が、出来高払の給与であるか請負による報酬であるかの区分については、雇用契約又はこれに準ずる契約に基づく対価であるかどうかにより判定することになります。この場合において、その区分が明らかでないときは、例えば、次の事項を総合勘案して判定することとされています（消基通1－1－1）。

(1)　その契約に係る役務の提供の内容が他人の代替を容れるかどうか。

(2)　役務の提供に当たり事業者の指揮監督を受けるかどうか。

(3)　まだ引渡しを了しない完成品が不可抗力のため滅失した場合等においても、その個人が権利として既に提供した役務に係る報酬の請求をなすことができるかどうか。

(4)　役務の提供に係る材料又は用具等を供与されているかどうか。

参考

○　**予防接種の委託料**

予防接種法による予防接種の実施主体は市町村であり、医師は市町村から委託を受けて行っています。

この場合に、市町村からの予防接種の委託料については、医師と市町村との契約が雇用契約又はそれに準ずる契約である場合や、市町村が医師会に委託し医師会から医師に報酬が支払われる場合には、給与所得に該当し、消費税の課税対象外となります（消法2①八、十二）。なお、委任契約又は請負契約による場合は、消費税が課税されることになります。

○　**産業医や学校医の報酬**

産業医に係る契約が医師個人との契約の場合、企業から支払われる報酬は、所得税法上医師個人の給与所得となりますので、消費税の課税対象外となります（消法2①八、十二）。

また、学校医は医師個人が委嘱を受けて任務に当たるもので、その報酬は、公立の小中学校等については市町村の条例で定められています。学校医である医師が市町村から受ける報酬は、所得税法上給与所得となりますから、消費税の課税対象外となります。

4　共同事業の納税義務

共同事業（人格のない社団等又は匿名組合が行う事業を除きます。）に属する資産の譲渡等、課税仕入れ又は外国貨物の引取りについては、その共同事業の構成員が、共同事業の持分の割合又は利益の分配割合に対応する部分につき、それぞれ資産の譲渡等、課税仕入れ又は外国貨物の引取りを行ったことになります（消基通1－3－1）。

第2節　小規模事業者に対する納税義務の免除

事業者の当該課税期間について実際に納税義務を負うか又は免除されるかは、下記のフローチャートに従って判定することになります。

納税義務の有無判定フロー

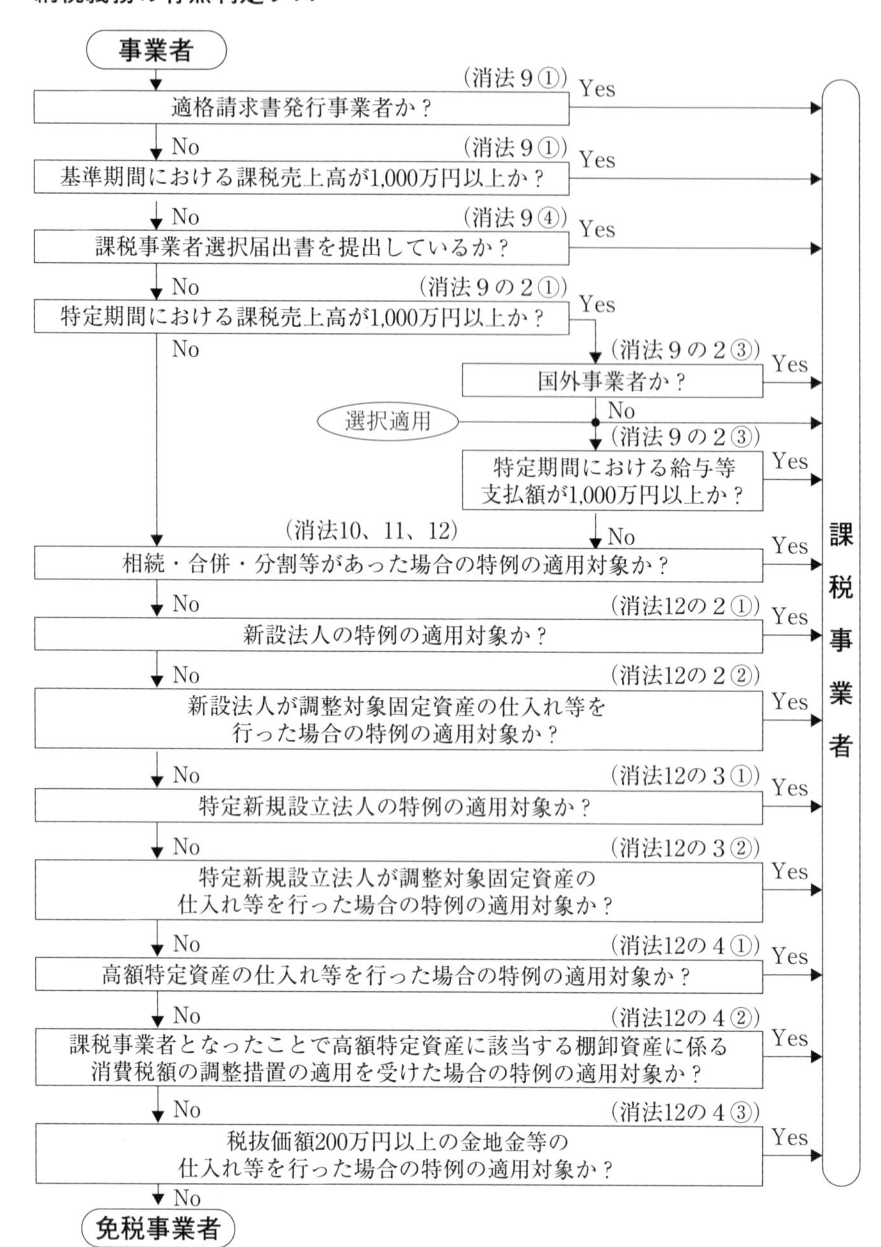

1　基準期間における課税売上高による納税義務の免除の特例

消費税法は、小規模事業者の納税事務の負担に配慮し、その課税期間の基準期間における課税売上高が1千万円以下の事業者（適格請求書発行事業者を除きます。）について、その課税期間の消費税の納税義務を免除しています（この制度の適用を受ける事業者を「免税事業者」といい、適用を受けない事業者を「課税事業者」といいます。）（消法9①）。

(注)　適格請求書発行事業者である課税期間は、常に課税事業者となります。

(1)　「課税期間」とは

事業者が納付すべき又は還付を受けるべき消費税額を計算する場合の計算期間をいい、原則として次のとおりとされています。

①　個人事業者については、その年の1月1日から12月31日までの期間（暦年）（消法19①一）

②　法人については、事業年度（消法19①二）

(2)　「基準期間」とは

納税義務の有無を判定する基準となる期間をいいます（消法2①十四）。

①　個人事業者は、その年の前々年

②　法人は、その事業年度の前々事業年度

（その前々事業年度が1年未満である法人は、その事業年度開始の日の2年前の日の前日から同日以後1年を経過する日までの間に開始した各事業年度を合わせた期間）

(3)　「基準期間における課税売上高」とは

基準期間中に国内において行った課税資産の譲渡等の対価の額（税抜き）の合計額から、課税資産の譲渡等に係る返品、値引き、割戻しの金額（売上対価の返還等の金額（税抜き））を控除した金額(注)をいい、基準期間が1年でない法人については、その金額を1年分に換算した金額によります（消法９②一、二）。

㈡１　基準期間が免税事業者の場合は、税抜き計算しません（消基通１－４－５）。
　２　基準期間に令和元年（2019年）10月１日以後の期間が含まれる場合、基準期間における課税売上高のうち同日以後の部分については、税率の異なるごとに計算した金額（税抜き）の合計額（標準税率適用の税込対価の額×$\frac{100}{110}$＋軽減税率適用の税込対価の額×$\frac{100}{108}$）から売上対価の返還等の金額（税抜き）を控除した金額となります。

下図の網掛部分が課税売上高です。

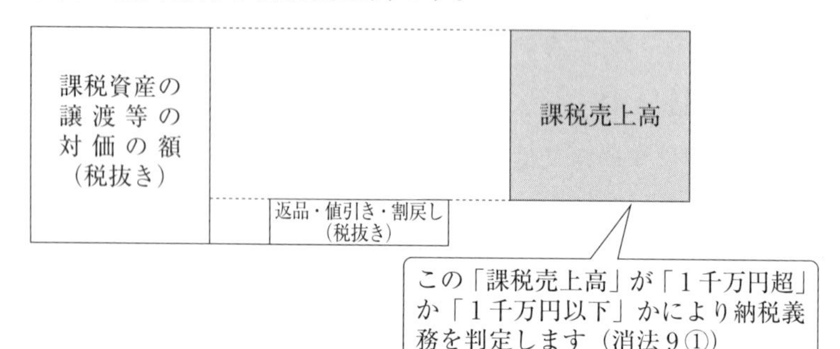

⑷　基準期間における課税売上高に含まれるもの・含まれないもの

基準期間における課税売上高の算定に当たって、その金額に含まれるものと含まれないものがあります（消基通１－４－２）。

①　課税売上高に含まれるもの

イ　リバースチャージの対象とならない事業者向け電気通信利用役務の提供以外の電気通信利用役務の提供に係る対価の額

ロ　消費税法４条５項《資産のみなし譲渡》の規定により資産の譲渡とみなされるものの対価の額

ハ　消費税法７条、８条《輸出免税等》の規定により消費税が免除される輸出売上げの対価の額（対価の返還等をした金額は含みません。）

ニ　租税特別措置法85条《外航船等に積み込む物品の譲渡等に係る

免税》から86条の2まで《海軍販売所等に譲渡する物品の免税》又はその他の法律や条約の規定により消費税が免除される場合の課税資産の譲渡等に係る対価の額

② 課税売上高に含まれないもの

〔加算しないもの〕

イ リバースチャージの対象となる特定課税仕入れに係る支払対価の額（消基通1－4－2㈡4）

ロ 特定資産の譲渡等の対価の額（消基通1－4－2㈡3）

ハ 消費税法31条《非課税資産の輸出等を行った場合の仕入れに係る消費税額の控除の特例》の規定により課税資産の譲渡等とみなされるものの対価の額

〔控除するもの〕

ニ 課税資産の譲渡等につき課税されるべき消費税額及び当該消費税額を課税標準として課される地方消費税額（基準期間において課税事業者であった場合に限ります。）

ホ 消費税法38条1項《売上げに係る対価の返還等をした場合の消費税額の控除》に規定する売上対価の返還等の金額（売上対価の返還等の金額に係る消費税等の額を除きます。）

㈡ 消費税法39条1項《貸倒れに係る消費税額の控除等》に規定する事実が生じたため、領収することができなくなった課税資産の譲渡等の対価の額は、基準期間における課税資産の譲渡等に係る対価の額からは控除しません（消基通1－4－2㈡2）。

(5) 基準期間における課税売上高の算定単位

基準期間における課税売上高は、事業者単位で算定しますから、一の事業者が異なる種類の事業を行う場合又は2以上の事業所を有している場合であっても、それらの事業又は事業所における課税資産の譲渡等の対価の額の合計額により基準期間における課税売上高を算定することになります（消基通１－４－４）。

⑹ 個人事業者の基準期間における課税売上高の判定

個人事業者の基準期間における課税売上高については、次に掲げる場合のように基準期間において事業を行っていた期間が１年に満たないときであっても、法人の場合のように１年間の売上高に換算する必要はなく、基準期間における実際の課税売上高によって、消費税法９条２項１号の規定を適用することになります（消基通１－４－９）。

① 基準期間の中途で新たに事業を開始した場合

② 基準期間の中途で事業を廃止した場合

③ 基準期間の中途で事業を廃止し、その後その基準期間中に廃止前と同一又は異なる種類の事業を開始した場合において、これらの事業を行った期間が１年に満たないとき

なお、個人事業者のいわゆる法人成りにより新たに設立された法人であっても、その個人事業者の基準期間における課税売上高が、その法人の基準期間における課税売上高とされることはありません（消基通１－４－６㈲）。

⑺ 基準期間における課税売上高による納税義務の判定の具体例

《個人事業者の場合》

（例１）

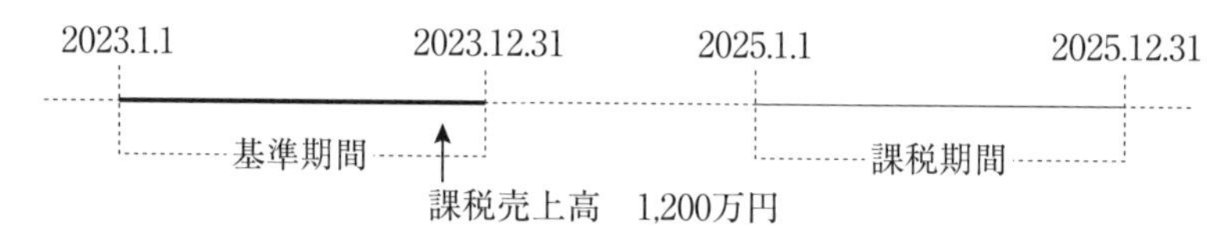

基準期間における課税売上高が１千万円超ですから、納税義務は免除されません（消法９①）。

（例２）

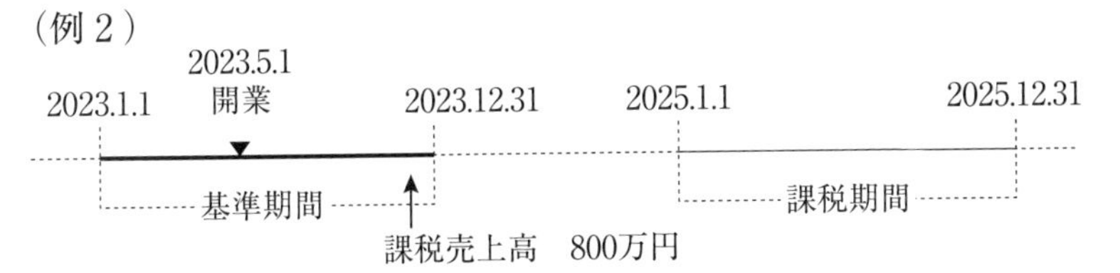

①　年の中途で開業した場合でも、基準期間は前々年の１月１日～12月31日です（課税売上高を１年間に換算はしません。）。

②　基準期間における課税売上高が１千万円以下ですから、納税義務が免除されます（消法９①）。

㈱　ただし、特定期間における課税売上高が１千万円を超える場合には、免除されません（消法９の２①）。

《法人の場合》

（例１）

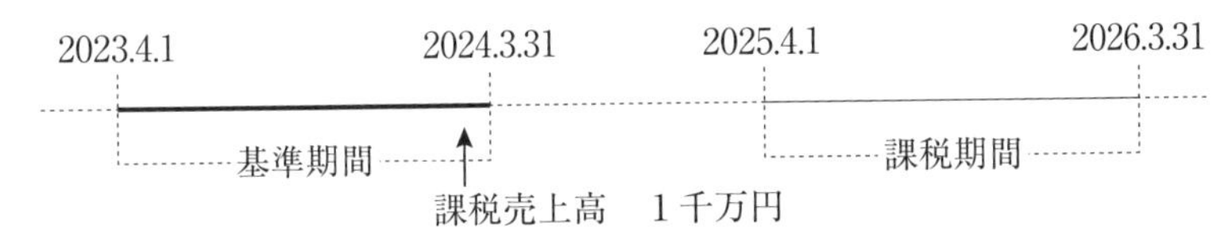

基準期間における課税売上高が１千万円以下ですから、納税義務は免除されます（消法９①）。

㈱　ただし、特定期間における課税売上高が１千万円を超える場合には、免除されません（消法９の２①）。

（例２）

①　前々事業年度が１年未満の場合に該当しますから、その事業年度開始の日（2025.4.1）の２年前の日（2023.4.2）の前日（2023.4.1）から同日以後１年を経過する日（2024.3.31）までの間に開始した各事業年度を合わせた期間（2023.8. 1～2024.3.31）が基準期間となります（消法２①十四）。

②　基準期間が１年未満のため当該期間中の課税売上高を１年分に換算した結果で判定します（800万円÷８か月×12か月＝1,200万円＞１千万円）。１千万円超であるため、納税義務があります（消法９②二）。

2　課税事業者の選択

基準期間における課税売上高が１千万円以下の事業者（適格請求書発行事業者を除きます。）は、原則として、その課税期間の納税義務が免除されます（消法９①）。また、新規に開業した事業者は、その課税期間の基準期間における課税売上高はありませんから、原則として、その課税期間は納税義務が免除されます（消基通１－４－６）。

しかし、基準期間における課税売上高が１千万円以下であっても、課税事業者を選択しようとする事業者は、納税義務の免除を受けない旨の届出書（消費税課税事業者選択届出書（第１号様式）。以下「課税事業者選択届出書」といいます。）を所轄税務署長に提出することにより課税事業者となることができます（消法９④）。

⑴　課税事業者選択届出書の効力

①　原　則

消費税法９条４項《課税事業者の選択》の規定により課税事業者選択届出書の効力は、届出書を提出した日の属する課税期間の翌課税期間から生ずることとなります。

ただし、届出書の提出があった日の属する課税期間が国内において課税資産の譲渡等に係る事業を開始した日の属する課税期間である場合は、その提出があった日の属する課税期間から効力が生じます（消令20一）（届出書において、適用開始課税期間を当該課税期間か翌課税期間かを選択できます（消基通１－４－14）。）。

②　年又は事業年度の中途から課税事業者になろうとする場合

年又は事業年度の中途から同項の規定の適用を受けようとする場合には、課税事業者選択届出書を提出するとともに、消費税法19条１項３号、３号の２、４号又は４号の２《課税期間の特例》に規定する届出書（消費税課税期間特例選択届出書（第13号様式）。以下「課税期間特例選択届出書」といいます。）を併せて提出し、課税期間を短縮する必要があります。この場合において、課税事業者選択届出書及び課税期間特例選択届出書を併せて提出したときには、課税事業者選択届出書の効力は、その届出書を提出した日の属する消費税法19条1項3号、3号の2、4号又は4号の2において定める期間の翌期間の初日から生じることになります。

③　相続があった場合

被相続人が提出した課税事業者選択届出書の効力は、相続により被相続人の事業を承継した相続人には及びませんから、相続人が消費税法9条4項《課税事業者の選択》の規定の適用を受けようとするときは、新たに課税事業者選択届出書を提出する必要があります（消基通1－4－12(1)）。

なお、相続があった場合の同項の適用は、次のとおりです（消基通1－4－12(2)）。

イ　事業を営んでいない相続人が相続により被相続人の事業を承継した場合において、相続人が相続があった日の属する課税期間中に課税事業者選択届出書を提出したときは、その課税期間は、消費税法施行令20条1号《事業を開始した日の属する課税期間》に規定する課税期間に該当し、その課税期間から課税事業者となります。

ロ　個人事業者が、相続により消費税法9条4項の規定の適用を受けていた被相続人の事業を承継した場合において、その相続があった日を含む課税期間中に課税事業者選択届出書を提出したときは、その課税期間は、消費税法施行令20条2号《相続があった日の属する課税期間》に規定する課税期間に該当し、その課税期間から課税事業者となります。

④ 合併又は分割の場合

消費税法９条４項《課税事業者の選択》の規定の適用において、新設合併に係る合併法人及び新設分割に係る新設分割子法人は、③（相続があった場合）のイと同様に取り扱われます（消基通１－４－13⑴、１－４－13の２⑴）。また、吸収合併に係る合併法人及び吸収分割に係る分割承継法人は、③（相続があった場合）のロと同様に取り扱われます（消基通１－４－13⑵、１－４－13の２⑵）。

⑵ 課税事業者選択届出書等の提出に係る特例

課税事業者を選択しようとする事業者が、やむを得ない事情があるため、その適用を受けようとする課税期間の開始前に「課税事業者選択届出書」を提出できなかった場合において、税務署長の承認を受けたときは、その適用を受けようとする課税期間の開始の日の前日に提出したものとみなすこととされています（消法９⑨、消令20の２①）。

この承認を受けようとする事業者は、その適用を受けようとする課税期間の初日の年月日、課税期間開始前に提出できなかった事情等を記載した申請書（消費税課税事業者選択（不適用）届出に係る特例承認申請書（第33号様式））を、当該事情がやんだ後相当の期間内に所轄税務署長に提出することとされています（消令20の２③、消規11④一）。

なお、課税事業者を選択している事業者が、その選択をやめようとする場合に提出する「消費税課税事業者選択不適用届出書（第２号様式）」についても同様です（消令20の２②、消規11④二）。

① 「やむを得ない事情」の範囲

上記の「やむを得ない事情」には、次に掲げるような場合が該当します（単に届出書の提出を失念したような場合はこの特例の対象となりません）（消基通1－4－16）。

イ　震災、風水害、雪害、凍害、落雷、雪崩、がけ崩れ、地滑り、火山の噴火等の天災又は火災その他の人的災害で自己の責任によらないものに基因する災害が発生したことにより、届出書の提出ができない状態になったと認められる場合

ロ　イに規定する災害に準ずるような状況又は当該事業者の責めに帰することができない状態にあることにより、届出書の提出ができない状態になったと認められる場合

ハ　その課税期間の末日前おおむね1月以内に相続があったことにより、当該相続に係る相続人が新たに課税事業者選択届出書等を提出できる個人事業者となった場合

ニ　イからハに準ずる事情がある場合で、税務署長がやむを得ないと認めた場合

② 「事情がやんだ後相当の期間内」の意義

「当該事情がやんだ後相当の期間内」とは、やむを得ない事情がやんだ日から2月以内とされています。したがって、災害等のやむを得ない事情がやんだ日から2月以内に所轄税務署長に、この特例の適用を受けるための承認申請書を提出する必要があります（消基通1－4－17）。

(3)　課税事業者選択の不適用

課税事業者を選択した事業者が課税事業者の選択をやめようとする場合には、「消費税課税事業者選択不適用届出書（第2号様式）」（以下「課税事業者選択不適用届出書」といいます。）を提出することにより、その提出をした日の属する課税期間の翌課税期間以後は、基準期間における課税売上高が1千万円以下の課税期間について免税事業者となります（消法9⑤、⑧）。

なお、いったん課税事業者選択届出書を提出した場合には、事業を廃止した場合を除き、原則として２年間（課税事業者選択制度の強制適用期間）はその選択をやめることはできません（消法９⑥）。

また、課税事業者選択制度の強制適用期間中に調整対象固定資産の仕入れ等を行った場合には、更に課税事業者選択不適用届出書の提出が制限されます（「７　調整対象固定資産の仕入れ等を行った場合」を参照。）。

(4) 特定非常災害に係る課税事業者選択（不適用）届出等の特例

特定非常災害の被災者である事業者（被災事業者）が、その被害を受けたことによって、被災日を含む課税期間以後の課税期間について、課税事業者を選択しようとする（又はやめようとする）場合には、指定日までに所轄税務署長に「課税事業者選択届出書」（又は「課税事業者選択不適用届出書」）を提出することにより、課税事業者の選択の適用を受けること（又はやめること）ができます（租特法86の５①～③）。

なお、課税事業者を選択した事業者が、課税事業者となった日から２年を経過する日までの間に開始した課税期間中に調整対象固定資産の仕入れ等を行い、その仕入れ等の日の属する課税期間の確定申告を一般課税で行う場合、原則として、当該課税期間の初日から２年間は「課税事業者選択不適用届出書」の提出ができません（すなわち、調整対象固定資産の仕入れ等の日の属する課税期間以後３年間は課税事業者でいることが強制されます。）が、被災事業者は、被災日の属する課税期間以後の課税期間から当該届出書の提出をすることができます（租特法86の５②）。

また、高額特定資産の仕入れ等を行ったことにより、その仕入れ等の日の属する課税期間の初日以後３年を経過する日の属する課税期間まで課税事業者でいることが強制される規定（消法12の４①、②）についても、特定非常災害の被災事業者については適用されません（租特

法86の5⑤、⑥)

＊1　特定非常災害の意義
　特定非常災害とは、特定非常災害の被害者の権利利益の保全等を図るための特別措置に関する法律2条1項の規定により、特定非常災害として指定された非常災害をいいます。

2　被災事業者の意義
　被災事業者とは、特定非常災害に係る国税通則法11条の規定により申告期限等が延長されることとなる地域に納税地を有する事業者のほか、その他の地域に納税地を有する事業者のうち特定非常災害により被災した事業者も該当します。

3　指定日の意義
　指定日とは、特定非常災害の状況及び特定非常災害に係る国税通則法11条の規定による申告に関する期限の延長の状況を勘案して国税庁長官が定める日をいいます。

4　届出書の効力開始日
　被災事業者が指定日までに提出した「課税事業者選択届出書」(又は「課税事業者選択不適用届出書」)は、課税事業者を選択しようとする(又はやめようとする)課税期間の初日の前日に提出されたものとみなされますから、特定非常災害があった課税期間に提出すれば、当該課税期間から課税事業者(又は免税事業者)となることができます。

《課税事業者を選択する場合の具体例》(租特法86の5①、②)

特定非常災害により、被害を受けた機械装置等を買い換えるため、X2年3月期について課税事業者を選択し、一般課税により申告を行う場合(事業年度が1年の3月末決算法人で、指定日がX2年3月末までに到来する場合)

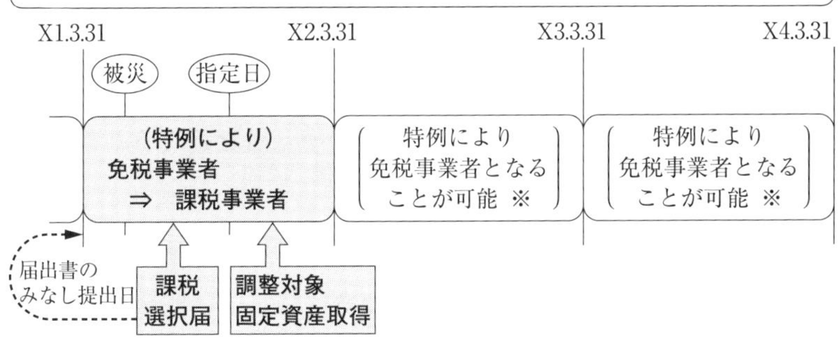

※　事例の場合において、X2年3月期のみ課税事業者を選択し、X3年3月期から課税事業者の選択をやめる場合には、その選択をやめようとする

課税期間の初日の前日まで（事例ではX２年３月31日まで）に「課税事業者選択不適用届出書」を提出する必要があります。指定日までに提出する「課税事業者選択届出書」と併せて提出しても差し支えありません。

《課税事業者の選択をやめる場合の具体的な適用事例》（租特法86の５②・③）

当初、X２年３月期及びX３年３月期に設備投資等を行うために課税事業者を選択していたが、特定非常災害により、X３年３月期から課税事業者の選択をやめて免税事業者となる場合（事業年度が１年の３月末決算法人で、指定日がX３年３月末までに到来する場合）

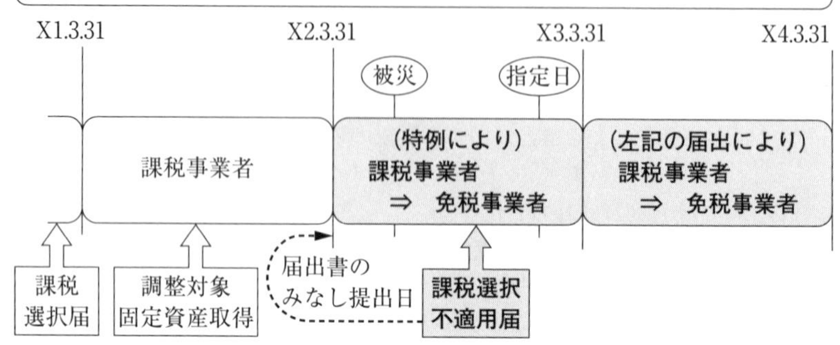

※　事例の場合において、X３年３月期のみ課税事業者の選択をやめ、X４年３月期から課税事業者を選択する場合には、その選択しようとする課税期間の初日の前日まで（事例ではX３年３月31日まで）に「課税事業者選択届出書」を提出する必要があります。指定日までに提出する「課税事業者選択不適用届出書」と併せて提出しても差し支えありません。

3　特定期間における課税売上高による納税義務の免除の特例

その課税期間の基準期間における課税売上高が１千万円以下である事業者（課税事業者を選択している事業者を除きます。）であっても、その課税期間の特定期間における課税売上高が１千万円を超えるときは、その課税期間の納税義務は免除されません。

したがって、基準期間における課税売上又は特定期間における課税売上高のいずれかが１千万円を超える事業者は、その課税期間における課税売上高が１千万円以下となっても、その課税期間については納税義務が免除されません（確定申告が必要）。

これとは逆に、基準期間における課税売上高及び特定期間における課税売上高の両方が１千万円以下である事業者は、その課税期間における課税売上高が１千万円を超えても、その課税期間については納税義務が免除されることになります（課税事業者を選択している事業者は除きます。）。

なお、国外事業者以外の事業者が特定期間における課税売上高により納税義務の有無を判定する場合には、特定期間中に支払った所得税法231条１項《給与等、退職手当等又は公的年金等の支払明細書》に規定する支払明細書に記載すべき給与等の金額（給与等支払額）の合計額を特定期間における課税売上高とすることができます（消法９の２③）。

この場合の給与等の金額には退職金、年金等、未払い分の給与等の金額は含まれません。

給与等支払額の合計額をもって特定期間における課税売上高とする規定の適用については、特段の要件はありませんから、国外事業者以外の事業者はいずれによるか任意に選択できることになります。

㈲　国外事業者については、令和６年10月１日以後に開始する個人事業者の年又は法人の事業年度から給与等支払額の合計額による判定はできないこととされました（令和６年改正法附則13①）。

⑴　特定期間の意義

特定期間とは、次に掲げる事業者の区分に応じ次の期間となります（消法９の２④）。

①　**個人事業者**　　その年の前年１月１日から６月30日までの期間

②　**その事業年度の前事業年度（７か月以下であるもの等（短期事業年度）を除きます。）がある法人**　　前事業年度開始の日以後６か月の期間

③　**その事業年度の前事業年度が短期事業年度である法人**　　その事業年度の前々事業年度（その事業年度の基準期間に含まれるもの等を除きます。）開始の日以後６か月の期間（前々事業年度が６か月以下の場合に

は、前々事業年度開始の日から終了の日までの期間）

⑵　特定期間における課税売上高

特定期間における課税売上高は、基準期間における課税売上高の計算に準じて計算します。

《個人事業者の場合の具体例》

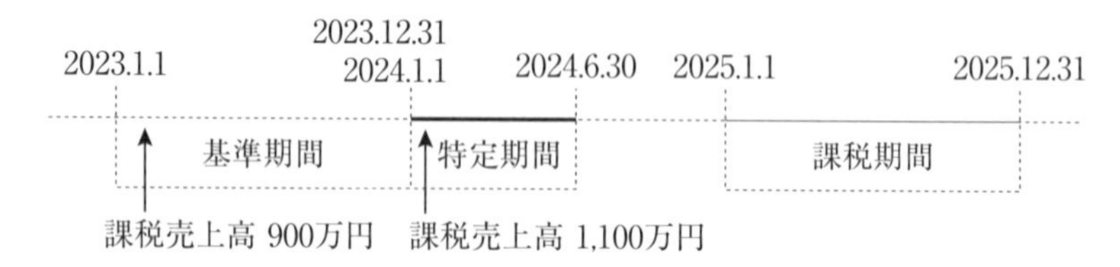

基準期間における課税売上高は1千万円以下ですが、特定期間における課税売上高が1千万円を超えていますから、納税義務が免除されません（消法9の2①）。

《法人の場合の具体例》

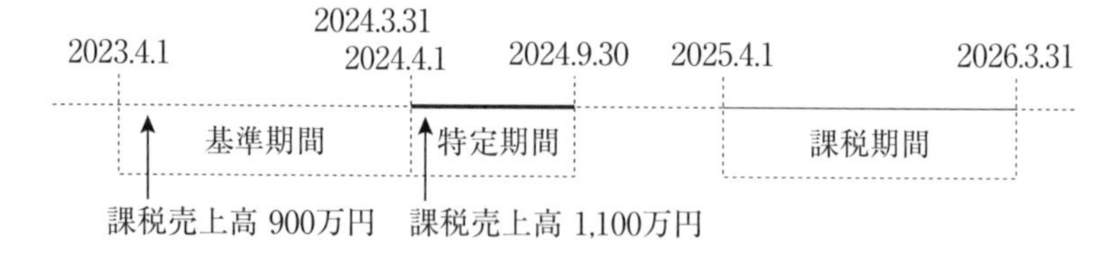

基準期間における課税売上高は1千万円以下ですが、特定期間における課税売上高が1千万円を超えていますから、納税義務が免除されません（消法9の2①）。

4　相続、合併、分割等があった場合の特例

⑴　相続があった場合

個人事業者については、前々年の課税売上高により免税事業者になるかどうかを判定することになりますが、免税事業者である個人事業者又は事業者でない個人が相続（包括遺贈を含みます。）により課税事業者である被相続人（包括遺贈者を含みます。）の事業を承継した場合には、納税義務は免除されないことになります（消法10）。

前々年の課税売上高が１千万円以下である相続人（包括受遺者を含みます。）が、課税事業者である被相続人の事業を承継したときの納税義務は、次のとおりです。

なお、被相続人が２以上の事業場を有していた場合で、２人以上の相続人が各事業場ごとに分割して承継したときは、「被相続人の基準期間における課税売上高」は、各相続人が承継した事業場に係る部分の課税売上高になります（消法10③、消令21）。

㈲１　「包括遺贈」とは、遺贈する財産を特定しないで、財産の全部又は財産の一定の割合として他人に遺贈することをいいます（消基通１－５－２）。

２　「被相続人の事業を承継したとき」とは、相続により被相続人の行っていた事業の全部又は一部を継続して行うため、財産の全部又は一部を承継した場合をいいます（消基通１－５－３）。

３　特定遺贈又は死因贈与により受遺者又は受贈者が、遺贈者又は贈与者の事業を承継したときは、消費税法10条１項又は２項の規定は適用されませんから、受遺者又は受贈者のその課税期間について消費税法９条１項本文《小規模事業者に係る納税義務の免除》の規定の適用があるかどうかは、受遺者又は受贈者のその課税期間に係る基準期間における課税売上高のみによって判定することになります（消基通１－５－３㈲）。

①　相続のあった年

被相続人のその年の前々年の課税売上高が１千万円を超える場合、相続人には相続のあった日の翌日からその年の12月31日までの間について納税義務があります（消法10①）。

②　相続のあった年の翌年と翌々年

相続人のその年（相続のあった年の翌年又は翌々年）の前々年の課税売上高と被相続人のその年の前々年の課税売上高の合計額が１千万円を超える場合、相続人にはその年について納税義務があります（消法10②）。

《相続があった場合の納税義務の判定の具体例》

（相続人）　9／30相続　（単位：万円）

	2022年	2023年	2024年	2025年	2026年	2027年
（相続人）	a 400	b 500	c 800	d 1,800		
課税期間			(A)	(B)	(C)	(D)
（被相続人）	(a) 1,300	(b) 1,200	(c) 900			

㊟　金額は税抜きです。

【判定】

(A)課税期間（相続のあった年（2024年））

……被相続人の基準期間（(a)）における課税売上高

1,300万円＞1,000万円　→納税義務があります（消法10①）。

(B)課税期間（翌年（2025年））

……500万円（b）＋1,200万円（(b)）＝1,700万円＞1,000万円　→納税義務があります（消法10②）。

(C)課税期間（翌々年（2026年））

……800万円（c）＋900万円（(c)）＝1,700万円＞1,000万円　→納税義務があります（消法10②）。

(D)以後の課税期間

……特例の適用はなく、相続人のその課税期間の基準期間における課税売上高等により判定することになります。

(2)　合併があった場合

免税事業者である法人が合併により被合併法人（合併により消滅した法人をいいます。）の事業を承継した場合や合併により新たに法人を設立した場合には、被合併法人の課税売上高を含めたところで、免税事業者になるかどうかの判定を行うことになります（消法11）。

吸収合併又は新設合併に係る合併法人の、その合併があった日の属する事業年度、その翌事業年度及び翌々事業年度における納税義務は、次のとおりです。

① 吸収合併の場合

イ　合併があった事業年度

合併法人の合併があった日の属する事業年度の基準期間に対応する期間における被合併法人の課税売上高として一定の方法により計算した金額（被合併法人が２以上ある場合には、いずれかの被合併法人の金額）が１千万円を超える場合には、合併があった日から合併があった事業年度の終了の日までの間は、合併法人（合併後存続する法人をいいます。）について納税義務があります（消法11①、消令22①）。

㈱　この場合の「合併があった日」とは、合併の効力を生ずる日をいいます（消基通１－５－７）。

ロ　合併があった事業年度の翌事業年度と翌々事業年度

「合併法人のその事業年度の基準期間における課税売上高」と「合併法人のその基準期間に対応する期間における被合併法人の課税売上高として一定の方法により計算した金額」との合計額が１千万円を超える場合には、合併法人のその事業年度については納税義務があります（消法11②、消令22②）。

② 新設合併の場合

イ　合併があった事業年度

合併法人の合併があった日の属する事業年度の基準期間に対応する期間における各被合併法人の課税売上高として一定の方法に

より計算した金額のいずれかが1千万円を超える場合には、新設法人の設立の日の属する事業年度については納税義務があります（消法11③、消令22③）。

(注) この場合の「合併があった日」とは、法人の設立の登記をした日をいいます（消基通1－5－7）。

ロ　合併があった事業年度の翌事業年度と翌々事業年度

「新設法人のその事業年度の基準期間における課税売上高」と「新設法人のその基準期間に対応する期間における各被合併法人の課税売上高として一定の方法により計算した金額を合計した金額」との合計額が1千万円を超える場合には、新設法人のその事業年度については納税義務があります（消法11④、消令22④、⑤、⑥）。

(3) 分割等又は吸収分割があった場合

法人が分割等（新設分割、現物出資、事後設立）により新たに法人を設立した場合には、新設分割子法人（分割等により設立された、又は資産の譲渡を受けた法人をいいます。）の納税義務の判定に当たっては、新設分割親法人（分割等を行った法人をいいます。）の課税売上高を含めたところで判定し、新設分割親法人の納税義務の判定に当たっては、新設分割子法人の課税売上高を含めたところで判定することになります。

また、吸収分割により課税事業者の事業の全部又は一部を承継した法人（分割承継法人）の基準期間における課税売上高が1千万円以下である場合の納税義務の判定に当たっては、分割法人（吸収分割を行った法人をいいます。）の課税売上高によって判定することになります（消法12）。

(注)1　「新設分割」とは、会社法2条30号に規定する新設分割をいいます。
2　「現物出資」とは、新設分割親法人が新設分割子法人を設立するため、その有する金銭以外の資産の出資（新設分割子法人の設立の時において、金銭以外の資産の出資等により発行済株式の総数又は出資金額の全部を新設分割

親法人が有することとなるものに限ります。）をし、その出資により新設分割子法人に事業の全部又は一部を引き継ぐ場合における新たな法人の設立をいいます。

3 「事後設立」とは、新設分割親法人が新設分割子法人を設立するために金銭の出資をし、その新設分割子法人と会社法467条1項5号《事業譲渡等の承認等》に掲げる行為に係る契約を締結した場合において、その契約に基づく金銭以外の資産の譲渡のうち、次のいずれの要件にも該当するものをいいます。

イ 新設分割子法人の設立の時において発行済株式の全部を新設分割親法人が有していること。

ロ 金銭以外の資産の譲渡が、新設分割子法人の設立の時において予定されており、かつ、その設立の時から6月以内に行われたこと。

4 「吸収分割」とは、会社法2条29号に規定する吸収分割をいいます。

① 分割等に係る新設分割子法人の納税義務

イ 分割等があった事業年度

新設分割子法人の分割等があった日の属する事業年度の基準期間に対応する期間における各新設分割親法人の課税売上高として、一定の方法により計算した金額のいずれかが1千万円を超える場合には、分割等があった日から分割等があった事業年度の終了の日までの間は納税義務があります（消法12①、消令23①）。

㈱ この場合の「分割等があった日」とは、次に掲げる場合の区分に応じ、それぞれ次の日となります（消基通1－5－9）。

i 新設分割の場合又は現物出資の場合
……新設分割子法人の設立の登記の日

ii 事後設立の場合
……契約に基づく金銭以外の資産の譲渡が行われた日

ロ 分割等があった事業年度の翌事業年度

新設分割子法人のその事業年度の基準期間に対応する期間における各新設分割親法人の課税売上高として、一定の方法により計算した金額のいずれかが1千万円を超える場合には、その事業年度は納税義務があります（消法12②、消令23②）。

ハ　分割等（新設分割親法人が一つの場合に限ります。）があった事業年度の翌々事業年度以後

その事業年度の基準期間の末日において、新設分割子法人が特定要件に該当し、かつ、「新設分割子法人のその事業年度の基準期間における課税売上高」と「新設分割子法人のその事業年度の基準期間に対応する期間における新設分割親法人の課税売上高」との合計額（一定の方法により計算した金額）が１千万円を超える場合には、その事業年度は納税義務があります（消法12③、消令23③、④）。

㊟「特定要件」とは、新設分割子法人の発行済株式又は出資（自己の株式又は出資を除きます。）の総数又は総額の100分の50超を新設分割親法人及びその新設分割親法人と特殊な関係にある者が有していることをいいます（消法12③、消令24）。

② 分割等に係る新設分割親法人の納税義務

イ　分割等があった事業年度とその事業年度の翌事業年度

分割等があった事業年度とその翌事業年度の新設分割親法人については、新設分割親法人の基準期間における課税売上高のみによって納税義務の有無を判定します。

ロ　分割等（新設分割親法人が一つの場合に限ります。）があった事業年度の翌々事業年度以後

「新設分割親法人のその事業年度の基準期間における課税売上高」と「新設分割親法人のその事業年度の基準期間に対応する期間における新設分割子法人の課税売上高として一定の方法により計算した金額」との合計額が１千万円を超え、かつ、その事業年度の基準期間の末日において、新設分割子法人が特定要件に該当する場合には、その事業年度は納税義務があります（消法12④、消令23⑤）。

③　吸収分割に係る分割承継法人の納税義務

イ　吸収分割があった事業年度

分割承継法人の吸収分割があった日の属する事業年度の基準期間に対応する期間における分割法人の課税売上高として一定の方法により計算した金額（分割法人が２以上ある場合には、いずれかの分割法人の金額）が１千万円を超える場合には、吸収分割があった日から吸収分割があった事業年度の終了の日までの間は納税義務があります（消法12⑤、消令23⑥）。

㈱　この場合の「吸収分割があった日」とは、分割の効力が生ずる日をいいます（消基通１－５－10）。

ロ　吸収分割があった事業年度の翌事業年度

分割承継法人のその事業年度の基準期間に対応する期間における分割法人の課税売上高として一定の方法により計算した金額（分割法人が２以上ある場合には、いずれかの分割法人の金額）が１千万円を超える場合には、その事業年度は納税義務があります（消法12⑥、消令23⑦）。

ハ　吸収分割があった事業年度の翌々事業年度以後

吸収分割があった事業年度の翌々事業年度以後の分割承継法人については、分割承継法人の基準期間における課税売上高等のみによって納税義務の有無を判定します。

④　吸収分割に係る分割法人の納税義務

分割法人については、分割法人の基準期間における課税売上高等のみによって納税義務の有無を判定します。

5　新設法人の納税義務の免除の特例

その事業年度の基準期間がない法人（注１）（社会福祉法22条に規定する社

会福祉法人を除きます。（注２））のうち、その事業年度開始の日における資本金の額又は出資の金額が１千万円以上である法人（新設法人）については、基準期間がない事業年度に含まれる各課税期間（一般的には、第１期及び第２期）における課税資産の譲渡等について、納税義務が免除されません（消法12の２①）。

(注) １　令和６年10月１日以後に開始する事業年度から、その事業年度の基準期間がある外国法人がその基準期間の末日の翌日以後に国内において課税資産の譲渡等に係る事業を開始した場合、その事業年度については、基準期間がないものとみなすこととされました（消法12の２③、令和６年改正法附則13②）。
　これにより、外国法人については、事業を開始した事業年度に限らず、事業を開始した事業年度の翌事業年度以後の事業年度であっても、基準期間がないものとみなされる事業年度の開始の日における資本金の額又は出資の金額が１千万円以上であるときは、この特例の対象となる新設法人に該当することとなります（消基通１－５－15後段）。
２　消費税法12条の２第１項では「社会福祉法第22条（定義）に規定する社会福祉法人その他の専ら別表第二に掲げる資産の譲渡等を行うことを目的として設立された法人で政令で定めるものを除く。」としています。
　しかし、これを受けた消費税法施行令25条１項では、社会福祉法人のみが定められています。

(1)　新設法人の意義

この特例の対象となる「新設法人」には、基準期間がない事業年度の開始の日における資本金の額又は出資の金額が１千万円以上である法人が該当しますから、法人を新規に設立した事業年度に限らず、設立した事業年度の翌事業年度以後の事業年度であっても、基準期間がない事業年度の開始の日における資本金の額又は出資の金額が１千万円以上である場合には、新設法人に該当することになります（消基通１－５－15前段）。

(2)　出資の金額の範囲

「出資の金額」には、営利法人である合名会社、合資会社又は合同会社に係る出資の金額に限らず、農業協同組合等の協同組合に係る出資の金額、特別の法律により設立された法人で出資を受け入れることとしているその法人に係る出資の金額、地方公営企業法18条《設立》に規定する地方公共団体が経営する企業に係る出資の金額及びその他の法人で出資を受け入れることとしている場合のその法人に係る出資の金額が該当します（消基通1－5－16）。

なお、基金拠出型社団医療法人における基金の額は、ここでいう「出資の金額」には当たらないこととされています（平成21年（2009年）4月21日国税庁文書回答事例）。

(3) 新設法人の3年目以後の取扱い

事業年度が1年である法人の第3期以降のように、基準期間ができた以後の課税期間における納税義務の有無の判定については、原則どおり、基準期間における課税売上高で判定することとなります（消基通1－5－18）。

(4) 届出書の提出

新設法人に該当することとなった事業者は、「消費税の新設法人に該当する旨の届出書（第10－(2)号様式）」を速やかにその納税地を所轄する税務署長に提出することとされています（消法57②、消規26⑤）。

なお、法人税法148条の規定による「法人設立届出書」の提出があった場合において、当該届出書に一定の事項が記載されているときは、「消費税の新設法人に該当する旨の届出書」の提出があったものとして取り扱うこととされています（消基通1－5－20）。

(5) 課税事業者の選択制度、簡易課税制度等との関係

課税事業者を選択した事業者（消法9④）及び特定期間における課税売上高が1千万円を超える事業者（消法9の2①）並びに新設合併に係る合併法人であることにより納税義務を免除されないこととなる事業年度（消法11③、④）及び新設分割子法人であることにより納税義務

が免除されないこととなる事業年度（消法12①、②）については、これらの規定が優先して適用されることとなります（消法12の２①、消基通１－５－17、１－５－18㈱１）。

したがって、例えば、第２期について、特定期間における課税売上高が１千万円を超える場合は、資本金の額等にかかわらず納税義務は免除されないことになります（382頁参照）。

なお、この特例は事業者免税点制度に係るものですから、新設法人に該当する場合であっても、簡易課税制度を選択することはできます（消基通１－５－19）。

《具体例―2024.7.1設立（資本金500万円）３月決算法人の場合》

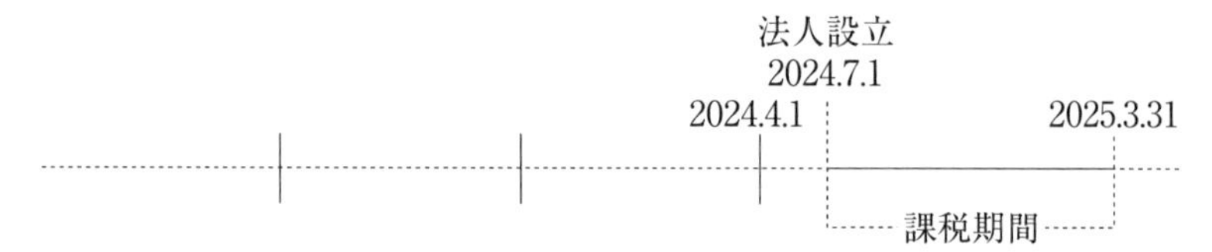

当課税期間（2024.7.1～2025.3.31）は第１期であるため、基準期間がありません。また、資本金が１千万円未満であるため、納税義務は免除されます（消法12の２①）。

《具体例―2023.10.1設立（資本金1,500万円）３月決算法人の場合》

当課税期間（2024.4.1～2025.3.31）は第２期であるため、基準期間がありません。しかし、資本金が１千万円以上であるため、納税義務は免除されません（消法12の２①）。

なお、この事例の場合は第１期（2023.10.1～2024.3.31）も納税義務は免除されないことになります。

6 特定新規設立法人の納税義務の免除の特例

その事業年度の基準期間がない法人（注1）（社会福祉法22条に規定する社会福祉法人を除きます。（注2））で、その事業年度開始の日における資本金の額又は出資の金額が1千万円未満の法人（新規設立法人）のうち、次の⑴、⑵のいずれにも該当するもの（特定新規設立法人）については、基準期間のない事業年度に含まれる各課税期間における課税資産の譲渡等について、納税義務が免除されません（消法12の3①）。

㈰1 令和6年10月1日以後に開始する事業年度から、その事業年度の基準期間がある外国法人がその基準期間の末日の翌日以後に国内において課税資産の譲渡等に係る事業を開始した場合、その事業年度については、基準期間がないものとみなすこととされました（消法12の3⑤、令和6年改正法附則13③）。
　これにより、外国法人については、事業を開始した事業年度に限らず、事業を開始した事業年度の翌事業年度以後の事業年度であっても、次の⑴及び⑵に該当するときは、この特例の対象となる特定新規設立法人に該当することとなります。
 2 消費税法12条の3第1項では「社会福祉法第22条（定義）に規定する社会福祉法人その他の専ら別表第二に掲げる資産の譲渡等を行うことを目的として設立された法人で政令で定めるものを除く。」としています。
　しかし、これを受けた消費税法施行令25条1項では、社会福祉法人のみが定められています。

⑴ その基準期間がない事業年度開始の日において、他の者により当該新規設立法人の株式等の50％超を直接又は間接に保有される場合など、他の者により当該新規設立法人が支配される一定の場合（特定要件）に該当すること。

⑵ 上記⑴の特定要件に該当するかどうかの判定の基礎となった他の者及び当該他の者と一定の特殊な関係にある法人のうちいずれかの者（判定対象者）の当該新規設立法人の当該事業年度の基準期間に相当する期間（基準期間相当期間）における課税売上高が5億円を超えること（注3）。

なお、特定新規設立法人に該当することとなった場合には、その旨を記載した「消費税の特定新規設立法人に該当する旨の届出書（第10－(3)号様式）」を速やかに納税地の所轄税務署長に提出する必要があります（消法57②）。

(注)3　上記(2)の要件は、令和６年10月１日以後に開始する事業年度から、「特定要件に該当するかどうかの判定の基礎となった『他の者』及び『特殊関係法人』のうちいずれかの者（判定対象者）の新規設立法人のその事業年度の基準期間に相当する期間（基準期間相当期間）における課税売上高として一定の方法により計算した金額が５億円を超えること又は総収入金額として一定の方法により計算した金額が50億円を超えること」となりました（消法12の３①、令和６年改正法附則13③）。
なお、「総収入金額」には、損益計算書上の売上高、受取利息、有価証券利息、受取配当金、有価証券売却益、為替差益、貸倒引当金戻入益、固定資産売却益、負ののれん発生益などの全ての収益の額が含まれます（消令25の４②、消基通１－５－21の３）。また、基準期間相当期間における課税売上高と異なり、国外におけるこれらの収入も含まれます（消基通１－５－21の３）。

7　調整対象固定資産の仕入れ等を行った場合

(1)　課税事業者を選択した事業者の場合

課税事業者選択届出書を提出した事業者が、当該届出書の効力が生じる課税期間の初日から２年を経過する日の属する課税期間（簡易課税制度が適用される課税期間を除きます。）の末日までの間に、調整対象固定資産(注)の課税仕入れ又は調整対象固定資産に該当する課税貨物の保税地域からの引取り（調整対象固定資産の仕入れ等）を行った場合には、「２－(3)課税事業者選択の不適用」にかかわらず、事業を廃止した場合を除き、調整対象固定資産の仕入れ等を行った課税期間の初日から３年間は、課税事業者の選択をやめることはできません（消法９⑦前段）。

その結果、選択により課税事業者となった課税期間の初日から２年を経過する日の属する課税期間の末日までの間に調整対象固定資産の仕入れ等を行った場合において、消費税法33条《課税売上割合が著しく変動した場合の調整対象固定資産に関する仕入れに係る消費税額の調整》から35条《非課税業務用調整対象固定資産を課税業務用に転用した場合の仕入れに係る消費税額の調整》までの規定に該当するときには、必然的に仕入れに係る消費税額の調整が必要となります。

なお、この場合において、調整対象固定資産の仕入れ等の日の属する課税期間の初日からその調整対象固定資産の仕入れ等の日までの間に課税事業者選択不適用届出書を提出しているときは、その提出はなかったものとみなされます（消法９⑦後段）。

(注)　調整対象固定資産については、第９章第６節１調整対象固定資産の範囲を参照。

《具体例―課税期間１年の個人事業者又は12月決算法人の場合》

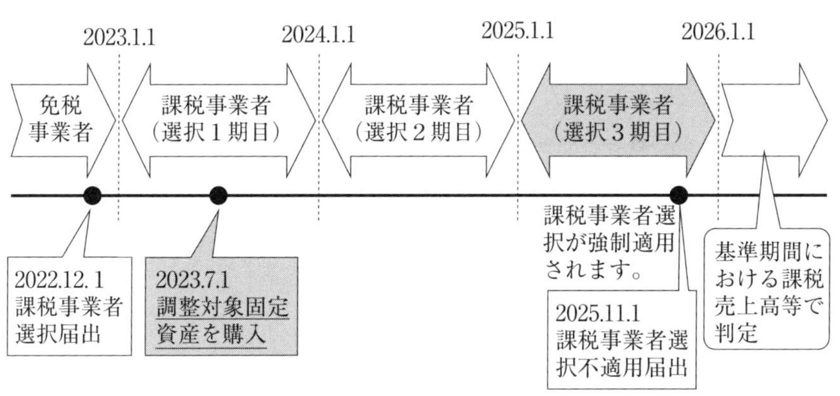

(注)１　2023年12月期、2024年12月期及び2025年12月期の期末には、消費税法33条から35条の仕入控除税額の調整規定の適否判定が必要となります（消費税法33条については2025年12月期（選択３期目）に適用対象となります。）。課税事業者選択不適用届出書は、2025年１月１日以後でなければ提出できません（2026年以後から選択不適用とできます。）。

２　2024年12月期（選択２期目）に調整対象固定資産の仕入れ等をした場合には、2026年12月期（選択４期目）まで課税事業者選択が強制適用されます。この場合、2026年１月１日以後でなければ課税事業者選択不適用届出書を提出できません。

⑵　新設法人等の場合

「５　新設法人の納税義務の免除の特例」に該当する新設法人又は「６　特定新規設立法人の納税義務の免除の特例」に該当する特定新規設立法人が、基準期間がない事業年度に含まれる各課税期間（簡易課税制度の適用を受ける課税期間を除きます。）中に調整対象固定資産の仕入れ等を行った場合には、調整対象固定資産の仕入れ等を行った課税期間の初日から３年間は、基準期間における課税売上高が１千万円以下となっても免税事業者にはなりません（消法12の２②、12の３③）。

《具体例―課税期間１年で３月決算の新設法人の場合》

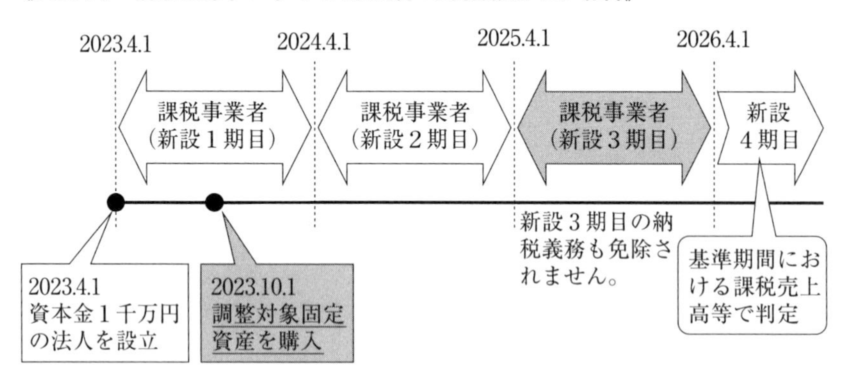

㈱１　2024年３月期、2025年３月期及び2026年３月期の期末には、消費税法33条から35条の仕入控除税額の調整規定の適否判定が必要となります（消費税法33条については2026年３月期（新設３期目）に適用対象となります。）。

２　2025年３月期（新設２期目）に調整対象固定資産の仕入れ等をした場合には、2027年３月期（新設４期目）まで納税義務が免除されません。

8　高額特定資産を取得した場合の納税義務の免除の特例

(1)　課税事業者が高額特定資産を取得した場合

課税事業者が、簡易課税制度の適用がない課税期間中に高額特定資産の課税仕入れ等（自己建設高額特定資産の場合には、自己建設高額特定資産の建設等に要した費用の額に係る課税仕入れ等）を行った場合（以下「高額特定資産の仕入れ等」といいます。）には、高額特定資産の仕入れ等の日の属する課税期間（自己建設高額特定資産の場合には、その建設等が完了した日の属する課税期間）から３年間は納税義務が免除されず、また、新規に簡易課税制度を適用することもできません（消法12の４①）。

この特例における高額特定資産及び自己建設高額特定資産とは次のものをいいます。

(1)　高額特定資産…棚卸資産及び調整対象固定資産のうち、税抜きの課税仕入れ等の金額が１千万円以上のもの（消法12の４①、消令25の５①一）

(2)　自己建設高額特定資産…他の者との契約に基づき、又は自己のものとして自ら建設等する棚卸資産及び調整対象固定資産で、これらの資産の建設等のための税抜きの課税仕入れ等の金額の合計額が１千万円以上のもの（消法12の４①、消令25の５①二）

《高額特定資産を購入した場合の具体例》

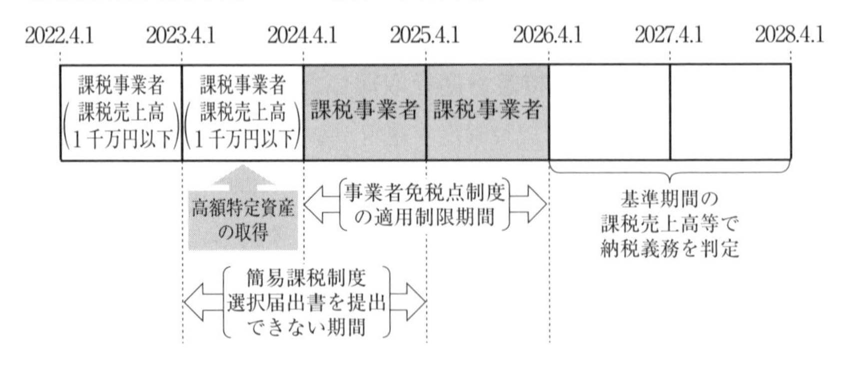

《自己建設高額特定資産を取得した場合の具体例》

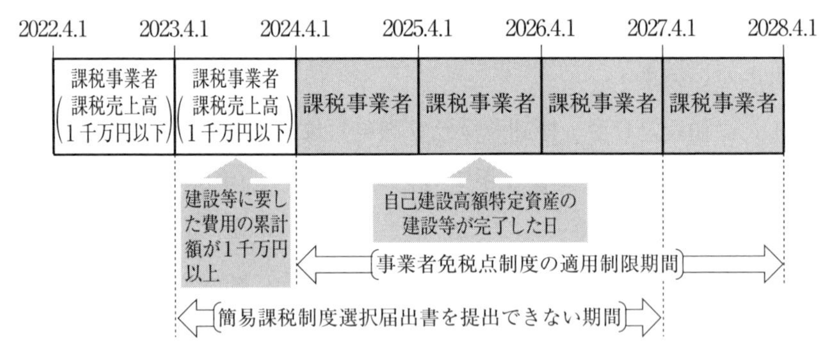

この特例に係る高額特定資産又は自己建設高額特定資産が調整対象固定資産である場合は、課税売上割合が著しく変動した場合の第３年度の仕入控除税額の調整や３年以内に課税業務用から非課税業務用又は非課税業務用から課税業務用に転用した場合の仕入控除税額の調整を行うことになります（消法33①、34①、35）。

また、この特例の適用を受ける課税期間の基準期間における課税売上高が１千万円以下となった場合には、「高額特定資産の取得に係る課税事業者である旨の届出書（第５－(2)号様式）」を提出する必要があります（消法57①二の二）。

(2) 免税事業者が高額特定資産である棚卸資産を取得した場合

免税事業者であった課税期間に課税仕入れ等を行った棚卸資産である高額特定資産を課税事業者となった課税期間の初日の前日に有している場合には、その課税事業者となった課税期間の課税仕入れ等とみなして仕入税額控除の対象とすることとされています（消法36①、③）。しかし、その棚卸資産はそもそも課税事業者である課税期間における課税仕入れ等ではないため、従来は高額特定資産の仕入れ等があった場合の特例（消法12の2④、37③三）の対象とはならず、課税の衡平上問題がありました。

この問題を解消すべく、令和2年度税制改正において、高額特定資産である棚卸資産について消費税法36条1項又は3項に規定する棚卸資産に係る消費税額の調整措置の適用を受けた場合には、高額特定資産の仕入れ等があった場合の特例の対象とすることとされました（消法12の4②、37③四）。

【適用関係】

この改正規定は、令和2年（2020年）4月1日以後に消費税法36条1項又は3項の規定の適用を受けた場合について適用されます（令和2年改正法附則1、附則42）。

《具体例》

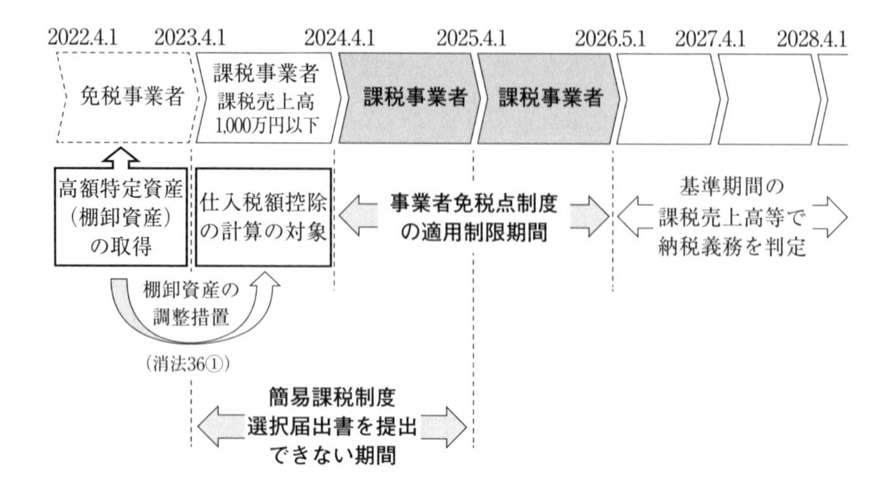

【調整対象自己建設高額資産の場合】

高額特定資産の仕入れ等があった場合の事業者免税点制度及び簡易課税制度の適用制限に関する措置は、消費税法36条1項又は3項の適用を受ける免税事業者であった課税期間中に課税仕入れ等した高額特定資産だけでなく、棚卸資産として自己建設したもの（調整対象自己建設高額資産）も対象に含まれます。

調整対象自己建設高額資産が消費税法12条の4第2項の適用対象となるかどうかは、同条1項の自己建設高額特定資産の場合と同様に、調整対象自己建設高額資産の建設等に要した課税仕入れに係る支払対価の額の110分の100に相当する金額（当該調整対象自己建設高額資産の建設等のために要した原材料費及び経費に係るものに限ります。）等の累計額が1,000万円以上かどうかで判定します（消令25の5③）。

《具体例》

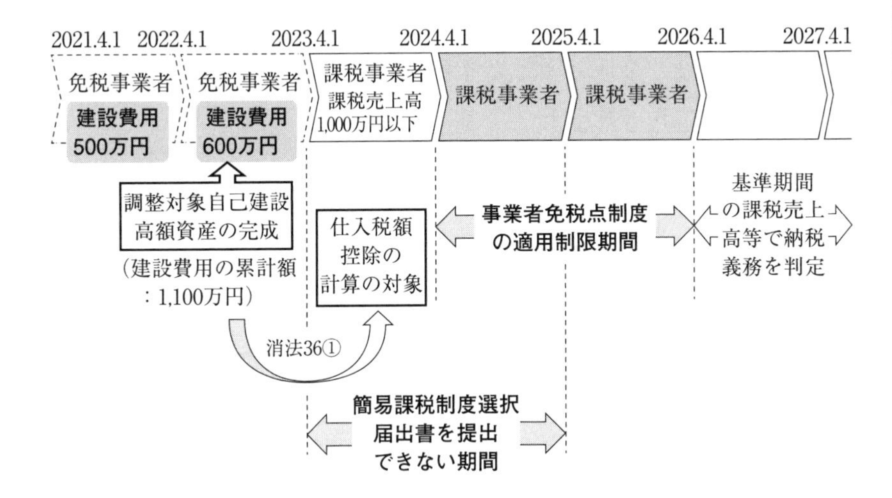

(3) 金地金等を取得した場合等の納税義務の免除の特例

事業者が、事業者免税点制度及び簡易課税制度の適用を受けない課税期間中に国内における金地金等（注１）の課税仕入れ又は金地金等に該当する課税貨物の保税地域からの引取り（その課税期間において棚卸資産の調整措置（注２）の適用を受ける棚卸資産に係る課税仕入れ又は保税地域からの引取りを含みます。以下「金地金等の仕入れ等」といいます。）を行った場合において、その課税期間中のその金地金等の仕入れ等の金額（税抜金額）の合計額が200万円以上であるときには、その金地金等の仕入れ等を行った課税期間の翌課税期間からその金地金等の仕入れ等を行った課税期間の初日以後３年を経過する日の属する課税期間までの各課税期間については、納税義務が免除されません（消法12の４③、消令25の５④）。

また、その金地金等の仕入れ等を行った課税期間の初日から同日以後３年を経過する日の属する課税期間の初日の前日までの期間は、「消費税簡易課税制度選択届出書」の提出ができません（消法37③五）。

【適用関係】

上記の特例は、令和６年（2024年）４月１日以後に行う金地金等の課税仕入れ及び金地金等に該当する課税貨物の保税地域からの引き取りについて適用されます。

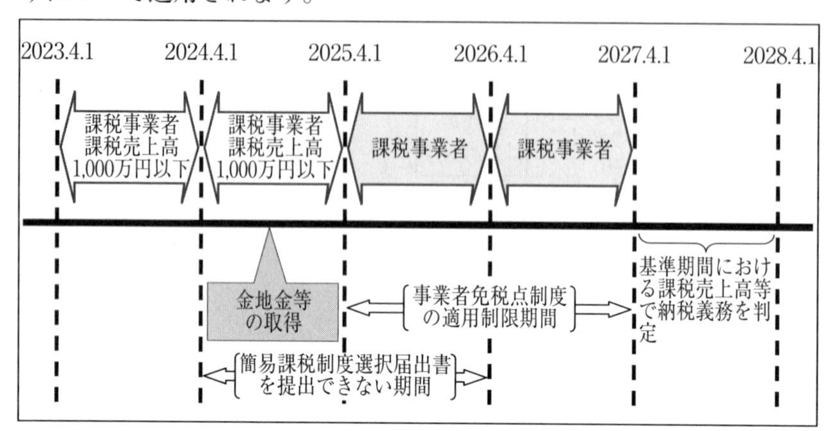

㈟１　「金地金等」とは、次に掲げる資産をいいます（消法12の４③、消規11の３）。

⑴　金又は白金の地金

⑵　金貨又は白金貨

⑶　金製品又は白金製品（金又は白金の重量当たりの単価に重量を乗じて得た価額により取引されるものに限るものとし、その事業者が製造する製品の原材料として使用されることが明らかなものを除きます。）

２　「棚卸資産の調整措置」については、「⑵　免税事業者が高額特定資産である棚卸資産を取得した場合」（401～403ページ）を参照。

第3節 Q&A

Q6－1

勤務医が独立開業する場合の消費税の還付

勤務医であった歯科医は、X年12月15日をもって独立開業する予定です（X年中は、自由診療だけ行う予定です）。

開業に当たり、診療所（建物、外構等）に相当な支出をしていますので、これらに係る消費税の還付を受けることは可能でしょうか。

A 課税事業者の選択を的確に行えば可能です。

考え方

国内で課税資産の譲渡等を行った事業者は、消費税の納税義務者となりますが、その課税期間の基準期間における課税売上高が1千万円以下である事業者については、その課税期間の消費税について納税義務が免除されます（以下「免税事業者」といいます。）。ただし、免税事業者は、課税仕入れに係る消費税額の控除（還付）を受けることもできません（消法9①、30①）。

しかし、事業を営んでいなかった個人が事業を開始した課税期間に「消費税課税事業者選択届出書（第2号様式）」（以下、「課税事業者選択届出書」といいます。）を税務署長に提出した場合には、事業を開始した日の属する課税期間から課税事業者となることができます（消法9④）。

したがって、勤務医であった歯科医がX年12月15日に事業を開始した場合にX年12月中に課税事業者選択届出書を提出すればX年から課税事業者となりますので、X年中に行った課税仕入れに係る消費税額の還付を受けることができます。なお、課税事業者選択届出書については、国税通則法10条２項の期限の規定は適用されませんので、提出が遅れないようご留意ください（ただし、郵便又は信書便による提出の場合は通信日付印により表示された日に提出されたものとみなされます。（国税通則法22条、平成18年国税庁告示第７号「国税通則法22条に規定する国税庁長官が定める書類を定める件」）。）。

㈱　免税事業者が適格請求書発行事業者の登録を受ける場合の経過措置（28年改正法附則44④）の適用を受ける場合には、課税事業者選択届出書を提出することなく、登録開始日から課税事業者となります。

なお、健康保険法等に基づく医療等（保険診療）としての資産の譲渡等は、非課税とされています（消法６①、別表第二６号、消令14）ので、通常は保険診療収入と自由診療収入に基づいて算出した課税売上割合により仕入控除税額を計算することになりますが、ご質問の場合のように、自由診療収入しかなく、課税売上割合が95％以上となる場合（課税売上高が５億円超の場合を除きます。）には、原則として帳簿及び適格請求書等の保存を条件に、課税仕入れに係る消費税額の全額㈱を控除することができます（消法30①）。

ただし、仕入税額控除の対象となった課税仕入れが、調整対象固定資産又は高額特定資産に該当する資産の取得である場合は、免税事業者に戻るときや簡易課税制度を選択しようというときに制約を受け、また、課税売上割合が著しく変動した場合等の仕入控除税額の調整規定が適用されます（消法９⑦、12の４①、37③一、三、33①）。

㈱　適格請求書発行事業者以外の者から行った課税仕入れについては、適格請求書を保存することはできませんが、区分記載請求書等の記載事項が満たされている書類を帳簿とともに保存することで、課税仕入れに係る消費税額の一部（令和５年10月１日～令和８年９月30日は80％相当額、令和８年10月１日～令和11年９月30日は50％相当額、令和11年10月１日以後は０％）を控除することができます（28年改正法附則52①、53①）。

Q6−2

新設の基金拠出型社団医療法人における新設法人の納税義務の免除の特例の適用関係

当医療法人は、基金拠出型の社団医療法人として設立されました。当該基金の額は1千万円以上ですが、当医療法人にも消費税法12条の2第1項《新設法人の納税義務の免除の特例》の適用はあるのでしょうか。

A 新設法人の納税義務の免除の特例の適用はありません。

考え方

平成19年（2007年）4月以後に認可申請を行って設立される社団医療法人については、出資持分のある医療法人は設立できないことになりました（医療法施行規則30の37）。

これに伴い、持分の定めのない医療法人の活動の原資となる資金の調達手段として基金の拠出を募集することができるようになりました。

この場合の基金は、拠出者と医療法人との間の合意に基づき拠出者は返還を受ける権利を有しています（医療法施行規則30の37）が、株式又は出資のように有限責任又は無限責任を負わず、かつ、剰余金又は利益の配当請求権・残余財産の分配権・株主総会における議決権又は持分会社の業務の執行権を有しないこととされています。

このため、この基金の額は、消費税法12条の2第1項に規定する「資本金の額又は出資の金額」に該当しないことになります（平成21年（2009年）4月21日国税庁文書回答事例）。

したがって、基準期間も特定期間もない新設の医療法人の設立の日の属する事業年度は、適格請求書発行事業者の登録を受けた場合や課税事業者選択届出書を提出した場合を除き、「免税事業者」に該当することになります（消法９①、④、９の２①、28年改正法附則44④）。

また、第２期の納税義務については、基準期間はありませんが、設立事業年度が７月を超える場合（設立事業年度が７月を超えても、その事業年度の６月期間の末日の翌日から終了の日までの期間が２月未満の場合を除きます。）は特定期間がありますから（消法９の２④三）、特定期間における課税売上高により判定し、その額が１千万円を超える場合は「課税事業者」に該当することになります（消法９の２①）。なお、特定期間中の支払給与等の合計額をもって特定期間における課税売上高とすることも認められていますから、特定期間における課税売上高が１千万円を超える場合であっても、特定期間中の支払給与等の合計額が１千万円以下の場合は「免税事業者」と判定することも可能です（消法９の２③）。

特定期間における課税売上高（又は支払給与等の合計額）により課税事業者に該当する場合は、「消費税課税事業者届出書（特定期間用）」（第３－⑵号様式）を速やかに提出する必要があります（消法57①一）。

㈲　基金とは、「社団医療法人に拠出された金銭その他の財産であって、当該医療法人が拠出者に対して医療法施行規則30条の37及び30条の38並びに当該医療法人と当該拠出者との間の合意の定めるところに従い返還義務（金銭以外の財産については、拠出時の当該財産の価額に相当する金銭の返還義務）を負うもの」とされています。

Q6－3

基金拠出型社団医療法人へ現物を拠出した場合の消費税の取扱い

個人の開業医が基金拠出型の医療法人社団を設立するに当たり、個人で使用していた医院の建物と医療用の器具備品を基金へ拠出しましたが、この拠出は、消費税の課税対象となるでしょうか。

基金への金銭以外の財産の拠出が課税対象となる場合、対価の額はどのようになるでしょうか。

A 課税対象となります。

なお、譲渡対価の額は、拠出時における拠出財産の価額に相当する金額です。

考え方

(1) 基金拠出型社団医療法人における基金の取扱い

基金拠出型社団医療法人における基金の額は、消費税法12条の2に規定する資本金の額又は出資の金額に該当しないこととされています（平成21年（2009年）4月21日国税庁文書回答事例）。

したがって、金銭以外の資産の基金への拠出は、現物出資に該当しないことになります。

(2) そうしますと、ご質問の建物及び備品の拠出は、現物出資として消費税が課税される（消法2①八、4①、消令2①二）ことはないということになります。

しかし、金銭以外の財産の拠出については拠出時の当該財産の価額に相当する金銭の返還義務を負うものとされていて、拠出した財産がそのままで返還されることはありません。また、基金に拠出された不動産については、社団医療法人名義に所有権移転登記が行われることになります。これらのことから、基金への金銭以外の財産の拠出はその財産の譲渡に当たり、土地等の非課税となるものの拠出を除き、消費税の課税の対象となると考えられます。

この場合の対価の額は、返還義務を負うこととなる拠出時の当該財産の価額に相当する金額となると考えられます。

参考　社団医療法人と基金への拠出を行う者との間で作成する基金拠出契約書の印紙税

> 拠出する財産が金銭以外の場合、当該財産に係る所有権等の権利は拠出者に返還されず、社団医療法人に帰属することになることから、当該拠出財産が拠出者から社団医療法人へ移転（譲渡）されたことになります。
>
> したがって、拠出財産が不動産の場合には、基金拠出契約書は第１号の１文書（不動産等の譲渡に関する契約書）に該当することになります（国税庁ホームページ質疑応答事例）。

Q6－4

社会医療法人の認定を受けた場合

当医療法人は、社会医療法人の認定を受けることになりましたが、これまでと消費税の取扱いが異なることになるのでしょうか。

A　認定の前後の期間は、異なる課税期間となります。

また、認定後は消費税法別表第三に掲げる法人に該当しますから、仕入控除税額の調整の特例の適用対象となります。

考え方

消費税法別表第三の表に掲げる法人で、公益社団法人及び公益財団法人（一般社団法人及び一般財団法人のうち公益認定されたもの）と同様に、法人格が同一のまま異なる名称を用いることとなる法人として社会医療法人があります。社会医療法人は、医療法人のうち、救急医療やへき地医療など特に地域で必要な医療の提供を担う医療法人で一定の要件に該当するものとして、都道府県知事の認定を受けたものをいいます（医療法42の2①）。

このような法人の場合に問題となるのが、事業年度の途中で別表第三法人に該当することとなる場合や逆に別表第三法人に該当しないこととなる場合に各課税期間単位で適用される資産の譲渡等の時期の特例（消法60③）や仕入控除税額の調整の特例（消法60④）の取扱いがどうなるかという点です。

法人税法においても同様に、収益事業課税か全所得課税か等の各種取扱いが異なることから、同法においては会計期間を区分することとし、普通法人が公益法人等に該当することとなった場合又は逆に公益法人等が普通法人に該当することとなった場合には、その事実が生じた日の前日までの期間とその翌日以後の期間がそれぞれみなし事業年度とされます（法法14①四）ので、消費税においてもそれぞれのみなし事業年度が課税期間となります（消法２①十三、19①二）。

また、消費税法においては、一般の医療法人は別表第三法人には該当しませんが、社会医療法人は別表第三法人とされています。

したがって、社会医療法人の認定後の課税期間については、仕入控除税額の調整の特例（消法60④）の適用対象となります。

ただし、資産の譲渡等の時期の特例（消法60③）については、社会医療法人が発生主義により経理することを義務付けられているため、適用されないことになります（消令74①、消基通16－１－２の２㈡、医療法50）。

Q6－5

個人の開業医が法人成りした場合の納税義務

個人の開業医が医療法人成りした場合、消費税の納税義務はどのように判定することになるでしょうか。

A 個人事業者（開業医）と医療法人は異なる事業者ですから、それぞれの基準期間における課税売上高等によって納税義務の有無を判定することになります。

考え方

消費税の納税義務者は事業者とされており、事業者とは個人事業者（事業を行う個人）及び法人をいいます（消法２①三、四、５①）。

お尋ねの場合のように、個人の開業医が医療法人成りした場合であっても、前者は個人事業者であって、医療法人とは異なる事業主体です。

消費税法は小規模事業者の納税事務負担に配慮し、基準期間における課税売上高が1,000万円以下の課税期間については納税義務を免除することとしていますが、この納税義務の有無の判定も、事業主体の異なるごとに行うことになります（消法９①）。なお、ここでいう「基準期間における課税売上高が1,000万円以下の課税期間」には、基準期間がない課税期間も含まれます（消基通１－４－６）。

したがって、お尋ねのように、個人の開業医が医療法人成りした場合、個人事業者としては前々年の課税売上高が1,000万円を超えるときであっても、医療法人の設立の日の属する事業年度（課税期間）に当該医療法人の基準期間（前々事業年度）はありませんから、当該医療法人の納税義務は免除されます。医療法人の第２期については、基準期間はありませんが、特定期間における課税売上高が1,000万円を超える場合は、納税義務は免除されません（消法９の２①）。

なお、新規に設立された法人（社会福祉法人を除きます。）の基準期間がない事業年度について、その事業年度開始の日における資本金の額又は出資の金額が1,000万円以上である場合は、その事業年度の納税義務を免除しないとする特例が設けられていますが（消法12の２①）、基金拠出型社団医療法人の基金の額は、「資本金の額又は出資の金額」に該当しないこととされていますので、当該特例の適用はありません（407ページQ＆A参照）。

第 7 章

適格請求書発行事業者

多段階課税の間接税である消費税においては、税の累積を排除するために前段階の税額を控除することとされていますが（消法30①）、複数税率制度の下で前段階税額控除の仕組みを適正に機能させるためにはヨーロッパ諸国等で採用されている「インボイス方式」の導入が不可欠との考え方に基づき、令和５年10月１日からインボイス制度（適格請求書等保存方式）が実施されています。

インボイス制度の下で仕入税額控除制度の適用を受けるためには、原則として、課税仕入れ等の内容が記載された帳簿及び適格請求書発行事業者から交付を受けた「適格請求書」等を保存する必要があります（消法30⑦、⑧、⑨）。

ここでは、適格請求書発行事業者の登録等の手続及び適格請求書発行事業者の義務についてみていくこととします。

第１節　適格請求書発行事業者の登録等の手続

1　適格請求書発行事業者とは

適格請求書発行事業者とは、適格請求書（適格簡易請求書を含みます。）を交付するために納税地を所轄する税務署長の登録を受けた事業者をいいます（消法２①七の二、57の２①）。

適格請求書を交付することができるのは適格請求書発行事業者に限られます。また、適格請求書発行事業者には事業者免税点が適用されないことから、適格請求書発行事業者は基準期間における課税売上高が1,000万円以下の課税期間についても消費税の申告・納付が必要となります（消法９①、45①、57の４、57の５）。

他方、登録を受けていない課税事業者、免税事業者や事業者以外の者は適格請求書を発行できません。

2　適格請求書発行事業者の登録申請

適格請求書を交付しようとする課税事業者は、所轄税務署長の登録を受けることができます（消法57の２①）が、登録は任意です。ただし、登録を受けない場合には、課税事業者であっても適格請求書（インボイス）を交付できませんから、取引の相手方は、原則として仕入税額控除できないことになります（消法30⑦、⑨、57の４、57の５）。

登録を受けるためには、「適格請求書発行事業者の登録申請書（インボイス様式通達第１－⑶号様式ほか）」（以下、「登録申請書」といいます。）を所轄税務署長に提出する必要があります（消法57の２②）。

登録申請をした事業者は、税務署長の登録を受けた日（登録開始日）から登録事業者となり（消基通1－7－3）、登録開始日以後に行った課税資産の譲渡等について、取引の相手方である事業者（課税事業者に限ります。）から交付を求められた場合には、適格請求書を交付しなければなりません（消法57の4①）。

(1) 免税事業者の登録申請－原則

適格請求書発行事業者の登録を受けることができるのは、課税事業者に限られます（消法57の2①）。そのため、免税事業者が登録を受けるためには、原則として、「消費税課税事業者選択届出書（様式通達第1号様式）」（以下、「課税事業者選択届出書」といいます。）を提出し、課税事業者となる必要があります。

課税事業者選択届出書を提出した場合には、その効力が生ずる課税期間の初日から課税事業者となります（消法9④）。

なお、免税事業者が課税事業者選択届出書の効力が生ずる課税期間の初日から登録を受けようとする場合は、その課税期間の初日から起算して15日前の日までに、登録申請書を提出しなければなりません（消法57の2②、消令70の2）。

(2) 免税事業者の登録申請－経過措置

令和5年10月1日から令和11年9月30日までの日の属する課税期間中の日を登録開始日とする登録申請書を提出した免税事業者が登録を受けた場合には、登録開始日からその課税期間の末日までの間は課税事業者となりますが、登録開始日の属する課税期間の初日から登録開始日の前日までの間は免税事業者のままとする経過措置が設けられています（28年改正法附則44④）。

令和5年10月1日後に登録を受けようとする免税事業者がこの経過措置の適用を受けることとなる場合には、登録申請書に登録希望日（提出日から15日を経過する日以後で登録を受ける日として事業者が希望する日）

を記載することとされており、登録希望日から課税事業者となります（30年改正令附則15②③、消基通21－1－1）。

なお、この経過措置の適用を受ける場合は、登録を受けるに当たり、課税事業者選択届出書を提出する必要はありません。

(注) この経過措置の適用を受ける登録開始日の属する課税期間が令和5年10月1日を含まない場合は、登録開始日の属する課税期間の翌課税期間から登録開始日以後2年を経過する日の属する課税期間までの各課税期間については免税事業者に戻ることはできません（28年改正法附則44⑤）。

(3) 新たに設立された法人等の登録申請

① 新たに設立された法人等が免税事業者の場合

新たに設立された法人等が免税事業者の場合、事業を開始した日の属する課税期間の末日までに、課税事業者選択届出書を提出すれば、その事業を開始した日の属する課税期間の初日から課税事業者となることができます（消法9④、消令20一）。

また、新たに設立された法人等が、事業を開始した日の属する課税期間の初日から登録を受けようとする旨を記載した登録申請書を、事業を開始した日の属する課税期間の末日までに提出した場合において、登録を受けたときは、その課税期間の初日に登録を受けたものとみなす特例（新たに設立された法人等の登録時期の特例）が設けられています（消令70の4、消規26の4、消基通1－4－7、1－4－8）。

したがって、新たに設立された法人等が免税事業者である場合、事業開始（設立）時から、適格請求書発行事業者の登録を受けるためには、設立後、その課税期間の末日までに、課税事業者選択届出書と登録申請書を併せて提出する必要があります。

(注) 上記(2)の経過措置の適用を受けることも可能です。

② 新たに設立された法人等が課税事業者の場合

新たに設立された法人等が課税事業者の場合（消費税法12条の2第

1項、12条の3第1項の適用があるなどの場合）については、事業を開始した課税期間の末日までに、事業を開始した日の属する課税期間の初日から登録を受けようとする旨を記載した登録申請書を提出することで、新たに設立された法人等の登録時期の特例の適用を受けることができます。

(注) 新設合併、新設分割、個人事業者の新規開業等の場合も、新たに設立された法人等の登録時期の特例の対象となります。
なお、吸収合併又は吸収分割により、登録を受けていた被合併法人又は分割法人の事業を承継した場合における吸収合併又は吸収分割があった日の属する課税期間についても新たに設立された法人等の登録時期の特例の適用があります（消基通1－7－6）。

③ 免税事業者の登録に係る経過措置の適用を受ける場合

新たに設立された法人等である免税事業者が令和5年10月1日から令和11年9月30日までの日の属する課税期間中に上記(2)の経過措置により登録を受ける場合は、課税事業者選択届出書の提出を要しません。この場合においても、登録申請書に「課税期間の初日から登録を受けようとする旨」を記載することにより、事業を開始（設立）した課税期間の初日に遡って登録を受けたものとみなされ、課税期間の初日（登録開始日）から適格請求書発行事業者となります（国税庁「消費税の仕入税額控除制度における適格請求書等保存方式に関するQ&A（令和6年4月改訂）」問11）。

(4) 適格請求書発行事業者の事業を承継した相続人の登録申請

適格請求書発行事業者の登録を受けた事業者が死亡した場合、その相続人は「適格請求書発行事業者の死亡届出書（インボイス様式通達第4号様式）」を提出する必要があり、その届出書の提出日の翌日又は死亡した日の翌日から4月を経過した日のいずれか早い日に登録の効力が失われます（消法57の3①②）。

そのため、相続により適格請求書発行事業者の事業を承継した相続人が適格請求書発行事業者の登録を受けるためには、既に登録を受けていた場合を除き、当該相続人が登録申請書を提出する必要があります（消基通１－７－４）。

なお、相続により適格請求書発行事業者の事業を承継した相続人がみなし登録期間㈲中に適格請求書発行事業者の登録申請を行えば、相続した事業に係る課税資産の譲渡等について切れ目なく適格請求書を交付することが可能となります。

㈲１　相続により適格請求書発行事業者の事業を継承した相続人の相続のあった日の翌日から、その相続人が適格請求書発行事業者の登録を受けた日の前日又はその相続に係る適格請求書発行事業者が死亡した日の翌日から４月を経過する日のいずれか早い日までの期間（みなし登録期間）については、相続人を適格請求書発行事業者とみなす措置が設けられており、この場合、被相続人の登録番号を相続人の登録番号とみなすこととされています（消法57の３③）。

２　相続により適格請求書発行事業者の事業を承継した相続人がみなし登録期間中に適格請求書発行事業者の登録申請を行った場合において、みなし登録期間の末日までに登録の通知がないときは、その通知が登録申請した相続人に到達するまでの期間がみなし登録期間とみなされます（消令70の６②）。

3　登録事項の変更及び登録の取りやめ

⑴　登録事項の変更

適格請求書発行事業者は、適格請求書発行事業者登録簿に登載された事項に変更があったときは、変更があった旨を記載した「適格請求書発行事業者登録簿の登載事項変更届出書（インボイス様式通達第２－⑵号様式）」を、速やかに提出しなければなりません（消法57の２⑧）。

⑵　登録の取りやめ

登録の取消しを求めるために「適格請求書発行事業者の登録の取消しを求める旨の届出書（インボイス様式通達第３号様式）」（以下、「登録取消届出書」といいます。）を提出した場合、事業を廃止した場合、又は合併により法人が消滅した場合には、登録の効力は消滅します（消法57の2⑩）。

登録の効力が消滅する時期は、原則として、登録取消届出書の提出があった日の属する課税期間の翌課税期間の初日となります（消法57の2⑩一）。

ただし、登録取消届出書を、翌課税期間の初日から起算して15日前の日を過ぎて提出した場合は、翌々課税期間の初日に登録の効力が失われることとなります（消法57の2⑩一、消令70の5③）。

㈟1　課税事業者選択届出書を提出している事業者の場合、適格請求書発行事業者の登録の効力が失われた後の課税期間について、事業者免税点制度の適用を受ける（免税事業者となる）ためには、適用を受けようとする課税期間の初日の前日までに「消費税課税事業者選択不適用届出書（様式通達第2号様式）」（以下、「課税事業者選択不適用届出書」といいます。）を提出する必要があります（消基通1－4－1の2（注））。

2　免税事業者の登録に係る経過措置（28年改正法附則44④）による登録開始日の属する課税期間が令和5年10月1日を含まない場合は、適格請求書発行事業者の登録を取りやめたとしても、登録開始日以後2年を経過する日の属する課税期間までの各課税期間については免税事業者に戻ることはできません（28年改正法附則44⑤）。

3「翌課税期間の初日から起算して15日前の日」が日曜日、国民の祝日に関する法律（昭和23年法律第178号）に規定する休日その他一般の休日、土曜日又は12月29日、同月30日若しくは同月31日であったとしても、これらの日の翌日とはなりません。

《適格請求書発行事業者の登録の取消届出》

（例１）　適格請求書発行事業者である法人（３月決算）が令和７年３月17日に登録取消届出書を提出した場合

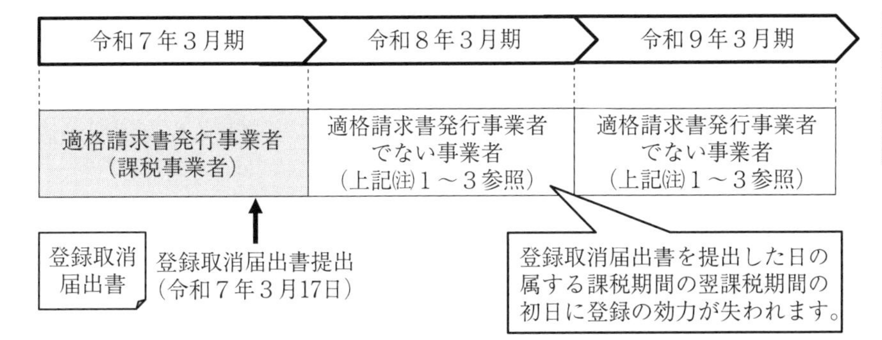

（例２）　適格請求書発行事業者である法人（３月決算）が令和７年３月25日に登録取消届出書を提出した場合（届出書を、翌課税期間の初日から起算して15日前の日を過ぎて提出した場合）

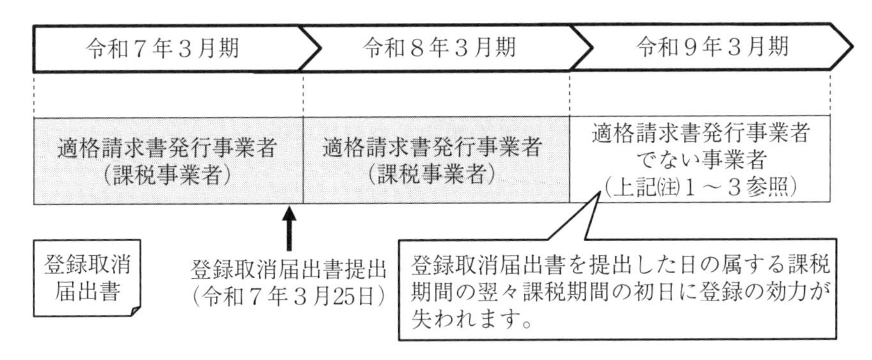

出典：国税庁「消費税の仕入税額控除制度における適格請求書等保存方式に関するＱ＆Ａ（令和６年４月改訂）」（一部修正）

4　特定非常災害と登録の取りやめ

(1)　被災事業者が登録取消届出書を提出した場合

特定非常災害の被災事業者である適格請求書発行事業者で、その課税期間に係る基準期間における課税売上高が1,000万円以下である者が、特定非常災害に係る指定日までに登録取消届出書を所轄税務署長に提出した場合には、その提出があった日の翌日に、登録の効力は失われます。

この場合において、当該適格請求書発行事業者のその提出があった日の属する課税期間については、その全体に事業者免税点制度が適用されます（措法86の5⑬）。

㈱「特定非常災害」については、381頁参照。

(2) 被災事業者が課税事業者選択不適用届出書を提出した場合

租税特別措置法第86条の5第13項の規定は、特定非常災害の被災事業者である適格請求書発行事業者が、指定日までに課税事業者選択不適用届出書を提出した場合（措法86の5③）について準用されます（措法86の5⑭）。

これにより、指定日までに課税事業者選択不適用届出書を提出した場合は、これと併せて登録取消届出書を提出したものとみなされ、課税事業者選択不適用届出書を提出した日の翌日に、適格請求書発行事業者の登録の効力も失われます（措法86の5③）。

なお、指定日までに課税事業者選択不適用届出書を提出した場合は、当該届出書を課税事業者の選択をやめようとする課税期間の初日の前日に提出したものとみなされますから、提出した日の属する課税期間の初日から事業者免税点制度が適用されることになります。

5　登録事項等の公表

適格請求書発行事業者の情報（登録日など適格請求書発行事業者登録簿に登載された事項）は、「国税庁適格請求書発行事業者公表サイト」において公表されます（消法57の2④⑪、消令70の5②）。また、適格請求書発行事業者の登録が取り消された場合又は効力を失った場合には、その年月日が「国税庁適格請求書発行事業者公表サイト」において公表されます。

適格請求書等の交付を受けた課税事業者は、「国税庁適格請求書発行事業者公表サイト」を検索することで、適格請求書等に表示されている登録番号の有効性を確認することができます。

具体的な公表情報は、次のとおりです。

(1) 法定の公表事項（消法57の2④⑪、消令70の5①）

① 適格請求書発行事業者の氏名又は名称

② 法人（人格のない社団等を除きます。）については、本店又は主たる事務所の所在地

③ 特定国外事業者以外の国外事業者については、国内において行う資産の譲渡等に係る事務所、事業所その他これらに準ずるものの所在地

④ 登録番号

⑤ 登録年月日

⑥ 登録取消年月日、登録失効年月日

(2) 本人の申出に基づき追加で公表できる事項

次の①、②の事項について公表することを希望する場合には、必要事項を記載した「適格請求書発行事業者の公表事項の公表（変更）申出書」を提出することとされています。

① 個人事業者の「主たる屋号」、「主たる事務所の所在地等」

② 人格のない社団等の「本店又は主たる事務所の所在地」

第２節　適格請求書発行事業者の義務等

1　適格請求書発行事業者の義務

(1)　原則

適格請求書発行事業者には、国内において課税資産の譲渡等を行った場合に、取引の相手方（課税事業者に限ります。）の求めに応じて適格請求書を交付する義務及び交付した適格請求書の写しを所定の期間、納税地等に保存する義務が課されます（消法57の４①⑥、消令70の13①）。

また、課税資産の譲渡等について売上げに係る対価の返還等を行う適格請求書発行事業者は、適格請求書の交付義務が免除される取引及び売上対価の返還等に係る税込価額が１万円未満である場合を除き、適格返還請求書を交付しなければなりません（消法57の４③、消令70の９③）。

(2)　適格簡易請求書を交付できる場合

小売業、飲食店業、タクシー業、駐車場業等の不特定多数の者に対して課税資産の譲渡等を行う事業については、適格請求書に代えて、適格簡易請求書を交付することができます（消法57の４②、消令70の11）。

(3)　電磁的記録の提供

適格請求書、適格簡易請求書又は適格返還請求書の交付に代えて、これらの書類に記載すべき事項に係る電磁的記録を提供することができ（消法57の４⑤）、電磁的記録を提供した場合にはその電磁的記録を所定の方法で保存することになります（消法57の４⑥、消令70の13①、消規26の８①）。なお、電磁的記録の保存に代えて、電磁的記録を出力することにより作成した書面を保存する方法によることもできます（消規26の8②)。

(注) 所得税及び法人税においては、請求書、領収書等のデータを電磁的記録で授受した場合、電子帳簿保存法の規定により電磁的記録を出力した書面で保存することは認められていません。

2 適格請求書等の記載事項

(1) 適格請求書の記載事項

適格請求書には次の事項を記載することとされています(消法57の4①)。

なお、記載事項のうち適格請求書発行事業者の氏名又は名称及び課税資産の譲渡等に係る資産又は役務の内容は、記号、番号等によりその具体的な内容が明らかになる場合には、記号、番号等の表示でも差し支えありません(消基通1－8－3)。

① 適格請求書発行事業者の氏名又は名称及び登録番号

② 課税資産の譲渡等を行った年月日

③ 課税資産の譲渡等に係る資産又は役務の内容(課税資産の譲渡等が軽減対象課税資産の譲渡等である場合には、資産の内容及び軽減対象課税資産の譲渡等である旨)

④ 課税資産の譲渡等の税抜価額又は税込価額を税率の異なるごとに区分して合計した金額及び適用税率

⑤ 消費税額等

⑥ 書類の交付を受ける事業者の氏名又は名称

(注) 「消費税額等」とは、課税資産の譲渡等につき課されるべき消費税額及び当該消費税額を課税標準として課されるべき地方消費税額に相当する額の合計額として④に掲げる税率の異なるごとに区分して合計した金額ごとに政令で定める方法により計算した金額をいいます。

(2) 適格簡易請求書とその記載事項

適格簡易請求書の記載事項は次のとおりです（消法57の4②)。適格請求書の記載事項との違いは、「書類の交付を受ける事業者の氏名又は名称」の記載を要しないこと及び消費税額等と適用税率についてはどちらか一方で差し支えないことにあります。

① 適格請求書発行事業者の氏名又は名称及び登録番号

② 課税資産の譲渡等を行った年月日

③ 課税資産の譲渡等に係る資産又は役務の内容（課税資産の譲渡等が軽減対象課税資産の譲渡等である場合には、資産の内容及び軽減対象課税資産の譲渡等である旨）

④ 課税資産の譲渡等に係る税抜価額又は税込価額を税率の異なるごとに合計した金額

⑤ 消費税額等又は適用税率

3 適格請求書の交付義務が免除される場合

適格請求書発行事業者が行う事業の性質上、適格請求書を交付することが困難な次の取引については、適格請求書の交付義務が免除されます（消法57の4①ただし書、消令70の9②、消規26の5、26の6)。

① 税込価額3万円未満の公共交通機関（船舶、バス又は鉄道）による乗合旅客の運送

② 出荷者が卸売市場において行う生鮮食料品等の販売（出荷者から委託を受けた受託者が卸売の業務として行うものに限ります。）

③ 生産者が農業協同組合、漁業協同組合又は森林組合等に委託して行う農林水産物の販売（無条件委託方式かつ共同計算方式により生産者を特定せずに行うものに限ります。）

④ 税込価額3万円未満の自動販売機及び自動サービス機により行われ

る商品の販売等

⑤　郵便切手類のみを対価とする郵便・貨物サービス（郵便ポストに差し出されたものに限ります。）

㊟　令和11年９月30日までの間、基準期間における課税売上高が１億円以下又は特定期間における課税売上高が5,000万円以下（給与等支払額による判定は不可）の課税事業者が国内において行う税込み１万円未満の課税仕入れについては、適格請求書の保存を要しないこととする事務負担の軽減措置（少額特例）（28年改正法附則53の２、30年改正令附則24の２①）が設けられていますが、この少額特例は、その対象となる課税資産の譲渡等を行った適格請求書発行事業者の適格請求書の交付義務及びその写しの保存義務を免除するものではありません。

4　適格請求書発行事業者以外の者が適格請求書を交付できる場合

次の場合には、課税資産の譲渡等を行った適格請求書発行事業者以外の者が適格請求書を交付することが認められています。

①　委託販売の場合の受託者による代理交付

委託販売の場合、購入者に対して課税資産の譲渡等を行っているのは委託者ですから、本来、委託者が購入者に対して適格請求書を交付しなければなりませんが、受託者が、委託者を代理して、委託者の氏名又は名称及び登録番号を記載した適格請求書を、相手方に交付することも認められます。

㊟　代理交付の場合、受託者が適格請求書発行事業者である必要はありません。

②　委託販売の受託者による媒介者交付特例

次のイ及びロの要件を満たす場合は、委託者の課税資産の譲渡等について、媒介又は取次ぎを行う者である受託者が、自己の氏名又は名称及び登録番号を記載した適格請求書又は適格請求書に係る電磁的記録を、委託者に代わって購入者に交付し、又は提供することができます（消令70の12①）。

イ　委託者及び受託者が適格請求書発行事業者であること。

ロ　委託者が受託者に、自己が適格請求書発行事業者の登録を受けている旨を取引前までに通知していること（通知の方法については消基通１－８－10を参照）。

(注)　媒介者交付特例は、物の販売などを委託し、受託者が買手に商品を販売しているような取引だけではなく、請求書の発行事務や集金事務といった商品の販売等に付随する行為のみを委託しているような場合も対象となります（消基通１－８－９、国税庁「消費税の仕入税額控除制度における適格請求書等保存方式に関するＱ＆Ａ（令和６年４月改訂）」問48）。

③　公売等の執行機関による交付（公売特例）

適格請求書発行事業者が国税徴収法２条12号に規定する強制換価手続により、執行機関を介して課税資産の譲渡等を行う場合には、当該執行機関は、当該課税資産の譲渡等を受ける他の者に対し「適格請求書発行事業者の氏名又は名称及び登録番号」の記載に代えて「当該執行機関の名称及び本件特例の適用を受ける旨」を記載した適格請求書又は適格請求書に記載すべき事項に係る電磁的記録を交付し、又は提供することができます（消令70の12⑤）。

(注)　公売特例の場合、執行機関が適格請求書発行事業者である必要はありません。

5　適格請求書の写し等の保存

適格請求書発行事業者には、交付した適格請求書の写し又は提供した適格請求書に係る電磁的記録の保存義務があります（消法57の４⑥）。

この適格請求書の写しや電磁的記録については、交付した日又は提供した日の属する課税期間の末日の翌日から２月を経過した日から７年間、納税地又はその取引に係る事務所、事業所その他これらに準ずるものの所在地に保存しなければなりません（消令70の13①）。適格簡易請求書、適格返還請求書、修正した適格請求書についても同様です。

㈱1　「交付した適格請求書の写し」とは、交付した書類そのものを複写したものに限らず、その適格請求書の記載事項が確認できる程度の記載がされているものもこれに含まれ、例えば、適格簡易請求書に係るレジのジャーナル、複数の適格請求書の記載事項に係る一覧表や明細表などの保存でも差し支えないものとされています（国税庁「消費税の仕入税額控除制度における適格請求書等保存方式に関するＱ＆Ａ（令和６年４月改訂）」問78）。

2　適格請求書発行事業者は、自己の仕入税額控除について簡易課税制度を適用する場合であっても、交付した適格請求書の写し又は適格請求書に係る電磁的記録を保存しなければなりません。

6　禁止行為

⑴　適格請求書類似書類等の交付の禁止

適格請求書発行事業者又は適格請求書発行事業者以外の者については、次の行為が禁止されています（消法57の５）。

①　適格請求書発行事業者以外の者が、適格請求書発行事業者が作成した適格請求書又は適格簡易請求書であると誤認されるおそれがある表示をした書類及びこれらの書類の記載事項に係る電磁的記録を他の者に交付又は提供すること。

②　適格請求書発行事業者が、偽りの記載をした適格請求書又は適格簡易請求書及びこれらの書類の記載事項に係る電磁的記録を他の者に交付又は提供すること。

⑵　任意組合等の組合員による適格請求書等の交付の禁止

任意組合等の組合員である適格請求書発行事業者は、任意組合等の事業として行った課税資産の譲渡等につき適格請求書等の書類を交付し、又はそれらの書類に記載すべき事項に係る電磁的記録を提供してはならないこととされています（消法57の６①本文）。

ただし、その任意組合等の組合員の全てが適格請求書発行事業者であり、民法670条３項《業務執行の方法》に規定する業務執行者などの業務執行組合員が、「任意組合等の組合員の全てが適格請求書発行事業者である旨の届出書（インボイス様式通達第５号様式）」を納税地を所轄する税務署長に提出した場合には、適格請求書等を交付等することができることとされています（消法57の６①ただし書、消令70の14①②）㈲。この場合、任意組合等のいずれかの組合員が適格請求書等を交付等することができ、その写し等の保存は、適格請求書等を交付した組合員が行うこととなります。

㈲　日本国内で課税資産の譲渡等を行っておらず、日本における事業の損益の配賦を直接又は間接にも受けない組合員については、当該届出書の対象としなくても差し支えないこととされています（国税庁「インボイスの取扱いに関するご質問（令和７年２月25日更新）」問Ⅲ）。

なお、次の場合に該当することとなったときは、該当することとなった日以後の取引について、適格請求書等を交付等することができなくなります。これらの場合に該当することとなったときは、業務執行組合員が速やかに納税地を所轄する税務署長に「任意組合等の組合員が適格請求書発行事業者でなくなった旨等の届出書（インボイス様式通達第６号様式）」を提出しなければなりません（消法57の６②）。

①　適格請求書発行事業者でない新たな組合員を加入させた場合

②　当該任意組合等の組合員のいずれかが適格請求書発行事業者でなくなった場合

第3節　Q＆A

Q7－1

適格請求書発行事業者の登録の任意性

当医療法人が提供する医療サービスは、そのほとんどが事業者以外の者に対する医療ですが、健康診断等の事業者に対する課税対象のサービスもあり、売店では軽減税率対象品目の販売も行っています。このような事業内容の場合、適格請求書発行事業者の登録を受けなければならないのでしょうか。

A　登録は任意です。

考え方

適格請求書を交付できるのは、登録を受けた適格請求書発行事業者に限られますが、適格請求書発行事業者の登録を受けるかどうかは事業者の任意とされています（消法57の2①）。

ただし、登録を受けなければ、適格請求書を交付することができず、取引先は仕入税額控除を行うことができないことになります（消法57の5一、30⑦）。

また、適格請求書発行事業者は、軽減税率対象の課税資産の譲渡等を行った場合でも、取引の相手方（課税事業者に限ります。）から交付を求められたときには、適格請求書を交付しなければならず（消法57の4①）、交付した適格請求書の写しを保存しなければならないこととされています（消法57の4⑥）。

更に、適格請求書発行事業者は、基準期間における課税売上高が1,000万円以下であっても納税義務が免除されませんので、消費税の申告・納付を行わなければなりません（消法9①、45①）。

一方で、消費者や免税事業者など、課税事業者以外の者に対する交付義務はありませんので、例えば、顧客が消費者のみというような場合には、必ずしも適格請求書を交付する必要はないことになります。

このような点を踏まえ、登録の必要性を検討する必要があります。

Q7－2

適格請求書発行事業者における課税事業者届出書の提出

当社は、適格請求書発行事業者です。このたび、基準期間における課税売上高が1,000万円を超えることとなりましたが、「消費税課税事業者届出書」の提出は必要でしょうか。

A　提出の必要はありません。

考え方

「消費税課税事業者届出書」は、課税期間の基準期間における課税売上高が1,000万円を超えることとなった場合等に提出することとされています（消法57①一）が、適格請求書発行事業者は、基準期間における課税売上高が1,000万円を超えるかどうか等にかかわらず、課税事業者となることから、「消費税課税事業者選択届出書」の提出を行った場合と同様に、適格請求書発行事業者の登録を受けている課税期間（登録開始日の属する課税期間の翌課税期間以後の課税期間に限ります。）については、「消費税課税事業者届出書」の提出を要しないこととされています（国税庁ホームページ）。

(注)「消費税課税事業者選択届出書」を提出している事業者においては、当該届出書を提出した日の属する課税期間の翌課税期間以後の課税期間については、その基準期間における課税売上高が1,000万円を超えるかどうかにかかわらず、課税事業者となることから、「消費税課税事業者届出書」は提出しなくて差し支えないこととされています（消基通17－1－1）。

Q7－3

適格簡易請求書を交付することができる事業の具体例

当団体は、多数の会員を有する事業者団体です。当団体は、定期的に会員を対象としたセミナーを開いており、セミナー当日に参加者からその対価を徴収しています。このセミナーについては、適格簡易請求書の交付対象になりますか。

なお、参加者は毎回多数に上るため、参加費を徴収する際には「●●会会員様」という宛名を事前に印刷した領収書、あるいは宛名のない領収書を配布しています。

A　適格簡易請求書の交付対象となり、ご質問のような宛名によるものでも差し支えないものと考えます。

考え方

適格請求書発行事業者が、不特定かつ多数の者に課税資産の譲渡等を行う一定の事業を行う場合には、適格請求書に代えて、記載事項を簡易なものとした適格簡易請求書を交付することができます（消法57の4②、消令70の11）。

この適格簡易請求書の交付ができる事業は、小売業や飲食店業、写真業、旅行業、タクシー業及び駐車場業（不特定かつ多数の者に対するものに限ります。）の他、「これらの事業に準ずる事業で不特定かつ多数の者に資産の譲渡等を行う事業」も対象とされていますが、当該事業に該当するかは、個々の事業の性質により判断されます。

「不特定かつ多数の者に資産の譲渡等を行うもの」には、その取引に当たり、相手方の氏名等を確認するものであったとしても、相手方を問わず広く一般を対象に資産の譲渡等を行う、ホテル・旅館等の宿泊サービスや航空サービス、レンタカー事業なども含まれます。

他方、通常の事業者間取引や、消費者を含めた多数の者に対して行う取引であったとしても、その相手方を一意に特定した上で契約を行い、その契約に係る取引の内容に応じて個々に課税資産の譲渡等を行うようなもの（電気・ガス・水道水の供給、電話料金など）は、一般的には、適格簡易請求書の交付ができる事業には当たりません。

ご質問のセミナーについては、その参加者が貴団体の会員に限られ、一定の対象者に対して取引を行うものではありますが、相手方を一意に特定したうえで開催されるものではなく、また、対象者も多数に上るものであることから、適格簡易請求書の交付を行う事業に該当することとなります。

そうしますと、領収書に「書類の交付を受ける事業者の氏名又は名称」の記載は不要となりますので、あらかじめ「●●会会員様」との宛名を印刷した領収書を適格簡易請求書として交付することも認められます。また、仮に宛名として会員名を記載した場合であっても、適格簡易請求書として交付するのであれば、消費税額等又は適用税率のいずれかの記載があれば問題ないことになります（国税庁「消費税の仕入税額控除制度における適格請求書等保存方式に関するQ&A（令和６年４月改訂）」問24－２）。

Q7－4

セミナー参加費に係る適格請求書の交付方法

当協会は、協会に所属する会員向けに講師を招いてセミナーを開催しています。その際の講演料はまとめて当協会が支払いますが、一定割合を協会で負担することとした上で、残りをセミナーの参加予定者数で按分して参加費として受領しています（1,000円未満の端数は切上げ）。この場合、参加者に対してどのように適格請求書を交付すればよいでしょうか。

A　二通りの対応が考えられます。

考え方

1　セミナーの参加費が貴協会の課税売上げとなる場合

原則として、貴協会が会員（参加者）に対しセミナーという役務の提供を行ったものと解されることから、貴協会においては、当該セミナーの参加者から受領した金額が課税売上げ、講演料として支払った金額が課税仕入れとなり、参加者にとっては、セミナー参加に当たって負担した金額がセミナーという役務提供の対価として課税仕入れとなるものと考えられます。

そのため、参加者から代金を受領する際には、適格簡易請求書の記載事項を満たした領収書等の交付を行うことが考えられます。

2　セミナーの参加費が預り金として処理される場合

貴協会と会員（参加者）との間での契約などにより、セミナー参加に当たって負担する金額が、貴協会が、講師に対して立て替えて支払った講演料の一部負担金であることが明らかであり、かつ、講演料の総額を超える対価を受領することがないなどの場合には、貴協会において預り金として処理することも認められるものと考えられます（国税庁「消費税の仕入税額控除制度における適格請求書等保存方式に関するQ&A（令和6年4月改訂）」問94－3）。

その場合、参加者が負担した金額は、講演を受けるという役務提供の対価として課税仕入れに該当し、貴協会から交付を受けた講演料に係る適格請求書のコピーと立替金精算書の保存により仕入税額控除の適用を受けることが可能です。

なお、適格請求書のコピーが大量となるなどの事情により、コピーを交付することが困難なときは、貴協会が適格請求書を保存しておくことで、参加者は貴協会から交付を受けた立替金精算書のみの保存をもって、仕入税額控除の適用を受けることが可能です（消基通11－6－2）。

この場合、当該立替金精算書には、以下のイメージのように、課税仕入れを行う参加者が仕入税額控除の適用を受けるに当たっての必要な事項が記載されている必要があります。

【立替金精算書の記載イメージ】

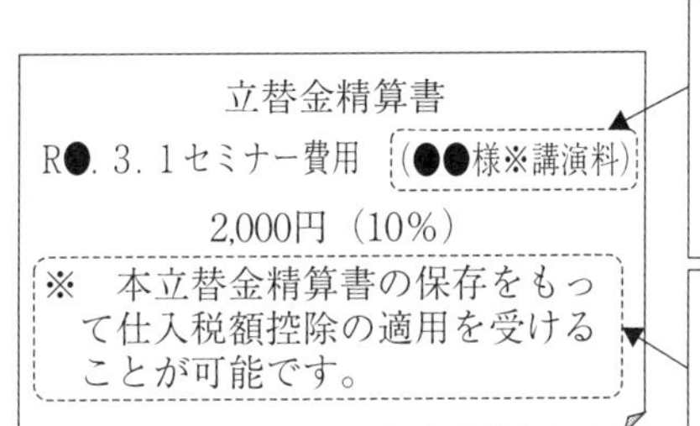

参加者が仕入税額控除の適用を受けるに当たり、売手である適格請求書発行事業者の氏名又は名称を帳簿に記載する必要があることから、講師の氏名を表示している。

本立替金精算書の保存をもって仕入税額控除の適用が可能である点（＝売手である講師が適格請求書発行事業者である点）を示している。

(注) ご質問の事例における立替金精算書は、適格請求書の交付対象（講演料）に係るものであるため、本来は宛名（セミナー参加者の氏名又は名称）や消費税額等及び適用税率の記載が必要となりますが、適格簡易請求書の交付が可能な事業における立替金精算書については、適格請求書が立替者（協会）において保存されることをもって、適格簡易請求書と同様、記載事項を省略する（宛名

不要、消費税額等又は適用税率のいずれかで良い）こととして差し支えありません。

参考

上記立替金精算書による対応は貴協会が適格請求書発行事業者であるかどうかは問いませんが、貴協会と講師の双方が適格請求書発行事業者である場合においては、媒介者交付特例を適用し、貴協会の名称及び登録番号を記載して、適格簡易請求書を交付することも可能です。

Q７－５

免税事業者の交付する請求書等

免税事業者である個人事業者です。適格請求書等保存方式においては適格請求書発行事業者しか適格請求書を交付できないとのことですが、免税事業者はこれまで交付していたような請求書や領収書等を交付することはできないのでしょうか。

A　適格請求書に該当しない請求書、領収書等を交付しても差し支えありません。

考え方

適格請求書等保存方式において、適格請求書を交付することができるのは適格請求書発行事業者に限られます（消法57の４①）。

他方、適格請求書発行事業者以外の者であっても、適格請求書に該当しない（適格請求書の記載事項を満たさない）請求書や領収書等の交付や、それらに記載すべき事項に係る電磁的記録の提供を行うことは、これまでと同様に可能です（注１）。

ただし、適格請求書発行事業者以外の者が、適格請求書発行事業者が作成した適格請求書又は適格簡易請求書であると誤認されるおそれのある表示をした書類（注２）を交付することや、当該書類の記載事項に係る電磁的記録を提供することは禁止されており、これに反した場合は罰則（１年以下の懲役又は50万円以下の罰金）の適用対象となります（消法57の５、65）。

なお、免税事業者が請求書等に消費税相当額を記載したとしても、それが適格請求書等と誤認されるおそれのあるものでなければ、基本的に罰則の適用対象となるものではありません。

また、免税事業者であっても、仕入れの際に負担した消費税相当額を取引価格に上乗せして請求することは適正な転嫁として、何ら問題はありません（国税庁「消費税の仕入税額控除制度における適格請求書等保存方式に関するQ&A（令和6年4月改訂）」問26－2）。

(注)1　適格請求書発行事業者以外の者からの課税仕入れについては、仕入税額相当額の一定割合（80%、50%）を仕入税額とみなして控除できる経過措置が設けられています（28年改正法附則52、53）が、当該経過措置の適用を受けるためには、インボイス制度実施前の仕入税額控除においてその保存が要件とされていた区分記載請求書と同様の記載事項を満たした書類等の保存が求められていますので、免税事業者であっても、取引の相手方からそうした書類等の作成・交付を求められることは考えられます。

2　適格請求書又は適格簡易請求書であると誤認されるおそれのある表示をした書類とは、例えば、登録番号（T＋13桁の数字）と類似した英数字や、自身のものではない登録番号を、自らの「登録番号」として記載した書類などをいいます。

Q7－6

年の中途から登録を受けた場合における消費税の確定申告が必要となる期間（個人事業者の場合）

個人事業者が、年の中途から適格請求書発行事業者の登録を受けた場合、その年の１月１日から12月31日までの課税期間の消費税の申告は具体的にどのようになるでしょうか。

A　その事業者が登録を受けなくとも課税事業者に該当するかどうかにより違ってきます。

考え方

1　免税事業者である個人事業者が令和Ｘ年の中途に適格請求書発行事業者の登録を受けた場合（登録に際して令和Ｘ年を適用開始課税期間とする課税選択届出書を提出した場合を除きます。）

令和Ｘ年について適格請求書発行事業者の登録を受けなければ免税事業者である個人事業者が、「消費税課税事業者選択届出書」（以下、「課税選択届出書」といいます。）を提出することなく、例えば令和Ｘ年７月１日から登録を受けた場合には、登録開始日である令和Ｘ年７月１日以後は課税事業者となりますので、令和Ｘ年７月１日から令和Ｘ年12月31日までの期間に行った課税資産の譲渡等及び特定課税仕入れについて、消費税の申告が必要となります（28年改正法附則44④）。

《免税事業者に係る登録の経過措置》

（例）免税事業者である個人事業者が令和Ｘ年７月１日を登録希望日とする登録申請書を提出し、登録を受けた場合

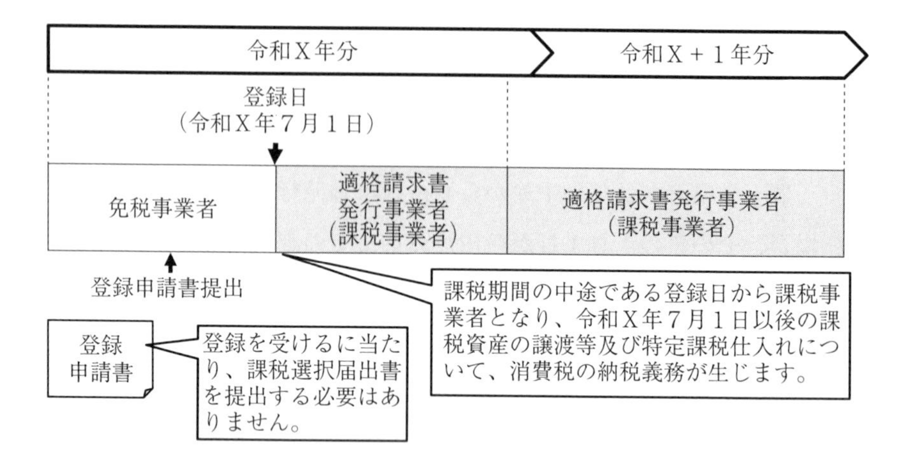

参考

令和X年7月1日から登録を受けた場合において、登録開始日の前日である令和X年6月30日に、免税事業者であった期間中に国内において譲り受けた課税仕入れに係る棚卸資産や保税地域からの引取りに係る課税貨物で棚卸資産に該当するものを有しており、当該棚卸資産又は課税貨物について明細を記録した書類を保存しているときは、当該棚卸資産又は課税貨物に係る消費税額について仕入税額控除の適用を受けることができます（30年改正令附則17）。

2　令和X年が課税事業者である個人事業者が令和X年の中途に適格請求書発行事業者の登録を受けた場合（令和X年を適用開始課税期間とする課税選択届出書を提出している場合を含みます。）

令和X年が課税事業者である個人事業者が、例えば令和X年7月1日から適格請求書発行事業者の登録を受けた場合、同日から適格請求書発行事業者となりますが、登録を受けなくとも課税事業者であったことから、その課税期間（令和X年1月1日から12月31日まで）中に行った課税資産の譲渡等及び特定課税仕入れについては、消費税の申告が必要となります。

Q7－7

適格請求書に記載する消費税額の１円未満の端数処理

適格請求書に記載することとされている税率ごとに区分した消費税額等を計算する際に発生する１円未満の端数処理は、どのように行えばよいのでしょうか。

A　適格請求書の記載事項である消費税額等に１円未満の端数が生じる場合は、一の適格請求書につき、税率ごとに１回の端数処理を行う必要があります（消令70の10、消基通１－８－15）。

なお、切上げ、切捨て、四捨五入などの端数処理の方法については、特段指定されていませんから、任意の方法で差し支えありません。

㈱　一の適格請求書に記載されている個々の商品ごとに消費税額等を計算し、１円未満の端数処理を行い、その合計額を消費税額等として記載することは認められません。

考え方

具体的な取扱いは次のようになります。

【税抜金額を基に消費税額を計算する場合】

【例①：認められる例】

税抜価額を税率ごとに区分して合計した金額に対して10％又は８％を乗じて得た金額に端数処理を行います。

請求書

○○㈱　御中

○年11月30日

㈱△△

（T123…）

請求金額（税込）60,197円

※は軽減税率対象

取引年月日	品名	数量	単価	税抜金額	消費税額
11/2	トマト　※	83	167	13,861	−
11/2	ピーマン※	197	67	13,199	−
11/15	花	57	77	4,389	−
11/15	肥料	57	417	23,769	−
８％対象計				27,060 →端数処理→	2,164
10％対象計				28,158 →端数処理→	2,815

㈱　金額上部の「・」は端数処理の状況を明確にするために付しているものです（以下同じ）。

【例②：認められない例】

個々の商品ごとに消費税額を計算し、その計算した消費税額を税率ごとに合計し、適格請求書の記載事項とすることはできません。

取引年月日	品名	数量	単価	税抜金額	消費税額
11/2	トマト　※	83	167	13,861 →行ごとに端数処理→	1,108
11/2	ピーマン※	197	67	13,199 →行ごとに端数処理→	1,055
11/15	花	57	77	4,389 →行ごとに端数処理→	438
11/15	肥料	57	417	23,769 →行ごとに端数処理→	2,376
８％対象計				27,060	2,163 ×（合算）
10％対象計				28,158	2,814 ×（合算）

㈱　個々の商品ごとの消費税額を**参考**として記載することは、差し支えありません。

【税込金額を基に消費税額を計算する場合】

【例③：認められる例】

税込価額を税率ごとに区分して合計した金額に対して10/110又は８/108を乗じて得た金額に端数処理を行います。

請求書

○○㈱ 御中

○年11月30日
㈱△△
（T123…）

請求金額（税込）60,195円

※は軽減税率対象

取引年月日	品名	数量	単価	税抜金額	消費税額	税込金額
11/2	トマト ※	83	167	13,861	1,108	14,969
11/2	ピーマン※	197	67	13,199	1,055	14,254
11/15	花	57	77	4,389	438	4,827
11/15	肥料	57	417	23,769	2,376	26,145

（行ごとに端数処理）

８％対象税込計（内税）	29,223	2,164
10％対象税込計（内税）	30,972	2,815

（端数処理）

㈱ 税込金額を算出するために、個々の商品ごとの消費税額を計算し、その消費税額に係る端数処理を行うことは、値決めのための参考であり、この端数処理に関しては事業者の任意です（適格請求書の記載事項としての消費税額の端数処理ではありません。）。

なお、上記税抜金額を基に消費税額を計算する場合【例②：認められない例】と同様に、個々の商品ごとに消費税額を計算し、その計算した消費税額を税率ごとに合計し、適格請求書の記載事項とすることはできません。

出典：国税庁「適格請求書等保存方式の概要（令和５年７月）」（一部修正）

Q７－８

適格請求書への「軽減対象課税資産の譲渡等である旨」の記載方法

軽減税率の対象商品を販売した場合に交付する適格請求書に記載することとされている「軽減対象課税資産の譲渡等である旨」については、どのように記載したらよいでしょうか。

A 適格請求書の記載事項である「軽減対象課税資産の譲渡等である旨」の記載については、軽減税率が適用された課税資産の譲渡等であることが客観的に明らかであるといえる程度の表示がされていればよいこととされています。

考え方

個々の取引ごとに適用税率が記載されている場合のほか、例えば、以下のような場合も認められます（消基通１－８－４）。

① 同一の適格請求書において、軽減対象課税資産の譲渡等に該当する取引内容ごとに軽減対象課税資産の譲渡等であることを示す記号、番号等を表示し、かつ、当該適格請求書において当該記号、番号等が軽減対象課税資産の譲渡等に係るものであることとして表示されている場合【記載例１参照】

② 同一の適格請求書において、軽減対象課税資産の譲渡等に該当する取引内容を区分し、当該区分して記載された軽減対象課税資産の譲渡等に該当する取引内容につき軽減対象課税資産の譲渡等であることが表示されている場合【記載例２参照】

③ 軽減対象課税資産の譲渡等に係る適格請求書と軽減対象課税資産の譲渡等以外のものに係る適格請求書とが区分して作成され、当該区分された軽減対象課税資産の譲渡等に係る適格請求書に、記載された取

引内容が軽減対象課税資産の譲渡等であることが表示されている場合【記載例３参照】

【記載例１】記号・番号等を使用した場合

請求書

㈱○○御中　　XX年11月30日

11月分 109,400円（税込）

日付	品名	金額
11/1	トマト※ ㋑	4,320円
11/1	キッチンペーパー	2,200円
11/2	豚肉※ ㋑	5,400円
⋮	⋮	⋮
合計		109,400円
8%対象	32,400円（消費税2,400円）	
10%対象	77,000円（消費税7,000円）	

※印は軽減税率対象商品 ㋺

△△商事㈱

T1234…

㋑ 軽減税率対象品目には「※」などを記載

㋺「※」が軽減税率対象品目であることを示すことを記載

【記載例２】同一適格請求書の中で税率ごとに商品を区分して適格請求書等を発行する場合

請求書

㈱○○御中　　　　XX年11月30日

11月分 109,400円（税込）

日付	品名	金額
11/1	トマト	4,320円
11/1	豚肉	5,400円
⋮	⋮	⋮
8%対象		32,400円
11/1	キッチンペーパー	2,200円
⋮	⋮	⋮
10%対象		77,000円
合計	109,400円	
8%対象	32,400円（消費税2,400円）	
10%対象	77,000円（消費税7,000円）	

△△商事㈱

T1234…

【記載例３】税率ごとに適格請求書を分けて発行する場合

○　軽減税率対象分

請求書

（軽減税率対象）

㈱○○御中　　　　XX年11月30日

11月分 32,400円（税込）

日付	品名	金額
11/1	トマト	4,320円
11/1	豚肉	5,400円
⋮	⋮	⋮
合計		32,400円
内消費税（8%）		2,400円

△△商事㈱

T1234…

○　軽減税率対象分以外

請求書

㈱○○御中　　　　XX年11月30日

11月分 77,000円（税込）

日付	品名	金額
11/1	キッチンペーパー	2,200円
⋮	⋮	⋮
合計		77,000円
内消費税（10%）		7,000円

△△商事㈱

T1234…

出典：国税庁「消費税の仕入税額控除制度における適格請求書等保存方式に関するQ&A（令和６年４月改訂）」問73（一部修正）

第 8 章

課税標準と税率

「課税標準」とは、課税物件を具体的に金額又は数量で表したもので、税額を計算する基礎となるものです。この課税標準に税率を乗じて課されるべき税額が算定されます。

本章では、消費税額の計算の基礎となる課税標準と税率について、みていきます。

第1節　課税標準

1　国内取引の課税標準

国内取引の課税標準は、①課税資産の譲渡等に係る課税標準（みなし譲渡等特殊な取引を含みます。）と、②特定課税仕入れに係る課税標準とに分類されます。

(1)　課税資産の譲渡等に係る課税標準

国内における課税資産の譲渡等に係る消費税の課税標準は、課税資産の譲渡等の対価の額です（消法28①）。

「課税資産の譲渡等の対価の額」とは、課税資産の譲渡等につき、対価として収受し、又は収受すべき一切の金銭又は金銭以外の物若しくは権利その他経済的な利益の額をいい、課税資産の譲渡等につき課されるべき消費税額及び地方消費税額に相当する額を含みません（消法28①）。

(注) 1　「収受すべき」とは、原則として、当事者間で授受することとした対価の額です（単なる定価、時価ではありません。）。
2　「金銭以外の物若しくは権利その他経済的な利益」とは、実質的に資産の譲渡等の対価と同様の経済的効果をもたらすものをいいます。
3　課税資産の譲渡等に係る課税標準は、課税資産の譲渡等について課されるべき消費税額及び地方消費税額に相当する額を含まないこととされているので、次の算式により、税込みの取引価額から消費税額及び地方消費税額に相当する額を差し引く必要があります。

（軽減税率適用の場合）
課税標準＝実際の取引価格（税込み）$\times \frac{100}{108}$
（標準税率適用の場合）
課税標準＝実際の取引価格（税込み）$\times \frac{100}{110}$

参考

令和元年（2019年）９月30日までに行われた課税資産の譲渡等（令和元年10月１日以後における取引でも経過措置により旧税率が適用される場合を含みます。）については、108分の100を乗じて計算します。

(2) 特殊な取引の場合の課税標準

① 法人の役員に対する低額譲渡

対価の額がその資産の時価に比して著しく低いとき（通常の販売価額のおおむね50％未満の金額）は、その時価に相当する金額（消法28①、消基通10－１－２）が課税標準です。

㈲ 譲渡する資産が棚卸資産の場合は、課税仕入れの金額以上で、かつ、通常の販売価額のおおむね50％以上の金額であれば、「著しく低いとき」に該当しないこととされます（消基通10－１－２なお書）。

② 個人事業者の棚卸資産等の家事消費等

家事消費等した資産の時価に相当する金額（消法28③一）

③ 法人の役員に対する資産の贈与

贈与した資産の時価に相当する金額（消法28③二）

なお、上記②及び③の場合において、その資産が棚卸資産であるときは、課税仕入れの金額以上で、かつ、その棚卸資産の通常他に販売する価額のおおむね50％に相当する金額以上で確定申告する処理が認められます（消基通10－１－18）。

(3) 対価の額の計算

① 標準税率適用の課税資産、軽減税率適用の課税資産、非課税資産を一括して譲渡した場合

令和元年（2019年）10月1日以後に、標準税率対象の課税資産の譲渡等に係る資産（A）、軽減税率対象の課税資産の譲渡等に係る資産（B）及び課税資産の譲渡等以外の資産の譲渡等に係る資産（C）のうち異なる二以上の区分の資産を同一の者に対して同時に譲渡した場合には、それぞれの資産の対価の額について合理的に区分しなければなりませんが、合理的に区分されていないときは、次により譲渡の時における価額（時価）の比により按分します（消令45③）。

イ　Aの資産の譲渡対価の額

$$= \text{A～Cの資産の譲渡対価の額} \times \frac{\text{譲渡の時におけるAの資産の価額}}{\text{譲渡の時におけるA～Cの資産の価額の合計額}}$$

ロ　Bの資産の譲渡の対価の額

$$= \text{A～Cの資産の譲渡対価の額} \times \frac{\text{譲渡の時におけるBの資産の価額}}{\text{譲渡の時におけるA～Cの資産の価額の合計額}}$$

(注)　Aの資産の譲渡対価の額に消費税額等が含まれる場合には、Aの資産の譲渡に係る消費税の課税標準は、当該対価の額に110分の100を乗じて算出し、Bの資産の譲渡対価の額に消費税額等が含まれる場合には、Bの資産の譲渡に係る消費税の課税標準は、当該対価の額に108分の100を乗じて算出します。

② 個別消費税の取扱い

課税資産の譲渡等の対価の額には、酒税、たばこ税、揮発油税、石油石炭税、石油ガス税等の個別消費税額が含まれます（消基通10－1－11）。

なお、利用者等が納税義務者となっている軽油引取税、ゴルフ場

利用税等の税額は、原則として課税資産の譲渡等の対価の額に含まれませんが、それらの税額が明確に区分されていない場合には、課税資産の譲渡等の対価の額に含まれます。

③　源泉所得税がある場合の取扱い

弁護士等の報酬・料金等のように所得税が源泉徴収される場合の課税資産の譲渡等の対価の額は、実際に受領した金額でなく源泉徴収される前の金額となります（消基通10－1－13）。

④　対価の額が未確定の場合

課税期間の末日までに対価の額が確定していないときは、同日の現況によりその金額を適正に見積もる必要があります（消基通10－1－20）。

この場合において、その後確定した対価の額が見積額と異なるときは、その差額は、その確定した日の属する課税期間において調整することになります。

(4)　特定課税仕入れに係る課税標準

国内における特定課税仕入れに係る消費税の課税標準は、特定課税仕入れに係る支払対価の額です（消法28②）。

「特定課税仕入れに係る支払対価の額」とは、特定課税仕入れにつき、対価として支払い、又は支払うべき一切の金銭又は金銭以外の物若しくは権利その他経済的な利益の額をいいます（消法28②）。

㈱1　課税売上割合が95％以上である課税期間又は簡易課税制度若しくは２割特例の適用を受ける課税期間に国内において行った特定課税仕入れについては、当分の間なかったものとされますから、一般課税により申告する課税売上割合が95％未満の事業者のみがリバースチャージによる申告を行うこととなります（27年改正法附則42、44②、28年改正法附則51の２④）。

2　「支払うべき」とは、原則として、当事者間で授受することとした対価の額です（単なる定価、時価ではありません。）（消基通10－2－1）。

3　「金銭以外の物若しくは権利その他経済的な利益」とは、実質的に特定課

第8章
課税標準と税率

税仕入れに係る支払対価と同様の経済的効果をもたらすものをいいます（消基通10－２－１）。

4　特定課税仕入れに係る課税標準は、課税資産の譲渡等に係る課税標準と異なり、「課税資産の譲渡等につき課されるべき消費税額及び地方消費税額に相当する額を含まない」との規定になっていません（そもそも特定課税仕入れの際に消費税額等を負担していません。）から、110分の100を乗じて計算する必要はなく、支払った対価の額がそのまま課税標準となります。

2　輸入取引の課税標準

保税地域から引き取られる課税貨物の課税標準は、関税課税価格（通常はCIF価格）に、関税及び個別消費税額を合計した金額です（消法28④）。

この場合の個別消費税には、その課税貨物の保税地域からの引取りに係る酒税、たばこ税、揮発油税、石油石炭税、石油ガス税等があります。

参考

CIF価格とは、輸入港到着価格で、商品価格に輸入港に到着するまでに要する通常の運賃、保険料が含まれます。

第2節　税率

令和元年（2019年）10月１日から、消費税等の税率は、軽減税率８％（うち消費税6.24％）、標準税率10％（うち消費税7.8％）の複数税率となっています。更に、税率に関する経過措置の対象となる取引については、旧税率８％（うち消費税6.3％）が適用されますから、３段階の税率が併存する場合もあります。

適用時期 ＼ 区分	令和元年（2019年）10月１日（軽減税率制度実施）～		
	経過措置対象（旧税率）	軽減税率	標準税率
消費税率	6.3％	6.24％	7.8％
地方消費税率	1.7％（消費税額の17/63）	1.76％（消費税額の22/78）	2.2％（消費税額の22/78）
合　　計	8.0％	8.0％	10.0％

1　軽減税率の対象

事業者が、令和元年（2019年）10月１日以後に国内において行う課税資産の譲渡等（特定資産の譲渡等に該当するものを除きます。）のうち次の①及び②に掲げるもの（軽減対象資産の譲渡等）及び保税地域から引き取られる課税貨物のうち①に規定する飲食料品に該当するものに係る消費税の税率は、6.24％とされています（消法29二）。

①　飲食料品（食品表示法２条１項に規定する食品（酒税法２条１項に規定する酒類を除きます。以下単に「食品」といいます。）をいい、食品と食品以外の資産が一の資産を形成し、又は構成しているもののうち政令で定める資産を含みま

す。）の譲渡（ただし、次に掲げる課税資産の譲渡等は、含まれません。）（消法別表第一1号、消令2の3、2の4）

イ　飲食店業その他の政令で定める事業を営む者が行う食事の提供（テーブル、椅子、カウンターその他の飲食に用いられる設備のある場所において飲食料品を飲食させる役務の提供をいい、当該飲食料品を持帰りのための容器に入れ、又は包装を施して行う譲渡は、含まれません。）

ロ　課税資産の譲渡等の相手方が指定した場所において行う加熱、調理又は給仕等の役務を伴う飲食料品の提供（老人福祉法29条1項に規定する有料老人ホームその他の人が生活を営む場所として政令で定める施設において行う政令で定める飲食料品の提供を除きます。）

② 一定の題号を用い、政治、経済、社会、文化等に関する一般社会的事実を掲載する新聞（1週に2回以上発行する新聞に限ります。）の定期購読契約（当該新聞を購読しようとする者に対して、当該新聞を定期的に継続して供給することを約する契約をいいます。）に基づく譲渡（消法別表第一2号）

2　給仕等の役務を伴う飲食料品の提供

軽減対象資産の譲渡等から除かれる「課税資産の譲渡等の相手方が指定した場所において行う加熱、調理又は給仕等の役務を伴う飲食料品の提供」における「加熱、調理又は給仕等の役務を伴う」とは、課税資産の譲渡等を行う事業者が、相手方が指定した場所に食材等を持参して調理を行って提供する場合や、調理済みの食材を相手方が指定した場所で加熱して温かい状態等で提供する場合のほか、例えば、次の場合も該当します（消基通5－9－11）。

(1)　飲食料品の盛り付けを行う場合

(2)　飲食料品が入っている器を配膳する場合

(3)　飲食料品の提供とともに取り分け用の食器等を飲食に適する状態に

配置等する場合

なお、相手方が指定した場所での加熱、調理又は給仕等の役務を一切伴わないいわゆる出前は、「飲食料品の譲渡」に該当し、軽減税率の適用対象となります。

〔給仕等の役務を伴う飲食料品の提供から除かれるもの〕

課税資産の譲渡等の相手方が指定した場所において行う加熱、調理又は給仕等の役務を伴う飲食料品の提供から除かれ、軽減税率の適用対象となる飲食料品の提供は、次の①～⑦に掲げる施設の区分に応じそれぞれに定める飲食料品の提供（財務大臣の定める基準に該当する飲食料品の提供に限り、介護保険法の規定による介護サービスとして消費税が非課税とされるものから除かれる自己選定による特別な食事の提供は除外されます。）とされています（消令2の4②、消規1の2、令和5年財務省告示第92号）。

順号	対象となる施設	軽減税率の対象となるもの
①	老人福祉法29条1項の規定による届出が行われている同項に規定する有料老人ホーム（②に掲げるものを除く。）	当該有料老人ホームを設置し、又は運営する者が、当該有料老人ホームの入居者（財務省令で定める年齢その他の要件に該当する者に限る。）に対して行う飲食料品の提供 〔対象となる入居者〕 イ　60歳以上の者 ロ　介護保険法19条1項に規定する要介護認定又は同条2項に規定する要支援認定を受けている60歳未満の者 ハ　イ又はロのいずれかに該当する者と同居している配偶者（イ又はロのいずれかに該当する者を除き、その者と婚姻の届出をしていないが事実上婚姻関係と同様の事情にある者を含む。）
②	高齢者の居住の安定確保に関する法律6条1項に規定する登録を受けた同法5条1項に規定するサービス付き高齢者向け住宅	当該サービス付き高齢者向け住宅を設置し、又は運営する者が、当該サービス付き高齢者向け住宅の入居者に対して行う飲食料品の提供

順号	対象となる施設	軽減税率の対象となるもの
③	学校給食法3条2項に規定する義務教育諸学校の施設	当該義務教育諸学校の設置者が、その児童又は生徒の全てに対して学校給食（同条1項に規定する学校給食をいう。⑥において同じ。）として行う飲食料品の提供
④	夜間課程を置く高等学校における学校給食に関する法律2条に規定する夜間課程を置く高等学校の施設	当該高等学校の設置者が、当該夜間課程において行う教育を受ける生徒の全てに対して同条に規定する夜間学校給食として行う飲食料品の提供
⑤	特別支援学校の幼稚部及び高等部における学校給食に関する法律2条に規定する特別支援学校の幼稚部又は高等部の施設	当該特別支援学校の設置者が、その幼児又は生徒の全てに対して同条に規定する学校給食として行う飲食料品の提供
⑥	学校教育法1条に規定する幼稚園の施設	当該幼稚園の設置者が、その施設で教育を受ける幼児の全てに対して学校給食に準じて行う飲食料品の提供
⑦	学校教育法1条に規定する特別支援学校に同法78条の規定により設置される寄宿舎	当該寄宿舎の設置者が、当該寄宿舎に寄宿する幼児、児童又は生徒に対して行う飲食料品の提供

3　医薬品等の譲渡に対する適用税率

軽減税率の対象品目である「飲食料品」とは、食品表示法2条1項に規定する食品（酒税法2条1項に規定する酒類を除きます。）をいいます（消法別表第一1号）。

食品表示法に規定する「食品」とは、全ての飲食物をいい、「医薬品、医療機器等の品質、有効性及び安全性の確保等に関する法律」（以下、「薬機法」といいます。）に規定する「医薬品」、「医薬部外品」及び「再生医療等製品」を除き、食品衛生法に規定する「添加物」を含むものとされています（食品表示法2①）。

したがって、ドラッグストア、調剤薬局等が行う医薬品等の販売に対する適用税率は、次のようになります。

区　分	取扱い	適用税率
医薬品	薬局やドラッグストアで購入できる「一般用医薬品」は、主に消費者に対する情報提供の必要性の程度によって「第一類医薬品」、「第二類医薬品」、「第三類医薬品」に分けられているが、いずれも飲食料品に該当しない。	10%
医薬部外品	口中清涼剤や薬用歯磨き類のほか、薬用シャンプーや薬用化粧水などのいわゆる薬用化粧品も医薬部外品であり、飲食料品に該当しない。	10%
化粧品	薬機法上、「化粧品」とは、「身体に塗擦、散布その他これらに類似する方法で使用されることが目的とされている物」とされており、飲食の用に供されるものではない。	10%
特定保健用食品、機能性表示食品、栄養機能食品	食品表示基準（平成27年内閣府令第10号）に規定する特定保健用食品、機能性表示食品、栄養機能食品は、医薬品等に該当しない。	8％
栄養補助食品、健康補助食品、栄養調整食品	栄養補助食品、健康補助食品、栄養調整食品といった表示で販売されている食品は一般食品である。	8％
栄養ドリンク	医薬品等に該当するもの	10%
	医薬品等に該当しないもの	8％

第3節　課税標準額と売上税額の計算

1　課税標準額の意義

消費税の課税標準額とは、次に掲げる(1)及び(2)の金額並びにそれらの合計額をいいます（消法45①一）。

(1)　その課税期間中に国内で行った課税資産の譲渡等のうち、免税取引とされるものを除いた課税資産の譲渡等に係る課税標準である金額の合計額

(2)　その課税期間中に国内で行った特定課税仕入れに係る課税標準である金額の合計額

2　課税標準額及び売上税額の計算【総額割戻し方式】

課税標準額及び課税標準額に対する消費税額（売上税額）の具体的な計算は、所得税及び法人税の課税所得の計算に当たり事業者が選択した会計処理の方式に応じ、税率の異なるごとに次の算式により行うこととなります。

この計算により算出された課税標準額に千円未満の端数があるときは、その端数を切り捨てます（通法118①）。

(1)　税込経理方式の場合

イ　標準税率（7.8%）適用分

①　課税標準額（千円未満切捨て）

$$= \text{国内で行った課税資産の譲渡等の対価の額（税込価額）の合計額} \times \frac{100}{110} + \text{国内で行った特定課税仕入れに係る対価の額の合計額}$$

②　消費税額 ＝ 課税標準額 × $\frac{7.8}{100}$

ロ　軽減税率（6.24%）適用分

①　課税標準額（千円未満切捨て）

$$= \text{国内で行った課税資産の譲渡等の対価の額（税込価額）の合計額} \times \frac{100}{108}$$

②　消費税額 ＝ 課税標準額 $\times \frac{6.24}{100}$

(2)　税抜経理方式の場合

イ　標準税率（7.8%）適用分

①　課税標準額（千円未満切捨て）

$$= \left(\text{国内で行った課税資産の譲渡等の対価の額（税抜価額）の合計額} + \text{仮受消費税等の額}\right) \times \frac{100}{110} + \text{国内で行った特定課税仕入れに係る対価の額の合計額}$$

②　消費税額＝課税標準額 $\times \frac{7.8}{100}$

ロ　軽減税率（6.24%）適用分

①　課税標準額（千円未満切捨て）

$$= \left(\text{国内で行った課税資産の譲渡等の対価の額（税抜価額）の合計額} + \text{仮受消費税等の額}\right) \times \frac{100}{108}$$

②　消費税額＝課税標準額 $\times \frac{6.24}{100}$

(注)　旧税率適用分については、標準税率適用分の計算式の $\frac{100}{110}$ を $\frac{100}{108}$ とし、$\frac{7.8}{100}$ を $\frac{6.3}{100}$ として計算します。

3　売上税額の算出方法の特例【適格請求書等積上げ方式】

その課税期間に係る税率の異なるごとの売上税額は、原則として、課税標準額につき、税率の異なるごとに標準税率又は軽減税率を乗じて算出した金額を合計する方法（総額割戻し方式）により算出した金額となりますが、その課税期間中に国内において行った課税資産の譲渡等につき交付した適格請求書又は適格簡易請求書の写しを消費税法57条の4第6項の規定により保存している場合（電磁的記録を保存している場合を含みます。）には、その適格請求書又はその適格簡易請求書に記載した消費税額等及びその電磁的記録に記録した消費税額等の合計額に100分の78を乗じる方法（適格請求書等積上げ方式）により算出した金額とすることができます（消法45⑤、消令62①）。

なお、取引先ごと又は事業ごとにそれぞれ別の方式によるなど、総額割戻し方式と適格請求書等積上げ方式を併用することも可能です（消基通15－2－1の2）。

[保存する適格請求書等（写し）と積上げ計算する消費税額等]

区　　分	消費税額等
適格請求書を交付した課税資産の譲渡等	その適格請求書に記載した消費税額等
適格簡易請求書を交付した課税資産の譲渡等	その適格簡易請求書に記載した消費税額等
適格請求書又は適格簡易請求書に記載すべき事項に係る電磁的記録を提供した課税資産の譲渡等	その電磁的記録に記録した消費税額等

㈲1　適用税率のみを記載した適格簡易請求書には、消費税額等の記載がありませんので、適格請求書等積上げ方式によることはできません。

2　その課税期間に係る課税標準額に対する消費税額の計算につき、適格請求書等積上げ方式による場合（総額割戻し方式と適格請求書等積上げ方式を併用する場合を含みます。）には、課税仕入れに係る消費税額の計算につき、消費税法施行令46条3項（課税仕入れに係る支払対価の合計額から割り戻す方法による消費税額の計算）に規定する計算の方法によることはできません。

3　簡易課税制度を適用する事業者は、売上税額について適格請求書等積上げ方式を適用し、仕入控除税額（仕入税額）について適格請求書等積上げ方式により計算した売上税額を基礎として計算することもできます。

《売上税額》

【積上げ計算】
適格請求書に記載した消費税額等の合計額に 78/100 を乗じて消費税額を算出する方法です（適格請求書発行事業者のみ可）。

仕入税額は「**積上げ計算**」**のみ適用可**

【割戻し計算】（原則）
税率ごとに区分した課税資産の譲渡等の税込価額の合計額から算出したそれぞれの課税標準額に、7.8/100（軽減税率対象の場合は 6.24/100）を乗じて算出する方法です。

仕入税額はいずれか**選択可**

《仕入税額》

【積上げ計算】（原則）
適格請求書に記載された消費税額等の合計額に 78/100 を乗じて消費税額を算出する方法です。

【割戻し計算】
税率ごとに区分した課税仕入れに係る支払対価の額の合計額に、7.8/100（軽減税率対象の場合は 6.24/100）を乗じて算出する方法です。

[適格請求書等積上げ方式による具体的な計算例－税込経理方式の場合]

区　分	軽減税率適用分	標準税率適用分	課税期間の合計額
課税売上高（税込み）	5,250,000円	37,748,480円	42,998,480円
消費税額等の合計額	384,484円	3,419,244円	3,803,728円

① 課税標準額の計算

・軽減税率適用分

5,250,000円 － 384,484円 ＝ 4,865,516円

4,865,516円 ⇒ （千円未満の端数切捨て） 4,865,000円

・標準税率適用分

37,748,480円 － 3,419,244円 ＝ 34,329,236円

34,329,236円 ⇒ （千円未満の端数切捨て） 34,329,000円

・課税標準額（申告書第一表①欄の金額）

4,865,000円 ＋ 34,329,000円 ＝ 39,194,000円

② 消費税額の計算

・軽減税率適用分

384,484円 × 78/100 = 299,897円（1円未満の端数切捨て）

・標準税率適用分

3,419,244円 × 78/100 = 2,667,010円（1円未満の端数切捨て）

・消費税額（申告書第一表②欄の金額）

299,897円 + 2,667,010円 = 2,966,907円

4 2割特例

令和5年10月1日から令和8年9月30日までの日の属する各課税期間において、免税事業者（免税事業者が課税事業者選択届出書の提出により課税事業者となった場合を含みます。）が適格請求書発行事業者となった場合には、納付税額の計算において控除する金額を、その課税期間における課税標準である金額の合計額に対する消費税額から売上げに係る対価の返還等の金額に係る消費税額の合計額を控除した残額（売上税額）に8割を乗じた額（特別控除税額）とすることができる経過措置（2割特例）が設けられています（28年改正法附則51の2①②）。

納付税額 = 売上税額 − 特別控除税額（売上税額の8割）

⇒ 売上税額の2割

※ 売上税額 = 課税標準である金額の合計額に対する消費税額 − 売上げに係る対価の返還等の金額に係る消費税額の合計額

なお、2割特例は、簡易課税制度のように事前の届出や継続して適用しなければならないという制限はなく、申告書に2割特例の適用を受ける旨を付記することにより適用を受けることができます（28年改正法附則51の2③）。

【一般用申告書】

付記事項	割賦基準の適用	○ 有	○ 無		31
	延払基準等の適用	○ 有	○ 無		32
	工事進行基準の適用	○ 有	○ 無		33
	現金主義会計の適用	○ 有	○ 無		34
参考事項	課税標準額に対する消費税額の計算の特例の適用	○ 有	○ 無		35
	控除税額の計算方法	課税売上高5億円超又は課税売上割合95％未満	○ 個別対応方式		41
			○ 一括比例配分方式		
		上記以外	○ 全額控除		
	基準期間の課税売上高			千円	
○	税額控除に係る経過措置の適用（２割特例）				42

⇑
○を付す

【簡易用申告書】

付記事項	割賦基準の適用		○ 有	○ 無	31
	延払基準等の適用		○ 有	○ 無	32
	工事進行基準の適用		○ 有	○ 無	33
	現金主義会計の適用		○ 有	○ 無	34
参考事項	課税標準額に対する消費税額の計算の特例の適用		○ 有	○ 無	35
	事業区分 区分	課税売上高（免税売上高を除く）	売上割合 ％		
	第1種	千円			36
	第2種				37
	第3種				38
	第4種				39
	第5種				42
	第6種				43
	特例計算適用（令57③）		○ 有	○ 無	40
○	税額控除に係る経過措置の適用（２割特例）				44

⇑
○を付す

(注)1　課税事業者が適格請求書発行事業者となった場合であっても、当該適格請求書発行事業者となった課税期間の翌課税期間以後の課税期間について、基準期間における課税売上高が１千万円以下である場合には、原則として、２割特例の適用を受けることができます。

2　課税事業者選択届出書の提出により課税事業者となった免税事業者の令和５年９月30日以前の期間を含む申告については、２割特例の適用はありません。

また、特定期間における課税売上高により事業者免税点制度の適用が制限される課税期間（消法９の２①）、一般課税で高額特定資産の仕入れ等を行った場合において事業者免税点制度の適用が制限される課税期間、課税期間の特例の適用を受ける課税期間等についても、２割特例の適用が制限されます。

3　２割特例を適用できない課税期間や２割特例の適用期間が終了した後の課税期間に簡易課税制度を適用しようとする場合について、「消費税簡易課税制度選択届出書」の提出時期に関する特例が設けられています（28年改正法附則51の２⑥）。

第4節　Q＆A

Q８－１

標準税率の適用されるケータリングから除かれる飲食料品の提供

「相手方が指定した場所において行う役務を伴う飲食料品の提供」（いわゆる「ケータリング」）は、軽減税率が適用されないとのことですが、例外もあるのでしょうか。

A　有料老人ホーム等において行う一定の基準を満たす飲食料品の提供については、軽減税率の適用対象となります。

考え方

「相手方が指定した場所において行う役務を伴う飲食料品の提供」（いわゆる「ケータリング」）とは、相手方が指定した場所で、飲食料品の提供を行う事業者が、例えば、加熱、切り分け・味付けなどの調理、盛り付け、食器の配膳、取り分け用の食器等を飲食に適する状況に配置するなどの役務を伴って飲食料品の提供をすることをいいます（消法別表第一１号ロ、消基通５－９－11）。このケータリングは軽減税率の適用対象とはなりません。

しかし、「相手方が指定した場所において行う役務を伴う飲食料品の提供」であっても、次の施設において行う一定の範囲の飲食料品の提供（注１）については、軽減税率の適用対象とされています（消法別表第一１号ロ、消令２の４）。

(1)　老人福祉法29条１項の規定による届出が行われている同項に規定する有料老人ホームにおいて、当該有料老人ホームの設置者又は運営者が、当該有料老人ホームの一定の入居者（注２）に対して行う飲食料

品の提供

⑵ 「高齢者の居住の安定確保に関する法律」６条１項に規定する登録を受けたサービス付き高齢者向け住宅において、当該サービス付き高齢者向け住宅の設置者又は運営者が、当該サービス付き高齢者向け住宅の入居者に対して行う飲食料品の提供

⑶ 学校給食法３条２項に規定する義務教育諸学校の施設において、当該義務教育諸学校の設置者が、その児童又は生徒の全て（注３）に対して学校給食として行う飲食料品の提供

⑷ 「夜間課程を置く高等学校における学校給食に関する法律」２条に規定する夜間課程を置く高等学校の施設において、当該高等学校の設置者が、当該夜間過程において、生徒の全て（注３）に対して夜間学校給食として行う飲食料品の提供

⑸ 「特別支援学校の幼稚部及び高等部における学校給食に関する法律」２条に規定する特別支援学校の幼稚部又は高等部（注４）の施設において、当該特別支援学校の設置者が、幼児又は生徒の全て（注３）に対して学校給食として行う飲食料品の提供

⑹ 学校教育法１条に規定する幼稚園の施設において、当該幼稚園の設置者が、教育を受ける幼児の全て（注３）に対して学校給食に準じて行う飲食料品の提供

⑺ 学校教育法１条に規定する特別支援学校に設置される寄宿舎において、当該寄宿舎の設置者が寄宿する幼児、児童又は生徒に対して行う飲食料品の提供

㈱１　軽減税率の適用範囲は、上記⑴～⑺の施設の設置者等が同一の日に同一の者に対して行う飲食料品の提供の対価の額（税抜き）が一食につき670円以下であるもののうち、その累計額が2,010円に達するまでの飲食料品の提供です。また、累計額の計算方法につきあらかじめ書面等で定めている場合にはその方法によります（令和５年財務省告示第92号）（Ｑ８－２参照）。

第8章 課税標準と税率

なお、令和６年５月31日までは、一食につき640円以下、一日の累計額1,920円までとされていました。

2　60歳以上の者、要介護認定・要支援認定を受けている60歳未満の者又はそれらの者と同居している配偶者に限られます（消規１の２）。

3　アレルギーなどの個別事情により全ての児童又は生徒に対して提供することができなかったとしても軽減税率の適用対象となります。

4　特別支援学校の小学部及び中学部は、学校給食法３条２項の義務教育諸学校に含まれていますので、その給食は(3)に該当します。

Q 8－2

軽減税率の適用対象とされる有料老人ホームにおける飲食料品の提供の範囲

当社は、有料老人ホームを運営しています。提供する食事は、朝食500円、昼食550円、夕食640円で、昼食と夕食の間の15時に500円の間食を提供しています（金額はいずれも税抜価格）。

これらの食事は、すべて軽減税率の適用対象となりますか。

A　一部は軽減税率の適用対象となりません。

考え方

軽減税率の適用対象となる有料老人ホームにおいて行う飲食料品の提供とは、老人福祉法29条１項の規定による届出が行われている有料老人ホームにおいて、当該有料老人ホームの設置者又は運営者が、当該有料老人ホームの一定の入居者に対して行う飲食料品の提供をいいます（消法別表第一１号ロ、消令２の４②一）。

また、軽減税率の適用対象となるサービス付き高齢者向け住宅において行う飲食料品の提供とは、「高齢者の居住の安定確保に関する法律」６条１項に規定する登録を受けたサービス付き高齢者向け住宅において、当該サービス付き高齢者向け住宅の設置者又は運営者が、当該サービス付き高齢者向け住宅の入居者に対して行う飲食料品の提供をいいます（消令２の４②二）。

これらの場合において、軽減税率の適用対象となるのは、有料老人ホーム等の設置者又は運営者が、同一の日に同一の者に対して行う飲食料品の提供の対価の額（税抜き）が一食につき670円以下であるもののうち、その累計額が2,010円に達するまでの飲食料品の提供であることとされています。

㈱　令和６年５月31日までは、一食につき640円以下、一日の累計額1,920円までとされていました。

ただし、設置者等が同一の日に同一の入居者等に対して行う飲食料品の提供のうち、その累計額の計算の対象となる飲食料品の提供（640円以下のものに限ります。）をあらかじめ書面等により明らかにしている場合には、その対象飲食料品の提供の対価の額によりその累計額を計算するものとされています（令和５年財務省告示第92号）。

【具体例①】

あらかじめ書面等により、その累計額の計算の対象となる飲食料品の提供を明らかにしていない場合

朝食（軽減）	昼食（軽減）	間食（軽減）	夕食（標準）	合計(内軽減税率対象)
500円≦670円	550円≦670円	500円≦670円	640円≦670円	＝2,190円（1,550円）
（累計500円）	（累計1,050円）	（累計1,550円）	（累計2,190円）	

夕食は、一食につき670円以下ですが、朝食から夕食までの対価の額の累計額が2,010円を超えていますので、夕食については、軽減税率の適用対象となりません。

【具体例②】

あらかじめ書面等において、累計額の計算の対象となる飲食料品の提供を、朝食、昼食、夕食としていた場合

朝食（軽減）	昼食（軽減）	間食（標準）	夕食（軽減）	合計(内軽減税率対象)
500円≦670円	550円≦670円	500円≦670円	640円≦670円	＝2,190円（1,690円）
（累計500円）	（累計1,050円）	累計対象外	（累計1,690円）	

この場合、間食については、軽減税率の適用対象とならないことになります。

Q8－3

有料老人ホームが食事の提供の対価を１日当たりの食材費と１月当たりの調理業務委託費に基づいて月単位で徴収する場合の適用税率

当社は、老人福祉法29条１項の届出を行い、有料老人ホームを運営しています。

当社の有料老人ホームでは入居者に対して食事の提供を行っていますが、食事の提供の対価は、１日当たりの食材費（食材の調達費）と調理業務に係る１月当たりの業務委託費に基づいて月単位で徴収しています。

この場合の、食事の提供の対価については、消費税の軽減税率の対象となるでしょうか。

なお、入居者は、60歳以上の者、要介護認定又は要支援認定を受けている60歳未満の者及びこれらの者と同居している配偶者です。

また、食事の提供については、入居契約書において次のように定めています。

(1)　食事

入居者に対して、毎日、１日３食の食事を提供する。

(2)　食費の負担

入居者は、次の月額利用料表のとおり、各月の利用料を支払う。

項目	食材費	業務委託費	合　計
金額	800円（１日３食当たり）（消費税別）	31,000円（１月当たり）（消費税別）	55,000円（１月の日数が30日の場合・消費税別）

※１　業務委託費は、欠食（１日３食とも食べないことをいう。）の有無にかかわらず、月額31,000円となる（消費税別）。

２　食材費は１日３食800円となる。入居者は800円（消費税別）に喫食（欠食以外のことをいう。）日数を乗じた金額を当月分の食材費として支払う。
3　欠食の場合に限り、１日分の食材費は発生しない。

A　ご質問の場合、貴社の有料老人ホームが入居者に対して行う食事の提供については、軽減税率を適用して差し支えないものと考えます。

考え方

1　軽減税率が適用される飲食料品の譲渡の範囲

課税資産の譲渡等のうち飲食料品の譲渡については、軽減税率が適用されます（消法29二）。

なお、課税資産の譲渡等の相手方が指定した場所において行う加熱、調理又は給仕等の役務を伴う飲食料品の提供については、軽減税率が適用される飲食料品の譲渡に含まれないものとされていますが、老人福祉法29条１項に規定する有料老人ホームその他の人が生活を営む場所として政令で定める施設において行う政令で定める飲食料品の提供については、飲食料品の譲渡として軽減税率が適用されます（消法別表第一１号ロ①）。

2　有料老人ホーム等の施設及び軽減税率が適用される飲食料品の提供の範囲

上記１の食事の提供について軽減税率が適用される「政令で定める施設」の一つとして老人福祉法29条１項の規定による届出が行われている同項に規定する有料老人ホームが掲名されています（消令２の４②一）。

また、「政令で定める飲食料品の提供」の一つとして、当該有料老人ホームの設置者又は運営者（以下「設置者等」といいます。）が、入居者（財務省令で定める年齢その他の要件に該当する者に限ります。）に対して行う飲食料品の提供（財務大臣の定める基準に該当する飲食料品の提供に限ります。）が掲げられています。

なお、軽減税率の対象となる入居者については、①60歳以上の者、②要介護認定又は要支援認定を受けている60歳未満の者、③これらの者と同居している配偶者とされています（消規１の２）。

更に、「消費税法施行令第二条の四第二項の規定に基づき、財務大臣の定める基準を定める件」（令和５年財務省告示第92号）は、上記の「財務大臣の定める基準に該当する飲食料品の提供」について、有料老人ホームの設置者等が同一の日に同一の者に対して行う飲食料品の提供の対価の額が１食につき「入院時食事療養費に係る食事療養及び入院時生活療養費に係る生活療養の費用の額の算定に関する基準」（平成18年厚生労働省告示第99号）別表第一の１(1)に規定する金額（670円。以下「基準額」といいます。）以下であるもののうち、当該飲食料品の提供の対価の額の累計額が基準額に３を乗じて算出した金額（2,010円。以下「限度額」といいます。）に達するまでの飲食料品の提供とする旨規定しています。

(注)　令和６年５月31日までは、一食につき640円以下、一日の累計額1,920円までとされていました。

3　ご質問の場合の適用関係

貴社の有料老人ホームは、老人福祉法29条１項の規定による届出が行われている同項に規定する有料老人ホームであり、その運営者である貴社が入居者に対して食事の提供を行っています。また、ご質問の食事の提供の対価の額は、食材費と業務委託費の合計額ですから、１食当たりの金額は、以下のとおり、１月の日数が最も少ない場合でも、基準額の670円以下であり、かつ１日の累計額が限度額の2,010円以下

第８章
課税標準と税率

の金額となります。

したがって、ご質問の食事の提供は、飲食料品の譲渡に該当し、軽減税率の対象になると考えます。

⑴　飲食料品の提供の対価について

貴社は、入居契約書の月額利用料表において、利用料を55,000円（1月の日数が30日の場合）と定め、その内訳として、食材費を800円（1日3食当たり、消費税別）、業務委託費を31,000円（1月当たり、消費税別）と定めています。

また、食材費は食材を調達するための費用、業務委託費は調理に係る費用であり、ともに食事の提供を行うために要するものですので、入居契約書において、食材費と業務委託費が区分されている場合であっても、食材費と業務委託費の合計額が食事の提供の対価の額になると考えます。

⑵　1日当たりの食費の累計額及び1食当たりの金額の計算

貴社は、入居契約書において、食材費を1日3食当たり800円として、800円に喫食日数を乗じた金額をその月の食材費とし（欠食の場合に限って日数にカウントしない）、業務委託費は欠食の有無にかかわらず月額31,000円となる旨定めています。

以上を踏まえますと、月額で定められた業務委託費を含む食事の提供の対価の額が、1食につき基準額以下であり、かつ1日の累計額が限度額以下であるかどうかの判定については、例えば、業務委託費の額を月の日数で除して食材費を含む1日当たりの食費の累計額を算定し、その累計額を1日当たりの食数で除して1食当たりの金額を算定するなどの合理的な方法によって行うことが相当です。

この考え方によれば、ご質問の食事の提供の対価の額に係る1日当たりの食費の累計額及び1食当たりの金額は、いずれの場合においても限度額及び基準額以下となります。

		1日当たりの食費の累計額	1食当たりの金額
31日の月	1食でも食べる日	800円＋31,000円÷31日＝1,800円（≦2,010円）	1,800円÷3食＝600円（≦670円）
	欠食する日	0円＋31,000円÷31日＝1,000円（≦2,010円）	1,000円÷3食＝333円（≦670円）
30日の月	1食でも食べる日	800円＋31,000円÷30日＝1,833円（≦2,010円）	1,833円÷3食＝611円（≦670円）
	欠食する日	0円＋31,000円÷30日＝1,033円（≦2,010円）	1,033円÷3食＝344円（≦670円）
28日の月	1食でも食べる日	800円＋31,000円÷28日＝1,907円（≦2,010円）	1,907円÷3食＝635円（≦670円）
	欠食する日	0円＋31,000円÷28日＝1,107円（≦2,010円）	1,107円÷3食＝369円（≦670円）

Q 8 − 4

病院食についての軽減税率の適否

病院食は、軽減税率の適用対象となりますか。

A 軽減税率の適用対象とはなりません。

考え方

健康保険法の規定に基づく入院時食事療養費に係る病院食の提供は非課税とされていることから、消費税は課されません（消法６①、別表第二６号、消令14）。

しかし、患者の自己選択により、特別メニューの食事の提供を受けている場合に支払う特別の料金については、非課税となりません。また、病室等で給仕等の役務を伴う飲食料品の提供を行うものですので、「飲食料品の譲渡」に該当しません。したがって、軽減税率の適用対象となりません（消法別表第一１号ロ）。

Q８－５

飲食料品の提供に係る委託の軽減税率の適否

Ａ社は、有料老人ホームとの給食調理委託契約に基づき、その有料老人ホームにおいて入居者に提供する食事の調理を行っていますが、Ａ社の行う受託業務も、軽減税率の適用対象となりますか。

Ａ　軽減税率の適用対象とはなりません。

考え方

軽減税率の適用対象となる有料老人ホームにおいて行う飲食料品の提供は、有料老人ホームの設置者又は運営者が、当該有料老人ホームの一定の入居者に対して行う飲食料品の提供に限られています（消法別表第一１号ロ、消令２の４②一）。

Ａ社が有料老人ホームとの給食調理委託契約に基づき行う食事の調理は、受託者であるＡ社が、委託者である有料老人ホームの設置者又は運営者に対して行う食事の調理に係る役務の提供と認められますので、軽減税率の適用対象となりません（消基通５－９－12）。

Q８－６

特別養護老人ホームの調理業務を受託した場合において食材費を区分して請求するときの適用税率

当社は、特別養護老人ホームを運営する事業者から入居者に提供する給食の調理業務を受託しました。受託料等の請求に当たっては、次のように、調理受託料は毎月定額で請求し、給食のために調達した食材の費用については実費によることとする場合には、食材費部分は軽減税率の適用対象としてよいでしょうか。

A　食材費を含めた全額が給食の調理業務受託の対価として標準税率の適用対象になるものと考えます。

考え方

消費税の軽減税率の導入に伴い、飲食料品の譲渡は軽減税率の適用対象となります（消法別表第一１号ロ）が、調理等の役務の提供については軽減税率の適用対象になりません。

ご質問の場合も、貴社が行う食材の課税仕入れについては、軽減税率の対象となりますが、委託者である特別養護老人ホームを運営する事業者に対して、貴社が食材費の金額を調理受託料と区分して請求するとしても、それは受託料合計額の内訳を示しているにすぎず、当該特別養護老人ホームに対して食材の譲渡をしているものではないと認められますから、食材費を含めた金額の全部が受託した給食の調理業務の対価として標準税率を適用すべきものと考えます（消基通５－９－12）。

(注)　有料老人ホームの設置者又は運営者（設置者等）自らが、入居者に提供する食事に係る食材を調達している場合には、調理受託料のみが消費税の課税対象となり、標準税率が適用されることになります。

Q８－７

社員食堂での飲食料品の提供についての軽減税率の適否

社員食堂で提供する食事は、軽減税率の適用対象となりますか。

A　軽減税率の適用対象とはなりません。

考え方

軽減税率の適用対象とならない「食事の提供」とは、飲食設備のある場所において飲食料品を飲食させる役務の提供をいいます。

会社内や事業所内に設けられた社員食堂で提供する食事も、その食堂において、社員や職員に、飲食料品を飲食させる役務の提供を行うものであることから、「食事の提供」に該当します。したがって、軽減税率の適用対象となりません（消法別表第一１号イ、消令２の４①、消基通５－９－６）。

Q8−8

歯の矯正治療・インプラント治療に係る経過措置の適用

歯の矯正治療やインプラント治療について、消費税率引上げに係る指定日までに申込みを受けた場合には、請負等の税率に関する経過措置が適用されるでしょうか。

なお、治療代については、申込時に代金を一括して受領し、患者が治療を中途でやめた場合にも返金しないこととしているので、受領日に全額を売上計上する経理処理を継続しています。

A　請負等の税率に関する経過措置の適用はありません。ただし、税率引上げに関する改正法の施行日前に、中途で治療をやめた場合にも返金しないこととして一括して受領した治療代を、継続して受領した時の収益として計上している場合には、旧税率を適用して差し支えないこととされています。

考え方

目的物の引渡しを要しない請負等の契約において、その約した役務の全部の完了が一括して行われる場合には、請負等の税率に関する経過措置の適用要件である「仕事の目的物の引渡しが一括して行われること」の要件（26年改正令附則4⑤）を満たすものとされています（24年改正法附則16①による読替後の24年改正法附則5③）。

一般的な歯の矯正治療やインプラント治療は、「役務の全部の完了が一括して行われるもの」に該当しないことから、工事の請負等の経過措置の適用はないと考えられます。

また、歯の矯正治療やインプラント治療などの医療については、診療契約（又は医療契約）とされており、判例において診療契約は準委任契約と解され、また診療契約の内容は「患者に対し病気を診療治療することを約するにとどまり、これを治癒させることまでは約しえないのが通常の事例であり、右契約における医師の債務は特約のない限り前者の行為をすることにあると解される。」とされています（参考：東京地裁昭和46年4月14日判決）。

したがって、歯の矯正治療やインプラント治療は、そもそも仕事の完成を約する請負等に該当しないことになると考えられます。

なお、矯正治療代やインプラント治療代は、申込み時に一括して受領し、受領した治療代については返還しない旨を定めている契約もあります。このような契約に基づいて受領した治療代を、継続して受領時の収益に計上している場合には、収益を計上した時の税率を適用して差し支えないこととされています（国税庁「平成31年（2019年）10月１日以後に行われる資産の譲渡等に適用される消費税率等に関する経過措置の取扱いＱ＆Ａ【具体的事例編】（平成30年10月改訂）」問24）。

Q8－9

売上税額の積上げ計算の前提とされる「交付した適格請求書等の写しの保存」の意義

当法人では、消費者に商品を販売した場合には適格簡易請求書を交付することとしていますが、相手方が適格簡易請求書を受け取らない場合もあります。このような場合、適格請求書等の交付がないため、売上税額の積上げ計算はできないのでしょうか。

A　積上げ計算できます。

考え方

適格請求書等保存方式における売上税額の計算方法については、原則の割戻し計算のほか、相手方に「交付」した適格請求書等の写しを保存している場合（適格請求書等に係る電磁的記録を保存している場合を含みます。）に、そこに記載された税率ごとの消費税額等の合計額に100分の78を乗じて算出した金額を売上税額とする積上げ計算も認められています（消法45⑤、消令62）。

この売上税額の積上げ計算を適用する場合、適格請求書等を交付しようとしたものの顧客が受け取らなかったため、物理的な「交付」ができなかったような場合や交付を求められたとき以外レシートを出力していない場合であっても、適格請求書発行事業者においては、当該適格請求書等の写しを保存しておけば、「交付した適格請求書等の写しの保存」があるものとして、売上税額の積上げ計算を行って差し支えないものとされています（国税庁「消費税の仕入税額控除制度における適格請求書等保存方式に関するQ&A（令和6年4月改訂）」問120）。

参考

「交付した適格請求書等の写し」とは、交付した書類そのものを複写したものに限らず、その適格請求書等の記載事項が確認できる程度の記載がされているものもこれに含まれるものとされ、例えば、適格簡易請求書に係るレジのジャーナル、複数の適格請求書の記載事項に係る一覧表や明細表などの保存でも差し支えないこととされています（同Q&A問78）。

Q 8 −10

2割特例を適用できない課税期間

インボイス制度の実施に伴って設けられた小規模事業者に係る税額控除に関する経過措置（2割特例）は、基準期間における課税売上高が1千万円を超える課税期間などについては適用できないとのことですが、適用できない課税期間にはどのようなものがあるのでしょうか。

A　2割特例は、適格請求書発行事業者の令和5年10月1日から令和8年9月30日までの日の属する各課税期間において、免税事業者（「消費税課税事業者選択届出書」（以下「課税事業者選択届出書」といいます。）の提出により課税事業者となった免税事業者を含みます。（注1））が適格請求書発行事業者となった場合に適用することができます（28年改正法附則51の2①）。

なお、以下の課税期間については、2割特例の適用を受けることはできません（注2）。

1　過去の売上が一定金額以上ある場合

① 基準期間における課税売上高が1千万円を超える課税期間（消法9①）

② 特定期間における課税売上高による納税義務の免除の特例により事業者免税点制度の適用が制限される課税期間（消法9の2①）

③ 相続（注3）・合併・分割等があった場合の納税義務の免除の特例により事業者免税点制度の適用が制限される課税期間（消法10、11、12）

2　新たに設立された法人が一定規模以上の法人である場合

④ 新設法人・特定新規設立法人の納税義務の免除の特例により事業者免税点制度の適用が制限される課税期間（消法12の2①、12の3①）

3　高額な資産を仕入れた場合

⑤　「課税事業者選択届出書」を提出して課税事業者となった後2年以内の一般課税適用の課税期間中に調整対象固定資産の仕入れ等を行ったことにより「消費税課税事業者選択不適用届出書」の提出ができず、事業者免税点制度の適用が制限される課税期間（注4）（消法9⑦）

⑥　新設法人及び特定新規設立法人の特例の適用を受ける一般課税適用の課税期間中に、調整対象固定資産の仕入れ等を行ったことにより事業者免税点制度の適用が制限される課税期間（消法12の2②、12の3③）

⑦　一般課税適用の課税期間中に高額特定資産の仕入れ等（棚卸資産の調整の適用を受けた場合を含みます。）を行ったことにより事業者免税点制度の適用が制限される課税期間（消法12の4①、②、④）

⑧　一般課税適用の課税期間中に金又は白金の地金等の仕入れ等を行い、その仕入れ等の金額の合計額（税抜き）が200万円以上であることにより事業者免税点制度の適用が制限される課税期間（消法12の4③、④、消令25の5④）

4　課税期間を短縮している場合

⑨　課税期間の特例の適用を受ける課税期間（注4）

㊟1　「課税事業者選択届出書」の提出により令和5年10月1日より前から引き続き課税事業者となる同日を含む課税期間（適格請求書等保存方式の開始前である令和5年9月30日以前の期間を含む課税期間）の申告については、2割特例の適用を受けられません（28年改正法附則51の2①一）が、その場合でも、令和5年10月1日を含む課税期間の翌課税期間以後については、上記①～⑨の課税期間及び次の㊟2の国外事業者に該当しない限り、2割特例を適用することができます。

なお、免税事業者に係る登録の経過措置（28年改正法附則44④）の適用を受けて適格請求書発行事業者となった者は、「課税事業者選択届出書」の提出をして課税事業者となっていませんので、当該届出書の提出を原因として

2割特例の適用が制限されることはありません。

2　2割特例の適用を受けようとする課税期間の初日において恒久的施設（所得税法又は法人税法に規定する「恒久的施設」をいいます。）を有しない国外事業者の令和6年10月1日以後に開始する課税期間については、2割特例を適用することができません（28年改正法附則51の2①）。

3　相続のあった課税期間について、当該相続により事業者免税点制度の適用が制限される場合であっても、適格請求書発行事業者の登録が相続日以前であり、他の2割特例の適用が制限される課税期間でなければ、2割特例の適用を受けることができます（28年改正法附則51の2①三）。

4　課税期間の特例の適用を受ける課税期間には、「消費税課税期間特例選択届出書」の提出により、その期間を1月又は3月に短縮している課税期間だけでなく、当該届出書の提出により一の課税期間とみなされる課税期間も含まれます（消法19）。

Q 8 −11

2割特例を適用した後に一般課税により更正の請求をすることの可否

インボイス制度実施前は免税事業者であった当法人（3月決算）は、2割特例を適用して前課税期間の消費税の確定申告を行いました。ところが、申告後に一般的な方法（一般課税）による仕入控除税額を試算してみたところ、2割特例によるよりも控除額が多額になることが分かりました。

この場合、当法人は、一般課税により計算した仕入控除税額に基づいて更正の請求をすることができるでしょうか。

A　個人事業者Aが更正の請求をすることはできません。

考え方

国税通則法23条1項は、「納税申告書に記載した課税標準等若しくは税額等の計算が国税に関する法律の規定に従っていなかったこと又は当該計算に誤りがあったことにより、当該申告書の提出により納付すべき税額が過大であるときには、当該申告書に係る国税の法定申告期限から5年以内に限り、税務署長に対し、その申告に係る課税標準等又は税額等につき更正をすべき旨の請求をすることができる。」としています。

ところで、2割特例を定めている28年改正法附則52条の2第1項は、「新消費税法第30条から第37条までの規定により新消費税法第30条第1項に規定する課税標準額に対する消費税額から控除することができる消費税法第30条第2項に規定する課税仕入れ等の税額の合計額は、新消費税法第30条から第37条までの規定にかかわらず、特別控除税額とすることができる。」という選択適用規定となっています。

【計算イメージ】

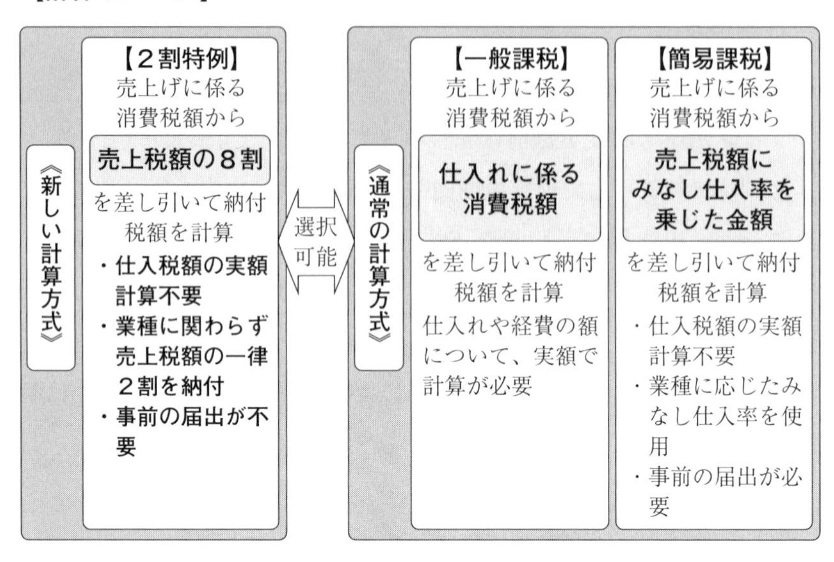

出典：国税庁ホームページ「2割特例（インボイス発行事業者となる小規模事業者に対する負担軽減措置）の概要」（一部修正）

このような規定の仕方は、個別対応方式により仕入控除税額の計算が可能な事業者について一括比例配分方式による計算も認めている消費税法30条4項が「第2項第1号に掲げる場合に該当する事業者は、同項の規定にかかわらず、当該課税期間中に国内において行った課税仕入れ……につき、同号に定める方法に代え、第2項第2号に定める方法により第1項の規定により控除される課税仕入れ等の税額の合計額を計算することができる。」としているのと同じです。

【一括比例配分方式で申告した事業者の更正の請求が認められなかった裁判例】

消費税の仕入控除税額を一括比例配分方式により計算して申告した事業者が、個別対応方式による方が控除額が多額になるとして行った更正の請求について、所轄税務署長が個別対応方式によらずに更正を行ったことを不服として争われた事件の判決で、裁判所は次のように判示しています（平成９年５月27日　福岡地裁判決（確定））。

① 一括比例配分方式は、本来、課税仕入れについての区分経理がなされておらず個別対応方式による控除税額の算出が出来ない場合の計算方法であり、その適用を区分経理している事業者にも認めている消費税法30条４項の趣旨は、区分経理を理由にその適用を否定することは、区分経理の手間をかけた者に簡便な税額計算を認めないことになって妥当でないとの配慮に基づくものと解される。

② 区分経理を行っている事業者は、確定申告の時点で両方式によって納付すべき消費税額がそれぞれいくらになるかを計算し得るのであって、納税者がより負担の低い個別対応方式を選択することに何ら制限がない。他方、一括比例配分方式には個別対応方式に比してより計算が簡単であるという利点があるのであるから両方式の長所・短所を勘案した上でそのいずれを選択するかを当該事業者の判断に委ねることに何ら問題はなく、したがって、一括比例配分方式による税負担が個別対応方式による場合に比し大となる場合であっても両方式の選択が納税者の任意に委ねられている以上、その不利益を甘受するものとして同方式を選択したものと見るほかはない。そしてこのことは、両方式による納税額の格差が顕著となるからといって別異に解すべきでなく、この場合に一括比例配分方式の適用が税負担の公平に反するということにはならないというべきである。

以上を踏まえると、２割特例を適用して消費税の確定申告を行った事業者において、法定申告期限後に２割特例による申告よりも一般課税による方が有利であることが判明したとしても、そのことは、更正の請求事由には当たらないものと考えます。

第 9 章

仕入税額控除

消費税は、生産、流通、販売といった取引の各段階で課税されますが、最終的には消費者が負担することが予定されています。そのため、取引の都度その取引価額に対して消費税を課税すると税の累積が生じることになります。

そこで、消費税では税の累積を排除する仕組みとして、課税標準額に対する消費税額から課税仕入れ等の税額を控除する「前段階税額控除方式」が採用されました。これが仕入税額控除です。

なお、中小事業者の納税事務負担に配慮して、控除される課税仕入れ等の税額（仕入れに係る消費税額＝仕入控除税額）を課税標準額に対する消費税額のみから計算することができる簡便法（簡易課税制度）も設けられています。

また、課税売上げについて、値引きや貸倒れ等の一定の事実が生じた場合にも、税額調整を行うこととされています。

○　税額控除の種類

消費税の税額控除には次の４種類があります。

⑴　仕入税額控除（消法30①、37①）

⑵　売上げに係る対価の返還等をした場合の税額控除（消法38①）

⑶　特定課税仕入れに係る対価の返還等を受けた場合の税額控除（消法38の２①）

⑷　貸倒れに係る税額控除（消法39①）

○　納付税額の計算の仕組み

上記の税額控除がある場合は、次のように納付税額を計算することになります。

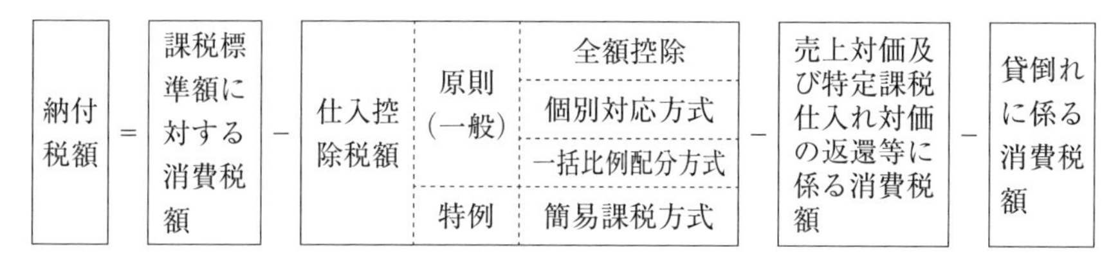

本章では、これらの税額控除のうち、その中心である仕入税額控除の原則について、詳しく説明します。

第１節　仕入税額控除の対象

事業者（免税事業者を除きます。）は、国内において行った課税仕入れ、特定課税仕入れ及び保税地域から引き取る課税貨物に係る消費税額（課税仕入れ等の税額）を、課税仕入れ等の日の属する課税期間の課税標準額に対する消費税額から控除することとされています（仕入税額控除）（消法30①）。

1　課税仕入れの意義

仕入税額控除の対象となる「課税仕入れ」とは、事業者が、事業として他の者から資産を譲り受け、若しくは借り受け、又は役務の提供を受けることをいいます（消法２①十二）。

【課税仕入れに関する留意事項】

(1)　課税仕入れは、その相手方である「他の者」が事業として当該資産を譲り渡し、若しくは貸し付け、又は当該役務の提供をしたと仮定した場合に課税資産の譲渡等に該当することとなるもので、消費税が免除されるもの以外のものであればよく、実際に「他の者」において消費税の申告・納付の義務があるかどうかは問いません。

(2)　したがって、「他の者」には、課税事業者だけでなく、免税事業者や消費者も含まれることになります。

(3) ただし、令和５年（2023年）10月１日からは、仕入税額控除の適用要件として適格請求書等の保存が求められ、また、課税仕入れに係る消費税額を適格請求書等に基づいて計算することが原則とされていますから、同日以後、免税事業者や消費者からの課税仕入れは、仕入税額控除の対象とはならないことになります（新消法30①）。なお、令和11年（2029年）９月30日までは、２段階にわたる経過措置が設けられています（28年改正法附則52、53）。

(4) 「役務の提供」には、所得税法28条１項に規定する給与等を対価とする役務の提供は含まれません。

2　課税仕入れの範囲

課税事業者から仕入れるもののほか、免税事業者や消費者からの仕入れであってもそれが事業として仕入れたものであれば、課税仕入れの範囲に入ります。

具体的には、商品の仕入れのほか、備品、消耗品の購入や自動車、建物などの固定資産の購入も含まれます。ただし、非課税や免税、不課税とされる取引については、課税仕入れには含まれません。

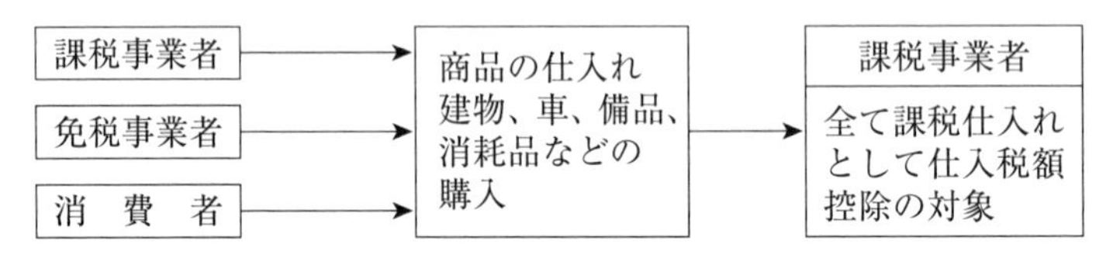

なお、課税仕入れのうち、国外事業者から受けた「事業者向け電気通信利用役務の提供以外の電気通信利用役務の提供（消費者向け電気通信利用役務の提供）」については、適格請求書発行事業者から受けたものを除き、原則として仕入税額控除の適用は認められません（消法30①、30年改

正令附則24)。

3　特定課税仕入れの意義

「特定課税仕入れ」とは、「課税仕入れ」のうち、「特定仕入れ」に該当するものをいいます（消法5①）。

(注)「特定仕入れ」とは、事業として他の者から受けた特定資産の譲渡等をいい（消法4①)、「特定資産の譲渡等」とは、事業者向け電気通信利用役務の提供及び特定役務の提供をいいます（消法2①八の二)。

4　居住用賃貸建物の取得に係る仕入税額控除制度の不適用

(1)　基本的な取扱い

居住用賃貸建物に係る課税仕入れ等の税額については、令和2年(2020年) 10月1日以後、仕入税額控除の適用を認めないこととされています（消法30⑩)。

ここでいう「居住用賃貸建物」とは、「消費税法別表第二第13号に掲げる住宅の貸付けの用に供しないことが明らかな建物以外の建物」で高額特定資産又は調整対象自己建設高額資産（高額特定資産等）に該当するものをいいます。

(注) 居住用賃貸建物に係る資本的支出（修理、改良等のために支出した金額のうちその居住用賃貸建物の価値を高め、又はその耐久性を増すこととなる部分に対応する金額をいいます。）に係る課税仕入れ等の税額についても、仕入税額控除制度不適用の対象となります（消基通11－7－5)。
　なお、その資本的支出自体が高額特定資産の仕入れ等に該当しない場合や住宅の貸付けの用に供しないことが明らかな建物に係るものである場合は、仕入税額控除が可能です。

ただし、居住用賃貸建物のうち、住宅の貸付けの用に供しないことが明らかな部分については、引き続き仕入税額控除の対象とされます。

イ　住宅の貸付けの用に供しないことが明らかな建物の範囲

高額特定資産等に該当する建物のうち「住宅の貸付けの用に供しないことが明らかな建物」は仕入税額控除制度不適用の対象とはなりませんが、「住宅の貸付けの用に供しないことが明らかな建物」とは建物の構造及び設備の状況その他の状況により住宅の貸付けの用に供しないことが客観的に明らかなものをいい、例えば、次のようなものが該当することとされています（消基通11－7－1）。

①　建物の全てが店舗等の事業用施設である建物など、建物の設備等の状況により住宅の貸付けの用に供しないことが明らかな建物

②　旅館又はホテルなど、旅館業法2条1項《定義》に規定する旅館業に係る施設の貸付けに供することが明らかな建物

③　棚卸資産として取得した建物であって、所有している間、住宅の貸付けの用に供しないことが明らかなもの

ロ　居住用賃貸建物の判定時期

居住用賃貸建物に該当するかどうかは、課税仕入れ等を行った日（自己建設資産の場合は、その建設に要した課税仕入れの支払対価の額に該当する原材料費及び経費に係るものの合計額（税抜き）が1,000万円以上となった日）の状況により判定します（消基通11－7－2）。

したがって、課税仕入れ等を行った日において住宅の貸付けの用に供しないことが明らかでない建物については、居住用賃貸建物に該当することになります。ただし、その課税仕入れ等を行った日の属する課税期間の末日において、住宅の貸付けの用に供しないことが明らかにされたときは、居住用賃貸建物に該当しないものとして取り扱って差し支えないこととされています。

ハ　合理的区分の方法

住宅の貸付けの用に供しないことが明らかな部分がある居住用賃

貸建物について消費税法30条10項の規定の適用を受けることとなる事業者が、その居住用賃貸建物をその構造及び設備の状況その他の状況により「住宅の貸付けの用に供しないことが明らかな部分」と「居住用賃貸部分」とに合理的に区分しているときは、その居住用賃貸部分に係る課税仕入れ等の税額についてのみ、同項の規定が適用されます（消令50の２①）。

この場合の「合理的に区分しているとき」とは、使用面積割合や使用面積に対する建設原価の割合など、その建物の実態に応じた合理的な基準により区分していることをいうものとされています（消基通11－７－３）。

なお、高額特定資産等について合理的に区分した結果、居住用賃貸部分の税抜価額が1,000万円未満であったとしても、その居住用賃貸部分については、仕入税額控除が制限されます。

二　自己建設高額特定資産である場合

居住用賃貸建物が自己建設高額特定資産として消費税法12条の４第１項の規定の適用を受ける場合には、自己建設高額特定資産の建設等に要した課税仕入れに係る支払対価の額（税抜き）等（課税事業者であり簡易課税制度又は２割特例の適用を受けない課税期間中の課税仕入れ等で当該自己建設高額特定資産の建設等のために要した原材料費及び経費に係るものに限ります。）の合計額が1,000万円以上となった日の属する課税期間以後の課税期間における当該居住用賃貸建物に係る課税仕入れ等の税額についてのみ、消費税法30条10項の規定が適用されます（消令50の２②、30年改正令附則21の２）。したがって、前課税期間までに行った課税仕入れ等については仕入税額控除の適用を受けられることになります。

⑵　居住用賃貸建物を課税転用した場合又は譲渡した場合

上記⑴により仕入税額控除制度が適用されない居住用賃貸建物について、その仕入れの日から同日の属する課税期間の初日以後３年を経過する日の属する課税期間（第３年度の課税期間）の末日までの間（調整期間）に住宅の貸付け以外の貸付けの用に供した場合又は譲渡した場合には、それまでの居住用賃貸建物の貸付け又は譲渡の対価の額を基礎として計算した額を第３年度の課税期間又は譲渡した日の属する課税期間の仕入控除税額に加算して調整することとされています（消法35の２）。

⑶　高額特定資産を取得した場合等の納税義務の免除の特例等との適用関係

高額特定資産又は調整対象自己建設高額資産の課税仕入れ等について仕入税額控除制度不適用となった場合であっても、消費税法12条の４第１項又は第２項《高額特定資産を取得した場合等の納税義務免除の特例》の規定（いわゆる３年しばり）は適用されます（消基通１－５－30）。したがって、この場合には、新たに簡易課税制度の適用を受けることもできないことになります（消法37③三、四）。

この取扱いは、３年しばりの期間内に居住用賃貸建物を売却等した場合においても同様です（消基通１－５－22の２⑴，13－１－４の３前段）。

第２節　仕入税額控除の要件

適格請求書等保存方式（インボイス制度）の下でも、課税仕入れ等の税額の控除に係る帳簿及び請求書等を保存することが仕入税額控除の要件とされています（消法30⑦）。

ただし、請求書等については、適格請求書発行事業者から交付を受けた適格請求書等を保存することとされました。

なお、適格請求書発行事業者からの課税仕入れであっても、「適格請求書」等の交付を受けることが困難なものもあること、インボイス制度前には免税事業者や事業者以外の者からの課税仕入れについても課税事業者からの課税仕入れと区別なく仕入税額控除の対象としていたことを踏まえ、仕入税額控除の要件については、様々な特例措置が設けられています。

1　保存が必要な帳簿

課税仕入れ等の税額の控除に係る帳簿の記載事項は、インボイス制度前の区分記載請求書等保存方式の時と変わらず、次のとおりとされています（消法30⑧）。

(1) 課税仕入れの場合（消法30⑧一）

① 課税仕入れの相手方の氏名又は名称
② 課税仕入れを行った年月日
③ 課税仕入れに係る資産又は役務の内容（軽減対象課税資産の譲渡等に係るものである旨）
④ 課税仕入れに係る支払対価の額

【帳簿の記載例】

総勘定元帳（仕入）（税込経理）					
XX年 月	日	摘要		税区分	借方（円）
11	30	△△物産㈱	11月分　日用品	10%	88,000
11	30	△△物産㈱	11月分　食料品	8 %	43,200
②		①	③		④

(2) 特定課税仕入れの場合（消法30⑧二）

① 特定課税仕入れの相手方の氏名又は名称

② 特定課税仕入れを行った年月日

③ 特定課税仕入れの内容

④ 特定課税仕入れに係る支払対価の額

⑤ 特定課税仕入れに係るものである旨

(3) 課税貨物の引取りの場合（消法30⑧）

① 課税貨物を保税地域から引き取った年月日

㈱ 課税貨物につき特例申告書を提出した場合には、保税地域から引き取った年月日及び特例申告書を提出した日又は特例申告に関する決定の通知を受けた日を記載します。

② 課税貨物の内容

③ 課税貨物の引取りに係る消費税額及び地方消費税額又はその合計額

2　保存が必要な請求書等

次のいずれかの書類等を保存することとされています（消法30⑨）。

(1) 課税仕入れの相手方から交付を受けた適格請求書又は適格簡易請求

書（消法30⑨一）

㈱ 記載事項については、第７章を参照。

⑵ 課税仕入れの相手方から提供を受けた適格請求書又は適格簡易請求書に代わる電磁的記録（消法30⑨二）

⑶ 課税仕入れを行った事業者が作成する仕入明細書、仕入計算書等の書類又は電磁的記録（当該書類に記載されている事項又は電磁的記録について、当該課税仕入れの相手方の確認を受けたものに限られます。）（消法30⑨三、消令49⑦）

なお、対象となる課税仕入れは、課税仕入れの相手方において課税資産の譲渡等に該当するものに限られます㈱。

㈱ 例えば、課税仕入れの相手方が個人事業者である場合に、その個人事業者から家事用の資産を譲渡を受けたときは、仕入明細書等の保存による仕入税額控除は認められません。
この場合は、適格請求書発行事業者以外の者からの課税仕入れに係る経過措置（28年改正法附則52、53）の対象となります。

【仕入明細書等の記載事項（消令49④）】

① 書類の作成者の氏名又は名称

② 課税仕入れの相手方の氏名又は名称及び登録番号

③ 課税仕入れを行った年月日

④ 課税仕入れに係る資産又は役務の内容（軽減対象課税資産の譲渡等に係るものである旨）

⑤ 税率の異なるごとに区分して合計した課税仕入れに係る支払対価の額及び適用税率

⑥ 消費税額等（課税仕入れに係る支払対価の額に110分の10（軽減対象課税資産の譲渡等に係るものである場合には、108分の８）を乗じて算出した金額、１円未満の端数については、任意の方法で端数処理）

⑷ 課税仕入れについて媒介又は取次ぎに係る業務を行う者から交付を

受ける請求書等又は電磁的記録（消法30⑨四、消令49⑦）

なお、対象となる課税仕入れは、次のものに限られます（消令49⑤、70の９②二）。

イ　卸売市場において出荷者からの販売の委託を受けて卸売の業務として行われる生鮮食料品等の譲渡

ロ　農業協同組合等が、組合員等から無条件委託方式かつ共同計算方式により販売の委託を受けて行う農林水産物の譲渡（消規26の５②）

㈱　農業協同組合等には、農業協同組合、漁業協同組合、森林組合のほか、農事組合法人、事業協同組合とその連合会が該当します（消規26の５①）。

【媒介・取次業務を行う者から交付される請求書等の記載事項（消令49⑥）】

①　書類の作成者の氏名又は名称及び登録番号

②　課税資産の譲渡等を行った年月日

③　課税資産の譲渡等に係る資産の内容（軽減対象課税資産の譲渡等である旨）

④　課税資産の譲渡等に係る税抜価額又は税込価額を税率の異なるごとに区分して合計した金額及び適用税率

⑤　消費税額等

⑥　書類の交付を受ける事業者の氏名又は名称

⑸　課税貨物を保税地域から引き取る事業者が税関長から交付を受ける輸入許可書等又は電磁的記録（消法30⑨五、消令49⑨、⑩）

【輸入許可書等の記載事項（消令49⑧）】

①　納税地を所轄する税関長

②　課税貨物を保税地域から引き取ることができることとなった年月日

㈱　課税貨物につき特例申告書を提出した場合には、保税地域から引き取る

ことができることとなった年月日及び特例申告書を提出した日又は特例申告に関する決定の通知を受けた日

③　課税貨物の内容

④　課税貨物に係る消費税の課税標準である金額並びに引取りに係る消費税額及び地方消費税額

⑤　書類の交付を受ける事業者の氏名又は名称

3　課税仕入れ等の税額の控除に係る帳簿等の保存期間等

仕入税額控除を受けようとする事業者は、課税仕入れ等の税額の控除に係る帳簿及び請求書等を整理し、当該帳簿についてはその閉鎖の日の属する課税期間の末日の翌日、当該請求書等についてはその受領した日（電磁的記録については、その提供を受けた日）の属する課税期間の末日の翌日から２月（清算中の法人について残余財産が確定した場合には１月）を経過した日から７年間、納税地又はその取引に係る事務所、事業所等の所在地（納税地等）に保存をしなければならないこととされています（消法30⑦、消令50①）。

ただし、災害その他やむを得ない事情により、その保存をすることができなかったことをその事業者が証明した場合には、この限りではありません（消法30⑦ただし書）。なお、「災害その他やむを得ない事情」については、消費税法基本通達11－２－22により同通達８－１－４が準用されます。

㈱１　帳簿及び請求書等の保存期間のうち６年目及び７年目は、帳簿又は請求書等のいずれかの保存で足ります（消規15の６、消基通11－６－９）。
　また、６年目及び７年目の保存については、電磁的記録の保存の場合を除き、所定のマイクロフィルムの保存によることができます（消令50③、昭和63年大蔵省告示第187号）。

2　課税仕入れ等の税額の控除に係る電磁的記録については、提供を受けた電磁的記録を、電子帳簿保存法施行規則４条１項各号（電子取引の取引情報に係る電磁的記録の保存）に掲げる措置のいずれかを行い、同項に規定する要件に準ずる要件に従って保存することとされています（消規15の５①）。

ただし、提供を受けた電磁的記録を出力することにより作成した書面（整然とした形式及び明瞭な状態で出力したものに限ります。）を保存する方法によることも可能です。この場合において、当該事業者は、当該書面を、これらの規定により保存すべき場所に、これらの規定により保存すべき期間、整理して保存しなければなりません（消規15の５②）。

なお、所得税及び法人税においては、電子取引の取引情報に係る電磁的記録を書面で保存することは認められないことに留意する必要があります。

3　課税仕入れに係る資産が金又は白金の地金である場合に仕入税額控除を受けようとする事業者は、課税仕入れ等の税額の控除に係る帳簿及び請求書等のほか、消費税法30条11項に規定する本人確認書類を整理し、帳簿及び請求書等と同様に、保存しなければならないこととされています（消令50の３②）。

4　帳簿のみの保存で仕入税額控除が認められる場合

適格請求書等保存方式の下でも、次の課税仕入れについては、請求書等の交付を受けることが困難であるなどの理由から、一定の事項を記載した帳簿のみの保存で仕入税額控除が認められます（消法30⑦、消令49①、消規15の４）。

①　適格請求書の交付義務が免除される３万円未満の公共交通機関による旅客の運送（公共交通機関特例）

②　適格簡易請求書の記載事項（取引年月日を除きます。）が記載されている入場券等が使用の際に回収される取引（①に該当するものを除きます。）（回収特例）

③　古物営業を営む者の適格請求書発行事業者でない者からの古物（古物営業を営む者の棚卸資産に該当するものに限ります。）の購入（古物特例）

④　質屋を営む者の適格請求書発行事業者でない者からの質物（質屋を営む者の棚卸資産に該当するものに限ります。）の取得

⑤　宅地建物取引業を営む者の適格請求書発行事業者でない者からの建物（宅地建物取引業を営む者の棚卸資産に該当するものに限ります。）の購入

⑥　適格請求書発行事業者でない者からの再生資源及び再生部品（購入者の棚卸資産に該当するものに限ります。）の購入

⑦　適格請求書の交付義務が免除される３万円未満の自動販売機及び自動サービス機からの商品の購入等（自販機特例）

⑧　適格請求書の交付義務が免除される郵便切手類のみを対価とする郵便・貨物サービス（郵便ポストに差し出されたものに限ります。）（郵便特例）

⑨　従業員等に支給する通常必要と認められる出張旅費等（出張旅費、宿泊費、日当及び通勤手当）（出張費等特例）

⑩　特定課税仕入れに係るもの

上記①～⑨の課税仕入れについては、帳簿の記載事項に関し、通常必要な記載事項に加え、次の事項の記載が必要となります。

イ　帳簿のみの保存で仕入税額控除が認められるいずれかの仕入れに該当する旨

【記載例】

①の課税仕入れの場合……「３万円未満の鉄道料金」

⑦の課税仕入れの場合……「自販機」、「ATM」

ロ　仕入れの相手方の住所又は所在地㈨

【記載例】

②に該当する場合（３万円以上のもの）……「○○施設 入場券」

㈨１　次の課税仕入れについては、帳簿に仕入れの相手方の住所又は所在地の記載を要しません（消令49①、令和５年国税庁告示第26号）。

⑴　上記①の課税仕入れ

⑵　上記②の課税仕入れのうち３万円未満のもの

⑶　上記③から⑥の課税仕入れ（③から⑤に係る課税仕入れについては、

古物営業法、質屋営業法又は宅地建物取引業法により、業務に関する帳簿等へ相手方の氏名及び住所を記載することとされているもの以外のものに限り、⑥に係る課税仕入れについては、事業者以外の者から受けるものに限ります。）

(4)　上記⑦から⑨の課税仕入れ

2　上記⑩の特定課税仕入れの場合の帳簿の記載事項については、1－(2)参照。

5　少額特例

基準期間における課税売上高が1億円以下又は特定期間における課税売上高が5千万円以下である事業者が、令和5年10月1日から令和11年9月30日までの間に国内において行う課税仕入れについて、当該課税仕入れに係る支払対価の額（税込み）が1万円未満である場合には、一定の事項が記載された帳簿のみの保存により、当該課税仕入れについて仕入税額控除の適用を受けることができる経過措置（少額特例）が設けられています（28年改正法附則53の2、30年改正令附則24の2①）。

なお、適格請求書発行事業者以外の者（消費者、免税事業者又は登録を受けていない課税事業者が該当します。）からの課税仕入れであっても、課税仕入れに係る支払対価の額（税込み）が1万円未満である場合には少額特例の対象となります。

(注)1　特定期間における課税売上高については、納税義務の判定における場合と異なり、国外事業者以外の事業者であっても、課税売上高に代えて給与支払額の合計額により適否の判定をすることはできません。

2　帳簿の記載事項は、1－(1)に掲げるもので足り、「経過措置（少額特例）の適用がある旨」等の記載は要しません。

6　適格請求書発行事業者以外の者から課税仕入れを行った場合の経過措置

令和5年10月1日以後令和11年9月30日までの間に適格請求書発行事

業者以外の者（消費者、免税事業者又は登録を受けていない課税事業者が該当します。以下、6において「免税事業者等」といいます。）から行う課税仕入れについては、仕入税額相当額の一定割合を仕入税額とみなして控除できる経過措置が設けられています（28年改正法附則52、53）。

経過措置を適用できる期間等は、次のとおりです。

期間	割合
令和5年10月1日から令和8年9月30日まで	仕入税額相当額の80%
令和8年10月1日から令和11年9月30日まで	仕入税額相当額の50%

(注) 令和6年度税制改正により、一の免税事業者等から行うこの経過措置の対象となる課税仕入れの額の合計額が、その年又はその事業年度において税込み10億円を超える場合には、その超えた部分の課税仕入れについては、適用しないこととされました（この改正は、令和6年10月1日以後に開始する課税期間から適用されます。）。

この経過措置の適用を受けるためには、次の事項が記載された帳簿及び請求書等の保存が要件となります（28年改正法附則52②、53②）。

(1) 帳簿

区分記載請求書等保存方式の記載事項に加え、経過措置の適用を受ける課税仕入れである旨の記載が必要となります。

具体的には、次の事項となります。

① 課税仕入れの相手方の氏名又は名称

② 課税仕入れを行った年月日

③ 課税仕入れに係る資産又は役務の内容（軽減対象課税資産の譲渡等に係るものである旨）及び経過措置の適用を受ける課税仕入れである旨(注)

④ 課税仕入れに係る支払対価の額

(注) ③の「経過措置の適用を受ける課税仕入れである旨」の記載については、個々の取引ごとに「80%控除対象」、「免税事業者からの仕入れ」などと記載す

る方法のほか、例えば、本経過措置の適用対象となる取引に、「※」や「☆」といった記号・番号等を表示し、かつ、これらの記号・番号等が「経過措置の適用を受ける課税仕入れである旨」を別途「※（☆）は80％控除対象」などと表示する方法も認められます。

(2) 請求書等

区分記載請求書等と同様の記載事項が必要となります（区分記載請求書等に記載すべき事項に係る電磁的記録を含みます。）。

具体的には、次の事項となります。

① 書類の作成者の氏名又は名称

② 課税資産の譲渡等を行った年月日

③ 課税資産の譲渡等に係る資産又は役務の内容（軽減対象課税資産の譲渡等である旨）㈱

④ 税率の異なるごとに区分して合計した課税資産の譲渡等の税込価額㈱

⑤ 書類の交付を受ける当該事業者の氏名又は名称

㈱ 免税事業者等から受領した請求書等の内容について、③かっこ書きの「軽減対象課税資産の譲渡等である旨」及び④の「税率の異なるごとに区分して合計した課税資産の譲渡等の税込価額」の記載がない場合に限り、受領者が自ら請求書等に追記して保存することが認められます（28年改正法附則52③、53③）。

なお、提供された請求書等に係る電磁的記録を整然とした形式及び明瞭な状態で出力した書面に追記して保存している場合も同様に認められます。

【区分記載請求書等の記載例】

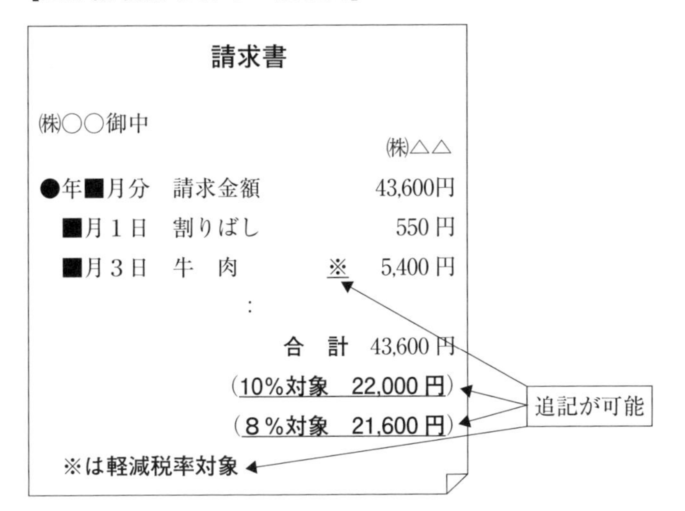
請求書

㈱○○御中

㈱△△

●年■月分　請求金額　43,600円

■月１日　割りばし　550 円

■月３日　牛　肉　※　5,400 円

：

合　計　43,600 円

（10%対象　22,000 円）

（８%対象　21,600 円）

※は軽減税率対象

第３節　仕入控除税額の計算方法

課税仕入れ等の税額のうち実際に控除できる部分の金額（仕入控除税額）を計算する方法は、その課税期間中の課税売上高が５億円以下かどうか、又は５億円以下であっても課税売上割合が95％以上であるか、95％未満であるかによって異なります（消法30②）。

〔仕入控除税額の計算方法の区分〕

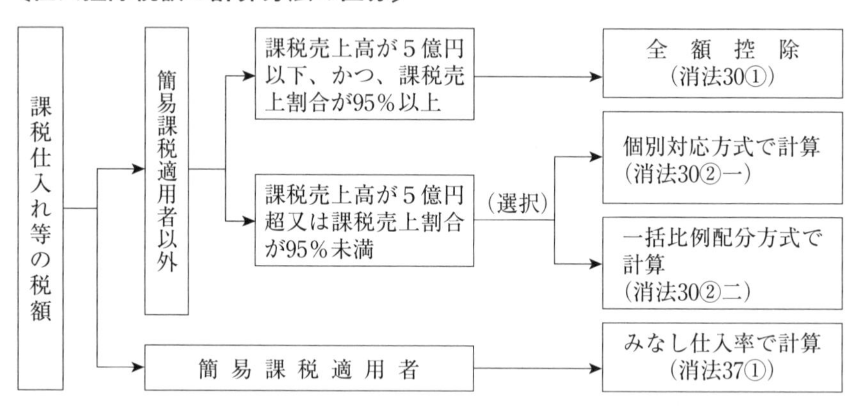

なお、令和５年10月１日から仕入税額控除の方式が適格請求書等保存方式（インボイス制度）に変わったことで、仕入控除税額の計算の基礎となる課税仕入れに係る消費税額の計算も変わりました。

1　課税仕入れに係る消費税額

課税仕入れに係る消費税額は、原則として、次の書類の記載事項又は電磁的記録の記録事項を基礎として、次のいずれかの方法により計算した金額となります（消法30①）。

(1) 請求書等積上げ方式【原則】

次表の左欄に掲げる課税仕入れの区分に応じ、右欄の金額の合計額に78/100を乗じて算出した金額です（消令46①）。

課税仕入れの区分	課税仕入れに係る消費税額等
① 適格請求書の交付を受けた課税仕入れ	その適格請求書に記載されている消費税額等（注1）のうち、その課税仕入れに係る部分の金額
② 適格簡易請求書の交付を受けた課税仕入れ	その適格簡易請求書に記載されている消費税額等（その適格簡易請求書に消費税額等の記載がないときは、上記①の適格請求書に記載すべき消費税額等の計算方法に準じて算出した金額）（注1）のうち、その課税仕入れに係る部分の金額
③ 適格請求書又は適格簡易請求書に代えて電磁的記録の提供を受けた課税仕入れ	その電磁的記録に記録されている上記①又は②の消費税額等のうち、その課税仕入れに係る部分の金額
④ 事業者がその行った課税仕入れにつき作成する仕入明細書、仕入計算書その他これらに類する書類で所定の事項が記載されているもの（その書類に記載されている事項につき、その課税仕入れの相手方の確認を受けたものに限ります。）又はその書類に記載すべき事項に係る電磁的記録を作成した課税仕入れ	その書類に記載され、又は電磁的記録に記録されている消費税額等（注2）のうち、その課税仕入れに係る部分の金額
⑤ 事業者がその行った課税仕入れ（媒介又は取次ぎに係る業務を行う者を介して行われる一定の課税仕入れ（注3）に限ります。）につきその媒介又は取次ぎに係る業務を行う者から交付を受ける請求書、納品書その他これらに類する書類で所定の事項が記載されているものの交付又はその書類に記載すべき事項に係る電磁的記録の提供を受けた課税仕入れ	その書類に記載され、又はその電磁的記録に記録されている消費税額等（注1）のうち、その課税仕入れに係る部分の金額

⑥　請求書等の交付を受けることが困難である場合の一定の課税仕入れ（注4）	課税仕入れに係る支払対価の額に10/110（その課税仕入れが他の者から受けた軽減対象課税資産の譲渡等に係るものである場合には、8/108）を乗じて算出した金額（その金額に1円未満の端数が生じたときは、その端数を切り捨て、又は四捨五入した後の金額）

(注)1　適格請求書又は適格簡易請求書に記載する消費税額等は、次のいずれかの方法により計算した金額とされています（消法57の4①五、②五、消令70の10）。この場合において、算出した金額に1円未満の端数が生じたときには、その端数を処理することとされています（消令70の10）。

なお、消費税額等の記載のない適格簡易請求書の場合は、課税仕入れを行った事業者において、次の方法に準じて計算することになります（消令46①二かっこ書）。

①　課税資産の譲渡等に係る税抜価額を税率の異なるごとに区分して合計した金額に10/100（その合計した金額が軽減対象課税資産の譲渡等に係るものである場合には、8/100）を乗じて算出する方法

②　課税資産の譲渡等に係る税込価額を税率の異なるごとに区分して合計した金額に10/110（その合計した金額が軽減対象課税資産の譲渡等に係るものである場合には、8/108）を乗じて算出する方法

2　課税仕入れに係る支払対価の額に10/110（その課税仕入れが他の者から受けた軽減対象課税資産の譲渡等に係るものである場合には、8/108）を乗じて算出した金額とし、その金額に1円未満の端数が生じたときは、その端数を処理した後の金額とします（消令49④六）。

3　媒介又は取次ぎに係る業務を行う者を介して行われる課税資産の譲渡等のうち次に掲げるものに係る課税仕入れをいいます（消令70の9②二、消規26の5）。

①　卸売市場法に規定する卸売市場において、同法2条4項に規定する卸売業者が同項に規定する卸売の業務（出荷者から卸売のための販売の委託を受けて行うものに限ります。）として行う同法2条1項に規定する生鮮食料品等の譲渡

②　農業協同組合等が、その組合員その他の構成員から販売の委託（無条件委託、かつ、共同計算方式によるものに限ります。）を受けて行う農林水産物の譲渡（その農林水産物の譲渡を行う者を特定せずに行われるものに限ります。）

4　請求書等の交付を受けることが困難である場合の一定の課税仕入れについ

ては、前節を参照。

(2) 帳簿積上げ方式【特例】

事業者が、その課税期間に係る(1)に掲げる課税仕入れについて、その課税仕入れの都度、課税仕入れに係る支払対価の額に10/110（その課税仕入れが他の者から受けた軽減対象課税資産の譲渡等に係るものである場合には、8/108）を乗じて算出した金額を帳簿に記載している場合には、(1)にかかわらず、その金額を合計した金額に78/100を乗じて算出した金額を、課税仕入れに係る消費税額とすることができます（消令46②）。

(注) 1　課税仕入れに係る支払対価の額に10/110又は8/108を乗じて算出した金額に1円未満の端数が生じたときは、その端数を切り捨て、又は四捨五入します。

2　「その課税仕入れの都度、……帳簿に記載している場合」には、例えば、課税仕入れに係る適格請求書その他の書類等の交付又は提供を受けた際に、これらの書類等を単位として帳簿に記載している場合のほか、課税期間の範囲内で一定の期間内に行った課税仕入れにつきまとめて交付又は提供を受けた適格請求書その他の書類等を単位として帳簿に記載している場合もこれに含まれます（消基通11－1－10）。

(3) 総額割戻し方式【特例】

その課税期間に係る課税標準額に対する消費税額の計算につき積上げ計算の特例の適用を受けない事業者は、(1)にかかわらず、(2)の適用を受ける場合を除き、その課税期間中に国内において行った課税仕入れのうち(1)に掲げるものに係る課税仕入れに係る支払対価の額を税率の異なるごとに区分して合計した金額に、課税資産の譲渡等（特定資産の譲渡等及び軽減対象課税資産の譲渡等に該当するものを除きます。）に係る部分については7.8/110を、軽減対象課税資産の譲渡等に係る部分については6.24/108をそれぞれ乗じて算出した金額の合計額を、課税仕入れに係る消費税額とすることができます（消令46③）

（算式）

$$\text{課税仕入れに係る消費税額} = \text{課税仕入れに係る支払対価の額の合計額} \times \frac{7.8}{110}\left(\text{又は}\frac{6.24}{108}\right)$$

(注) その課税期間に係る課税標準額に対する消費税額の計算につき、消費税法45条5項《消費税額の積上げ計算》の規定の適用を受ける場合には、課税仕入れに係る消費税額の計算につき、請求書等積上げ方式又は帳簿積上げ方式によらなければなりません。

なお、請求書等積上げ方式と帳簿積上げ方式との併用は可能です。

また、その課税期間に係る課税標準額に対する消費税額の計算につき、同項の規定の適用を受けない場合には、課税仕入れに係る消費税額の計算に関し、請求書等積上げ方式又は帳簿積上げ方式のほか、「総額割戻し方式」によることもできますが、請求書等積上げ方式又は帳簿積上げ方式と総額割戻し方式との併用はできません（消基通11－1－9）。

(4) 免税事業者等からの課税仕入れに係る消費税額

令和5年10月1日以後令和11年9月30日までの間に適格請求書発行事業者以外の者（消費者、免税事業者又は登録を受けていない課税事業者が該当します。）から行う課税仕入れに係る消費税額は、(3)の計算式により算出した金額に一定割合（令和5年10月1日～令和8年9月30日は80%、令和8年10月1日～令和11年9月30日は50%）を乗じて計算します（28年改正法附則52、53）。

(注) 令和6年度税制改正により、一の免税事業者等から行うこの経過措置の対象となる課税仕入れに係る支払対価の額の合計額が、その年又はその事業年度において税込み10億円を超える場合には、その超えた部分の課税仕入れについては、適用しないこととされました（この改正は、令和6年10月1日以後に開始する課税期間から適用されます。）。

2 特定課税仕入れに係る消費税額

特定課税仕入れに係る消費税額は、次の算式により計算します（消法30①かっこ書）。

（算式）

特定課税仕入れに係る消費税額	=	特定課税仕入れに係る支払対価の額	×	$\frac{7.8}{110}$

㈴ 1 「特定課税仕入れ」については、当該特定課税仕入れを行った事業者に納税義務が課されるので、当該事業者が支払った対価の額には消費税額等に相当する額は含まれていません。

2 課税売上割合が95％以上である課税期間及び簡易課税制度又は2割特例の適用を受ける課税期間については、当分の間、その特定課税仕入れはなかったものとされます（27年改正法附則42、44②、28年改正法附則51の2④）ので、その特定課税仕入れについては、消費税法30条《仕入れに係る消費税額の控除》の規定は適用されません（消基通11－4－6（注））。

3 保税地域から引き取る課税貨物に係る消費税額

保税地域から引き取る課税貨物に係る消費税額は、次の算式により計算します（消法30①かっこ書）。

（算式）

保税地域から引き取る課税貨物に係る消費税額	=	（関税の課税価格（C.I.F）	＋	個別消費税の額（※）	＋	関税の額）	×	税率

※ その課税貨物の保税地域からの引取りに係る消費税以外の個別消費税等

4 課税売上割合の意義と計算

課税売上割合とは、その課税期間中の総売上高（国内における資産の譲渡等の対価の額の合計額）に占める課税売上高（国内における課税資産の譲渡等の対価の額の合計額）の割合をいいます（消法30⑥）。

したがって、課税売上割合は、次の算式により計算することになります。

（算式）

$$\text{課税売上割合}=\frac{\text{その課税期間中の国内における課税資産の譲渡等の対価の額の合計額}}{\text{その課税期間中の国内における資産の譲渡等の対価の額の合計額}}$$

$$=\frac{\text{課税売上げ（税抜き）＋免税売上げ}}{\text{課税売上げ（税抜き）＋非課税売上げ＋免税売上げ}}$$

分子の額と分母の額の関係を図で示すと次のようになります。

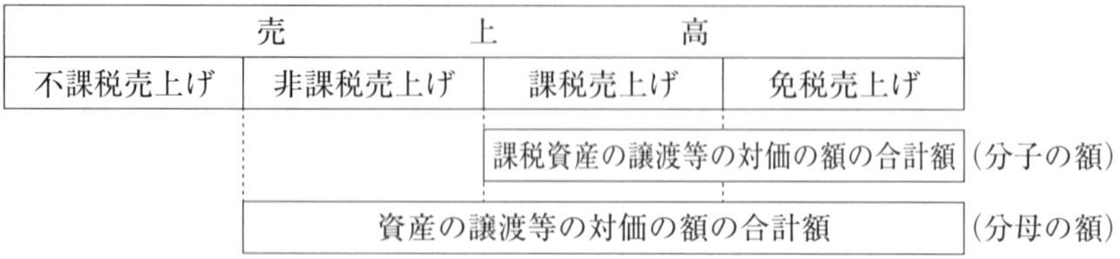

売上高				
不課税売上げ	非課税売上げ	課税売上げ	免税売上げ	
		課税資産の譲渡等の対価の額の合計額		（分子の額）
	資産の譲渡等の対価の額の合計額			（分母の額）

分子の額及び分母の額を計算するに当たって、売上対価の返還等（売上返品、値引き、割戻しなど）がある場合には、それぞれの売上高（税抜き）からその売上対価の返還等の金額（税抜き）を控除した残額により計算します（消令48①）。

なお、軽減税率制度実施後は、軽減税率（6.24％）適用課税売上げと標準税率（7.8％）適用課税売上げが生じます（税率に関する経過措置の適用がある場合は、旧税率（３％、４％、6.3％）適用課税売上げもあります。）が、課税売上割合は、それらの課税売上げを合計して課税期間につき一の割合を算出します。

5　課税売上割合の計算における注意点

課税売上割合を計算する場合には、次の点に注意する必要があります（消法31、消令48、51）。

⑴　分母・分子に含めないもの

次の額については、分母・分子のいずれにも含めません。

消費税額及び地方消費税額に相当する額
貸倒れに係る売掛金等の回収金額
国外取引に係る対価の額
受取配当金、受取保険金、債務免除益等（不課税取引）の額
資産の譲渡等の対価として取得した金銭債権の譲渡対価の額
先物取引に伴う差金決済の額（現物の引渡しが行われた場合を除きます。）
売現先に係る国債等又は海外CD、CP等の譲渡対価の額
国債等の償還金額のうち取得価額に相当する額
通貨、小切手等の支払手段の譲渡対価の額
資金決済に関する法律2条5項に規定する暗号資産（仮想通貨）、国際通貨基金協定15条に規定する特別引出権の譲渡対価の額
特定資産の譲渡等の対価の額

(2) 分母・分子に含めるもの

次の額は、通常の課税資産の譲渡等の対価の額と同じく、分母・分子のいずれにも含めることになります。

法人が資産をその役員に対して低額譲渡した場合におけるその資産の時価に相当する額との差額又は贈与した場合における時価に相当する額(注)
個人事業者が事業用資産を家事消費又は家事使用した場合におけるその資産の時価に相当する額(注)
輸出取引等に係る対価の額
非課税資産の輸出を行った場合における非課税資産の譲渡対価の額（有価証券、支払手段及び金銭債権の輸出を除きます。）
国外における資産の譲渡等又は自己の使用のために輸出した資産の価額（FOB価額）（有価証券、支払手段及び金銭債権の輸出を除きます。）

(注) その譲渡が非課税とされる資産である場合は、分母にのみ加算することになります。

(3) 分母・分子から控除するもの

次の額は、その基となる課税資産の譲渡等の対価の額が分母・分子に含まれますから、分母・分子から控除することになります。

売上対価の返還等の額（売上げにつき返品を受け、又は値引き若しくは割戻しをした金額）㈱
輸出取引に係る対価の返還等を行った場合のその返還額（消基通11－５－５）

㈱　非課税とされる資産の譲渡等について売上対価の返還等を行った場合は、その返還等の金額を分母からのみ控除します。

なお、貸倒れとなった金額は、その基となる取引が課税資産の譲渡等であっても、分母・分子からは控除しません。

⑷　分母に含めるもの

次の額は、分母にのみ含めます。

合名会社、合資会社、合同会社、協同組合等の社員等の持分の譲渡対価の額
公社債、貸付金、預貯金等の受取利息の額
買現先に係る国債等又は海外 CD、CP 等の益部分の額
合同運用信託、投資信託、特定目的信託又は特定公益信託等の収益の分配金の額
国債等の償還差益の額
抵当証券の受取利息の額
手形の受取割引料の額

⑸　分母に５％を含めるもの

次のものについては、その額の５％相当額を分母にのみ含めます。

貸付金、預金（居住者発行の CD)、売掛金その他の金銭債権（資産の譲渡等の対価として取得したものを除きます。）の譲渡対価の額
有価証券（金融商品取引法２条１項に規定する有価証券でゴルフ場利用株式等を除き、先物取引のうち現物（株式）の受渡しが行われた場合を含みます。）の譲渡対価の額
金融商品取引法２条１項１号から15号までに掲げる有価証券及び同項17号に掲げる有価証券（同項16号に掲げる有価証券の性質を有するものを除きます。）に表示されるべき権利（有価証券が発行されていないものに限ります。）の譲渡対価の額
株主又は投資主となる権利、優先出資者となる権利、特定社員又は優先出資社員となる権利その他法人の出資者となる権利の譲渡対価の額
海外 CD、CP の譲渡対価の額（現先取引を除きます。）

(6) 分母から控除するもの

次の額は、分母からのみ控除します。

買現先に係る国債等又は海外CD、CP等の損部分の額
国債等の償還差損の額

(7) 非課税資産の輸出等とみなされる取引（消令17③）

次の左欄の取引については、対応する右欄の金額を分母・分子に含めます。

<table>
<tr><th colspan="2">区分</th><th>課税売上割合の分母、分子に含める金額</th></tr>
<tr><td rowspan="8">債務者が非居住者である</td><td>利子を対価とする金銭の貸付け</td><td rowspan="4">利子</td></tr>
<tr><td>利子を対価とする国債等の取得</td></tr>
<tr><td>利子を対価とする国際通貨基金協定15条に規定する特別引出権の保有</td></tr>
<tr><td>預金又は貯金の預入（海外CDに係るものを含みます。）</td></tr>
<tr><td>収益の分配金を対価とする合同運用信託、投資信託等</td><td>分配金（利子）</td></tr>
<tr><td>利息を対価とする抵当証券の取得</td><td>利息</td></tr>
<tr><td>金銭債権の譲受け等</td><td>利子</td></tr>
<tr><td>償還差益を対価とする国債等㊟又はCPの取得</td><td>償還差益(利子)</td></tr>
<tr><td colspan="2">非居住者に対する手形（CPを除きます。）の割引</td><td>割引料（利子）</td></tr>
<tr><td colspan="2">非居住者に対して行われる金融商品取引法２条１項に規定する有価証券（ゴルフ場利用株式等を除きます。）、登録国債等の貸付け</td><td>貸付料（利子）</td></tr>
</table>

㊟　国債等の取得により償還差損が発生した場合には、分母の金額から控除します（消令48⑥）。

6　課税仕入れ等の税額の全額を控除できる場合

その課税期間の課税売上高が５億円以下で、かつ、課税売上割合が95％以上の事業者については、課税仕入れ等の税額の全額が仕入控除税額となります（消法30①）。

ただし、当分の間、課税売上割合が95％以上である場合には、課税売上高にかかわらず、その課税期間中に国内において行った特定課税仕入れはなかったものとされますから（27年改正法附則42）、特定課税仕入れについては納税義務が発生しないこととなる一方で、仕入税額控除も行わないことになります。

7　課税仕入れ等の税額の全額を控除できない場合

その課税期間の課税売上高が5億円を超える事業者又は課税売上割合が95％未満の事業者については、課税仕入れ等の税額の全額を控除することはできず、課税資産の譲渡等に対応する部分の課税仕入れ等の税額が控除の対象となります（消法30②）。

この場合の計算方法には、個別対応方式と一括比例配分方式の二つの方法があります。

(1)　個別対応方式

個別対応方式とは、その課税期間中において行った課税仕入れ等を

①　課税資産の譲渡等にのみ要するもの

②　その他の資産（非課税資産）の譲渡等にのみ要するもの㈱

㈱「その他の資産の譲渡等にのみ要するもの」とは、消費税法6条1項《非課税》の規定により国内において非課税となる資産の譲渡等（非課税資産の譲渡等）を行うためにのみ必要な課税仕入れ等をいいます（消基通11－2－15）。

③　課税資産の譲渡等とその他の資産の譲渡等に共通して要するもの

に区分し、次の算式により計算した金額を仕入控除税額とする方式です（消法30②一）。

（算式）

仕入控除税額 ＝ ［① 課税資産の譲渡等にのみ要する課税仕入れ等の税額］ ＋ （［③ 課税資産の譲渡等とその他の資産の譲渡等に共通して要する課税仕入れ等の税額］ × ［課税売上割合(注)］）

(注) 個別対応方式を適用する事業者が所轄税務署長の承認を受けた場合には、課税売上割合に代えて、「課税売上割合に準ずる割合」によることができます（消法30③）。

「課税売上割合に準ずる割合」は、適用しようとする課税期間の末日までに承認申請書を提出し、同日の翌日以後１月を経過する日までに承認を受けた場合には、承認申請書を提出した日の属する課税期間から適用することができます（消令47⑥）。

(2) 一括比例配分方式

一括比例配分方式とは、課税仕入れ等の税額について個別対応方式を適用する前提となる区分が明らかにされていない場合や区分が明らかにされていても納税者が選択した場合に適用する仕入控除税額の計算方式です。この方式による仕入控除税額は、次の算式により計算します（消法30②二）。

なお、一括比例配分方式を選択した事業者は、２年間継続して適用した後でなければ、個別対応方式に変更することはできません（消法30⑤）。

（算式）

仕入控除税額 ＝ ［その課税期間中の課税仕入れ等の税額］ × ［課税売上割合］

第4節　仕入控除税額の具体的な計算
（積上げ計算の場合）

具体的な事例に基づいて、積上げ計算により確定申告書付表２－３「課税売上割合・控除対象仕入税額等の計算表」を作成してみます。

【当該課税期間（X１.１.１～X１.12.31）における課税仕入れの状況】

区分		軽減税率適用分	標準税率適用分	課税期間の合計額
⑴　下記⑵以外の課税仕入れ				
課税仕入れに係る支払対価の額		57,709,500円	30,313,600円	88,023,100円
インボイス積上げ	消費税額等の合計額	2,116,817円	1,445,915円	3,562,732円
	うち課税売上げ用	1,611,213円	1,088,773円	2,699,986円
	共通用	316,490円	264,602円	581,092円
	非課税売上げ用	189,114円	92,540円	281,654円
帳簿積上げ	消費税額等の合計額	2,116,900円	1,309,668円	3,426,568円
	うち課税売上げ用	1,611,277円	986,180円	2,597,457円
	共通用	316,503円	239,669円	556,172円
	非課税売上げ用	189,120円	83,819円	272,939円
⑵　適格請求書発行事業者以外の者からの課税仕入れ				
課税仕入れに係る支払対価の額		14,427,300円	8,033,400円	22,460,700円
課税仕入れに係る消費税額とみなされる金額		666,341円	455,520円	1,121,861円
うち課税売上げ用		463,009円	314,308円	777,317円
共通用		123,194円	81,993円	205,187円
非課税売上げ用		80,138円	59,219円	139,357円

［参考事項］

1　課税標準額に対する消費税額（売上税額）は、積上げ計算を行っています。

2　課税売上割合に計算のための金額は次のとおりです。

① 資産の譲渡等の対価の額の合計額（分母の金額） 139,321,159円

② 課税資産の譲渡等の対価の額の合計額（分子の金額）

125,721,079円

3 前課税期間は個別対応方式により仕入控除税額を計算しています。

【付表２－３の作成】

⑴ 課税売上割合の計算（付表④、⑦、⑧欄）

付表④Ｃ欄の金額125,721,079円 ÷ 付表⑦Ｃ欄の金額139,321,159円

=90.2383…% ＜ 95% → 付表⑧Ｃ欄には90%と記入

※ 課税売上割合が95%未満であることから、個別対応方式により仕入控除税額を計算します。

⑵ 課税仕入れに係る支払対価の額（税込み）（付表⑨欄）

［税率6.24%適用分］ 57,709,500円 → 付表⑨Ａ欄

［税率7.8% 適用分］ 30,313,600円 → 付表⑨Ｂ欄

［合 計］ 57,709,500円 ＋ 30,313,600円 ＝ 88,023,100円 → 付表⑨Ｃ欄

⑶ 課税仕入れに係る消費税額（付表⑩欄）

［税率6.24%適用分］

・インボイス積上げ計算分 2,116,817円 × 78/100 ＝ 1,651,117円

・帳簿積上げ計算分 2,116,900円 × 78/100 ＝ 1,651,182円

・合 計 1,651,117円 ＋ 1,651,182円 ＝ 3,302,299円 → 付表⑩Ａ欄

第9章 仕入税額控除

［税率7.8% 適用分］

・インボイス積上げ計算分　1,445,915円　×　78/100　=　1,127,813円

・帳簿積上げ計算分　1,309,668円　×　78/100　=　1,021,541円

・合　計　1,127,813円　+　1,021,541円　=　2,149,354円　→　付表⑩B欄

［合　計］

3,302,299円　+　2,149,354円　=　5,451,653円　→　付表⑩C欄

⑷　適格請求書発行事業者以外の者から…課税仕入れに係る支払対価の額（税込み）（付表⑪欄）

［税率6.24%適用分］　14,427,300円　→　付表⑪A欄

［税率7.8% 適用分］　8,033,400円　→　付表⑪B欄

［合 計］　14,427,300 円　+　8,033,400 円　=　22,460,700 円　→　付表⑪C欄

⑸　適格請求書発行事業者以外の者から…課税仕入れに係る消費税額とみなされる額（付表⑫欄）

［税率6.24%適用分］　666,341円　→　付表⑫A欄

［税率7.8% 適用分］　455,520円　→　付表⑫B欄

［合 計］　666,341円　+　455,520円

=　1,121,861円　→　付表⑫C欄

㈱　仕入税額について積上げ計算を適用している場合、経過措置（80%控除・50%控除）により、課税仕入れに係る消費税額とみなされる消費税額も積上げ計算により計算する必要があります。

⑹　課税仕入れ等の税額の合計額（付表⑰欄）

［税率6.24％適用分］

3,302,299円　＋　666,341円　＝　3,968,640円　→　付表⑰Ａ欄

［税率7.8％ 適用分］

2,149,354円　＋　455,520円　＝　2,604,874円　→　付表⑰Ｂ欄

［合 計］

3,968,640円　＋　2,604,874円　＝　6,573,514円　→　付表⑰Ｃ欄

⑺「課税売上高が５億円超又は課税売上割合が95％未満の場合」欄

イ　⑰のうち、課税売上げにのみ要するもの（付表⑲欄）

［税率6.24％適用分］

・インボイス積上げ計算分

1,611,213円　×　78／100　＝　1,256,746円

・帳簿積上げ計算分

1,611,277円　×　78／100　＝　1,256,796円

・適格請求書発行事業者以外の者からの課税仕入れ分

463,009円

・　合計　1,256,746円　＋　1,256,796円　＋　463,009円

＝　2,976,551円　→　付表⑲Ａ欄

［税率7.8％適用分］

・インボイス積上げ計算分

1,088,773円　×　78／100　＝　849,242円

・帳簿積上げ計算分

986,180円　×　78／100　＝　769,220円

・適格請求書発行事業者以外の者からの課税仕入れ分

314,308円

・　合計　849,242円＋　769,220円　＋　314,308円

　　＝　1,932,770円　→　付表⑲Ｂ欄

［合計］

2,976,551円　＋　1,932,770円　＝　4,909,321円　→　付表⑲Ｃ欄

ロ　⑰のうち、課税売上げと非課税売上げに共通して要するもの（付表⑳欄）

［税率6.24％適用分］

・　インボイス積上げ計算分

316,490円　×　78／100　＝　246,862円

・　帳簿積上げ計算分

316,503円　×　78／100　＝　246,872円

・　適格請求書発行事業者以外の者からの課税仕入れ分

123,194円

・　合計　246,862円　＋　246,872円　＋　123,194円

　　＝　616,928円→　付表⑳Ａ欄

［税率7.8％適用分］

・　インボイス積上げ計算分

264,602円　×　78／100　＝　206,389円

・　帳簿積上げ計算分

239,669円　×　78／100　＝　186,941円

・　適格請求書発行事業者以外の者からの課税仕入れ分

81,993円

・　合計　206,389円　＋　186,941円　＋　81,993円

　　　＝　475,323円　→　付表⑳Ｂ欄

［合計］

616,928円　＋　475,323円　＝　1,092,251円　→　付表⑳Ｃ欄

ハ　個別対応方式により控除する課税仕入れ等の税額（付表㉑欄）

［税率6.24％適用分］

2,976,551円　＋（616,928円　×　125,721,079　／　139,321,159）

＝　3,533,256円　→　付表㉑Ａ欄

［税率7.8％適用分］

1,932,770円　＋（475,323円　×　125,721,079　／　139,321,159）

＝　2,361,693円　→　付表㉑Ｂ欄

［合計］

3,533,256円　＋　2,361,693円　＝　5,894,949円　→　付表㉑Ｃ欄

第4-(10)号様式

付表2－3　　課税売上割合・控除対象仕入税額等の計算表　　一般

課税期間	X1・1・1～X1・12・31	氏名又は名称	○○

項目		税率6.24％適用分 A	税率7.8％適用分 B	合計 C (A+B)
課税売上額（税抜き）	①	円	円	円 125,721,079
免税売上額	②			
非課税資産の輸出等の金額、海外支店等へ移送した資産の価額	③			
課税資産の譲渡等の対価の額（①＋②＋③）	④			※第一表の⑮欄へ 125,721,079
課税資産の譲渡等の対価の額（④の金額）	⑤			125,721,079
非課税売上額	⑥			13,600,080
資産の譲渡等の対価の額（⑤＋⑥）	⑦			※第一表の⑯欄へ 139,321,159
課税売上割合（④／⑦）	⑧			［90％］ ※端数切捨て
課税仕入れに係る支払対価の額（税込み）	⑨	57,709,500	30,313,600	88,023,100
課税仕入れに係る消費税額	⑩	3,302,299	2,149,354	5,451,653
適格請求書発行事業者以外の者から行った課税仕入れに係る経過措置の適用を受ける課税仕入れに係る支払対価の額（税込み）	⑪	14,427,300	8,033,400	22,460,700
適格請求書発行事業者以外の者から行った課税仕入れに係る経過措置により課税仕入れに係る消費税額とみなされる額	⑫	666,341	455,520	1,121,861
特定課税仕入れに係る支払対価の額	⑬	※⑬及び⑭欄は、課税売上割合が95%未満、かつ、特定課税仕入れがある事業者のみ記載する。		
特定課税仕入れに係る消費税額	⑭		（⑬B欄×7.8/100）	
課税貨物に係る消費税額	⑮			
納税義務の免除を受けない（受ける）こととなった場合における消費税額の調整（加算又は減算）額	⑯			
課税仕入れ等の税額の合計額（⑩＋⑫＋⑭＋⑮±⑯）	⑰	3,968,640	2,604,874	6,573,514
課税売上高が5億円以下、かつ、課税売上割合が95％以上の場合（⑰の金額）	⑱			
課税売上高が5億円超又は課税売上割合が95％未満の場合　個別対応方式　⑰のうち、課税売上げにのみ要するもの	⑲	2,976,551	1,932,770	4,909,321
課税売上高が5億円超又は課税売上割合が95％未満の場合　個別対応方式　⑰のうち、課税売上げと非課税売上げに共通して要するもの	⑳	616,928	475,323	1,092,251
課税売上高が5億円超又は課税売上割合が95％未満の場合　個別対応方式により控除する課税仕入れ等の税額〔⑲＋(⑳×④／⑦)〕	㉑	3,533,256	2,361,693	5,894,949
課税売上高が5億円超又は課税売上割合が95％未満の場合　一括比例配分方式により控除する課税仕入れ等の税額（⑰×④／⑦）	㉒			
控除税額の調整　課税売上割合変動時の調整対象固定資産に係る消費税額の調整（加算又は減算）額	㉓			
控除税額の調整　調整対象固定資産を課税業務用（非課税業務用）に転用した場合の調整（加算又は減算）額	㉔			
控除税額の調整　居住用賃貸建物を課税賃貸用に供した（譲渡した）場合の加算額	㉕			
差引　控除対象仕入税額〔(⑱、㉑又は㉒の金額)±㉓±㉔＋㉕〕がプラスの時	㉖	※付表1-3の④A欄へ 3,533,256	※付表1-3の④B欄へ 2,361,693	5,894,949
差引　控除過大調整税額〔(⑱、㉑又は㉒の金額)±㉓±㉔＋㉕〕がマイナスの時	㉗	※付表1-3の③A欄へ	※付表1-3の③B欄へ	
貸倒回収に係る消費税額	㉘	※付表1-3の③A欄へ	※付表1-3の③B欄へ	

注意　1　金額の計算においては、1円未満の端数を切り捨てる。
2　⑨、⑪及び⑬欄には、値引き、割戻し、割引きなど仕入対価の返還等の金額がある場合（仕入対価の返還等の金額を仕入金額から直接減額している場合を除く。）には、その金額を控除した後の金額を記載する。
3　⑪及び⑫欄の経過措置とは、所得税法等の一部を改正する法律（平成28年法律第15号）附則第52条又は第53条の適用がある場合をいう。

（R5.10.1以後終了課税期間用）

第5節　仕入返品などがある場合

1　課税仕入れ、特定課税仕入れに係るもの

事業者が、国内において行った課税仕入れ又は特定課税仕入れについて返品をし、又は値引き等があったことにより、課税仕入れ若しくは特定課税仕入れに係る対価の返還等を受けた場合は、その返還を受けた課税期間中の課税仕入れ等の税額の合計額からその対価の返還等を受けた金額に係る消費税額を控除します（消法32①）。

㈴　特定課税仕入れを行った課税期間の課税売上割合が95％以上である場合には、当分の間、その課税期間中に国内において行った特定課税仕入れはなかったものとされます（27年改正法附則42、455頁第8章第1節1⑷参照）から、この規定も適用されません。

仕入対価の返還等を受けた金額に係る消費税額は、次の方法により算出します。

㈴　仕入対価の返還等を受けた金額が軽減税率対象の課税仕入れに該当する部分と標準税率対象の課税仕入れに該当する部分とに合理的に区分されていないときは、仕入対価の返還等を受けた金額を、その仕入対価の返還等に係る軽減税率対象の課税仕入れに係る支払対価の額と標準税率対象の課税仕入れに係る支払対価の額の比率により按分します（消令52②）。

【仕入対価の返還等を受けた金額に係る消費税額の計算】

区　　分	仕入対価の返還等を受けた金額に係る消費税額
【原則】（消法32①）	課税仕入れに係る支払対価の額につき返還を受けた金額又は減額を受けた債務の額に7.8/110（軽減対象課税資産の譲渡等に係るものである場合には、6.24/108）を乗じて算出した金額 特定課税仕入れに係る支払対価の額につき返還を受けた金額又は減額を受けた債務の額に7.8/100を乗じて算出した金額
【特例】仕入対価の返還等につき適格返還請求書の交付を受け、又は適格返還請求書に記載すべき事項に係る電磁的記録の提供を受けた場合（消令52①）	その適格返還請求書に記載され、又はその電磁的記録に記録された消費税額等(注)に78/100を乗じて算出した金額

(注)1　その適格返還請求書にその消費税額等の記載がない、又はその電磁的記録にその消費税額等の記録がないときは、その消費税額等として消費税法施行令70条の10に規定する方法に準じて算出した金額となります。

2　適格請求書発行事業者以外の者からの課税仕入れにつき28年改正法附則52条1項又は53条1項の規定の適用を受けるものである場合において、その課税仕入れについて仕入対価の返還等を受けた場合には、上記【原則】における金額に80/100又は50/100を乗じた金額となります。

仕入対価の返還等を受けた金額に係る消費税額は、仕入控除税額の計算において採用している方法と同一の方法で計算し、控除しきれない場合には、その控除しきれない金額を課税資産の譲渡等に係る消費税額とみなして、その課税期間の課税標準額に対する消費税額に加算します（消法32②）。

(1) 課税売上高が5億円以下で、課税売上割合が95%以上の場合（消法32①一）

（算式）

仕入控除税額＝（その課税期間の課税仕入れ等の税額の合計額）－（その課税期間において仕入対価の返還等を受けた金額に係る消費税額の合計額）

(2) 課税売上高が5億円超又は課税売上割合が95%未満の場合

① 個別対応方式の場合（消法32①二）

（算式）

仕入控除税額＝イの金額＋ロの金額

イ （課税資産の譲渡等にのみ要する課税仕入れ等の税額の合計額）－（課税資産の譲渡等にのみ要する課税仕入れ等につきその課税期間において仕入対価の返還等を受けた金額に係る消費税額の合計額）

ロ （課税資産の譲渡等とその他の資産の譲渡等に共通して要する課税仕入れ等の税額の合計額×課税売上割合）

－（課税資産の譲渡等とその他の資産の譲渡等に共通して要する課税仕入れ等につきその課税期間において仕入対価の返還等を受けた金額に係る消費税額の合計額×課税売上割合）

② 一括比例配分方式の場合（消法32①三）

（算式）

仕入控除税額＝（課税仕入れ等の税額の合計額×課税売上割合）

－（その課税期間において仕入対価の返還等を受けた金額に係る消費税額の合計額×課税売上割合）

2 課税貨物に係るもの

保税地域から引き取った課税貨物に係る消費税額の還付を受けた場合には、1と同様に還付を受けた消費税額について控除し、控除しきれない場合には、その控除しきれない金額を課税資産の譲渡等に係る消費税額とみなして、その課税期間の課税標準額に対する消費税額に加算します（消法32④、⑤）。

第６節　調整対象固定資産に係る仕入控除税額の調整

課税仕入れ等の税額は、棚卸資産、固定資産を問わず、課税仕入れ等の日の属する課税期間の課税標準額に対する消費税額から控除することになっています。

しかしながら、固定資産等は長期間にわたって使用されるものですから、その課税仕入れ等を行ったときの状況のみで仕入税額控除を完結させることは、課税売上割合が大きく変動した場合やその用途を変更した場合には、必ずしも適切な方法とはいえません。

そのため、課税売上割合が著しく変動したときなど特定の事情が生じた場合には、固定資産等のうち一の取引の単位につき100万円（税抜き）以上のもの（調整対象固定資産）について、３年間に限り、仕入控除税額を調整することとしています（消法33、34、35）。

なお、消費税法12条の４第１項に規定する高額特定資産が調整対象固定資産に該当する場合で、同法33条から35条に該当するときにも、仕入控除税額の調整を行うことになります。

1　調整対象固定資産の範囲（消法2十六、消令5）

基準			具体的な資産
棚卸資産以外の資産（消令5）	百万円以上（注2）のもの（消令5）	一の取引の単位（注1）が	建物及び附属設備
			構築物
			機械及び装置
			船舶及び航空機
			車両及び運搬具
			工具、器具及び備品
			鉱業権等無形固定資産
			ゴルフ場利用株式等
			生物
			上記に掲げる資産に準ずるもの（注3）
			上記資産に係る資本的支出（消基通12－2－5）

(注)1　機械及び装置にあっては1台又は1基、工具、器具及び備品にあっては1個、1組又は1そろいごとに判定します（消基通12－2－3）。

2　その資産の課税仕入れに係る支払対価の額を税抜きにした金額（保税地域から引き取る課税貨物である場合には、その課税標準の額）です。

なお、支払対価の額には引取運賃、荷役費等の付随費用は含まれません（消基通12－2－2）。

また、他の者と共同で購入した資産が調整対象固定資産に該当するかどうかの判定は、その事業者の共有物に係る持分割合に応じて判定することになります（消基通12－2－4）。

3　上記に掲げる資産に準ずるものには、例えば、次に掲げるものが含まれます（消基通12－2－1）。

(1)　回路配置利用権

(2)　預託金方式のゴルフ会員権

(3)　課税資産を賃借するために支出する権利金等

(4)　著作権等

(5)　他の者からのソフトウエアの購入費用又は他の者に委託してソフトウエアを開発した場合におけるその開発費用

(6)　書画・骨とう

2　課税売上割合が著しく変動した場合の調整

課税事業者が国内において調整対象固定資産の課税仕入れ等を行い、かつ、その課税仕入れ等の税額につき比例配分法（注1）により仕入控除税額を計算した場合において、その事業者が第3年度の課税期間（注2、3）の末日においてその調整対象固定資産を有しており（注4）、かつ、第3年度の課税期間における通算課税売上割合が仕入れ等の課税期間における課税売上割合に対して著しく変動したときには、第3年度の課税期間において仕入控除税額を調整します（注5、6）（消法33①）。

㊟1　「比例配分法」により計算した場合とは、個別対応方式により課税資産の譲渡等とその他の資産の譲渡等に共通して要する課税仕入れ等の税額について課税売上割合を乗じて計算する場合又は一括比例配分方式により計算する場合をいいます（消法33②）。

　なお、消費税法30条1項《仕入れに係る消費税額の控除》の規定により、その調整対象固定資産に係る課税仕入れ等の税額の全額が控除された場合を含みます（消法33①）。

2　第3年度の課税期間とは、仕入れ等の課税期間の開始の日から3年を経過する日の属する課税期間をいいます（消法33②）。

3　第3年度の課税期間において免税事業者である場合や簡易課税制度の適用を受けている場合には、仕入控除税額の調整を行う必要はありません（消法33①）。

4　調整対象固定資産について除却、廃棄、滅失又は譲渡があったため、第3年度の課税期間の末日においてその調整対象固定資産を有していない場合には、仕入控除税額の調整を行う必要はありません（消基通12－3－3）。

5　仕入れ等の課税期間と第3年度の課税期間との間に免税事業者となった課税期間及び簡易課税制度の適用を受けた課税期間が含まれている場合にも、仕入控除税額の調整を行うことになります（消基通12－3－1）。

6　相続、合併又は分割により調整対象固定資産に係る事業を承継した場合にも、仕入控除税額の調整を行うことになります（消法33①かっこ書）。

⑴ 調整が必要な場合

調整が必要となる場合は、次のとおりです。

① 仕入控除税額に加算する場合（消令53①）

（算式）

$$\frac{\text{通算課税売上割合} - \text{仕入れ等の課税期間における課税売上割合}}{\text{仕入れ等の課税期間における課税売上割合}} \geqq \frac{50}{100}$$

であり、かつ、

$$\text{通算課税売上割合} - \begin{matrix}\text{仕入れ等の課税期間}\\\text{における課税売上割合}\end{matrix} \geqq \frac{5}{100}$$

② 仕入控除税額から控除する場合（消令53②）

（算式）

$$\frac{\text{仕入れ等の課税期間における課税売上割合} - \text{通算課税売上割合}}{\text{仕入れ等の課税期間における課税売上割合}} \geqq \frac{50}{100}$$

であり、かつ、

$$\begin{matrix}\text{仕入れ等の課税期間}\\\text{における課税売上割合}\end{matrix} - \text{通算課税売上割合} \geqq \frac{5}{100}$$

⑵ 通算課税売上割合の計算方法

通算課税売上割合とは、仕入れ等の課税期間から第３年度の課税期間までの各課税期間（通算課税期間）中に国内において行った資産の譲渡等の対価の額の合計額のうちに、その通算課税期間中に国内において行った課税資産の譲渡等の対価の額の合計額の占める割合を、一定の方法で通算した割合をいいます（消法33②、消令53③）。

第９章 仕入税額控除

(3) 控除税額の調整額

① 仕入控除税額に加算する額（消法33①）

（算式）

$$\left(\text{調整対象基準税額(注)} \times \text{通算課税売上割合}\right) - \left(\text{調整対象基準税額} \times \text{仕入れ等の課税期間における課税売上割合}\right)$$

② 仕入控除税額から控除する額（消法33①）

（算式）

$$\left(\text{調整対象基準税額} \times \text{仕入れ等の課税期間における課税売上割合}\right) - \left(\text{調整対象基準税額} \times \text{通算課税売上割合}\right)$$

(注) 調整対象基準税額とは、第３年度の課税期間の末日において有するその調整対象固定資産の課税仕入れ等の税額をいいます（消法33①一）。

第７節　納税義務の免除を受けないこととなった場合等の仕入控除税額の調整

課税仕入れ等の税額は、その課税仕入れ等を行った日の属する課税期間において控除します（消法30①）から、免税事業者が課税事業者となった場合は、原則として、免税事業者であった期間における課税仕入れ等の税額は仕入税額控除の対象となりません。

しかしながら、例えば、免税事業者が課税事業者となる場合に、免税事業者であった期間中に課税仕入れを行った棚卸資産で在庫となっているものに係る消費税額について仕入税額控除の対象としないと、課税事業者となってその棚卸資産を販売したときには、課税売上げに係る消費税が課されるだけという不合理が生じることになります。

また、逆に、課税事業者が免税事業者となる場合に、課税事業者であった課税期間中に課税仕入れを行った棚卸資産で在庫となっているものに係る消費税額を仕入税額控除の対象とすると、免税事業者であれば認められない仕入税額控除ができることになり、やはり不合理です。

このため、消費税法は、課税仕入れ等の税額のうち棚卸資産の課税仕入れ等に係るものについて調整の対象としています（消法36①、⑤）。

1　免税事業者が課税事業者になった場合

(1)　調整を行う場合

納税義務を免除されていた事業者が新たに課税事業者となる場合において、その課税事業者となる課税期間の初日の前日において、納税義務が免除されていた期間中の課税仕入れに係る棚卸資産又は保税地域からの引取りに係る課税貨物で棚卸資産に該当するものを有しているときは、その棚卸資産に係る課税仕入れ等の税額は、課税事業者となった課税期間の課税仕入れ等の税額とみなして、仕入控除税額の計算の対象とすることとされています（消法36①）。

イ　調整を行う課税期間

調整は、納税義務を免除されていた事業者が新たに課税事業者となった課税期間において行います。

ロ　調整の対象となる棚卸資産の範囲

調整の対象となるのは、免税事業者であった期間中に国内において課税仕入れを行い、又は保税地域からの引取りを行った課税貨物に係る消費税額で、新たに課税事業者になった課税期間の初日の前日において有する棚卸資産に係るものです。

したがって、販売の目的で有するものではない建物、機械、設備等に係る課税仕入れ等の税額は、この調整の対象にはなりません。

㈱1　棚卸資産には、免税事業者であった期間中に国内において行った課税仕入れに係る棚卸資産又はその期間内における保税地域からの引取りに係る棚卸資産を原材料として製作又は建設した棚卸資産が含まれます（消法36①かっこ書）。

2　棚卸資産の範囲については、消費税法２条１項15号及び消費税法施行令４条各号《棚卸資産の範囲》に掲げられています（所得税法、法人税法上の棚卸資産の範囲と同じです。）。

ハ　相続等により課税期間の途中で課税事業者となる場合

免税事業者が相続、合併又は吸収分割があったことにより、課税期間の途中で課税事業者となる場合において、課税事業者となる日の前日に免税事業者であった期間内に国内において譲り受けた課税仕入れに係る棚卸資産又はその期間内に保税地域から引き取った課税貨物で棚卸資産に該当するものを有しているときは、この調整規定が適用されます（消法36 ①括弧書）。

㈱1　課税事業者である個人事業者が相続により免税事業者である被相続人の事業を承継した場合、又は課税事業者である法人が合併により免税事業者である被合併法人の事業を承継した場合若しくは免税事業者である分割法人の事業を承継した場合において、被相続人又は被合併法人若しくは分割法人が免税事業者であった期間内に国内において行った課税仕入れに係る棚卸資産又はその期間内における保税地域からの引取りに係る棚卸資産に該当するものを引き継いだときは、免税事業者が新たに課税事業者になった場合と同様の調整を行うこととされています（消法36③）。

2　消費税法12条7項3号《事後設立》に該当する分割等により設立された新設分割子法人は、通常、その設立の日から同号の契約に基づく金銭以外の資産の譲渡が行われた日の前日までの間は、納税義務が免除されるので、その期間内にこれらの棚卸資産を有している場合にも、この調整規定が適用されます（消基通12－7－5）。

(2) 調整対象となる消費税額の計算等

イ　調整対象となる消費税額

調整の対象となる棚卸資産に係る消費税額は、次の算式により計算した金額です（消法36①かっこ書、消令54①）。

この場合において「対象となる棚卸資産の税込みの取得価額等」とは、個々の期末棚卸資産の取得価額等の合計額をいいます。

（算式）

対象となる棚卸資産の税込みの取得価額等 $\times \frac{7.8}{110}$

㈲1　同一の種類の資産を異なる価額で仕入れている等のため、その個々の取得価額等を特定することが困難である場合等で、事業者が、期末棚卸資産について、所得税法47条又は法人税法29条《棚卸資産の売上原価等の計算及びその評価の方法》の規定に基づく評価の方法（所得税法施行令99条1項2号又は法人税法施行令28条1項2号《低価法》に規定する低価法を除きます。）により評価した金額を取得価額等としているときは、個々の期末棚卸資産の取得価額等の合計額に代えて、その評価額によることも認められます（消基通12－7－1）。

2　この計算は、対象となる棚卸資産の全部について一括して行いますが、これに代えて、個々の棚卸資産ごとに行っても差し支えありません。この場合、計算した結果に1円未満の端数があるときは、その端数を切り捨てることとされています（個々の棚卸資産ごとに計算する場合には、切捨て又は四捨五入することとされています。544ページの2の「課税事業者が免税事業者になった場合」の調整金額の算出においても同じ。）。

ロ　棚卸資産の取得に要した費用

取得価額等には、対象となる棚卸資産が国内における課税仕入れに係るものである場合又は保税地域からの引取りに係る課税貨物である場合には、その支払対価の額又は引き取った課税貨物に係る消費税の課税標準である金額及び消費税額等のほか、課税仕入れ又は引取りに係る引取運賃、荷役費その他これを購入するために要した費用の額及びこれを消費し、又は販売の用に供するために直接要した全ての費用の額が含まれます（消令54①一、二）。

また、次に掲げる費用について、事業者がその費用の額の合計額が少額であるものとして、その取得価額等に算入しないことにしているときは、それによります（消基通12－７－２）。

①　買入事務、検収、整理、選別、手入れ等に要した費用の額

②　販売所等から販売所等へ移管するために要した運賃、荷造費等の費用の額

③　特別の時期に販売するなどのため、長期にわたって保管するために要した費用の額

㈱　上記ロの費用の額並びに下記ハの原材料費（課税貨物に係るものを除きます。）及び経費の額は、課税仕入れに係る支払対価の額に該当する金額に限られます（消令54②）。

ハ　自己の製作等に係る棚卸資産の取得価額等

対象となる棚卸資産が自己の製作等に係るものである場合の取得価額等には、その製作等のために要した課税仕入れ又は課税貨物に係る原材料費及び経費の額の合計額のほか、これを消費し、又は販売の用に供するために直接要した費用の額が含まれます（消令54①三）。

なお、次に掲げる費用について、事業者がその費用の額の合計額が少額であるものとして、その取得価額等に算入しないことにしているときは、それによります（消基通12－7－3）。

① 製造等の後において要した検査、検定、整理、選別、手入れ等の費用の額

② 製造場等から販売場等へ移管するために要した運賃、荷造費等の費用の額

③ 特別の時期に販売するなどのため、長期にわたって保管するために要した費用の額

(3) 適用要件

この調整規定の適用を受けるためには、その適用を受けようとする棚卸資産について、その品名、数量及び取得に要した費用の額（取得価額等）の明細を書類に記載し、かつ、その書類をその作成した日の属する課税期間の末日の翌日から２月（清算中の法人について残余財産が確定した場合には１月）を経過した日から７年間、納税地又はその事業に係る事務所、事業所等の所在地に保存しておく必要があります（消法36②、④、消令54③、④）。

ただし、災害その他やむを得ない事情により、その保存をすることができなかったことをその事業者が証明した場合には、この限りでありません。

㈲ ５年経過後はマイクロフィルムの保存でよいこと及び「災害その他やむを得ない事情の範囲」については、課税仕入れ等の税額の控除の場合と同様です。

2 免税事業者の適格請求書発行事業者の登録に係る経過措置の適用がある場合

免税事業者が令和５年10月１日から令和11年９月30日の属する課税期

間中に適格請求書発行事業者の登録を受けることとなった場合には、登録開始日から課税事業者となる経過措置が設けられています（平28年改正法附則44④）。

この経過措置の適用により課税期間の途中から課税事業者となった場合、登録開始日の前日において、免税事業者であった期間中に国内において譲り受けた課税仕入れに係る棚卸資産又はその期間中における保税地域からの引取りに係る課税貨物で棚卸資産に該当するものを有しているときは、消費税法36条１項及び２項の規定を準用することとされています。これにより、それらの棚卸資産に係る消費税額についても調整措置の適用対象となります（平30年改正令附則17）。

(注) 上記経過措置の適用対象となる棚卸資産については、課税仕入れの相手方が適格請求書発行事業者かそれ以外の者かにかかわらず、その棚卸資産に係る消費税額の全部が調整措置の対象となります（28年改正法附則52④、53④）。

3　課税事業者が免税事業者になった場合

課税事業者が納税義務を免除されることとなる場合に、免税事業者となる課税期間の直前の課税期間において行った課税仕入れに係る棚卸資産又は保税地域からの引取りに係る課税貨物で棚卸資産に該当するものをその直前の課税期間の末日において有しているときは、その棚卸資産に係る課税仕入れ等の税額は、その直前の課税期間の仕入控除税額の計算の基礎となる課税仕入れ等の税額から控除することとされています（消法36⑤）。

なお、対象となる棚卸資産には、課税事業者が新たに免税事業者になった日の前日の属する課税期間において行った課税仕入れに係る棚卸資産又はその課税期間における保税地域からの引取りに係る棚卸資産を原材料として製作又は建設した棚卸資産が含まれます（消法36①かっこ書）。

㈾1　この調整規定は、課税事業者が新たに免税事業者になった日の前日の属する課税期間において簡易課税制度の適用を受ける場合には、適用されません（消基通12－７－４）。

2　この調整規定は、免税事業者が課税事業者となった場合とは異なり、調整対象となる棚卸資産の課税仕入れ等が免税事業者となる直前の課税期間中のものに限定されていることに留意する必要があります。

3　適格請求書発行事業者以外の者からの課税仕入れにつき28年改正法附則52条１項又は53条１項の規定の適用を受けるものである場合において、その課税仕入れについて上記調整措置の適用を受けるときは、課税仕入れに係る消費税額に80/100又は50/100を乗じた金額により調整を行います（28年改正法附則52④、53④）。

第８節　居住用賃貸建物を課税転用等した場合の仕入控除税額の調整

1　居住用賃貸建物を課税賃貸用に供した場合の調整

(1)　概要

令和２年度税制改正により、仕入税額控除制度の適用を認めないこととされた居住用賃貸建物について、その仕入れ等の日から同日の属する課税期間の初日以後３年を経過する日の属する課税期間（第３年度の課税期間）の末日までの間に住宅の貸付け以外の貸付けの用に供した場合には、その建物の貸付けに係る対価の額を基礎として計算した額を第３年度の課税期間の仕入控除税額に加算することとされました（消法35の２①）。

【留意すべき事項】

①　令和２年（2020年）10月１日以後に居住用賃貸建物の仕入れ等を行った場合について適用されます。

ただし、同年３月31日までに締結した契約に基づき、同年10月１日以後に居住用賃貸建物の仕入れ等を行った場合には適用されません（令和２年改正法附則１一、附則44①、②）。

②　免税事業者が課税事業者となった場合に、免税事業者であった課税期間中に仕入れ等した棚卸資産である居住用賃貸建物について、消費税法36条１項又は３項の規定に該当することとなり、同法12条の４第２項の規定の適用を受けるときは、課税事業者となった課税期間の初日又は相続等があった日を当該居住用賃貸建物の仕入れ等の日（第３年度の課税期間の始点とすることになります。）として、消費税法35条の２の規定を適用することとされています（消令53の３）。

③　住宅の貸付けの用に供しないことが明らかな部分がある居住用賃貸建物について、その構造及び設備の状況その他の状況により合理的に区分していることで、「居住用賃貸部分」に係る課税仕入れ等の税額についてのみ消費税法30条10項の規定が適用された場合は、当該居住用賃貸部分についてのみ同法35条の２の規定が適用されます（消令53の４①）。

④　居住用賃貸建物が自己建設高額特定資産として消費税法12条の４第１項の規定の適用を受けることで、自己建設高額特定資産の建設等に要した課税仕入れに係る税抜支払対価の額の累計額が1,000万円以上となった日の属する課税期間以後の課税期間における当該居住用賃貸建物に係る課税仕入れ等の税額についてのみ消費税法30条10項の規定が適用されることとなった場合は、同項の適用を受けた課税仕入れ等の税額についてのみ同法35条の２の規定が適用されます（消令53の４②）。

(2)　居住用賃貸住宅を課税賃貸用に転用した場合の調整計算

調整期間に居住用賃貸建物を課税賃貸用に供したときは、次により計算した金額を第３年度の課税期間の仕入控除税額に加算します（消法35の２①、③）。

（算式）

加算する税額 ＝ 居住用賃貸建物に係る課税仕入れ等の税額 × 課税賃貸割合

(注)１　調整期間
「調整期間」とは、居住用賃貸建物の仕入れ等の日から第３年度の課税期間の末日までの間をいいます。

２　課税賃貸割合
「課税賃貸割合」とは、次の算式で計算される割合です。

（算式）

調整期間に行った居住用賃貸建物の貸付け（課税賃貸用に供したものに限ります。）の対価の額の合計額（※２）	÷	調整期間に行った居住用賃貸建物の貸付けの対価の額の合計額（※１）

※１　当該調整期間に行った当該貸付けに係る売上対価の返還等の金額がある場合は、その合計額を控除した残額です（消令53の２①一）。

※２　当該調整期間に行った当該居住用賃貸建物の貸付け（課税賃貸用に供したものに限ります。）に係る売上対価の返還等の金額がある場合には、その税抜金額を控除した残額です（消令53の２①二）。

⑶　調整規定の適用要件

上記の調整規定の適用を受けるためには、次の要件のすべてを満たす必要があります。

①　課税事業者が、居住用賃貸建物に係る課税仕入れ等の税額について、仕入れ等の課税期間において、消費税法30条10項の規定により仕入税額控除制度の適用を受けていないこと。

②　第３年度の課税期間の末日において当該居住用賃貸建物を有していること。

③　当該居住用賃貸建物の全部又は一部を当該居住用賃貸建物の仕入れ等の日から第３年度の課税期間の末日までの間（調整期間）に消費税法別表第二13号に掲げる住宅の貸付け以外の貸付けの用（課税賃貸用）に供したこと。

2　居住用賃貸建物を譲渡した場合の調整

⑴　概要

居住用賃貸建物に係る課税仕入れ等の税額について、仕入れ等の課税期間において仕入税額控除制度を適用しないこととする規定の創設に伴い、調整期間中に当該居住用賃貸建物を他の者に譲渡した場合には、その建物の貸付けに係る対価の額及び譲渡対価の額を基礎として計算した額を当該譲渡をした課税期間の仕入控除税額に加算することとされました（消法35の2②）。

【留意すべき事項】

消費税法35条の2第2項の居住用賃貸建物の譲渡には、みなし譲渡、代物弁済による資産の譲渡、負担付き贈与による資産の譲渡、金銭以外の資産の出資、特定受益証券発行信託等の委託者がその有する資産の信託をした場合の当該資産の移転及び土地収用法等の規定に基づいて対価補償金を得て行われる収用を含むものとされています（消令53の4③）。

(2) 居住用賃貸住宅を譲渡した場合の調整計算

調整期間内に居住用賃貸建物を他の者に譲渡したときは、次により計算した金額を当該譲渡をした課税期間の仕入控除税額に加算します（消法35の2②、③）。

（算式）

加算する税額 ＝ 居住用賃貸建物に係る課税仕入れ等の税額 × 課税譲渡等割合

㈡ 課税譲渡等割合

「課税譲渡等割合」とは、次の算式で計算される割合です。

なお、課税譲渡等割合の算式における「課税譲渡等調整期間」とは、居住用賃貸建物の仕入れ等の日から他の者に譲渡した日までの間をいいます。

（算式）

課税譲渡等調整期間に行った居住用賃貸建物の貸付け（課税賃貸用に供したものに限ります。）の対価の額の合計額＋居住用賃貸建物の譲渡対価の額の合計額（※2） ÷ 課税譲渡等調整期間に行った居住用賃貸建物の貸付けの対価の額の合計額＋居住用賃貸建物の譲渡対価の額の合計額（※1）

※1　当該課税譲渡等調整期間に行った当該居住用賃貸建物（当該居住用賃貸建物の一部を譲渡した場合には、その譲渡した部分に限ります。）の貸付け及び譲渡に係る売上対価の返還等の金額がある場合は、その合計額を控

除した残額です（消令53の２②一）。

※２　当該課税譲渡等調整期間に行った当該居住用賃貸建物の貸付け（課税賃貸用に供したものに限ります。）及び譲渡に係る売上対価の返還等の金額がある場合には、その税抜金額を控除した残額です（消令53の２②二）。

(3)　調整規定の適用要件

上記の調整規定の適用を受けるためには、次の要件のすべてを満たす必要があります。

①　課税事業者が、居住用賃貸建物に係る課税仕入れ等の税額について、仕入れ等の課税期間において、消費税法30条10項の規定により仕入税額控除制度の適用を受けていないこと。

②　当該居住用賃貸建物の全部又は一部を当該居住用賃貸建物の仕入等の日から第３年度の課税期間の末日までの間（調整期間）に他の者に譲渡したこと。

第9節　Q＆A

Q9－1

病院における医薬品の課税仕入れの用途区分

病院が仕入税額控除について個別対応方式を適用する場合、医薬品の課税仕入れについては、「課税資産の譲渡等にのみ要するもの（課税売上げ用）」、「その他の資産の譲渡等にのみ要するもの（非課税売上げ用）」、「課税・非課税共通用」のいずれに区分されますか。

A　課税・非課税共通用に区分されます。

考え方

保険診療でも自由診療でも同一薬品を用いるのであれば、医薬品の課税仕入れの段階で保険診療使用分と自由診療使用分とに区分することは、困難であると認められます。したがって、そのような医薬品の課税仕入れについては、課税・非課税共通用として区分されるものと考えます。

他方、歯科診療では、保険診療で使用される歯科材料と自由診療となる歯科材料とがあらかじめ区分できると考えられます。この場合のように、あらかじめ保険診療で使用される材料等の課税仕入れであると判断できる場合は非課税売上げ用に、また自由診療にのみ使用される材料等の課税仕入れの場合は課税売上げ用に区分されるものと考えます。

Q9－2

調剤薬局における薬品の課税仕入れの用途区分

当社は調剤薬局を経営していますが、仕入税額控除について個別対応方式を適用する場合、調剤薬品等の課税仕入れの用途区分は、どのようになるでしょうか。

なお、調剤薬品等の仕入れ、売上げに関する事実関係は、次のとおりです。

⑴ 調剤薬品等については、基本的に問屋から仕入れています（調剤問屋仕入れ）が、患者が持参した処方箋に記載された医薬品等の在庫が当社にないときには、他の薬局から仕入れることもあります（調剤他薬局仕入れ）。

当社は、調剤他薬局仕入れにより仕入れた調剤薬品等については、全て健康保険法等が適用される販売のために使用しており、健康保険法等が適用されないいわゆる自費診療等に係る販売のために調剤他薬局仕入れを行ったことはありません。

⑵ 調剤薬品等については、その大半を医師の処方箋に基づいて患者に対して販売していますが、⑴と同様の理由で他の薬局から求められた場合には、当該他の薬局に対して調剤薬品等を販売することがあり、このような他の薬局への販売は、毎年、300回程度あります。また、いわゆる自費診療に係る販売も、毎年、20回以上はあります。

A 課税資産の譲渡等とその他の資産の譲渡等に共通して要するものに区分されます。

考え方

個別対応方式（消費税法30条２項１号）により仕入控除税額を計算する場合には、各課税仕入れを「課税資産の譲渡等にのみ要するもの（課税売上げ用)」、「その他の資産の譲渡等にのみ要するもの(非課税売上げ用)」又は「課税資産の譲渡等とその他の資産の譲渡等に共通して要するもの(課税・非課税共通用)」のいずれかの用途区分に区分しなければなりませんから、課税売上げ用にも、非課税売上げ用にも該当しない課税仕入れについては、全て課税・非課税共通用に区分することになります。

また、消費税法30条2項1号が「要するもの」と規定し、「要したもの」とは規定していませんから、個別対応方式により仕入控除税額を計算する場合の用途区分の判定は、課税仕入れを行った日の状況により行うこととなります(消基通11－2－20)。

そして、用途区分の判定に当たっては、課税仕入れを行った日の状況等に基づき、当該課税仕入れをした事業者が有する目的、意図等諸般の事情を勘案し、当該事業者において行う将来の多様な取引のうちどのような取引に要するものであるのかを客観的に判断すべきものと解されています(令和元年7月17日裁決)。

貴社は、調剤問屋仕入れにより仕入れた調剤薬品等については、医師の処方箋に基づいて販売するだけではなく、他の薬局からの都度の要請という仕入れ後の事情により、一定数は必ず当該他の薬局へ販売する状況にあると認められますから、貴社が調剤問屋仕入れを行った日の状況としては、調剤問屋仕入れにより仕入れた調剤薬品等は、将来にわたってもその他の資産の譲渡等以外に当てられることがないとはいえず、仕入れ後の事情により、課税資産の譲渡等に用いられることも予定されていると認められます。そうしますと、貴社の調剤問屋仕入れについては、非課税売上げ用にも課税売上げ用にも該当せず、課税・非課税共通用に区分するのが相当です。

他方、貴社が調剤他薬局仕入れにより仕入れた調剤薬品等については、貴社の薬品の売上げに関する事実関係からすると、その仕入れを行った日の状況としては、健康保険法等が適用される販売、すなわち、その他の資産の譲渡等にのみ要すると認められますから、用途区分は非課税売上げ用とするのが相当です。

Q 9－3

医療機関において適用可能な課税売上割合に準ずる割合

個別対応方式を採用する医療機関が課税売上げと非課税売上げに共通して要する課税仕入れについて、課税売上割合に準ずる割合を適用することはできるでしょうか。できるのであれば、それはどのようなものでしょうか。

A　適用できる場合もあります。その場合の課税売上割合に準ずる割合としては、自由診療と保険診療に係る使用薬価の比などが考えられます。

考え方

医療機関において課税売上割合に準ずる割合の適用を特段制限する取扱いはありません。しかし、実際の適用に当たっては、所轄税務署長の承認を受けることが前提となりますから、課税・非課税共通用の課税仕入れについて、課税売上割合による以上に課税売上げ用と非課税売上げ用とに合理的に区分できる基準である必要があると考えられます。

したがって、個々の医療機関ごとに判断されるべき事柄ではありますが、一般的には、自由診療と保険診療に係るそれぞれの延患者数の比や使用薬価の比（使用実績による薬価の比）などが考えられます（消基通11－2－19）。

Q9－4

老人ホーム用建物の一棟借りに係る課税関係

介護付有料老人ホームの運営会社であるＡ社は、個人事業者Ｂが新築した次のような老人ホーム仕様の建物（以下「本件建物」といいます。）の全部を一括して借り受けていますが、本件建物の一括借受けは、課税仕入れとなりますか。

なお、本件建物の借受けは、所得税法上のリース取引には該当しません。

（事実関係）

1　本件建物は、概ね次の各部分から構成されています。

(1)　入居者のための専用居室部分

(2)　入居者の日常生活の用に直接供される部分

……エントランスホール、ラウンジ、浴室、コミュニティールーム等

(3)　運営会社が入居者に対して役務の提供を行うために使用する部分

……事務室、健康管理室、スタッフ室、理美容室、倉庫等

2　ＢとＡ社との間において締結された本件建物の賃貸借契約書では、本件建物の使用目的として、「運営会社は、本物件を高齢者向け介護付有料老人ホームとして使用し、他の用途に供してはならない。」と記載されています。

Ａ　本件建物の全体が消費税法における住宅に該当し、賃料の全額が非課税となります。

したがって、本件建物を借り受けて介護付有料老人ホームを運営するＡ社においては、課税仕入れに該当しないことになります。

考え方

所得税法上、売買があったものとされるリース取引に該当する場合、消費税法上も売買があったものとされ、資産の貸付けではなく資産の譲渡に該当することとなりますから、建物の譲渡として課税取引となります。

その場合はそもそも資産の貸付けではないので、住宅の貸付けに該当する余地はありません。

この事例については、所得税法及び消費税法上、資産の貸付けに該当することを前提として、消費税が非課税となる住宅の貸付けに該当するかどうかを検討します。

1　消費税法における「住宅の貸付け」とは

消費税法では、住宅の貸付けは非課税とされています（消法６①、別表第二13号）。

消費税法における住宅とは、賃借人が日常生活の用に供する場所をいうものと考えられています。

また、住宅の貸付けに該当するかどうかの判定に当たっては、賃借人が日常生活を送るために必要な場所と認められる部分は、全て住宅に含まれるものと考えられています（平成22年６月25日裁決事例集 No.79）。

この考え方に従って、本件建物の各部分ごとに考えてみます。

まず、入居者のための専用居室部分については、賃借人が日常生活を送るために必要な場所そのものですから、この部分が住宅に該当することは明らかです。

次に、エントランスホール、ラウンジ、浴室など、入居者の日常生活の用に直接供される部分です。これらも賃借人が日常生活を送るために必要な場所と認められる部分ですから、住宅に該当することになります。

最後に、事務室、健康管理室、理美容室など、運営会社が入居者に対して役務の提供を行うために使用する部分です。

介護付有料老人ホームとは、入居者が運営会社から入浴、排泄、食事等の介護を受けながら、日常生活を送る施設といってよいでしょう。

そうしますと、運営会社が入居者に対して入浴、排泄、食事等の介護に係る役務の提供を行うために使用する部分についても、賃借人が日常生活を送るために必要な場所と認められます。

したがって、本件建物は、その全体が住宅に該当することになります。

2　転貸する場合の取扱い

この事例は、建物の所有者であるＢが介護付有料老人ホームの運営会社のＡ社に対して建物の貸付けを行っているものですが、賃借人であるＡ社は、自らが日常生活を送るために本件建物を借り受けているわけではありません。

Ａ社は、Ｂから本件建物を借り受けて、これを介護付有料老人ホームとして入居者に対して貸し付けています。

しかし、消費税法基本通達６－13－７は、

「住宅用の建物を賃貸する場合において、賃借人が自ら使用しない場合であっても、当該賃貸借に係る契約において、賃借人が住宅として転貸することが契約書その他において明らかな場合には、当該住宅用の建物の貸付けは、住宅の貸付けに含まれるのであるから留意する。

この場合において、賃借人が行う住宅の転貸も住宅の貸付けに該当する。」と規定しています。

ＢとＡ社との間において締結された本件建物の賃貸借契約書には、「運営会社は、本物件を高齢者向け介護付有料老人ホームとして使用し、他の用途に供してはならない。」と記載されています。つまり、賃借人であるＡ社が、住宅用として転貸することが明らかであると認められます。

したがって、ＢがＡ社に対して行う本件建物の貸付けは、その全体が

住宅の貸付けとして非課税となり、また賃借人であるA社においては課税仕入れとはならないことになります。

なお、本件建物は、全体として「住宅の貸付けの用に供しないことが明らかな建物以外の建物」に該当しますから、本件建物が高額特定資産に該当する場合には居住用賃貸建物に該当することになります。したがって、その場合には、Bは、本件建物の取得に係る課税仕入れ等の税額について仕入税額控除の適用を受けられないことになります（消法30⑩）。

3　住宅の貸付けとならないもの

介護付有料老人ホームの中には、デイサービスセンター、レストラン、店舗等が併設されているものがあります。

このような入居者以外の者が利用することを予定した部分については、賃借人が日常生活を送るために必要な場所とは認められませんので、消費税法上の住宅には該当しません。

このため、老人ホーム用建物の貸付けのうち、住宅の貸付けとして非課税となる部分（居住用賃貸部分）とそれ以外の貸付けとして課税となる部分（課税賃貸部分）とが存在する場合は、建物の貸付けの対価の額を、非課税となる金額と課税される金額とに合理的に区分する必要があります（消基通６－13－５）。

また、当該建物が居住用賃貸建物に該当する場合において、Bが当該建物の取得に係る課税仕入れ等の税額を、使用面積割合、使用面積に対する建設原価の割合等により居住用賃貸部分と課税賃貸部分とに合理的に区分しているときは、居住用賃貸部分に係る税額のみが仕入税額控除の適用対象外となります（消令50の２①、消基通11－７－３）。

なお、当該建物の賃貸人が個別対応方式を適用して仕入控除税額を計算している事業者であるときは、課税賃貸部分の取得に係る課税仕入れの区分は、課税売上げにのみ要するものに該当することになります。

Q 9－5

医療機器をリースした場合の取扱い

当医療法人では、高額な医療機器については、所有権移転外ファイナンス・リース取引により導入することを考えています。この場合のリース料に係る仕入税額控除はどのようになるでしょうか。

A 所有権移転外ファイナンス・リース取引により医療機器を賃借する場合は、原則として、リースする医療機器の引渡しを受けた日にその医療機器の譲受けがあったものとして、一括して仕入税額控除を行うことになります。

ただし、賃貸借処理をしている場合には、分割控除も可能です。

考え方

1　所有権移転外ファイナンス・リース取引に係る仕入税額控除（原則）

所得税法施行令120条の２第２項５号又は法人税法施行令48条の２第５項５号に規定するリース取引（所有権移転外ファイナンス・リース取引）については、リース資産の引渡しを受けた日に資産の譲受けがあったものとして、当該引渡しを受けた日の属する課税期間においてリース取引に係る消費税を一括して仕入税額控除の対象とすることとされています（消基通11－３－２）。

2　賃借人が賃貸借処理をしている場合

所有権移転外ファイナンス・リース取引につき、賃借人が賃貸借処理（通常の賃貸借取引に係る方法に準じた会計処理をいいます。）をしている場合には、そのリース料を支払うべき日の属する課税期間における課税仕入れとして消費税を申告すること（分割控除）が認められます。

消費税の仕入税額控除については、事業者の経理実務を考慮して、その時期についてはこれまでも各種の特例が認められているところであり、本取扱いも、これと同様の趣旨から、会計基準に基づいた経理処理を踏まえ、経理実務の簡便性という観点から、賃借人が賃貸借処理をしている場合には、分割控除を行っても差し支えないこととされたものです。

(注)1　「中小企業の会計に関する指針」(中小会計指針）では、所有権移転外ファイナンス・リース取引に係る借手は、通常の売買取引に係る方法に準じて会計処理を行うことが原則とされますが、通常の賃貸借取引に係る方法に準じて会計処理を行うことができるとされています。

また、「中小企業の会計に関する基本要領」(中小会計要領）においては、リース取引に係る借手は、賃貸借取引又は売買取引に係る方法に準じて会計処理を行うこととされています。

2　例えば、賃貸借処理しているリース期間が3年のリース取引（リース料総額990,000円）について、リース期間の初年度にその課税期間に支払うべきリース料（330,000円）について仕入税額控除を行い、2年目にその課税期間に支払うべきリース料と残額の合計額（660,000円）について仕入税額控除を行うといった処理は認められません。

3　次のような場合のリース期間の2年目以降の課税期間については、その課税期間に支払うべきリース料について仕入税額控除することができます。

(1)　リース期間の初年度において簡易課税制度を適用し、リース期間の2年目以降は原則課税に移行した場合

(2)　リース期間の初年度において免税事業者であった者が、リース期間の2年目以降は課税事業者となった場合

3　会計処理の方法と消費税額の計算が異なる場合の対応

会計処理の方法と消費税額の計算が異なる場合（会計上は賃貸借処理を行うものの消費税については一括控除を行う場合)、帳簿の摘要欄等にリース料総額を記載するか、会計上のリース資産の計上価額から消費税における課税仕入れに係る支払対価の額を算出するための資料を作成し、整理の上綴って保存することなどにより、帳簿においてリース料総額（対価の額）を明らかにする必要があります。

Q9－6

就労継続支援Ｂ型事業に係る工賃

当社会福祉法人では、障害者の日常生活及び社会生活を総合的に支援するための法律（障害者総合支援法）に規定する就労継続支援事業のうちのＢ型事業を営んでいます。Ｂ型事業では、利用者の就労を支援するための生産活動を行い、当該生産活動における利用者の作業に対して工賃を支払っています。この利用者工賃は、課税仕入れに係る支払対価に該当し、仕入税額控除の対象となるでしょうか。

なお、生産活動としての作業は訓練等を目的とするものであり、当社会福祉法人では、訓練等の計画を策定し、作業はこの計画に沿って行っています。

A　就労継続支援Ｂ型事業所を営む事業者が生産活動に携わる利用者に支払う工賃は、課税仕入れに係る支払対価には該当しません（不課税仕入れ）。

考え方

消費税において、仕入税額控除の対象となる課税仕入れとは、「事業者が、事業として他の者から資産を譲り受け、若しくは借り受け、又は役務の提供（所得税法第28条第１項《給与所得》に規定する給与等を対価とする役務の提供を除く。）を受けること……をいう」ものとされています（消法2①十二）。このため、就労継続支援Ｂ型事業において当該利用者に支払われる工賃が、請負、委任等に基づく役務の提供の対価である場合には、課税仕入れとして仕入税額控除の対象となり、雇用契約等に基づく役務の提供に対する給与等に該当する場合やそもそも役務の提供の対価に該当しない場合には、課税仕入れに該当せず仕入税額控除の対象にならないことになります。以下、この点について検討します。

なお、就労継続支援事業が含まれる障害福祉サービス事業は、社会福祉法上の第二種社会福祉事業として非課税とされていますが、就労支援事業において生産活動としての作業に基づいて行われる資産の譲渡等は、非課税から除かれており、課税の対象とされています（消法別表第一7号ロ）。

1 「就労継続支援B型」とは、障害者総合支援法5条の「障害福祉サービス」の一つである「就労継続支援」のうち、同法施行規則6条の10第2号に規定する事業です。同条では、就労継続支援A型及びB型について、次のように規定しています。

就労継続支援A型……通常の事業所に雇用されることが困難であって、雇用契約に基づく就労が可能である者に対して行う雇用契約の締結等による就労の機会の提供及び生産活動の機会の提供その他の就労に必要な知識及び能力の向上のために必要な訓練その他の必要な支援

就労継続支援B型……通常の事業所に雇用されることが困難であって、雇用契約に基づく就労が困難である者に対して行う就労の機会の提供及び生産活動の機会の提供その他の就労に必要な知識及び能力の向上のために必要な訓練その他の必要な支援

以上のように、B型事業所とA型事業所の違いは、利用者が「雇用契約に基づく就労が困難」な者であるかどうかという点にあります。そのため、B型事業所の利用者が、請負、委任等の契約に基づいて生産活動に携わっているのかどうかを検討する必要があります。

障害者総合支援法の所管庁である厚生労働省は、労働基準局長通知（平成19年5月17日基発第0517002号）により、障害者向け小規模作業所等

を利用する障害者の労働者性に関して、以下の判断基準のすべてに該当する場合には、当該作業に従事する障害者は労働基準法第９条の労働者ではないものとして取り扱うこととしています。なお、同条の「労働者」とは、「職業の種類を問わず、事業又は事業所に使用される者で、賃金を支払われるものをいう。」とされています。

① 小規模作業所等において行われる作業が訓練等を目的とするものである旨が定款等の定めにおいて明らかであること。

② 当該目的に沿った訓練等の計画が策定されていること。

③ 小規模作業所等において作業に従事する障害者又はその保護者との間の契約等において、これら訓練等に従事することの合意が明らかであること。

④ 作業実態が訓練等の計画に沿ったものであること。

この取扱いからしますと、お尋ねの就労継続支援Ｂ型事業所において生産活動に携わる利用者は労働者ではないということになります。

2 しかしながら、利用者が労働基準法上の労働者に当たらないということが、直ちに、利用者が生産活動に携わることが請負、委任等の契約に基づくものであることを意味するものではありません。この点については、別途検討する必要があります。

「障害者の日常生活及び社会生活を総合的に支援するための法律に基づく指定障害福祉サービスの事業等の人員、設備及び運営に関する基準（基準省令）」によれば、就労継続支援Ｂ型事業者は、利用者に、生産活動に係る事業の収入から生産活動に係る事業に必要な経費を控除した額に相当する金額を工賃として支払わなければならないこととされています（基準省令201①）。他方、Ａ型事業所においては、利用者と雇用契約を締結して、賃金を支払うこととされています（基準省令

192①)。ただし、A型事業所であっても雇用契約を締結していない場合は、B型の場合と同様に、生産活動に係る事業の収入から生産活動に係る事業に必要な経費を控除した額に相当する金額を工賃として支払うこととされています（基準省令192③)。

すなわち、就労継続支援事業においては、雇用契約の下で生産活動に携わることが可能な利用者に対しては賃金が支払われ、雇用契約の下で生産活動に携わることが難しい利用者に対しては工賃が支払われるということになります。

そして、基準省令によれば、A型、B型ともに、生産活動に係る事業の収入から生産活動に係る事業に必要な経費を控除した額に相当する金額を工賃として支払うこととされていますから、利用者に支払う工賃は生産活動に係る事業に必要な経費を構成していないことになります。もし、利用者が生産活動に携わることが請負、委任等の契約に基づくものであるなら、利用者に支払われる工賃は、生産活動に係る事業に必要な経費を構成することになりますが、基準省令はそのような考え方を採っていません。

以上の点に加えて、B型事業所での作業がそもそも障害者の就労のための訓練としてのものであることや、B型事業所の利用者は事業所の利用について利用料金を支払っていることを踏まえると、B型作業所の利用者が生産活動に携わっているのは、訓練としてであって、請負、委任等の契約や雇用契約に基づく役務の提供としてではないと解されます。そうしますと、B型事業所の利用者に支払われる工賃は、強いていえば、剰余金の分配ということになり、B型事業所を営む事業者の課税仕入れに係る支払対価には該当しないことになります（不課税仕入れ)。

〔参考裁判例〕 令和6年7月18日名古屋地裁判決（控訴）

Q 9－7

パート医に対する報酬の取扱い

当診療所では、非常勤の医師が診療を行う科目もあります。非常勤の医師に支払う報酬は、課税仕入れに係る支払対価に該当するでしょうか。

A　非常勤の医師に支払われる報酬は、雇用契約又はこれに準ずる契約に基づく給与等の支払と認められますから、課税仕入れに係る支払対価には該当しません。

考え方

課税仕入れとは、「事業者が、事業として他の者から資産を譲り受け、若しくは借り受け、又は役務の提供（所得税法第28条第１項（給与所得）に規定する給与等を対価とする役務の提供を除く。）を受けること……をいう」ものとされています（消法２①十二）。したがって、役務の提供をした者に支払う報酬が所得税法上の給与所得に該当する場合は、課税仕入れに係る支払対価に該当しないことになります。

例えば、出来高払の給与を対価とする役務の提供は事業に該当せず、また、請負による報酬を対価とする役務の提供は事業に該当することになりますが、支払われる役務の提供の対価が出来高払の給与であるか請負による報酬であるかの区分については、雇用契約又はこれに準ずる契約に基づく対価であるかどうかによることとされています。そして、その区分が明らかでないときは、例えば、次の事項を総合勘案して判定するものとされています（消基通１－１－１）。

⑴　その契約に係る役務の提供の内容が他人の代替を容れるかどうか。

⑵　役務の提供に当たり事業者の指揮監督を受けるかどうか。

⑶　まだ引渡しを了しない完成品が不可抗力のため滅失した場合等にお

いても、当該個人が権利として既に提供した役務に係る報酬の請求をなすことができるかどうか。

(4) 役務の提供に係る材料又は用具等を供与されているかどうか。

なお、(2)の点に関して、非常勤の麻酔医師への報酬が事業所得か給与所得かが争われた事件（東京地裁平成24年9月21日判決（税資262号順号12043））の判決は、「使用者の指揮命令に服して労務を提供するものであるか否かは、労務提供の形態、すなわちその業務を行う対象、場所、時間などを他者が決定し、それに従って労務や役務の提供が行われているか否かという問題であって、業務遂行に必要な様々な判断が自分自身でできる（非従属）からといって、他者の指揮命令に服していないということにはならないと解すべきである。」と判示しています。東京地裁平成25年4月26日判決（税務訴訟資料263号順号12210）も、一般家庭からの依頼に応じて家庭教師を派遣することを業とする者が派遣した家庭教師に支払う報酬について、家庭教師業務の遂行に必要な判断は派遣された者ができる（非従属）が、派遣する者から、どこの、どの家の、どの子に家庭教師としての役務の提供をするか指揮命令される（非独立）から給与所得に該当するとしています。

Q9－8

医師会の会費等の取扱い

医師又は歯科医師が医師会、歯科医師会等の同業者団体に対する会費や入会金を支払った場合、仕入税額控除の対象となるでしょうか。

A　医師会や歯科医師会からの会員に対する具体的な役務の提供の対価と認められないものは、課税仕入れに係る支払対価に該当しませんから、仕入税額控除の対象とはなりません。

考え方

課税仕入れとは、事業者が、事業として他の者から資産を譲り受け、若しくは借り受け、又は役務の提供を受けることをいいますが、具体的には、当該他の者が事業として当該資産を譲り渡し、若しくは貸し付け、又は役務の提供をしたとした場合に課税資産の譲渡等に該当することとなるもので、免税となるもの以外のものとされています（消法２①十二）。

ご質問の会費や入会金を受領する医師会や歯科医師会は法人ですから、消費税法上の事業者に該当します（消法２①四）。そして、法人の行う資産の譲渡及び貸付け並びに役務の提供は、全て「事業として」に該当することとされています（消基通５－１－１㈱３）。したがって、ご質問の会費や入会金が医師会や歯科医師会において具体的な役務の提供の対価として課税資産の譲渡等に該当する場合、それらの金銭を支払う医師又は歯科医師においては課税仕入れに係る支払対価に該当することになります。

しかし、一般的に、同業者団体の会費は、団体としての通常の業務運営のために経常的に要する費用をその構成員に分担させ、その団体の存立を図るという目的で徴収されますから、これを支払う会員に対して具体的な役務の提供を行ったことの対価には該当しないことになります

（消基通５－５－３㈱１）。なお、会費が具体的な役務の提供の対価に該当するかどうかの判定が困難な場合には、同業者団体が資産の譲渡等の対価に該当しないものとし、会員においては課税仕入れに該当しないこととしている場合は、その取扱いが認められます（消基通５－５－３後段）。この取扱いによる場合には、当事者間の取扱いに齟齬を来さないようにするため、同業者団体側は、会員に対してその旨を通知することとされています（消基通５－５－３㈱２）。

また、医師会等の入会金は、支払った医師等においては所得税法上の繰延資産に該当します（所基通50－３）が、消費税においては繰延資産の取得のための支出であっても、会費と同様の基準で、課税上の取扱いを判定し、課税仕入れに係る支払対価に該当する場合は、課税仕入れを行った日の属する課税期間において全額を仕入税額控除の対象とすることとされています（消基通11－３－４）。ただし、会費と同様に、一般的には、医師等の課税仕入れに係る支払対価に該当することはないと考えられます。

Q９－９

医療機器をリースにより導入した医療法人が簡易課税から本則課税となった場合

当医療法人では、前事業年度に高額の最新医療機器を導入した際、資金調達等の面を考慮して、所有権移転外ファイナンス・リースによることとしましたが、導入時は簡易課税制度の適用を受けていました。しかし、当事業年度は本則課税適用となりました。

当事業年度中のリース料に係る消費税相当額について仕入税額控除を受けることはできるでしょうか。

A　リース取引について賃貸借処理をしていれば可能です。

考え方

１　仕入税額控除の原則

所有権移転外ファイナンス・リース取引は、所得税法又は法人税法の規定により売買があったものとされるリース取引に該当しますから、原則として、賃貸人が賃借人にリース資産の引渡し（リース譲渡）を行った日に資産の譲渡があったことになります（消基通９－３－１）。

この場合、リース取引の賃借人である事業者においては、リース資産の引渡しを受けた日に課税仕入れを行ったこととなります（消基通11－３－２）。

したがって、その課税仕入れについては、そのリース資産の引渡しを受けた日の属する課税期間において課税仕入れに係る消費税額（リース期間中のリース料の総額に係る消費税額）の全額について仕入税額控除を受ける（一括控除）ことができます（消法30①一）。

㈱１　リース取引の賃貸人がリース譲渡に係る譲渡等の時期の特例（消法16①）の適用を受ける場合であっても、そのリース取引の賃借人の課税仕入れの時期はそのリース資産の引渡しを受けた日となります。

なお、特例は、令和7年4月1日に廃止されましたが、経過措置が講じられています（令和7年改正法附則22）。

2 リース取引の契約においてリース料のうち利子に相当する部分とそれ以外の部分に区分表示されている場合には、利子に相当する部分は非課税となりますので、その部分は課税仕入れとはなりません（消法別表第二3号、消令10③十五）。

2 賃貸借処理をしている場合の仕入税額控除

賃借人である事業者が所有権移転外ファイナンス・リース取引を売買ではなく、賃貸借処理をしている場合において、そのリース料について、それを支払うべき日の属する課税期間における課税仕入れとして消費税の申告をしているとき（分割控除）は、経理実務の簡便性という観点から、これによって差し支えないこととされています（国税庁質疑応答事例「所有権移転外ファイナンス・リース取引について賃借人が賃貸借処理をした場合の取扱い」）。

㈲ 「中小企業の会計に関する基本要領」（中小会計要領）では、中小企業のリースの会計処理に関して、どちらかといえば、賃貸借処理を原則的な取扱いとしています。

3 賃貸借処理をしている事業者が簡易課税から本則課税に移行した場合等の取扱い

上記2の取扱いは、賃貸借処理している所有権移転外ファイナンス・リース取引に係る賃借人における仕入税額控除の時期について、分割控除して差し支えないとするものですから、次に掲げるような場合のリース期間の2年目以降の課税期間については、その課税期間に支払うべきリース料について仕入税額控除することができます。

(1) リース期間の初年度において簡易課税制度を適用し、リース期間の2年目以降は一般（本則）課税に移行した場合

(2) リース期間の初年度において免税事業者であった者が、リース期間の2年目以降は課税事業者となった場合

Q 9－10

医療機器の買替えに際して古い機器を下取りしてもらう場合

当医療法人では、現在使用している医療機器を最新のものと入れ替えることとなりました。これに伴って現在使用している医療機器は、販売業者に下取りしてもらうことになっています。この入替えについて、消費税の取扱いはどのようになるでしょうか。

A 貴医療法人においては、古い医療機器を下取りに出すことは課税資産の譲渡等に該当し、また、新しい医療機器の購入は課税仕入れに該当することになります。

考え方

消費税は、国内において事業者が行う課税資産の譲渡等を課税の対象とし、他方で、事業者が国内において行った課税仕入れについては、その課税仕入れに係る消費税額を課税売上割合に応じて控除する仕組みとなっています（消法4①、5①、30①一、②）。

ご質問の場合、入替時まで使用していた古い医療機器を下取りに出すことは、下取価格でその医療機器を新しい医療機器の販売業者に譲渡したこととなり（消令2③）、新しい医療機器の購入は、下取価格を控除する前の価格で課税仕入れを行ったことになります。

なお、新しい医療機器の購入価格から下取価格を控除した残額により課税仕入れを行い、古い医療機器の譲渡はなかったこととする処理は認められません。

㈲ 医療機器を販売する事業者においても、新しい医療機器の譲渡と下取りする医療機器の課税仕入れとして処理することとされています（消基通10－1－17）。

もし、新しい医療機器の購入価格から下取価格を控除した残額により課税仕入れを行い、古い医療機器の譲渡はなかったこととすると、控除した下取価格部分に対応する消費税相当額は100％控除されたのと同じ結果になってしまいます。しかし、仕入控除税額について一括比例配分方式又は個別対応方式（課税売上げと非課税売上げに共通して要する課税仕入れに限られます。）により計算する場合は、課税仕入れに係る消費税額にその課税期間の課税売上割合を乗じて計算した金額部分のみが控除の対象となりますから、負担の公平の点から考えれば、当然の取扱いといえるでしょう。

㈱　個別対応方式による場合、非課税売上げにのみ要する課税仕入れに係る消費税額は、そもそも控除の対象になりません（消法30②一）。

Q 9 −11

海外の電子版医学雑誌の購読料

当医療法人は、海外で発行される医学関係の専門誌の電子版（電子ジャーナル）を年間購読しています。この電子ジャーナルの購読料について、消費税の課税関係はどのようになるでしょうか。なお、この電子ジャーナルは、国外事業者である海外の出版社が、購読者を限定せずに、広く購読希望者にインターネットを介して配信するものです。

A　ご質問の医学関係専門誌の電子版の配信は、電気通信利用役務の提供に該当し、その利用者は居住者ですから、国内取引に該当することになります。また、提供者は国外事業者ですが、ご質問の場合、購読者を限定せずに配信されていますから、消費者向け電気通信利用役務の提供に該当します。

したがって、貴医療法人は、リバースチャージによる申告の必要はありません。また、提供者である海外の出版社が適格請求書発行事業者である場合には、支払った購読料を仕入税額控除の対象とすることができますが、そうでない場合は、少額特例の対象となる購読料を除き、仕入税額控除の対象とすることはできません。

考え方

(1)　電気通信利用役務の提供の意義と内外判定

電気通信利用役務の提供とは、電子書籍の配信のように資産の譲渡等のうち、電気通信回線を介して行われる著作物の提供（当該著作物の利用の許諾に係る取引を含みます。）その他の電気通信回線を介して行われる役務の提供（電話等の通信設備を用いて他人の通信を媒介する役務の提供を除きます。）であって、他の資産の譲渡等の結果の通知その他の他の資産の譲渡等に付随して行われる役務の提供以外のものをいいますが、この電気通信利用役務の提供については、具体的な役務の提供地を特定することが困難であることから、その電気通信利用役務の提供を受ける者の住所地等により、国内取引に該当するかどうかを判定することとされています（消法２①、八の三、４③三）。

(2) 事業者向け電気通信利用役務の提供の意義と課税関係

国外事業者（所得税法に規定する非居住者である個人事業者及び法人税法に規定する外国法人をいいます。以下同じ。）が行う電気通信利用役務の提供のうち、「事業者向け電気通信利用役務の提供」については、その国外事業者から当該役務の提供を受けた事業者が、「特定課税仕入れ」として、申告・納税を行います（リバースチャージ方式）が、同時に仕入税額控除の対象にもなります（消法２①八の四、５①、28②、30①、⑦、45①、消令49①二）。

(注) 事業者向け電気通信利用役務の提供を受けた場合に、リバースチャージ方式により申告を行う必要があるのは、当分の間、一般（本則）課税により申告を行う事業者で、その課税期間の課税売上割合が95％未満の事業者に限られます（27年改正法附則42、44②）。申告の必要がない場合は、仕入税額控除の対象にもなりません。

ここでいう「事業者向け電気通信利用役務の提供」とは、国外事業者が行う電気通信利用役務の提供のうち、役務の性質又は当該役務の提供に係る取引条件等から当該役務の提供を受ける者が通常事業者に限られるものが該当することとされています（消法２①八の四、消基通５－８－４）。

① 役務の性質から「事業者向け電気通信利用役務の提供」に該当するものとしては、例えば、インターネットを介した広告の配信やインターネット上でゲームやソフトウエアの販売場所を提供するサービスなどがあります。

② また、取引条件等から「事業者向け電気通信利用役務の提供」に該当するものとしては、例えば、クラウドサービス等の電気通信利用役

務の提供のうち、取引当事者間において提供する役務の内容を個別に交渉し、取引当事者間固有の契約を結ぶもので、契約において役務の提供を受ける事業者が事業として利用することが明らかなものなどがあります。

(3) その他の電気通信利用役務の提供の課税関係

イ　消費者向け電気通信利用役務の提供

国外事業者から受けた電気通信利用役務の提供のうち、事業者向け電気通信利用役務の提供以外のもの（消費者向け電気通信利用役務の提供）については、当該役務の提供を行った事業者が適格請求書発行事業者（28年改正法附則45条１項の規定により適格請求書発行事業者とみなされた登録国外事業者を含みます。）である場合を除いて、仕入税額控除ができないこととされています（30年改正令附則24）。

㈱　適格請求書発行事業者以外の者から受けた消費者向け電気通信利用役務の提供であっても、それが少額特例の対象となるものである場合には、仕入税額控除の対象となります（28年改正法附則53の２）。
「少額特例」については、508頁参照。

具体的には、対価を得て行われるもので、消費者も含め広く提供される以下のような取引が該当します（消基通５－８－４㈱）。

○　インターネット等を通じて行われる電子書籍・電子新聞・音楽・映像・ソフトウエア（ゲームなどの様々なアプリケーションを含みます。）の配信

○　顧客に、クラウド上のソフトウエアやデータベースを利用させるサービス

○　顧客に、クラウド上で顧客の電子データ保存を行う場所の提供を行うサービス

○　インターネット上のショッピングサイト・オークションサイトを利用させるサービス（商品の掲載料金等）

ロ　国内事業者から受けた電気通信利用役務の提供

国内事業者が居住者に対して電気通信利用役務の提供を行った場合は、通常の課税資産の譲渡等として課税され、事業として提供を受けた事業者は、国内における課税仕入れとして、他の課税仕入れと同様に、仕入税額控除を行うことができます（消法２①十二、30①一）。

㈱　上記イ及びロの場合の仕入税額控除については、原則として、帳簿及び適格請求書（少額特例の適用対象である場合は、帳簿）の保存が要件となります。

Q 9 −12

従業員寮に係る課税仕入れ等の仕入税額控除

従業員寮や社宅の使用料は住宅家賃として非課税とされていますが、個別対応方式による仕入控除税額の計算を行う場合、従業員寮や社宅の取得費、借上料や維持等に要する費用の取扱いはどのようになりますか。

A 会社が住宅の所有者から従業員寮用又は従業員の社宅用に借り上げる場合に支払う借上料及び借り上げた従業員寮又は住宅を従業員に貸し付ける場合に収受する使用料ともに住宅家賃として非課税となります（消法別表第二13号、消基通６－13－７）。

なお、従業員寮や社宅の取得費、借上料又は維持等に要する費用に係る仕入税額控除の取扱いは次のようになります。

1　自己において取得した従業員寮や社宅の取得費

使用料を徴収する従業員寮や社宅の取得が高額特定資産の仕入れ等に該当する場合は、その従業員寮や社宅は居住用賃貸建物に該当しますので、その従業員寮や社宅の取得に係る課税仕入れ等の税額については、仕入税額控除の対象となりません（消法30⑩）。

なお、従業員から使用料を徴収せず、無償で貸し付けることがその取得の時点で客観的に明らかな従業員寮や社宅は居住用賃貸建物に該当しないことから、その取得費は仕入税額控除の対象となります（消法30①一）。この場合の個別対応方式による課税仕入れ等の用途区分は、原則として課税資産の譲渡等とその他の資産の譲渡等に共通して要するものに該当します（消法30②一、消基通11－２－10、11－２－15）。

2　他の者から借り上げている従業員寮や社宅の借上料

従業員に転貸するために借り受ける場合の家賃も住宅家賃として非課税になりますから、課税仕入れには該当しません（消法２①十二）。したがって、仕入税額控除の対象となりません（消法30①一）。

3　従業員寮や社宅の維持費

自己において取得したものか他の者から借りているものかを問わず、その修繕費用、備品購入費用等は仕入税額控除の対象となります（消法30①一）。

なお、この場合の個別対応方式による課税仕入れ等の区分は、その従業員寮や社宅について従業員から使用料を徴収する場合は、その他の資産の譲渡等にのみ要するものに、従業員から使用料を徴収せず、無償で貸し付けている場合は、原則として課税資産の譲渡等とその他の資産の譲渡等に共通して要するものにそれぞれ該当します（消法30②一、消基通11－２－10、11－２－15）。

また、その費用が居住用賃貸建物に係る課税仕入れ等に該当する資本的支出となるもの並びに管理人の給与、固定資産税など不課税となるもの及び非課税取引に該当するものは、仕入税額控除の対象になりません（消基通11－７－５）。

考え方

1　居住用賃貸建物とは、住宅の貸付けの用に供しないことが明らかな建物（その附属設備を含みます。）以外の建物であって、高額特定資産又は調整対象自己建設高額資産に該当するものをいいます（消法30⑩）。

2　高額特定資産とは、一の取引の単位につき、課税仕入れに係る支払対価の額（税抜き）が1,000万円以上の棚卸資産又は調整対象固定資産をいいます（消法12の４①、消令25の５①）。

また、調整対象固定資産とは、棚卸資産以外の資産で、建物、構築物、機械及び装置、船舶、航空機、車両及び運搬具、工具、器具及び備品、鉱業権その他の資産で消費税等を除いた税抜価格が100万円以上のものをいいます（消法2①十六、消令5）。

3　調整対象自己建設高額資産とは、他の者との契約に基づき、又は当該事業者の棚卸資産若しくは調整対象固定資産として自ら建設等をした資産（自己建設資産）で、その建設等に要した課税仕入れに係る支払対価の額の100/110に相当する金額等の累計額が1,000万円以上となったものをいいます（消令25の5①二）。

4　居住用賃貸建物の取得に該当し、その課税仕入れ等の税額について仕入税額控除の適用が受けられなかった場合でも、消費税法12条の4第1項又は第2項《高額特定資産を取得した場合等の納税義務の免除の特例》の規定は適用されます（消基通1－5－30）。

Q 9 −13

出張旅費、宿泊費、日当等

社員に支給する国内の出張旅費、宿泊費、日当等については、社員は適格請求書発行事業者ではないため、適格請求書の交付を受けることができませんが、仕入税額控除を行うことはできないのでしょうか。

A　できます。

考え方

社員に支給する出張旅費、宿泊費、日当等のうち、その旅行に通常必要であると認められる部分の金額については、課税仕入れに係る支払対価の額に該当するものとして取り扱われます。

この金額については、一定の事項を記載した帳簿のみの保存で仕入税額控除が認められます（出張費等特例）（消法30⑦、消令49①一ニ、消規15の4二、消基通11－6－4）。

なお、帳簿のみの保存で仕入税額控除が認められる「その旅行に通常必要であると認められる部分」については、所得税基本通達9－3に基づき判定しますので、所得税が非課税となる範囲内であれば、帳簿のみの保存で仕入税額控除が認められることになります。

また、この場合の帳簿の記載事項については、第2節「4帳簿のみの保存で仕入税額控除が認められる場合」（506頁）をご参照ください。

Q 9 −14

実費精算の出張旅費等

当社は、社員が出張した場合、旅費規程や日当規程に基づき出張旅費や日当を支払っています。この際、実際にかかった費用に基づき精算を行うため、社員からは、支払の際に受け取った適格請求書等を徴求することとしています。この実費に係る金額について、帳簿のみの保存（従業員等に支給する通常必要と認められる出張旅費等）により仕入税額控除を行ってもよいでしょうか。

A　仕入税額控除を行って差し支えありません。

考え方

社員に支給する出張旅費、宿泊費、日当等のうち、その旅行に通常必要であると認められる部分の金額については、課税仕入れに係る支払対価の額に該当するものとして取り扱われ、一定の事項を記載した帳簿のみの保存で仕入税額控除が認められます（出張費等特例）（消法30⑦、消令49①一ニ、消規15の４二、消基通11－６－４）。

この社員に対する支給には、概算払によるもののほか、実費精算されるものも含まれますので、実費精算に係るものであっても、その旅行に通常必要であると認められる部分の金額については、帳簿のみの保存で仕入税額控除を行うことができます。

㈲　帳簿のみの保存で仕入税額控除が認められる「その旅行に通常必要であると認められる部分」については、所得税基本通達９－３に基づき判定しますので、所得税が非課税となる範囲内であれば、帳簿のみの保存で仕入税額控除が認められることになります。

参考

実費精算による支給が貴社により交通機関、宿泊施設等へ直接対価を支払っているものと同視し得る場合には、他の課税仕入れと同様、一定の事項を記載した帳簿及び社員の方から徴求した適格請求書等の保存により仕入税額控除を行うこととなります。

その際、３万円未満の公共交通機関による旅客の運送など、一定の課税仕入れについては、当該帳簿のみの保存で仕入税額控除が認められます（消法30⑦、消令49①一イ、70の９②一）。

Q 9 -15

派遣社員等や内定者等へ支払った出張旅費等の仕入税額控除

当社は、自社で雇用している従業員と同様に、派遣社員や出向社員が出張した際にも、旅費規程に基づき出張旅費を支払っています。当該出張旅費については、派遣元企業や出向元企業を通じて当該社員に支払われることになるのですが、仕入税額控除の要件として派遣元企業や出向元企業から請求書等の交付を受け、これを保存する必要はありますか。また、内定者や採用面接者に対し、内定者説明会会場や面接会場までの交通費等を支給する場合の取扱いはどうなりますか。

A　支払形態等によって異なります。

考え方

従業員等に支給する出張旅費、宿泊費、日当等（以下「出張旅費等」といいます。）のうち、その旅行に通常必要であると認められる部分の金額については、課税仕入れに係る支払対価の額に該当するものとして取り扱われ、この金額については、一定の事項を記載した帳簿のみの保存で仕入税額控除が認められます（消法30⑦、消令49①一ニ、消規15の4二、消基通11－6－4）（以下「出張費等特例」といいます。）。

1　派遣社員や出向社員に対して支払われる出張旅費等について

派遣社員や出向社員（以下「派遣社員等」といいます。）に対して支払われる出張旅費等については、それぞれ次のとおり取り扱うこととなります。

(1)　派遣元企業等に支払うもの

当該出張旅費等が直接的に派遣社員等へ支払われるものではなく、派遣元企業や出向元企業（以下「派遣元企業等」といいます。）に支払われる場合、派遣先企業や出向先企業（以下「派遣先企業等」といいます。）においては、人材派遣等の役務の提供に係る対価として、仕入税額控除に当たり派遣元企業等から受領した適格請求書の保存が必要となります。

⑵　派遣元企業等を通じて派遣社員等に支払うもの

派遣元企業等が当該出張旅費等を預かり、そのまま派遣社員等に支払うことが派遣契約や出向契約等において明らかにされている場合には、派遣先企業等において、出張旅費等特例の対象として差し支えありません。この場合、当該出張旅費等に相当する金額について、派遣元企業等においては立替払を行ったものとして課税仕入れには該当せず、仕入税額控除を行うことはできません。

2　内定者や採用面接者に対して支払われる交通費等について

内定者のうち、企業との間で労働契約が成立していると認められる者に対して支給する交通費等で、通常必要であると認められる部分の金額については、出張旅費等特例の対象として差し支えありません。

なお、労働契約が成立していると認められるか否かは、例えば、企業から採用内定通知を受け、入社誓約書等を提出している等の状況を踏まえて判断されることとなります。

一方、採用面接者は通常、従業員等に該当しませんので、支給する交通費等について、出張旅費等特例の対象にはなりません。

㈱1　出張旅費等特例の対象となる出張旅費等や交通費等（以下「旅費交通費等」といいます。）には、概算払によるもののほか、実費精算されるものも含まれます。なお、出張旅費等特例の対象とならない場合の派遣社員等、内定者又は採用面接者（以下「派遣社員・内定者等」といいます。）に対して支払われる旅費交通費等でも、貴社が当該旅費交通費等を派遣社員・内定者等を通じて公共交通機関（船舶、バス、鉄道又は軌道）に直接支払っているものと同視し得る場合には、3万円未満の支払について、一定の事項を記載した帳簿のみの保存により仕入税額控除が認められます（以下

「公共交通機関特例」といいます。)。

2　海外出張のために支給する出張旅費等については、原則として課税仕入れには該当しません。

3　出張旅費等特例や公共交通機関特例の対象にはならない旅費交通費等について仕入税額控除の適用を受けるには、派遣社員・内定者等が交付を受けた旅費交通費等に係る適格請求書又は適格簡易請求書の提出を受け、それを保存する必要があります（宛名として派遣社員・内定者等の氏名が記載されている場合には、原則として、立替金精算書の保存も必要となります（国税庁「消費税の仕入税額控除制度における適格請求書等保存方式に関するQ&A（令和6年4月改訂)」）問94－2参照)。

Q９−16

通勤手当

社員に支給する通勤手当については、社員は適格請求書発行事業者ではないため、適格請求書の交付を受けることができませんが、仕入税額控除を行うことはできないのですか。

A　できます。

考え方

従業員等で通勤する者に支給する通勤手当のうち、通勤に通常必要と認められる部分の金額については、課税仕入れに係る支払対価の額として取り扱われます。この金額については、一定の事項を記載した帳簿ののみの保存で仕入税額控除が認められます（出張費等特例）（消法30⑦、消令49①一ニ、消規15の４三、消基通11－６－５）。

なお、帳簿のみの保存で仕入税額控除が認められる「通勤者につき通常必要と認められる部分」については、通勤に通常必要と認められるものであればよく、所得税法施行令20条の２において規定される非課税とされる通勤手当の金額を超えているかどうかは問いません。

また、この場合の帳簿の記載事項については、第２節「４帳簿のみの保存で仕入税額控除が認められる場合」（506頁）をご参照ください。

Q 9－17

クレジットカードにより決済されるタクシーチケットに係る回収特例の適用

当社は、クレジットカード会社が発行しているタクシーチケットを利用しています。このタクシーチケットは、タクシー事業者等が発行しているものとは異なり、クレジットカード利用明細書しか送られてきません。また、タクシーチケット自体取引先等に手交していることから、タクシーを利用した際に交付を受ける適格簡易請求書の保存をすることもできません。この場合、当社は仕入税額控除の適用を受けるためにどのように対応したらよいでしょうか。

A 回収特例を適用できます。

考え方

クレジットカード会社が発行しているタクシーチケットが使用された場合に仕入税額控除の適用を受けるためには、原則として、その使用に当たってタクシー事業者（当該タクシー事業者に係る事業者団体など、個々の契約等により当該タクシー利用に係る課税売上げを計上すべきこととされている者を含みます。以下同じです。）から受領した適格簡易請求書の保存が必要となります。

しかしながら、ご質問のようにタクシーチケットが取引先等に手交されることも多いことを踏まえれば、適格簡易請求書の保存が困難といった事情があると考えられます。そのため、受領したクレジットカード利用明細書や以下の資料に記載された内容等に基づき、利用されたタクシー事業者が適格請求書発行事業者であることが確認できる場合には、適格簡易請求書の記載事項（取引年月日を除きます。）が記載されている証票が使用の際に回収される取引（回収特例の対象）として、帳簿のみの保存により仕入税額控除の適用を受けることとして差し支えないものとされています（国税庁「消費税の仕入税額控除制度における適格請求書等保存方式に関するQ&A（令和6年4月改訂）」問108－2参照）。

・利用されたタクシー事業者のホームページ

・クレジットカード会社のホームページ等に掲載されている利用可能タクシー一覧

なお、適格請求書発行事業者以外のタクシー事業者の利用であったことが確認された場合でも、当該タクシー利用時に受領した領収書、未収書等や、別途当該タクシー事業者から発行を受けた書類など、区分記載請求書の記載事項を満たした書類及び一定の事項を記載した帳簿の保存があれば、仕入税額相当額の一定割合（80%、50%）を仕入税額とみなして控除できる経過措置の適用を受けることができます（28年改正法附則52、53）。

Q９－18

自動販売機特例又は回収特例における３万円未満の判定単位

帳簿の記載事項である「課税仕入れの相手方の住所又は所在地」の記載が不要となる、自動販売機や自動サービス機からの商品の購入等であるかどうか又は入場券等に係る回収特例が適用される取引かどうかの判定において、課税仕入れに係る支払対価の額が３万円未満かどうかは、どのような単位で判定するのですか。

A　１回の取引の税込価額で判定します。

考え方

売手について適格請求書の交付義務が免除されている３万円未満の自動販売機及び自動サービス機からの商品の購入等又は適格簡易請求書の記載事項（取引年月日を除きます。）が記載されている入場券等が使用の際に回収される課税仕入れ（３万円未満のものに限ります。）については、帳簿に課税仕入れの相手方の住所又は所在地の記載を要しないこととされています（消令49①、令和５年国税庁告示第26号）。

これらの取引に該当するかどうかは、１回の取引の税込価額が３万円未満かどうかで判定します。

例：①　自動販売機で飲料（１本150円）を20本（3,000円）購入する場合

⇒１回の商品購入金額（１本150円）で判定

②　○○施設の入場券（１枚2,000円）を４枚（8,000円）購入し使用する場合

⇒１回の使用金額（４枚8,000円）で判定

【帳簿の記載イメージ】

会議の際に提供する飲み物として、自動販売機で飲料（１本150円）を

20本（3,000円）購入した場合

総勘定元帳（会議費）				（株）〇〇
XX年		摘要	借方	貸方
月	日			
2	8	自販機　飲料※	3,000	
⋮	⋮	⋮	⋮	

※は軽減税率対象品目

従業員の福利厚生目的で〇〇施設の入場券（1枚2,000円）を4枚（8,000円）購入し使用した場合

総勘定元帳（福利厚生費）				（株）〇〇
XX年		摘要	借方	貸方
月	日			
2	8	〇〇施設入場券	8,000	
⋮	⋮	⋮	⋮	

出典：国税庁「消費税の仕入税額控除制度における適格請求書等保存方式に関するQ&A（令和6年4月改訂）」問110－2

Q 9 −19

一定規模以下の事業者に対する事務負担の軽減措置（少額特例）における１万円未満の判定単位

一定規模以下の事業者に対する事務負担の軽減措置（少額特例）については、１万円未満の課税仕入れが対象とのことですが、どのような単位で判定するのでしょうか。

A

一定規模以下の事業者が、令和５年10月１日から令和11年９月30日までの間に国内において行う課税仕入れについて、当該課税仕入れに係る支払対価の額（税込み）が１万円未満である場合には、一定の事項が記載された帳簿のみの保存により、当該課税仕入れについて仕入税額控除の適用を受けることができる経過措置が設けられています（少額特例）（28年改正法附則53の２、30年改正令附則24の２①）。

また、ここでいう「課税仕入れに係る支払対価の額が１万円未満」に該当するか否かについては、１回の取引の課税仕入れに係る金額（税込み）が１万円未満かどうかで判定するものであり、課税仕入れに係る一商品ごとの金額により判定するものではありません（消基通１−８−12）。この考え方は、公共交通機関特例における「３万円未満の公共交通機関による旅客の運送」等の判定に共通するものです。

なお、基本的には、取引ごとに納品書や請求書といった書類等の交付又は提供を受けることが一般的であるため、そのような書類等の単位で判定することになります。

㈱　月まとめ請求書のように複数の取引をまとめた単位により判定するものではありません。

例：①　5,000円の商品をXX月3日に購入、7,000円の商品をXX月10日に購入し、それぞれで請求・精算

⇒それぞれ1万円未満の取引となり、少額特例の対象

②　5,000円の商品と7,000円の商品（合計額12,000円）を同時に購入

⇒1万円以上の取引となり、少額特例の対象外

③　1回8,000円のクリーニングをXX月2日に1回、XX月15日に1回行い、それぞれで請求・精算

⇒それぞれ1万円未満の取引となり、少額特例の対象

④　月額100,000円の清掃業務（稼働日数：12日）

⇒1万円以上の取引となり、少額特例の対象外

出典：国税庁「消費税の仕入税額控除制度における適格請求書等保存方式に関するQ&A（令和6年4月改訂）」問112

Q 9 −20

診療所建設に係る消費税の控除時期（設計と建設工事が異なる事業年度の場合）

当医療法人は、現在インプラント治療を中心とする歯科診療所を建設中です。Ａ設計事務所に依頼した設計は今事業年度に完了し、その設計図に基づいた建物の工事がＢ建設により行われていますが、完成は来事業年度になると予定されています。この場合、設計業務と建物の建設に係る消費税額の控除はどの課税期間で行うことになるでしょうか。

A　設計業務に係る消費税額については今事業年度において仕入税額控除し、診療所建設に係る消費税額については建設工事が完了して建物の引渡しを受ける来事業年度で仕入税額控除することになります。

ただし、設計業務に係る課税仕入れの金額を含め、診療所建設のために支出した金額を建設仮勘定で経理している場合は、すべての課税仕入れについて当該診療所の完成した日の属する来事業年度の課税仕入れとして仕入税額控除することも認められます。

考え方

事業者が、建設工事等に係る目的物の完成前に行った当該建設工事等のための課税仕入れ等の金額について建設仮勘定として経理した場合であっても、当該課税仕入れ等については、それぞれの課税仕入れ等をした日の属する課税期間において消費税法30条《仕入れに係る消費税額の控除》の規定に基づいて、仕入税額控除を行うのが原則です（消基通11－3－6前段）。

しかし、建設仮勘定の中には、建設工事に係る単なる中間金の支払等もあり、建設仮勘定の中からその課税期間中の課税仕入れを抽出することは、実務上困難な場合もあります。このようなことから、当該建設仮勘定として経理した課税仕入れ等につき、当該目的物の完成した日の属する課税期間における課税仕入れ等としているときは、その取扱いが認められます（消基通11－3－6後段）から、本件の場合も、今課税期間において建設仮勘定において経理されている課税仕入れ等の全部について、来事業年度で仕入税額控除を行うこともできます。

㈲1　建設仮勘定で経理した課税仕入れでも、その建物の完成引渡しを受けた日の属する事業年度で仕入税額控除を受けられるのは、課税事業者である課税期間中に行ったものに限られます。

2　新築の診療所は、調整対象固定資産及び高額特定資産に該当すると考えられますから、消費税法9条7項、12条の4第1項、37条3項1号、3号、33条1項等の規定に該当する場合があることに留意する必要があります。

第9章 仕入税額控除

Q 9－21

不動産の譲渡の時期を譲渡契約の効力発生日とすることの可否

勤務医の甲は、医療法人Aを設立して診療所を開設することとしました。診療所の建物と設備は、その建物の敷地とともに、現在当該建物で診療所を開業している乙（免税事業者）から買い取ります。

医療法人Aは、診療所用建物と設備の課税仕入れに係る消費税額について、次のような手続等を取ることで、還付を受けようと考えていますが、可能でしょうか。

なお、医療法人Aではほとんどが非課税売上げと見込まれることから、適格請求書発行事業者の登録を受けることは予定していません。

① X1年11月1日、甲は医療法人A（12月31日決算）を設立する。

② X1年11月28日、Aは課税期間を1月とする「課税期間特例選択届出書」と「課税事業者選択届出書」を同時に所轄税務署に提出する。

③ X1年12月1日、Aと乙は、契約の効力発生日を同日とする診療所用建物と設備の譲渡契約を締結する。なお、乙はX1年11月30日に廃業するが、残務処理もあることから、所有権移転登記及び不動産の引渡しと売買代金全額の支払は同時履行とし、X2年1月中に行うこととする。Aは当該診療所での診療をX2年1月から開始する。

④ X1年12月中にAは金地金の売買を行い、X1年12月課税期間の課税売上割合を95%以上になるようにする。

⑤ X2年2月末、AはX1年12月課税期間分の申告において診療所用建物と設備の課税仕入れに係る消費税額について仕入税額控除を行い、控除不足税額について還付を受ける。

A　ご質問の場合、譲渡する固定資産が建物等であっても、所有権移転登記及び不動産の引渡しと売買代金全額の支払は同時履行とされており、売主において譲渡契約の効力発生日をもって譲渡に係る権利が確定したと認められる状況にはないことから、買主である医療法人Ａにおいても、契約の効力発生の日をもって「課税仕入れを行った日」とすることは認められないものと考えます。

考え方

消費税において、土地、建物の譲渡の時期はしばしば争点となりますが、その大きな理由は、資産の譲渡の時期と裏腹の関係にある課税仕入れの時期の特定が、金地金スキームなどの実行により、消費税法が想定していない非課税売上げに要する課税仕入れに係る消費税額を仕入税額控除の対象として消費税の還付を受ける場合には大きく影響し、課税仕入れを行った日の属する課税期間の課税売上割合が95％以上となるように金地金スキームなどを実行する上での前提となるからです。

令和２年度税制改正により、居住用賃貸建物に係る課税仕入れ等の税額について仕入税額控除が制限されることになり、賃貸用住宅の課税仕入れの時期を恣意的に操作する誘因は大きく減少したと考えられますが、居住用賃貸建物以外の建物を非課税となる資産の譲渡等が主体の事業に供する事業者が当該建物の課税仕入れに係る消費税額を非課税売上げが発生する前の課税期間で控除しようとする場合や、課税売上げと非課税売上げに共通して要する課税仕入れを土地の譲渡代金で賄おうする事業者がその課税仕入れに係る消費税額を非課税売上げが発生する課税期間以外の課税期間で控除しようとする場合においては、なお、課税仕入れの時期を恣意的に操作する誘因は存するように思われます。

1　固定資産の譲渡の時期と課税仕入れの時期

消費税においては、消費税法基本通達９－１－13は「固定資産の譲渡の時期は、別に定めるものを除き、その引渡しがあった日とする。ただし、その固定資産が土地、建物その他これらに類する資産である場合において、事業者が当該固定資産の譲渡に関する契約の効力発生の日を資産の譲渡の時期としているときは、これを認める。」としています。

㈱　消費税法基本通達９－１－13㈱では、「本文の取扱いによる場合において、固定資産の引渡しの日がいつであるかについては、９－１－２の例による。」としていますから、原則として、売主が代金の相当部分（おおむね50％以上）を収受するに至った日、又は所有権移転登記の申請（その登記の申請に必要な書類の相手方への交付を含む。）をした日のいずれか早い日にその引渡しがあったものとすることになります。

また、固定資産の課税仕入れの時期については、消費税法基本通達11－３－１により同通達９－１－13に準じて取り扱うこととされています。

したがって、事業の用に供する建物を取得する事業者においても、同通達９－１－13ただし書により、当該建物の課税仕入れの時期を当該建物の譲渡に関する契約の効力発生の日とすることも可能と考えられなくもありません。

2　消費税法基本通達９－１－13ただし書の適用対象

消費税法基本通達９－１－13ただし書が、譲渡する資産が土地、建物等である場合に、資産の譲渡に関する契約の効力発生の日を資産の譲渡の時期とすることを認めているとしても、このただし書については、権利確定主義に反する取扱いを認めるものではなく、契約においてその効力発生日を当該資産の譲渡の日と定めている場合に、当該契約の効力発生日をもって権利が確定したと認められる事情があるときは、その日を「課税仕入れを行った日」とすることも同号に反しない旨を確認する趣旨のものにすぎないから、権利の実現が未確定な場合についてまで、契約の効力発生の日をもって「課税仕入れを行った日」とすることを認めるものではないとの司法判断があることに留意する必要があります。

(注) 平成31年3月14日 東京地裁判決（税資第269号 順号13251（令和元年12月4日 東京高裁判決（税資第269号 順号13351)、令和2年10月15日 最高裁（一小）決定 棄却・不受理（税資第270号 順号13466)）参照。

前記地裁判決は、原告が、収益物件であるアパートの課税仕入れに係る消費税額の全部を控除すべく、当該アパートの課税仕入れの日を消費税法基本通達9－1－13ただし書により当該アパートの売買契約の締結日とし、締結日の属する課税期間についていわゆる金地金スキームを用いて課税売上割合を95%以上とした上で仕入税額控除（還付）を行った事案に関するものです。

判決は、収益物件の売買契約で、①売買代金全額の支払と所有権移転登記及び不動産の引渡しを同時履行とすること、②賃料等の収益等に関しては、引渡日以降は買主に帰属すること、③売主は、引渡しと同時に、賃貸借契約書、鍵一式等を引き渡すこと、④買主は所有権移転と同時に、賃貸借契約に関わる一切の地位を承継するものとすることなどが合意されていることを踏まえて、売買契約を原因とする所有権移転登記を了した日に売主は売主としての履行義務を果たしたということができるから、売買代金請求権について権利が確定した時点は同日であると認定し、同日を譲渡の時期としました。

3 質問の事例の場合

前記地裁判決が、消費税法基本通達9－1－13ただし書も権利確定主義に反する取扱いを認めるものではないとしたことからすれば、契約においてその効力発生日を資産の譲渡の日と定めている場合でも、権利の実現が未確定なときには、契約の効力発生の日をもって「課税仕入れを行った日」とすることは認められないことになりますが、効力発生日をもって権利が確定したと認められる事情があれば、その日を「課税仕入れを行った日」とすることは認められるものとも解されます。

ご質問の場合、譲渡契約の締結はＸ１年12月１日ですが、その後、売主乙は譲渡する診療所用建物で同月中に残務処理を行う予定であること、売買代金全額の支払は所有権移転登記及び不動産の引渡しと同時履行とし、その時期がＸ２年１月とされていることからすると、売主である乙において売買代金請求権について権利が確定する時点は、Ｘ２年１月になってからであると認められます。したがって、医療法人Ａが、Ｘ１年12月課税期間において本件診療所用の建物と設備の課税仕入れに係る消費税額の仕入税額控除を行うことは、認められないものと考えます。

4　Ｘ２年１月課税期間において仕入税額控除を行う場合

医療法人Ａが、Ｘ２年１月課税期間において金地金スキームを用いて課税売上割合を95％以上とした上で仕入税額控除（還付）を受けることは可能と考えます。

ただし、以下の点に留意する必要があります。

⑴　免税事業者からの課税仕入れであること

本件診療所用の建物と設備の課税仕入れの相手方である乙は、免税事業者（適格請求書発行事業者以外の者）ですから、仕入税額控除の対象となるのは、それらの課税仕入れに係る消費税額の80％（令和８年10月１日から令和11年９月30日までの間の課税仕入れの場合は50％、令和11年10月１日以後は０％）相当額ということになります（消法30①、28年改正法附則52①、53①）。

⑵　調整対象固定資産の取得による３年縛りの対象となること

Ｘ２年１月課税期間は、課税事業者選択制度の適用開始課税期間の初日から２年を経過する日までの間に開始した課税期間に当たりますから、Ｘ２年１月課税期間中の課税仕入れとなる本件診療所用の建物と設備が調整対象固定資産に該当するものであり、それらの課税仕入れに係る消費税額について一般（本則）課税により控除した場合には、Ｘ２年１月１日から３年を経過する日（Ｘ４年12月31日）の属する課税期間の初日（Ｘ４年12月１日）㈲以後でなければ「課税事業者選択不適用届出書」及び「簡易課税制度選択届出書」は提出できないことになる（Ｘ４年12月課税期間中にこれらの届出書を提出した場合、その効力が生ずるのはＸ５年１月１日になる）と考えます（いわゆる３年縛り（消法９⑦、37③一、消令５））。

㈲　事例の場合、Ｘ１年12月１日から２年を経過する日（Ｘ３年11月30日）の属する特例課税期間の初日（Ｘ３年11月１日）以後であれば、「課税期間特例選択不適用届出書」を提出できます（消法19⑤）から、例えばＸ３年11月１日に当該届出書を提出した場合は、Ｘ４年１月１日からは事業年度（Ｘ４年１月１日～Ｘ４年12月31日）が課税期間となり、「３年を経過する日の属する課税期間の初日」は、Ｘ４年１月１日となります。ただし、Ｘ４年課税期間中に「課税事業者選択不適用届出書」及び「簡易課税制度選択届出書」を提出しても、その効力が生ずるのはＸ５年１月１日になる点では、違いはありません。

⑶　令和６年度改正（高額な金地金等の取得による３年縛り）の対象となること

３年縛りの間は一般（本則）課税による申告をせざるを得ませんから、第三年度の課税期間における消費税法33条１項《課税売上割合が著しく変動した場合の調整対象固定資産に関する仕入れに係る消費税額の調整》の規定の適用を回避するため、令和６年４月１日以後、第三年度の課税期間まで金地金スキームを実行して金地金の課税仕入れと課税売上げを繰り返した場合において、各課税期間中の金地金の課税仕入れに係る支払対価の額（税抜き）の合計額が年換算で200万円以上となるとき（ご質問の場合は１月特例課税期間を選択していますから、200万円の12分の１以上で該当することになります。）には、高額な金地金等の仕入れ等として新たな３年縛りが掛かることになると考えます（消法12の４③、37③五、消令25の５④）。

㈱１　「第三年度の課税期間」とは、課税仕入れ等を行った課税期間の開始の日から３年を経過する日の属する課税期間をいいます（消法33②）。

２　「調整対象固定資産」とは、棚卸資産以外の建物、構築物、機械及び装置等の消費税法施行令５条各号に掲げる資産で、課税仕入れ等に係る支払対価の額（税抜き）が100万円以上のものをいいます（消法２①十六、消令５）。

Q 9－22

「軽減対象課税資産の譲渡等である旨」の帳簿への記載方法

適格請求書等保存方式における仕入税額控除のために保存が必要となる帳簿に「軽減対象課税資産の譲渡等である旨」を記載する場合、どのように記載すればよいでしょうか。

A　商品の一般的な総称によるまとめ記載や商品コード等の記号・番号等による表示でも差し支えありません。

考え方

適格請求書等保存方式における課税仕入れ等の税額の控除に係る帳簿の記載事項は、次のとおりです（消法30⑧）。

【帳簿の記載事項】

①　課税仕入れの相手方の氏名又は名称

②　課税仕入れを行った年月日

③　課税仕入れに係る資産又は役務の内容（軽減対象課税資産の譲渡等に係るものである場合にはその旨）

④　課税仕入れに係る支払対価の額

【帳簿の記載例】

総勘定元帳（仕入）					（税込経理）
取引日　XX年 月	日	適用		税区分	金額（借方） （円）
11	30	△△商事㈱	11月分　日用品	10％	88,000
11	30	△△商事㈱	11月分　食料品	8％	43,200
：②	：	①	：　③	…	④

【帳簿の記載の程度】

（消基通11－６－１、「適格請求書等保存方式（インボイス制度）の手引き（令和４年９月版）」）

①について

課税仕入れの相手方の氏名又は名称については、課税仕入れの相手方が特定できる場合、屋号や省略した名称などの記載でも、また、取引先コード等の記号・番号等による表示でも差し支えありません。

③について

課税仕入れに係る資産又は役務の内容の記載は、請求書等に記載されている取引内容をそのまま記載することまで求めているものではありません。上記のように商品の一般的総称でまとめて記載するなど、申告時に請求書等を個々に確認することなく、軽減税率の対象となるものか、それ以外のものであるかを明確にし、帳簿に基づいて、税率ごとに仕入税額控除を計算できる程度の記載で差し支えありません。

また、商品コード等の記号・番号等による表示でも差し支えありませんが、この場合も、課税資産の譲渡等であるかどうか（軽減対象課税資産の譲渡等に係るものであるときは、軽減対象課税資産の譲渡等に係るものであるかの判別を含みます。）が明らかとなるものである必要があります。

なお、軽減対象課税資産の譲渡等に係るものである旨については、上記のような税区分欄を設けずに、軽減税率対象品目に「※」や「☆」等の記号を記載し、その記号が軽減税率対象品目を示すことを欄外などに記載して明らかにする方法も可能です。

Q 9－23

免税事業者から行った課税仕入れについて「軽減対象課税資産の譲渡等である旨」等の記載のない請求書等の交付を受けた場合

免税事業者である課税仕入れの相手方から受け取った請求書等には、「軽減対象課税資産の譲渡等である旨」及び「税率ごとに合計した課税資産の譲渡等の対価の額」の記載がありませんでした。この場合、これらの事項が記載された請求書等の再交付を受けなければ、経過措置による仕入税額控除を行うことはできないのでしょうか。

A 「軽減対象課税資産の譲渡等である旨」及び「税率ごとに合計した課税資産の譲渡等の対価の額」が記載された請求書等の再交付を受けずとも、仕入税額控除を行うことは可能です。

考え方

1　免税事業者等からの課税仕入れに係る仕入税額控除の経過措置

インボイス制度の実施に伴い、令和５年（2023年）10月１日から令和11年（2029年）９月30日までの間に、適格請求書発行事業者以外の者（免税事業者、登録を受けていない課税事業者又は事業者でない者）から行った課税仕入れについては、インボイス制度前の計算方法で算出した課税仕入れに係る消費税額の80％（令和８年10月１日～令和11年９月30日の間は50％）相当額を仕入税額控除の対象とする経過措置が設けられています（28年改正法附則52①、53①）。

2　経過措置の適用要件

この経過措置の適用を受けるためには、インボイス制度前の区分記載請求書等の記載事項が記載された請求書等の書類又は電磁的記録を帳簿とともに保存する必要があります。この場合の帳簿には、通常の区分記載請求書等の記載事項に加えて、「28年改正法附則52条１項（又は53条１項）の規定の適用を受ける旨」を記載する必要があります（28年改正法附則52①、53①）。

また、課税仕入れの相手方から交付を受ける書類又は電磁的記録には、その取引が軽減対象課税資産の譲渡等である場合には、通常の記載事項のほかに、「資産の内容」について「軽減対象課税資産の譲渡等である旨」も記載するとともに、「課税資産の譲渡等の対価の額」については税率の異なるごとに区分して合計した金額を記載することとされています（28年改正法附則52②、53②）。

3　請求書等の追記

適格請求書発行事業者以外の者である課税仕入れの相手方から交付を受けた請求書等の書類に「軽減対象課税資産の譲渡等である旨」及び「税率の異なるごとに区分して合計した課税資産の譲渡等の対価の額」の記載がない場合は、その書類の交付を受けた事業者（課税仕入れを行った事業者）が、それらの事項について追記することが認められています（28年改正法附則52③、53③）。

ご質問の場合も、交付を受けた請求書等にこれらの事項を追記した上で保存している場合には、仕入税額控除が認められますから、あえてそれらの事項が記載された請求書等の再交付を受ける必要はありません。

第10章

簡易課税制度

仕入控除税額は、前章で説明したとおり、消費税法30条《仕入に係る消費税額の控除》を基に、同法31条から36条までの規定を適用して算出する（一般課税又は本則課税と呼ばれています。）ことになりますが、中小事業者に対しては事務負担に配慮した簡便な計算方式が設けられています。それが簡易課税制度と呼ばれるものです。本章ではこの簡易課税制度の仕組み、事業区分及び計算方法についてみていきます。

第１節　制度の仕組み

1　簡易課税制度の概要

簡易課税制度は、その課税期間に係る基準期間における課税売上高が５千万円以下の事業者が、選択によって適用できる計算方式であり、課税売上高を基に仕入控除税額を計算します（消法37①）。

なお、国、地方公共団体、社会福祉法人等の消費税法別表第三に掲げる法人及び人格のない社団等において、その課税期間における特定収入割合が５％を超える場合であっても、その課税期間の仕入控除税額の計算について簡易課税制度の適用を受けるときは、消費税法60条４項《特定収入に係る課税仕入れ等の税額の調整》の規定が適用されません（消法60④）。

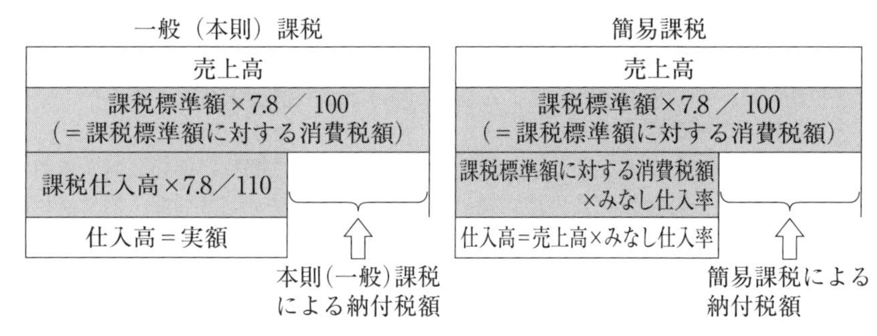

(注) 上記算式の割合は、標準税率が適用される取引の場合であり、軽減税率適用取引や旧税率適用取引の場合は、それぞれの税率により別途計算します。

2 簡易課税制度による仕入控除税額の計算

簡易課税制度の適用を受けた場合は、次の算式により計算した金額を仕入控除税額とみなして、その課税期間の課税標準額に対する消費税額から控除することができ、課税仕入れ等の税額を基礎として仕入控除税額の計算を行う必要がありません（消法37①）。

なお、令和元年（2019年）10月1日の属する課税期間以後の課税期間においては、課税標準額に対する消費税額の計算も、旧税率（3％、4％又は6.3％）、軽減税率（6.24％）及び標準税率（7.8％）の税率の異なるごとに行うこととされており（消法45①、28年改正法附則34②）、簡易課税制度による仕入控除税額の計算についても、税率の異なるごとに行うことになります。このため、簡易課税制度を適用する事業者においては、事業区分ごとの課税資産の譲渡等について、税率の異なるごとに区分しておく必要があります。

（算式）

仕入控除税額 ＝ 課税資産の譲渡等に係る課税標準額に対する消費税額 × みなし仕入率

（消法37①一の金額）

㊟1　売上税額の計算につき適格請求書等積上げ方式を適用する適格請求書発行事業者が簡易課税制度を適用する事業者である場合の「課税標準額に対する消費税額」は、その積上げ計算による金額となります（消法45⑤）。

適格請求書等積上げ方式については、第8章第3節3を参照。

2　消費税法37条1項2号では、特定課税仕入れに係る課税標準額に対する消費税額を加算した金額が仕入控除税額とされていますが、当分の間、簡易課税制度適用事業者が行った特定課税仕入れはなかったものとされますから、税額計算にも反映されないことになります（27年改正法附則44②）。

3　売上対価の返還等をした場合には、「課税標準額に対する消費税額」から、売上対価の返還等に係る消費税額の合計額を控除します。

4　貸倒回収額がある場合には、「課税標準額に対する消費税額」に貸倒回収額に係る消費税額を加算します。

5　「課税標準額に対する消費税額」は、課税標準である金額の合計額について千円未満の端数を切り捨てた上で、その切り捨てた後の金額に税率を乗じて計算した金額です。

6　具体的な計算方法は、第3節参照。

3　簡易課税制度の適用要件等

簡易課税制度は、次の要件のすべてを充足している場合に適用できます（消法37①）。

①　消費税法9条1項の規定により消費税を納める義務が免除される事業者でないこと。

基準期間における課税売上高や特定期間における課税売上高が1,000万円超である事業者や、消費税法10条から12条の4までの規定により納税義務が免除されないこととなる事業者のほか、適格請求書発行事業者の登録を受けている事業者は、この要件を充足することになります。

②　恒久的施設を有しない国外事業者でないこと。

国内事業者及び恒久的施設を有する国外事業者は、この要件を充足することになります。

㊟　②の要件は、令和6年10月1日以後に開始する課税期間から適用されます

（令和６年改正法附則13⑩）。

③　適用しようとする課税期間の基準期間における課税売上高が5,000万円以下であること。

㈴　分割等に係る課税期間については、適用できません（消法37①かっこ書、消令55）。

④　「消費税簡易課税制度選択届出書」（以下、「簡易課税制度選択届出書」といいます。）を、原則として、適用を受けようとする課税期間開始の日の前日までに所轄税務署長に提出していること。

㈴１　届出書の様式は、様式通達24号様式とインボイス様式通達第９号様式がありますが、インボイス制度の実施に伴う経過措置により簡易課税制度の適用を受けようとする場合はインボイス様式通達第９号様式によることになります。

２　調整対象固定資産等を取得した場合には、「簡易課税制度選択届出書」の提出が制限されることがあります（616頁参照）。

4　簡易課税制度選択届出書の提出に関する特例

⑴　新たに事業を開始した場合等の特例

次の場合には、３－④にかかわらず、簡易課税制度選択届出書を提出した日の属する課税期間から適用されます（消法37①カッコ書、消令56①）。

①　事業者が国内において課税資産の譲渡等に係る事業を開始した日の属する課税期間

新設された法人（合併及び新設分割により設立された法人を含みます。）の設立の日を含む課税期間や事業を営んでいなかった個人が事業を開始した日の属する課税期間が該当します。

②　個人事業者が相続により簡易課税制度の適用を受けていた被相続人の事業を承継した場合におけるその相続のあった日の属する課税期間（消費税法10条１項の規定により課税事業者となる課税期間に限られま

す。）

③　法人が吸収合併により簡易課税制度の適用を受けていた被合併法人の事業を承継した場合におけるその合併があった日の属する課税期間（消費税法11条１項の規定により課税事業者となる課税期間に限られます。）

④　法人が吸収分割により簡易課税制度の適用を受けていた分割法人の事業を承継した場合におけるその吸収分割があった日の属する課税期間（消費税法12条５項の規定により課税事業者となる課税期間に限られます。）

なお、簡易課税制度選択届出書を提出した日の属する課税期間が上記①～④の課税期間に該当する場合には、当該届出書の効力発生時期をその課税期間からとするか、又は翌課税期間からとするかを選択することができます（消基通13－１－５）。そのため、上記①～④に該当する事業者は、当該届出書において適用開始課税期間の初日の年月日を明確にしなければなりません（消基通13－１－５（注））。

⑵　インボイス制度の実施に伴う特例

①　免税事業者に係る登録の経過措置の適用を受けた場合の簡易課税制度の適用

免税事業者が令和５年10月１日から令和11年９月30日までの日の属する課税期間中に適格請求書発行事業者の登録を受ける場合には、登録開始日から適格請求書発行事業者となるとする経過措置が設けられています（28年改正法附則44④）。

この経過措置の適用を受ける事業者が、登録開始日の属する課税期間中にその課税期間から簡易課税制度の適用を受ける旨を記載した簡易課税制度選択届出書を、所轄税務署長に提出した場合には、その課税期間の初日の前日に当該届出書を提出したものとみなされます（30年改正令附則18）。

②　2割特例の適用者が簡易課税制度の適用を受けようとする場合

適格請求書発行事業者の令和5年10月1日から令和11年9月30日までの日の属する各課税期間において、免税事業者が適格請求書発行事業者となったこと又は適格請求書発行事業者となるために「消費税課税事業者選択届出書」を提出したことにより事業者免税点制度の適用を受けられないこととなる場合には、その課税期間における課税標準額に対する消費税額から控除する金額は、当該課税標準額に対する消費税額から売上げに係る対価の返還等の金額に係る消費税額の合計額を控除した残額に8割を乗じた額とすることとされています（2割特例）（28年改正法附則51の2①～⑤）。

この2割特例の適用を受けた適格請求書発行事業者が、2割特例の適用を受けた課税期間の翌課税期間中に、簡易課税制度選択届出書を所轄税務署長に提出したときは、その提出した日の属する課税期間から簡易課税制度が適用されます（28年改正法附則51の2⑥）。

㈲　2割特例については、第8章を参照。

(3)　その他の特例

①　届出特例

簡易課税制度を選択しようとする事業者が、災害等のやむを得ない事情があるため、その適用を受けようとする課税期間の開始前（適用を受けようとする課税期間が事業を開始した課税期間等である場合には、その課税期間中）に簡易課税制度選択届出書を提出できなかった場合において、所轄税務署長の承認を受けたときは、当該適用を受けようとする課税期間の開始の日の前日（適用を受けようとする課税期間が事業を開始した課税期間等である場合には、その課税期間の末日）に届出書を提出したものとみなされます（消法37⑧、消令57の2①）。

㈲ 「やむを得ない事情」については消基通1－4－16を準用（消基通13－1－5の2）。

この承認を受けようとする事業者は、その適用を受けようとする課税期間の初日の年月日、課税期間開始前（又はその課税期間中）に提出できなかった事情等を記載した「消費税簡易課税制度選択（不適用）届出に係る特例承認申請書（様式通達第34号様式）」を、その事情がやんだ後相当の期間内（2月以内）に所轄税務署長に提出することとされています（消令57の2③、消規17④一、消基通13－1－5の2）。

② 災害届出特例

災害その他やむを得ない理由が生じたことにより被害を受けた事業者が、その被害を受けたことにより、その災害その他やむを得ない理由の生じた日の属する課税期間につき、簡易課税制度の適用を受けることが必要となった場合において、所轄税務署長の承認を受けたときには、簡易課税制度選択届出書をその適用を受けようとする課税期間の初日の前日に提出したものとみなされます（消法37の2①、消基通13－1－7）。

この承認を受けようとする事業者は、簡易課税制度の適用を受けることが必要になった事情等を記載した「災害等による消費税簡易課税制度選択（不適用）届出に係る特例承認申請書（様式通達第35号様式）」を、災害その他やむを得ない事情がやんだ日から2月以内に所轄税務署長に提出する必要があります（消法37の2②、消規17の2、消基通13－1－8）。

③ 特定非常災害特例

特定非常災害の被災者である事業者（被災事業者）が、被災日を含む課税期間以後の課税期間について簡易課税制度を選択しようとする場合には、指定日までに所轄税務署長に簡易課税制度選択届出書を提出することにより、その適用を受けることができます（措法86の5⑩）。

この場合、消費税法９条７項や12条の４第１項の規定に該当することとなり、簡易課税制度選択届出書の提出が制限される場合であっても、当該届出書を提出することができます（措法86の５②、⑦～⑨）。

㈲　簡易課税制度の適用を受けることをやめようとする場合にも、①～③と同様の特例措置が設けられています。

5　簡易課税制度選択届出書の効力

簡易課税制度選択届出書は、その適用をやめる旨の届出書（消費税簡易課税制度選択不適用届出書（様式通達第25号様式）（以下、「簡易課税制度選択不適用届出書」といいます。）又は事業を廃止した旨の届出書（事業廃止届出書（様式通達第６号様式）ほか）を提出しない限り、その効力が存続します（消法37⑦）。

したがって、簡易課税制度選択届出書を提出した後に、基準期間における課税売上高が５千万円を超えることにより適用することができなくなった場合や基準期間における課税売上高が１千万円以下となり免税事業者となった場合であっても、その後の課税期間において基準期間における課税売上高が１千万円を超え５千万円以下となったときには、再び簡易課税制度が適用されます（消基通13－１－３）。

㈲　適格請求書発行事業者は基準期間における課税売上高が１千万円以下でも免税事業者となりません（消法９①）から、基準期間における課税売上高が５千万円以下であれば簡易課税制度が適用されます。

［留意事項］

①　簡易課税制度の適用をやめようとする場合に提出する簡易課税制度選択不適用届出書は、事業を廃止した場合を除き、その適用を開始した課税期間の初日から２年を経過する日の属する課税期間の初日以後でなければ、提出することができません（消法37⑥）。この規定により、

簡易課税制度の選択は、少なくとも2年間は継続しなければならないことになります。

② 相続により被相続人の事業を承継した相続人には、被相続人が提出した簡易課税制度選択届出書の効力は及びません。また、合併又は分割等により被合併法人又は分割法人の事業を承継した合併法人又は分割承継法人には、被合併法人又は分割法人が提出した簡易課税制度選択届出書の効力は及びません。

したがって、これらの場合に、相続人、合併法人又は分割承継法人が簡易課税制度を選択しようとする場合には、新たに簡易課税制選択届出書を提出する必要があります（消基通13－1－3の2(1)、13－1－3の3(1)、13－1－3の4(1)）。

6 簡易課税制度選択届出書の提出制限

課税事業者を選択した事業者がその選択制度の適用が強制される期間中に調整対象固定資産の仕入れ等を行い、一般課税により申告した場合には、課税事業者選択制度の取りやめが3年間制限され（消法9⑦）、資本金1千万円以上の新設法人等が調整対象固定資産の仕入れ等を行い一般課税で申告した場合にも、事業者免税点制度が3年間不適用とされます（消法12の2②、12の3③）。また、一定の要件の下で高額特定資産の仕入れ等を行った場合にも、同様の特例（消法12の4①～③）が設けられています。

これらの特例により事業者免税点制度の適用が制限される場合には、調整対象固定資産や高額特定資産の仕入れ等の課税期間の初日以後3年を経過する日の属する課税期間の初日の前日までの期間については、簡易課税制度の適用を受けるために新たに簡易課税制度選択届出書を提出することも制限されます（消法37③）。

(注) 金地金等の課税仕入れ等を行った場合における簡易課税制度選択届出書の提出制限規定については、令和６年４月１日以後に事業者が行う金地金等の課税仕入れ及び金地金等に該当する課税貨物の保税地域からの引取りにより消費税法12条の４第３項の規定に該当するときに適用されます（令和６年改正法附則13④）。

（高額特定資産の仕入れ等を行った場合）

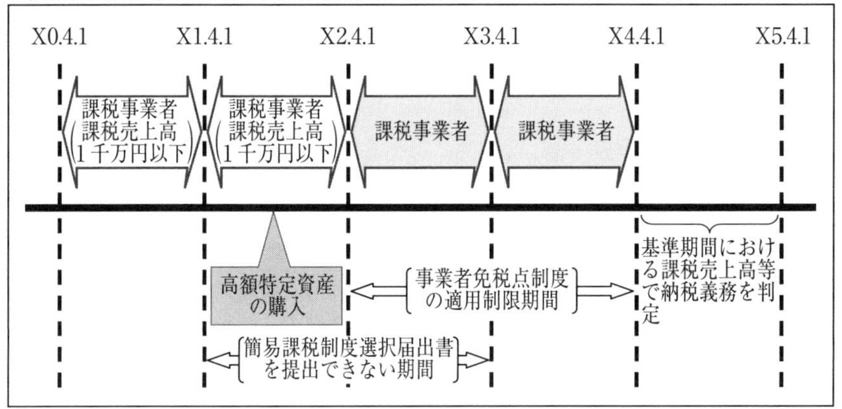

※　Ｘ３年３月期及びＸ４年３月期は、Ｘ２年３月期の高額特定資産の購入がなければ、基準期間であるＸ１年３月期及びＸ２年３月期の課税売上高が１千万円以下ですから、免税事業者となるところですが、高額特定資産を購入し、一般課税で申告したことにより、課税事業者となります（消令12の４①）。

また、簡易課税制度選択届出書については、Ｘ１年４月１日からＸ３年３月31日まで提出が制限されますから、Ｘ３年４月１日に提出した場合でも、簡易課税制度を適用できるのはＸ５年３月期（Ｘ4.4.1～Ｘ5.3.31）からとなります（消法37③三）。

7　みなし仕入率

みなし仕入率は、事業区分により次のとおり定められています（消法37①、消令57①、⑤、⑥）。

したがって、二以上の種類の事業を営む事業者においては、営む事業の課税売上げを第一種事業から第六種事業に区分し、事業区分ごと、税率の異なるごとの課税売上高に係る消費税額にみなし仕入率を適用することとなります。

なお、軽減税率制度の実施に伴い、令和元年（2019年）10月１日以後、農業、林業及び漁業のうち飲食料品の譲渡を行う部分については、第二種事業に区分されています。

事業区分	みなし仕入率	該当する事業
第一種事業（卸売業）	90％	卸売業（他の者から購入した商品をその性質及び形状を変更しないで、他の事業者に販売する事業）
第二種事業（小売業）	80％	小売業（他の者から購入した商品をその性質及び形状を変更しないで販売する事業で、卸売業以外のもの＝消費者に販売する事業） 農業、林業及び漁業のうち飲食料品の譲渡を行う部分(注)
第三種事業（製造業等）	70％	農業、林業、漁業、鉱業、建設業、製造業（製造小売業を含みます。）、電気業、ガス業、熱供給業及び水道業（第一種事業又は第二種事業に該当するもの及び加工賃その他これに類する料金を対価とする役務の提供を行う事業を除きます。）
第四種事業（その他の事業）	60％	第一種事業、第二種事業、第三種事業、第五種事業及び第六種事業以外の事業 　例えば、飲食店業等が該当し、そのほか事業者が自己で使用していた固定資産を譲渡する事業も該当します。
第五種事業（サービス業等）	50％	運輸通信業、金融業・保険業、サービス業（飲食店業に該当する事業を除きます。）のうち、第一種事業から第三種事業までに該当する事業以外のもの。
第六種事業（不動産業）	40％	不動産業のうち第一種事業、第二種事業、第三種事業及び第五種事業に該当する事業以外のもの。

第２節　事業区分

1　第三種事業から第六種事業の判定

各事業区分に該当する事業の意義、内容については、消費税法施行令57条５項及び６項が第一種事業の卸売業及び第二種事業の小売業に関して具体的に定義しているものの、第三種事業については、業種名を列挙した上で、「第一種事業及び第二種事業に該当するもの並びに加工賃その他これに類する料金を対価とする役務の提供を行う事業を除く。」と規定するだけです。

また、第五種事業及び第六種事業についても同様で、わずかに第五種事業のサービスについて、「飲食店業に該当するものを除く。」と規定するだけです。

このため、第三種事業、第五種事業及び第六種事業と、結果的にこれらの事業に該当しない業種の受け皿である第四種事業については、消費税法基本通達において具体的な取扱いを定めることで、実務的な対応が図られています（消基通13－２－４～９）。

⑴　第三種、第五種、第六種事業について

これらの事業区分に属することとされる業種については、おおむね日本標準産業分類（総務省　令和５年７月告示）の大分類を基礎として判定することとされています（消基通13－２－４）。

その上で、第五種事業には日本標準産業分類の大分類に掲げる次の事業が該当するとして列挙されています。

①　大分類Ｇ－情報通信業

②　大分類Ｈ－運輸業、郵便業

③　大分類Ｊ－金融業、保険業

④　大分類Ｋ－不動産業、物品賃貸業（第六種事業である不動産業に該当するものを除きます。）

⑤　大分類Ｌ－学術研究、専門・技術サービス業

⑥　大分類Ｍ－宿泊業、飲食サービス業（第四種事業である飲食サービス業に該当するものを除きます。）

⑦　大分類Ｎ－生活関連サービス業、娯楽業

⑧　大分類Ｏ－教育、学習支援業

⑨　大分類Ｐ－医療、福祉

⑩　大分類Ｑ－複合サービス事業

⑪　大分類Ｒ－サービス業（他に分類されないもの）

また、第六種事業である不動産業については、日本標準産業分類の大分類Ｋ－不動産業、物品賃貸業のうち、不動産業に該当するものをいうこととされています。

【事業区分判定フローチャート】

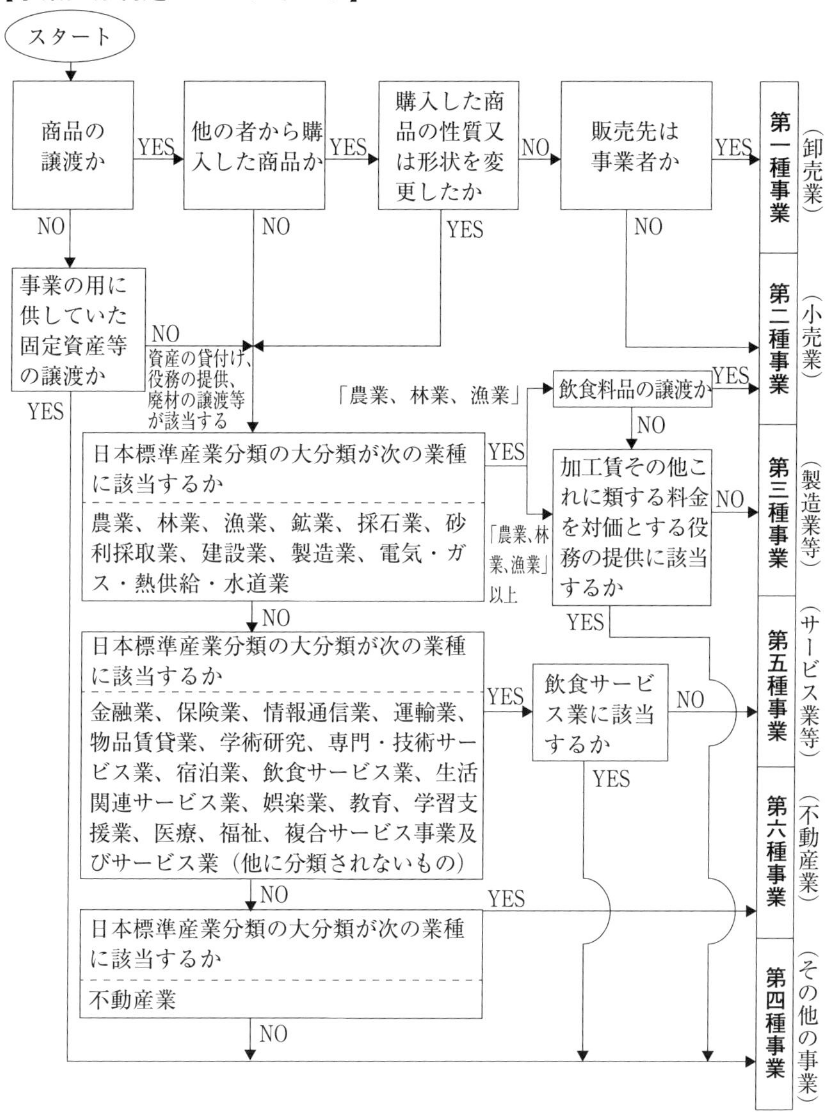

㈟1　固定資産等とは、建物、建物附属設備、構築物、機械及び装置、船舶、航空機、車両及び運搬具、工具、器具及び備品、無形固定資産のほかゴルフ場利用株式等をいいます。

2　令和元年10月１日以後、農業、林業又は漁業のうち、飲食料品の譲渡を行う部分は第二種事業とされています。

3　飲食サービス業のうち、持ち帰り・配達飲食サービス業に該当するものについては、その業態等により第二種事業又は第三種事業に該当するものがあります。

4　日本標準産業分類においては「不動産業」と「物品賃貸業」は同一の大分類－Kに属していますが、このフローチャートでは便宜上分けています。

（フローチャート使用に当たっての留意事項）

1　このフローチャートは、事業区分の判定に当たっての目安です。

2　事業区分は原則として課税資産の譲渡等ごと、すなわち取引単位ごとに判定し、それぞれ第一種事業から第六種事業のいずれかに区分することとなります。

㈲　個々の判定は社会通念上の取引単位を基に行いますが、資産の譲渡と役務の提供とが混合した取引で、それぞれの対価の額が区分されている場合には、区分されたところにより個々の事業の種類を判定することとなります。

⑵　大分類Ｐ－医療、福祉に該当するもの

簡易課税制度の事業区分が第五種事業となる日本標準産業分類の大分類Ｐ－医療、福祉に属する事業所は、概ね次表（624頁）のとおりです。

なお、当該大分類の総説では、次のように説明しています。

日本標準産業分類・大分類Ｐ－医療、福祉の総説

この大分類には、医療、保健衛生、社会保険、社会福祉及び介護に関するサービスを提供する事業所が分類される。

医療業とは、医師又は歯科医師等が患者に対して医業又は医業類似行為を行う事業所及びこれに直接関連するサービスを提供する事業所をいう。

保健衛生とは、保健所、健康相談施設、検疫所（動物検疫所、植物検疫所を除く）など保健衛生に関するサービスを提供する事業所をいう。

社会保険、社会福祉、介護事業とは、公的年金、公的医療保険、

公的介護保険、労働災害補償などの社会保険事業を行う事業所及び児童、老人、障害者などに対して社会福祉、介護等に関するサービスを提供する事業所をいう。

医療福祉と他産業との関係

(1) 卸売業、小売業との関係

主として医師又は歯科医師が発行する処方せんに基づいて、医薬品を調剤する事業所は大分類Ｉ－卸売業、小売業〔6032〕に分類される。

(2) 金融業、保険業との関係

社会保険以外の保険業を行う事業所、保険会社及び保険契約者に対して保険サービスを提供する事業所は大分類Ｊ－金融業、保険業〔67〕に分類される。

（編注） (1)について……医師等が行った医療行為が社会保険医療として非課税となる場合は、その医師等の処方せんに基づいて調剤薬局が行う医薬品の調剤も非課税となります。

(2)について……金融業、保険業として第五種事業に該当します。

〔大分類Ｐ－医療、福祉に属する事業所〕

中分類	小分類	該当する事業所	他の大分類となる事業所
医療業〔83〕	病院〔831〕	病院、特定機能病院、地域医療支援病院、療養病床を有する病院	
	一般診療所〔832〕	医院、診療所、療養病床を有する診療所	
	歯科診療所〔833〕	歯科医院、歯科診療所	
	助産・看護業〔834〕	助産所、助産師業、看護業、訪問看護ステーション	
	施術業〔835〕	あん摩マッサージ指圧業、はり業、きゅう業、柔道整復業、太陽光線療法業、温泉療法業、催眠療法業、視力回復センター、カイロプラクティック療法業、ボディケア・ハンドケア・フットケア・ヘッドセラピー・タラソテラピー（医療類似行為のもの）、リフレクソロジー	
	医療に附帯するサービス業〔836〕	歯科技工業、歯科技工所、アイバンク、腎バンク、骨髄バンク、衛生検査所、滅菌業（医療用器材）、臨床検査業	歯科材料製造業（歯科医の指示によらないもの）〔2744〕 血液製剤製造業〔1653〕

中分類	小分類	該当する事業所	他の大分類となる事業所
保健衛生〔84〕	保健所〔841〕	保健所	家畜保健衛生所〔9599〕
	健康相談施設〔842〕	結核予防会総合健診推進センター、結核集団検診業、精神保健福祉センター、精神健康相談所、母子健康包括支援センター、市町村保健センター、農村健診センター、健康科学センター	
	その他の保健衛生〔849〕	検疫所、検疫所支所、検疫所出張所 寄生虫卵検査業、水質検査業、食肉衛生検査所 犬管理所、犬管理事務所	動物検疫所〔9731〕 植物検疫所〔9731〕 衛生研究所（試験所）〔7114〕
社会保険・社会福祉・介護事業〔85〕	社会保険事業団体〔851〕	健康保険組合、健康保険組合連合会、国家（地方）公務員共済組合、社会保険診療報酬支払基金、国民健康保険団体連合会、国民健康保険中央会、国民年金基金、厚生年金基金、企業年金基金、地方公務員災害補償基金、石炭鉱業年金基金、農業者年金基金、年金事務所、年金積立金管理運用	
	福祉事務所〔852〕	社会福祉事務所	
	児童福祉業〔853〕	保育所、託児所、保育所型認定こども園、地方裁量型認定こども園、小規模保育事業所、事業所内保育事業所、児童相談所、乳児院、母子生活支援施設、児童厚生施設（児童館）、児童養護施設、障害児入所施設、児童発達支援センター、児童心理治療施設、児童家庭支援センター、母子・父子福祉センター、母子・父子休養ホーム、家庭的保育事業所、居宅訪問型保育事業所、ベビーシッター	幼稚園〔8111〕、幼稚園型認定こども園〔8111〕、幼保連携型認定こども園〔8191〕

中分類	小分類	該当する事業所	他の大分類となる事業所
社会保険・社会福祉・介護事業〔85〕	老人福祉・介護事業〔854〕	特別養護老人ホーム、介護老人福祉施設、介護老人保健施設、介護医療院、老人デイサービスセンター、老人短期入所施設、小規模多機能型居宅介護事業所、訪問介護事業所、訪問入浴介護事業所、夜間対応型訪問介護事業所、認知症老人グループホーム、有料老人ホーム、養護老人ホーム、軽費老人ホーム（ケアハウスを含む）、老人福祉センター、高齢者生活福祉センター、老人憩の家、老人介護支援センター、地域包括支援センター、居宅介護支援事業所	
	障害者福祉事業〔855〕	障害者支援施設、グループホーム（障害者福祉事業のもの）、福祉ホーム（障害者福祉事業のもの）、国立重度知的障害者総合施設のぞみの園、生活介護事業所（障害者福祉事業のもの）、自立訓練事業所、地域活動支援センター	
	その他の社会保険・社会福祉・介護事業〔859〕	更生保護施設、更生保護協会 社会福祉協議会、共同募金会、善意銀行、授産施設、宿所提供施設、医薬品医療機器総合機構、婦人相談所、婦人保護施設	保護観察所〔9731〕

（編注）　事業所の名称は、日本標準産業分類の改定された令和５年（2023年）７月時点のものです。

2　医療、介護、福祉分野における課税売上げの事業区分（主なもの）

区分	内容
第二種事業	売店での物品販売
	実費負担による嗜好品等の提供
	メーカー、問屋から仕入れた福祉用具の販売（身体障害者用物品の譲渡として非課税となるものを除きます。）
	健康食品、特定保健用食品の販売
	社会保険診療に該当しない医薬品の販売
	バザーでの販売（注１）
	農林漁業に該当する生産活動で生産された飲食料品の販売（注２）
第三種事業	農林漁業、製造業に該当する生産活動で生産された物品の販売（注２）
	上記生産活動から生じた副産物、作業屑の売却
第四種事業	入院時食事療養に係る入院給食のうち保険算定額超過分（特別食料金）
	介護老人保健施設での入所者の選定による特別な食事の提供
	食堂での職員、来訪者への食事の提供
	固定資産（中古医療機器等）の売却
	生産活動として行う農林漁業作業の受託
第五種事業	美容整形、予防接種、人工妊娠中絶、健康診断、人間ドック、診断書等文書の作成、生命保険の健康審査、歯科自由診療
	差額ベッド代等選定療養に係る保険算定額を超える部分（特別食料金を除きます。）
	老人保健法に基づく健康相談等
	福祉用具の貸与（身体障害者用物品の貸付けとして非課税となるものを除きます。）
	介護予防支援業務委託料
	要介護認定に係る主治医意見書収入、要介護認定調査委託収入
	居宅系の介護サービスにおける通常の事業の実施地域以外への送迎費用、交通費収入
	医療法人が勤務医を産業医等として派遣した報酬
第六種事業	駐車場賃貸、駐輪場賃貸

㈲１　第二種事業となるのは他の者から購入した商品をその性質及び形状を変更し

ないで販売する場合であり、事業者が製造して販売する場合は第三種事業、寄贈された物品を販売する場合は第四種事業となります。

2　令和元年（2019年）10月1日以後、農林漁業に該当する生産活動で生産された物品が飲食料品に該当する場合のその販売は第二種事業に、飲食料品以外に該当する場合のその販売は第三種事業に区分されます。

第３節　仕入控除税額の計算方法

1　二以上の事業を行っている場合のみなし仕入率の適用

(1)　原則

それぞれの事業区分ごとの課税売上高に係る消費税額に、それぞれの事業区分ごとのみなし仕入率（第１節７の表の率）を乗じたものの加重平均値となります（消令57②）。

(2)　特例

①　一事業に係る課税売上高が75％以上の場合

二以上の事業を営む事業者で、特定の一事業のその課税期間中の課税売上高が総課税売上高の75％以上を占める事業者については、その75％以上を占める事業のみなし仕入率をその事業者の課税標準額に対する消費税額に対して適用することができます（消令57③一）。

②　二事業に係る課税売上高が75％以上の場合

三以上の事業を営む事業者で、特定の二事業のその課税期間中の課税売上高の合計額が総課税売上高の75％以上を占める事業者については、特定の二事業のうちのみなし仕入率の高い事業に係る消費税額については、その事業に適用されるみなし仕入率をそのまま適用し、それ以外の事業に係る消費税額については、特定の二事業のうち低い方のみなし仕入率を適用することができます（消令57③二）。

なお、上記の各場合における「課税売上高」とは、課税資産の譲渡等の対価の額の合計額からその課税期間中に行った課税売上げに係る対価の返還等の金額の合計額を控除した残額をいい、課税資産の譲渡等には、消費税法７条１項《輸出免税等》、８条１項《輸出物品販売場における輸出物品の譲渡に係る免税》その他の法律又は条約の規定により消費税が免除されるものは除かれます。

また、75％以上を占めるかどうかは、税率の異なるごとに判定するのではなく、その課税期間における同一事業区分の税率の異なる課税売上高を合計した金額に基づいて判定します。

㈡ ①又は②の特例の適用については、原則による場合（(1)参照）を含めて比較し、いずれかを任意に選択することになります（消基通13－４－１、13－４－２）。

(3) 事業者が事業ごとに課税売上高を区分していない場合

二以上の事業を営む事業者が、事業の種類ごとの区分をしていない課税売上高がある場合には、営む事業のみなし仕入率のうち最も低いみなし仕入率を、区分していない課税売上高に係る消費税額に適用して計算します（消令57④）。

2　二以上の事業を行っている場合の計算例

1－(1)の原則の場合

（設例）	課税売上高（税抜き）	課税売上高に係る消費税額（7.8％）
日用生活品の小売（第二種事業）	500万円	390,000円
自由診療（第五種事業）	2,000万円	1,560,000円
計	2,500万円	1,950,000円

（計算方法）

$$\text{みなし仕入率} = \frac{390{,}000\text{円} \times 80\% + 1{,}560{,}000\text{円} \times 50\%}{390{,}000\text{円} + 1{,}560{,}000\text{円}} = \frac{1{,}092{,}000\text{円}}{1{,}950{,}000\text{円}} \quad (=56\%)$$

1－(2)－①（特例計算）（一事業に係る課税売上高が75％以上を占める場合）

（設例）　1－(1)の原則の場合と同じ

(1) 特例計算の適否

特定の事業の課税売上高がその課税期間中の総課税売上高の75％以上を占めているかどうかの判定のために、事業区分ごとの課税売上高の割合を計算します。

$$第五種事業の課税売上高の割合 = \frac{2{,}000万円}{2{,}500万円} = 80\% \geqq 75\%$$

本設例の場合は、第五種事業の課税売上高が総課税売上高の75％以上を占めることから、課税売上高に係る消費税額全体について、第五種事業に係るみなし仕入率50％を適用することができます。

(2) 原則計算と特例計算の選択

原則計算と特例計算のみなし仕入率を比較し、いずれかを選択します。

本設例の場合、特例計算のみなし仕入率（50％）は、1－(1)の原則計算のみなし仕入率（56％）よりも低いので原則計算のみなし仕入率56％を適用する方が仕入控除税額は多くなります。

仕入控除税額 ＝ 1,950,000円(注) × 56％ ＝ 1,092,000円

(注) 課税売上げに係る対価の返還等を行っている場合は、課税売上高に係る消費税額は当該売上対価の返還等に係る消費税額を控除した金額となりますから、各種事業の課税売上高に係る消費税額の合計額と課税標準額に対する消費税額は一致しません。

1－(2)－②（特例計算）（二事業に係る課税売上高が75％以上を占める場合）

（設例）	課税売上高（税抜き）	課税売上高に係る消費税額（7.8％）
日用生活品の小売（第二種事業）	500万円	390,000円
職員食堂売上（第四種事業）	300万円	234,000円
自由診療（第五種事業）	2,000万円	1,560,000円
	2,800万円	2,184,000円

⑴　特例計算の適否

最も課税売上高の多い第五種事業でも総課税売上高の75％以上となっていません$\left(\frac{2{,}000万円}{2{,}800万円} \fallingdotseq 71.4\%\right)$から、１－⑵－①の特例は適用できません。そこで１－⑵－②の特例適用について検討します。

特定の二事業の課税売上高の合計額がその課税期間中の総課税売上高の75％以上を占めているかどうかの判定のために、課税売上高の割合を計算します。

Ａ：第二種事業と第四種事業の課税売上高の割合

$$= \frac{800万円}{2{,}800万円} \fallingdotseq 28.5\% \leqq 75\%$$

本設例の場合、第二種事業の課税売上高と第四種事業の課税売上高の合計額は、総課税売上高の75％以上となっていませんから、この組合せにより本特例を適用することはできません。

本設例では、Ｂ：第二種事業と第五種事業の組合せ（89.2％）及び、Ｃ：第四種事業と第五種事業の組合せ（82.1％）の場合は、いずれも総課税売上高の75％以上ですから、この特例を適用できます。

⑵　原則計算と特例計算の選択

本設例の場合、上記Ｂの場合は、第四種事業に第五種事業のみなし仕入率を適用することになり、また、Ｃの場合は、第二種事業に第五種事業のみなし仕入率を適用することになりますから、結局、原則計算によることが最も有利になります。

$$みなし仕入率 = \frac{390{,}000円 \times 80\% + 234{,}000円 \times 60\% + 1{,}560{,}000円 \times 50\%}{390{,}000円 + 234{,}000円 + 1{,}560{,}000円}$$

$$= \frac{1{,}232{,}400円}{2{,}184{,}000円} \ (=56.4\%)$$

$$仕入控除税額 = (390{,}000円 + 234{,}000円 + 1{,}560{,}000円) \times \frac{1{,}232{,}400円}{2{,}184{,}000円} = 1{,}232{,}400円$$

本設例のように、最も課税売上高の多い事業がその事業者の営んでいる事業のうちで最もみなし仕入率の低いものである場合は、1－(2)－①、②いずれの特例計算であっても、原則計算よりも不利な結果となることに留意する必要があります。

第4節　Q＆A

Q10－1

特定収入がある公益財団法人の簡易課税制度の選択適用

当公益財団法人は、連年の課税売上高が4千万円台となっており、一般課税で申告を行っています。

来年度には、国の補助金給付が決まっており、事務負担や納税額を検討すると簡易課税制度を適用する方が有利だと思われますので、今年度中に「簡易課税制度選択届出書」を提出して、来年度から簡易課税制度を適用したいのですが、問題があるでしょうか。

A　今年度中に「簡易課税制度選択届出書」を提出して、来年度から簡易課税制度を適用することで差し支えありません。

考え方

1　補助金等の収入がある場合の仕入控除税額の調整

公益法人等の消費税法別表第三に掲げる法人において、補助金等の特定収入があり、収入の金額に占める特定収入の金額の割合（特定収入割合）が5％を超えるときには、特定収入に係る仕入控除税額の調整が必要になります。この場合の仕入控除税額は、通常の方法で計算した課税仕入れ等の税額の合計額から特定収入で賄われた課税仕入れ等に係る消費税額を控除した後の額とされています（消法60④、消令75）。

2　簡易課税制度適用者において補助金等の収入がある場合

公益法人等であっても基準期間における課税売上高が5千万円以下の場合には、一般の法人と同様に簡易課税制度を選択適用することが可能であり、簡易課税制度を選択適用したときには、補助金等の特定収入があっても特定収入に係る仕入控除税額の調整をする必要はありません（消法37①、60④）。

(注) 2割特例の適用を受ける場合も、特定収入に係る仕入控除税額の調整をする必要はありません（28年改正法附則51の2④）。

したがって、来年度に補助金等の特定収入の給付がはっきりしている貴法人が来年度の消費税の事務負担や納税額を検討して、簡易課税制度を選択適用した方が有利である場合は、そのことを理由として、今年度中に「簡易課税制度選択届出書」を提出し、来年度から簡易課税制度を選択適用しても、特段問題はありません。

Q10－2

歯科技工業の事業区分

当社は歯科技工業を営んでいます。当社では、歯科医師から歯型等の注文を受けると、材料を仕入れ、加工した上で、注文した歯科医師に納品します。

ところで、当社が消費税について簡易課税制度を選択する場合、当社の事業の事業区分は、「外部より仕入れた材料の加工」ということから、第三種事業に該当するということでよいのでしょうか。

A　第三種事業には該当せず、第五種事業となります。

考え方

歯科医師又は歯科技工士が業として特定の人に対する歯科医療の用に供する補てつ物、充填物又は矯正装置の作成、修理又は加工を行う事業所は、日本標準産業分類の歯科技工所〔8361〕に該当します（624頁参照）。

したがって、歯科技工業を営んでいる事業者の事業区分は歯科技工所の属する日本標準産業分類の大分類Ｐ－医療、福祉に基づいて判定することになります。消費税法基本通達によれば、大分類Ｐ－医療、福祉は、サービス業に該当することになりますから、歯科技工業の事業区分は第五種事業ということになります（消令57⑤四、消基通13－２－４）。

【歯科技工業を第五種事業とした裁判例（要旨）】

○　平成18年２月９日　名古屋高裁判決（平成17年（行コ）45）（平成18年６月20日上告棄却、上告受理申立不受理）

［１］消費税簡易課税制度の目的及び立法経緯、［２］日本標準産業分類では、歯科技工業は、大分類「サービス業」、中分類「医療業」に属していること、［３］歯科技工業は、歯科医師の指示書に従って、

歯科補てつ物を作成し、歯科医師に納品することを業務内容としており、歯科医療行為の一端を担う事業である性質を有すること、また、［４］１企業当たり平均の課税仕入れ（最大見込額）及び構成比に照らしても、みなし仕入率を100分の50とすることには合理性があること及び［５］税負担の公平性、相当性等をも考慮すると、歯科技工業は、第五種事業「サービス業」に該当するものと判断するのが相当である。

（編注）　平成18年（2006年）当時の日本標準産業分類であり、現行（令和５年（2023年）７月告示）の大分類とは異なっていますが、消費税法上の「サービス業」であるという点では同じです。

Q10−3

歯科技工業における材料代の取扱い

歯科技工業を営む個人事業者です。取引先の歯科医院から注文を受けると材料を仕入れ、加工した上で歯科医院に納品しています。その請求書は、次のとおりです。

技工代　400,000円　材料代　100,000円　消費税50,000円 合計550,000円

消費税の申告に当たっては、簡易課税制度を適用しており、これまでは請求額550,000円の全額を第五種事業として申告していました。しかし、技工代は第五種のままだとしても、材料代は第一種（歯科医院は事業者のため）に該当するのではないでしょうか。

A　材料代を含めた全体が第五種事業の課税売上げに区分されることになると考えます。

考え方

歯科技工業の事業区分に関する訴訟では、平成18年２月９日名古屋高裁判決（訟月53巻９号2645頁、税資256号順号10305）が、①消費税簡易課税制度の目的及び立法経緯、②日本標準産業分類（平成18年（2006年）当時）では、歯科技工業は、大分類サービス業、中分類医療業に属していること、③歯科技工業は、歯科医師の指示書に従って、歯科補てつ物を作成し、歯科医師に納品することを業務内容としており、歯科医療行為の一端を担う事業である性質を有すること、また、④１企業当たり平均の課税仕入れ（最大見込額）及び構成比に照らしても、みなし仕入率を100分の50とすることには合理性があること及び⑤税負担の公平性、相当性等をも考慮すると、歯科技工業は、第五種事業のサービス業に該当するものと判断するのが相当であるとしています。

すなわち、歯科補てつ物を作成し、歯科医師に納品することが歯科技工業であり、その事業を第五種事業とするとした司法判断からしますと、歯科補てつ物を作成するための材料を歯科医師に販売することとその販売した材料を加工するという役務の提供と捉えるべきものではなく、材料調達から作成、納品までの全体を歯科技工業としての事業と捉えるべきものと考えられます。

歯科補てつ物を作成するための材料を歯科医師に販売することとその販売した材料を加工するという役務の提供に分けて事業区分を行うという考え方は、例えば、建設業者における建築工事の請負について、施主に対する建築資材の販売とその資材を使って建物を建てるという役務の提供に分離して事業区分を判定するようなものであり、日本標準産業分類の大分類を基礎として適用すべきみなし仕入率を判定する原則からも、認められないように思われます（消基通13－２－４）。

以上から、ご質問の事業については、材料代を含めた全体が、日本標準産業分類の大分類Ｐ－医療、福祉に該当するものとして第五種事業の課税売上げに区分されることになると考えます。

Q10－4

病院における差額ベッド代の事業区分

当医療法人は、事業拡大に伴い消費税の課税事業者となるものと見込まれます。そこで、簡易課税制度を選択しようと考えています。

個室を希望される入院患者からはいわゆる差額ベッド代を徴収する予定ですが、この差額ベッド代は消費税の課税対象となるのでしょうか。また、課税の場合、簡易課税の事業区分は第何種事業となるのでしょうか。

A 差額ベッド代は課税の対象であり、第五種事業となります。

考え方

病院の差額ベッド代は、非課税とされる医療・療養の範囲から除かれていますから、消費税の課税対象となります（消法別表第二6号、平成元年大蔵省告示第7号）。

したがって、簡易課税制度の適用に当たっては、その事業区分を判定する必要があります。その事業が第何種事業に該当するかの判定は、第三種、第五種及び第六種事業については、おおむね日本標準産業分類の大分類を基礎とすることとされています（消基通13－2－4）。医業に関しては、日本標準産業分類上、大分類P－医療・福祉、中分類－医療業に該当しますから、医療の一環として提供される差額ベッド代の必要な特別の病室の提供もこれに基づいて判定することになります。その結果、消費税法施行令57条5項4号ハのサービス業に該当し、みなし仕入率は第五種事業の50％が適用されることになります（消令57①四、消基通13－2－4）。

このほか、課税の対象となる自由診療や健康診断、診断書作成なども第五種事業に該当することになります（第2節2参照）。

Q10－5

介護老人保健施設における差額ベッド代の事業区分

当医療法人では、それまで療養病床であったものを介護老人保健施設に転換しましたが、引き続いて個室に入所する者からは療養病床のころと同様に差額ベッド代を徴収しています。この差額ベッド代は消費税が非課税とならないことは承知していますが、簡易課税を選択する場合、事業区分はどのようになるのでしょうか。

A　第五種事業となります。

考え方

差額ベッド代が必要となる特別な居室を提供することは、非課税とされる施設介護サービス費の支給に係る施設サービスから除かれていますから、消費税の課税の対象となります（消法別表第二７号イ、消令14の２②、平成12年大蔵省告示第27号）。

簡易課税制度の適用に当たって、その事業が第何種事業に該当するかの判定は、第三種、第五種及び第六種事業については、おおむね日本標準産業分類の大分類を基礎とすることとされています（消基通13－２－４）。介護サービスに関しては、日本標準産業分類上、大分類Ｐ－医療・福祉、中分類－社会保険・社会福祉・介護事業に該当しますから、施設サービスの一環として提供される差額ベッド代の必要な特別な居室の提供もこれに基づいて判定することになります。その結果、消費税法施行令57条５項４号ハのサービス業に該当し、みなし仕入率は第五種事業の50％が適用されることになります（消令57①四、消基通13－２－４）。

なお、差額ベッド代と同様に課税となるものに特別な食事の提供がありますが、この特別な食事の提供は、飲食店業に該当（標準税率（7.8％）適用）し、第四種事業（みなし仕入率60％）に該当することになります（第２節２参照）。

Q10－6

有料老人ホームにおけるベッド等のレンタル料の事業区分

当社会福祉法人では、経営する有料老人ホームにおいて、入居者が希望する場合は「ベッド」と「チェスト」を有料で貸し付けています。これらのレンタル事業の事業区分はどのようになるのでしょうか。

A 第五種事業となります。

考え方

(1) ベッドの利用者が要介護者等である場合には、有料老人ホームでのそのベッドの利用も含めて要介護者等に対する特定施設入居者生活介護等に該当して非課税となります（介護保険の居宅介護サービス費等の給付対象となります。消法別表第二7号イ）

(2) また、貸し付けるベッドが身体障害者用物品に該当する特殊寝台である場合は、身体障害者用物品の貸付けとして非課税となります（消法別表第二10号、消令14の4、平成3年厚生省告示第130号）。

(3) 更に、有料老人ホームの利用料金のうち、住宅家賃に相当する部分の金額は、住宅の貸付けの対価として非課税となります（消法別表第二13号）。

そして、集合住宅において入居者の選択の如何にかかわらず、あらかじめ一定の家具、電気製品等を設置して賃貸している場合は、賃貸借契約書の表示にかかわらず賃料の全額が住宅の貸付けの対価として非課税となります（国税庁ホームページ質疑応答事例）。

簡易課税制度の適用に当たって、その事業が第何種事業に該当するかの判定は、第三種、第五種及び第六種事業については、おおむね日本標準産業分類の大分類を基礎とすることとされていますから、上記(1)から(3)のいずれにも該当しない場合も、この方法で判定することになります

(消基通13－２－４)。したがって、上記⑴から⑶のいずれにも該当しない有料老人ホームにおける入居者へのベッド等の有料貸付けは、日本標準産業分類の大分類Ｋ－不動産業、物品賃貸業、中分類－物品賃貸業に該当することから、みなし仕入率は第五種事業の50％が適用されることになります(消令57①四、消基通13－２－４)。

Q10－7

サービス付き高齢者向け住宅が調理委託した飲食料品を利用者等に提供する場合

当社会福祉法人では、サービス付き高齢者向け住宅を運営していますが、食事については、委託した給食会社に、当方で調達した食材料を用いて当方の施設内の厨房で調理してもらい、これを利用者及び職員に提供しています。この場合の飲食料品の提供の事業区分はどのようになりますか。

A　第四種事業に該当します。

考え方

ご質問のサービス付き高齢者向け住宅（サ高住）を運営する事業者は、受託者である給食会社が調理した食事を当該サ高住内で利用者及び職員に提供しており、その食事代を受領するものと認められますから、第四種事業に該当すると考えられます（消令57⑤）。

また、有料老人ホーム、サ高住の入居者に対して行われる食事の提供に要する費用は、介護保険法の居宅介護サービス費の支給対象外であることから、要介護者等に提供するものでも、消費税の課税対象となります。なお、令和元年（2019年）10月１日からの軽減税率制度の実施に伴い、これらの施設における一定の利用者（60歳以上の者等）に対する一定範囲の飲食料品の提供（一食当たり670円以下、一日当たり2,010円まで（令和６年５月31日までは、一食当たり640円、一日当たり1,920円まででした。））は、課税資産の譲渡等の相手方が指定した場所において加熱調理又は給仕等の役務の提供を伴うものですが、軽減税率の対象とされています（28年改正法附則34①一ロ、28年改正令附則３②一、二、平成28年財務省告示第100号、消法別表第一号ロ、消令２の４②一、二、令和５年財務省告示第92号）。

Q10－8

調剤薬局の事業譲渡

調剤薬局を営むＣ社は、単独での事業が難しくなったことから、全国展開する同業者に調剤事業部分を事業譲渡することとなりました。この場合における次の資産の譲渡等の事業区分はどのようになりますか。

①　営業権の譲渡（顧客データを含めての譲渡。売主Ｃ社は、譲渡契約において調剤薬局事業を開業できないこととされている。）

②　家主の承諾の下にＣ社が行った内部造作の譲渡

③　事業譲渡の日において在庫となっている薬の譲渡

A　①及び②については第四種事業に該当します。また、③については第一種事業に該当します。

考え方

①及び②は事業の用に供していた無形固定資産及び有形固定資産の譲渡ですから第四種事業に該当し（消基通13－２－９）、③は仕入れた棚卸資産の譲渡であり、性質及び形状を変更しないで他の事業者に販売するものですから、第一種事業に該当します（消令57⑥）。

Q10－9

デイサービスの利用料

当社会福祉法人は、介護保険法に規定する通所介護サービス（デイサービス）の提供を行っています。当社会福祉法人が要介護者等に提供するデイサービスのうち、利用者の全額自己負担となっている送迎料・食事代を対価とする役務の提供の事業区分はどのようになりますか

A　食事代を対価とするサービスは非課税です。また、送迎料については、第五種事業に該当します。

考え方

介護保険法に規定する通所介護では、通常の利用料については介護保険の居宅介護サービス費の給付対象とされていますが、次の費用については保険給付の対象とはなっていません（指定居宅サービス等の人員、設備及び運営に関する基準（平成11年厚生省令第37号（基準省令））96③）。

① 利用者の選定により行う通常の事業実施地域以外の地域に居住する利用者に対して行う送迎に要する費用

② 指定通所介護に通常要する時間を超える指定通所介護であって、利用者の選定に係るものの提供に伴い必要となる費用の範囲内において、通常の指定通所介護に係る居宅介護サービス費用基準額を超える費用

③ 食事の提供に要する費用

④ おむつ代

⑤ 前各号に掲げるもののほか、指定通所介護の提供において提供される便宜のうち、日常生活においても通常必要となるものに係る費用であって、その利用者に負担させることが適当と認められる費用

しかし、これらの費用については、利用者である要介護者等から受領

することが認められていますから、財務大臣が指定するサービスである上記①を除いて、居宅介護サービス費の支給に係る居宅介護サービスに該当し、非課税となります（消法別表第二号イ、消令14の２①、平成12年大蔵省告示第27号別表第一、消基通６－７－２）。

また、送迎料は、道路運送法の登録を受けて行う旅客運送事業ではなく、日本標準産業分類の大分類P（医療、福祉）、中分類85（社会保険・社会福祉・介護事業）の小分類854（老人福祉・介護事業）に分類される事業として行われる送迎サービスの対価と認められますから、第五種事業に該当すると考えます。

Q10−10 サービス付き高齢者向け住宅の入居者から受領する料金

サービス付き高齢者向け住宅（サ高住）を運営する事業者が入居者から受領する管理費（管理費はフロントサービス、セキュリティーサービス、電気、ガス、水道、共用費用、入居者に係る事務費等に係るもの）、生活支援費（バイタルチェック、ベッドメーキング、生活相談、夜間安否確認、部屋・トイレ掃除、ゴミ出し、洗濯等に係るもの）の事業区分はどのようになりますか。

A　第五種事業に該当します。

考え方

利用者から徴収する管理費・生活支援費のうち例えば、電気、ガス、水道、共用費用等を共益費として徴収する場合は、非課税となるサ高住の家賃に含まれますので、それらの管理費も非課税になります。

しかし、ご質問の管理費や生活支援費は、共同住宅に係る一般的な共益費ではなく、サ高住の入居者に対して提供されるサービスと認められるものであり、介護保険法上の特定施設入居者生活介護としてのサービスとして、居宅介護サービス費の支給に係る居宅サービスに該当して非課税となるもの（消法別表第二７号イ、消令14の２①、消基通６－７－２）に該当するものではありませんから、サービス業（日本標準産業分類の大分類Ｐ（医療、福祉）、中分類85（社会保険・社会福祉・介護事業）、小分類854（老人福祉・介護事業））として第五種事業に該当すると考えます。

Q10−11

公共施設の指定管理者が利用者から受領する利用料

当社は、市が所有するスポーツ施設の指定管理者として、野球場、弓道場、柔剣道場、運動公園等のスポーツ施設の維持管理を行っています。市との契約では、指定管理する施設について利用者から受領する利用料は、当社の収入とすることとされています。この利用料の事業区分はどのようになりますか。

A　第五種事業に該当します。

考え方

地方公共団体が所有する不動産である各種スポーツ施設を管理しているのであれば、不動産管理業（日本標準産業分類の大分類K（不動産業、物品管理業）、中分類69（不動産賃貸業・管理業））に分類され、第六種事業に該当すると考えられます（消基通13－２－４）。

しかし、ご質問の場合、指定管理者は、利用料を自己の収入とすることとされていますから、一般的な建物の管理だけでなく、施設の運営も行っていると認められます。したがって、スポーツ施設提供業（日本標準産業分類の大分類N（生活関連サービス業、娯楽業）、中分類80（娯楽業）、小分類804（スポーツ施設提供業））として第五種事業に該当すると考えます。

第11章

特定収入がある場合の仕入税額控除の特例

消費税の納付税額は、原則として、その課税期間の課税標準額に対する消費税額からその課税期間の課税仕入れ等の税額の合計額を控除（仕入税額控除）して算出します。

他方、国、地方公共団体、公共・公益法人等は、本来、市場経済の法則が成り立たない事業を行っていることが多く、通常は租税、補助金、会費、寄附金等の対価性のない収入を恒常的な財源としている実態にあります。

このような対価性のない収入によって賄われる課税仕入れ等は、課税売上げのコストを構成しない、いわば最終消費的な性格を持つものと考えられます。

また、消費税法における仕入税額控除制度は、税の累積を排除するためのものですから、対価性のない収入を原資とする課税仕入れ等に係る消費税額を課税売上げに係る消費税額から控除することには合理性がありません。

そのため、国、地方公共団体、公共・公益法人等については、控除される課税仕入れ等の税額の合計額（仕入控除税額）を調整する特例が設けられています。

本章では、国、地方公共団体、公共・公益法人等に対する消費税の特例のうち、仕入控除税額の計算についてみていきます。

第１節　特例の概要

1　国、地方公共団体、公共・公益法人等の仕入控除税額の計算の特例

国、地方公共団体、公共・公益法人等については、通常の方法により

計算される仕入控除税額から補助金等の対価性のない収入（特定収入）により賄われる課税仕入れ等の税額を控除する調整を行うこととしています。

〔調整計算のイメージ〕

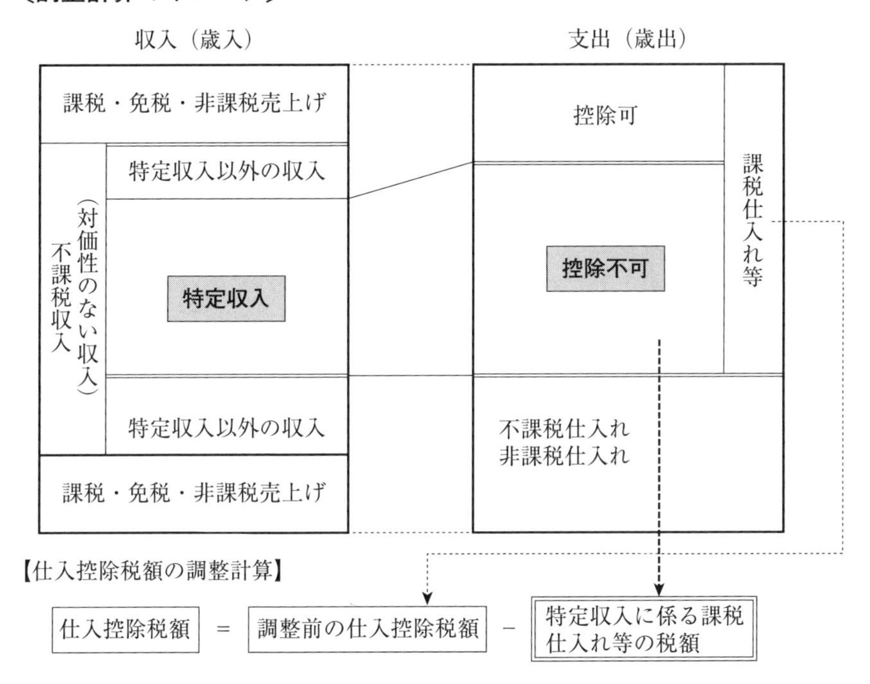

2　特例計算の対象となる事業者

特例計算の対象となる事業者は、次のとおりです。

対象となる事業者	
(1)	国の特別会計
(2)	地方公共団体の特別会計
(3)	消費税法別表第三に掲げる法人（別表第三に掲げる法人とみなされる法人を含みます。）㈲
(4)	人格のない社団等

㈟　公益社団法人・公益財団法人にも非営利型法人にも該当しない一般社団法人・一般財団法人は、法人税法上、普通法人に該当することとされています（法法２九）が、消費税法上は、公益社団法人等や非営利型法人と同様に、消費税法別表第三に掲げる法人に該当します。

医療、介護、社会福祉事業の分野で本特例の対象となるのは、例えば次のような事業者です。

○　地方公共団体の病院事業特別会計（消法60④）

○　社会医療法人（消法別表第三）

○　学校法人（消法別表第三）

○　国立大学法人（消法別表第三）

○　社会福祉法人（消法別表第三）

○　地方独立行政法人（消法別表第三）

○　独立行政法人（所得税法別表第一の独立行政法人の項に規定するものに限ります。）（消法別表第三）

○　人格のない社団等（消法60④）

○　特定非営利活動法人（NPO 法人）（消法60④、特定非営利活動促進法70②）

ただし、次に掲げる場合には、仕入控除税額の調整を行う必要はありません（消法60④、消令75③、28年改正法附則51の２④）。

調整を行う必要がない場合	
①	その課税期間の仕入控除税額を**簡易課税制度**又は**2割特例**により計算する場合
②	その課税期間における**特定収入割合**が５％以下である場合

なお、**特定収入割合**とは、その課税期間において、次の算式により計算した割合をいいます（消令75③）。

（算式）

$$特定収入割合 = \frac{特定収入の合計額}{資産の譲渡等の対価の額の合計額^{(注)} + 特定収入の合計額}$$

㈡ 資産の譲渡等の対価の額の合計額
　＝ 課税売上高（税抜き）＋免税売上高 ＋ 非課税売上高 ＋ 国外売上高
　なお、各売上高について売上対価の返還等の金額がある場合でも、その売上対価の返還等の金額を控除せずに計算します。

第２節　特定収入の範囲

1　特定収入の意義

特定収入とは、資産の譲渡等の対価に該当しない収入のうち、特定収入に該当しないこととされている収入（出資金、預貯金等の収入等）以外の収入をいいます（消令75①、消基通16－２－１）。

国、地方公共団体、公共・公益法人等における収入を分類すると、次の表のようになります。

国、地方公共団体、公共・公益法人等の収入（収入の源泉は国内・国外を問いません。）

- 資産の譲渡等の対価の収入
  - 国内取引
    - 課税売上げに係る収入
    - 免税売上げに係る収入
    - 非課税売上げに係る収入
  - 国外取引
    - 不課税売上げに係る収入
- 資産の譲渡等の対価に該当しない収入（対価性のない収入）
  - 【消費税法上、特定収入に該当しないこととされている収入】 → 特定収入に該当しない収入

    1　通常の借入金等（次頁参照）
    2　出資金
    3　預金・貯金及び預り金
    4　貸付回収金
    5　返還金及び還付金
    6－(1)　法令又は交付要綱等において、次に掲げる支出以外の支出（特定支出（注１））のためにのみ使用することとされている収入
    　①　課税仕入れに係る支払対価の額に係る支出
    　②　特定課税仕入れに係る支払対価等の額に係る支出（特定課税仕入れに係る消費税額等に相当する額を含みます。）
    　③　課税貨物の引取価格に係る支出
    　④　通常の借入金等の返済金又は償還金に係る支出（次頁参照）
    6－(2)　国又は地方公共団体が合理的な方法により資産の譲渡等の対価以外の収入の使途を明らかにした文書において、特定支出のためにのみ使用することとされている収入
    6－(3)　公益社団法人等が作成した寄附金の募集に係る文書において、特定支出のためにのみ使用することとされている一定の寄附金の収入（注２）
  - **上記以外の収入** → **特定収入**（課税仕入れ等に係る特定収入／課税仕入れ等に係る特定収入以外の特定収入（使途不特定の特定収入））

    （例示）
    ①　租税
    ②　補助金
    ③　交付金
    ④　寄附金
    ⑤　出資に対する配当金
    ⑥　保険金
    ⑦　損害賠償金
    ⑧　負担金
    ⑨　他会計からの繰入金（国、地方公共団体に限ります。）
    ⑩　会費等
    ⑪　喜捨金
    ⑫　特殊な借入金等（次頁参照）

(注)1　特定支出とは、6－(1)①～④に掲げる支出以外の支出ですので、例えば、給与、利子・土地購入費等非課税仕入れの支払対価、特殊な借入金等の返済金などがこれに該当します。

2　平成26年（2014年）4月1日以後に募集が開始される寄附金の収入が該当します。

〔借入金等の取扱い〕

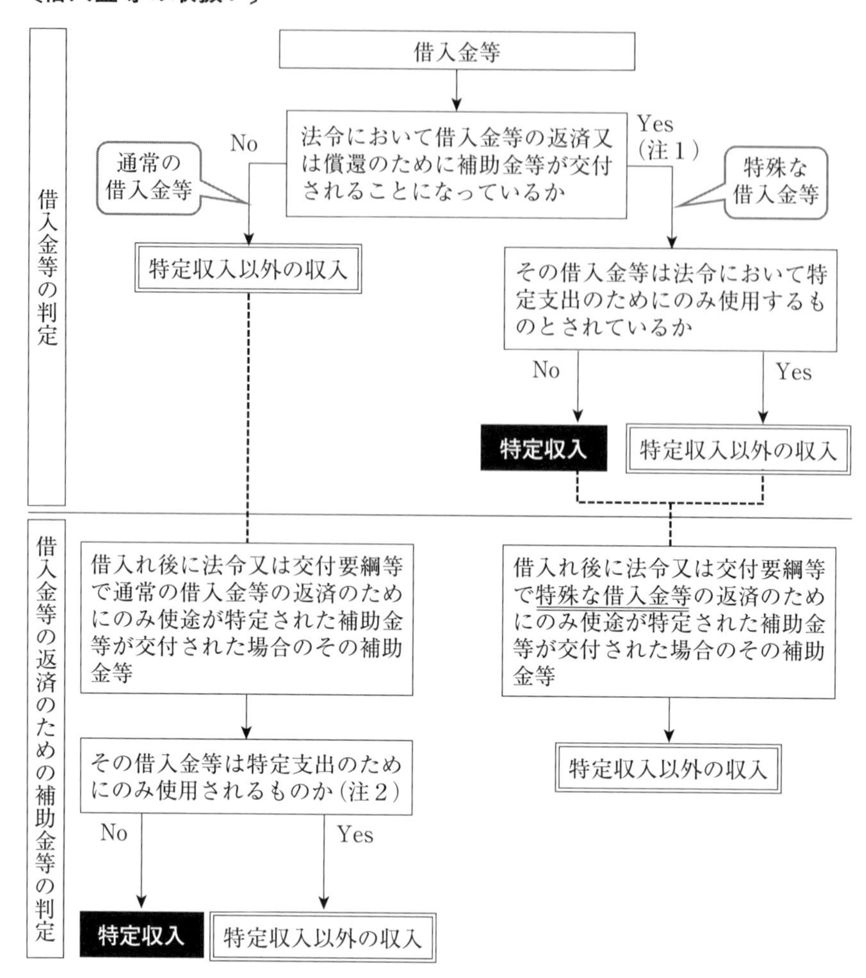

(注)１　法令において借入金等の返済又は償還のための補助金等が交付されることとなっている場合には、通常、借入金等の返済又は償還のための補助金等の使途を特定した交付要綱等が作成されています。

２　国又は地方公共団体の特別会計が交付要綱等で借入金等の返済又は償還のためにのみ使用することとして交付された補助金等の使途は、その借入金等の使途に対応させることとなります。

2　公共・公益法人等における補助金等の使途の特定

公共・公益法人等における補助金等の使途は、法令又は交付要綱等によりその使途が明らかにされている補助金等の場合、下記の(1)により使途を特定します。

また、公共・公益法人等が国又は地方公共団体から交付を受ける補助金等の使途は、交付要綱等でその使途が明らかにされていないまでも、その多くが予算又は決算において明らかにされていますので、公共・公益法人においても国、地方公共団体に対する取扱い（消基通16－２－２）に準じて、下記(2)の方法により補助金等の使途を特定することができます。

ただし、公共・公益法人等が(2)の方法により使途を特定する場合には、補助金等の交付元である国、地方公共団体がその補助金等の使途を明らかにした文書を確定申告書とともに納税地の所轄税務署長に提出する必要があります。

(1)　法令又は交付要綱等により補助金等の使途が明らかにされている場合（消基通16－２－２(1)）

法令又は交付要綱等により使途が明らかにされているものは、その明らかにされているところによります。交付要綱等とは、補助金等を交付する者が作成したその補助金等の使途を定めた文書をいい、補助金等交付要綱、補助金等交付決定書のほか、これらの附属書類である補助金等の積算内訳書、実績報告書も含まれます。

(注)　通常の借入金等を財源として行った事業について、その借入金等の返済又は償還のための補助金等が交付される場合において、その補助金等の交付要綱等にその旨が記載されているときは、その補助金等はその事業に係る経費のみに使用される収入として使途を特定します（658頁〔借入金等の取扱い〕参照）。
　なお、その借入金等に係る事業が行われた課税期間が免税事業者であった場

合には、その補助金等は特定収入に該当しません。

⑵　国、地方公共団体が合理的な方法により補助金等の使途を明らかにした文書において使途を特定する場合（消基通16－2－2⑵）

⑴により使途が特定されない補助金等については、国又は地方公共団体が合理的な方法により補助金等の使途を明らかにした文書によって使途を特定することができます。

具体的な方法は次の①～④のとおりです。

①　法令又は交付要綱等において使途の細部は特定されていないものの、その使途の大要が判明する補助金等は、その補助金等の交付を受ける国の特別会計の所管大臣又は地方公共団体の長（公営企業にあっては公営企業の管理者）が使途の大要の範囲内で合理的計算に基づき細部を特定します。

㈱1　「その使途の大要が判明する補助金等」とは、例えば、法令又は交付要綱等において「…の建設に要する費用に充てる」等の記載があるものをいいます。

2　「使途の大要の範囲内で合理的計算」とは、例えば、「…の建設に要する費用」のうちに占める課税仕入れ等の支出の額と課税仕入れ等以外の支出の額で按分することをいいます。

②　①により使途が特定できない場合であっても、予算書若しくは予算関係書類又は決算書若しくは決算関係書類で使途が明らかとなるものについては、これらにより使途を特定します。

㈱　「明らかとなるもの」とは、例えば、決算書の備考欄に補助金等が何の費用に充てられたかが記載されているものや、決算書の項目名で何の費用に充てられたかが明らかとなるものなどをいいます。

③　法令、交付要綱等、予算書、予算関係書類、決算書、決算関係書類において、借入金等の返済費又は償還費のための補助金等とされ

ているもの（(1)の㈱に該当するものを除きます。）は、次の算式で按分する方法により、特定収入（課税仕入れ等に係る特定収入）と特定収入以外の収入に使途を特定します。

なお、地方公営企業法20条《計理の方法》の適用がある公営企業については、損益的取引、資本的取引の区分ごとにこの計算を行います。

（算式）

$$\text{特定収入}=\text{借入金等の返済のための補助金等の額}\times\frac{\text{分母の支出のうちの課税仕入れ等の支出の額}}{\text{借入金等に係る事業が行われた課税期間における支出㈱}}$$

$$\text{特定収入以外の収入}=\text{借入金等の返済のための補助金等の額}\times\frac{\text{分母の支出のうちのその他の支出の額}}{\text{借入金等に係る事業が行われた課税期間における支出㈱}}$$

㈱　借入金等に係る事業が行われた課税期間における支出には、(1)又は(2)①若しくは②により使途が特定された補助金等の使途としての支出並びに借入金等の返済費及び償還費を含みません。

なお、その借入金等に係る事業が行われた課税期間が免税事業者であった場合には、その補助金等は特定収入に該当しません。

④　**①から③までによっては使途の特定ができない補助金等**は、次の算式で按分する方法により、特定収入（課税仕入れ等に係る特定収入）と特定収入以外の収入に使途を特定します。

なお、地方公営企業法20条《計理の方法》の適用がある公営企業については、損益的取引、資本的取引の区分ごとにこの計算を行います。

（算式）

$$\text{特定収入}=\text{補助金等の額}\times\frac{\text{分母の支出のうちの課税仕入れ等の支出の額}}{\text{当課税期間における支出（注１）}}$$

$$\text{特定収入以外の収入}=\text{補助金等の額}\times\frac{\text{分母の支出のうちのその他の支出の額(借入金等の返済額を除く。)}}{\text{当課税期間における支出（注１）}}$$

$$\text{通常の借入金等の返済費又は償還費に使途が特定された収入（注２）}=\text{補助金等の額}\times\frac{\text{当課税期間における借入金等返済額（③で使途が特定された額を除く。）}}{\text{当課税期間における支出（注１）}}$$

(注)1　当課税期間における支出には、(1)又は(2)①若しくは②により使途が特定された補助金等の使途としての支出及び借入金等の返済費又は償還費のうち(2)③において処理済の部分を含みません。

2　通常の借入金等の返済費又は償還費に使途が特定された収入については、さらに(2)③の方法によって課税仕入れ等に係る特定収入と特定収入以外の収入に使途を特定します。

参考

(2)③又は④の方法により使途を特定した場合には、その計算過程を明らかにしたものを添付書類として提出することとされています。

(3)　公益社団法人等が作成する寄附金募集の文書で使途を特定する場合（公益社団法人等が募集する寄附金の取扱い）

公益社団法人又は公益財団法人が作成した寄附金の募集に係る文書において、特定支出のためにのみ使用することとされている当該寄附金の収入で、次に掲げる要件の全てを満たすことについて当該寄附金の募集に係る文書において明らかにされていることにつき、公益社団法人及び公益財団法人の認定等に関する法律３条に規定する行政庁の確認を受けているものは、特定収入に該当しないこととなります（消令75①六ハ）。

①　特定の活動に係る特定支出のためにのみ使用されること

②　期間を限定して募集されること

③　他の資金と明確に区分して管理されること

なお、平成26年（2014年）４月１日以後に募集が開始される寄附金の収入が該当します。

第3節　特定収入に係る課税仕入れ等の税額の調整計算

特定収入に係る課税仕入れ等の税額の調整計算の方法は、次のように区分されます（消法60④、消令75③、28年改正法附則51の2④）。本節では、特定収入割合が5％超の場合について、仕入控除税額の計算方式ごとの調整方法を説明します。

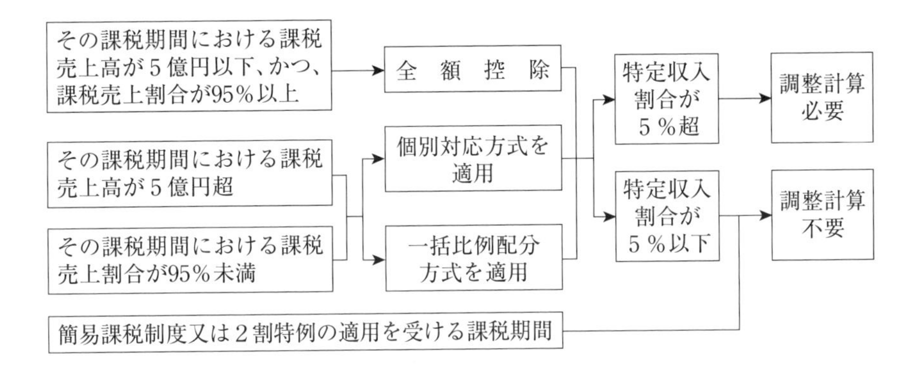

1　その課税期間における課税売上高が5億円以下であり、かつ、課税売上割合が95％以上の場合

その課税期間における課税売上高が5億円以下であり、かつ、課税売上割合が95％以上の場合の特定収入に係る課税仕入れ等の税額の計算は、次のとおりです（消令75④一）。

（算式）

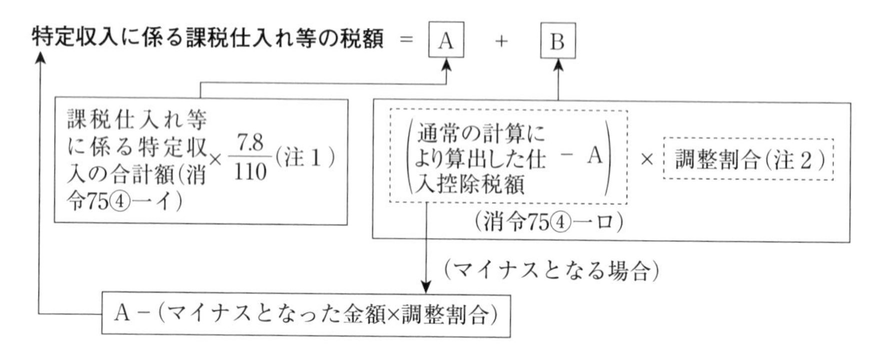

$$\text{調整割合} = \frac{\text{使途不特定の特定収入の合計額}}{\text{資産の譲渡等の対価の額の合計額} + \text{使途不特定の特定収入の合計額}}$$
（注3）

(注)1　上記算式における割合$\frac{7.8}{110}$は、標準税率適用の課税仕入れ等に係る特定収入の場合であり、軽減税率適用の課税仕入れ等に係る特定収入の場合は$\frac{6.24}{108}$により計算します（消令75④一）。

　適用税率の異なる課税仕入れ等に係る特定収入がある場合には、それぞれの割合を乗じて計算した金額の合計額がⒶの金額となります。

2　特定収入に係る課税仕入れ等の税額の調整計算を要するかどうかについては、調整割合ではなく特定収入割合によって判定します。

　したがって、調整割合が5％以下の場合であっても、特定収入割合が5％超であるときには、調整計算を行うことになります。

3　調整割合の計算における「資産の譲渡等の対価の額の合計額」については、特定収入割合を計算する場合と同様に、売上対価の返還等の金額を控除しません。また、課税売上割合を計算する場合の消費税法施行令48条2項から6項

までのような特例規定も設けられていません。なお、国外売上高が含まれます。

2　その課税期間における課税売上高が5億円超又は課税売上割合が95%未満で個別対応方式を適用している場合

その課税期間における課税売上高が5億円超又は課税売上割合が95%未満で個別対応方式を適用している場合の特定収入に係る課税仕入れ等の税額の計算は、次のとおりです（消令75④二）。

（算式）

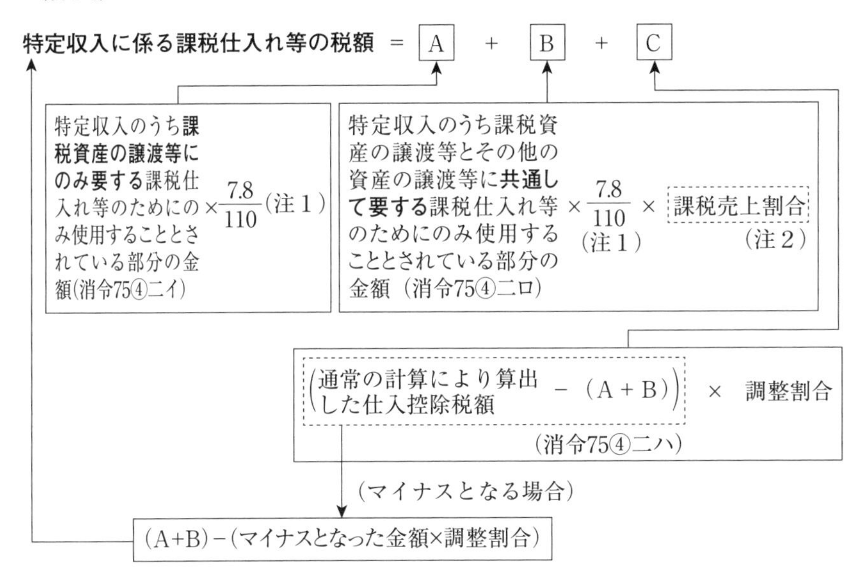

(注) 1　上記算式における割合$\frac{7.8}{110}$は、標準税率適用の課税仕入れ等に係る特定収入の場合であり、軽減税率適用の課税仕入れ等に係る特定収入の場合は$\frac{6.24}{108}$により計算します（消令75④二イかっこ書、ロかっこ書）。

適用税率の異なる課税仕入れ等に係る特定収入がある場合には、それぞれの割合を乗じて計算した金額の合計額がA、Bの金額となります。

2　課税売上割合に準ずる割合の承認を受けている場合には、その割合によります。

3　その課税期間における課税売上高が５億円超又は課税売上割合が95%未満で一括比例配分方式を適用している場合

その課税期間における課税売上高が５億円超又は課税売上割合が95％未満で一括比例配分方式を適用している場合の特定収入に係る課税仕入れ等の税額の計算は、次のとおりです（消令75④三）。

（算式）

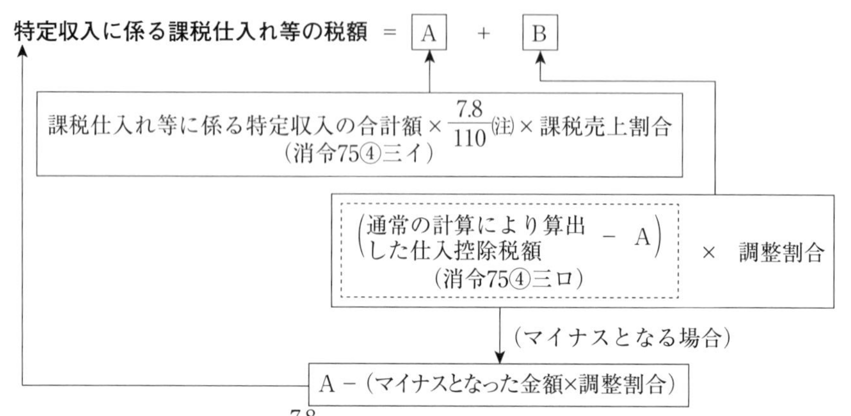

(注)　上記算式における割合$\frac{7.8}{110}$は、標準税率適用の課税仕入れ等に係る特定収入の場合であり、軽減税率適用の課税仕入れ等に係る特定収入の場合は$\frac{6.24}{108}$により計算します（消令75④三イかっこ書）。

適用税率の異なる課税仕入れ等に係る特定収入がある場合には、それぞれの割合を乗じて計算した金額の合計額がⒶの金額となります。

4　調整割合が著しく変動した場合の特定収入に係る課税仕入れ等の税額の調整

その課税期間における調整割合と通算調整割合との差が20％以上である場合には、上記1から3の計算（原則計算）にかかわらず、その課税期間において次により特定収入に係る課税仕入れ等の税額の調整を行います（消令75⑤、⑥）。

なお、その課税期間の前2年間の各課税期間においてこの調整を行っている場合には、その課税期間においてこの調整をする必要はありません（消令75⑤かっこ書）。

（算式）

$$\text{通算調整割合（消令75⑥）} = \frac{\text{通算課税期間における使途不特定の特定収入の合計額}}{\text{通算課税期間における資産の譲渡等の対価の額の合計額} + \text{通算課税期間における使途不特定の特定収入の合計額}}$$

(注)　通算課税期間とは、その課税期間の初日の2年前の日の前日の属する課税期間からその課税期間までの各課税期間、つまり、その課税期間を含む過去3年間の各課税期間をいいます（消令75⑤一ロ）。

(算式)

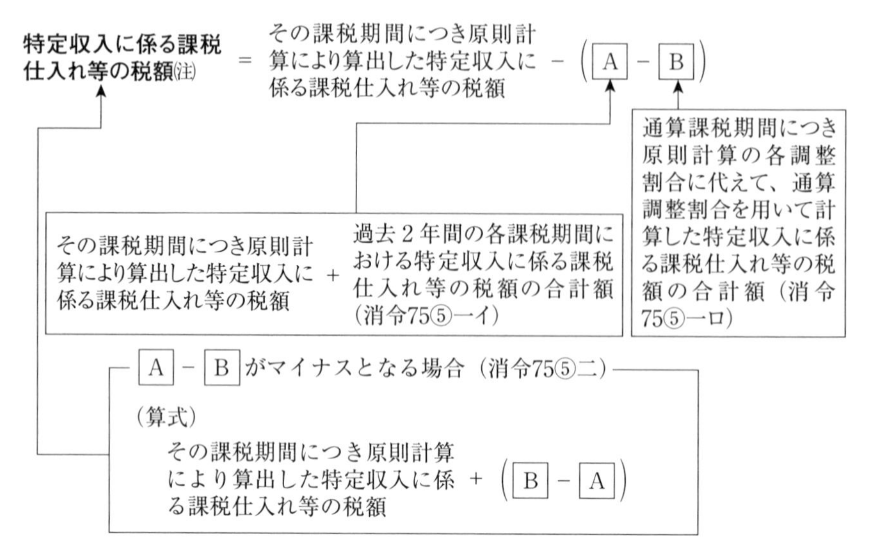

㈳　マイナスとなる場合は、通常の計算により算出した課税仕入れ等の税額の合計額に加算します（消令75⑦）。

第4節　取戻し対象特定収入がある場合の調整

特定収入に係る課税仕入れ等の税額（仕入控除税額の制限額）の計算については、本章前節までのとおり、特定収入のあった課税期間においてその特定収入の金額に基づいて調整することとなります。そのため、インボイス制度開始後において仕入税額控除の対象外となる適格請求書発行事業者以外の者からの課税仕入れ（以下「控除対象外仕入れ」といいます。）を課税仕入れ等に係る特定収入（課税仕入れ等に使途が特定されている特定収入）により支出したとしても、計算上、仕入控除税額の制限の対象となります。

ただし、課税仕入れ等に係る特定収入により控除対象外仕入れを一定程度行い、その特定収入（取戻し対象特定収入）について仕入控除税額の制限を受けた場合において、国等へ報告することとされている文書（実績報告書など）又は国、地方公共団体が合理的な方法により使途を明らかにした文書により、その控除対象外仕入れに係る支払対価の額の合計額を明らかにしているときは、控除対象外仕入れに係る仕入控除税額の制限額に相当する額を、その明らかにした課税期間（免税事業者である課税期間及び簡易課税制度又は2割特例の適用を受ける課税期間を除きます。）における課税仕入れ等の税額の合計額に加算できます（消令75⑧）。

1　取戻し対象特定収入の判定

「取戻し対象特定収入」とは、次の算式により計算した割合が5％を超える場合のその特定収入をいいます（消令75⑨）。

$$\boxed{\text{取戻し対象特定収入}} = \frac{\text{課税仕入れ等に係る特定収入により支出された}\atop\textbf{控除対象外仕入れに係る支払対価の額の合計額}}{\text{課税仕入れ等に係る特定収入により支出された}\atop\textbf{課税仕入れに係る支払対価の額の合計額}} > 5\%$$

なお、「取戻し対象特定収入」に該当するかどうかの判定は、ある課税期間に受領した全ての課税仕入れ等に係る特定収入の合計額を基礎として行うものではなく、課税仕入れ等に係る特定収入ごとに、その課税仕入れ等に係る特定収入により支出された課税仕入れに係る支払対価の額の合計額を基礎として行います（消基通16－２－７）。

例えば、補助金等（課税仕入れ等に係る特定収入に該当するものに限ります。以下同じです。）が減額され、その一部を返還したことにより、その補助金等により行う事業の経費として支出された課税仕入れに係る支払対価の額の合計額が、返還後の補助金等の金額よりも大きくなった場合、取戻し対象特定収入の判定は、返還後の補助金等の金額により支出された課税仕入れに係る支払対価の額の合計額を基礎として行います。

(注)１　この割合の計算における「控除対象外仕入れに係る支払対価の額」については、次のとおり取り扱われます。

① 免税事業者である課税期間及び簡易課税制度又は２割特例の適用を受ける課税期間において、適格請求書発行事業者以外の者から行った課税仕入れに係る支払対価の額は含まれません。

② 適格請求書発行事業者以外の者から行った課税仕入れであっても、一定の事項を記載した帳簿のみの保存で仕入税額控除が認められる課税仕入れに係る支払対価の額は含まれません（消基通16－２－６）。

③ 適格請求書発行事業者以外の者からの課税仕入れに係る経過措置（令和５年10月１日から令和８年９月30日までは仕入税額相当額の80％控除）の適用を受ける課税仕入れに係る支払対価の額は含まれます。

２　借入金等（法令において返済又は償還のための補助金等が交付されることになっているもの以外のもの）の返済又は償還のための補助金等（課税仕入れ等に係る特定収入に該当するものに限ります。以下同じです。）により支出された「控除対象外仕入れに係る支払対価の額」については、その借入金等に係る事業を行った課税期間においてその借入金等により支出された適格請求書発行事業者以外の者から行った課税仕入れに係る支払対価の額のうちその補助金等により返済又は償還される部分の金額となります。

また、取戻し対象特定収入の判定の基礎となる「課税仕入れ等に係る特定収入により支出された課税仕入れに係る支払対価の額の合計額」は、借入金等に係る事業を行った課税期間においてその借入金等により支出された課税仕入れに係る支払対価の額の合計額のうち補助金等により返済又は償還される部分の金額となります。

なお、その補助金等に係る調整計算については、借入金等の返済又は償還のための補助金等が交付された課税期間において行うこととなるため、取戻し対象特定収入のあった課税期間は、その補助金等が交付された課税期間となります（消基通16－２－８）。

2　調整対象額の計算

取戻し対象特定収入がある場合の仕入控除税額の調整対象額は、次の(イ)から(ハ)の区分に応じて計算します。

算出された調整対象額は、国等へ報告することとされている文書等により控除対象外仕入れに係る支払対価の額の合計額を明らかにした課税期間における課税仕入れ等の税額の合計額に加算できます。

なお、適格請求書発行事業者以外の者からの課税仕入れについて80％控除の経過措置（28年改正法附則52）の適用を受けるものは、上記各計算式により算出した本来の調整対象額の20％相当額、50％控除の経過措置（28年改正法附則53）の適用を受けるものは本来の調整対象額の50％相当額が、課税仕入れ等の税額の合計額に加算する調整対象額になります。

（算式）

(イ)　取戻し対象特定収入のあった課税期間における課税売上高が５億円以下で課税売上高が95％以上である場合

調整対象額 ＝ 控除対象外仕入れに係る支払対価の額の合計額 × $\frac{7.8}{110}$（注１）× （1 － 取戻し対象特定収入があった課税期間の調整割合）

(ロ) 取戻し対象特定収入のあった課税期間における課税売上高が５億円超又は課税売上高が95％未満で個別対応方式を適用している場合

調整対象額 ＝ （①＋②）×（１－取戻し対象特定収入があった課税期間の調整割合）

① ＝ 控除対象外仕入れに係る支払対価の額の合計額（課税売上げにのみ要するもの）× $\frac{7.8}{110}$（注１）

② ＝ 控除対象外仕入れに係る支払対価の額の合計額（課税売上げと非課税売上げに共通して要するもの）× $\frac{7.8}{110}$（注１）× 取戻し対象特定収入があった課税期間の課税売上割合（注２）

(ハ) 取戻し対象特定収入のあった課税期間における課税売上高が５億円超又は課税売上高が95％未満で一括比例配分方式を適用している場合

調整対象額 ＝ 控除対象外仕入れに係る支払対価の額の合計額（注１）× $\frac{7.8}{110}$（注１）× 取戻し対象特定収入があった課税期間の課税売上割合（注２）×（１－取戻し対象特定収入があった課税期間の調整割合）

(注) 1　控除対象外仕入れに係る支払対価の額の合計額のうち他の者から受けた軽減対象課税資産の譲渡等に係る控除対象外仕入れに係る支払対価の額については、108分の6.24を乗じます。

2　課税売上割合に準ずる割合の承認を受けている場合には、その割合によります。

【取戻し対象特定収入に係る特例の適否判定と調整対象額の計算の具体例】（国税庁質疑応答事例（一部修正））

事　例

消費税法別表第三に掲げる法人甲は、地方公共団体から条例等に基づいてＡ補助金及びＢ補助金の交付を受けています。これらの補助金はいずれも交付要綱等において、次のとおり使途が特定されています。

・　Ａ補助金（1,000万円）のうち、300万円は人件費（給与）、700万円は課税仕入れ

・　Ｂ補助金（800万円）のうち、400万円は人件費（給与）、400万円は課税仕入れ

甲は、これらの補助金を受け入れた課税期間（Ｘ１期）において消費税法60条４項の規定による仕入控除税額の計算の特例の適用を受けており、これらの補助金の使途については、Ｘ２期において、地方公共団体に提出した実績報告書により次の１及び２のとおり明らかにされています。

1　Ａ補助金（1,000万円）の使途

(1)　人件費（給与）：300万円

(2)　適格請求書発行事業者からの機械の購入費：650万円（税込み）

(3)　適格請求書発行事業者以外の者への外注費：50万円（税込み）

2　Ｂ補助金（800万円）の使途

(1)　人件費（給与）：400万円

(2)　適格請求書発行事業者からの機械の購入費：390万円（税込み）

(3)　適格請求書発行事業者以外の者への外注費：10万円（税込み）

3　甲は、実際に人件費（給与）、機械の購入費及び外注費の支出を行った課税期間及び実績報告書により使途が明らかにされた課税期間（Ｘ２期）については、いずれも課税事業者であり、簡易課税制度及び２割特例の適用は受けていません。

4　補助金を受け入れた課税期間（X1期）の課税売上高は5億円以下、かつ非課税売上げはなく、調整割合（消令75④一ロ）は1,000万円／10,000万円により計算しています。

5　A補助金のうち50万円が充てられた⑶適格請求書発行事業者以外の者への外注費（消費税率7.8%）については、適格請求書発行事業者以外の者からの課税仕入れに係る経過措置（仕入税額相当額の80%控除）（28年改正法附則52）の適用を受けています。

1　取戻し対象特定収入が5%を超えるかどうかの判定

（A補助金）

$$\frac{(3)\quad 50万円}{(2)\quad 650万円 \quad + \quad (3)\quad 50万円} \times 100 \fallingdotseq 7.1\% > 5\%$$

（B補助金）

$$\frac{(3)\quad 10万円}{(2)\quad 390万円 \quad + \quad (3)\quad 10万円} \times 100 = 2.5\% \leqq 5\%$$

A補助金については、計算結果が5%を超えることから、取戻し対象特定収入に該当することとなり、実績報告書により使途が明らかにされた課税期間（X2期）において、50万円（⑶適格請求書発行事業者以外の者への外注費）を控除対象外仕入れに係る支払対価の額として、取戻し対象特定収入に係る消費税法施行令75条8項の特例を適用できることになります。

他方、B補助金については、計算結果が5%を超えないことから、取戻し対象特定収入に該当しないこととなり、この特例を適用することはできないことになります。

2　調整対象税額の計算

イ　控除対象外仕入れに係る支払対価の額に係る税額

$$50万円 \times \frac{7.8}{110} = 35,454円$$

ロ　1から調整割合を控除して得た率

$$1 - \frac{1,000万円}{10,000万円} = \frac{9,000万円}{10,000万円}$$

ハ　控除対象外仕入れに係る調整対象額

$$35,454円 \times \frac{9,000万円}{10,000万円} = 31,908円$$

$$31,908円 \times 20\%^{(注)} = 6,381円$$

適格請求書発行事業者以外の者からの課税仕入れについて80％控除の経過措置の適用を受けるものについては本来の調整対象額（本事例においては31,908円）の20％相当額を調整対象額として課税仕入れ等の税額の合計額に加算することとなります（注）。

㈱　50％控除の経過措置の適用を受けるものについては本来の調整対象額の50％相当額を調整対象額として課税仕入れ等の税額の合計額に加算することとなります。

したがって、実績報告書で使途を明らかとした課税期間（X２期）において、調整対象額として課税仕入れ等の税額の合計額に加算することができる金額は、6,381円となります。

第５節　Q＆A

Q11－1

公益法人等の申告単位

当法人（公益社団法人）では、法人税法上の収益事業に該当する事業も行っていることから、収益事業と非収益事業について区分経理し、収益事業部門を特別会計とし、非収益事業部門を一般会計とする経理を行っています。このように会計単位を別々にしている場合には、収益事業部門の特別会計についてのみ消費税の申告をすればよいのでしょうか。また、非収益事業部門の一般会計についても申告の必要がある場合、各部門ごとに申告すればよいのでしょうか。

A　収益事業部門及び非収益事業部門において行った課税資産の譲渡等を合わせたところで法人として一の消費税申告をすることになります。

考え方

公益法人等の非収益事業から生じた所得には法人税は課税されませんが、消費税においては、非収益事業に属する資産の譲渡等を行った場合であっても、それが国内における課税資産の譲渡等である限り、事業者である公益法人等が行ったものですから、課税の対象となります（消法4①）。

また、消費税は事業者を納税義務者としていますが、基準期間における課税売上高及び特定期間における課税売上高（又は給与等支払額）（以下「基準期間における課税売上高等」といいます。）が１千万円以下の場合には、原則として、その課税期間の納税義務は免除されます（消法９①等）。この基準期間における課税売上高等も事業者を単位として判定することとされています。更に、消費税の申告も事業者を単位として行うこととされています（消法42①、45①）。このような取扱いは、公益法人等であっても異なるところはありませんから、収益事業部門と非収益事業部門について各部門ごとに申告することは認められません。

したがって、公益法人等のその課税期間に係る基準期間における課税売上高等が１千万円を超える場合には、その課税期間中に収益事業部門及び非収益事業部門において行った課税資産の譲渡等を合わせたところで申告をする必要があります。

Q11－2

消費税の還付金の特定収入該当の有無

国、地方公共団体、公共・公益法人等が、消費税の確定申告に当たって控除不足還付税額が生じ還付金を受け取った場合、その還付金は特定収入に該当しますか。

A　特定収入に該当しません。

考え方

消費税の確定申告において控除不足還付税額が生じたことにより収受する還付金は、資産の譲渡等の対価以外の収入ですが、消費税法施行令75条1項5号の「還付金」に該当しますので、特定収入に該当しない収入（特定収入以外の収入）となります。

なお、還付加算金は、利息的な要素はありますが、対価性がないことから資産の譲渡等の対価以外の収入に該当し、特定収入となります。

Q11－3

人件費に使途が特定されている補助金の取扱い

当事業団では、交付要綱において人件費に充てるべきこととされている補助金を国から交付されており、当該補助金を給料及び通勤手当として職員に支払っています。この場合、当該補助金は特定支出のためにのみ使用するものでない（通勤手当の支給は課税仕入れとなります。）ことから、全額が特定収入に該当することとなると考えられますが、当該補助金における実績報告書において通勤手当として支出した金額が明らかにされている場合には、当該金額のみを特定収入とし、それ以外の金額については、特定収入に該当しないものとして取り扱ってよいでしょうか。

A　通勤手当以外の金額については、特定収入に該当しないものとして取り扱って差し支えありません。

考え方

資産の譲渡等の対価以外の収入の使途が特定されているかどうかは、一般的には法令又は交付要綱等に定めるところによりますが、この場合の交付要綱等には、補助金等を交付する者が作成した補助金等交付要綱、補助金等交付決定書のほか、これらの附属書類である補助金等の積算内訳書、実績報告書を含むこととされています（消基通16－２－２）。

したがって、実績報告書において、通勤手当として支出した金額が明らかにされている部分に係る補助金を特定収入とし、給料として支出した金額に係る補助金を特定支出のためにのみ使用することとされている収入として特定収入に該当しないものと取り扱って差し支えありません。

Q11－4

借入金の利子の支払に使用することとされている補助金

当法人（公益財団法人）では、建物の建設資金の借入れを行いましたが、借入金の利子の支払に当たっては、地方公共団体から補助金が交付されることになっています。この補助金は、特定収入となるのでしょうか。

A　特定収入に該当しません。

考え方

ご質問の補助金については、金銭の借入れに関して交付される補助金ですが、借入金元本の返済に充てられるものではなく、非課税取引の対価である借入金利子の支払のためにのみ使用することとされている収入ですから、その補助金を交付する地方公共団体が作成した交付要綱等でその旨が明らかにされていれば、特定収入に該当しないことになります（消令75①六イ⑷）。

Q11－5 公益法人における諸収入

当公益財団法人では、次のような収入があります。これらの収入は、仕入控除税額を計算する場合、特定収入に該当するのでしょうか。

(1) 株式配当金

(2) 建物賃借に係る敷金・保証金の返還金

(3) 納品遅延を原因とした違約金

(4) 預貯金の利子

(5) 割引債の償還金

A (1)株式配当金、(3)納品遅延を原因とした違約金は特定収入に該当します。

考え方

(1) 株式配当金

株式配当金は資産の譲渡等の対価ではありませんから（消基通5－2－8）、その配当金に係る株式が基本財産に属するものであるかどうかにかかわらず、特定収入となります（消基通16－2－1）。

(2) 建物賃借に係る敷金・保証金の返還金

建物の賃借時に支出した敷金・保証金が、その建物からの退去に伴って返還された場合、それは、単に預けていた金銭の返還を受けたにすぎませんから、敷金・保証金の返還金は資産の譲渡等の対価には当たらず（消基通5－4－3）、また、特定収入にも該当しません（消令75①五）。

(3) 納品遅延を原因とした違約金

納入業者が指定期日までに納品しなかったことを原因として収受する違約金は、資産の譲渡等の対価として収受するものではなく、対価性のない損害賠償金と認められますから、特定収入に該当します（消基通16－２－１）。

⑷　預貯金の利子

預金や貯金は利子を対価とする金銭の貸付けに類するもので、その利子は非課税とされています（消令10②一）。したがって、金銭の貸付けに類する資産の譲渡等の対価として収受するものですから、特定収入には該当しません（消法60④）。

⑸　割引債の償還金

割引債の償還金は、元本である取得価額に相当する金額と利子に相当する償還差益とで構成されています。このうち、取得価額に相当する部分の金額は特定収入に該当しません（消令75①四）。また、償還差益は預貯金の利子と同様に非課税とされていますから（消令10③六）、資産の譲渡等の対価に該当し、特定収入とはなりません（消法60④）。

したがって、これらの諸収入のうち、特定収入に該当する株式配当金、納品遅延を原因とした違約金は、仕入控除税額の計算において特定収入に係る課税仕入れ等の税額を控除する必要があるかどうかの基準となる特定収入割合の分母、分子に算入されることとなります。また、これらは、法令等において課税仕入れ等に係る支出にのみ使用することとされているものではありませんから、特定収入に係る課税仕入れ等の税額を計算するに当たっての調整割合の分母、分子にも参入されることとなります。

Q11－6

基金に充てるための金銭の特定収入該当の有無

公共法人等が、基金（一定の事業の財源）に充てるために受け入れる金銭で、次のようなものは特定収入に該当しますか。

(1) 一定の事業目的のために設立された公共法人等の活動の原資となる金銭で、当該公共法人等の解散の際には支出者に残余財産が帰属するなど、出資としての性格を有し、かつ、受入れ側の貸借対照表上も資本勘定又は正味財産の部（科目は出資金、基本金、基金等）で計上される金銭

(2) 一定の事業の財源として受ける金銭で、一定期間又は事業の終了により支出者に返済することとなっており、借入金としての性格を有し、受入れ側の貸借対照表上も負債勘定（長期借入金等）で計上される金銭

(3) 一定の事業の財源として受ける金銭であるが、(1)及び(2)以外のもの

A (1)、(2)は特定収入に該当しません。(3)は個別に判断することになります。

考え方

基金に充てるために受け入れる金銭については、ご質問の金銭の区分に応じ次により取り扱うこととなります（消基通16－2－5）。

(1)の金銭

………出資金としての性格を有するものであることから特定収入に該当しません。

(2)の金銭

………借入金としての性格を有するものであることから特定収入に該

当しません。

⑶　一定の事業の財源として受ける金銭で、⑴及び⑵以外のもの

①　法令において、事業は当該基金を運用した利益で行い、元本については取り崩しができないこととされているもの（基金の運用方法が元本保証されているものに限られる場合を含みます。）

………基金を受け入れた課税期間においては特定収入に該当しませんが、公共法人等の解散等一定の事情の下に基金を取り崩す時には、基金として積み立てている金額の収入があったものとして処理し、その上で当該取り崩す基金の使途を判定し、特定収入該当の有無等、消費税の取扱いを判定します。

②　①以外のもの

………基金を受け入れた課税期間における特定収入に該当することとなります。

Q11－7 学校法人が収受する寄附金の取扱い

当学校法人が後援会から体育館建設資金として受領した寄附金については、消費税法上どのような取扱いとなるのでしょうか。

A 使途不特定の特定収入に該当します。

考え方

寄附金収入は、寄贈者からの反対給付を伴わない贈与による収入であることから、消費税法上は「資産の譲渡等の対価」以外の収入すなわち不課税収入として取り扱われます。

学校法人会計では、寄附金収入は寄附者の意思によりその使途が特定されている場合には特別寄附金収入、それ以外のものは一般寄附金収入に区分経理されています。

消費税法上、一般寄附金については、課税仕入れ等及び課税仕入れ等以外の支出に共通的に使用される特定収入（使途不特定の特定収入）に該当することとなります。

また、特別寄附金のうち、財務省告示（昭和40年大蔵省告示第154号）の指定寄附金及び日本私立学校振興・共済事業団を経由する受配者指定寄附金については、募集趣旨等によりその使途が定められており、その内容が財務省告示又は日本私立学校振興・共済事業団の通知書において明らかにされるところから、消費税法施行令75条１項６号により次のように取り扱われることとなります。すなわち、その使途が課税仕入れに係る支払対価の額、課税貨物の引取価格、あるいは、同項１号に規定する借入金等の返済金又は償還金に係る支出のみに充てることとされているもの、及びこれらの支出とこれらの支出以外の支出に共通して充てられることとされているものは特定収入となり、一方、これらの支出以外の支出（特定支出）のみに充てることとされているものは特定収入以外の不課税収入となります。

上記以外の特別寄附金については、国若しくは地方公共団体又は特別の法律により設立された法人の発遣する文書においてその使途が明らかにされているものではないので、使途不特定の特定収入として取り扱われることとなります。

ご質問の後援会からの寄附金収入についても、財務省告示の特定寄附金あるいは日本私立学校振興・共済事業団からの受配者指定寄附金に該当しない限り、使途不特定の特定収入として取り扱われることとなります。

Q11－8

社会福祉法人が収受する寄附金に係る使途の特定の取扱い

当社会福祉法人は、主に社会福祉事業に該当する事業を行っており、事業を行うための寄附金等があることから、特定収入に係る課税仕入れ等の税額の調整が必要になってきます。

当法人では寄附金の募集に当たって寄附者に寄附金の用途を特定してもらった上で寄附を受けることとしています。

寄附金の申込書には、

イ　就労支援事業の工賃（給与）に充てるための寄附

ロ　就労支援事業のイ以外の経費に充てるための寄附

ハ　法人の一般的支出に充てるための寄附

ニ　その他の支出（具体的な使途を記載）

と記載されており、寄附者はこの記載に従って寄附の目的を明らかにするようにしています。

このように寄附者の寄附の目的等が明らかになっていることを前提として、イの表示のあるものは特定収入以外の不課税収入、ロ及びハの表示があるものについては使途不特定の特定収入とし、ニの表示があるものについては、具体的な使途の内容により判定することは認められるでしょうか。

A　消費税法上寄附金の使途が明らかにされている場合とは、「法令又は交付要綱等」において明らかにされている場合などとされていますから、事例の寄附金は、いずれの表示がされているものについても使途不特定の特定収入に該当するものと考えます。

考え方

1　社会福祉法人等に資産の譲渡等の対価以外のいわゆる不課税収入がある場合の取扱い

消費税は、国・地方公共団体、消費税法別表第三に掲げる法人又は人格のない社団等に一定割合を超える特定収入がある場合には、特定収入に係る課税仕入れ等の税額の調整をすることとされています（消法60④、消令75）。

この場合の特定収入とは、資産の譲渡等の対価以外の収入で、消費税法施行令75条1項各号《国、地方公共団体等の仕入れに係る消費税額の特例》に規定する収入以外のものが該当します（消法60④）。

これらのことを前提として事例について検討すれば、次のとおりとなります。

2　寄附金収入が特定収入に該当するか

事例の寄附金については資産の譲渡等の対価に該当しないいわゆる不課税収入に該当し、消費税法施行令75条1項各号に規定する収入のいずれにも該当しないことから、特定収入に該当するものと考えます。

3　特定収入の使途の特定

次に事例の特定収入である寄附金の使途の特定について検討すれば、事例の寄附者の意思表示は特定収入の使途の特定の方法（消令75①六、④、消基通16－2－2の方法）のいずれにも該当しないと認められることから、事例の寄附金は使途不特定の特定収入に該当するものと考えます。

Q11－9

特定収入がある公益財団法人の簡易課税制度の選択

当公益財団法人は、過去一定して課税売上高が４千万円台となっていて、一般課税（本則課税）で申告を行っています。

来年度には、国の補助金の給付を申請する予定があり、簡易課税を適用する方が有利であることが判明しましたので、今年度中に簡易課税制度選択届出書を提出して、来年度から簡易課税を適用したいのですが可能でしょうか。

A　可能です。

考え方

(1)　公益法人等において、補助金等の特定収入があり、特定収入割合が５％超であるときには、特定収入に係る課税仕入れ等の税額の調整が必要になり、この場合の仕入控除税額は、通常の方法で計算した仕入控除税額から特定収入で賄われた課税仕入れ等に係る消費税額を控除した後の額とされています（消法60④）。

(2)　公益法人等であっても基準期間における課税売上高が５千万円以下の場合には、一般の法人と同様に簡易課税制度を選択適用することが可能であり（消法37①）、簡易課税制度を選択適用したときには、補助金等の特定収入があっても上記(1)の特定収入に係る課税仕入れ等の税額の調整をする必要はありません（消法60④）。

したがって、来年度に補助金等の特定収入が予定される公益財団法人が来年度の消費税額を想定して、簡易課税制度を選択適用した方が有利であるという理由であっても、今年度中に「消費税簡易課税制度選択届出書（第24号様式、インボイス様式通達第９号様式）」を提出することで、来年度から簡易課税を選択適用することは可能です。

Q11－10

病院内保育所運営費補助金の取扱い

当医療法人では、医師、看護職員等の医療従事者が扶養している乳幼児、児童を対象とした病院内保育所を設置しています。この病院内保育事業に対しては、地方公共団体から保育士等の人件費などの運営費について補助金が交付されています。この補助金収入に対する消費税の取扱いはどのようになるでしょうか。

A 特定収入に該当します。

ただし、法令又は交付要綱等において、保育士等の人件費など特定支出のためにのみ使用することとされている収入は特定収入には該当しません。

考え方

病院内保育所運営費補助金は、看護師等の医療従事者の離職防止及び定着の促進を図る等の目的で、地方公共団体が域内の病院内保育所に対し、保育士等の人件費など運営費の一部を補助するものです。

このような特定の政策目的を実現するために、ある給付に対する反対給付としてではなく交付される補助金等は、資産の譲渡等の対価に該当しませんから、その収入は消費税の課税対象とはなりません（消基通５－２－15）。

しかし、資産の譲渡等の対価以外の収入は、借入金、出資金等の収入や法令又は交付要綱等において特定支出のためにのみ使用することとされている収入など一定のものを除き、特定収入に該当することとなりますから、特定収入割合が５％を超える場合は、簡易課税制度又は２割特例の適用を受ける場合を除き、その収入により賄われる課税仕入れ等に係る消費税額について仕入控除税額の調整を行うこととされています

（消法60④、28年改正法附則51の２④、消令75①、③）。

ご質問の病院内保育所運営費補助金も、保育士等の人件費などに充てるものとされているとのことですから、人件費等の特定支出のためにのみ支出することとされている部分の金額が法令又は交付要綱等において明らかにされている場合は、その金額は特定収入に該当しないことになります。また、法令又は交付要綱等では特定支出のためにのみ使用することが明らかでない場合でも、消費税法基本通達16－２－２を準用して人件費等の特定支出にのみ使用する部分が特定できる場合は、その部分の金額は特定収入に該当しないこととなります（本節Q11－３「人件費に使途が特定されている補助金」（679頁）参照）。

Q11−11

公益法人等における補助金等の使途の特定方法

当法人（会計年度の末日が３月31日である公益法人等）は、条例等に基づき、地方公共団体から補助金の交付を受けています。

当該補助金は、当法人の行う一定の事業に係る人件費等の経常経費に支出することが交付要綱に定められていますが、交付を受ける補助金のうち、人件費に支出する部分は当該交付要綱では明らかにされておりません。

ところで、当該補助金の交付手続は、次のような手続により行われています。

① 事業計画書受付（７月上旬）

② 内示額通知（10月中旬）

③ 交付申請書受付（11月上旬）……各費目の金額を区分して申請

④ 交付額決定通知（12月上旬）……申請に基づいて交付額を通知

⑤ 補助金交付（12月）

⑥ 実績報告書提出（翌年５月下旬）……各費目の金額を区分して報告

⑦ 補助金額の確定通知（翌年８月上旬）……実績報告書を検討の上通知

この場合、実績報告書の費目別補助金執行実績の金額により、特定収入以外の収入と特定収入とに区分することができますか。

A ご質問の補助金について、実績報告書の費目別補助金執行実績の金額によりその使途が明らかにされている場合には、当該金額により特定収入以外の収入と特定収入とに区分して差し支えありません。

考え方

補助金等の使途が法令又は交付要綱等により明らかにされている場合

には、その明らかにされているところにより使途を特定することとされています。「交付要綱等」とは、国、地方公共団体又は特別の法律により設立された法人が交付する者である補助金等について、これらの者が作成したその補助金等の使途を定めた文書をいいますが、「交付要綱等」の範囲には、補助金等交付要綱及び補助金等交付決定書のほか、これらの附属書類である補助金等の積算内訳書及び実績報告書も含まれます（消法60④、消令75①六、④、消基通16－２－２）。

したがって、実績報告書の費目別補助金執行実績の金額により、その補助金等の使途が明らかにされている場合は、当該金額により、特定収入以外の収入と特定収入とに区分して差し支えありません。

なお、交付要綱等で補助金等の使途が特定できない場合であっても、補助金等を支出した地方公共団体がその使途を明らかにした文書を交付している場合には、当該文書により特定収入以外の収入と特定収入とに区分して差し支えありませんが、この方法により補助金等の使途を特定するときは、地方公共団体が交付したその補助金等の使途を明らかにした文書を確定申告書とともに納税地の所轄税務署長に提出する必要があります。

㈡　法令又は交付要綱等により使途が明らかにされていない場合において、補助金等を支出した地方公共団体がその使途を明らかにした文書を交付していない場合には、その補助金等は使途不特定の特定収入に該当することになります。

第12章

申告書の書き方

本章では、一般課税（本則課税）の場合、簡易課税の場合及び特定収入に係る課税仕入れ等の税額の調整を要する場合における消費税の申告書の作成について具体的に説明します。

第１節　申告に当たっての留意事項

⑴　適格請求書発行事業者の納税義務

適格請求書発行事業者の登録を受けている場合は、基準期間における課税売上高や特定期間における課税売上高が１千万円以下であっても、また、その他の納税義務の免除の特例規定に該当しない場合でも、その課税期間の納税義務は免除されませんから、確定申告書を提出しなければなりません（消法９①、45①）。

⑵　特定期間における課税売上高の特例

基準期間における課税売上高が１千万円以下であっても、特定期間（その年の前年１月１日から６月30日までの期間又はその事業年度の前事業年度開始の日以後６月の期間）における課税売上高が１千万円を超えた場合は、課税事業者となりますので、確定申告書を提出する必要があります。

なお、国外事業者以外の事業者は、１千万円の判定において、課税売上高に代えて、給与等支払額の合計額によることもできます（消法９の２③）。

㈱　国外事業者について給与等支払額の合計額による判定を認めないこととする取扱いは、令和６年10月１日以後に開始する課税期間から適用されます（令和６年改正法附則13①）。

⑶　新設法人等の特例

「消費税課税事業者選択届出書」を提出している法人及び基準期間

がない法人でその事業年度の開始の日の資本金の額又は出資の金額が1千万円以上の法人（以下「新設法人」といいます。）は課税事業者となりますので、確定申告書を提出する必要があります（消法9④、12の2①）。

また、基準期間がない法人でその事業年度開始の日における資本金の額又は出資の金額が1千万円未満の法人（以下「新規設立法人」といいます。）のうち、次の①、②のいずれにも該当する法人（以下「特定新規設立法人」といいます。）については、課税事業者となりますので、確定申告書を提出する必要があります（消法12の3①）。

(注) 基準期間がある外国法人が、その基準期間の末日の翌日以後に国内において課税資産の譲渡等に係る事業を開始した場合には、その事業年度は基準期間がないものとみなし、新設法人の特例又は特定新規設立法人の特例の適否を判定することとされています（消法12の2③、12の3⑤）。
なお、この外国法人についての取扱いは、令和6年10月1日以後に開始する課税期間から適用されます（令和6年改正法附則13②）。

① その基準期間がない事業年度開始の日において、他の者により当該新規設立法人の株式等の50％超を直接又は間接に保有される場合など、他の者により当該新規設立法人が支配される一定の場合（特定要件）に該当すること。

② 上記①の特定要件に該当するかどうかの判定の基礎となった他の者及び当該他の者と一定の特殊な関係にある法人のうちいずれかの者の当該新規設立法人の当該事業年度の基準期間に相当する期間における課税売上高が5億円を超えていること又は売上金額、収入金額その他の収益の額の合計額が50億円を超えていること。

(注) 収益の額50億円超の判定基準は、令和6年10月1日以後に開始する課税期間から適用されます（令和6年改正法附則13③）。

⑷　調整対象固定資産の仕入れ等がある場合

次の①又は②の課税期間中に調整対象固定資産（購入価額から消費税等に相当する金額を除いた金額が100万円以上の固定資産）の課税仕入れ等を行い、かつ、その仕入れ等の課税期間の確定申告を一般課税で行った場合、その課税期間の初日から原則として３年間は、新設法人及び特定新規設立法人については納税義務が免除されず、課税事業者を選択した法人については免税事業者となることができませんので、確定申告書を提出する必要があります。

また、この間は簡易課税制度を新たに選択すること及び２割特例を適用することができません（消法９⑦、12の２②、12の３③、37③一、二、28年改正法附則51の２①）。

①　新設法人及び特定新規設立法人については、基準期間がない各課税期間中

②　「消費税課税事業者選択届出書」を提出した法人については、課税事業者となった日から２年を経過する日までの間に開始した各課税期間中

⑸　高額特定資産の仕入れ等がある場合

一般課税において確定申告を行う課税期間（簡易課税制度又は２割特例の適用を受けない課税期間）において、次の①から⑤までのいずれかに該当する場合は、それぞれ①から⑤の各課税期間中は納税義務が免除されませんから、確定申告書を提出する必要があります。また、この間は簡易課税制度を新たに選択すること及び２割特例の適用をすることもできません（消法12の４①～③、37③三～五、28年改正法附則51の２①）。

①　高額特定資産（購入価額から消費税等に相当する金額を除いた金額が１千万円以上の棚卸資産又は調整対象固定資産）の仕入れ等を行った場合

⇒　高額特定資産の仕入れ等を行った課税期間の翌課税期間から、当該高額特定資産の仕入れ等を行った課税期間の初日以後３年を経過する日の属する課税期間までの各課税期間

②　自己建設高額特定資産（他の者との契約に基づき、又はその事業者の棚卸資産若しくは調整対象固定資産として、自ら建設等をした高額特定資産）の仕入れ等を行った場合

⇒　自己建設高額特定資産の仕入れ等を行った場合に該当することとなった課税期間の翌課税期間から、当該自己建設高額特定資産の建設等が完了した課税期間の初日以後３年を経過する日の属する課税期間までの各課税期間

③　免税事業者である期間中に行った①又は②の資産の課税仕入れ等のうち棚卸資産に該当するものについて、課税事業者となったときの調整措置（消法36①）の適用を受ける場合

⇒　調整措置の適用を受けた課税期間の翌課税期間からその適用を受けた課税期間の初日以後３年を経過する日の属する課税期間までの各課税期間

④　免税事業者である期間中に行った①又は②の資産の課税仕入れ等のうち調整対象自己建設高額資産である棚卸資産に該当するものについて、課税事業者となったときの調整措置（消法36③）の適用を受ける場合

⇒　調整措置の適用を受けた課税期間の翌課税期間からその適用を受けた課税期間（その適用を受けることとなった日の前日までに建設等が完了していない場合は、その建設等が完了した日の属する課税期間）の初日以後３年を経過する日の属する課税期間までの各課税期間

⑤　一の課税期間中に200万円（税抜き）以上の金地金等の課税仕入れ等を行った場合

⇒　その課税期間の翌課税期間からその課税期間の初日以後３年を経過する日の属する課税期間までの各課税期間

㊟　⑤については、令和６年４月１日以後に行う金地金等の課税仕入れ等から適用されます（令和６年改正法附則13④）。

⑹　特定課税仕入れがある場合

特定課税仕入れがある場合は、リバースチャージ方式による申告が必要となることがあります。

特定課税仕入れとは、国内において行った課税仕入れのうち、国外事業者から受けた「事業者向け電気通信利用役務の提供」及び「特定役務の提供」をいいます。

特定課税仕入れがある課税期間においては、次の点に留意する必要があります。

①　一般課税で申告を行う事業者でその課税期間の課税売上割合が95％以上である課税期間や、簡易課税制度又は２割特例の適用を受ける課税期間については、当分の間、特定課税仕入れはなかったものとされます（27年改正法附則42、44②、28年改正令附則51の２④）。また、免税事業者は、特定課税仕入れについても消費税の納税義務が免除されています。したがって、これらの場合には、リバースチャージ方式による申告は必要ありません（消法９①）。

②　免税事業者である国外事業者から受けた「事業者向け電気通信利用役務の提供」及び「特定役務の提供」も「特定課税仕入れ」に該当します（消法４①、５①、消基通５－８－１）。

③　国内において特定課税仕入れに該当しない電気通信利用役務の提供を受けた場合、すなわち、国内において、国内事業者から電気通信利用役務の提供を受けた場合、又は、適格請求書発行事業者である国外事業者から事業者向け以外の電気通信利用役務の提供（以下、

「消費者向け電気通信利用役務の提供」といいます。）を受けた場合は、通常の課税仕入れとして仕入税額控除を受けることになります（消法30①一）。なお、適格請求書発行事業者以外の国外事業者から「消費者向け電気通信利用役務の提供」を受けた場合は、少額特例の適用がある場合を除いて、消費税法30条１項の規定による仕入税額控除だけでなく、28年改正法附則52条及び53条の経過措置（80％控除、50％控除）による仕入税額控除も受けられません（30年改正令附則24、28年改正法附則53の２、30年改正令附則24の２）。

(7) 申告期限等

作成した申告書は提出期限内に納税地を所轄する税務署又は業務センターに提出する必要があります。

(注) 申告書の提出期限及び法人の申告期限延長制度については32頁を参照。

(8) 納期限

申告による納付税額は、申告書の提出期限までに納付しなければなりません（消法49）。

納期限（申告書の提出期限）までに納付されていない場合には延滞税が課されます。

(9) 大法人等の電子申告義務化

令和２年（2020年）４月１日以後に開始する課税期間について、特定法人である事業者（免税事業者を除きます。）は、原則として、電子情報処理組織を使用する方法で、納税申告書等又はその添付書類に記載すべきものとされている事項を提供することにより、消費税の申告を行わなければなりません（消法46の２①）。

(注)１ 「特定法人」とは、次に掲げる事業者をいいます（消法46の２②）。
(1) その事業年度開始の時における資本金の額、出資の金額等が１億円を超える法人（法人税法２条４項に規定する外国法人を除きます。）
(2) 保険業法２条５項に規定する相互会社

⑶　投資信託及び投資法人に関する法律２条12項に規定する投資法人（上記⑴に掲げる法人を除きます。）

⑷　資産の流動化に関する法律２条３項に規定する特定目的会社（上記⑴に掲げる法人を除きます。）

⑸　国又は地方公共団体

2　「電子情報処理組織」とは、国税庁の使用に係る電子計算機（入出力装置を含みます。）とその申告をする事業者の使用に係る電子計算機（入出力装置を含みます。）とを電気通信回線で接続した電子情報処理組織「国税電子申告・納税システム（e-Tax）」をいいます。

第２節　一般課税の場合

1　申告書の作成の留意事項

⑴　使用する様式

令和５年（2020年）10月１日以後に終了する課税期間分の申告を行う場合は、軽減様式通達に定める様式を用います。一般課税で税額計算の特例の適用がない場合は、次の様式を作成することとなります（軽減様式通達１、２）。

①　第３－⑴号様式　申告書（**第一表**　令和５年10月１日以後終了課税期間分（一般用））

②　第３－⑵号様式　課税標準額等の内訳書（**第二表**　令和４年４月１日以後終了課税期間分）

③　第４－⑼号様式　**付表１－３**　税率別消費税額計算表兼地方消費税の課税標準となる消費税額計算表（R 5.10.1以後終了課税期間用）

④　第４－⑽号様式　**付表２－３**　課税売上割合・控除対象仕入税額等の計算表（R 5.10.1以後終了課税期間用）

※　解説においては**太字**の様式名を用いています。第３節及び第４節においても同じです。

⑵　軽減税率制度導入に伴う特例計算を適用する場合

課税売上げに係る消費税額の計算に当たり軽減売上割合等による特例計算を適用する場合には、適用する特例計算に応じて、軽減様式通達第５－⑴号様式又は第５－⑵号様式も作成します（軽減様式通達３）。

㈡　売上税額の計算に軽減売上割合等による特例計算が適用できるのは令和５年

(2023年) 9月30日までの期間とされています (28年改正法附則38①、②)。

2　具体例（売上税額及び仕入税額の計算について総額割戻し計算を適用する場合）

I　課税売上げ等の金額の区分

課税期間中の売上高を、課税売上高、免税売上高及び非課税売上高に区分して集計します。

なお、軽減税率制度が実施された令和元年 (2019年) 10月1日以後は、課税売上額を税率の異なるごとに区分して集計する必要があります。

また、課税売上割合の計算に必要ですので、これらの売上高ごとの売上対価の返還等の金額 (返品を受け、又は値引き・割戻しをした金額) も同様に区分して集計します。

本節では、取引内容が次のとおりである3月決算法人を例に記載方法を説明します。

【設　例】

有料老人ホームを経営する (株) Aの当課税期間 (令和6年4月1日～令和7年3月31日) の課税売上高等の状況は、次のとおりです。

(単位：円)

1　課税期間中の売上高

売上区分＼税率区分	軽減税率 (6.24%)	標準税率 (7.8%)	合計
課税売上額(税込み)	191,200,000	47,800,000	239,000,000
免税売上額			0
非課税売上額			258,000,000

2　課税期間中の課税仕入れの金額及び仕入対価の返還等の金額

項目＼税率区分	軽減税率（6.24%）	標準税率（7.8%）	合計
課税仕入れの金額（税込み）	116,600,000	58,364,000	174,964,000
内　課税売上げにのみ要するもの	116,600,000	29,200,000	145,800,000
内　非課税売上げにのみ要するもの	0	10,499,200	10,499,200
内　課税売上げと非課税売上げに共通して要するもの	0	18,664,800	18,664,800
仕入対価の返還等の金額※（税込み）	355,200	88,800	444,000

※(1)　課税仕入れの相手方はすべて適格請求書発行事業者であり、仕入税額控除の要件である帳簿及び請求書等は適法に保存している。
(2)　特定課税仕入れはない。
(3)　仕入対価の返還等の金額は、すべて課税売上げにのみ要する課税仕入れに係るものである。

3　中間納付消費税額　3,783,000
4　中間納付地方消費税額　1,067,000
5　基準期間における課税売上高　221,000,000

Ⅱ　課税売上げに係る消費税額の計算

1　課税標準額の計算

課税売上げについて、税率の異なるごとに区分し、課税標準額を計算します。

(1)　軽減税率（6.24%）適用分

$$191{,}200{,}000円 \times \frac{100}{108} = 177{,}037{,}037円 \rightarrow 177{,}037{,}000円$$

（税込み）

177,037,037円 ↓① 付表1－3①－1Ａ欄へ

177,037,000円（千円未満端数切捨て）② → 付表1－3①Ａ欄へ

(2) 標準税率（7.8%）適用分

$$47,800,000円 \times \frac{100}{110} = 43,454,545円 \rightarrow 43,454,000円$$

（税込み）

43,454,545円 ↓① 付表1－3①－1 B欄へ

43,454,000円（千円未満端数切捨て）② → 付表1－3①B欄へ

(3) 課税標準額の合計

(1)② ＋ (2)② ＝ 220,491,000円 → 付表1－3①C欄へ

(4) 課税資産の譲渡等の対価の額の合計

(1)① ＋ (2)① ＝ 220,491,582円 → 付表1－3①－1 C欄へ

2 課税標準額に対する消費税額の計算

税率の異なるごとに区分して算出した課税標準額に税率を乗じて、課税標準額に対する消費税額を計算します。

(1) 軽減税率（6.24%）適用分

$$177,037,000円 \times \frac{6.24}{100} = 11,047,108円$$ → 付表1－3②A欄へ

(2) 標準税率（7.8%）適用分

$$43,454,000円 \times \frac{7.8}{100} = 3,389,412円$$ → 付表1－3②B欄へ

(3) 課税標準額に対する消費税額の合計

(1) ＋ (2) ＝ 14,436,520円 → 付表1－3②C欄へ

3 計算結果の転記

以上の計算結果に基づいて、第二表及び第一表の所定の欄へ金額を転記します。

Ⅲ 控除対象仕入税額の計算

課税標準額に対する消費税額の計算について適格請求書等積上げ方式

によることとした場合（消法45⑤）には、控除対象仕入税額の計算について請求書等積上げ方式（消令46①）又は帳簿積上げ方式（消令46②）を適用しなければならず、総額割戻し方式（消令46③）を適用することはできません（消基通11－１－９、15－２－１の２㈲２）。

本設例では、課税標準額に対する消費税額の計算について適格請求書等積上げ方式を適用していませんので、控除対象仕入税額についても総額割戻し方式によることとします。

1　課税売上割合の計算

(1)　課税資産の譲渡等の対価の額（分子）の計算

税率の異なるごとに区分して計算した課税売上額（税抜き）から売上対価の返還等の金額（税抜き）を控除した残額を「課税売上額（税抜き）」欄（付表２－３①欄）の該当する欄に転記します。

本事例では、売上対価の返還等の金額はありませんから、付表１－３①－１Ａ欄～Ｃ欄の金額をそのまま転記します。

㈲　売上金額から売上対価の返還等の金額を直接減額する方法で経理している場合は、減額した後の金額を税抜きにして転記することになります。

イ　軽減税率（6.24％）適用分

177,037,037円　→　付表２－３①Ａ欄へ
（付表１－３①－１Ａ欄）

ロ　標準税率（7.8％）適用分

43,454,545円　→　付表２－３①Ｂ欄へ
（付表１－３①－１Ｂ欄）

ハ　課税売上額（税抜き）の合計

イ＋ロ＝220,491,582円
└→付表２－３①Ｃ欄へ

ニ　免税売上額

免税売上額がある場合は、付表２－３②Ｃ欄へ転記します（本事例ではありません。）。

㈱　国内で譲渡すれば非課税売上げとなる資産を輸出した場合や、海外で自ら使用又は譲渡するために資産を輸出した場合の輸出取引等に係る金額は、課税売上割合の計算上は免税売上額として取り扱われますから、その金額を「非課税資産の輸出等の金額、海外支店等へ移送した資産の価額③」欄に記載します。

ホ　分子の額の計算

付表２－３①Ｃ欄～③Ｃ欄の合計額を算出し、④Ｃ欄に記入します。

⑵　資産の譲渡等の対価の額（分母）の計算

イ　非課税売上額

258,000,000円　→　付表２－３⑥Ｃ欄へ

㈱　本事例では、課税売上割合の分母に加算しない非課税売上げや５％相当額を加算する非課税売上げはありませんから、非課税売上額の合計をそのまま転記します。

ロ　分母の額の計算

付表２－３⑤Ｃ欄及び⑥Ｃ欄の合計額を算出し、⑦Ｃ欄に記入します。

⑶　課税売上割合の計算

220,491,582円　÷　478,491,582円　＝　46.080…％　→　46％
（付表２－３④Ｃ欄）（付表２－３⑦Ｃ欄）　↓付表２－３⑧Ｃ欄へ

⑷　控除方式の判定

イ　この課税期間における課税売上高（付表２－３④Ｃ欄）

220,491,582円　≦　５億円

㈱　課税期間が１年に満たない場合には、１年に満たない課税期間におけ

る課税売上高を年換算した金額（当該課税期間の月数で除し、これに12を乗じて計算した金額）となります。

ロ　この課税期間の課税売上割合

46％　＜　95％

したがって、個別対応方式又は一括比例配分方式により控除対象仕入税額を計算することになります。

2　控除対象仕入税額の計算

⑴　課税仕入れに係る支払対価の額（税込み）の計算

税率の異なるごとに区分した課税仕入れの金額及び仕入対価の返還等の金額から、「課税仕入れに係る支払対価の額（税込み）」を計算します。

イ　軽減税率（6.24％）適用分

（116,600,000円 － 355,200円）＋ 0円 ＋ 0円
（課税売上げ用）（仕入対価の返還）（非課税売上げ用）（課税・非課税共通用）

＝ 116,244,800円 → 付表2－3⑨A欄へ

ロ　標準税率（7.8％）適用分

（29,200,000円 － 88,800円）＋ 10,499,200円 ＋ 18,664,800円
（課税売上げ用）（仕入対価の返還）（非課税売上げ用）（課税・非課税共通用）

＝ 58,275,200円 → 付表2－3⑨B欄へ

ハ　課税仕入れに係る支払対価の額の合計

イ ＋ ロ ＝ 174,520,000円 → 付表2－3⑨C欄へ

⑵　課税仕入れに係る消費税額の計算

税率の異なるごとに区分した課税仕入れに係る支払対価の額（税込み）に基づいて、「課税仕入れに係る消費税額」を計算します。

イ　軽減税率（6.24%）適用分

(イ)　(116,600,000円 ＋ 0円 ＋ 0円) × $\frac{6.24}{108}$
（課税売上げ用）（非課税売上げ用）（課税・非課税共通用）

＝ 6,736,888円

(ロ)　355,200円 × $\frac{6.24}{108}$ ＝ 20,522円
（仕入対価の返還）

(ハ)　(イ) － (ロ) ＝ 6,716,366円 → 付表2－3⑩A欄へ

ロ　標準税率（7.8%）適用分

(イ)　(29,200,000円 ＋ 10,499,200円 ＋ 18,664,800円) × $\frac{7.8}{110}$
（課税売上げ用）（非課税売上げ用）（課税・非課税共通用）

＝4,138,538円

(ロ)　88,800円 × $\frac{7.8}{110}$ ＝6,296円
（仕入対価の返還）

(ハ)　(イ) － (ロ) ＝ 4,132,242円 → 付表2－3⑩B欄へ

ハ　課税仕入れに係る消費税額の合計

イ ＋ ロ ＝ 10,848,608円 → 付表2－3⑩C欄へ

(注)　適格請求書発行事業者以外の者から行った課税仕入れ、特定課税仕入れ、課税貨物の取引り及び消費税法36条の調整規定のある場合には、付表2－3⑪欄～⑯欄の金額を計算して該当欄に記載することになりますが、本事例ではいずれもありませんので、付表2－3⑩欄の金額を⑰欄に転記します。

(3)　個別対応方式による控除税額の計算

本事例では、課税売上割合が95％未満（46％）であるため、個別対応方式により控除税額の計算を行います。

(注)　前課税期間に一括比例配分方式を適用している場合は、同方式により計算することとした課税期間の初日から2年を経過する日までの間に開始する各課税期間について同方式を適用した後でなければ個別対応方式を適用できません（消法30⑤）。

イ　課税売上げにのみ要するものに係る消費税額

(イ)　軽減税率（6.24％）適用分

$$116{,}600{,}000\text{円}\ (\text{軽減税率課税売上げ用}) \times \frac{6.24}{108} - 355{,}200\text{円}\ (\text{左に対応する仕入対価の返還}) \times \frac{6.24}{108}$$

＝ 6,716,366円　→　付表２－３⑲Ａ欄へ

(ロ)　標準税率（7.8％）適用分

$$29{,}200{,}000\text{円}\ (\text{標準税率課税売上げ用}) \times \frac{7.8}{110} - 88{,}800\text{円}\ (\text{左に対応する仕入対価の返還}) \times \frac{7.8}{110}$$

＝ 2,064,249円　→　付表２－３⑲Ｂ欄へ

(ハ)　課税売上げにのみ要するものに係る消費税額の合計

(イ)＋(ロ)＝ 8,780,615円　→　付表２－３⑲Ｃ欄へ

ロ　課税売上げと非課税売上げに共通して要するものに係る消費税額

(イ)　軽減税率（6.24％）適用分

本事例ではありません。

(ロ)　標準税率（7.8％）適用分

$$18{,}664{,}800\text{円}\ (\text{標準税率共通売上げ用}) \times \frac{7.8}{110} = 1{,}323{,}504\text{円}$$

→　付表２－３⑳Ｂ欄へ

(ハ)　課税売上げと非課税売上げに共通して要するものに係る消費税額の合計

(イ)＋(ロ)＝ 1,323,504円　→　付表２－３⑳Ｃ欄へ

ハ　個別対応方式による控除対象仕入税額

(イ)　軽減税率（6.24％）適用分

課税売上げと非課税売上げに共通して要するものがありませんから、付表２－３⑲Ａ欄の金額がそのまま㉑Ａ欄の金額となります。

(ロ)　標準税率（7.8%）適用分

$$2,064,249円 + 1,323,504円 \times \frac{220,491,582円}{478,491,582円}$$

（イ－(ロ)）　（ロ－(ロ)）　（課税売上割合）

＝ 2,674,127円　→　付表２－３㉑Ｂ欄へ

(ハ)　個別対応方式により控除する課税仕入れ等の税額の合計

(イ) ＋ (ロ) ＝ 9,390,493円　→　付表２－３㉑Ｃ欄へ

(4)　一括比例配分方式による控除対象仕入税額

個別対応方式を適用できる事業者は一括比例配分方式も適用できますから、念のため一括比例配分方式による計算を行います。

(注)　本来は、税率の異なるごとに下記の算式で計算しますが、個別対応方式との選択の判断ができればよいので、簡便な計算を行っています。

（算式） （課税仕入れ等の税額の合計額×課税売上割合） －（その課税期間において受けた仕入対価の返還等の金額に係る消費税額 × 課税売上割合）

イ　軽減税率（6.24%）適用分

$$6,716,366円 \times \frac{220,491,582円}{478,491,582円} = 3,094,938円$$

（付表２－３⑰Ａ欄）　（課税売上割合）

ロ　標準税率（7.8%）適用分

$$4,132,242円 \times \frac{220,491,582円}{478,491,582円} = 1,904,160円$$

（付表２－３⑰Ｂ欄）　（課税売上割合）

ハ　一括比例配分方式により控除する課税仕入れ等の税額の合計

イ ＋ ロ ＝ 4,999,098円

ニ　個別対応方式の場合との比較と計算方法の選択

9,390,493円　＞　4,999,098円

（個別対応方式）　（一括比例配分方式）

本事例においては、個別対応方式による計算を選択します。

(注) 税率の異なるごとに個別対応方式と一括比例配分方式の異なる計算方法を選択することはできません。

(5) 計算結果の転記

以上２(1)～(4)の計算結果を付表２－３及び付表１－３の該当欄に記載します。

(注) 付表２－３の「貸倒回収に係る消費税額㉘」欄について
前課税期間までに貸倒処理した課税売上げに係る債権を回収した場合、その回収金額に含まれる消費税額を記載します。なお、社会保険診療等の医業未収金等非課税売上げに係るものが回収不能となっても、貸倒控除の対象とはなりませんから、それらに係る貸倒回収があっても、本欄への記載は不要です。

Ⅳ その他の控除税額の計算

1 「返還等対価に係る税額⑤」欄

売上対価の返還等又は特定課税仕入れに係る対価の返還等の金額がある場合に、その金額に含まれる税額を付表１－３の⑤－１欄又は⑤－２欄に記載し、その合計額を⑤欄に記載します。

(注) 売上金額から売上対価の返還等の金額を直接減額する方法で経理している場合は、この欄に記載する必要はありません。

2 「貸倒れに係る税額⑥」欄

課税売上げに係る売掛金等のうち、貸倒れとなった金額がある場合に、その金額に含まれる税額を付表１－３の⑥欄に記載します。

3 「差引税額⑨」欄又は「控除不足還付税額⑧」欄

付表１－３の⑨欄又は⑧欄に表示されている計算式により消費税の差引税額（百円未満の端数切捨て）又は控除不足還付税額を計算します。

4 計算結果の転記

以上により作成された付表１－３の計算結果を第二表及び第一表の

該当欄に転記します。

Ⅴ　納付税額の計算

第一表において納付すべき消費税額及び地方消費税額を計算します。

1　納付消費税額の計算

第一表⑩欄に中間納付消費税額を記入し、消費税の納付税額（第一表⑪欄）の金額を計算します。

5,046,000円　－　3,783,000円　＝　1,263,000円 → 第一表⑪欄へ
（差引税額（第一表⑨欄））（中間納付税額（第一表⑩欄））

2　納付地方消費税額の計算

地方消費税額は国税である消費税額を課税標準として計算されます。

(1)　現行税率（6.24％及び7.8％）適用分に係る地方消費税の課税標準額の計算

付表１－３⑨Ｃ欄の金額を⑪Ｃ欄に転記します。

(2)　地方消費税額の計算

$$5{,}046{,}000円 \times \frac{22}{78} = 1{,}423{,}230円 \rightarrow 1{,}423{,}200円$$

（付表１－３⑪Ｃ欄）　（百円未満の端数切捨て）
→ 付表１－３⑬Ｃ欄へ

(3)　納付譲渡割額の計算

1,423,200円－1,067,000円＝356,200円　→　第一表㉒欄へ
（第一表⑳欄）（第一表㉑欄）

Ⅵ 「納税地」欄等の記載

(1)「納税地」欄には、本店又は主たる事務所の所在地を記載します。ただし、本店等の所在地以外の事業所や事務所の所在地を所轄する税務署に申告する法人は、事務所等の所在地を記載し、その下に本

店等の所在地をかっこ書で記載します。

(2) 「法人名」欄には、法人の名称を記載します。なお、合併法人が被合併法人の最終事業年度の申告をする場合は、被合併法人名を合併法人名の下にかっこ書で記載します。

(3) 「法人番号」欄には、国税庁長官から通知された13桁の法人番号を記載します。

(4) 「※税務署処理欄」は、記載しないでください。

(5) 「自令和　年　月　日　至令和　年　月　日」欄には、申告しようとする課税期間を記載します。

(6) 「課税期間分の消費税及び地方消費税の（　）申告書」欄の（　）には「確定」と記載します。

Ⅶ 「付記事項」欄等の記載

(1) 「付記事項」欄及び「参考事項」欄は、それぞれに掲げる項目の該当する箇所に○印を付けるとともに、基準期間の課税売上高を記載します。

・「課税標準額に対する消費税額の計算の特例の適用」欄は、使用しません。

・「基準期間の課税売上高」欄には、この申告に係る課税期間の基準期間（前々事業年度）における課税売上高（税抜き）を記載します。

(2) 「税額控除に係る経過措置（２割特例）」欄には、２割特例を適用する場合に、○印を付けます。

(3) 「還付を受けようとする金融機関等」欄には、「消費税及び地方消費税の合計（納付又は還付）税額㉖」欄がマイナスとなる場合に、還付を受けようとする金融機関名等を記載します。

(4) 「税理士法第30条の書面提出有」欄及び「税理士法第33条の２の

書面提出有」欄は、当該書面を提出する場合に該当する箇所に○印を付けます。

(5)　第二表「課税標準額等の内訳書」の「改正法附則による税額の特例計算」欄は、軽減税率制度の実施に伴い中小事業者に対して認められている税額計算の特例を適用した場合を除き、使用しません。

GK0306

第3－(1)号様式

令和 7 年 5 月30日　〇〇税務署長殿　（収受印）

納税地	〇〇県〇〇市〇〇1－2（電話番号 XXX － XXX － XXXX）
（フリガナ）	カブシキガイシャ エー
法人名	株式会社 A
法人番号	×××××××××××××（13桁）
（フリガナ）	マル ヤマ カズ オ
代表者氏名	〇山 一夫

（個人の方）振替継続希望

※税務署処理欄：所管 / 要否 / 整理番号 / 申告年月日 令和 年 月 日 / 申告区分 / 指導等 / 庁指定 / 局指定 / 通信日付印 年 月 日 / 確認 / 指導 年 月 日 令和 / 相談 / 区分1 / 区分2 / 区分3

法人用　第一表　令和五年十月一日以後終了課税期間分（一般用）

自 令和 6年 4月 1日
至 令和 7年 3月31日

課税期間分の消費税及び地方消費税の（ 確定 ）申告書

（中間申告の場合の対象期間 自 令和 年 月 日 至 令和 年 月 日）

この申告書による消費税の税額の計算

項目		金額（十兆千百十億千百十万千百十一円）	
課税標準額	①	22049000	03
消費税額	②	1443652 0	06
控除過大調整税額	③		07
控除税額 控除対象仕入税額	④	939049 3	08
控除税額 返還等対価に係る税額	⑤		09
控除税額 貸倒れに係る税額	⑥		10
控除税額 控除税額小計（④+⑤+⑥）	⑦	939049 3	
控除不足還付税額（⑦－②－③）	⑧		13
差引税額（②+③－⑦）	⑨	504600 0	15
中間納付税額	⑩	378300 0	16
納付税額（⑨－⑩）	⑪	126300 0	17
中間納付還付税額（⑩－⑨）	⑫	00	18
この申告書が修正申告である場合 既確定税額	⑬		19
この申告書が修正申告である場合 差引納付税額	⑭	00	20
課税売上割合 課税資産の譲渡等の対価の額	⑮	22049158 2	21
課税売上割合 資産の譲渡等の対価の額	⑯	47849158 2	22

この申告書による地方消費税の税額の計算

地方消費税の課税標準となる消費税額 控除不足還付税額	⑰		51
地方消費税の課税標準となる消費税額 差引税額	⑱	504600 0	52
譲渡割額 還付額	⑲		53
譲渡割額 納税額	⑳	142320 0	54
中間納付譲渡割額	㉑	106700 0	55
納付譲渡割額（⑳－㉑）	㉒	35620 0	56
中間納付還付譲渡割額（㉑－⑳）	㉓	00	57
この申告書が修正申告である場合 既確定譲渡割額	㉔		58
この申告書が修正申告である場合 差引納付譲渡割額	㉕	00	59
消費税及び地方消費税の合計（納付又は還付）税額	㉖	161920 0	60

⑪・㉒又は⑫・㉓の記入をお忘れなく。

㉖＝（⑪＋㉒）－（⑧＋⑫＋⑲＋㉓）・修正申告の場合㉖＝⑭＋㉕
㉖が還付税額となる場合はマイナス「－」を付してください。

付記事項	有	無	
割賦基準の適用		〇	31
延払基準等の適用		〇	32
工事進行基準の適用		〇	33
現金主義会計の適用		〇	34

参考事項		
課税標準額に対する消費税額の計算の特例の適用	有 ・ 無	35
控除税額の計算方法：課税売上高5億円超又は課税売上割合95%未満	〇 個別対応方式 / 一括比例配分方式	41
控除税額の計算方法：上記以外	全額控除	
基準期間の課税売上高	221,000千円	

税額控除に係る経過措置の適用（2割特例） 42

還付を受けようとする金融機関等：銀行・金庫・組合・農協・漁協　本店・支店・出張所・本所・支所
預金 口座番号
ゆうちょ銀行の貯金記号番号 －
郵便局名等

（個人の方）公金受取口座の利用

※税務署整理欄

税理士署名（電話番号 － － ）

税理士法第30条の書面提出有
税理士法第33条の2の書面提出有

※ 2割特例による申告の場合、⑱欄に⑪欄の数字を記載し、⑱欄×22/78から算出された金額を⑳欄に記載してください。

GK0602

第3－(2)号様式

課税標準額等の内訳書

納税地	○○県○○市○○1－2 （電話番号 XXX － XXX － XXXX ）
（フリガナ）	カブシキガイシャ エー
法人名	株式会社 A
（フリガナ）	マルヤマ カズオ
代表者氏名	○山 一夫

整理番号

法人用

改正法附則による税額の特例計算			
軽減売上割合（10営業日）	○	附則38①	51
小売等軽減仕入割合	○	附則38②	52

第二表

令和四年四月一日以後終了課税期間分

自 令和 6年 4月 1日
至 令和 7年 3月 31日

課税期間分の消費税及び地方消費税の（ 確定 ）申告書

中間申告の場合の対象期間 自 令和 年 月 日 至 令和 年 月 日

項目		番号	金額（円）	コード
課税標準額 ※申告書（第一表）の①欄へ		①	220491000	01
課税資産の譲渡等の対価の額の合計額	3 %適用分	②		02
	4 %適用分	③		03
	6.3 %適用分	④		04
	6.24%適用分	⑤	177037037	05
	7.8 %適用分	⑥	43454545	06
	（②～⑥の合計）	⑦	220491582	07
特定課税仕入れに係る支払対価の額の合計額（注1）	6.3 %適用分	⑧		11
	7.8 %適用分	⑨		12
	（⑧・⑨の合計）	⑩		13
消費税額 ※申告書（第一表）の②欄へ		⑪	14436520	21
⑪の内訳	3 %適用分	⑫		22
	4 %適用分	⑬		23
	6.3 %適用分	⑭		24
	6.24%適用分	⑮	11047108	25
	7.8 %適用分	⑯	3389412	26
返還等対価に係る税額 ※申告書（第一表）の⑤欄へ		⑰		31
⑰の内訳	売上げの返還等対価に係る税額	⑱		32
	特定課税仕入れの返還等対価に係る税額（注1）	⑲		33
地方消費税の課税標準となる消費税額（注2）	（㉑～㉓の合計）	⑳	5046000	41
	4 %適用分	㉑		42
	6.3 %適用分	㉒		43
	6.24%及び7.8% 適用分	㉓	5046000	44

（注1） ⑧～⑩及び⑲欄は、一般課税により申告する場合で、課税売上割合が95％未満、かつ、特定課税仕入れがある事業者のみ記載します。
（注2） ⑳～㉓欄が還付税額となる場合はマイナス「－」を付してください。

第4-(9)号様式

付表1－3　税率別消費税額計算表 兼 地方消費税の課税標準となる消費税額計算表

一 般

課税期間	6・4・1 ～ 7・3・31	氏名又は名称	株式会社　A

区分		税率 6.24 % 適用分 A	税率 7.8 % 適用分 B	合計 C (A+B)
課税標準額	①	177,037, 000 円	43,454, 000 円	※第二表の①欄へ 220,491, 000 円
①の内訳 課税資産の譲渡等の対価の額	①-1	※第二表の⑤欄へ 177,037,037	※第二表の⑥欄へ 43,454,545	※第二表の⑦欄へ 220,491,582
①の内訳 特定課税仕入れに係る支払対価の額	①-2	※①-2欄は、課税売上割合が95%未満、かつ、特定課税仕入れがある事業者のみ記載する。	※第二表の⑨欄へ	※第二表の⑩欄へ
消費税額	②	※第二表の⑮欄へ 11,047,108	※第二表の⑯欄へ 3,389,412	※第二表の⑪欄へ 14,436,520
控除過大調整税額	③	(付表2-3の㉗・㉘A欄の合計金額)	(付表2-3の㉗・㉘B欄の合計金額)	※第一表の③欄へ
控除税額 控除対象仕入税額	④	(付表2-3の㉖A欄の金額) 6,716,366	(付表2-3の㉖B欄の金額) 2,674,127	※第一表の④欄へ 9,390,493
控除税額 返還等対価に係る税額	⑤			※第二表の⑰欄へ
控除税額 ⑤の内訳 売上げの返還等対価に係る税額	⑤-1			※第二表の⑱欄へ
控除税額 ⑤の内訳 特定課税仕入れの返還等対価に係る税額	⑤-2	※⑤-2欄は、課税売上割合が95%未満、かつ、特定課税仕入れがある事業者のみ記載する。		※第二表の⑲欄へ
控除税額 貸倒れに係る税額	⑥			※第一表の⑥欄へ
控除税額 控除税額小計 (④+⑤+⑥)	⑦	6,716,366	2,674,127	※第一表の⑦欄へ 9,390,493
控除不足還付税額 (⑦－②－③)	⑧			※第一表の⑧欄へ
差引税額 (②+③－⑦)	⑨			※第一表の⑨欄へ 5,046,0 00
地方消費税の課税標準となる消費税額 控除不足還付税額 (⑧)	⑩			※第一表の⑰欄へ ※マイナス「－」を付して第二表の㉚及び㉜欄へ
地方消費税の課税標準となる消費税額 差引税額 (⑨)	⑪			※第一表の⑱欄へ ※第二表の㉚及び㉜欄へ 5,046,0 00
譲渡割額 還付額	⑫			(⑩C欄×22/78) ※第一表の⑲欄へ
譲渡割額 納税額	⑬			(⑪C欄×22/78) ※第一表の⑳欄へ 1,423,2 00

注意　金額の計算においては、1円未満の端数を切り捨てる。

(R5.10.1以後終了課税期間用)

第4-(10)号様式

付表2－3　課税売上割合・控除対象仕入税額等の計算表

一 般

課税期間	6・4・1～7・3・31	氏名又は名称	株式会社　A

項目		税率 6.24 % 適用分 A	税率 7.8 % 適用分 B	合計 C (A+B)
課税売上額（税抜き）	①	177,037,037 円	43,454,545 円	220,491,582 円
免税売上額	②			
非課税資産の輸出等の金額、海外支店等へ移送した資産の価額	③			
課税資産の譲渡等の対価の額（①＋②＋③）	④			※第一表の[illegible]欄へ 220,491,582
課税資産の譲渡等の対価の額（④の金額）	⑤			220,491,582
非課税売上額	⑥			258,000,000
資産の譲渡等の対価の額（⑤＋⑥）	⑦			※第一表の[illegible]欄へ 478,491,582
課税売上割合（④／⑦）	⑧			[46%] ※端数切捨て
課税仕入れに係る支払対価の額（税込み）	⑨	116,244,800	58,275,200	174,520,000
課税仕入れに係る消費税額	⑩	6,716,366	4,132,242	10,848,608
適格請求書発行事業者以外の者から行った課税仕入れに係る経過措置の適用を受ける課税仕入れに係る支払対価の額（税込み）	⑪			
適格請求書発行事業者以外の者から行った課税仕入れに係る経過措置により課税仕入れに係る消費税額とみなされる額	⑫			
特定課税仕入れに係る支払対価の額	⑬	※⑬及び⑭欄は、課税売上割合が95%未満、かつ、特定課税仕入れがある事業者のみ記載する。		
特定課税仕入れに係る消費税額	⑭		(⑬B欄×7.8/100)	
課税貨物に係る消費税額	⑮			
納税義務の免除を受けない（受ける）こととなった場合における消費税額の調整（加算又は減算）額	⑯			
課税仕入れ等の税額の合計額（⑩＋⑫＋⑭＋⑮±⑯）	⑰	6,716,366	4,132,242	10,848,608
課税売上高が5億円以下、かつ、課税売上割合が95%以上の場合（⑰の金額）	⑱			
課税売上高が5億円超又は課税売上割合が95%未満の場合／個別対応方式／⑰のうち、課税売上げにのみ要するもの	⑲	6,716,366	2,064,249	8,780,615
課税売上高が5億円超又は課税売上割合が95%未満の場合／個別対応方式／⑰のうち、課税売上げと非課税売上げに共通して要するもの	⑳		1,323,504	1,323,504
課税売上高が5億円超又は課税売上割合が95%未満の場合／個別対応方式／個別対応方式により控除する課税仕入れ等の税額〔⑲＋(⑳×④／⑦)〕	㉑	6,716,366	2,674,127	9,390,493
課税売上高が5億円超又は課税売上割合が95%未満の場合／一括比例配分方式により控除する課税仕入れ等の税額（⑰×④／⑦）	㉒			
控除税額の調整／課税売上割合変動時の調整対象固定資産に係る消費税額の調整（加算又は減算）額	㉓			
控除税額の調整／調整対象固定資産を課税業務用（非課税業務用）に転用した場合の調整（加算又は減算）額	㉔			
控除税額の調整／居住用賃貸建物を課税賃貸用に供した（譲渡した）場合の加算額	㉕			
差引／控除対象仕入税額〔(⑱、㉑又は㉒の金額)±㉓±㉔＋㉕〕がプラスの時	㉖	※付表1-3の④A欄へ 6,716,366	※付表1-3の④B欄へ 2,674,127	9,390,493
差引／控除過大調整税額〔(⑱、㉑又は㉒の金額)±㉓±㉔＋㉕〕がマイナスの時	㉗	※付表1-3の③A欄へ	※付表1-3の③B欄へ	
貸倒回収に係る消費税額	㉘	※付表1-3の③A欄へ	※付表1-3の③B欄へ	

注意　1　金額の計算においては、1円未満の端数を切り捨てる。
2　⑨、⑪及び⑬欄には、値引き、割戻し、割引きなど仕入対価の返還等の金額がある場合（仕入対価の返還等の金額を仕入金額から直接減額している場合を除く。）には、その金額を控除した後の金額を記載する。
3　⑪及び⑫欄の経過措置とは、所得税法等の一部を改正する法律（平成28年法律第15号）附則第52条又は第53条の適用がある場合をいう。

(R5.10.1以後終了課税期間用)

第３節　簡易課税の場合

1　申告書作成の留意事項

(1)　使用する様式

令和５年（2019年）10月１日以後に終了する課税期間分の申告を行う場合は、軽減様式通達に定める様式を用います。本事例は、簡易課税による申告の場合ですから、次の様式を作成することとなります（軽減様式通達１、２）。

①　第３-(3)号様式　申告書（**第一表**　令和５年10月１日以後終了課税期間分（簡易課税用））

②　第３-(2)号様式　課税標準額等の内訳書（**第二表**　令和４年４月１日以後終了課税期間分）

③　第４-(11)号様式　**付表４-３**　税率別消費税額計算表兼地方消費税の課税標準となる消費税額計算表（R 1.10.1 以後終了課税期間用）

④　第４-(12)号様式　**付表５-３**　控除対象仕入税額等の計算表（R 1.10.1 以後終了課税期間用）

(2)　軽減税率制度導入に伴う特例計算を適用する場合

課税売上げに係る消費税額の計算に当たり軽減売上割合による特例計算を適用する場合には、軽減様式通達に規定する第５-(1)号様式も作成します（軽減様式通達３）。

2　具体例（売上税額の計算について割戻し計算を適用する場合）

I　課税売上げの事業区分

簡易課税制度を適用して控除対象仕入税額を計算するためには、事業者が行った課税資産の譲渡等について、事業の種類ごとに区分されていなければなりません（区分されていない場合は、その区分されていない事業のうち最も低いみなし仕入率の事業に係る課税資産の譲渡等として控除対象仕入税額を計算することになります（消令57④）。）。なお、軽減税率が適用される課税資産の譲渡等がある場合は、事業の種類ごとの区分に加えて、税率ごとの区分も必要となります。

本節では、取引内容とその事業区分が次のとおりである３月決算法人を例に記載方法を説明します。

【設　例】

医療法人社団Ｂの当課税期間（令和６年４月１日～令和７年３月31日）の課税売上高等の状況は、次のとおりです。

（単位：円）

１　課税期間中の売上高

税率区分／売上区分	軽減税率（6.24%）	標準税率（7.8%）	合計
課税売上額（税込み）	1,750,000	23,090,000	24,840,000
内　第２種事業（健康食品、日用品小売）	1,750,000	1,490,000	3,240,000
内　第４種事業（使用していた医療機器の譲渡）	—	2,160,000	2,160,000
内　第５種事業（課税になる医療）	—	19,440,000	19,440,000

２　中間納付消費税額　396,000

３　中間納付地方消費税額　111,600

４　基準期間における課税売上高　22,800,000

Ⅱ　課税売上げに係る消費税額の計算

1　課税標準額の計算

課税売上げについて、税率の異なるごとに区分し、課税標準額を計算します。

(1)　軽減税率（6.24%）適用分

$$1{,}750{,}000\text{円} \times \frac{100}{108} = 1{,}620{,}370\text{円} \rightarrow 1{,}620{,}000\text{円}$$

（第２種（税込み））

1,620,370円 ↓① 付表４－３①－１Ａ欄へ

1,620,000円（千円未満端数切捨て）② → 付表４－３①Ａ欄へ

(2)　標準税率（7.8%）適用分

1,490,000円（第２種（税込み））＋ 2,160,000円（第４種（税込み））＋ 19,440,000円（第５種（税込み））＝ 23,090,000円

$$23{,}090{,}000\text{円} \times \frac{100}{110} = 20{,}990{,}909\text{円} \rightarrow 20{,}990{,}000\text{円}$$

（税込み）

20,990,909円 ↓① 付表４－３①－１Ｂ欄へ

20,990,000円（千円未満端数切捨て）② → 付表４－３①Ｂ欄へ

(3)　課税標準額の合計

(1)② ＋ (2)② ＝ 22,610,000円　→　付表４－３①Ｃ欄へ

(4)　課税資産の譲渡等の対価の額の合計

(1)① ＋ (2)① ＝ 22,611,279円　→　付表４－３①－１Ｃ欄へ

2　課税標準額に対する消費税額の計算

税率の異なるごとに算出した課税標準額に税率を乗じて、課税標準額に対する消費税額を計算します。

(1)　軽減税率（6.24%）適用分

$$1{,}620{,}000\text{円} \times \frac{6.24}{100} = 101{,}088\text{円}$$

→　付表４－３②Ａ欄、付表５－３①Ａ欄へ

(2) 標準税率（7.8%）適用分

$$20{,}990{,}000円 \times \frac{7.8}{100} = 1{,}637{,}220円$$

→ 付表4－3②B欄、付表5－3①B欄へ

(3) 課税標準額に対する消費税額の合計

(1)＋(2)＝1,738,308円

→ 付表4－3②C欄、付表5－3①C欄へ

3 計算結果の転記

以上の計算結果に基づいて、第二表及び第一表の所定の欄へ金額を転記します。

Ⅲ 控除対象仕入税額の計算

1 事業区分の判定と事業の区分ごとの課税売上高

本事例の医療法人は医療のほかに、健康食品等の小売、使用していた医療機器の譲渡を行っています。健康食品等の小売は第2種事業に、使用していた医療機器の譲渡は第4種事業に該当し、メインの医療業は第5種事業となります。

(1) 軽減税率適用売上げ（税抜き）

売上対価の返還等の金額がないので、次の計算結果を付表5－3にそのまま転記します。

$$第2種事業\quad 1{,}750{,}000円 \times \frac{100}{108} = 1{,}620{,}370円$$

→ 付表5－3⑧A欄、⑥A欄へ

(2) 標準税率適用売上げ（税抜き）

売上対価の返還等の金額がないので、次の計算結果を付表5－3にそのまま転記します。

第２種事業　1,490,000円 $\times \frac{100}{110}$ ＝ 1,354,545円

→ 付表５－３⑧Ｂ欄へ

第４種事業　2,160,000円 $\times \frac{100}{110}$ ＝ 1,963,636円 → 付表５－３⑩Ｂ欄へ

第５種事業　19,440,000円 $\times \frac{100}{110}$ ＝ 17,672,727円

→ 付表５－３⑪Ｂ欄へ

合計　1,354,545円 ＋ 1,963,636円 ＋ 17,672,727円 ＝ 20,990,908円

→ 付表５－３⑥Ｂ欄へ

(3)　今課税期間の事業区分ごとの売上げ（税抜き）

第２種事業　1,620,370円 ＋ 1,354,545円 ＝ 2,974,915円

→ 付表５－３⑧Ｃ欄へ

第４種事業　1,963,636円 → 付表５－３⑩Ｃ欄へ

第５種事業　17,672,727円 → 付表５－３⑪Ｃ欄へ

合計　1,620,370円 ＋ 20,990,908円 ＝ 22,611,278円
（総課税売上高）

→ 付表５－３⑥Ｃ欄へ

(4)　控除対象仕入税額の計算方法の判定

本事例の納税者は３種類の事業を営んでいますから、特例計算が適用できるか判定します。

第２種事業の売上比率　$\frac{2{,}974{,}915円}{22{,}611{,}278円}$ ＝ 13.156……％

→ 付表５－３⑧Ｃ売上割合欄へ

第４種事業の売上比率　$\frac{1{,}963{,}636円}{22{,}611{,}278円}$ ＝ 8.684……％

→ 付表５－３⑩Ｃ売上割合欄へ

第５種事業の売上比率　$\dfrac{17,672,727円}{22,611,278円}$ ＝ 78.158……％

→　付表５－３⑪Ｃ売上割合欄へ

本事例では第５種事業の課税売上高が総課税売上高の75％以上ですから、一種類の事業の課税売上高が75％以上の場合の特例を適用できます。同時に、第２種事業と第５種事業で75％以上、第４種事業と第５種事業で75％以上となりますから、これらの組合せにより二種類の事業の課税売上高が75％以上の場合の特例も適用できることになります。

※　簡易課税制度における控除対象仕入税額の計算の特例（消費税法施行令57条３項に規定する一種類の事業又は二種類の事業の課税売上高が総課税売上高の75％以上である場合の特例）が適用できるかどうかの判定は、軽減税率適用分及び標準税率適用分の合計額によって行います。

2　事業区分ごとの課税売上高に係る消費税額

(1)　軽減税率適用売上げに係る消費税額

第２種事業　1,750,000円 $\times \dfrac{6.24}{108}$ ＝ 101,111円

→　付表５－３⑮Ａ欄、⑬Ａ欄へ

(2)　標準税率適用売上げに係る消費税額

第２種事業　1,490,000円 $\times \dfrac{7.8}{110}$ ＝ 105,654円 → 付表５－３⑮Ｂ欄へ

第４種事業　2,160,000円 $\times \dfrac{7.8}{110}$ ＝ 153,163円 → 付表５－３⑰Ｂ欄へ

第５種事業　19,440,000円 $\times \dfrac{7.8}{110}$ ＝ 1,378,472円 → 付表５－３⑱Ｂ欄へ

合計　105,654円 ＋ 153,163円 ＋ 1,378,472円 ＝ 1,637,289円

→　付表５－３⑬Ｂ欄へ

3　控除対象仕入税額の計算

本事例では、３種類の事業を営んでおり、原則計算のほかにも、特例計算が適用できますから、適用可能な計算方法により控除対象仕入税額を計算し、最も多額となる計算方法を選択します。

(1)　原則計算の場合

①　軽減税率（6.24％）適用分

$$\underset{\text{(付表5-3④A欄)}}{101{,}088\text{円}} \times \frac{\overset{\text{(付表5-3⑮A欄)}}{(101{,}111\text{円}\times 80\% + 0\text{円}\times 60\% + 0\text{円}\times 50\%)}}{\underset{\text{(付表5-3⑬A欄)}}{101{,}111\text{円}}}$$

$$= 101{,}088\text{円} \times \frac{80{,}888\text{円}}{101{,}111\text{円}}$$

＝ 80,869円　→　付表５－３⑳Ａ欄へ

②　標準税率（7.8％）適用分

$$\underset{\text{(付表5-3④B欄)}}{1{,}637{,}220\text{円}} \times \frac{\overset{\text{(付表5-3⑮B欄)}}{(105{,}654\text{円}\times 80\%} + \overset{\text{(付表5-3⑰B欄)}}{153{,}163\text{円}\times 60\%} + \overset{\text{(付表5-3⑱B欄)}}{1{,}378{,}472\text{円}\times 50\%)}}{\underset{\text{(付表5-3⑬B欄)}}{1{,}637{,}289\text{円}}}$$

$$= 1{,}637{,}220\text{円} \times \frac{(84{,}523\text{円} + 91{,}897\text{円} + 689{,}236\text{円})}{1{,}637{,}289\text{円}}$$

＝ 865,619円　→　付表５－３⑳Ｂ欄へ

③　原則計算による仕入控除税額

①　＋　②　＝　946,488円　→　付表５－３⑳Ｃ欄へ

(2)　一種類の事業の課税売上高が75％以上の場合

本事例では第５種事業の課税売上高が75％以上ですから、課税売上高に係る消費税額の全体に第５種事業のみなし仕入率（50％）を適用できます。

① 軽減税率（6.24%）適用分

101,088円 × 50% = 50,544円 → 付表5－3㉑A欄へ
（付表5－3④A欄）

② 標準税率（7.8%）適用分

1,637,220円 × 50% = 818,610円 → 付表5－3㉑B欄へ
（付表5－3④B欄）

③ 75%ルール（一種類）による控除対象仕入税額

① ＋ ② ＝ 869,154円 → 付表5－3㉑C欄へ

(3) 二種類の事業の課税売上高が75%以上の場合①（第2種と第5種）

① 軽減税率（6.24%）適用分

（付表5－3⑮A欄）（付表5－3⑬A欄）

$$101{,}088円 \times \frac{\{101{,}111円 \times 80\% + (101{,}111円 - 101{,}111円) \times 50\%\}}{101{,}111円}$$

（付表5－3④A欄）

$$= 101{,}088円 \times \frac{80{,}888円}{101{,}111円}$$

＝ 80,869円 → 付表5－3㉙A欄へ

② 標準税率（7.8%）適用分

（付表5－3⑮B欄）（付表5－3⑬B欄）

$$1{,}637{,}220円 \times \frac{\{105{,}654円 \times 80\% + (1{,}637{,}289円 - 105{,}654円) \times 50\%\}}{1{,}637{,}289円}$$

（付表5－3④B欄）

$$= 1{,}637{,}220円 \times \frac{(84{,}523円 + 765{,}817円)}{1{,}637{,}289円}$$

＝ 850,304円 → 付表5－3㉙B欄へ

③　75％ルール（第２種と第５種）による控除対象仕入税額

①　＋　②　＝　931,173円　→　付表５－３㉙Ｃ欄へ

⑷　二種類の事業の課税売上高が75％以上の場合②（第４種と第５種）

①　軽減税率（6.24％）適用分

$$101{,}088円 \times \frac{\{0円 \times 60\% + (101{,}111円 - 0円) \times 50\%\}}{101{,}111円}$$

（付表５－３④Ａ欄）　（付表５－３⑬Ａ欄）

$$= 101{,}088円 \times \frac{50{,}555円}{101{,}111円}$$

＝　50,543円　→　付表５－３㉞Ａ欄へ

②　標準税率（7.8％）適用分

$$1{,}637{,}220円 \times \frac{\{153{,}163円 \times 60\% + (1{,}637{,}289円 - 153{,}163円) \times 50\%\}}{1{,}637{,}289円}$$

（付表５－３④Ｂ欄）　（付表５－３⑰Ｂ欄）　（付表５－３⑬Ｂ欄）

$$= 1{,}637{,}220円 \times \frac{(91{,}897円 + 742{,}063円)}{1{,}637{,}289円}$$

＝　833,924円　→　付表５－３㉞Ｂ欄へ

③　75％ルール（第４種と第５種）による控除対象仕入税額

①　＋　②　＝　884,467円　→　付表５－３㉞Ｃ欄へ

⑸　適用する計算方法の選択

946,488円	＞	931,173円	＞	884,467円	＞	869,154円
（原則計算／付表５－３⑳Ｃ欄）		（75％ルール（２種、５種）／付表５－３㉙Ｃ欄）		（75％ルール（４種、５種）／付表５－３㉞Ｃ欄）		（75％ルール（一種類）／付表５－３㉑Ｃ欄）

以上の計算結果から、本事例では原則計算を選択します。

付表５－３⑳Ａ欄、⑳Ｂ欄及び⑳Ｃ欄の金額

→　付表５－３㊲Ａ欄、㊲Ｂ欄及び㊲Ｃ欄へ

㈨　計算方法は一課税期間について一つの方法だけですから、適用税率ごとに異なる計算方法を選択することはできません。

４　計算結果の転記

以上の計算結果を付表４－３④Ａ～Ｃ欄に転記し、付表４－３④Ｃ欄の金額を第一表④欄へ転記します。

Ⅳ　控除税額小計の計算

税率の異なるごとに付表４－３⑦欄の控除税額小計を計算し、最後に付表４－３⑦Ｃ欄の金額を第一表⑦欄へ転記します。

本事例では、売上対価の返還等の金額及び貸倒れの金額がありませんから、付表４－３⑦欄の金額は付表４－３④欄の金額と同額となります。

Ⅴ　差引税額の計算

付表４－３⑨Ｃ欄の差引税額（百円未満の端数切捨て）を計算し、その金額を第一表の⑨欄に記入します。

Ⅵ　納付税額の計算

第一表⑩欄に中間納付消費税額を記入し、消費税の納付税額（第一表⑪欄）を計算します。

791,800円（差引税額（第一表⑨欄））－396,000円（中間納付税額（第一表⑩欄））＝395,800円→第一表⑪欄へ

Ⅶ　納付地方消費税額の計算

地方消費税額は国税である消費税額を課税標準として計算されます。

⑴　現行税率（6.24％及び7.8％）適用分に係る地方消費税の課税標準額の計算

付表４－３⑨Ｃ欄の金額を⑪Ｃ欄に転記します。

⑵　地方消費税額の計算

$$791{,}800\text{円} \times \frac{22}{78} = 223{,}328\text{円} \rightarrow 223{,}300\text{円}$$

（付表４－３⑪Ｃ欄）

223,300円（百円未満の端数切捨て）→付表４－３⑬Ｃ欄へ

⑶　納付譲渡割額の計算

223,300円（第一表⑳欄） － 111,600円（第一表㉑欄） ＝ 111,700円 → 第一表㉒欄へ

第12章　申告書の書き方

GK0407

第3－(3)号様式

簡 法人用 第一表

令和7年5月30日 ○○税務署長殿

納税地	東京都○○区○○2－3 (電話番号 ××－××××－××××)
(フリガナ)	イリョウホウジンシャダン ビー
法人名	医療法人社団 B
法人番号	×××××××××××××
(フリガナ)	マル カワ ジ ロウ
代表者氏名	○川 二郎

(個人の方) 振替継続希望

※税務署処理欄: 所管 / 要否 / 整理番号 / 申告年月日 令和 年 月 日 / 申告区分 / 指導等 / 庁指定 / 局指定 / 通信日付印 / 確認 / 年 月 日 / 指導 年 月 日 / 相談 / 区分1 / 区分2 / 区分3 / 令和

自 令和 6年 4月 1日
至 令和 7年 3月 31日

課税期間分の消費税及び地方消費税の(確定)申告書

中間申告の場合の対象期間 自 令和 年 月 日 至 令和 年 月 日

令和五年十月一日以後終了課税期間分(簡易課税用)

この申告書による消費税の税額の計算

課税標準額	①	22610000	03
消費税額	②	1738308	06
貸倒回収に係る消費税額	③		07
控除税額 控除対象仕入税額	④	946488	08
控除税額 返還等対価に係る税額	⑤		09
控除税額 貸倒れに係る税額	⑥		10
控除税額 控除税額小計(④+⑤+⑥)	⑦	946488	
控除不足還付税額(⑦－②－③)	⑧		13
差引税額(②+③－⑦)	⑨	791800	15
中間納付税額	⑩	396000	16
納付税額(⑨－⑩)	⑪	395800	17
中間納付還付税額(⑩－⑨)	⑫	00	18
この申告書が修正申告である場合 既確定税額	⑬		19
この申告書が修正申告である場合 差引納付税額	⑭	00	20
この課税期間の課税売上高	⑮		21
基準期間の課税売上高	⑯		

⑪・㉒又は⑫・㉓の記入をお忘れなく。

この申告書による地方消費税の税額の計算

地方消費税の課税標準となる消費税額 控除不足還付税額	⑰		51
地方消費税の課税標準となる消費税額 差引税額	⑱	791800	52
譲渡割額 還付額	⑲		53
譲渡割額 納税額	⑳	223300	54
中間納付譲渡割額	㉑	111600	55
納付譲渡割額(⑳－㉑)	㉒	111700	56
中間納付還付譲渡割額(㉑－⑳)	㉓	00	57
この申告書が修正申告である場合 既確定譲渡割額	㉔		58
この申告書が修正申告である場合 差引納付譲渡割額	㉕	00	59
消費税及び地方消費税の合計(納付又は還付)税額	㉖	507500	60

㉖＝(⑪+㉒)－(⑧+⑫+⑲+㉓)・修正申告の場合㉖＝⑭+㉕
㉖が還付税額となる場合はマイナス「－」を付してください。

付記事項

項目	有	無	
割賦基準の適用		○	31
延払基準等の適用		○	32
工事進行基準の適用		○	33
現金主義会計の適用		○	34
課税標準額に対する消費税額の計算の特例の適用			35

参考事項

事業区分	課税売上高(免税売上高を除く) 千円	売上割合 %	
第1種			36
第2種	2,974	13.1	37
第3種			38
第4種	1,963	8.6	39
第5種	17,672	78.1	42
第6種			43

特例計算適用(令57③) 有 / 無 ○ 40

税額控除に係る経過措置の適用(2割特例) 44

還付を受けようとする金融機関等: 銀行・金庫・組合・農協・漁協 本店・支店 出張所 本所・支所 / 預金 口座番号 / ゆうちょ銀行の貯金記号番号 － / 郵便局名等

(個人の方) 公金受取口座の利用

※税務署整理欄

税理士署名 (電話番号 － －)

税理士法第30条の書面提出有
税理士法第33条の2の書面提出有

※ 2割特例による申告の場合、⑱欄に⑪欄の数字を記載し、⑱欄×22/78から算出された金額を⑳欄に記載してください。

GK0602

第3-(2)号様式

課税標準額等の内訳書

整理番号	

法人用

納税地	東京都〇〇区〇〇2-3（電話番号 03 - ×××× - ××××）
（フリガナ）	イリョウホウジンシャダン ビー
法人名	医療法人社団 B
（フリガナ）	マルカワ ジロウ
代表者氏名	〇川 二郎

改正法附則による税額の特例計算			
軽減売上割合（10営業日）	〇	附則38①	51
小売等軽減仕入割合	〇	附則38②	52

第二表

令和四年四月一日以後終了課税期間分

自 令和 6年 4月 1日
至 令和 7年 3月 31日

課税期間分の消費税及び地方消費税の（ 確定 ）申告書

中間申告の場合の対象期間 自 令和 年 月 日 至 令和 年 月 日

項目		番号	金額（円）	
課税標準額 ※申告書（第一表）の①欄へ		①	22610000	01
課税資産の譲渡等の対価の額の合計額	3 %適用分	②		02
	4 %適用分	③		03
	6.3 %適用分	④		04
	6.24%適用分	⑤	1620370	05
	7.8 %適用分	⑥	20990909	06
	（②～⑥の合計）	⑦	22611279	07
特定課税仕入れに係る支払対価の額の合計額（注1）	6.3 %適用分	⑧		11
	7.8 %適用分	⑨		12
	（⑧・⑨の合計）	⑩		13
消費税額 ※申告書（第一表）の②欄へ		⑪	1738308	21
⑪の内訳	3 %適用分	⑫		22
	4 %適用分	⑬		23
	6.3 %適用分	⑭		24
	6.24%適用分	⑮	101088	25
	7.8 %適用分	⑯	1637220	26
返還等対価に係る税額 ※申告書（第一表）の⑤欄へ		⑰		31
⑰の内訳	売上げの返還等対価に係る税額	⑱		32
	特定課税仕入れの返還等対価に係る税額（注1）	⑲		33
地方消費税の課税標準となる消費税額（注2）	（㉑～㉓の合計）	⑳	791800	41
	4 %適用分	㉑		42
	6.3 %適用分	㉒		43
	6.24%及び7.8% 適用分	㉓	791800	44

（注1） ⑧～⑩及び⑲欄は、一般課税により申告する場合で、課税売上割合が95％未満、かつ、特定課税仕入れがある事業者のみ記載します。
（注2） ⑳～㉓欄が還付税額となる場合はマイナス「－」を付してください。

第4-(11)号様式

付表4－3　税率別消費税額計算表 兼 地方消費税の課税標準となる消費税額計算表

簡易

課税期間	6・4・1～7・3・31	氏名又は名称	医療法人社団　B

区分		税率6.24％適用分 A	税率7.8％適用分 B	合計 C (A+B)
課税標準額	①	円 1,620,000	円 20,990,000	※第二表の①欄へ 円 22,610,000
課税資産の譲渡等の対価の額	①-1	※第二表の⑤欄へ 1,620,370	※第二表の⑥欄へ 20,990,909	※第二表の⑦欄へ 22,611,279
消費税額	②	※付表5-3の①A欄へ ※第二表の⑮欄へ 101,088	※付表5-3の①B欄へ ※第二表の⑯欄へ 1,637,220	※付表5-3の①C欄へ ※第二表の⑪欄へ 1,738,308
貸倒回収に係る消費税額	③	※付表5-3の②A欄へ	※付表5-3の②B欄へ	※付表5-3の②C欄へ ※第一表の③欄へ
控除税額 控除対象仕入税額	④	(付表5-3の⑤A欄又は㊲A欄の金額) 80,869	(付表5-3の⑤B欄又は㊲B欄の金額) 865,619	(付表5-3の⑤C欄又は㊲C欄の金額) ※第一表の④欄へ 946,488
控除税額 返還等対価に係る税額	⑤	※付表5-3の③A欄へ	※付表5-3の③B欄へ	※付表5-3の③C欄へ ※第二表の⑰欄へ
控除税額 貸倒れに係る税額	⑥			※第一表の⑥欄へ
控除税額 控除税額小計 (④+⑤+⑥)	⑦	80,869	865,619	※第一表の⑦欄へ 946,488
控除不足還付税額 (⑦－②－③)	⑧			※第一表の⑧欄へ
差引税額 (②+③－⑦)	⑨			※第一表の⑨欄へ 791,800
地方消費税の課税標準となる消費税額 控除不足還付税額 (⑧)	⑩			※第一表の⑰欄へ ※マイナス「－」を付して第二表の⑳及び㉓欄へ
地方消費税の課税標準となる消費税額 差引税額 (⑨)	⑪			※第一表の⑱欄へ ※第二表の⑳及び㉓欄へ 791,800
譲渡割額 還付額	⑫			(⑩C欄×22/78) ※第一表の⑲欄へ
譲渡割額 納税額	⑬			(⑪C欄×22/78) ※第一表の⑳欄へ 223,300

注意　金額の計算においては、1円未満の端数を切り捨てる。

(R1.10.1以後終了課税期間用)

第4-(12)号様式

付表5－3　控除対象仕入税額等の計算表

簡易

課税期間	6・4・1～7・3・31	氏名又は名称	医療法人社団　B

Ⅰ　控除対象仕入税額の計算の基礎となる消費税額

項目		税率6.24%適用分 A	税率7.8%適用分 B	合計C (A+B)
課税標準額に対する消費税額	①	(付表4-3の②A欄の金額) 円 101,088	(付表4-3の②B欄の金額) 円 1,637,220	(付表4-3の②C欄の金額) 円 1,738,308
貸倒回収に係る消費税額	②	(付表4-3の③A欄の金額)	(付表4-3の③B欄の金額)	(付表4-3の③C欄の金額)
売上対価の返還等に係る消費税額	③	(付表4-3の⑤A欄の金額)	(付表4-3の⑤B欄の金額)	(付表4-3の⑤C欄の金額)
控除対象仕入税額の計算の基礎となる消費税額 (①＋②－③)	④	101,088	1,637,220	1,738,308

Ⅱ　1種類の事業の専業者の場合の控除対象仕入税額

項目		税率6.24%適用分 A	税率7.8%適用分 B	合計C (A+B)
④ × みなし仕入率 (90%・80%・70%・60%・50%・40%)	⑤	※付表4-3の④A欄へ 円	※付表4-3の④B欄へ 円	※付表4-3の④C欄へ 円

Ⅲ　2種類以上の事業を営む事業者の場合の控除対象仕入税額

(1)　事業区分別の課税売上高(税抜き)の明細

項目		税率6.24%適用分 A	税率7.8%適用分 B	合計C (A+B)	売上割合
事業区分別の合計額	⑥	円 1,620,370	円 20,990,908	円 22,611,278	
第一種事業 (卸売業)	⑦			※第一表「事業区分」欄へ	%
第二種事業 (小売業等)	⑧	1,620,370	1,354,545	※〃 2,974,915	13.1
第三種事業 (製造業等)	⑨			※〃	
第四種事業 (その他)	⑩		1,963,636	※〃 1,963,636	8.6
第五種事業 (サービス業等)	⑪		17,672,727	※〃 17,672,727	78.1
第六種事業 (不動産業)	⑫			※〃	

(2)　(1)の事業区分別の課税売上高に係る消費税額の明細

項目		税率6.24%適用分 A	税率7.8%適用分 B	合計C (A+B)
事業区分別の合計額	⑬	円 101,111	円 1,637,289	円 1,738,400
第一種事業 (卸売業)	⑭			
第二種事業 (小売業等)	⑮	101,111	105,654	206,765
第三種事業 (製造業等)	⑯			
第四種事業 (その他)	⑰		153,163	153,163
第五種事業 (サービス業等)	⑱		1,378,472	1,378,472
第六種事業 (不動産業)	⑲			

注意　1　金額の計算においては、1円未満の端数を切り捨てる。
　　　2　課税売上げにつき返品を受け又は値引き・割戻しをした金額(売上対価の返還等の金額)があり、売上(収入)金額から減算しない方法で経理して経費に含めている場合には、⑥から⑫欄には売上対価の返還等の金額(税抜き)を控除した後の金額を記載する。

(1／2)　　　　(R1.10.1以後終了課税期間用)

(3) 控除対象仕入税額の計算式区分の明細

イ 原則計算を適用する場合

控除対象仕入税額の計算式区分		税率6.24%適用分 A	税率7.8%適用分 B	合計 C (A+B)
④ × みなし仕入率 (⑭×90%+⑮×80%+⑯×70%+⑰×60%+⑱×50%+⑲×40% / ⑬)	⑳	円 80,869	円 865,619	円 946,488

ロ 特例計算を適用する場合

(イ) 1種類の事業で75%以上

控除対象仕入税額の計算式区分		税率6.24%適用分 A	税率7.8%適用分 B	合計 C (A+B)
(⑦C/⑥C・⑧C/⑥C・⑨C/⑥C・⑩C/⑥C・⑪C/⑥C・⑫C/⑥C) ≧ 75% ④×みなし仕入率(90%・80%・70%・60%・50%・40%)	㉑	円 50,544	円 818,610	円 869,154

(ロ) 2種類の事業で75%以上

控除対象仕入税額の計算式区分			税率6.24%適用分 A	税率7.8%適用分 B	合計 C (A+B)
第一種事業及び第二種事業 (⑦C+⑧C)/⑥C ≧ 75%	④× (⑭×90%+(⑬−⑭)×80%) / ⑬	㉒	円	円	円
第一種事業及び第三種事業 (⑦C+⑨C)/⑥C ≧ 75%	④× (⑭×90%+(⑬−⑭)×70%) / ⑬	㉓			
第一種事業及び第四種事業 (⑦C+⑩C)/⑥C ≧ 75%	④× (⑭×90%+(⑬−⑭)×60%) / ⑬	㉔			
第一種事業及び第五種事業 (⑦C+⑪C)/⑥C ≧ 75%	④× (⑭×90%+(⑬−⑭)×50%) / ⑬	㉕			
第一種事業及び第六種事業 (⑦C+⑫C)/⑥C ≧ 75%	④× (⑭×90%+(⑬−⑭)×40%) / ⑬	㉖			
第二種事業及び第三種事業 (⑧C+⑨C)/⑥C ≧ 75%	④× (⑮×80%+(⑬−⑮)×70%) / ⑬	㉗			
第二種事業及び第四種事業 (⑧C+⑩C)/⑥C ≧ 75%	④× (⑮×80%+(⑬−⑮)×60%) / ⑬	㉘			
第二種事業及び第五種事業 (⑧C+⑪C)/⑥C ≧ 75%	④× (⑮×80%+(⑬−⑮)×50%) / ⑬	㉙	80,869	850,304	931,173
第二種事業及び第六種事業 (⑧C+⑫C)/⑥C ≧ 75%	④× (⑮×80%+(⑬−⑮)×40%) / ⑬	㉚			
第三種事業及び第四種事業 (⑨C+⑩C)/⑥C ≧ 75%	④× (⑯×70%+(⑬−⑯)×60%) / ⑬	㉛			
第三種事業及び第五種事業 (⑨C+⑪C)/⑥C ≧ 75%	④× (⑯×70%+(⑬−⑯)×50%) / ⑬	㉜			
第三種事業及び第六種事業 (⑨C+⑫C)/⑥C ≧ 75%	④× (⑯×70%+(⑬−⑯)×40%) / ⑬	㉝			
第四種事業及び第五種事業 (⑩C+⑪C)/⑥C ≧ 75%	④× (⑰×60%+(⑬−⑰)×50%) / ⑬	㉞	50,543	833,924	884,467
第四種事業及び第六種事業 (⑩C+⑫C)/⑥C ≧ 75%	④× (⑰×60%+(⑬−⑰)×40%) / ⑬	㉟			
第五種事業及び第六種事業 (⑪C+⑫C)/⑥C ≧ 75%	④× (⑱×50%+(⑬−⑱)×40%) / ⑬	㊱			

ハ 上記の計算式区分から選択した控除対象仕入税額

項目		税率6.24%適用分 A	税率7.8%適用分 B	合計 C (A+B)
選択可能な計算式区分(⑳〜㊱)の内から選択した金額	㊲	※付表4-3の④A欄へ 円 80,869	※付表4-3の④B欄へ 円 865,619	※付表4-3の④C欄へ 円 946,488

注意　金額の計算においては、1円未満の端数を切り捨てる。

(2/2)

(R1.10.1以後終了課税期間用)

第４節　特定収入に係る調整がある場合
（課税売上割合が95％未満の場合）

1　申告書の作成手順

ここでは、特定収入に係る課税仕入れ等の税額の調整を要する場合における具体的な納付税額の計算及び確定申告書の書き方を説明します。基本的な申告書の作成手順は、「第２節　一般課税の場合」と同じです。

なお、本節では、申告書作成の過程で適宜「計算表」１～５を使用します。申告書への添付を要するものではありませんが、特定収入に係る調整計算を行う上で便利です。

2　具体例（売上税額及び仕入税額の計算について割戻し計算を適用する場合）

【設　例】

社会福祉法人Ｃの当課税期間（令和６年４月１日～令和７年３月31日）の課税売上高等の状況は、次のとおりです。

なお、前課税期間は、個別対応方式により控除対象仕入税額を計算して確定申告を行っています。

１　課税期間中の売上高　（単位：円）

売上区分＼税率区分	軽減税率(6.24％)	標準税率(7.8％)	合計
課税売上額（税込み）	3,200,000	19,480,000	22,680,000
内　日用品小売	—	1,620,000	1,620,000
内　弁当製造販売	3,200,000	—	3,200,000
内　移動入浴サービス	—	17,860,000	17,860,000
免税売上高			0
非課税売上高（市等からの受託事業、社会福祉事業に係るもの）			259,000,000
非課税売上高（利息収入）			110,000

2　補助金収入　110,000,000
（内訳）
交付要綱等において使途が特定されていないもの　60,000,000
交付要綱等において人件費（通勤手当を除きます。）に充てることとされているもの　50,000,000
3　寄附金収入（一般寄附金）　5,000,000
4　課税期間中の課税仕入れの金額

用途区分＼税率区分	軽減税率（6.24%）	標準税率（7.8%）	合計
課税仕入れの金額（税込み）	14,956,000	58,484,000	73,440,000
内　課税売上げにのみ要するもの	1,174,000	4,226,000	5,400,000
内　非課税売上げにのみ要するもの	9,138,000	12,462,000	21,600,000
内　課税売上げと非課税売上げに共通して要するもの	4,644,000	41,796,000	46,440,000

※(1)　課税仕入れの相手方はすべて適格請求書発行事業者であり、仕入税額控除の要件である帳簿及び請求書等は、適法に保存している。
(2)　特定課税仕入れはない。
5　消費税の中間納付税額　536,000
6　地方消費税の中間納付税額　151,100
7　基準期間における課税売上高　20,650,000

Ⅰ　課税売上げに係る消費税額の計算

1　課税標準額の計算

課税売上げについて、税率の異なるごとに区分し、課税標準額を計算します。

(1)　軽減税率（6.24%）適用分

$$3{,}200{,}000円 \times \frac{100}{108} = 2{,}962{,}962円 \rightarrow 2{,}962{,}000円$$

（税込み）

2,962,962円 ↓① 付表1－3①－1A欄、計算表1①A欄へ

2,962,000円（千円未満端数切捨て）② → 付表1－3①A欄へ

(2) 標準税率（7.8%）適用分

19,480,000円（税込み）× $\frac{100}{110}$ ＝ 17,709,090円 → 17,709,000円

↓①
付表1－3①－1Ｂ欄、計算表1①Ｂ欄へ

（千円未満端数切捨て）②
→付表1－3①Ｂ欄へ

(3) 課税標準額の合計

(1)② ＋ (2)② ＝ 20,671,000円 → 付表1－3①Ｃ欄へ

(4) 課税資産の譲渡等の対価の額の合計

(1)① ＋ (2)① ＝ 20,672,052円

→ 付表1－3①－1Ｃ欄、計算表1①Ｃ欄へ

2 課税標準額に対する消費税額の計算

税率の異なるごとに区分して算出した課税標準額に税率を乗じて、課税標準額に対する消費税額を計算します。

(1) 軽減税率（6.24%）適用分

2,962,000円 × $\frac{6.24}{100}$ ＝ 184,828円 → 付表1－3②Ａ欄へ

(2) 標準税率（7.8%）適用分

17,709,000円 × $\frac{7.8}{100}$ ＝ 1,381,302円 → 付表1－3②Ｂ欄へ

(3) 課税標準額に対する消費税額の合計

(1) ＋ (2) ＝ 1,566,130円 → 付表1－3②Ｃ欄へ

3 計算結果の転記

以上の計算結果に基づいて、第二表及び第一表の所定の欄へ金額を転記します。

Ⅱ　控除対象仕入税額の計算

1　課税売上割合の計算

(1)　課税資産の譲渡等の対価の額（分子）の計算

税率の異なるごとに区分して計算した課税売上額（税抜き）から売上対価の返還等の金額（税抜き）を控除した残額を「課税売上額（税抜き）」欄（付表2－3①欄）の該当する欄に転記します。

本事例では、売上対価の返還等の金額はありませんから、付表1－3①－1Ａ欄及びＢ欄の金額をそのまま転記します。

イ　課税売上額（税抜き）の合計

付表2－3①Ａ欄＋付表2－3①Ｂ欄

＝ 20,672,052円　→　付表2－3①Ｃ欄へ

ロ　免税売上額

免税売上額がある場合は、付表2－3②Ｃ欄及び計算表1③Ｃ欄へ転記します（本事例ではありません。）。

ハ　分子の額の計算

付表2－3①Ｃ欄～③Ｃ欄の合計額を算出し、④Ｃ欄に記入します。

(2)　資産の譲渡等の対価の額（分母）の計算

イ　非課税売上額

259,000,000円 ＋ 110,000円 ＝ 259,110,000円
（各種事業収入）　（利息収入）
→付表2－3⑥Ｃ欄、計算表1④Ｃ欄へ

(注)　本事例では、課税売上割合の分母に加算しない非課税売上げや5％相当額を加算する非課税売上げはありませんから、上記合計額がそのまま非課税売上額となります。

ロ　分母の額の計算

付表2－3⑤Ｃ欄及び⑥Ｃ欄の合計額を算出し、⑦Ｃ欄に記入

します。

(3) 課税売上割合の計算

$$\frac{20{,}672{,}052\text{円}\ (\text{付表2-3④C欄})}{279{,}782{,}052\text{円}\ (\text{付表2-3⑦C欄})} = 7.38\cdots\% \rightarrow 7\%$$

7％ → 付表２－３⑧Ｃ欄へ

(4) 控除方式の判定

イ　この課税期間における課税売上高（付表２－３④Ｃ欄）

20,672,052円 ≦ ５億円

ロ　この課税期間の課税売上割合

７％ ＜ 95％

ハ　前課税期間の控除方式……個別対応方式

したがって、個別対応方式と一括比例配分方式のいずれの計算方法を適用することも可能です。

2　個別対応方式による控除対象仕入税額の計算

(1) 課税仕入れに係る支払対価の額（税込み）

税率の異なるごとに区分した課税仕入れの金額及び仕入対価の返還等の金額から、「課税仕入れに係る支払対価の額（税込み）」を計算します。本事例では、仕入対価の返還等の金額がありませんから、課税仕入れの金額をそのまま該当欄に転記します。

イ　軽減税率（6.24％）適用分

14,956,000円 → 付表２－３⑨Ａ欄へ

ロ　標準税率（7.8％）適用分

58,484,000円 → 付表２－３⑨Ｂ欄へ

ハ　課税仕入れに係る支払対価の額の合計

イ ＋ ロ ＝ 73,440,000円 → 付表２－３⑨Ｃ欄へ

⑵　課税仕入れに係る消費税額の計算

税率の異なるごとに区分した課税仕入れに係る支払対価の額（税込み）に基づいて、「課税仕入れに係る消費税額」を計算します。

イ　軽減税率（6.24％）適用分

$$14{,}956{,}000円 \times \frac{6.24}{108} = 864{,}124円$$ → 付表２－３⑩Ａ欄へ

ロ　標準税率（7.8％）適用分

$$58{,}484{,}000円 \times \frac{7.8}{110} = 4{,}147{,}047円$$ → 付表２－３⑩Ｂ欄へ

ハ　課税仕入れに係る消費税額の合計

イ ＋ ロ ＝ 5,011,171円　→　付表２－３⑩Ｃ欄へ

⑶　調整前の課税仕入れ等の税額の計算

イ　課税売上げにのみ要するものに係る税額

⑴　軽減税率（6.24％）適用分

$$1{,}174{,}000円 \times \frac{6.24}{108} = 67{,}831円$$ → 付表２－３⑲Ａ欄へ

⑵　標準税率（7.8％）適用分

$$4{,}226{,}000円 \times \frac{7.8}{110} = 299{,}661円$$ → 付表２－３⑲Ｂ欄へ

⑶　課税売上げにのみ要するものに係る消費税額の合計

⑴ ＋ ⑵ ＝ 367,492円　→　付表２－３⑲Ｃ欄へ

ロ　課税売上げと非課税売上げに共通して要するものに係る税額

⑴　軽減税率（6.24％）適用分

$$4{,}644{,}000円 \times \frac{6.24}{108} = 268{,}320円$$ → 付表２－３⑳Ａ欄へ

(ロ)　標準税率（7.8%）適用分

$$41{,}796{,}000円 \times \frac{7.8}{110} = 2{,}963{,}716円$$ → 付表2－3⑳B欄へ

(ハ)　課税売上げと非課税売上げに共通して要するものに係る消費税額の合計

(イ)＋(ロ)＝3,232,036円　→　付表2－3⑳C欄へ

ハ　調整前の課税仕入れ等の税額

(イ)　軽減税率（6.24%）適用分

$$\underset{(イ－(イ))}{67{,}831円} + \underset{(ロ－(イ))}{268{,}320円} \times \underset{(課税売上割合)}{\frac{20{,}672{,}052円}{279{,}782{,}052円}}$$

＝67,831円＋19,825円＝87,656円

→　付表2－3㉑A欄、計算表5(2)①6.24%欄へ

(ロ)　標準税率（7.8%）適用分

$$\underset{(イ－(ロ))}{299{,}661円} + \underset{(ロ－(ロ))}{2{,}963{,}716円} \times \underset{(課税売上割合)}{\frac{20{,}672{,}052円}{279{,}782{,}052円}}$$

＝299,661円＋218,977円＝518,638円

→　付表2－3㉑B欄、計算表5(2)①7.8%欄へ

(ハ)　調整前の課税仕入れ等の税額の合計

(イ)＋(ロ)＝606,294円　→　付表2－3㉑C欄へ

(4)　特定収入に係る課税仕入れ等の税額（調整税額）の計算

社会福祉法人は、消費税法別表第三に掲げる法人ですから、特定収入に係る課税仕入れ等の税額の調整の要否を判定し、調整が必要な場合は調整税額を計算します。

イ　特定収入割合による調整の要否判定

(イ)　資産の譲渡等の対価以外の収入を区分（計算表２を使用）

・補助金収入（交付要綱等において使途が特定されていないもの）

60,000,000円　→　計算表２(1)②Ａ欄、Ｄ欄へ

・補助金収入（交付要綱等において人件費（通勤手当を除きます。）に充てることとされているもの　50,000,000円　→　特定収入以外

・寄附金収入（一般寄附金）5,000,000円

→　計算表２(1)④Ａ欄、Ｄ欄へ

(ロ)　特定収入の合計額

60,000,000円 ＋ 5,000,000円 ＝ 65,000,000円

→　計算表２(1)⑰Ａ欄、Ｄ欄へ

(注)　本事例では、課税仕入れ等にのみ使途が特定されている特定収入はありませんから、計算表２－(2)は作成しません。

(ハ)　特定収入割合の計算（計算表３を使用）

$$特定収入割合 = \frac{特定収入の合計額（計算表３②欄）}{資産の譲渡等の対価の額の合計額（計算表３①欄） + 特定収入の合計額}$$

$$= \frac{65,000,000円}{(279,782,052円 + 65,000,000円)}$$

$$= \frac{65,000,000円}{344,782,052円}$$

＝ 18.852…％　→　18.8％　→　計算表３④欄へ

特定収入割合＞５％ですから、特定収入に係る課税仕入れ等の税額の調整が必要です。

ロ　調整税額の計算

本事例では、特定収入が課税仕入れ等に係る特定収入以外の特

定収入（使途不特定の特定収入）に該当するため、調整割合を用いて調整税額を計算します。

(イ)　調整割合（計算表４を使用）

$$調整割合 = \frac{使途不特定の特定収入（計算表4②欄）}{資産の譲渡等の対価の額の合計額（計算表4①欄） + 使途不特定の特定収入}$$

$$= \frac{65{,}000{,}000円}{(279{,}782{,}052円 + 65{,}000{,}000円)}$$

$$= \frac{65{,}000{,}000円}{344{,}782{,}052円}$$ → 計算表４④欄へ

※　本事例では、特定収入が全て使途不特定の特定収入であるため、調整割合は特定収入割合に一致します。

(ロ)　調整税額（計算表５(2)を使用）

①　軽減税率（6.24％）適用分

$$87{,}656円（計算表5(2)⑬6.24\%欄） \times \frac{65{,}000{,}000円}{344{,}782{,}052円}（調整割合） = 16{,}525円$$

→　計算表５(2)⑮6.24％欄へ

②　標準税率（7.8％）適用分

$$518{,}638円（計算表5(2)⑬7.8\%欄） \times \frac{65{,}000{,}000円}{344{,}782{,}052円}（調整割合） = 97{,}776円$$

→　計算表５(2)⑮7.8％欄へ

(5)　調整後の課税仕入れ等の税額（控除対象仕入税額）

イ　軽減税率（6.24％）適用分

87,656円 － 16,525円 ＝ 71,131円

→　計算表５(2)⑱6.24％欄、付表２－３㉖Ａ欄へ

ロ　標準税率（7.8%）適用分

518,638円 － 97,776円 ＝ 420,862円

→　計算表５(2)⑱7.8%欄、付表２－３㉖Ｂ欄へ

ハ　控除対象仕入税額の合計

イ ＋ ロ ＝ 491,993円　→　付表２－３㉖Ｃ欄へ

3　一括比例配分方式による控除対象仕入税額の計算

本事例では、一括比例配分方式も適用可能ですから、念のため一括比例配分方式による計算を行います。

(1)　調整前の課税仕入れ等の税額の計算

イ　軽減税率（6.24%）適用分

$$864{,}124\text{円} \times \frac{20{,}672{,}052\text{円}}{279{,}782{,}052\text{円}} = 63{,}846\text{円}$$

（付表２－３⑰Ａ欄）　（課税売上割合）

→　計算表５(3)①6.24%欄へ

ロ　標準税率（7.8%）適用分

$$4{,}147{,}047\text{円} \times \frac{20{,}672{,}052\text{円}}{279{,}782{,}052\text{円}} = 306{,}409\text{円}$$

（付表２－３⑰Ｂ欄）　（課税売上割合）

→　計算表５(3)①7.8%欄へ

ハ　調整前の課税仕入れ等の税額の合計

イ ＋ ロ ＝ 370,255円

(2)　特定収入に係る課税仕入れ等の税額（調整税額）の計算（計算表５(3)を使用）

イ　軽減税率（6.24%）適用分

$$63{,}846\text{円} \times \frac{65{,}000{,}000\text{円}}{344{,}782{,}052\text{円}} = 12{,}036\text{円}$$

（計算表５(3)⑧6.24%欄）　（調整割合）

→　計算表５(3)⑩6.24%欄へ

ロ　標準税率（7.8％）適用分

306,409円（計算表５⑶⑧7.8％欄）× 65,000,000円 / 344,782,052円（調整割合）＝ 57,765円

→　計算表５⑶⑩7.8％欄へ

⑶　調整後の課税仕入れ等の税額（控除対象仕入税額）

イ　軽減税率（6.24％）適用分

63,846円 － 12,036円 ＝ 51,810円

→　計算表５⑶⑬6.24％欄へ

ロ　標準税率（7.8％）適用分

306,409円 － 57,765円 ＝ 248,644円

→　計算表５⑶⑬7.8％欄へ

ハ　控除対象仕入税額の合計

イ ＋ ロ ＝ 300,454円

4　計算方法の選択

491,993円（個別対応方式）　＞　300,454円（一括比例配分方式）

本事例においては、個別対応方式を選択し、２－⑸イ～ハの金額を付表２－３㉖Ａ～Ｃ欄に記載した後、付表１－３④Ａ～Ｃ欄に転記します。

Ⅲ　その他の控除税額の計算

1　「返還等対価に係る税額⑤」欄

売上対価の返還等又は特定課税仕入れに係る対価の返還等の金額がある場合に、その金額に含まれる税額を付表１－３⑤－１欄又は⑤－２欄に記載し、その合計額を⑤欄に記載します。

㈲　売上金額から売上対価の返還等の金額を直接減額する方法で経理している場合は、この欄に記載する必要はありません。

2　「貸倒れに係る税額⑥」欄

課税売上げに係る売掛金等のうち、貸倒れとなった金額がある場合に、その金額に含まれる税額を付表１－３⑥欄に記載します。

以上の計算結果を踏まえて、付表１－３「控除税額小計⑦」欄及び「差引税額⑨」欄を計算し、その結果を第一表に記載します。

Ⅳ　納付税額の計算

1　納付消費税額の計算

第一表において､納付すべき消費税額及び地方消費税額を計算します。

1,074,100円（差引税額（第一表⑨欄））－536,000円（中間納付税額（第一表⑩欄））

＝538,100円　→　第一表⑪欄へ

2　納付地方消費税額の計算

地方消費税額は国税である消費税額を課税標準として計算されます。

⑴　現行税率（6.24％及び7.8％）適用分に係る地方消費税の課税標準額の計算

付表１－３⑨Ｃ欄の金額を⑪Ｃ欄に転記します。

⑵　地方消費税額の計算

1,074,100円（付表１－３⑪Ｃ欄）× $\frac{22}{78}$ ＝ 302,951円　→　302,900円

（百円未満の端数切捨て）

→付表１－３⑬Ｃ欄へ

⑶　納付譲渡割額の計算

302,900円（第一表⑳欄）－151,100円（第一表㉑欄）＝151,800円　→　第一表㉒欄へ

GK0306

第3－(1)号様式

令和 7 年 5 月30日　　〇〇税務署長殿

収受印

納税地	〇〇県〇〇市〇〇1234（電話番号 ××××－××－××××）
（フリガナ）	シャカイフクシホウジン　シー
法人名	社会福祉法人　C
法人番号	×××××××××××××
（フリガナ）	シャフク　イチロウ
代表者氏名	社福　一郎

（個人の方）振替継続希望

※税務署処理欄：所管／要否／整理番号／申告年月日 令和 年 月 日／申告区分／指導等／庁指定／局指定／通信日付印／確認／年 月 日／指導年月日／相談／区分1／区分2／区分3／令和

法人用

自 令和 6年 4月 1日
至 令和 7年 3月31日

課税期間分の消費税及び地方消費税の（確定）申告書

中間申告の場合の対象期間　自 令和 年 月 日　至 令和 年 月 日

第一表　令和五年十月一日以後終了課税期間分（一般用）

この申告書による消費税の税額の計算

項目		番号	金額（円）	
課税標準額		①	20671000	03
消費税額		②	1566130	06
控除過大調整税額		③		07
控除税額	控除対象仕入税額	④	491993	08
	返還等対価に係る税額	⑤		09
	貸倒れに係る税額	⑥		10
	控除税額小計（④+⑤+⑥）	⑦	491993	
控除不足還付税額（⑦－②－③）		⑧		13
差引税額（②+③－⑦）		⑨	1074100	15
中間納付税額		⑩	536000	16
納付税額（⑨－⑩）		⑪	538100	17
中間納付還付税額（⑩－⑨）		⑫	00	18
この申告書が修正申告である場合	既確定税額	⑬		19
	差引納付税額	⑭	00	20
課税売上割合	課税資産の譲渡等の対価の額	⑮	20672052	21
	資産の譲渡等の対価の額	⑯	27978 2052	22

この申告書による地方消費税の税額の計算

項目		番号	金額（円）	
地方消費税の課税標準となる消費税額	控除不足還付税額	⑰		51
	差引税額	⑱	1074100	52
譲渡割額	還付額	⑲		53
	納税額	⑳	302900	54
中間納付譲渡割額		㉑	151100	55
納付譲渡割額（⑳－㉑）		㉒	151800	56
中間納付還付譲渡割額（㉑－⑳）		㉓	00	57
この申告書が修正申告である場合	既確定譲渡割額	㉔		58
	差引納付譲渡割額	㉕	00	59
消費税及び地方消費税の合計（納付又は還付）税額		㉖	689900	60

⑪・㉒又は⑫・㉓の記入をお忘れなく。

㉖＝（⑪＋㉒）－（⑧＋⑫＋⑲＋㉓）・修正申告の場合㉖＝⑭＋㉕
㉖が還付税額となる場合はマイナス「－」を付してください。

付記事項				
割賦基準の適用	有	〇無	31
延払基準等の適用	有	〇無	32
工事進行基準の適用	有	〇無	33
現金主義会計の適用	有	〇無	34
課税標準額に対する消費税額の計算の特例の適用	有	無	35

参考事項			
控除税額の計算方法	課税売上高5億円超又は課税売上割合95%未満	〇 個別対応方式	41
		一括比例配分方式	
	上記以外	全額控除	
基準期間の課税売上高	20,650千円		

税額控除に係る経過措置の適用（2割特例）　42

還付を受けようとする金融機関等：銀行・金庫・組合・農協・漁協／本店・支店・出張所・本所・支所／預金 口座番号／ゆうちょ銀行の貯金記号番号 －／郵便局名等

（個人の方）公金受取口座の利用

※税務署整理欄

税理士署名（電話番号　－　－　）

税理士法第30条の書面提出有
税理士法第33条の2の書面提出有

※　2割特例による申告の場合、⑱欄に⑪欄の数字を記載し、⑳欄×22/78から算出された金額を⑳欄に記載してください。

第12章　申告書の書き方

GK0602

第3－(2)号様式

課税標準額等の内訳書

納税地	○○県○○市○○1234 (電話番号 ××××－ ×× －××××)
(フリガナ)	シャカイフクシホウジン シー
法人名	社会福祉法人 C
(フリガナ)	シャ フク イチ ロウ
代表者氏名	社福 一郎

整理番号

法人用

改正法附則による税額の特例計算			
軽減売上割合(10営業日)	○	附則38①	51
小売等軽減仕入割合	○	附則38②	52

第二表

令和四年四月一日以後終了課税期間分

自 令和 6年 4月 1日
至 令和 7年 3月 31日

課税期間分の消費税及び地方消費税の(確定)申告書

(中間申告の場合の対象期間 自 令和 年 月 日 至 令和 年 月 日)

区分		番号	金額(十兆千百十億千百十万千百十一円)	コード
課税標準額 ※申告書(第一表)の①欄へ		①	20671000	01
課税資産の譲渡等の対価の額の合計額	3 %適用分	②		02
	4 %適用分	③		03
	6.3 %適用分	④		04
	6.24%適用分	⑤	2962962	05
	7.8 %適用分	⑥	17709090	06
	(②～⑥の合計)	⑦	20672052	07
特定課税仕入れに係る支払対価の額の合計額(注1)	6.3 %適用分	⑧		11
	7.8 %適用分	⑨		12
	(⑧・⑨の合計)	⑩		13
消費税額 ※申告書(第一表)の②欄へ		⑪	1566130	21
⑪の内訳	3 %適用分	⑫		22
	4 %適用分	⑬		23
	6.3 %適用分	⑭		24
	6.24%適用分	⑮	184828	25
	7.8 %適用分	⑯	1381302	26
返還等対価に係る税額 ※申告書(第一表)の⑤欄へ		⑰		31
⑰の内訳	売上げの返還等対価に係る税額	⑱		32
	特定課税仕入れの返還等対価に係る税額(注1)	⑲		33
地方消費税の課税標準となる消費税額(注2)	(㉑～㉓の合計)	⑳	1074100	41
	4 %適用分	㉑		42
	6.3 %適用分	㉒		43
	6.24%及び7.8%適用分	㉓	1074100	44

(注1) ⑧～⑩及び⑲欄は、一般課税により申告する場合で、課税売上割合が95%未満、かつ、特定課税仕入れがある事業者のみ記載します。
(注2) ⑳～㉓欄が還付税額となる場合はマイナス「－」を付してください。

第4-(9)号様式

付表1－3　税率別消費税額計算表 兼 地方消費税の課税標準となる消費税額計算表　　一般

課税期間	6・4・1 ～ 7・3・31	氏名又は名称	社会福祉法人　C

区分		税率 6.24 % 適用分 A	税率 7.8 % 適用分 B	合計 C (A+B)
課税標準額	①	円 2,962,000	円 17,709,000	※第二表の①欄へ 円 20,671,000
①の内訳 課税資産の譲渡等の対価の額	①-1	※第二表の⑤欄へ 2,962,962	※第二表の⑥欄へ 17,709,090	※第二表の⑦欄へ 20,672,052
①の内訳 特定課税仕入れに係る支払対価の額	①-2	※①-2欄は、課税売上割合が95%未満、かつ、特定課税仕入れがある事業者のみ記載する。	※第二表の⑨欄へ	※第二表の⑩欄へ
消費税額	②	※第二表の⑮欄へ 184,828	※第二表の⑯欄へ 1,381,302	※第二表の⑪欄へ 1,566,130
控除過大調整税額	③	(付表2-3の㉗・㉘A欄の合計金額)	(付表2-3の㉗・㉘B欄の合計金額)	※第一表の③欄へ
控除税額 控除対象仕入税額	④	(付表2-3の㉖A欄の金額) 71,131	(付表2-3の㉖B欄の金額) 420,862	※第一表の④欄へ 491,993
控除税額 返還等対価に係る税額	⑤			※第二表の⑰欄へ
控除税額 ⑤の内訳 売上げの返還等対価に係る税額	⑤-1			※第二表の⑱欄へ
控除税額 ⑤の内訳 特定課税仕入れの返還等対価に係る税額	⑤-2	※⑤-2欄は、課税売上割合が95%未満、かつ、特定課税仕入れがある事業者のみ記載する。		※第二表の⑲欄へ
控除税額 貸倒れに係る税額	⑥			※第一表の⑥欄へ
控除税額 控除税額小計 (④+⑤+⑥)	⑦	71,131	420,862	※第一表の⑦欄へ 491,993
控除不足還付税額 (⑦－②－③)	⑧			※第一表の⑧欄へ
差引税額 (②+③－⑦)	⑨			※第一表の⑨欄へ 1,074,100
地方消費税の課税標準となる消費税額 控除不足還付税額 (⑧)	⑩			※第一表の⑰欄へ ※マイナス「－」を付して第二表の㉒及び㉓欄へ
地方消費税の課税標準となる消費税額 差引税額 (⑨)	⑪			※第一表の⑱欄へ ※第二表の㉒及び㉓欄へ 1,074,100
譲渡割額 還付額	⑫			(⑩C欄×22/78) ※第一表の⑲欄へ
譲渡割額 納税額	⑬			(⑪C欄×22/78) ※第一表の⑳欄へ 302,900

注意　金額の計算においては、1円未満の端数を切り捨てる。

(R5.10.1以後終了課税期間用)

第4-(10)号様式

付表2－3　課税売上割合・控除対象仕入税額等の計算表

一 般

課税期間	6・4・1～7・3・31	氏名又は名称	社会福祉法人 C

項目		税率 6.24 % 適用分 A	税率 7.8 % 適用分 B	合計 C (A+B)
課税売上額（税抜き）	①	円 2,962,962	円 17,709,090	円 20,672,052
免税売上額	②			
非課税資産の輸出等の金額、海外支店等へ移送した資産の価額	③			
課税資産の譲渡等の対価の額（①＋②＋③）	④			※第一表の⑮欄へ 20,672,052
課税資産の譲渡等の対価の額（④の金額）	⑤			20,672,052
非課税売上額	⑥			259,110,000
資産の譲渡等の対価の額（⑤＋⑥）	⑦			※第一表の⑯欄へ 279,782,052
課税売上割合（④／⑦）	⑧			［ 7 %］ ※端数切捨て
課税仕入れに係る支払対価の額（税込み）	⑨	14,956,000	58,484,000	73,440,000
課税仕入れに係る消費税額	⑩	864,124	4,147,047	5,011,171
適格請求書発行事業者以外の者から行った課税仕入れに係る経過措置の適用を受ける課税仕入れに係る支払対価の額（税込み）	⑪			
適格請求書発行事業者以外の者から行った課税仕入れに係る経過措置により課税仕入れに係る消費税額とみなされる額	⑫			
特定課税仕入れに係る支払対価の額	⑬	※⑬及び⑭欄は、課税売上割合が95%未満、かつ、特定課税仕入れがある事業者のみ記載する。		
特定課税仕入れに係る消費税額	⑭		(⑬B欄×7.8/100)	
課税貨物に係る消費税額	⑮			
納税義務の免除を受けない（受ける）こととなった場合における消費税額の調整（加算又は減算）額	⑯			
課税仕入れ等の税額の合計額（⑩＋⑫＋⑭＋⑮±⑯）	⑰	864,124	4,147,047	5,011,171
課税売上高が5億円以下、かつ、課税売上割合が95%以上の場合（⑰の金額）	⑱			
課税売上高が5億円超又は課税売上割合が95%未満の場合 個別対応方式 ⑰のうち、課税売上げにのみ要するもの	⑲	67,831	299,661	367,492
課税売上高が5億円超又は課税売上割合が95%未満の場合 個別対応方式 ⑰のうち、課税売上げと非課税売上げに共通して要するもの	⑳	268,320	2,963,716	3,232,036
課税売上高が5億円超又は課税売上割合が95%未満の場合 個別対応方式 個別対応方式により控除する課税仕入れ等の税額〔⑲＋(⑳×④／⑦)〕	㉑	87,656	518,638	606,294
課税売上高が5億円超又は課税売上割合が95%未満の場合 一括比例配分方式により控除する課税仕入れ等の税額（⑰×④／⑦）	㉒			
控除税額の調整 課税売上割合変動時の調整対象固定資産に係る消費税額の調整（加算又は減算）額	㉓			
控除税額の調整 調整対象固定資産を課税業務用（非課税業務用）に転用した場合の調整（加算又は減算）額	㉔			
控除税額の調整 居住用賃貸建物を課税賃貸用に供した（譲渡した）場合の加算額	㉕			
差引 控除対象仕入税額〔(⑱、㉑又は㉒の金額)±㉓±㉔＋㉕〕がプラスの時	㉖	※付表1-3の④A欄へ 71,131	※付表1-3の④B欄へ 420,862	491,993
差引 控除過大調整税額〔(⑱、㉑又は㉒の金額)±㉓±㉔＋㉕〕がマイナスの時	㉗	※付表1-3の③A欄へ	※付表1-3の③B欄へ	
貸倒回収に係る消費税額	㉘	※付表1-3の③A欄へ	※付表1-3の③B欄へ	

注意 1 金額の計算においては、1円未満の端数を切り捨てる。
2 ⑨、⑪及び⑬欄には、値引き、割戻し、割引きなど仕入対価の返還等の金額がある場合（仕入対価の返還等の金額を仕入金額から直接減額している場合を除く。）には、その金額を控除した後の金額を記載する。
3 ⑪及び⑫欄の経過措置とは、所得税法等の一部を改正する法律（平成28年法律第15号）附則第52条又は第53条の適用がある場合をいう。

(R5.10.1以後終了課税期間用)

計算表１　資産の譲渡等の対価の額の計算表

内容			税率6.24%適用分 A	税率7.8%適用分 B	合計 C
課税売上げ	通常の課税売上げ・役員への贈与及び低額譲渡	①	円 2,962,962	円 17,709,090	円 20,672,052
	課税標準額に対する消費税額の計算の特例適用の課税売上げ	②			
免税売上げ（輸出取引等）		③			
非課税売上げ		④			259,110,000
国外における資産の譲渡等の対価の額		⑤			
資産の譲渡等の対価の額の合計額		⑥			計算表３①、計算表４①へ 279,782,052

（注）１　各欄の金額は、いずれも消費税額及び地方消費税額に相当する額を含みません。

２　各欄の金額について、売上げに係る対価の返還等の額がある場合でも、売上げに係る対価の返還等の額を控除する前の金額を記入してください。

３　非課税売上げについては、譲渡の対価の額をそのまま記入してください（課税売上割合を計算する場合とは異なります。）。

４　②欄には、消費税法施行規則の一部を改正する省令（平成15年財務省令第92号）附則第２条《課税標準額に対する消費税額の計算の特例》の適用を受けるものを記載します（この規定は、令和５年９月30日までの間に行われる課税資産の譲渡等に適用されます。）。

計算表２　特定収入の金額及びその内訳書

(1)　特定収入、課税仕入れ等に係る特定収入、課税仕入れ等に係る特定収入以外の特定収入の内訳書

内容		資産の譲渡等の対価以外の収入	左のうち特定収入 A	うち税率6.24%が適用される課税仕入れ等にのみ使途が特定されている金額（「課税仕入れ等に係る特定収入」） B	うち税率7.8%が適用される課税仕入れ等にのみ使途が特定されている金額（「課税仕入れ等に係る特定収入」） C	A－（B＋C）（「課税仕入れ等に係る特定収入以外の特定収入」） D
租税	①	円	円	円	円	円
補助金・交付金等	②	110,000,000	60,000,000			60,000,000
他会計からの繰入金	③					
寄附金	④	5,000,000	5,000,000			5,000,000
出資に対する配当金	⑤					
保険金	⑥					
損害賠償金	⑦					
会費・入会金	⑧					
喜捨金	⑨					
債務免除益	⑩					
借入金	⑪					
出資の受入れ	⑫					
貸付回収金	⑬					
受益者負担金	⑭					
消費税還付金	⑮					
	⑯					
合計	⑰	115,000,000	計算表３②へ 65,000,000	計算表５(1)②、(3)②へ	計算表５(1)④、(3)④へ	計算表４②へ 65,000,000

(注)　免税事業者である課税期間において行った課税仕入れ等を借入金等で賄い、その後、課税事業者となった課税期間において当該借入金等の返済のために交付を受けた補助金等は特定収入に該当しません。

計算表３　特定収入割合の計算表

内　　　　容		金　額　等
資産の譲渡等の対価の額の合計額（計算表１⑥Ｃ）	①	円 279,782,052
特定収入の合計額（計算表２(1)⑰Ａ）	②	65,000,000
分母の額（①＋②）	③	344,782,052
特定収入割合（②÷③）	④	18.8 ％

（注）　④欄は、小数点第４位以下の端数を切り上げて、百分率で記入してください。

○　特定収入割合が

・５％を超える場合　⇒　課税仕入れ等の税額の調整が必要です。引き続き「計算表４、５」の作成を行います。

・５％以下の場合　⇒　課税仕入れ等の税額の調整は不要です。通常の計算により計算した課税仕入れ等の税額の合計額を控除対象仕入税額として申告書の作成を行います。
ただし、取戻し対象特定収入がある場合には、「計算表５、５－２」を作成することで、控除対象外仕入れに係る調整を行うことができます。

計算表４　調整割合の計算表

内　　　　　　　　容		金　　額　　等
資産の譲渡等の対価の額の合計額（計算表１⑥C）	①	円 279,782,052
課税仕入れ等に係る特定収入以外の特定収入（計算表２(1)⑰D）	②	65,000,000
分母の額（①＋②）	③	344,782,052
調整割合（②の金額／③の金額）	④	計算表５(1)⑦、(2)⑭、(3)⑨へ 65,000,000／344,782,052

計算表５　控除対象仕入税額の調整計算表（個別対応方式用）

(2)　課税期間中の課税売上高が５億円超又は課税売上割合が95%未満で個別対応方式を採用している場合

内容		税率6.24%適用分	税率7.8%適用分
調整前の課税仕入れ等の税額の合計額	①	円 87,656	円 518,638
課税売上げにのみ要する課税仕入れ等（税率6.24%）にのみ使途が特定されている特定収入（計算表２(2)⑰E）	②		
②× $\frac{6.24}{108}$ （１円未満の端数切捨て）	③		
課税・非課税売上げに共通して要する課税仕入れ等（税率6.24%）にのみ使途が特定されている特定収入（計算表２(2)⑰F）	④		
④× $\frac{6.24}{108}$ （１円未満の端数切捨て）	⑤		
課税売上げにのみ要する課税仕入れ等（税率7.8%）にのみ使途が特定されている特定収入（計算表２(2)⑰G）	⑥		
⑥× $\frac{7.8}{110}$ （１円未満の端数切捨て）	⑦		
課税・非課税売上げに共通して要する課税仕入れ等（税率7.8%）にのみ使途が特定されている特定収入（計算表２(2)⑰H）	⑧		
⑧× $\frac{7.8}{110}$ （１円未満の端数切捨て）	⑨		
課税売上割合（準ずる割合の承認を受けている場合はその割合）	⑩		
⑤×⑩、⑨×⑩（いずれも１円未満の端数切捨て）	⑪	⑤×⑩	⑨×⑩
③＋⑪、⑦＋⑪	⑫	③＋⑪	⑦＋⑪
①－⑫	⑬	87,656	518,638
調整割合（計算表４④）	⑭	$\frac{65,000,000}{344,782,052}$	
⑬×⑭（１円未満の端数切捨て）	⑮	16,525	97,776
特定収入に係る課税仕入れ等の税額（⑫＋⑮）	⑯	16,525	97,776
控除対象外仕入れに係る調整対象額の合計額（計算表５－２(2)⑳、計算表５－２(3)－1⑮、計算表５－２(4)－1⑩）（複数枚作成している場合は、全ての合計額）	⑰		
控除対象仕入税額（①＋⑰－⑯）	⑱	71,131	420,862

(注)　⑬、⑮、⑯、⑱欄の計算結果がマイナスの場合には、「△」で表示します。

○　税率6.24%適用分の⑱欄の金額が
- プラスの場合　⇒　「申告書付表２－３」の㉖A欄及び「申告書付表１－３」の④A欄〔控除対象仕入税額〕へ転記します。
- マイナス（△）の場合　⇒　「申告書付表２－３」の㉗A欄〔控除過大調整税額〕へ転記します。

○　税率7.8%適用分の⑱欄の金額が
- プラスの場合　⇒　「申告書付表２－３」の㉖B欄及び「申告書付表１－３」の④B欄〔控除対象仕入税額〕へ転記します。
- マイナス（△）の場合　⇒　「申告書付表２－３」の㉗B欄〔控除過大調整税額〕へ転記します。

計算表５　控除対象仕入税額の調整計算表（一括比例配分方式用）

（3）　課税期間中の課税売上高が５億円超又は課税売上割合が95％未満で一括比例配分方式を採用している場合

内　　　容		税率6.24％適用分	税率7.8％適用分
調整前の課税仕入れ等の税額の合計額	①	63,846円	306,409円
課税仕入れ等（税率6.24％）にのみ使途が特定されている特定収入（「課税仕入れ等に係る特定収入」）（計算表２(1)⑰Ｂ）	②		
②×$\frac{6.24}{108}$（１円未満の端数切捨て）	③		
課税仕入れ等（税率7.8％）にのみ使途が特定されている特定収入（「課税仕入れ等に係る特定収入」）（計算表２(1)⑰Ｃ）	④		
④×$\frac{7.8}{110}$（１円未満の端数切捨て）	⑤		
課税売上割合	⑥		
③×⑥、⑤×⑥（いずれも１円未満の端数切捨て）	⑦	③×⑥	⑤×⑥
①－⑦	⑧	63,846	306,409
調整割合（計算表４④）	⑨	$\frac{65,000,000}{344,782,052}$	
⑧×⑨（１円未満の端数切捨て）	⑩	12,036	57,765
特定収入に係る課税仕入れ等の税額（⑦＋⑩）	⑪	12,036	57,765
控除対象外仕入れに係る調整対象額の合計額（計算表５－２(2)⑳、計算表５－２(3)－1⑮、計算表５－２(4)－1⑩）（複数枚作成している場合は、全ての合計額）	⑫		
控除対象仕入税額（①＋⑫－⑪）	⑬	51,810	248,644

（注）　⑧、⑩、⑪、⑬欄の計算結果がマイナスの場合には、「△」で表示します。

○　税率6.24％適用分の⑬欄の金額が
- ・プラスの場合　⇒　「申告書付表２－３」の㉖Ａ欄及び「申告書付表１－３」の④Ａ欄〔控除対象仕入税額〕へ転記します。
- ・マイナス（△）の場合　⇒　「申告書付表２－３」の㉗Ａ欄〔控除過大調整税額〕へ転記します。

○　税率7.8％適用分の⑬欄の金額が
- ・プラスの場合　⇒　「申告書付表２－３」の㉖Ｂ欄及び「申告書付表１－３」の④Ｂ欄〔控除対象仕入税額〕へ転記します。
- ・マイナス（△）の場合　⇒　「申告書付表２－３」の㉗Ｂ欄〔控除過大調整税額〕へ転記します。

第13章

消費税等の経理処理と控除対象外消費税額等の取扱い

本章では、消費税等に関する所得課税上の取扱いについて、経理処理の方式ごとの違いと税抜経理方式の場合の所得計算を中心にみていきます。

第１節　消費税等の経理処理

1　消費税等の経理処理の基本的取扱い

課税事業者が行う取引に係る消費税等（消費税及び地方消費税をいいます。以下同じ。）の経理処理につき、当該課税事業者の行う全ての取引について税抜経理方式（消費税等の額とこれに係る取引の対価の額とを区分して経理をする方式）又は税込経理方式（消費税等の額とこれに係る取引の対価の額とを区分しないで経理をする方式）のいずれかの方式に統一していない場合には、その行う全ての取引についていずれかの方式を適用して所得税又は法人税の課税所得金額を計算するものとされています（消費税経理通達（所得税関係）２、消費税経理通達（法人税関係）２）。

2　税抜経理方式と税込経理方式の併用

(1)　所得税の場合

個人事業者が売上げ等の収入に係る取引について税抜経理方式で経理をしている場合には、上記１にかかわらず、固定資産、繰延資産、棚卸資産及び山林（固定資産等）の取得に係る取引又は販売費、一般管理費等（山林の伐採費及び譲渡に要した費用を含みます。）（経費等）の支出に係る取引のいずれか一方の取引について税込経理方式を適用できるほか、固定資産等のうち棚卸資産又は山林の取得に係る取引については、継続適用を条件として固定資産及び繰延資産と異なる方式を選択適用できるものとされています（消費税経理通達（所得税関係）２の２）。

ただし、個々の固定資産等又は個々の経費等ごとに異なる方式を適用することはできず、また、消費税と地方消費税について異なる方式を適用することもできません（消費税経理通達（所得税関係）２の２（注）１、２）。

(2) 法人税の場合

法人が売上げ等の収益に係る取引につき税抜経理方式で経理をしている場合において、固定資産、繰延資産及び棚卸資産（固定資産等）の取得に係る取引又は販売費及び一般管理費等（経費等）の支出に係る取引のいずれかの取引について税込経理方式で経理をしたときは、上記１にかかわらず、当該取引については税込経理方式を、当該取引以外の取引については税抜経理方式を適用して法人税の課税所得金額を計算することとされています（消費税経理通達（法人税関係）２ただし書）。

ただし書の適用に当たっては、固定資産等のうち棚卸資産の取得に係る取引について、固定資産及び繰延資産と異なる方式を適用した場合には、継続して適用した場合に限りその適用した方式によることができますが、個々の固定資産等又は個々の経費等ごとに異なる方式を適用することができないこと、消費税と地方消費税について異なる方式を適用できないことについては所得税の場合と同じです（消費税経理通達（法人税関係）２㈱）。

㈱　国内において行う売上げ等の収入又は収益に係る取引について税込経理方式で経理をしている場合には、固定資産等の取得に係る取引又は経費等の支出に係る取引の全部又は一部について税抜経理方式で経理をしているときであっても、税込経理方式を適用して所得税又は法人税の課税所得金額を計算しなければなりません（消費税経理通達（所得税関係）３、消費税経理通達（法人税関係）３）。

税込・税抜経理方式の適用一覧表

経理方式の区分	売上げ等	固定資産等 棚卸資産 （個人事業者における山林を含みます。）	固定資産等 固定資産 繰延資産	経費等 （個人事業者における山林の伐採費、譲渡費用を含みます。）	備考
原則法	税込み	税込み	税込み	税込み	全取引同一経理
原則法	税抜き	税抜き	税抜き	税抜き	全取引同一経理
混合方式	税抜き	税抜き	税抜き	税込み	選択適用
混合方式	税抜き	税込み	税込み	税抜き	選択適用
混合方式	税抜き	税抜き	税込み	税込み	固定資産等については継続適用
混合方式	税抜き	税抜き	税込み	税抜き	固定資産等については継続適用
混合方式	税抜き	税込み	税抜き	税込み	固定資産等については継続適用
混合方式	税抜き	税込み	税抜き	税抜き	固定資産等については継続適用

3　税抜経理方式における取扱い

(1)　仮受消費税等又は仮払消費税等と異なる金額で経理した場合

税抜経理方式によっている事業者において、次に掲げる場合に該当するときは、それぞれ次に定めるところにより所得税又は法人税の課税所得金額を計算することとされています（消費税経理通達（所得税関係）3の2、消費税経理通達（法人税関係）3の2）。

①　仮受消費税等の額又は仮払消費税等の額を超える金額を取引の対価の額から区分して経理をしている場合……その超える部分の金額を売上げ等の収入又は収益に係る取引の対価の額又は固定資産等の取得に係る取引若しくは経費等の支出に係る取引の対価の額に含めます。

(注)　法人税においては、減価償却資産の取得に係る取引において仮払消費税等の額を超えて取引の対価の額から区分して経理をしたことによりその取得価

額に含まれることとなる金額につき損金経理をしている場合には、その損金経理をした金額は法人税法31条１項《減価償却資産の償却費の計算及びその償却の方法》に規定する［償却費として損金経理をした金額］に含まれます（消費税経理通達（法人税関係）３の２㈱１）。

② 仮受消費税等の額又は仮払消費税等の額に満たない金額を取引の対価の額から区分して経理をしている場合……その満たない部分の金額を売上げ等の収入又は収益に係る取引の対価の額又は固定資産等の取得に係る取引若しくは経費等の支出に係る取引の対価の額から除きます。

⑵ 仮払消費税等の額の清算

税抜経理方式を適用することとなる事業者は、課税期間の終了の時における仮受消費税等の額の合計額から仮払消費税等の額の合計額（控除対象外消費税額等に相当する金額を除きます。）を控除した金額と当該課税期間に係る納付すべき消費税等の額とに差額が生じた場合は、当該差額については、当該課税期間を含む年又は事業年度において総収入金額若しくは益金の額又は必要経費若しくは損金の額に算入するものとされています（消費税経理通達（所得税関係）、消費税経理通達（法人税関係）６）。

課税期間の終了の時における仮払消費税等の額の合計額から仮受消費税等の額の合計額を控除した金額と当該課税期間に係る還付を受ける消費税等の額とに差額が生じた場合についても同様とされています。

第２節　控除対象外消費税額等の処理

その課税期間中の課税売上高が５億円超又は課税売上割合が95％未満であるときには、その課税期間の仕入控除税額は、課税仕入れ等に対する消費税額の全額ではなく、課税売上げに対応する部分の金額となります（消法30②）。

したがって、そのような事業者が税抜経理方式を採用している場合には、仕入税額控除ができない仮払消費税等の額（控除対象外消費税額等）が生じることになります。

この控除対象外消費税額等は、所得税法上又は法人税法上、次に掲げる方法によって処理します。

1　資産に係る控除対象外消費税額等

控除対象外消費税額等が資産に係るものである場合には、その資産に係る控除対象外消費税額等は、次のいずれかの方法によって、損金の額又は必要経費に算入します（所令182の２、法令139の４）。

①　その資産の取得価額に算入し、それ以後の年又は事業年度において償却費などとして必要経費又は損金の額に算入します。

②　次のいずれかに該当する場合には、所得税法上は、全額をその年の必要経費に算入し、また、法人税法上は、損金経理を要件としてその事業年度の損金の額に算入します。

イ　その年分又は事業年度の課税売上割合が80％以上である場合

ロ　棚卸資産に係る控除対象外消費税額等である場合

ハ　一の資産に係る控除対象外消費税額等が20万円未満である場合

③　上記①及び②に該当しない場合には、「繰延消費税額等」として資

産計上し、次に掲げる方法によって損金の額又は必要経費に算入します。

《所得税》

繰延消費税額等を60で除し、これにその年において事業所得等を生ずべき業務を行っていた期間の月数を乗じて計算した金額を必要経費に算入します。

なお、その資産を取得した年分においては、上記によって計算した金額の２分の１に相当する金額を必要経費の額に算入します。

《法人税》

繰延消費税額等を60で除し、これにその事業年度の月数を乗じて計算した金額の範囲内で、その法人が損金経理した金額を損金の額に算入します。

なお、その資産を取得した事業年度においては、上記によって計算した金額の２分の１に相当する金額の範囲内で、その法人が損金経理した金額を損金の額に算入します。

(注) 1　居住用賃貸建物に係る仮払消費税等の額も、資産に係る控除対象外消費税額等に該当します（消費税経理通達（所得税関係）11の３、消費税経理通達（法人税関係）14の３、国税庁質疑応答事例「居住用賃貸建物に係る控除対象外消費税額等について」）。

2　資産に係る控除対象外消費税額等の合計額については、所得税法施行令189条の２又は法人税法施行令139条の４の規定の適用を受け、又は受けないことを選択することができますが、これらの規定の適用を受ける場合には、資産に係る控除対象外消費税額等の全額について同条の規定を適用することになります（消費税経理通達（所得税関係）10、消費税経理通達（法人税関係）13）。

2　控除対象外消費税額等が資産に係るもの以外である場合

控除対象外消費税額等が資産に係るものでない場合には、その控除対象外消費税額等は次により必要経費又は損金の額に算入します。

① 所得税における取扱い

全額をその年分の必要経費に算入します。

② 法人税における取扱い

全額をその事業年度の損金の額に算入します。

ただし、交際費等に係る控除対象外消費税額等に相当する金額は交際費等の額として、交際費等の損金不算入額を計算します（消費税経理通達（法人税関係）12ただし書）。

3 簡易課税制度適用者の仮払消費税等の額の清算

簡易課税制度又は２割特例を適用している事業者の仕入控除税額は、その課税期間の課税標準額に対する消費税額にみなし仕入率（２割特例の場合は80％）を乗じて計算した金額とされます（消法37①、28年改正法附則51の２①、②）ので、簡易課税制度又は２割特例による納付すべき税額と、仮受消費税等の合計額から仮払消費税等の合計額を控除した金額とは一致しません。

そこで、この一致しない差額は、第１節３－⑵の取扱いに従って処理することになります。

㈱ ２割特例については、第８章を参照。

《簡易課税による差額の清算の計算例》

（設例）

簡易課税により納付すべき税額が増加したケース（運送業者の場合）

・課税売上げ等の額　40,000,000円

・仮受消費税等の額　4,000,000円

・仮払消費税等の額　　　2,500,000円

(注)　控除対象外消費税額等はないものとします。

・本来納付すべき消費税等の額

4,000,000円　－　2,500,000円　＝　1,500,000円

・簡易課税適用による納付すべき消費税等の額（運送業のみなし仕入率は50％）

〔消費税〕

40,000,000円　×　7.8％　－（40,000,000円　×　7.8％）　×　50％
＝　1,560,000円

〔地方消費税〕

$1{,}560{,}000円 \times \frac{22}{78} = 440{,}000円$

〔消費税等〕

1,560,000円　＋　440,000円　＝　2,000,000円

・差　額　2,000,000円　－　1,500,000円　＝　500,000円

（仕訳）

仮受消費税等	4,000,000円	仮払消費税等	2,500,000円
雑損	500,000円	未払消費税等	2,000,000円

4　簡易課税制度適用者が免税事業者等からの課税仕入れを税抜経理する場合

(1)　原則

事業者が税抜経理方式を適用している場合において、適格請求書発行事業者以外の者から課税仕入れを行ったときは、原則としてその課税仕入れについては仮払消費税等の額はなく、仮に仮払消費税等の額

として経理をした金額があっても、その経理をした金額を取引の対価の額に算入して所得税及び法人税の課税所得金額の計算を行うこととされています（消費税経理通達（所得税関係）11の２、消費税経理通達（法人税関係）14の２）。

⑵　特例１

⑴の原則的取扱いについては、令和６年度税制改正の大綱において見直す旨が明確にされ、これを受けて消費税経理通達の改正が行われました（令和５年12月27日付課個２－40、課法２－37）。

すなわち、税抜経理方式を適用している簡易課税制度適用事業者が課税仕入れを行った場合に、その取引相手が適格請求書発行事業者か適格請求書発行事業者以外の者かを厳密に区分する事務負担を軽減する観点から、簡易課税制度を適用している課税期間を含む年又は事業年度における継続適用を条件として、適格請求書発行事業者以外の者からの課税仕入れを含むすべての課税仕入れについて、課税仕入れに係る支払対価の額に110分の10（軽減税率の対象となるものは108分の８）を乗じて算出した金額を仮払消費税等の額として経理する処理も認めることとされました（消費税経理通達（所得税関係）１の２、消費税経理通達（法人税関係）１の２））【特例１】。

そして、この取扱いの適用を受ける場合には、所得税及び法人税に係る法令の規定及び通達の定めの適用についても同様となりますから、例えば、控除対象外消費税額等についても、支払対価の額に110分の10（軽減税率の対象となるものは108分の８）を乗じて算出して仮払消費税等の額とした金額を基礎に計算することになります（消費税経理通達（所得税関係）１の２㈨、消費税経理通達（法人税関係）１の２㈨）。

㈨　２割特例（28年改正法附則51の２①、②）を適用する事業者も同様の経理が認められます（令和５年12月経過的取扱い⑵）。

⑶　特例２

また、28年改正法附則52条１項及び53条１項の経過措置の対象となる令和５年10月１日から令和11年９月30日までの間における適格請求書発行事業者以外の者からの課税仕入れについては、インボイス制度実施前の仕入税額相当額の一定割合を課税仕入れに係る消費税額として仮払消費税等の額を経理することになります（令和３年２月経過的取扱い⑵の⑴、⑵）。

しかし、段階的にシステムの改修を行うことの事務負担に配慮する観点から、経過措置期間終了後の原則となる取扱いを先取りして、経過措置期間中に適格請求書等の記載事項に基づき計算した金額がない課税仕入れについて消費税等の額に相当する金額を取引の対価の額と区分して経理をしなかったときは、仮払消費税等の額はないものとして所得税及び法人税の所得金額の計算を行うことも認めることとされました（令和３年２月経過的取扱い⑶）【特例２】。

なお、この取扱いは、簡易課税制度や２割特例制度を適用していない事業者についても適用できることとされています。

㊟　少額特例（28年改正法附則53条の２）の対象となる課税仕入れについても、課税仕入れに係る支払対価の額に110分の10（軽減対象課税資産の譲渡等に係るものである場合には、108分の８）を乗じて算出した金額が、仮払消費税等の額となります（令和３年２月経過的取扱い⑵の⑶）が、【特例２】の適用対象からは除外されています。

したがって、簡易課税制度を適用する事業者における経理処理については、下表のようになります。

【税抜経理方式を適用する場合の仮払消費税等の額】

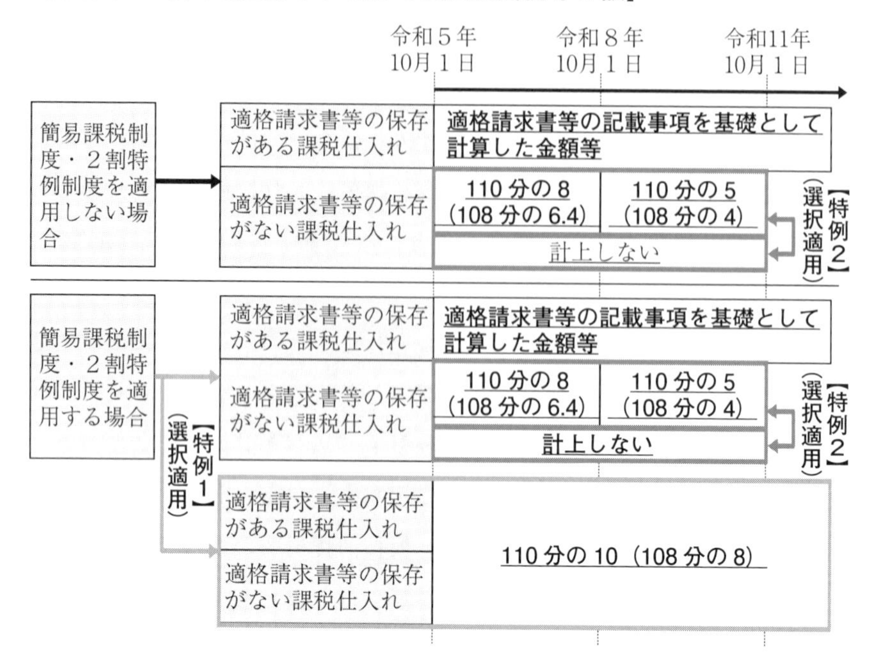

出典：国税庁　「消費税経理通達関係Q&A（令和３年２月）（令和５年12月改訂）」

【経理処理の方式の選択に当たっての留意点】

医療・介護・社会福祉事業の分野では、消費税が非課税とされる資産の譲渡等のウェイトが大きいため、控除対象外消費税額等もその分多額になってきます。

税込経理方式を採用すれば、控除対象外消費税額等は発生しませんが、消費税額及び地方消費税額は資産の取得価額又は経費の額に含まれているわけですから、特別な経理を要しないという事務負担の利便を除けば、特に税抜経理方式よりも有利だということはありません。

むしろ、資産に係る消費税額等については、資産の取得価額に含まれることで、その資産の耐用年数にわたって減価償却費として損金化されることになりますから、課税売上割合が80％以上である場合等控除対象外消費税額の全額をその事業年度の損金とできる場合や、耐用年数が5年を超える場合には、税抜経理方式の方が有利だともいえます。

いずれにしても、どちらの方式を選択するかは、事務負担も含めたところで、判断する必要があるでしょう。

第3節　Q＆A

Q13－1

インボイス制度実施に伴う経過措置期間中（令和５年10月～令和８年９月）に免税事業者から課税仕入れを行った場合の法人税法上の取扱い

飲食店を営むＡ社は、令和６年10月１日に免税事業者から国内にある店舗用の建物を取得し、その対価として2,200万円を支払いました。当社は税抜経理方式で経理をしていますが、この場合の課税仕入れに係る法人税法上の取扱いはどうなりますか。

A　支払対価の額のうち、160万円を仮払消費税等の額として取引の対価の額と区分し、2,040万円を建物の取得価額として法人税の所得金額の計算を行うことになります。

また、160万円を仮払消費税等の額として取引の対価の額と区分しないで法人税の所得金額の計算を行うことも認められます。

なお、簡易課税制度又は２割特例制度を適用している場合には、200万円を仮払消費税等の額として取引の対価の額と区分し、2,000万円を建物の取得価額として法人税の所得金額の計算を行うことも認められます。

考え方

令和５年10月１日から令和８年９月30日までの間に行われた適格請求書発行事業者以外の者からの課税仕入れについては、当該課税仕入れに係る支払対価の額に110分の7.8（軽減税率の対象となる場合は108分の6.24）を乗じて算出した金額に100分の80を乗じて算出した金額を課税仕入れに係る消費税額とみなすこととされています（28年改正法附則52①）から、インボイス制度導入前の課税仕入れに係る消費税額の80％相当額について仕入税額控除の適用を受けることができます。

そのため、法人が税抜経理方式で経理をしている場合には、適格請求書発行事業者以外の者から行った課税仕入れについて、支払対価の額のうち、インボイス制度導入前の仮払消費税等の額の80％相当額を仮払消費税等の額とし、残額を建物の取得価額として法人税の所得金額の計算を行うことになりますが（消費税経理通達３の２、令和３年２月経過的取扱い(2)の(1)）、仮払消費税等の額として取引の対価の額と区分しないで経理をすることも認められています（令和３年２月経過的取扱い(3)）。

〔簡易課税制度適用事業者等の取扱い〕

簡易課税制度適用事業者又は２割特例制度適用事業者は、上記のほかに、継続適用を条件として、全ての課税仕入れについて課税仕入れに係る支払対価の額に110分の10（軽減税率の対象となる場合は108分の８）を乗じて算出した金額を仮払消費税等の額として取引の対価の額と区分して経理をした場合にはその処理も認められます（消費税経理通達１の２、令和５年12月経過的取扱い(2)）。

〔令和８年10月１日～令和11年９月30日の取扱い〕

令和８年10月１日から令和11年９月30日までの間に行われた適格請求書発行事業者以外の者からの課税仕入れについては、当該課税仕入れに係る支払対価の額に110分の7.8（軽減税率の対象となる場合は108分の6.24）を乗じて算出した金額に100分の50を乗じて算出した金額を課税仕入れに係る消費税額とみなすこととされています（28年改正法附則53①）から、インボイス制度導入前の課税仕入れに係る消費税額の50％相当額について仕入税額控除の適用を受けることができます。

なお、簡易課税制度適用事業者等の取扱いは、令和５年10月～令和８年９月の取扱いと同じです。

〔令和11年10月１日以後の取扱い〕

経過措置期間の終了後である令和11年10月１日以後は、課税仕入れであっても適格請求書等の記載事項に基づき計算した金額がないものは仕入税額控除の適用を受けることができないため、適格請求書発行事業者以外の者からの課税仕入れについて仕入税額控除の適用を受ける課税仕入れに係る消費税額はないことになります（消法30①⑦⑨、消令46①）。

そのため、法人が税抜経理方式で経理をしている場合において、適格請求書発行事業者以外の者からの課税仕入れについて仮払消費税等の額として取引の対価の額と区分して経理をする金額はなく、支払対価の額を建物の取得価額として法人税の所得金額の計算を行うことになります（消費税経理通達14の２）。

なお、簡易課税制度適用事業者は、継続適用を条件として、全ての課税仕入れについて課税仕入れに係る支払対価の額に110分の10（軽減税率の対象となる場合は108分の８）を乗じて算出した金額を仮払消費税等の額として取引の対価の額と区分して経理をした場合にはその処理も認められます（消費税経理通達１の２）。

Q13－2

居住用賃貸建物に係る控除対象外消費税額等の取扱い

不動産賃貸業を営む当社（3月決算）は、X1年3月期において消費税法30条10項に規定する居住用賃貸建物を取得し、事業の用に供しました。

当社は消費税等の経理処理について税抜経理方式を適用していますが、同項の規定によりX1年3月期に対応する課税期間（当社の事業年度となります。）において仕入税額控除ができない当該建物に係る課税仕入れ等の税額に相当する金額は、法人税法上、資産に係る控除対象外消費税額等として損金の額に算入できますか。

また、当該建物については、取得から2年以内に住宅の貸付け以外の貸付けの用に供する計画があり、これが実行された後に当社が継続して当該建物を保有する場合には、X3年3月期において仕入れに係る消費税額が調整され（消法35の21）、仮受消費税等の金額から仮払消費税等の金額を控除した金額と納付すべき消費税等の額に差額が生じますが、この差額は益金の額に算入することになりますか。

A　いずれも、そのとおり取り扱われます。

考え方

事業者が、国内において行う居住用賃貸建物に係る課税仕入れ等の税額については、仕入税額控除の対象とはなりません（消法30⑩）。

ただし、この規定の適用を受けた居住用賃貸建物について、その仕入れ等の日から一定期間内に課税賃貸用（非課税とされる住宅の貸付け以外の貸付けの用）に供した場合や一定期間内に他の者に譲渡した場合には、仕入れに係る消費税額を調整することとされています（消法35の2、以下この調整を「居住用賃貸建物の仕入控除税額の調整計算」といいます。）。

また、資産に係る控除対象外消費税額等とは、内国法人がその課税期間につき消費税法30条１項《仕入れに係る消費税額の控除》の規定の適用を受ける場合で、税抜経理方式を適用したときにおける課税仕入れ等の税額とこの税額に係る地方消費税の額に相当する金額の合計額のうち、同項の規定による控除をすることができない金額とこの金額に係る地方消費税の額に相当する金額の合計額でそれぞれの資産に係るものとされています（法令139の４⑤）。

税抜経理方式を適用する貴社が、消費税の申告に当たり消費税法30条１項の規定に基づき仕入控除税額の計算を行う場合において、同項の規定により控除することができない仮払消費税等の額は、控除対象外消費税額等に該当することになります。

したがって、貴社が取得した居住用賃貸建物に係る仮払消費税等の額は、資産に係る控除対象外消費税額等として、法人税法施行令139条の４《資産に係る控除対象外消費税額等の損金算入》１項から４項までの規定により、Ｘ１年３月期以降の事業年度において、貴社が損金経理した金額のうち一定の金額を損金の額に算入することができます。

また、ご質問の建物について居住用賃貸建物の仕入控除税額の調整計算が行われた場合には、Ｘ３年３月期における控除対象仕入税額が増加するため、仮受消費税等の金額から仮払消費税等の金額を控除した金額と納付すべき消費税等の額に差額が生じますが、当該差額はＸ３年３月期の益金の額に算入されることになります（消費税経理通達６）。

なお、Ｘ３年３月期において居住用賃貸建物の仕入控除税額の調整計算が行われた場合であっても、当該計算は資産を取得した課税期間（事業年度）の仕入控除税額を修正するものではなく、また、法人税法上、これに対応して経過した事業年度における処理を修正する規定もないため、Ｘ１年３月期に生じた控除対象外消費税額等を遡及して修正する必要はありません。

Q13－3

売却した固定資産に係る繰延消費税額等の取扱い

不動産業を営むＡ社は、前期において本社の社屋を取得しましたが、課税売上割合は60％であったため、控除対象外消費税額等が発生しました。

この控除対象外消費税額等は資産に係るものなので、繰延消費税額等として前期の繰入額を差し引いた残額を当期に繰り延べました。

ところが、当期になって諸般の事情から本社社屋を売却することになりました。前期から繰り越された繰延消費税額等は当期において全額損金算入できるでしょうか。

A　繰延消費税額等の未償却残高を一括損金算入することはできません。

考え方

1　消費税法上の課税仕入れ等の税額として課税標準から控除できるのは、課税売上割合に見合う金額に限られる（消法30②）ため、税抜経理方式による事業者においては、その課税期間の課税売上高が５億円を超える場合や課税売上割合が95％未満の場合には仮払消費税等の一部が税額控除の対象にならず、控除対象外消費税額等としてそのまま残ることがあります。具体的には、個別対応方式により課税資産の譲渡等とその他の資産の譲渡等に共通して要する課税仕入れについて控除税額を計算する場合又は一括比例配分方式を適用する場合です。この控除対象外消費税額等のうち資産に係るもので法人税法施行令139条の４第１項及び第２項の規定に該当しないものについては、「繰延消費税額等」として資産に計上し、５年以上の期間で償却することとされています（法令139の４③）。

2　資産に係る控除対象外消費税額等について繰延消費税額等として処

理する場合には、独立した長期前払費用としての性格に着目して、一律５年の均等償却（初年度の償却限度額は２分の１）として規定されていますから、それが生じた資産本体とは別の資産と認識し、仮に資産本体（本社社屋）を当期において売却した場合であっても、繰延消費税額等の未償却残高を一括損金算入することはできず、その後の事業年度において損金算入限度額以下の金額を順次損金経理していくことになると考えます。

第14章

その他

本章では、第３章から第13章までのＱ＆Ａで触れていないその他の事柄について取り上げています。

第１節　申告関係Ｑ＆Ａ

Q14－1

法人に係る消費税の申告期限の特例

法人における消費税の確定申告期限が延長できるということですが、どのような制度なのでしょうか。

A　令和３年（2021年）３月31日以後に終了する事業年度の末日の属する課税期間から、法人税の確定申告書の提出期限の延長の特例の適用を受ける法人が消費税の確定申告書の提出期限を延長する旨の届出書を提出した場合には、当該提出をした日の属する事業年度以後の各事業年度の末日の属する課税期間に係る消費税の確定申告書の提出期限を１月延長することとされています。

考え方

具体的な取扱いは、次のとおりです。

①　この特例は、「（届出書）の提出をした日の属する事業年度以後の各事業年度終了の日の属する課税期間に係る消費税申告書の提出期限については、……当該課税期間の末日の翌日から３月以内とする。」と規定されています（消法45の２①）。

したがって、課税期間を３月又は１月に短縮している法人の各事業年度最後の確定申告以外については、その課税期間の末日の翌日から２月以内に申告すべきことに変更はありません。

また、仮決算による中間申告書を提出している法人の中間申告期限についてもその課税期間の末日の翌日から２月以内に申告すべきことに変更はありません。

② 法人税について申告期限の延長特例の適用を受けていない場合であっても、法人税の申告期限延長の申請書と併せて消費税の申告期限延長の届出書を提出することは可能です（消基通15－２－８）。この場合には、法人税の申告期限延長が承認されたときに、消費税の申告期限延長の届出書の効力も生ずることになります。

③ 確定申告書の提出期限が延長された期間の消費税の納付については、当該延長された期間に係る利子税を併せて納付することになります（消法45の２⑤）。

④ 届出は、「消費税申告期限延長届出書（様式通達第28-⑭号様式）」により行います。なお、この延長特例の適用を受けようとする事業年度終了の日の属する課税期間の末日までに提出する必要があります。

Q14－2

社会福祉法改正に伴う社会福祉法人の消費税の申告期限について

社会福祉法が改正され、平成29年（2017年）4月1日以降、社会福祉法人は、毎会計年度終了後3か月以内に計算書類等を作成しなければならないこととされています。これに伴って、消費税の確定申告期限も会計年度終了の日の翌日から3か月以内になるということはないのでしょうか。

A　消費税の確定申告期限は、これまでどおり、会計年度（課税期間）終了の日の翌日から2月以内です。

考え方

社会福祉法の改正により、社会福祉法人は会計年度終了後3月以内に計算書類等を作成しなければならないこととされ（社会福祉法45の27②）、当該計算書類等については定時評議員会に提出の上、その承認を受けなければならないこととなりました（社会福祉法45の30①、②）。しかし、消費税の確定申告は、社会福祉法が求める計算書類等に基づいて作成しなければならないというような制約はありません。

したがって、社会福祉法の改正により、計算書類等を3月以内に作成し、定時評議員会の承認を受けなければならないことを理由として申告書の提出期限の特例承認申請をしても、消費税の確定申告期限が延長されることはなく、これまでどおり、会計年度（課税期間）終了の日の翌日から2月以内に確定申告書を提出しなければならないものと考えます（消法45①、60⑧、消令76①、②、消基通16－3－2の2）㈱。

ただし、令和3年（2021年）3月31日以後に終了する事業年度の末日の属する課税期間から、法人税の確定申告書の申告期限延長の特例の適用を受ける法人が消費税の確定申告書の提出期限を延長する旨の届出書（様式通達第28－⒁号様式）を提出した場合には、各事業年度の末日の属する課税期間に係る消費税の確定申告期限は１月延長されます（消法45の2①）。したがって、ご質問の社会福祉法人が法人税について申告期限延長特例の適用を受けている場合には、消費税についても申告期限延長の適用を受けることは可能と考えます（Q14－１参照）。

㈲ 消費税法別表第三に掲げる法人のうち政令で定めるものについては、申告書の提出期限についての特例規定が設けられており、その対象は、法令によりその決算を完結する日が会計年度の末日の翌日以後２月以上経過した日と定められていることその他特別な事情があるもので当該特例の適用を受けることにつき所轄税務署長の承認を受けたものとされています（消法60⑧、消令76①）。

なお、この特例による申告書の提出期限は、申告対象の課税期間の末日から６月以内でその納税地を所轄する税務署長が承認する期間内となります（消令76②四）。

【法令によりその決算を完結する日が会計年度の末日の翌日以後２月以上経過した日と定められている事例】

例えば、健康保険組合や国民健康保険組合が挙げられます。

健康保険組合の会計年度は、毎年４月１日に始まり、翌年３月31日に終わるものとされていますが、健康保険組合において、収入金を収納するのは翌年度の５月31日、支出金を支払うのは翌年度の４月30日限りとされています（健康保険法施行令15、19）。

また、国民健康保険組合については、会計年度は健康保険組合と同じですが、国民健康保険組合の出納は、地方自治法が普通地方公共団体について定めるのと同じく、翌年度の５月31日をもって閉鎖するとされています（国民健康保険法施行令14、18、地方自治法235の５）。

これらの組合においては、翌年４月１日から５月31日までの間は出納整理期間となります。したがって、これらの組合は、出納整理期間終了から２月（課税期間の末日の翌日から４月）以内を申告書の提出期限とする承認申請書（様式通達第31－(1)号様式）を提出すれば、承認されるものと思われます。

第２節　総額表示関係Ｑ＆Ａ

Q14－３

令和３年４月１日以降の価格表示

価格表示については、これまで認められていた消費税額及び地方消費税額を含まない価格（税抜価格）での表示ができなくなったということですが、具体的にはどのようになったのでしょうか。

A　具体的な取扱いは次のとおりです（財務省「事業者が消費者に対して価格を表示する場合の価格表示に関する消費税法の考え方（令和３年１月７日）」)。

１　総額表示義務は、事業者が不特定かつ多数の者に、あらかじめ販売する商品等の価格を表示する場合に税込価格を表示することを義務付けるものです。また、総額表示義務は、取引の相手方に対して行う価格表示であれば、店頭における表示、チラシ広告、新聞・テレビの広告など、それがどのような表示媒体により行われるかを問わないこととされています。

（注１）　会員制のディスカウントストアやスポーツ施設（スポーツクラブ、ゴルフ場）など会員のみを対象として商品やサービスの提供を行っている場合であっても、その会員の募集が広く一般を対象に行われている場合には、総額表示義務の対象となります。

（注２）　取引に際して相手方に交付する請求書、領収書等における商品の価格の表示は、不特定かつ多数の者にあらかじめ価格を表示しているものではないため、総額表示義務の対象とはなりません。

（注３）　精肉等の量り売りなど、一定単位で価格表示をすることにより、最終的な取引価格そのものではないものの、事実上、その取引価格を表示しているに等しいものについては、その単位ごとに消費税を含む価格表示を行う必要があります。ただし、あらかじめパッケージされた商品（プリパック商品）に貼付されるラベル表示（「単価」、「量」及び「販売価格」）においては、プリパックされた商品の「販売価格」自体が総額表

示義務の対象となるため、ラベル上の「単価」表示そのものは総額表示義務の対象とはなりません。

2　商品又はサービスの内容、性質から、およそ事業の用にしか供されないような商品の販売又はサービスの提供であることが客観的に明らかな場合については、総額表示義務の対象とはなりません。

3　総額表示義務の対象となるのは、あらかじめ価格を表示する場合ですから、価格表示をしていない場合にまで税込価格の表示を義務付けられるものではありません。

（注１）　製造業者等が、自己の供給する商品について、小売業者の価格設定の参考となるものとして設定している、いわゆる希望小売価格を表示する場合（その希望小売価格をそのまま消費者に対する販売価格とする場合を除きます。）には、総額表示義務の対象とはなりません。

（注２）　値引き販売の際に行われる価格表示の「○割引き」あるいは「○円引き」とする表示自体は、総額表示義務の対象となりません。ただし、値引前の価格や値引後の価格を表示する場合には、総額表示義務の対象となります。

また、総額表示義務は、その商品の「税込価格」を表示することを義務付けているものです。そのため、税込価格を表示する際に「税込価格である旨」の表示は必要なく、また、税込価格に併せて「税抜価格」、「消費税額等」、「消費税率」等が表示されていても差し支えないものとされています。

例えば、次のような表示（税込価格11,000円（消費税率10％）の商品の場合）が総額表示として認められます（消基通18－１－１）。

⑴　11,000円

⑵　11,000円（税込）

⑶　11,000円（税抜価格10,000円）

⑷　11,000円（うち消費税額等1,000円）

(5)　11,000円（税抜価格10,000円、消費税額等1,000円）

(6)　11,000円（税抜価格10,000円、消費税率10%）

(7)　10,000円（税込価格11,000円）

(注)　総額表示の下においても、「税抜価格」を基に計算するレジシステムを用いることは認められています。その際、税込価格について１円未満の端数が生じるときは、当該端数を四捨五入、切捨て又は切上げのいずれの方法により処理しても差し支えなく、また、当該端数処理を行わず、円未満の端数を表示することも差し支えないこととされています。

考え方

平成16年（2004年）４月１日以降、事業者が消費者に対してあらかじめ価格を表示する場合には、税込価格を表示することが義務付けられています（消法63、総額表示義務）。この義務付けは、税抜価格のみの表示ではレジで請求されるまで最終的にいくら支払えばいいのか分りにくく、また、同一の商品・サービスでありながら「税抜表示」の事業者と「税込表示」の事業者が混在しているため価格の比較がしづらいといったことを踏まえ、事前に「消費税額を含む価格」を一目で分かるようにするという消費者の利便性に配慮する観点から実施されたものです。

この規定の施行後、消費税率（地方消費税を含みます。）は５%から８%へ、８%から10%へと２度にわたって引き上げられましたが、その際に、消費税の円滑かつ適正な転嫁の確保及び事業者による値札の貼り替え等の事務負担に配慮する観点から、「消費税の円滑かつ適正な転嫁の確保のための消費税の転嫁を阻害する行為の是正等に関する特別措置法」（平成25年法律第41号）により特例が設けられ、平成25年（2013年）10月１日から令和３年（2021年）３月31日までの間、表示する価格が税込価格と誤認されないための措置を講ずることで、税込価格を表示することを要しないこととされていました（消費税転嫁対策特別措置法10①、附則１）。

この特例は、令和３年（2021年）３月31日限りで失効しました（消費税転嫁対策特別措置法附則２①）から、同年４月１日以後に消費者に対して価格を表示する場合には、消費税法の規定に基づき、税込価格を表示する必要があります。

Q14－4

店内飲食とテイクアウトがある飲食料品の総額表示

当店では、同じ飲食料品を店内飲食と持ち帰り（テイクアウト）の2通りの方法で販売しています。このような場合に、価格の総額表示はどのように行ったらよいのでしょうか。

A 飲食料品の販売において、テイクアウトや出前（フードデリバリー）には軽減税率が適用され、店内飲食には標準税率が適用されます。そのため、イートインスペースのある小売店等の事業者では、同一の飲食料品の販売につき適用される消費税率が異なることになります。このような事業者における総額表示の下での価格表示については、消費者庁・財務省・経済産業省・中小企業庁が共同で次のような方法を提示しています（平成30年5月18日消費者庁・財務省・経済産業省・中小企業庁「消費税の軽減税率制度の実施に伴う価格表示について」）。

1　テイクアウト等及び店内飲食の両方の税込価格を表示する方法

例えば、「テイクアウト等」と「店内飲食」が同程度の割合で利用される場合において、テイクアウト等と店内飲食の選択における消費者の価格判断を行う際の利便性が向上すると事業者が判断するときは、テイクアウト等及び店内飲食の両方の税込価格を表示することが考えられます。なお、両方の税込価格に併せて、税抜価格（消費税等を含まない価格をいいます。以下同じ。）又は消費税額を併記することも認められます。

2　テイクアウト等又は店内飲食のどちらか片方のみの税込価格を表示する方法

例えば、①「テイクアウト等」の利用がほとんどである小売店等において、「店内飲食」の価格を表示する必要性が乏しい、②「店

第14章　その他

内飲食」の利用がほとんどである外食事業者において、「テイクアウト等」の価格を表示する必要性が乏しい、③「テイクアウト等」と「店内飲食」両方の価格を表示するスペースがない等の事情にある場合には、事業者の判断により、テイクアウト等又は店内飲食のどちらか片方のみの税込価格を表示することが考えられます。

ただし、この方法による場合には、次の点に留意する必要があります。

(1) 消費税法63条は、総額表示義務として、不特定かつ多数の者に対してあらかじめ商品や役務の価格を表示するときに、税込価格の表示を義務付けられているものですから、あらかじめ価格を表示しない場合にまで総額表示義務は及ばないことになります。したがって、テイクアウト等又は店内飲食のどちらか一方のみの税込価格を表示し、他方の税込価格を表示しない場合であっても、同条の規定違反とはなりません。

(2) ただし、店内飲食の場合には適用税率が異なるため、テイクアウト等の場合よりも店内飲食のほうが税込価格が高いにもかかわらず、テイクアウト等の場合であることを明瞭に表示せず、その税込価格のみを表示している場合には、一般消費者に店内飲食の価格が実際の価格よりも安いとの誤認を与えてしまい、不当景品類及び不当表示防止法（景品表示法）５条２号の規定により禁止される表示（有利誤認）に該当するおそれがあるとされています。

(3) また、一般消費者にとって価格表示が商品又は役務（サービス）の選択上最も重要な販売価格についての情報を得る手段であるという点を踏まえ、テイクアウト等と店内飲食との間で税込価格が異なる場合は、事業者は、顧客の意思表示により異なる税率が適用され、税込価格が別途計算されることがあり得る旨、店舗内の目立つ場所に掲示するなどの手段により、一般消費者に対して注意喚起を行うことが望ましいとされています。

Q14－5

商品本体における価格表示が税抜価格のみの表示になっている場合の総額表示義務の履行方法

当店の販売する商品については、商品本体のパッケージに税抜価格が表示されているものがありますが、こうした表示についても全て税込価格に変更する必要がありますか。

A 総額表示の義務付けは、消費者が商品やサービスを購入する際に、消費税額等を含む価格を一目で分かるようにするためのものです。したがって、個々の商品に税込価格が表示されていない場合であっても、棚札やPOPなどによって、その商品の「税込価格」が一目で分かるようになっていれば、総額表示義務との関係では問題ないことになります（財務省「事業者が消費者に対して価格を表示する場合の価格表示に関する消費税法の考え方（令和３年１月７日）」）。

ご質問のような場合に総額表示義務を履行するためには、例えば、次のような方法により消費者に対して税込価格が一目でわかるようにすることが考えられます。

- 商品の陳列棚に税込価格を表示する方法
- 店内にPOP等を掲示し、税込価格を表示する方法
- 税抜価格と税込価格の価格読替表を掲示又は配布する方法
- 税込価格を表示したカード等を挟み込む方法

なお、インターネットやカタログなどを用いた通信販売に関しては、ウェブ上、カタログ上において税込価格が表示されていれば、送付される商品自体に税抜価格のみが表示されていたとしても、総額表示義務との関係では問題ないものとされています。

Q14－6

総額表示において税込価格と税抜価格を併記する場合

総額表示を行う場合、税込価格に加えて税抜価格を表示することも認められますか。

A 消費税法63条の「総額表示義務」は、税込価格の表示を義務付けるものですから、税込価格に加えて税抜価格を表示することも可能です（財務省「事業者が消費者に対して価格を表示する場合の価格表示に関する消費税法の考え方（令和３年１月７日）」）。

ただし、その場合でも税込価格が明瞭に表示されている必要があります。表示媒体における表示全体からみて、税込価格が一般消費者にとって見やすく、かつ、税抜価格が税込価格であると一般消費者に誤解されることがないように表示されていれば、税込価格が明瞭に表示されているといえます。しかし、例えば、税抜価格を「ことさら強調する」ことにより、消費者に誤認を与える表示となるときは、総額表示義務を満たしているとはいえないことになります（消基通18－１－１また書）。

明瞭に表示されているかどうかの判断に当たっては、基本的に以下の要素が総合的に勘案されます（消費者庁「総額表示義務に関する消費税法の特例に係る不当景品類及び不当表示防止法の適用除外についての考え方（平成25年９月10日）」）。

１　税込価格表示の文字の大きさ

税込価格表示の文字の大きさが著しく小さいため、一般消費者が税込価格表示を見落としてしまう可能性があるか否か。

２　文字間余白、行間余白

余白の大きさ、一定幅当たりの文字数等から、税込価格が一般消費者にとって見づらくないか否か。

3　背景の色との対照性

例えば、明るい水色、オレンジ色、黄色の背景に、白色の文字で税込価格を表示するといったように分かりにくい色の組合せになっていないか否か。

背景の色と税込価格の表示の文字の色とは、対照的な色の組合せとすることが望ましいとされています。また、背景の色と税込価格の表示の文字の色との対照性が必ずしも十分ではない場合には、税込価格の表示に下線を引くことなどによって、税込価格が一般消費者にとって見やすく、かつ、税抜価格が税込価格であると一般消費者に誤解されることがないように表示する必要があるとされています。

㈲　このほか、例えば、一般消費者が手に取って見るような表示物なのか、鉄道の駅構内のポスター、限られた時間のテレビコマーシャル等、一般消費者が離れた場所から目にしたり、短時間しか目にすることができないような表示物なのかなど、表示媒体ごとの特徴も、税込価格が明瞭に表示されているか否かの判断に当たって勘案される場合があるとされています。

また、例えば、主に走行中の車の中にいる者を対象とした看板等の場合、表示価格が税込価格でないことを歩行者が明瞭に認識できるだけでは不十分であり、走行中の車の中からでも明瞭に認識できるような表示とする必要があるとされています。

第３節　新型コロナウイルス感染症関係Ｑ＆Ａ

新型コロナウイルス感染症等の影響に対応するための「消費税課税事業者選択届出書」等の提出に係る特例については、期限の到来をもって終了しましたが、今後の参考として、特例が適用されていた当時のままのQ&Aを掲載しています。

Q14－7

新型コロナウイルス感染症等の影響を受けた事業者における課税選択の変更に係る特例

新型コロナウイルス感染症等の影響を受けた事業者には、消費税の課税事業者選択の変更について特例が適用されるということですが、どのような取扱いとなるのでしょうか。

A　特例対象事業者は、納税地の所轄税務署長の承認を受けることで、特定課税期間以後の課税期間について、課税期間の開始後であっても、課税事業者を選択する（又は選択をやめる）ことができます（新型コロナ税特法10①、③）。

この特例の適用により課税事業者を選択する場合、２年間の継続適用要件は適用されません（新型コロナ税特法10②）。したがって、特例により課税事業者を選択した課税期間の翌課税期間において、課税事業者の選択をやめることも可能です。

また、課税事業者となった日から２年を経過する日までの間に開始した各課税期間中に調整対象固定資産を取得した場合の「課税事業者選択不適用届出書」の提出制限も適用されません（新型コロナ税特法10

③)。

考え方

この特例の適用に当たっては、次の点に留意する必要があります。

1　特例対象事業者

新型コロナウイルス感染症及びそのまん延防止のための措置の影響（新型コロナウイルス感染症等の影響）により令和２年（2020年）２月１日から令和３年（2021年）１月31日までの間のうち一定の期間に事業としての収入に著しい減少があった事業者が対象となります（新型コロナ税特法10①）。

2　一定の期間（調査期間）

令和２年（2020年）２月１日から令和３年（2021年）１月31日までの間のうち任意の期間で、連続する１か月以上の期間をいいます。連続する１か月以上の期間であれば、例えば、４月１日から５月15日という期間でも差し支えありません。ただし、例えば、令和元年（2019年）９月１日から令和２年３月31日といったように、令和２年２月１日から令和３年１月31日までの間でない部分を含む期間は認められません（新型コロナ税特法10①、新型コロナ税特令７）。

3　事業としての収入に著しい減少があった事業者

調査期間における事業としての収入が前年同期間と比べて概ね50％以上減少した事業者が該当します（新型コロナ税特法通２）。

4　特定課税期間

新型コロナウイルス感染症等の影響により、事業としての収入の著しい減少があった期間（調査期間）内の日を含む課税期間をいいます（新型コロナ税特法10①）。例えば、３月決算法人において、令和３年（2021年）１月１日から同月31日までの間の事業としての収入が前年同期間と比べて概ね50％以上減少した場合、令和３年１月１日から同月

31日までの日を含む課税期間（令和２年（2020年）４月１日から令和３年（2021年）３月31日まで）が「特定課税期間」となります。

なお、調査期間が複数の課税期間にまたがっている場合には、その複数の課税期間のそれぞれが「特定課税期間」となります。

5　承認申請手続

「新型コロナ税特法第10条第１項（第３項）の規定に基づく課税事業者選択（不適用）届出に係る特例承認申請書（新型コロナ税特法通達別紙様式１）」に新型コロナウィルスの影響等により事業としての収入の著しい減少があったことを確認できる書類（売上帳、預金通帳の写しなど）を添付して、申請期限までに納税地の所轄税務署長に提出します（新型コロナ税特法10⑦、新型コロナ税特規５、新型コロナ税特法通４）。

なお、特例承認申請書と併せて「課税事業者選択届出書」又は「課税事業者選択不適用届出書」も提出することとされています。

6　承認申請期限

⑴　課税事業者を選択する場合（新型コロナ税特法10⑦一）

…　特定課税期間の末日の翌日から２月（個人事業者のその年の12月31日の属する課税期間の場合は３月）を経過する日

なお、国税通則法11条の規定の適用により、この承認申請の期限を延長することができます。

⑵　課税事業者の選択をやめる場合（新型コロナ税特法10⑦二）

イ　特定課税期間から課税事業者の選択をやめる場合

…　特定課税期間に係る確定申告書の提出期限

なお、国税通則法11条の規定の適用により当該確定申告書の提出期限の延長を受けている場合には、その延長された期限となります。

ロ　特定課税期間の末日が、課税事業者選択届出書の提出により課税事業者となった課税期間の初日以後２年を経過する日（２年経過日）以後に到来する場合で、その特定課税期間の翌課税期間以後の課税期間から課税事業者の選択をやめる場合

… 特定課税期間に係る確定申告書の提出期限

ハ　上記イ、ロ以外の場合

… 「２年経過日の属する課税期間の末日」と「課税事業者の選択をやめようとする課税期間の末日」とのいずれか早い日

Q14－8

新型コロナ税特法に基づく特例承認の要件としての「事業としての収入の著しい減少」

新型コロナウイルス感染症等の影響に対応するための国税関係法律の臨時特例に関する法律（新型コロナ税特法）10条1項又は3項の規定に基づく消費税課税事業者選択（不適用）届出に係る特例承認を受けるためには、一定の期間の事業としての収入の著しい減少があったことが要件とされていますが、この場合の「事業としての収入」には、個人事業者の場合、不動産所得に該当する収入も含まれるのでしょうか。

A　「事業としての収入」には、個人事業者の場合、不動産所得に該当する収入も含まれます。

考え方

新型コロナ税特法10条1項では、「一定の期間に事業としての収入の著しい減少があった消費税法2条1項4号に規定する事業者」を対象としています。

「消費税法2条1項4号に規定する事業者」とは、個人事業者及び法人をいうものとされています。そのため、消費税では、法人である事業者と個人事業者とで課税上の取扱いが異なることのないよう、所得税とは異なり、所得税の不動産所得に分類される収入を生ずる不動産の貸付けは、事業的規模に達しない場合であっても、その不動産の貸付けが反復、継続、独立して行われれば、「事業として」行った資産の貸付けに該当し、その貸付けを行う個人は事業者に該当することとされています（消基通5－1－1）。

また、新型コロナウイルス感染症等の影響に対応するための国税関係

第14章　その他

法律の臨時特例に関する法律の施行に伴う消費税の取扱いについて（法令解釈通達）２－(注)２において、「『事業としての収入に著しい減少があった』かどうかは、事業者の事業としての収入の著しい減少が新型コロナウイルス感染症及びそのまん延防止のための措置の影響に因果関係を有するかどうかにより判定することから、例えば、不動産賃貸人が政府の要請に基づき賃借人が支払うべき賃料の支払を猶予していると認められる場合における収入金額の計算に当たっては、調査期間における賃料収入に計上される額からその猶予していると認められる賃料の額を控除することとする。」としています。このことは、所得税の不動産所得に分類される収入が、新型コロナ税特法10条１項又は３項の規定に基づく消費税課税事業者選択（又は不適用）届出に係る特例承認申請の要件に該当するかどうかの判定における一定の期間の「事業としての収入」に含まれることを前提にしていると考えられます。

したがって、ご質問の「事業としての収入」には、個人事業者の場合、不動産所得に該当する収入も含まれることになります。

Q14－9

新型コロナウイルス感染症等の影響を受けた場合の簡易課税制度の適用の特例

新型コロナウイルス感染症等の影響を受けた事業者は、簡易課税制度の適用変更を行うことができますか。

A　簡易課税制度の適用変更ができる場合もあります。

考え方

簡易課税制度の適用変更については、消費税法37条の２において、「災害その他やむを得ない理由が生じたことにより被害を受けた場合」の特例が設けられています。

例えば、今般の新型コロナウイルス感染症等の影響による被害を受けたことで、

- 通常の業務体制の維持が難しく、事務処理能力が低下したため簡易課税へ変更したい、
- 感染拡大防止のために緊急な課税仕入れが生じたため一般課税へ変更したい、

などの事情がある事業者は、納税地の所轄税務署長の承認を受けることにより、課税期間の開始後であっても、簡易課税制度の選択をする（又は選択をやめる）ことができます（消法37の２①、⑥）。

なお、「感染拡大防止のための緊急な課税仕入れ」とは、例えば次のようなものが考えられます。

- 社員を分散して勤務させるため、別の事務所を緊急で借り上げた。
- 感染予防のため、パーティションを設置するなど増設工事を行った。
- 消毒液やマスクなどの衛生用品を大量に購入した。

第14章　その他

この簡易課税制度の特例の適用を受けるためには、新型コロナウイルス感染症等の影響による被害がやんだ日から２月以内に「災害等による消費税簡易課税制度選択（不適用）届出に係る特例承認申請書」と併せて、「消費税簡易課税制度選択（不適用）届出書」を納税地の所轄税務署長に提出する必要があります（消法37の２②、⑦）。

なお、被害のやんだ日がその申請に係る課税期間の末日の翌日（個人事業者の12月31日の属する課税期間の場合は、その末日の翌日から１月を経過した日）以後に到来する場合には、その課税期間に係る確定申告書の提出期限（国税通則法11条の規定の適用により申告期限等の延長を受けている場合にはその延長された期限）となります（消基通13－１－８）。

（注１） 簡易課税制度は、その課税期間の基準期間における課税売上高が５千万円以下の場合に限り適用することができます。

（注２） この特例の適用を受ける場合、２年間の継続適用要件は適用されません。また、調整対象固定資産や高額特定資産等を取得した場合の「消費税簡易課税制度選択届出書」の提出制限（消法37③）も適用されません。

Q14−10

医療機関が受領するワクチンの接種事業に係る委託料の課税関係

新型コロナウイルス感染症に係るワクチンの接種事業では、市町村と医療機関との間の委託契約に基づいて医療機関によりワクチン接種が行われ、市町村から医療機関に対し委託料が支払われます。この場合の委託料に対する消費税の課税関係はどのようになるでしょうか。

なお、新型コロナウイルスワクチンの接種に当たり、住民票所在地以外において接種を受ける機会を確保する観点から、原則として、実施主体（市町村）と実施機関（医療機関）の間で締結されるワクチン接種事業の委託契約については、それぞれをグループ化し、グループ同士で包括的な契約（集合契約）を実施することとされています。

A 消費税の課税対象となります。

考え方

消費税法上、国内において事業者が対価を得て行う「資産の譲渡」、「資産の貸付け」及び「役務の提供」は、同法6条1項の規定により非課税とされるものを除き、消費税が課されます（消法2①八、九、4①、5①、6①、別表第一）。

ご質問の委託料については、医療機関が市町村に対して「ワクチンの接種事業」を行うという役務の提供の対価であり、同法別表第一6号に規定する公的医療保険制度に基づく医療・療養に該当するものではありませんから、消費税の課税対象となります。

なお、予防接種法による予防接種については、「予防接種の委託料」（367頁）参照。

（簡易課税制度の適用を受ける医療機関における事業区分）

ワクチン接種事業の委託を受けた医療機関が簡易課税制度の適用を受けている場合、医療機関が市町村に対して委託料を対価として行う「ワクチンの接種事業」は、医療機関が患者に対して行う社会保険医療以外の自由診療と同様に、「第五種事業」（みなし仕入率50%）に該当します（消法37①、消令57⑤、消基通13－２－４）。

（編注）　消費税法別表第一は、令和５年10月１日以後「消費税法別表第二」となっています。

参考資料

参考資料の利用に当たっての留意事項

参考資料のうち最終改正日の記載のあるものは最終改正時における内容となっていますが、最終改正日の記載のないものは、交付日又は発遣日における内容となっていますので、現在における消費税の取扱いとは異なる場合があります。この点をお含みの上、ご参考としてご利用ください。

医療関係

参考資料1　（健康保険法等の規定に基づく療養の給付関係）……………… 816
消費税の導入に伴う給付等に関する留意事項について（事務連絡）

参考資料2　（労働者災害補償保険法の規定に基づく療養の給付関係）…… 818
消費税法の施行に伴う入院室料加算等の取扱いについて（事務連絡）

参考資料3　（自動車損害賠償保障法の規定による療養関係）……………… 819
消費税の導入に伴う自動車事故の被害者に対する療養の給付等に関する留意事項について（事務連絡）

参考資料4　（国家公務員災害補償法の規定に基づく療養関係）…………… 821
消費税法の施行に伴う国家公務員災害補償の実施について（平成元年3月31日職補－168）最終改正（平成31年4月1日職補－89）

参考資料5　（入院時食事療養・入院時生活療養関係）……………………… 825
入院時食事療養費に係る食事療養及び入院時生活療養費に係る生活療養の費用の額の算定に関する基準（平成18年厚生労働省告示第99号）最終改正（令和6年厚生労働省告示第64号）

参考資料6　（選定療養関係）……………………………………………………… 828
厚生労働大臣の定める評価療養、患者申出療養及び選定療養

（平成18年厚生労働省告示第495号）最終改正（令和６年厚生労働省告示第122号）

参考資料７　（療養の給付に当たらないもの）……………………………… 833
療養の給付と直接関係ないサービス等の取扱いについて（平成17年９月１日保医発第0901002号）最終改正〔令和２年３月23日保医0323第１号〕

参考資料８(1)　（医療非課税関係の参考法令(1)）……………………………… 837
健康保険法（大正11年法律第70号）最終改正〔令和６年法律第52号〕

参考資料８(2)　（医療非課税関係の参考法令(2)）……………………………… 840
高齢者の医療の確保に関する法律（昭和57年法律第80号）最終改正〔令和５年法律第31号〕

介護関係

参考資料１　（介護保険法に規定する介護サービスのうち課税の対象となるもの）……………………………………………………………………… 842
消費税法施行令第14条の２第１項、第２項及び第３項の規定に基づき、消費税法施行令第14条の２第１項、第２項及び第３項に規定する財務大臣が指定する資産の譲渡等を定める件（平成12年大蔵省告示第27号）最終改正（令和６年財務省告示第93号）

参考資料２　（介護予防・日常生活支援総合事業のうち非課税となるもの）……………………………………………………………………………… 848
消費税法施行令第14条の２第３項第12号の規定に基づき厚生労働大臣が指定する資産の譲渡等（平成24年厚生労働省告示

第307号）最終改正（平成29年厚生労働省告示第166号）

参考資料３　（生活保護法等の規定により非課税となる介護サービス）…… 849
消費税法施行令第14条の２第３項第13号の規定に基づき厚生労働大臣が指定するサービス（平成12年厚生省告示第190号）最終改正（平成27年厚生労働省告示第234号）

参考資料４　（介護保険法の施行に伴う消費税の取扱いについて）………… 850
事務連絡（厚生省老人保健福祉局介護保険課　計画課　振興課　老人保健課）

参考資料５　（有料老人ホームでの介護サービスの課税関係⑴）……………… 857
有料老人ホームにおける特定施設入居者生活介護に係る消費税の取扱いについて（厚生省老人保健福祉局老人福祉振興課長通知）

参考資料６　（有料老人ホームでの介護サービスの課税関係⑵）……………… 859
特定施設入居者生活介護事業者が受領する介護保険の給付対象外の介護サービス費用について（厚生省老人保健福祉局企画課長通知）最終改正〔平成18年３月31日老計発第0331002号ほか〕

参考資料７　（特定施設入居者生活介護関係）……………………………………… 862
高齢者向け住まいについて

参考資料８⑴　（介護サービス非課税関係の参考法令等⑴）…………………… 867
介護保険法（平成９年法律第123号）最終改正〔令和５年法律第31号〕

参考資料８⑵　（介護サービス非課税関係の参考法令等⑵）…………………… 902
生活保護法（昭和25年法律第144号）最終改正〔令和６年法律第47号〕

参考資料８⑶　（介護サービス非課税関係の参考法令等⑶）…………………… 904
指定居宅サービス等の事業の人員、設備及び運営に関する基準（平成11年厚生省令第37号）最終改正〔令和６年厚生労働省令第16号〕

参考資料８⑷　（介護サービス非課税関係の参考法令等⑷）…………………… 910
指定居宅サービス等及び指定介護予防サービス等に関する基準について（厚生省老人保健福祉局企画課長通知）最終改正〔平成30年３月30日〕

参考資料８⑸　（介護サービス非課税関係の参考法令等⑸）…………………… 915
指定居宅介護支援等の事業の人員及び運営に関する基準（平成11年厚生省令第38号）最終改正〔令和６年厚生労働省令第16号〕

参考資料８⑹　（介護サービス非課税関係の参考法令等⑹）…………………… 916
指定介護老人福祉施設の人員、設備及び運営に関する基準（平成11年厚生省令第39号）最終改正〔令和６年厚生労働省令第164号〕

参考資料８⑺　（介護サービス非課税関係の参考法令等⑺）…………………… 918
指定介護老人福祉施設の人員、設備及び運営に関する基準について（厚生省老人保健福祉局企画課長通知）

参考資料８⑻　（介護サービス非課税関係の参考法令等⑻）…………………… 920
介護老人保健施設の人員、施設及び設備並びに運営に関する

基準（平成11年厚生省令第40号）最終改正〔令和６年厚生労働省令第16号〕

参考資料８⑼　（介護サービス非課税関係の参考法令等⑼）……………………922
介護老人保健施設の人員、施設及び設備並びに運営に関する基準について（厚生省老人保健福祉局企画課長通知）最終改正〔平成17年老計発1121001号ほか〕

参考資料８⑽　（介護サービス非課税関係の参考法令等⑽）……………………923
介護医療院の人員、施設及び設備並びに運営に関する基準（平成30年厚生労働省令第５号）最終改正〔令和６年厚生労働省令第16号〕

参考資料８⑾　（介護サービス非課税関係の参考法令等⑾）……………………926
介護医療院の人員、施設及び設備並びに運営に関する基準について（厚生労働省老人保健局老人保健課長通知）

参考資料８⑿　（介護サービス非課税関係の参考法令等⑿）…………………… 929
指定地域密着型サービスの事業の人員、設備及び運営に関する基準（平成18年厚生労働省令第34号）最終改正〔令和６年厚生労働省令第164号〕

参考資料８⒀　（介護サービス非課税関係の参考法令等⒀）……………………935
指定介護予防サービス等の事業の人員、設備及び運営並びに指定介護予防サービス等に係る介護予防のための効果的な支援の方法に関する基準（平成18年厚生労働省令第35号）最終改正〔令和６年厚生労働省令第164号〕

参考資料８⒁　（介護サービス非課税関係の参考法令等⒁）…………………… 942
指定地域密着型介護予防サービスの事業の人員、設備及び運営並びに指定地域密着型介護予防サービスに係る介護予防のための効果的な支援の方法に関する基準（平成18年厚生労働省令第36号）最終改正〔令和６年厚生労働省令第16号〕

参考資料８⒂（介護サービス非課税関係の参考法令等⒂）…………………… 944
通所介護等における日常生活に要する費用の取扱いについて（厚生省老人保健福祉局企画課長通知）

参考資料８⒃（介護サービス非課税関係の参考法令等⒃）…………………… 951
地域支援事業の実施について（厚生労働省老健局長通知（平成18年老発第0609001号））最終改正〔令和６年老発0805第３号〕

社会福祉関係

参考資料１　（非課税となる認可外保育関係⑴）…………………………………… 956
消費税法施行令第14条の３第１号の規定に基づき内閣総理大臣が指定する保育所を経営する事業に類する事業として行われる資産の譲渡等（平成17年厚生労働省告示第128号）最終改正〔令和６年内閣府告示第27号〕

参考資料２　（非課税となる認可外保育関係⑵）…………………………………… 966
一定の認可外保育施設の利用料に係る消費税の非課税措置の施行について（厚生労働省雇用均等・児童家庭局保育課長通知）最終改正〔令和６年こ成保第219号〕

参考資料３　（非課税となる認可外保育関係⑶）…………………………………… 972
「一定の認可外保育施設の利用料に係る消費税の非課税措置の施行について」の一部改正について（令和６年こ成保第219号）

参考資料４　（非課税となる包括的支援事業関係）…………………………… 975
消費税法施行令第14条の３第５号の規定に基づき厚生労働大臣が指定する資産の譲渡等（平成18年厚生労働省告示第311号）最終改正〔令和５年厚生労働省告示第187号〕

参考資料５　（非課税となる障害福祉サービス事業等関係⑴）………………… 977
消費税法施行令第14条の３第８号の規定に基づき内閣総理大臣及び厚生労働大臣が指定する資産の譲渡等（平成３年厚生省告示第129号）最終改正〔令和６年内閣府・厚生労働省告示第１号〕

参考資料６　（非課税となる障害福祉サービス事業等関係⑵）………………… 979
授産施設、小規模作業所等において作業に従事する障害者に対する労働基準法第９条の適用について（平成19年基発第0517002号厚生労働省労働基準局長通知）

参考資料７　（身体障害者用物品関係⑴）……………………………………… 981
消費税法施行令第14条の４の規定に基づき内閣総理大臣及び厚生労働大臣が指定する身体障害者用物品及びその修理を定める件（平成３年厚生省告示第130号）最終改正〔令和７年内閣府・厚生労働省告示第１号〕

参考資料８　（身体障害者用物品関係⑵）……………………………………… 1003
消費税法の一部を改正する法律（平成３年法律第73号）の施行に伴う身体障害者用物品の非課税扱いについて（抜粋）（厚生省社会局更生・児童家庭局障害福祉・母子衛生課長連名通知）最終改正〔令和７年障企発0331第２号・こ支障第74号〕

参考資料９　（社会福祉事業の委託関係⑴）…………………………………… 1011
社会福祉事業の委託に関する消費税の取扱いについて（厚生

省大臣官房障害保健福祉部企画課長、厚生省社会・援護局企画課長、厚生省老人保健福祉局老人福祉計画課長、厚生省児童家庭局企画課長通知）

参考資料10　（社会福祉事業の委託関係(2)）……………………………… 1013
社会福祉事業等の委託に関する消費税の取扱いに係る問答集について（事務連絡）

参考資料11　（子ども・子育て支援関係(1)）……………………………… 1021
子ども・子育て支援に係る税制上の取扱い（平成26年府政共生1093号・26初幼教第19号・雇児保発1118第１号通知）

参考資料12(1)　（社会福祉事業非課税の参考法令等(1)）……………… 1023
更生保護事業法（平成７年法律第86号）最終改正〔令和４年法律第67号〕

参考資料12(2)　（社会福祉事業非課税の参考法令等(2)）……………… 1026
社会福祉法（昭和26年法律第45号）最終改正〔令和６年法律第47号〕

参考資料12(3)　（社会福祉事業非課税の参考法令等(3)）……………… 1028
児童福祉法（昭和22年法律第164号）最終改正〔令和６年法律第47号〕

参考資料12(4)　（社会福祉事業非課税の参考法令等(4)）……………… 1032
児童福祉法施行規則（昭和23年３月31日厚生省令第11号）最終改正〔令和６年内閣府令第78号〕

参考資料12⑸ （社会福祉事業非課税の参考法令等⑸）………………………… 1033
就学前の子どもに関する教育、保育等の総合的な提供の推進に関する法律（平成18年法律第77号）最終改正〔令和６年法律第53号〕

参考資料12⑹ （社会福祉事業非課税の参考法令等⑹）………………………… 1039
障害者の日常生活及び社会生活を総合的に支援するための法律（平成17年法律第123号）最終改正〔令和４年法律第104号〕

参考資料12⑺ （社会福祉事業非課税の参考法令等⑺）………………………… 1041
独立行政法人国立重度知的障害者総合施設のぞみの園法（平成14年法律第167号）最終改正〔令和４年法律第68号〕

参考資料12⑻ （社会福祉事業非課税の参考法令等⑻）………………………… 1042
知的障害者福祉法（昭和35年法律第37号）最終改正〔令和４年法律第104号〕

参考資料12⑼ （社会福祉事業非課税の参考法令等⑼）………………………… 1043
介護保険法（平成９年法律第123号）最終改正〔令和５年法律第31号〕

参考資料12⑽ （社会福祉事業非課税の参考法令等⑽）………………………… 1044
老人福祉法（昭和38年法律第133号）最終改正〔令和５年法律第31号〕

参考資料12⑾ （社会福祉事業非課税の参考法令等⑾）………………………… 1045
子ども・子育て支援法（平成24年法律第65号）最終改正〔令和６年法律第47号〕

参考資料12⑿　（社会福祉事業非課税の参考法令等⑿）………………………… 1051
特定教育・保育施設及び特定地域型保育事業並びに特定子ども・子育て支援施設等の運営に関する基準（平成26年4月30日内閣府令第39号）最終改正〔令和７年内閣府令第７号〕

申告関係

参考資料　（特定収入に係る課税仕入れ等に係る税額の調整関係）………… 1054
計算表１～５－２⑷－３

医療関係

参考資料１　（健康保険法等の規定に基づく療養の給付関係）

消費税の導入に伴う給付等に関する留意事項について（事務連絡）（抜粋）

平成元年３月22日　厚生省健康政策局総務課・医事課

1．健康保険法等の規定に基づく療養の給付及び特定療養費、療養費、家族療養費又は特別療養費の支給に係る療養は、非課税であること。

2．特定療養費の支給に係る療養のうち、療養を受ける者の選定に係る以下に掲げるものについては、上記1．にかかわらず、健康保険法第44条第２項の規定に基づき厚生大臣が定めるところにより算定される金額に相当する部分のみが非課税であり、いわゆる差額徴収部分は課税であること。

(1)　特別の病室の提供

(2)　前歯部の鋳造歯冠修復又は歯冠継続歯に使用する金合金又は白金加金の支給

(3)　学校教育法（昭和22年法律第26号）に基づく大学又はその医学部若しくは歯学部の附属の教育研究施設としての附属病院その他の高度専門病院のうち、その開設者の申請に基づき厚生大臣が指定するものにおける初診（他の病院又は診療所からの文書による紹介がある場合及び緊急やむを得ない事情による場合における初診を除く。）

(4)　特別注文食品を含む給食の提供

3．特定療養費の支給に係る療養のうち、特定承認保険医療機関及び特定承認療養取扱機関において行われるいわゆる高度先進医療については、高度先進医療そのものに要する費用として被保険者等から支払を受ける金額に相当する部分を含め非課税であること。

なお、特定承認医療機関及び特定承認療養取扱機関において行われる特定療養費の支給に係る療養のうち、療養を受ける者の選定に係る特別の病室の提供等については、上記2．の取扱いとなるものであること。

4．ある療養が療養費の支給に係る療養に該当し、よって非課税であることを税務当局に対して証明する手段は、療養の種類に応じ、以下に掲げるところによるものであること。

(1)　柔道整復師の施術

(イ)　打撲及び捻挫に対する施術の場合は、これらに対する施術である旨を記載した施術録等

(ロ)　骨折、不全骨折及び脱臼に対する施術の場合は、医師の同意書の写

し又は医師の同意を得た旨を記載した施術録等

(ハ) なお、施術に係る療養費に受取りについて受領委任形式を採っている柔道整復師の場合は、上記に代えて、保険者の発行する療養費の支給決定通知書等によることとしても差し支えないこと。

(2) あんまマッサージ指圧師、はり師及びきゅう師の施術

(イ) 被保険者等から提示を受けた医師の同意書又は診断書の写し。ただし、脱臼及び骨折に対するあんま、マッサージについては、医師の同意書に限る。

(ロ) なお、初療の日から３月を経過した時点において更に施術を行う場合（変形徒手矯正術の場合を除く。）は、上記(イ)に代えて、医師の同意を得た旨を記載した施術録等によることとしても差し支えないこと。

(3) 被保険者証等をやむ得ず提示し得なかった場合に医療機関において行われた自由診療等

① 被保険者等の氏名及び住所

② 保険者名

③ 保険診療を受けることができなかった理由

について記載した記録

参考資料２　（労働者災害補償保険法の規定に基づく療養の給付関係）

消費税法の施行に伴う入院室料加算等の取扱いについて（事務連絡）（抜粋）

平成元年３月24日　労働省労働基準局補償課長

１　消費税法について

消費税法第６条及び別表第１第６号ホにより、労災保険の療養の給付及び療養の費用の支給に係る療養としての資産の譲渡等は非課税とされている。

ただし、これらのうち、「資産の譲渡等を受ける者の選定に係る」特別の病室の提供等の大蔵大臣の定めるものにあっては、大蔵大臣の定める金額に相当する部分に限り、非課税となる。

２　入院室料加算等の取扱いについて

労災診療費算定基準のうち「入院室料加算」は、医師が療養上必要と認めたものに係る取扱いであり、「資産の譲渡等を受ける者の選定に係る」ものに該当せず、非課税となる。

３　診断書料等の取扱いについて

所轄労働基準監督署長等が、保険給付の決定処分を行うに当たって、必要となる診断書等の作成に係る費用については、昭和56年９月２日付け基発第555号、昭和57年４月13日付け基発第273号及び昭和57年６月　日付け基発第384号の通達により取り扱っているところであるが、これらについては、消費税法第６条別表第１第６号ホに掲げる「療養」に要する費用と認められることから非課税となる。

４　なお、消費税の取扱いについて、医療機関より疑義が生じた場合は、本省補償課医事係に照会すること。

参考資料３　（自動車損害賠償保障法の規定による療養関係）

消費税の導入に伴う自動車事故の被害者に対する療養の給付等に関する留意事項について（事務連絡）（抜粋）

平成元年３月24日　厚生省健康政策局総務課

1．自動車事故（ひき逃げ事故を含む。）の被害者に係る療養について非課税とされる範囲は、医療機関が、必要と認めた療養（おむつ代、松葉杖の賃貸料、付添寝具料、付添賄料等を含む。）をすべて含むものであり、自由診療であってもすべて非課税であること。

2．療養を受ける者の選定に係る特別の病室の提供等
（別紙）については、健康保険法第44条第２項の規定に基づき厚生大臣が定めるところにより算定される金額に相当する部分が非課税であり、いわゆる差額徴収部分は課税であること。

なお、医療機関が療養上必要と認めた場合や特別の病室以外の病室が満室であった場合等療養を受ける者の選定にかかわらず、特別の病室の提供等（別紙）がされた場合は、いわゆる差額徴収部分についても非課税であること。

この場合の手続きについては、特別の病室の提供等が行われたことにつき療養上の必要性等特段の事情があった旨を医療機関において診療録等に記録しておくこと。

3．医療機関が自動車事故（ひき逃げ事故を含む。）の被害者を自由診療で治療する場合、当該療養が非課税であることを税務当局に対して証明する手続きは、以下に掲げるところによるものであること。

被害者（患者）又は事故の当事者等に、自動車事故（ひき逃げ事故を含む。）によるものであることを確認し、次の事項を診療録等に記録しておくこと。

①　被害者（患者）の氏名及び住所
②　事故の年月日及び時間
③　事故の発生場所

4．他人から損害賠償額の支払を受ける立場にない、自らの運転による自損事故の受傷者に対する自由診療として行われる療養については課税であること。

なお、当該事故の同乗者で、運転者などから損害賠償額の支払を受けるべき立場にある者に係る療養については非課税であること。

5．診断書及び医師の意見書等の作成料は課税であること。

6．自動車事故（ひき逃げ事故を含む。）の被害者に係る療養に対し医師の

発行した処方せんによる薬局の調剤については、健康保険で認められている医薬品による調剤に限り非課税とされること。

なお、非課税であることの税務当局に対する証明は、当該非課税診療に係る処方であることを医師が明確にした処方せんの薬局への提示により行われること。

また、医療機関以外の者から被害者が購入する治療用装具についても、健康保険において療養費の支給の対象とされている装具に限り非課税とされること。

なお、非課税であることの税務当局に対する証明は、医師の当該非課税診療に係るものであることの意見書等の写しにより行われること。

消費税法の施行に伴う国家公務員災害補償の実施について
(平成元年3月31日職補－168)

(人事院事務総局職員局補償課長発)

最終改正：平成31年4月1日職補－89

平成元年4月1日から、消費税法（昭和63年法律第108号）が施行されますが、国家公務員災害補償法に基づく療養補償等に対する消費税の取扱いについては、下記によることとしてください。

なお、本件については、大蔵省とも協議済みであることを念のため申し添えます。

記

1 「国家公務員災害補償法の規定に基づく療養補償に係る療養の給付又は療養の費用の支給に係る療養及び国家公務員災害補償法の規定に基づき福祉事業として行われる医療の措置又は医療に要する費用の支給に係る医療」については、非課税とされている。（消費税法別表第1第6号ト、消費税法施行令第14条第17号）

2 国家公務員災害補償に係る消費税の課税及び非課税の範囲は以下のとおりである。

⑴ 療養補償

療養補償として行われる療養（診察、薬剤又は治療材料の支給、処置、手術その他の治療、居宅における療養上の管理及びその療養に伴う世話その他の看護並びに病院又は診療所への入院及びその療養に伴う世話その他の看護）の給付又は療養の費用の支給に係る療養は、非課税となる。

⑵ 福祉事業

ア 外科後処置及びアフターケアとして行われる医療の措置（診察、薬剤又は治療材料の支給、処置、手術その他の治療、居宅における療養上の管理及びその療養に伴う世話その他の看護並びに病院又は診療所への入院及びその療養に伴う世話その他の看護）又は医療に要する費用の支給に係る医療は、非課税となる。

イ 補装具の支給又は修理は課税されるが、医師の行う採型指導料は非課税となる（ただし、医療機関が購入する必要な資材費に係るものを除く。)。

ウ　リハビリテーションは課税対象とされる。

(3)　療養補償として行われる療養又は福祉事業として行われる医療を受ける者の選定に係る特別の病室の提供等については、健康保険法第86条第2項第1号の規定に基づき厚生労働大臣が定めるところにより算定される金額に相当する部分が非課税となり、いわゆる差額徴収部分は課税とされている（消費税法別表第1第6号、平成元年1月26日付け大蔵省告示第7号）が、医療機関が療養上必要と認めた場合や特別の病室以外の病室が満室であつた場合など、療養及び医療を受ける者の選定にかかわらず特別の病室の提供等がなされたときは、いわゆる差額徴収部分についても非課税となる。

(4)　別紙に掲げる診断書及び医師の意見書等の作成に係る費用については、消費税法施行令第14条第17号に掲げる「療養」又は「医療」に要する費用と認められることから、非課税となる。

3　医療機関等が、療養補償として行われる療養の給付又は療養の費用の支給に係る療養及び福祉事業として行われる医療の措置又は医療に要する費用の支給に係る医療について非課税であることを税務当局に対して証明する方法は、療養又は医療の種類に応じ、以下に掲げるところによる。

(1)　医療機関において行われた療養及び医療

ア　被災職員の氏名・住所・勤務官署等及び問診等で国家公務員災害補償法の適用を受ける患者であることが確認できた旨を記載した記録等。

イ　療養及び医療に係る費用の受取について受領委任形式を採つている場合は、上記に代えて、支払い通知書又は診療担当者が証明した療養補償請求書の写しによることとしても差し支えない。

(2)　柔道整復師の施術

ア　打撲及び捻挫に対する施術の場合は、これらに対する施術である旨を記載した施術録等。

イ　骨折、不全骨折及びだつきゆうに対する施術の場合は、医師の同意書の写し又は医師の同意を得た旨を記載した施術録等。

ウ　療養及び医療に係る費用の受取について受領委任形式を採つている場合は、上記に代えて、支払通知書又は施術担当者が証明した療養補償請求書の写しによることとしても差し支えない。

(3)　あんまマッサージ指圧師、はり師及びきゆう師の施術

ア　被災職員から提示を受けた医師の診断書の写し。

イ　療養及び医療に係る費用の受取について受領委任形式を採つている場合は、上記に代えて、支払通知書又は施術担当者が証明した療養補償請求書の写しによることとしても差し支えない。

(4)　療養補償の対象となる補装具の支給

医師の意見書等の写し。

以　上

別紙

国公災において療養補償等の支給対象となる診断書等一覧

療養補償

支給対象となる診断書等	関係条文等		請求方法
療養補償の実施に関し、必要な医師の診断書等 （例） 公務又は通勤災害の上外認定に係る医師の診断書、意見書（上認定の場合に限る。） 温泉療法、マッサージ、はり、きゅうの施術等を認める医師の意見書 看護を必要とする旨の医師の意見書 治癒認定に係る医師の診断書	補償法第11条運用通達第8の2の(1)		
療養補償請求書の診療費請求明細に係る証明又は証明書	〃	規則16－4第1条及び規則16－4の運用について別紙第1 （療養補償請求書）	
休業補償の請求に係る医師の証明	〃	規則16－4第1条及び規則16－4の運用について別紙第2 （休業補償請求書）	
傷病補償年金の請求書に添付する傷病等級決定に必要な医師の診断書	〃	規則16－4第5条及び規則16－4の運用について別紙第9 （傷病補償年金請求書）	
傷病等級変更請求書に添付する医師の診断書	〃	規則16－4第11条及び規則16－4の運用について別紙第11 （傷病補償年金変更請求書）	療養補償請求書 規則16－4の運用について別紙第1

障害補償一時金の請求書に添付する治癒の時期及び障害等級決定に必要な医師の診断書	〃	規則16－4第1条及び規則16－4の運用について別紙第3 （障害補償一時金請求書）	
障害補償年金の請求書に添付する治癒の時期及び障害等級決定に必要な医師の診断書	〃	規則16－4第11条の3及び規則16－4の運用について別紙第3 （障害補償年金請求書）	
遺族補償一時金の請求書に添付する死亡診断書、検案書	〃	規則16－4第1条及び規則16－4の運用について別紙第5 （遺族補償一時金請求書）	
遺族補償年金の請求書に添付する死亡診断書、検案書	〃	規則16－4第12条及び規則16－4の運用について別紙第5 （遺族補償年金請求書）	
療養の開始後1年6月を経過しても治癒していない者又は2年以上にわたって療養補償を受けている者の療養の現状に関する報告書に係る医師の証明又は診断書	〃	規則16－4第32条、第33条及び規則16－4の運用について別紙第55 （療養・障害の現状報告書）	

福祉事業

福祉事業申請書に添付する外科後処置を必要と認める医師の診断書、意見書	規則16－3第6条 48年職厚－1024		外科後処置費用支給申請書規則16－4の運用について別紙第23
		規則16－4第21条及び規則16－4の運用について別紙第22 （福祉事業請求書）	外科後処置費用請求書 48職厚－1024別紙第2
福祉事業申請書に添付するアフターケアを必要と認める医師の診断書、意見書	規則16－3第12条 昭63年職補－184		アフターケア費用申請書規則16－4の運用について別紙第26

入院時食事療養費に係る食事療養及び入院時生活療養費に係る生活療養の費用の額の算定に関する基準

（平　成18年3月6日
厚生労働省告示第99号）

健康保険法（大正11年法律第70号）第85条第2項（同法第149条において準用する場合を含む。）及び老人保健法（昭和57年法律第80号）第31条の2第2項の規定に基づき、入院時食事療養費に係る食事療養の費用の額の算定に関する基準を次のように定め、平成18年4月1日から適用し、入院時食事療養費に係る食事療養の費用の額の算定に関する基準（平成6年厚生省告示第237号）及び老人入院時食事療養費に係る食事療養の費用の額の算定に関する基準（平成6年厚生省告示第253号）は、平成18年3月31日限り廃止する。ただし、同日以前に行われた入院時食事療養の費用の額の算定については、なお従前の例による。

入院時食事療養費に係る食事療養及び入院時生活療養費に係る生活療養の費用の額の算定に関する基準

（平18厚労告485・改称）

一　入院時食事療養費に係る食事療養及び入院時生活療養費に係る生活療養の費用の額は、別表により算定した額とする。

二　別表第一の1及び第二の1における届出については、届出を行う保険医療機関の所在地を管轄する地方厚生局長又は地方厚生支局長（以下「地方厚生局長等」という。）に対して行うものとする。ただし、当該所在地を管轄する地方厚生局又は地方厚生支局の分室がある場合には、当該分室を経由して行うものとする。

〔最終改正〕令和6年3月5日厚生労働省告示第64号

別表

食事療養及び生活療養の費用額算定表

第一　食事療養

1　入院時食事療養(Ⅰ)（1食につき）

(1)　(2)以外の食事療養を行う場合　670円

(2)　流動食のみを提供する場合　605円

注1　(1)については、別に厚生労働大臣が定める基準に適合しているものとして地方厚生局長等に届け出て当該基準による食事療養を行う

保険医療機関に入院している患者について、当該食事療養を行ったときに、１日につき３食を限度として算定する。

2　(2)については、別に厚生労働大臣が定める基準に適合しているものとして地方厚生局長等に届け出て当該基準による食事療養を行う保険医療機関に入院している患者について、当該食事療養として流動食（市販されているものに限る。以下同じ。）のみを経管栄養法により提供したときに、１日に３食を限度として算定する。

3　別に厚生労働大臣が定める特別食を提供したときは、１食につき76円を、１日につき３食を限度として加算する。ただし、(2)を算定する患者については、算定しない。

4　当該患者（療養病棟に入院する患者を除く。）について、食堂における食事療養を行ったときは、１日につき50円を加算する。

2　入院時食事療養(Ⅱ)（１食につき）

(1)　(2)以外の食事療養を行う場合　536円

(2)　流動食のみを提供する場合　490円

注１　(1)については、入院時食事療養(Ⅰ)を算定する保険医療機関以外の保険医療機関に入院している患者について、食事療養を行ったときに、１日につき３食を限度として算定する。

2　(2)については、入院時食事療養(Ⅰ)を算定する保険医療機関以外の保険医療機関に入院している患者について、食事療養として流動食のみを経管栄養法により提供したときに、１日につき３食を限度として算定する。

第二　生活療養

1　入院時生活療養(Ⅰ)

(1)　健康保険法第63条第２項第２号イ及び高齢者の医療の確保に関する法律第64条第２項第２号イに掲げる療養（以下「食事の提供たる療養」という。）（１食につき）

イ　ロ以外の食事の提供たる療養を行う場合　584円

ロ　流動食のみを提供する場合　530円

(2)　健康保険法第63条第２項第２号ロ及び高齢者の医療の確保に関する法律第64条第２項第２号ロに掲げる療養（以下「温度、照明及び給水に関する適切な療養環境の形成たる療養」という。）（１日につき）398円

注１　(1)のイについては、別に厚生労働大臣が定める基準に適合しているものとして地方厚生局長等に届け出て当該基準による生活療養を行う保険医療機関に入院している患者について、当該生活療養を行ったときに、(1)に掲げる療養として、１日につき３食を限度として算定する。

2　(1)のロについては、別に厚生労働大臣が定める基準に適合しているものとして地方厚生局長等に届け出て当該基準による生活療養を行う保険医療機関に入院している患者について、当該生活療養として流動食のみを経管栄養法により提供したときに、(1)に掲げる療養として、1日につき3食を限度として算定する。

3　別に厚生労働大臣が定める特別食を提供したときは、(1)に掲げる療養について、1食につき76円を、1日につき3食を限度として加算する。ただし、(1)のロを算定する患者については、算定しない。

4　当該患者（療養病棟に入院する患者を除く。）について、食堂における(1)に掲げる療養を行ったときは、1日につき50円を加算する。

2　入院時生活療養(II)

(1)　食事の提供たる療養（1食につき）　450円

(2)　温度、照明及び給水に関する適切な療養環境の形成たる療養（1日につき）　398円

注　入院時生活療養(I)を算定する保険医療機関以外の保険医療機関に入院している患者について、生活療養を行ったときに、(1)に掲げる療養については1日につき3食を限度として算定する。

参考資料6　（選定療養関係）

厚生労働大臣の定める評価療養、患者申出療養及び選定療養

（平　成18年9月12日
厚生労働省告示第495号）

〔最終改正〕　令和6年3月27日厚生労働省告示第122号

健康保険法等の一部を改正する法律（平成18年法律第83号）の施行に伴い、厚生労働大臣の定める評価療養及び選定療養を次のように定め、平成18年10月1日から適用し、厚生労働大臣の定める選定療養（平成18年厚生労働省告示第105号）は、平成18年9月30日限り廃止する。

厚生労働大臣の定める評価療養、患者申出療養及び選定療養（平28厚労告60・改称）

第1条　健康保険法（大正11年法律第70号）第63条第2項第3号及び高齢者の医療の確保に関する法律（昭和57年法律第80号。以下「高齢者医療確保法」という。）第64条第2項第3号に規定する評価療養は、次の各号に掲げるものとする。

一　別に厚生労働大臣が定める先進医療（先進医療ごとに別に厚生労働大臣が定める施設基準に適合する病院又は診療所において行われるものに限る。）

二　医薬品、医療機器等の品質、有効性及び安全性の確保等に関する法律（昭和35年法律第145号。以下「医薬品医療機器等法」という。）第2条第17項に規定する治験（人体に直接使用される薬物に係るものに限る。）に係る診療

三　医薬品医療機器等法第2条第17項に規定する治験（機械器具等に係るものに限る。）に係る診療

三の二　医薬品医療機器等法第2条第17項に規定する治験（加工細胞等（医薬品、医療機器等の品質、有効性及び安全性の確保等に関する法律施行規則（昭和36年厚生省令第1号）第275条の2の加工細胞等をいう。）に係るものに限る。）に係る診療

四　医薬品医療機器等法第14条第1項又は第19条の2第1項の規定による承認を受けた者が製造販売した当該承認に係る医薬品（人体に直接使用されるものに限り、別に厚生労働大臣が定めるものを除く。）の投与（別に厚生労働大臣が定める施設基準に適合する病院若しくは診療所又は薬局において当該承認を受けた日から起算して90日以内に行われるも

のに限る。）
五　医薬品医療機器等法第23条の２の５第１項又は第23条の２の17第１項の規定による承認を受けた者が製造販売した当該承認に係る医療機器又は体外診断用医薬品（別に厚生労働大臣が定めるものを除く。）の使用又は支給（別に厚生労働大臣が定める施設基準に適合する病院若しくは診療所又は薬局において保険適用を希望した日から起算して240日以内（当該医療機器又は体外診断用医薬品を活用する技術の評価に当たって、当該技術と類似する他の技術の評価、当該技術を用いた医療の提供の方法その他の当該技術に関連する事項と一体的な検討が必要と認められる技術（以下「評価に当たって他の事項と一体的な検討を要する技術」という。）を活用した医療機器又は体外診断用医薬品の使用又は支給にあっては、保険適用を希望した日から起算して２年以内）に行われるものに限り、第八号に掲げるプログラム医療機器の使用又は支給を除く。）
五の二　医薬品医療機器等法第23条の25第１項又は第23条の37第１項の規定による承認を受けた者が製造販売した当該承認に係る再生医療等製品（別に厚生労働大臣が定めるものを除く。）の使用又は支給（別に厚生労働大臣が定める施設基準に適合する病院若しくは診療所又は薬局において保険適用を希望した日から起算して240日以内（評価に当たって他の事項と一体的な検討を要する技術を活用した再生医療等製品の使用又は支給にあっては、保険適用を希望した日から起算して２年以内）に行われるものに限る。）
六　使用薬剤の薬価（薬価基準）（平成20年厚生労働省告示第60号）に収載されている医薬品（別に厚生労働大臣が定めるものに限る。）の投与であって、医薬品医療機器等法第14条第１項又は第19条の２第１項の規定による承認に係る用法、用量、効能又は効果と異なる用法、用量、効能又は効果に係るもの（別に厚生労働大臣が定める条件及び期間の範囲内で行われるものに限る。）
七　医薬品医療機器等法第23条の２の５第１項又は第23条の２の17第１項の規定による承認を受けた者が製造販売した当該承認に係る医療機器（別に厚生労働大臣が定めるものに限る。）の使用又は支給であって、当該承認に係る使用目的、効果又は使用方法と異なる使用目的、効果又は使用方法に係るもの（別に厚生労働大臣が定める条件及び期間の範囲内で行われるものに限る。）
七の二　医薬品医療機器等法第23条の25第１項又は第23条の37第１項の規定による承認を受けた者が製造販売した当該承認に係る再生医療等製品（別に厚生労働大臣が定めるものに限る。）の使用又は支給であって、当該承認に係る用法、用量、使用方法、効能、効果又は性能と異なる用法、用量、使用方法、効能、効果又は性能に係るもの（別に厚生労働大臣が定める条件及び期間の範囲内で行われるものに限る。）

八　医薬品医療機器等法第23条の２の５第１項又は第23条の２の17第１項の規定による承認を受けた者が製造販売した当該承認に係るプログラム医療機器の使用又は支給（次の各号に掲げるプログラム医療機器の区分に応じ、それぞれ当該各号に掲げる条件及び期間の範囲内で行われるものに限る。）

イ　医薬品医療機器等法第23条の２の５第１項若しくは第23条の２の17第１項の規定による承認（医薬品医療機器等法第23条の２の５第１項又は第23条の２の17第１項の規定による承認を受けた後に、改めて承認を受ける場合（使用目的、効果又は使用方法が変更される場合に限る。）における当該承認に限る。以下「医療機器承認」という。）又は同法第23条の２の５第15項（第23条の２の17第５項において準用する場合を含む。）の規定により承認を受けた事項の一部を変更しようとする場合（使用目的、効果又は使用方法を変更しようとする場合に限る。）における承認（以下「医療機器一部変更承認」という。）を受けようとする、又は受けた者が製造販売した当該医療機器承認又は医療機器一部変更承認に係るプログラム医療機器（保険適用を希望するものに限る。）であって、評価療養としてその使用又は支給を行うことが適当と認められるものとして別に厚生労働大臣が定めるもの　(1)の条件及び(2)の期間

(1)　別に厚生労働大臣が定める施設基準に適合する病院若しくは診療所又は薬局におけるプログラム医療機器の使用又は支給に係る別に厚生労働大臣が定める条件

(2)　保険適用を希望した日から起算して240日以内（評価に当たって他の事項と一体的な検討を要する技術を活用したプログラム医療機器にあっては、保険適用を希望した日から起算して２年以内）であって別に厚生労働大臣が定める期間

ロ　現に保険適用されているプログラム医療機器のうち、使用成績を踏まえた再評価（当該プログラム医療機器における保険適用されていない範囲における使用又は支給に係る有効性に関するものに限る。）に係る申請を行い、又は行おうとするものであって、評価療養としてその使用又は支給を行うことが適当と認められるものとして別に厚生労働大臣が定めるもの　(1)の条件及び(2)の期間

(1)　別に厚生労働大臣が定める条件

(2)　当該申請を行った日から起算して240日以内（評価に当たって他の事項と一体的な検討を要する技術を活用したプログラム医療機器にあっては、保険適用を希望した日から起算して２年以内）であって別に厚生労働大臣が定める期間

第１条の２　健康保険法第63条第２項第４号及び高齢者医療確保法第64条第２項第４号に規定する患者申出療養は、別に厚生労働大臣が定める患者申出療養（別に厚生労働大臣が定める施設基準に適合する病院又は診療所であって、当該療養を適切に実施できるものとして厚生労働大臣に個別に認められたものにおいて行われるものに限る。）とする。

第２条　健康保険法第63条第２項第５号及び高齢者医療確保法第64条第２項第５号に規定する選定療養は、次の各号に掲げるものとする。

一　特別の療養環境の提供

二　予約に基づく診察

三　保険医療機関が表示する診療時間以外の時間における診察

四　病床数が200以上の病院について受けた初診（他の病院又は診療所からの文書による紹介がある場合及び緊急その他やむを得ない事情がある場合に受けたものを除く。）

五　病床数が200以上の病院について受けた再診（当該病院が他の病院（病床数が200未満のものに限る。）又は診療所に対して文書による紹介を行う旨の申出を行っていない場合及び緊急その他やむを得ない事情がある場合に受けたものを除く。）

六　診療報酬の算定方法（平成20年厚生労働省告示第59号）に規定する回数を超えて受けた診療であって別に厚生労働大臣が定めるもの

七　別に厚生労働大臣が定める方法により計算した入院期間が180日を超えた日以後の入院及びその療養に伴う世話その他の看護（別に厚生労働大臣が定める状態等にある者の入院及びその療養に伴う世話その他の看護を除く。）

八　前歯部の金属歯冠修復に使用する金合金又は白金加金の支給

九　金属床による総義歯の提供

十　う蝕に罹（り）患している患者（う蝕多発傾向を有しないものに限る。）であって継続的な指導管理を要するものに対する指導管理

十一　白内障に罹（り）患している患者に対する水晶体再建に使用する眼鏡装用率の軽減効果を有する多焦点眼内レンズの支給

十二　主として患者が操作等を行うプログラム医療機器であって、保険適用期間の終了後において患者の希望に基づき使用することが適当と認められるものの使用

十三　間歇スキャン式持続血糖測定器の使用（診療報酬の算定方法に掲げる療養としての使用を除く。）

十四　医療上必要があると認められない、患者の都合による精子の凍結又は融解

十五　保険薬局及び保険薬剤師療養担当規則（昭和32年厚生省令第16号。以下「薬担規則」という。）第７条の２に規定する後発医薬品のある薬

担規則第７条の２に規定する新医薬品等（昭和42年９月30日以前の薬事法の規定による製造の承認（以下この号において「旧承認」という。）に係る医薬品であって、当該医薬品とその有効成分、分量、用法、用量、効能及び効果が同一性を有するものとして、医薬品医療機器等法第14条又は第19条の２の規定による製造販売の承認（旧承認を含む。）がなされたものがあるものを含む。）であって別に厚生労働大臣が定めるものの処方等又は調剤（別に厚生労働大臣が定める場合を除く。）

※　第２条第12号から第14号までの選定療養は令和６年６月１日から、第15号の選定療養は令和６年10月１日から適用されている。

参考資料７　（療養の給付に当たらないもの）

療養の給付と直接関係ないサービス等の取扱いについて（平成17年９月１日 保医発第0901002号）

（**最終改正**　令和２年３月23日　保医0323第１号）

保険医療機関等において保険診療を行うに当たり、治療（看護）とは直接関連のない「サービス」又は「物」について、患者側からその費用を徴収することについては、その適切な運用を期するため、「保険（医療）給付と重複する保険外負担の是正について」（平成４年４月８日老健第79号）、「療担規則及び薬担規則並びに療担基準に基づき厚生労働大臣が定める掲示事項等」（平成14年厚生労働省告示第99号）、「「療担規則及び薬担規則並びに療担基準に基づき厚生労働大臣が定める掲示事項等」及び「選定療養及び特定療養費に係る厚生労働大臣が定める医薬品等」の制定に伴う実施上の留意事項について」（平成14年３月18日保医発第0318001号）及び「保険医療機関等において患者から求めることができる実費について」（平成12年11月10日保険発第186号）において、その取扱いを示してきたところであるが、今般、下記のとおり、その取扱いを明確化することとしたので、その徹底につき、御配慮願いたい。

あわせて、入院中の患者など既に治療が開始されている患者からの費用徴収については、保険医療機関等に十分な配慮を求めるよう、その徹底につき、御配慮願いたい。

なお、「保険医療機関等において患者から求めることができる実費について」（平成12年11月10日保険発第186号）は、平成17年８月31日限り廃止する。

記

１　費用徴収する場合の手続について

療養の給付と直接関係ないサービス等については、社会保険医療とは別に提供されるものであることから、もとより、その提供及び提供に係る費用の徴収については、関係法令を遵守した上で、保険医療機関等と患者の同意に基づき行われるものであるが、保険医療機関等は、その提供及び提供に係る費用の徴収に当たっては、患者の選択に資するよう次の事項に留意すること。

⑴　保険医療機関等内の見やすい場所、例えば、受付窓口、待合室等に費用徴収に係るサービス等の内容及び料金について患者にとって分かりやすく掲示しておくこと。なお、掲示の方法については、「『療担規則及び薬担規則並びに療担基準に基づき厚生労働大臣が定める掲示事項等』及び『保険外併用療養費に係る厚生労働大臣が定める医薬品等』の制定に伴う実施上の留意事項について」（平成18年３月13日保医発第0313003号）第１の２⑸

に示す掲示例によること。

⑵　患者からの費用徴収が必要となる場合には、患者に対し、徴収に係るサービスの内容や料金等について明確かつ懇切に説明し、同意を確認の上徴収すること。この同意の確認は、徴収に係るサービスの内容及び料金を明示した文書に患者側の署名を受けることにより行うものであること。ただし、この同意書による確認は、費用徴収の必要が生じるごとに逐次行う必要はなく、入院に係る説明等の際に具体的な内容及び料金を明示した同意書により包括的に確認する方法で差し支えないこと。なお、このような場合でも、以後別途費用徴収する事項が生じたときは、その都度、同意書により確認すること。

また、徴収する費用については、社会的にみて妥当適切なものとすること。

⑶　患者から費用徴収した場合は、他の費用と区別した内容のわかる領収証を発行すること。

⑷　なお、「保険（医療）給付と重複する保険外負担の是正について」及び「『療担規則及び薬担規則並びに療担基準に基づき厚生労働大臣が定める掲示事項等』及び『保険外併用療養費に係る厚生労働大臣が定める医薬品等』の制定に伴う実施上の留意事項について」に示したとおり、「お世話料」「施設管理料」「雑費」等の曖昧な名目での費用徴収は認められないので、改めて留意されたいこと。

2　療養の給付と直接関係ないサービス等

療養の給付と直接関係ないサービス等の具体例としては、次に掲げるものが挙げられること。

⑴　日常生活上のサービスに係る費用

ア　おむつ代、尿とりパット代、腹帯代、T字帯代

イ　病衣貸与代（手術、検査等を行う場合の病衣貸与を除く。）

ウ　テレビ代

エ　理髪代

オ　クリーニング代

カ　ゲーム機、パソコン（インターネットの利用等）の貸出し

キ　MD、CD、DVD各プレイヤー等の貸出し及びそのソフトの貸出し

ク　患者図書館の利用料　等

⑵　公的保険給付とは関係のない文書の発行に係る費用

ア　証明書代

（例）　産業医が主治医に依頼する職場復帰等に関する意見書、生命保険等に必要な診断書等の作成代　等

イ　診療録の開示手数料（閲覧、写しの交付等に係る手数料）

ウ　外国人患者が自国の保険請求等に必要な診断書等の翻訳料　等

(3)　診療報酬点数表上実費徴収が可能なものとして明記されている費用

ア　在宅医療に係る交通費

イ　薬剤の容器代（ただし、原則として保険医療機関等から患者へ貸与するものとする。）　等

(4)　医療行為ではあるが治療中の疾病又は負傷に対するものではないものに係る費用

ア　インフルエンザ等の予防接種、感染症の予防に適応を持つ医薬品の投与

イ　美容形成（しみとり等）

ウ　禁煙補助剤の処方（ニコチン依存症管理料の算定対象となるニコチン依存症（以下「ニコチン依存症」という。）以外の疾病について保険診療により治療中の患者に対し、スクリーニングテストを実施し、ニコチン依存症と診断されなかった場合であって、禁煙補助剤を処方する場合に限る。）

エ　治療中の疾病又は負傷に対する医療行為とは別に実施する検診（治療の実施上必要と判断し検査等を行う場合を除く。）　等

(5)　その他

ア　保険薬局における患家等への調剤した医薬品の持参料及び郵送代

イ　保険医療機関における患家等への処方箋及び薬剤の郵送代

ウ　日本語を理解できない患者に対する通訳料

エ　他院より借りたフィルムの返却時の郵送代

オ　院内併設プールで行うマタニティースイミングに係る費用

カ　患者都合による検査のキャンセルに伴い使用することのできなくなった当該検査に使用する薬剤等の費用（現に生じた物品等に係る損害の範囲内に限る。なお、検査の予約等に当たり、患者都合によるキャンセルの場合には費用徴収がある旨を事前に説明し、同意を得ること。）

キ　院内託児所・託児サービス等の利用料

ク　手術後のがん患者等に対する美容・整容の実施・講習等

ケ　有床義歯等の名入れ（刻印・プレートの挿入等）

コ　画像・動画情報の提供に係る費用（区分番号「B010」診療情報提供料（Ⅱ）を算定するべき場合を除く。）

サ　公的な手続き等の代行に係る費用　等

3　療養の給付と直接関係ないサービス等とはいえないもの

療養の給付と直接関係ないサービス等とはいえないものとしては、具体的には次に掲げるものが挙げられること。

(1)　手技料等に包括されている材料やサービスに係る費用

ア　入院環境等に係るもの

（例）　シーツ代、冷暖房代、電気代（ヘッドホンステレオ等を使用した際の充電に係るもの等）、清拭用タオル代、おむつの処理費用、電気アンカ・電気毛布の使用料、在宅療養者の電話診療、医療相談、血液検査など検査結果の印刷費用代　等

イ　材料に係るもの

（例）　衛生材料代（ガーゼ代、絆創膏代等）、おむつ交換や吸引などの処置時に使用する手袋代、手術に通常使用する材料代（縫合糸代等）、ウロバッグ代、皮膚過敏症に対するカブレ防止テープの提供、骨折や捻挫などの際に使用するサポーターや三角巾、医療機関が提供する在宅医療で使用する衛生材料等、医師の指示によるスポイト代、散剤のカプセル充填のカプセル代、一包化した場合の分包紙代及びユニパック代　等

ウ　サービスに係るもの

（例）　手術前の剃毛代、医療法等において設置が義務付けられている相談窓口での相談、車椅子用座布団等の消毒洗浄費用、インターネット等より取得した診療情報の提供、食事時のとろみ剤やフレーバーの費用等

(2)　診療報酬の算定上、回数制限のある検査等を規定回数以上に行った場合の費用（費用を徴収できるものとして、別に厚生労働大臣の定めるものを除く。）

(3)　新薬、新医療機器、先進医療等に係る費用

ア　薬事法上の承認前の医薬品・医療機器（治験に係るものを除く。）

イ　適応外使用の医薬品（評価療養を除く。）

ウ　保険適用となっていない治療方法（先進医療を除く。）　等

4　その他

上記1から3までに掲げる事項のほか、費用徴収する場合の具体的取扱いについては、「保険（医療）給付と重複する保険外負担の是正について」及び「『療担規則及び薬担規則並びに療担基準に基づき厚生労働大臣が定める掲示事項等』及び『保険外併用療養費に係る厚生労働大臣が定める医薬品等』の制定に伴う実施上の留意事項について」を参考にされたい。

なお、上記に関連するものとして、入院時や松葉杖等の貸与の際に事前に患者から預託される金銭（いわゆる「預り金」）については、その取扱いが明確になっていなかったところであるが、将来的に発生することが予想される債権を適正に管理する観点から、保険医療機関が患者から「預り金」を求める場合にあっては、当該保険医療機関は、患者側への十分な情報提供、同意の確認や内容、金額、精算方法等の明示などの適正な手続を確保すること。

参考資料８(1)　(医療非課税関係の参考法令(1))

健康保険法（大正11年法律第70号）

最終改正〔令和６年法律第52号〕

（療養の給付）

第63条　被保険者の疾病又は負傷に関しては、次に掲げる療養の給付を行う。

一　診察

二　薬剤又は治療材料の支給

三　処置、手術その他の治療

四　居宅における療養上の管理及びその療養に伴う世話その他の看護

五　病院又は診療所への入院及びその療養に伴う世話その他の看護

2　次に掲げる療養に係る給付は、前項の給付に含まれないものとする。

一　食事の提供である療養であって前項第５号に掲げる療養と併せて行うもの（医療法（昭和23年法律第205号）第７条第２項第４号に規定する療養病床（以下「療養病床」という。）への入院及びその療養に伴う世話その他の看護であって、当該療養を受ける際、65歳に達する日の属する月の翌月以後である被保険者（以下「特定長期入院被保険者」という。）に係るものを除く。以下「食事療養」という。）

二　次に掲げる療養であって前項第５号に掲げる療養と併せて行うもの（特定長期入院被保険者に係るものに限る。以下「生活療養」という。）

イ　食事の提供である療養

ロ　温度、照明及び給水に関する適切な療養環境の形成である療養

三　厚生労働大臣が定める高度の医療技術を用いた療養その他の療養であって、前項の給付の対象とすべきものであるか否かについて、適正な医療の効率的な提供を図る観点から評価を行うことが必要な療養（次号の患者申出療養を除く。）として厚生労働大臣が定めるもの（以下「評価療養」という。）

四　高度の医療技術を用いた療養であって、当該療養を受けようとする者の申出に基づき、前項の給付の対象とすべきものであるか否かについて、適正な医療の効率的な提供を図る観点から評価を行うことが必要な療養として厚生労働大臣が定めるもの（以下「患者申出療養」という。）

五　被保険者の選定に係る特別の病室の提供その他の厚生労働大臣が定める療養（以下「選定療養」という。）

3～7〔略〕

（入院時食事療養費）

第85条　被保険者（特定長期入院被保険者を除く。）が、厚生労働省令で定

めるところにより、第63条第３項各号に掲げる病院又は診療所のうち自己の選定するものから、電子資格確認等により、被保険者であることの確認を受け、同条第１項第５号に掲げる療養の給付と併せて受けた食事療養に要した費用について、入院時食事療養費を支給する。

２　入院時食事療養費の額は、当該食事療養につき食事療養に要する平均的な費用の額を勘案して厚生労働大臣が定める基準により算定した費用の額（その額が現に当該食事療養に要した費用の額を超えるときは、当該現に食事療養に要した費用の額）から、平均的な家計における食費の状況及び特定介護保険施設等（介護保険法第51条の３第１項に規定する特定介護保険施設等をいう。）における食事の提供に要する平均的な費用の額を勘案して厚生労働大臣が定める額（所得の状況その他の事情をしん酌して厚生労働省令で定める者については、別に定める額。以下「食事療養標準負担額」という。）を控除した額とする。

３～９〔略〕

（入院時生活療養費）

第85条の２　特定長期入院被保険者が、厚生労働省令で定めるところにより、第63条第３項各号に掲げる病院又は診療所のうち自己の選定するものから、電子資格確認等により、被保険者であることの確認を受け、同条第１項第５号に掲げる療養の給付と併せて受けた生活療養に要した費用について、入院時生活療養費を支給する。

２　入院時生活療養費の額は、当該生活療養につき生活療養に要する平均的な費用の額を勘案して厚生労働大臣が定める基準により算定した費用の額（その額が現に当該生活療養に要した費用の額を超えるときは、当該現に生活療養に要した費用の額）から、平均的な家計における食費及び光熱水費の状況並びに病院及び診療所における生活療養に要する費用について介護保険法第51条の３第２項第１号に規定する食費の基準費用額及び同項第２号に規定する居住費の基準費用額に相当する費用の額を勘案して厚生労働大臣が定める額（所得の状況、病状の程度、治療の内容その他の事情をしん酌して厚生労働省令で定める者については、別に定める額。以下「生活療養標準負担額」という。）を控除した額とする。

３～５〔略〕

（保険外併用療養費）

第86条　被保険者が、厚生労働省令で定めるところにより、保険医療機関等のうち自己の選定するものから、電子資格確認等により、被保険者であることの確認を受け、評価療養、患者申出療養又は選定療養を受けたときは、その療養に要した費用について、保険外併用療養費を支給する。

２　保険外併用療養費の額は、第１号に掲げる額（当該療養に食事療養が含まれるときは当該額及び第２号に掲げる額の合算額、当該療養に生活療養が含まれるときは当該額及び第３号に掲げる額の合算額）とする。
一　当該療養（食事療養及び生活療養を除く。）につき第76条第２項の定めを勘案して厚生労働大臣が定めるところにより算定した費用の額（その額が現に当該療養に要した費用の額を超えるときは、当該現に療養に要した費用の額）から、その額に第74条第１項各号に掲げる場合の区分に応じ、同項各号に定める割合を乗じて得た額（療養の給付に係る同項の一部負担金について第75条の２第１項各号の措置が採られるべきときは、当該措置が採られたものとした場合の額）を控除した額
二　当該食事療養につき第85条第２項に規定する厚生労働大臣が定める基準により算定した費用の額（その額が現に当該食事療養に要した費用の額を超えるときは、当該現に食事療養に要した費用の額）から食事療養標準負担額を控除した額
三　当該生活療養につき前条第２項に規定する厚生労働大臣が定める基準により算定した費用の額（その額が現に当該生活療養に要した費用の額を超えるときは、当該現に生活療養に要した費用の額）から生活療養標準負担額を控除した額
３～５〔略〕

参考資料８(2)　（医療非課税関係の参考法令(2)）

高齢者の医療の確保に関する法律（昭和57年法律第80号）

最終改正〔令和５年法律第31号〕

（療養の給付）

第64条　後期高齢者医療広域連合は、被保険者の疾病又は負傷に関しては、次に掲げる療養の給付を行う。ただし、当該被保険者が第82条第１項又は第２項本文の規定の適用を受けている間は、この限りでない。

一　診察

二　薬剤又は治療材料の支給

三　処置、手術その他の治療

四　居宅における療養上の管理及びその療養に伴う世話その他の看護

五　病院又は診療所への入院及びその療養に伴う世話その他の看護

２　次に掲げる療養に係る給付は、前項の給付に含まれないものとする。

一　食事の提供である療養であつて前項第５号に掲げる療養（医療法第７条第２項第４号に規定する療養病床への入院及びその療養に伴う世話その他の看護（以下「長期入院療養」という。）を除く。）と併せて行うもの（以下「食事療養」という。）

二　次に掲げる療養であつて前項第５号に掲げる療養（長期入院療養に限る。）と併せて行うもの（以下「生活療養」という。）

イ　食事の提供である療養

ロ　温度、照明及び給水に関する適切な療養環境の形成である療養

三　厚生労働大臣が定める高度の医療技術を用いた療養その他の療養であつて、前項の給付の対象とすべきものであるか否かについて、適正な医療の効率的な提供を図る観点から評価を行うことが必要な療養（次号の患者申出療養を除く。）として厚生労働大臣が定めるもの（以下「評価療養」という。）

四　高度の医療技術を用いた療養であつて、当該療養を受けようとする者の申出に基づき、前項の給付の対象とすべきものであるか否かについて、適正な医療の効率的な提供を図る観点から評価を行うことが必要な療養として厚生労働大臣が定めるもの（以下「患者申出療養」という。）

五　被保険者の選定に係る特別の病室の提供その他の厚生労働大臣が定める療養（以下「選定療養」という。）

３～７〔略〕

（入院時食事療養費）

第74条　後期高齢者医療広域連合は、被保険者（長期入院療養を受ける被保険者（次条第１項において「長期入院被保険者」という。）を除く。以下この条において同じ。）が、保険医療機関等（保険薬局を除く。以下この

条及び次条において同じ。）のうち自己の選定するものについて第64条第１項第５号に掲げる療養の給付と併せて受けた食事療養に要した費用について、当該被保険者に対し、入院時食事療養費を支給する。ただし、当該被保険者が第82条第１項又は第２項本文の規定の適用を受けている間は、この限りでない。

2　入院時食事療養費の額は、当該食事療養につき食事療養に要する平均的な費用の額を勘案して厚生労働大臣が定める基準により算定した費用の額（その額が現に当該食事療養に要した費用の額を超えるときは、当該現に食事療養に要した費用の額）から、平均的な家計における食費の状況及び特定介護保険施設等（介護保険法第51条の３第１項に規定する特定介護保険施設等をいう。）における食事の提供に要する平均的な費用の額を勘案して厚生労働大臣が定める額（所得の状況その他の事情をしん酌して厚生労働省令で定める者については、別に定める額。以下「食事療養標準負担額」という。）を控除した額とする。

3～10〔略〕

（入院時生活療養費）

第75条　後期高齢者医療広域連合は、長期入院被保険者が、保険医療機関等のうち自己の選定するものについて第64条第１項第５号に掲げる療養の給付と併せて受けた生活療養に要した費用について、当該長期入院被保険者に対し、入院時生活療養費を支給する。ただし、当該長期入院被保険者が第82条第１項又は第２項本文の規定の適用を受けている間は、この限りでない。

2　入院時生活療養費の額は、当該生活療養につき生活療養に要する平均的な費用の額を勘案して厚生労働大臣が定める基準により算定した費用の額（その額が現に当該生活療養に要した費用の額を超えるときは、当該現に生活療養に要した費用の額）から、平均的な家計における食費及び光熱水費の状況並びに病院及び診療所における生活療養に要する費用について介護保険法第51条の３第２項第１号に規定する食費の基準費用額及び同項第２号に規定する居住費の基準費用額に相当する費用の額を勘案して厚生労働大臣が定める額（所得の状況、病状の程度、治療の内容その他の事情をしん酌して厚生労働省令で定める者については、別に定める額。以下「生活療養標準負担額」という。）を控除した額とする。

3～7〔略〕

（保険外併用療養費）

第76条　後期高齢者医療広域連合は、被保険者が、自己の選定する保険医療機関等について評価療養、患者申出療養又は選定療養を受けたときは、当該被保険者に対し、その療養に要した費用について、保険外併用療養費を支給する。ただし、当該被保険者が第82条第１項又は第２項本文の規定の適用を受けている間は、この限りでない。

2～7（略）

介護関係

参考資料１　（介護保険法に規定する介護サービスのうち課税の対象となるもの）

消費税法施行令第14条の２第１項、第２項及び第３項の規定に基づき、消費税法施行令第14条の２第１項、第２項及び第３項に規定する財務大臣が指定する資産の譲渡等を定める件

（平成12年２月10日
大蔵省告示第27号）

最終改正：令和６年３月30日財務省告示第93号

消費税法施行令（昭和63年政令第360号）第14条の２第１項、第２項及び第３項の規定に基づき、財務大臣が指定する資産の譲渡等を次のように定め、平成12年４月１日から適用する。

１　消費税法施行令第14条の２第１項（居宅サービスの範囲等）に規定する財務大臣が指定する資産の譲渡等は、別表第１に掲げる居宅サービスの区分に応じそれぞれ同表に定める資産の譲渡等とする。

２　消費税法施行令第14条の２第２項に規定する財務大臣が指定する資産の譲渡等は、別表第２に掲げる施設サービスの区分に応じそれぞれ同表に定める資産の譲渡等とする。

３　消費税法施行令第14条の２第３項に規定する財務大臣が指定する資産の譲渡等は、同項第１号に掲げる資産の譲渡等にあっては、別表第１に掲げる居宅サービスの区分に応じそれぞれ同表に定める資産の譲渡等とし、同項第４号に掲げる資産の譲渡等にあっては、別表第２に掲げる施設サービスの区分に応じそれぞれ同表に定める資産の譲渡等とし、同項第２号、第３号及び第５号から第８号までに掲げる資産の譲渡等にあっては、別表第３に掲げる居宅サービス又は施設サービスに類するものの区分に応じそれぞれ同表に定める資産の譲渡等とする。

別表第一　居宅サービス

区分	資産の譲渡等
(一)　介護保険法（平成９年法律第123号）第８条第２項（定義）に規定する訪問介護	指定居宅サービス等の事業の人員、設備及び運営に関する基準（平成11年厚生省令第37号。以下この表において「基準省令」という。）第20条第３項（利用料等の受領）（基準省令

	第39条の3（準用）及び第43条（準用）において準用する場合を含む。）に規定する交通費を対価とする資産の譲渡等
(二) 介護保険法第8条第3項に規定する訪問入浴介護	基準省令第48条第3項第1号（利用料等の受領）（基準省令第58条（準用）において準用する場合を含む。）に掲げる交通費を対価とする資産の譲渡等及び同項第2号（基準省令第58条において準用する場合を含む。）に掲げる特別な浴槽水等の提供
(三) 介護保険法第8条第4項に規定する訪問看護	基準省令第66条第3項（利用料等の受領）に規定する交通費を対価とする資産の譲渡等
(四) 介護保険法第8条第5項に規定する訪問リハビリテーション	基準省令第78条第3項（利用料等の受領）に規定する交通費を対価とする資産の譲渡等
(五) 介護保険法第8条第7項に規定する通所介護	基準省令第96条第3項第1号（利用料等の受領）（基準省令第105条の3（準用）及び第109条（準用）において準用する場合を含む。）に掲げる送迎
(六) 介護保険法第8条第8項に規定する通所リハビリテーション	基準省令第119条（準用）において準用する基準省令第96条第3項第1号に掲げる送迎
(七) 介護保険法第8条第9項に規定する短期入所生活介護	基準省令第127条第3項第3号から第5号まで（利用料等の受領）（基準省令第140条の15（準用）及び第140条の32（準用）において準用する場合を含む。）に掲げる特別な居室の提供、特別な食事の提供及び送迎並びに基準省令第140条の6第3項第3号から第5号まで（利用料等の受領）に掲げる特別な居室の提供、特別な食事の提供及び送迎
(八) 介護保険法第8条第10項に規定する短期入所療養介護	基準省令第145条第3項第3号から第5号まで（利用料等の受領）に掲げる特別な療養室等の提供、特別な食事の提供及び送迎並びに基準省令第155条の5第3項第3号から第5号まで（利用料等の受領）に掲げる特別な療養室等の提供、特別な食事の提供及び送迎
(九) 介護保険法第8条第11	基準省令第182条第3項第1号（利用料等の

項に規定する特定施設入居者生活介護	受領）（基準省令第192条の12（準用）において準用する場合を含む。）に掲げる費用を対価とする資産の譲渡等

別表第二　施設サービス

区分	資産の譲渡等
(一)　介護保険法第８条第27項に規定する介護福祉施設サービス	指定介護老人福祉施設の人員、設備及び運営に関する基準（平成11年厚生省令第39号）第９条第３項第３号及び第４号（利用料等の受領）に掲げる特別な居室の提供及び特別な食事の提供並びに同令第41条第３項第３号及び第４号（利用料等の受領）に掲げる特別な居室の提供及び特別な食事の提供
(二)　介護保険法第８条第28項に規定する介護保健施設サービス	介護老人保健施設の人員、施設及び設備並びに運営に関する基準（平成11年厚生省令第40号）第11条第３項第３号及び第４号（利用料等の受領）に掲げる特別な療養室の提供及び特別な食事の提供並びに同令第42条第３項第３号及び第４号（利用料等の受領）に掲げる特別な療養室の提供及び特別な食事の提供
(三)　介護保険法第８条第29項に規定する介護医療院サービス	介護医療院の人員、施設及び設備並びに運営に関する基準（平成30年厚生労働省令第５号）第14条第３項第３号及び第４号（利用料等の受領）に掲げる特別な療養室の提供及び特別な食事の提供並びに同令第46条第３項第３号及び第４号（利用料等の受領）に掲げる特別な療養室の提供及び特別な食事の提供

別表第三　居宅サービス又は施設サービスに類するもの

区分	資産の譲渡等
(一)　介護保険法第８条第15項に規定する定期巡回・随時対応型訪問介護看護	指定地域密着型サービスの事業の人員、設備及び運営に関する基準（平成18年厚生労働省令第34号。以下この表において「地域密着型基準省令」という。）第３条の19第３項（利用料等の受領）に規定する交通費を対価とする資産の譲渡等

(二) 介護保険法第８条第16項に規定する夜間対応型訪問介護	地域密着型基準省令第18条（準用）において準用する地域密着型基準省令第３条の19第３項に規定する交通費を対価とする資産の譲渡等
(三) 介護保険法第８条第17項に規定する地域密着型通所介護	地域密着型基準省令第24条第３項第１号（利用料等の受領）（地域密着型基準省令第37条の３（準用）及び第40条の16（準用）において準用する場合を含む。）に掲げる送迎
(四) 介護保険法第８条第18項に規定する認知症対応型通所介護	地域密着型基準省令第61条（準用）において準用する地域密着型基準省令第24条第３項第１号に掲げる送迎
(五) 介護保険法第８条第19項に規定する小規模多機能型居宅介護	地域密着型基準省令第71条第３項第１号（利用料等の受領）に掲げる送迎及び同項第２号に掲げる交通費を対価とする資産の譲渡等
(六) 介護保険法第８条第21項に規定する地域密着型特定施設入居者生活介護	地域密着型基準省令第117条第３項第１号（利用料等の受領）に掲げる費用を対価とする資産の譲渡等
(七) 介護保険法第８条第22項に規定する地域密着型介護老人福祉施設入所者生活介護	地域密着型基準省令第136条第３項第３号及び第４号（利用料等の受領）に掲げる特別な居室の提供及び特別な食事の提供並びに地域密着型基準省令第161条第３項第３号及び第４号（利用料等の受領）に掲げる特別な居室の提供及び特別な食事の提供
(八) 介護保険法第８条第23項に規定する複合型サービス	地域密着型基準省令第182条（準用）において準用する地域密着型基準省令第71条第３項第１号（利用料等の受領）に掲げる送迎及び同項第２号に掲げる交通費を対価とする資産の譲渡等
(九) 介護保険法第８条の２第２項（定義）に規定する介護予防訪問入浴介護	指定介護予防サービス等の事業の人員、設備及び運営並びに指定介護予防サービス等に係る介護予防のための効果的な支援の方法に関する基準（平成18年厚生労働省令第35号。以下この表において「介護予防基準省令」という。）第50条第３項第１号（利用料等の受領）（介護予防基準省令第61条（準用）において準用する場合を含む。）に掲げる交通費を対

	価とする資産の譲渡等及び同項第２号（介護予防基準省令第61条において準用する場合を含む。）に掲げる特別な浴槽水等の提供
(十) 介護保険法第８条の２第３項に規定する介護予防訪問看護	介護予防基準省令第69条第３項（利用料等の受領）に規定する交通費を対価とする資産の譲渡等
（十一） 介護保険法第８条の２第４項に規定する介護予防訪問リハビリテーション	介護予防基準省令第81条第３項（利用料等の受領）に規定する交通費を対価とする資産の譲渡等
（十二） 介護保険法第８条の２第６項に規定する介護予防通所リハビリテーション	介護予防基準省令第118条の２第３項第１号（利用料等の受領）に掲げる送迎
（十三） 介護保険法第８条の２第７項に規定する介護予防短期入所生活介護	介護予防基準省令第135条第３項第３号から第５号まで（利用料等の受領）（介護予防基準省令第166条（準用）及び第185条（準用）において準用する場合を含む。）に掲げる特別な居室の提供、特別な食事の提供及び送迎並びに介護予防基準省令第155条第３項第３号から第５号まで（利用料等の受領）に掲げる特別な居室の提供、特別な食事の提供及び送迎
（十四） 介護保険法第８条の２第８項に規定する介護予防短期入所療養介護	介護予防基準省令第190条第３項第３号から第５号まで（利用料等の受領）に掲げる特別な療養室等の提供、特別な食事の提供及び送迎並びに介護予防基準省令第206条第３項第３号から第５号まで（利用料等の受領）に掲げる特別な療養室等の提供、特別な食事の提供及び送迎
（十五） 介護保険法第８条の２第９項に規定する介護予防特定施設入居者生活介護	介護予防基準省令第238条第３項第１号（利用料等の受領）（介護予防基準省令第262条（準用）において準用する場合を含む。）に掲げる費用を対価とする資産の譲渡等
（十六） 介護保険法第８条の２第13項に規定する介	指定地域密着型介護予防サービスの事業の人員、設備及び運営並びに指定地域密着型介護

護予防認知症対応型通所介護	予防サービスに係る介護予防のための効果的な支援の方法に関する基準（平成18年厚生労働省令第36号。以下この表において「地域密着型介護予防基準省令」という。）第22条第３項第１号（利用料等の受領）に掲げる送迎
（十七） 介護保険法第８条の２第14項に規定する介護予防小規模多機能型居宅介護	地域密着型介護予防基準省令第52条第３項第１号（利用料等の受領）に掲げる送迎及び同項第２号に掲げる交通費を対価とする資産の譲渡等

参考資料２　（介護予防・日常生活支援総合事業のうち非課税となるもの）

消費税法施行令第14条の２第３項第12号の規定に基づき厚生労働大臣が指定する資産の譲渡等

（平　成24年３月31日
厚生労働省告示第307号）

最終改正：平成29年３月31日厚生労働省告示第166号

消費税法施行令（昭和63年政令第360号）第14条の２第３項第12号の規定に基づき、消費税法施行令第14条の２第３項第12号の規定に基づき厚生労働大臣が指定する資産の譲渡等を次のように定め、平成24年４月１日から適用する。

介護保険法（平成９年法律第123号。以下「法」という。）第115条の45第１項に規定する介護予防・日常生活支援総合事業のうち、同項第１号に規定する居宅要支援被保険者等に対して次に掲げる事業として行われる資産の譲渡等（当該事業の利用者の選定により、通常の事業の実施地域（当該事業を行う事業所が通常時に当該事業に係るサービスを提供する地域をいう。以下同じ。）以外の地域の居宅において当該事業を行う場合に要した交通費を対価とする資産の譲渡等又は通常の事業の実施地域以外の地域に居住する利用者に対して当該事業を行う場合における送迎を除く。）

一　法第115条の45第１項第１号イに規定する第一号訪問事業
二　法第115条の45第１項第１号ロに規定する第一号通所事業
三　法第115条の45第１項第１号ハに規定する第一号生活支援事業
四　法第115条の45第１項第１号ニに規定する第一号介護予防支援事業

参考資料3 （生活保護法等の規定により非課税となる介護サービス）

消費税法施行令第14条の２第３項第13号の規定に基づき厚生労働大臣が指定するサービス

（平 成12年３月31日
厚生省告示第190号）

最終改正：平成27年３月31日厚生労働省告示第234号

消費税法施行令（昭和63年政令第360号）第14条の２第３項第12号の規定に基づき、消費税法施行令第14条の２第３項第12号の規定に基づき厚生大臣が指定するサービスを次のように定め、平成12年４月１日から適用する。

一　生活保護法（昭和25年法律第144号。中国残留邦人等の円滑な帰国の促進並びに永住帰国した中国残留邦人等及び特定配偶者の自立の支援に関する法律（平成６年法律第30号）第14条第４項（中国残留邦人等の円滑な帰国の促進及び永住帰国後の自立の支援に関する法律の一部を改正する法律（平成19年法律第127号）附則第４条第２項において準用する場合を含む。）においてその例による場合又は中国残留邦人等の円滑な帰国の促進及び永住帰国後の自立の支援に関する法律の一部を改正する法律（平成25年法律第106号）附則第２条第１項又は第２項の規定によりなお従前の例によることとされる場合を含む。以下「法」という。）第15条の２第３項に規定する居宅介護支援計画を作成するサービス、同条第６項に規定する介護予防支援計画を作成するサービス及び介護保険法（平成９年法律第123号）第115条の45第１項第１号ニに規定する第一号介護予防支援事業による援助に相当する援助を行うサービス

二　介護保険法第42条第１項第２号若しくは第３号、第42条の３第１項第２号、第54条第１項第２号若しくは第３号又は第54条の３第１項第２号に掲げる場合に介護扶助又は介護支援給付として行われるサービス（法第15条の２第２項又は第５項に規定するこれらに相当するサービスとして行われるものに限る。）

三　介護保険法第115条の45第１項第１号イに規定する第一号訪問事業、同号ロに規定する第一号通所事業及び同号ハに規定する第一号生活支援事業による支援に相当する支援（法第15条の２第１項第８号に規定する介護予防・日常生活支援として行われるものに限る。）

附　則〔平成26年９月18日厚生労働省告示第361号〕

この告示は、中国残留邦人等の円滑な帰国の促進及び永住帰国後の自立の支援に関する法律の一部を改正する法律（平成25年法律第106号）の施行の日（平成26年10月１日）から施行する。

参考資料４　（介護保険法の施行に伴う消費税の取扱いについて）

事務連絡（抜粋）

平成12年８月９日　厚生省老人保健福祉局介護保険課
計画課　振興課　老人保健課

１．消費税が非課税となる介護保険サービス等の範囲

⑴　居宅介護サービス費の支給に係る居宅サービス

【消費税法別表第一第七号イ、消費税法施行令第14条の２第１項、平成12年２月10日大蔵省告示第27号】

消費税が非課税となる居宅サービスとは、介護保険法の規定に基づき、「指定居宅サービス事業者（介護保険法41①）」により行われる同法第７条第６項から第16項までに規定する「訪問介護」「訪問入浴介護」「訪問看護」「訪問リハビリテーション」「居宅療養管理指導」「通所介護」「通所リハビリテーション」「短期入所生活介護」「短期入所療養介護」「認知症対応型共同生活介護」及び「特定施設入居者生活介護」（以下「訪問介護等」という。）が該当する。したがって、‘指定居宅サービス事業者により行われる訪問介護等’であれば、居宅要介護被保険者の利用料を含めた介護保険サービス全体が非課税となるとともに、居宅介護サービス費支給限度額（介護保険法43）を超えて行われる訪問介護等についても非課税となるものである。

ただし、これらの介護保険サービスの一環として提供されるサービスであっても、利用者の選定に基づき提供されるサービス（３．⑶ウ①～⑦）については、非課税とならないものであるから留意されたい。

⑵　施設介護サービス費の支給に係る施設サービス

【消費税法別表第一第七号イ、消費税法施行令第14条の２第２項、平成12年２月10日大蔵省告示第27号】

消費税が非課税となる施設サービスの範囲は、以下のとおりである。

イ　指定介護老人福祉施設に入所する要介護被保険者（略）に対して行われる指定介護福祉施設サービス（介護保険法48①一）

ロ　介護老人保健施設に入所する要介護被保険者に対して行われる介護保健施設サービス（介護保険法48①二）

ハ　介護療養型医療施設の療養型病床群等に入院する要介護被保険者に対して行われる指定介護療養施設サービス（介護保険法48①三）

ただし、イからハに掲げる施設サービスの一環として提供されるサービスであっても、入所者、入居者及び入院患者の選定に基づき行われる特別な居室等や特別な食事の提供（３．⑶ウ⑨～⑪）は、非課税とならない

ないものであるから留意されたい。

（編注） 介護療養型医療施設は、令和６年３月31日をもって廃止され、介護医療院等に移行しています。３－(3)－イ－⑦、３－(3)－ウ－⑪において同じ。

(3) (1)又は(2)に類する介護保険サービス

【消費税法別表第一第七号イ、消費税法施行令第14条の２第３項、平成12年２月10日大蔵省告示第27号】

「居宅介護サービス費の支給に係る居宅サービス」又は「施設介護サービス費の支給に係る施設サービス」に類するものとして、消費税が非課税となるサービスは以下のとおりである。

イ 特例居宅介護サービス費（介護保険法42）の支給に係る訪問介護等又はこれに相当するサービス

ロ 特例施設介護サービス費（介護保険法49）の支給に係る施設サービス

ハ 居宅支援サービス費（介護保険法53）の支給に係る訪問介護等（認知症対応型共同生活介護（介護保険法７⑮）を除く。）

ニ 特例居宅支援サービス費（介護保険法54）の支給に係る訪問介護等（認知症対応型共同生活介護（介護保険法７⑮）を除く。）又はこれに相当するサービス

ホ 居宅介護サービス計画費（介護保険法46）又は居宅支援サービス計画費（介護保険法58）の支給に係る居宅介護支援

ヘ 特例居宅介護サービス計画費（介護保険法47）又は特例居宅支援サービス計画費（介護保険法59）の支給に係る居宅介護支援又はこれに相当するサービス

ト 市町村特別給付（介護保険法62）として行われる資産の譲渡等のうち訪問介護等に類するものとして厚生大臣が大蔵大臣と協議して指定するものとして、要介護者等に対してその者の居宅において食事を提供する事業（平成12年３月30日厚生省告示第126号）

チ 生活保護法（昭和25年法律第144号）の規定に基づく介護扶助のための居宅介護（略）及び施設介護

（注） チに掲げる介護扶助のための居宅介護には、次に掲げるサービスが含まれる（平成12年３月31日厚生省告示第190号）。

① 介護保険法第42条第１項第２号若しくは第３号又は第54条第１項第２号若しくは第３号に掲げる場合に介護扶助として行われるサービス

② 生活保護法第15条の２第３項に規定する居宅介護支援計画を作成するサービス

なお、イからチに掲げるサービスの一環として提供されるものであっ

ても、利用者、入所者、入居者及び入院患者（以下「利用者等」という。）の選択に基づき行われる特別な居室や特別な食事等（３．⑶ウ①～⑪）については、非課税とならないものであるから留意されたい。

２．１に該当しない介護保険サービスについて

次に掲げる介護保険サービスは、消費税が非課税となる介護保険サービス（１．に掲げる介護保険サービス等）に該当しないものであるから留意されたい。

⑴　介護保険法第７条第17項に規定する「福祉用具貸与」（生活保護法の規定に基づく介護扶助として行われる福祉用具貸与を含む。）

（注）　当該福祉用具が、身体障害者用物品（平成３年６月７日厚生省告示第130号に規定するものをいう。以下同じ。）に該当する場合には、身体障害者用物品の貸付として非課税となる。

⑵　介護保険法第40条第３号又は第52条第３号に掲げる「居宅介護（支援）福祉用具購入費の支給に係る福祉用具購入」及び同法第40条第４号又は第52条第４号に掲げる「居宅介護（支援）住宅改修費の支給に係る住宅改修」（生活保護法の規定に基づく介護扶助として行われる居宅介護福祉用具購入及び居宅介護住宅改修を含む。）

（注）　居宅介護（支援）福祉用具購入費の支給に係る福祉用具購入については、当該福祉用具が身体障害者用物品に該当する場合には、身体障害者用物品の譲渡として非課税となる。

３．その他留意事項

⑴　「（特例）居宅介護（支援）サービス費の支給に係る」について

消費税法及び消費税法施行令に規定する「（特例）居宅介護（支援）サービス費の支給に係る」とは、介護保険法の規定に基づき、保険者から要介護被保険者等（介護保険法第62条に規定する要介護被保険者等をいう。以下同じ。）に対して、支給される（特例）居宅介護（支援）サービス費に対応するサービスに限定するものではなく、非課税となる居宅サービスの種類を介護保険法に規定する居宅サービスとして特定する規定である。

したがって、介護保険法第43条又は55条に規定する居宅サービス（支援）サービス費支給限度額を超えて提供される居宅サービスのように、（特例）居宅介護（支援）サービス費が支給されないサービスであっても、要介護被保険者等に対して提供される居宅サービスについては、非課税となるものであることに留意されたい。

⑵　要介護被保険者等が負担する利用料の取扱い

（特例）居宅介護（支援）サービス費及び施設介護サービス費の支給対象となるサービスについては、利用料も含めサービス全体（３．⑶ウに掲げる費用を除く。）が非課税となることに留意されたい。

(3) 「日常生活に要する費用」及び「利用者の選定に係る費用」の取扱い

ア　介護サービスの性質上、当然にそのサービスに付随して提供されることが予定される便宜であって、日常生活に要する費用（食事の提供に要する費用やおむつ代等）については、消費税法及び消費税法施行令に規定する（特例）居宅介護（支援）サービス費の支給に係る居宅サービス又は施設介護サービス費の支給に係る施設サービスに含まれ非課税となるものであるが、介護サービスに付随して提供されるサービスであっても、要介護被保険者等の選定に係るサービスについては、非課税対象となる介護保険サービスから除かれていることに留意されたい。

なお、具体的な取扱いは以下のとおりである。

（注）　日常生活に要する費用の範囲については、これまでにも平成12年３月30日老企第54号及び同３月31日のその他の日常生活費に係るＱ＆Ａにおいてお示ししているところであるが、今後も必要に応じて適宜Ｑ＆Ａ等において必要な情報を提供していくので、遺漏のないようにされたい。

イ　非課税となる居宅サービス又は施設サービスに含まれるもの

①　通所介護及び通所リハビリテーションについては、指定居宅サービス等の事業の人員、設備及び運営に関する基準（平成11年厚生省令第37号。以下「基準省令」という。）第96条第３項第２号から第５号に掲げる時間延長に伴う実費負担部分、食事の提供に要する費用、おむつ代、その他通所介護又は通所リハビリテーションにおいて提供される便宜のうち、日常生活においても通常必要となるものに係る費用であって、その利用者に負担させることが適当と認められるもの

②　短期入所生活介護及び短期入所療養介護については、基準省令第127条第３項第１号、第２号、第６号及び第７号並びに基準省令第140条の６第３項第１号、第２号、第６号及び第７号に掲げる食事の提供に要する費用、滞在に要する費用、理美容代、その他短期入所生活介護において提供される便宜のうち、日常生活においても通常必要となるものに係る費用であって、その利用者に負担させることが適当と認められるもの又は同令第145条第３項第１号、第２号、第６号及び第７号並びに第155条の５第３項第１号、第２号、第６号及び第７号に掲げる食事の提供に要する費用、滞在に要する費用、理美容代、その他短期入所療養介護において提供される便宜のうち、日常生活においても通常必要となるものに係る費用であって、その利用者に負担させることが適当と認められるもの

③　認知症対応型共同生活介護については、基準省令第162条第３項

第１号から第４号に掲げる食材料費、理美容代、おむつ代、その他認知症対応型共同生活介護において提供される便宜のうち、日常生活においても通常必要となるものに係る費用であって、その利用者に負担させることが適当と認められるもの

④　特定施設入居者生活介護については、基準省令第182条第３項第２号及び第３号に掲げるおむつ代、その他特定施設入居者生活介護において提供される便宜のうち、日常生活においても通常必要となるものに係る費用であって、その利用者に負担させることが適当と認められるもの

⑤　指定介護福祉施設サービスについては、指定介護老人福祉施設の人員、設備及び運営に関する基準（平成11年厚生省令第39号）第９条第３項第１号、第２号、第５号及び第６号並びに同令第41条第３項第１号、第２号、第５号及び第６号に掲げる食事の提供に要する費用、居住に要する費用、理美容代及び指定介護福祉施設サービスにおいて供与される便宜のうち、日常生活においても通常必要となるものに係る費用であって、その入所者及び入居者に負担させることが適当と認められるもの

⑥　介護保健施設サービスについては、介護老人保健施設の人員、施設及び設備並びに運営に関する基準（平成11年厚生省令第40号）第11条第３項第１号、第２号、第５号及び第６号並びに同令第42条第３項第１号、第２号、第５号及び第６号に掲げる食事の提供に要する費用、居住に要する費用、理美容代及び指定介護保健施設サービスにおいて提供される便宜のうち、日常生活においても通常必要となるものに係る費用であって、その入所者及び入居者に負担させることが適当と認められるもの

⑦　指定介護療養施設サービスについては、指定介護療養型医療施設の人員、設備及び運営に関する基準（平成11年厚生省令第41号）第12条第３項第１号、第２号、第５号及び第６号並びに同令第42条３項第１号、第２号、第５号及び第６号に掲げる食事の提供に要する費用、居住に要する費用、理美容代及び指定介護療養施設サービスにおいて供与される便宜のうち、日常生活においても通常必要となるものに係る費用であって、その入院患者に負担させることが適当と認められるもの

ウ　（特例）居宅介護（支援）サービス費の支給に係る居宅サービス、（特例）居宅介護（支援）サービス計画費の支給に係る居宅介護支援又は施設介護サービス費の支給に係る施設サービスから除かれるサービス（課税となるもの）

①　訪問介護、訪問看護及び訪問リハビリテーションについては、基

準省令第20条第３項、第66条第３項及び第78条第３項に規定する交通費

② 訪問入浴介護については、基準省令第48条第３項第１号に規定する交通費及び同項第２号に掲げる特別な浴槽水等の提供に係る費用

③ 居宅療養管理指導については、基準省令第87条第３項に規定する交通費

④ 通所介護及び通所リハビリテーションについては、基準省令第96条第３項第１号及び同令第119条の規定により準用される同令第96条第３項第１号に掲げる送迎費

⑤ 短期入所生活介護については、基準省令第127条第３項第３号から第５号並びに同令第140条の６第３項第３号から第５号に掲げる特別な居室の提供、特別な食事の提供及び送迎費

⑥ 短期入所療養介護については、基準省令第145条第３項第３号から第５号並びに同令第155条の５第３項第３号から第５号に掲げる特別な療養室等の提供、特別な食事の提供及び送迎費

⑦ 特定施設入居者生活介護については、基準省令第182条第３項第１号に掲げる費用

⑧ 居宅介護支援については、指定居宅介護支援等の事業の人員及び運営に関する基準（平成11年厚生省令第38号）第10条第２項に規定する交通費

⑨ 指定介護福祉施設サービスについては、指定介護老人福祉施設の人員、設備及び運営に関する基準（平成11年厚生省令第39号）第９条第３項第３号及び第４号並びに同令第41条第３項第３号及び第４号に掲げる特別な居室の提供及び特別な食事の提供

⑩ 介護保健施設サービスについては、介護老人保健施設の人員、施設及び設備並びに運営に関する基準第11条第３項第３号及び第４号並びに同令第42条第３項第３号及び第４号に掲げる特別な療養室の提供及び特別な食事の提供

⑪ 指定介護療養施設サービスについては、指定介護療養型医療施設の人員、設備及び運営に関する基準第12条第３項第３号及び第４号並びに同令第42条第３項第３号及び第４号に掲げる特別な病室の提供及び特別な食事の提供

（注） 利用者等の選定に基づき提供される上記サービスについては、通常のサービスを利用した場合の費用との差額部分のみが課税となるものであることに留意されたい。

（参照） 料金でなく、費用とするのは、たとえば3000円特別食の場合、（3000円－基本食費サービス費2120円）×1.05の計算であって、（3000円－760）×1.05でないため。

(4) 福祉用具貸与等に係る費用の取扱い

非課税とならない福祉用具貸与、福祉用具購入及び住宅改修に係る保険給付は、その要した費用について行われるものであることから、消費税相当分を含む費用の総額が保険給付の対象となる。

(5) 介護保険サービスの委託に関する取扱い

通所介護事業者、通所リハビリテーション事業者、短期入所生活介護事業者、短期入所療養介護事業者及び介護保険施設においては、調理業務、洗濯等の利用者等の処遇に直接影響を及ぼさない業務については、上記事業者の従業者以外の第三者に業務を委託することが可能であるが、居宅サービス事業者等が上記業務を委託する場合における受託者に対する委託に係る対価については、受託者が委託者たる居宅サービス事業者等に対してサービスを提供するものであり、消費税が非課税となる上記1．に掲げる介護保険サービスに該当しないものであることから、消費税の課税対象となるものであることに留意されたい。(特定施設入居者生活介護事業者が業務の一部を他の事業者に委託する場合も同様である。)

(6) その他

① 医療保険各法、老人保健法の対象となる療養若しくは医療及び社会福祉事業法に規定する社会福祉事業等に係る消費税の取扱いは従前どおりであり、それぞれ消費税法別表第一第六号、第七号ロ及びハ及び第十号に基づく法令の定めるところによる。

② 特定施設入居者生活介護及び福祉用具については、平成12年2月28日老振第13号、第14号厚生省老人保健福祉局老人福祉振興課長通知において、具体的な取扱いを示しているので参照されたい。

③ 市町村が指定居宅介護支援事業者等に認定調査を委託する場合に、指定居宅介護支援事業者等が市町村より収受する委託料は消費税の課税対象となるものであること。

④ 被保険者の主治医が、要介護認定等における主治医意見書記載に係る対価として市町村より収受する費用（主治の医師がなく、主訴等もない被保険者にかかる医師の意見書記載に係る対価（初診料相当分及び検査を必要とする場合の検査費用）を含む。）については、消費税の課税対象となるものであること。

有料老人ホームにおける特定施設入居者生活介護に係る消費税の取扱いについて（抜粋）

平成12年２月28日
老振第13号
（厚生省老人保健福祉局老人福祉振興課長通知）

1．非課税となる範囲

特定施設入居者生活介護については、指定居宅サービス等の事業の人員、設備及び運営に関する基準（平成11年厚生省令第37号。以下「基準」という。）第182条第３項第１号に掲げる費用を対価として提供されるサービスを除き、非課税とされたところである。したがって、非課税となる特定施設入居者生活介護の費用は、同令第２条第３号に掲げる利用料（保険給付の対象となるサービスの費用の10割）並びに同令第182条第３項第２号に規定するおむつ代及び同項第３号に掲げる費用（以下「日常生活費」という。）である。

なお、日常生活費の範囲については、別途通知することとしている。

2．日常生活費に関する留意事項

日常生活費について、特定施設入居者生活介護に含まれないサービスの費用と区分せず徴収している場合又は区分徴収していても経理上区分されていない場合には、日常生活費を含む徴収額全体が課税となるので留意されたい。

3．既に支払われた介護費用の一時金の取扱いに関する留意事項

入居期間中の介護費用を一時金等として既に徴収している有料老人ホームについては、介護保険法第41条第６項（同法第53条第４項において準用する場合を含む。）の規定により代理受領する保険給付と当該一時金等との間の重複を避けるため、介護費用の調整を行うこととなる。

調整方法としては、一時金等のうち将来の介護保険給付に相当する部分の額（いわゆる調整対象額）を返還する等により調整する方法、又はこれを返還せず入居者が償還払い方式で介護保険給付を受ける方法が考えられるが、いずれの方法による場合でも、介護保険法等の施行に伴い非課税となる部分（いわゆる調整対象額及び日常生活費）に係る消費税額が一時金等に含まれている場合には、当該額を税負担軽減相当額として入居者に返還する必要がある。

なお、平成８年10月１日前に締結した終身入居契約に係る一時金等につ

いては、消費税関係法令に基づき、３％の税率の適用を受け、又は消費税が課されていない場合があるが、当該一時金等の全部又は一部（いわゆる調整対象額以外の額を含む。）を返還し、調整後の額をもって改めて契約（契約の変更を含む。）する方法により前記の調整を行う場合には、その後改めて対価を支払って行われる特定施設入居者生活介護（基準第182条第３項第１号に掲げる費用を対価として提供されるサービスを除く。）以外のサービスに対して、現行の税率が適用されることに留意されたい。

特定施設入居者生活介護事業者が受領する介護保険の給付対象外の介護サービス費用について

平成12年３月30日
老企第52号
（厚生省老人保健福祉局企画課長通知）

〔最終改正〕平成18年３月31日老計発第0331002号ほか

特定施設入居者生活介護事業者（地域密着型特定施設入居者生活介護事業者及び介護予防特定施設入居者生活介護事業者を含む。以下同じ。）については、指定居宅サービス等の事業の人員、設備及び運営に関する基準（平成11年厚生省令第37号。以下「居宅サービス基準」という。）第182条第３項（第192条の12において準用する場合を含む。）及び指定地域密着型サービスの事業の人員、設備及び運営に関する基準（平成18年３月14日厚生労働省令第34号。以下「地域密着型サービス基準」という。）第117条第３項並びに指定介護予防サービス等の事業の人員、設備及び運営並びに指定介護予防サービス等に係る介護予防のための効果的な支援の方法に関する基準（平成18年厚生労働省令第35号。以下「介護予防サービス基準」という。）第238条第３項（第262条において準用する場合を含む。）において、利用料のほか、介護保険の給付対象外の介護サービス費用として、それぞれ同項第１号に掲げる費用を受領することができることとされているが、その具体的な取り扱いは左記のとおりであるので、御了知の上、管下市町村、関係団体、関係機関等にその周知徹底を図るとともに、その運用に遺憾のないようにされたい。

記

１　利用料の範囲

特定施設入居者生活介護（地域密着型特定施設入居者生活介護及び介護予防特定施設入居者生活介護を含む。以下同じ。）は、看護・介護職員等により、適時、適切に介護サービスが包括的に提供されるべきものであるので、その介護報酬（外部サービス利用型特定施設入居者生活介護及び外部サービス利用型介護予防特定施設入居者生活介護を除く。）は、個々の利用者ごとに設定されるものではなく、要介護度状態区分又は要支援の区分に応じて一律とし、居宅サービス基準等（居宅サービス基準及び地域密着型サービス基準及び介護予防サービス基準をいう。以下同じ。）の規定により標準的に配置される職員の人件費等を基礎として定めているものである。したがって、これらの職員により提供されるサービスについては、介護保険の給付対象となっているものであり、利用料の他に別途費用を受領することはできないものである。

2　保険給付対象外の介護サービス費用を受領できる場合

特定施設入居者生活介護事業者が、介護保険の給付対象となる特定施設入居者生活介護に要する費用とは別に介護サービスに係る費用（居宅サービス基準第182条第３項第１号及び地域密着型サービス基準第117条第３項第１号並びに介護予防サービス基準第238条第３項第１号）を受領できる場合は次の(1)及び(2)に限られるものである。なお、この場合の人員数の算定方法は、居宅サービス基準等によるものとし、その具体的な取扱いは平成11年９月17日老企第25号当職通知及び平成12年３月８日老企第40号当職通知並びに平成18年３月17日老計発第0317001号・老振発第0317001号・老老発第0317001号当職通知（「指定介護予防サービスに要する費用の額の算定に関する基準の制定に伴う実施上の留意事項について」に限る。）によるものである。また、これらの費用については、全額が利用者の負担となるものであり、あらかじめ、利用者又はその家族に対して、当該サービスの内容、費用及び人員配置状況について十分に説明を行い、利用者の同意を得ることが必要である。

(1)　人員配置が手厚い場合の介護サービス利用料

要介護者及び要支援者（以下「要介護者等」という。）の人数に応じて看護・介護職員の人数が次の①又は②のいずれかの要件を満たす場合に、人員配置が手厚い場合の介護サービス利用料（以下「上乗せ介護サービス利用料」という。）を受領できるものとする。

上乗せ介護サービス利用料については、看護・介護職員の配置に必要となる費用から適切に算出された額とし、当該上乗せ介護サービス利用料を前払金として受領する場合には、開設後の経過年数に応じた要介護発生率、介護必要期間、職員配置等を勘案した合理的な積算方法によることが必要である。

なお、上乗せ介護サービス利用料と介護保険の利用者負担分の合計額について、重度の要介護者になるほど安くなるような料金設定を行うことは、結果として、軽度の要介護者等が利用しにくくなり、重度の要介護者のみの入居が誘導されることとなるため、適切ではないことに留意されたい。

①　要介護者等が30人以上の場合

看護・介護職員の人数が、常勤換算方法で、「要介護者の数（前年度の平均値）」及び「要支援者の数（前年度の平均値）に0.5を乗じて得た数」の合計数が2.5又はその端数を増すごとに１人以上であること。

②　要介護者等が30人未満の場合

看護・介護職員の人数が、居宅サービス基準等に基づき算出された人数に２人を加えた人数以上であること。

(2)　個別的な選択による介護サービス利用料

あらかじめ特定施設入居者生活介護として包括的かつ標準的に行うものとして定めた介護サービスとは別に、利用者の特別な希望により行われる個別的な介護サービスについては、その利用料を受領できるものとする。ただし、当該介護サービス利用料を受領する介護サービスは、本来特定施設入居者生活介護として包括的に行うべき介護サービスとは明らかに異なり、次の①から③までのように個別性の強いものに限定される必要がある。

なお、看護・介護職員が当該サービスを行った場合は、居宅サービス基準等上の看護・介護職員の人数の算定において、当該看護・介護職員の勤務時間から当該サービスに要した時間を除外して算定（常勤換算）することとする。

①　個別的な外出介助

利用者の特別な希望により、個別に行われる買い物、旅行等の外出介助（当該特定施設の行事、機能訓練、健康管理の一環として行われるものは除く。）及び当該特定施設が定めた協力医療機関等以外の通院又は入退院の際の介助等に要する費用。

②　個別的な買い物等の代行

利用者の特別な希望により、当該特定施設において通常想定している範囲の店舗以外の店舗に係る買い物等の代行に要する費用。

③　標準的な回数を超えた入浴を行った場合の介助

利用者の特別な希望により、当該特定施設が定めた標準的な入浴回数を超えた回数（当該特定施設が定めた標準的な入浴回数が１週間に３回である場合には４回以上。ただし、居宅サービス基準第185条第２項及び地域密着型サービス基準第120条第２項並びに介護予防サービス基準48条第２項の規定により１週間に２回以上の入浴が必要であり、これを下回る回数を標準的な入浴回数とすることはできない。）の入浴の介助に要する費用。

参考資料７ （特定施設入居者生活介護関係）

高齢者向け住まいについて

1　各サービス関係図

有料老人ホーム

・老人福祉法第29条第１項に基づき、老人の福祉を図るため、その心身の健康保持及び生活の安定のために必要な措置として設けられている制度。

・老人を入居させ、以下の①～④のサービスのうち、いずれかのサービス（複数も可）を提供している施設。

①　食事の提供　　②　介護（入浴・排泄・食事）の提供
③　洗濯・掃除等の家事の供与　　④　健康管理

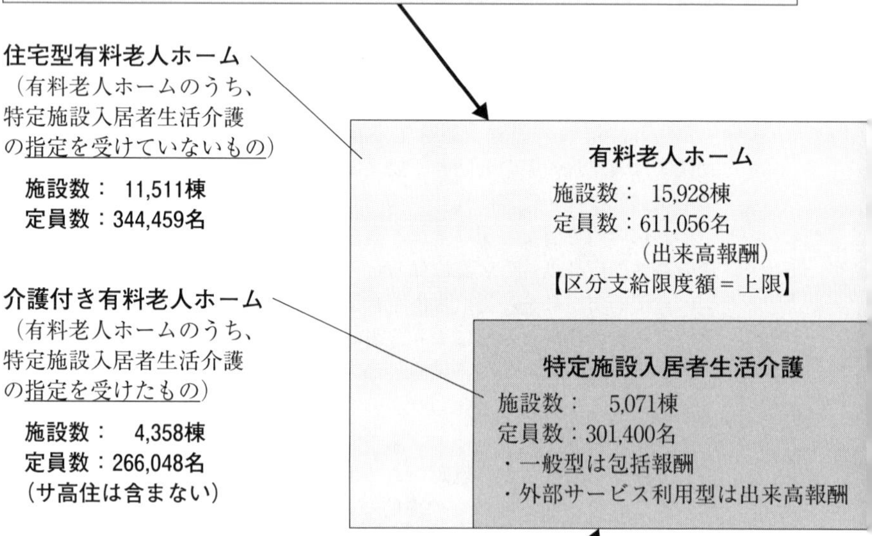

住宅型有料老人ホーム
（有料老人ホームのうち、特定施設入居者生活介護の指定を受けていないもの）

施設数：　11,511棟
定員数：344,459名

介護付き有料老人ホーム
（有料老人ホームのうち、特定施設入居者生活介護の指定を受けたもの）

施設数：　4,358棟
定員数：266,048名
（サ高住は含まない）

有料老人ホーム
施設数：　15,928棟
定員数：611,056名
（出来高報酬）
【区分支給限度額＝上限】

特定施設入居者生活介護
施設数：　5,071棟
定員数：301,400名
・一般型は包括報酬
・外部サービス利用型は出来高報酬

特定施設入居者生活介護

・介護保険法第８条第11項に基づき、特定施設に入居している要介護者を対象として行われる、日常生活上の世話、機能訓練、療養上の世話のことであり、介護保険の対象となる。

サービス付き高齢者向け住宅
・高齢者住まい法第５条に基づき、状況把握サービスと生活相談サービスを提供する等、以下の基準を満たす高齢者向けの賃貸住宅等の登録住宅。
《ハード》 床面積は原則25㎡以上、バリアフリー（廊下幅、段差解消、手すり設置）等
《サービス》 少なくとも、①安否確認サービス、②生活相談サービスのいずれかを提供。

サービス付き高齢者向け住宅（サ高住）
施設数　：　8,103棟
登録戸数：276,563戸
（出来高報酬）
【区分支給限度額＝上限】

サ高住のうち（特定施設入居者生活介護の指定を受けたもの
施設数　：　713棟
登録戸数：35,352戸

サービス付き高齢者向け住宅のうち有料老人ホームに該当するもの
（サービス付き高齢者向け住宅のうち、「食事の提供」「介護の提供」「家事の供与」「健康管理の供与」のいずれかを実施している場合、「有料老人ホーム」に該当することとなる。）

※　サービス付き高齢者向け住宅の約97％は有料老人ホームにも該当する。

（サービス付き高齢者向け住宅の施設数・登録戸数は、サービス付き高齢者向け住宅情報提供システムによる（R４.６.30時点））
（有料老人ホームの施設数・定員数は厚生労働省調べ（R４.６.30時点））

2　介護付き有料老人ホーム、住宅型有料老人ホーム、サービス付き高齢者向け住宅の違い

○　有料老人ホームには、特定施設入居者生活介護の指定を受けた「介護付き有料老人ホーム」と指定を受けない「住宅型有料老人ホーム」がある。

○　介護付き有料老人ホームは、介護保険サービスをホームが直接提供し、包括報酬で支払われるのに対し、住宅型有料老人ホームは、入居者が介護保険サービス利用する際、別途外部の介護サービス事業所と個別に契約・利用し、介護報酬はサービス利用量に応じて各事業所に支払われる。

	介護付き有料老人ホーム
許認可の有無	都道府県又は市町村による**指定**
指導監督権限	右記に加え、介護保険法に基づく勧告、改善命令、指定取り消し　等
介護サービスの利用・報酬体系	・介護保険サービスを**ホームが直接提供** **・介護報酬はホームに包括報酬で支払い**
主な人員基準	・管理者－１人 ・生活相談員－ 　要介護者等：生活相談員＝100：1 ・看護・介護職員－ 　要支援者：看護・介護職員＝10：1 　**要介護者：看護・介護職員＝３：１** ・機能訓練指導員－１人以上 ・計画作成担当者－介護支援専門員 　１人以上
主な設備基準	・介護居室：原則個室、プライバシーの保護に配慮、介護を行える適当な広さ、地階に設けない　等 ・一時介護室：介護を行うために適当な広さ ・浴室：身体の不自由な者が入浴するのに適したもの ・便所：居室のある階ごとに設置し、非常用設備を備える ・食堂、機能訓練室：機能を十分に発揮し得る適当な広さ ・施設全体：利用者が車椅子で円滑に移動することが可能な空間と構造

住宅型有料老人ホーム	サービス付き高齢者向け住宅
都道府県等への**届出**	都道府県等への**登録**
老人福祉法に基づく改善命令、業務停止命令等	高齢者の居住の安定確保に関する法律に基づく是正指示、登録の取消　等
・介護保険サービスを受けたい場合は、**別途外部のサービス事業所と個別契約し利用** ・**介護報酬はサービス利用量に応じて各事業所**に支払い	・介護保険サービスを受けたい場合は、**別途外部のサービス事業所と個別契約し利用** ・**介護報酬はサービス利用量に応じて各事業所に支払い**
法令上の規定はないが、標準指導指針（局長通知）にて下記の職員の配置を示している。 ・入居者の数及び提供するサービスの内容に応じ、管理者、生活相談員、栄養士、調理員を配置すること。 ・介護サービスを提供する場合は、提供するサービスの内容に応じ、要介護者等を直接処遇する職員については、**介護サービスの安定的な提供に支障がない職員体制**とすること　等	次のいずれかの者が、少なくとも日中常駐し、状況把握サービス及び生活相談サービスを提供すること。 ・社会福祉法人、医療法人、指定居宅サービス事業所等の職員 ・医師、看護師、介護福祉士、社会福祉士、介護支援専門員、ヘルパー２級以上の資格を有する者 ※　常駐しない時間帯は、緊急通報システムにより対応。
法令上の規定はないが、標準指導指針（局長通知）において、下記の職員の配置を示している。 ・一般居室、介護居室、一時介護室 ：個室とすることとし、入居者１人当たりの床面積は13平方メートル以上　等 ・浴室、洗面設備、便所について、居室内に設置しない場合は、全ての入居者が利用できるように適当な規模及び数を設けること ・介護居室のある区域の廊下は、入居者が車いす等で安全かつ円滑に移動することが可能となるよう、幅は原則1.8メートル以上　等	・居室：25平方メートル ※　居間、食堂、台所その他の住宅の部分が高齢者が共同して利用するため十分な面積を有する場合は18平方メートル以上。 ・各居住部分が台所、水洗便所、収納設備、洗面設備及び浴室を備えたものであること ※　共同部分に共同して利用するため適切な台所、収納設備又は浴室を備えている場合は、各戸に台所、収納設備、又は浴室を備えずとも可。 ・バリアフリー構造であること

3 「一般型」と「外部サービス利用型」

制度の概要

○ 特定施設入居者生活介護には、特定施設の事業者が自ら介護を行う「一般型」と、特定施設の事業者はケアプラン作成などのマネジメント業務を行い、介護を委託する「外部サービス利用型」がある。

	一般型	外部サービス利用型
報酬の概要	包括報酬 ※ 要介護度別に1日当たりの報酬算定	定額報酬（生活相談・安否確認・計画作成） ＋ 出来高報酬（各種居宅サービス）
サービス提供の方法	3対1で特定施設に配置された介護・看護職員によるサービス提供	特定施設が委託する介護サービス事業者によるサービス提供
特徴	生活相談等の日常生活の支援の比重が大きいため、要介護者が多い場合、効率的なサービス提供が可能	1対1のスポット的なサービスの比重が大きいため、要介護者が少ない場合、効率的なサービス提供が可能
イメージ	 介護サービス＋生活相談等のサービス 入居者　事業者 自己負担（原則1割） ・生活相談 ・**介護** ・ケアプランの作成 ・安否確認（緊急時対応）	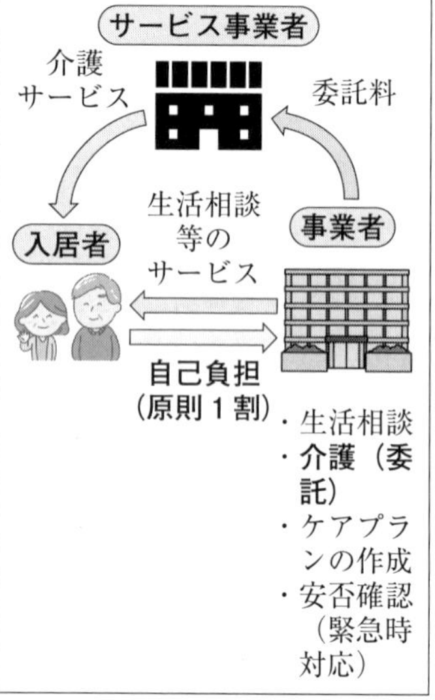 サービス事業者 介護サービス　委託料 生活相談等のサービス 入居者　事業者 自己負担（原則1割） ・生活相談 ・**介護（委託）** ・ケアプランの作成 ・安否確認（緊急時対応）

出典：社会保障審議会介護給付費分科会（第221回）資料

（編注）「高齢者住まい法」は、「高齢者の居住の安定確保に関する法律」の略称です。

参考資料８(1)　(介護サービス非課税関係の参考法令等(1))

介護保険法（平成９年法律第123号）

最終改正〔令和５年法律第31号〕

（定義）

第７条　この法律において「要介護状態」とは、身体上又は精神上の障害があるために、入浴、排せつ、食事等の日常生活における基本的な動作の全部又は一部について、厚生労働省令で定める期間にわたり継続して、常時介護を要すると見込まれる状態であって、その介護の必要の程度に応じて厚生労働省令で定める区分（以下「要介護状態区分」という。）のいずれかに該当するもの（要支援状態に該当するものを除く。）をいう。

2　この法律において「要支援状態」とは、身体上若しくは精神上の障害があるために入浴、排せつ、食事等の日常生活における基本的な動作の全部若しくは一部について厚生労働省令で定める期間にわたり継続して常時介護を要する状態の軽減若しくは悪化の防止に特に資する支援を要すると見込まれ、又は身体上若しくは精神上の障害があるために厚生労働省令で定める期間にわたり継続して日常生活を営むのに支障があると見込まれる状態であって、支援の必要の程度に応じて厚生労働省令で定める区分（以下「要支援状態区分」という。）のいずれかに該当するものをいう。

3　この法律において「要介護者」とは、次の各号のいずれかに該当する者をいう。

一　要介護状態にある65歳以上の者

二　要介護状態にある40歳以上65歳未満の者であって、その要介護状態の原因である身体上又は精神上の障害が加齢に伴って生ずる心身の変化に起因する疾病であって政令で定めるもの（以下「特定疾病」という。）によって生じたものであるもの

4　この法律において「要支援者」とは、次の各号のいずれかに該当する者をいう。

一　要支援状態にある65歳以上の者

二　要支援状態にある40歳以上65歳未満の者であって、その要支援状態の原因である身体上又は精神上の障害が特定疾病によって生じたものであるもの

5　この法律において「介護支援専門員」とは、要介護者又は要支援者（以下「要介護者等」という。）からの相談に応じ、及び要介護者等がその心身の状況等に応じ適切な居宅サービス、地域密着型サービス、施設サービ

ス、介護予防サービス若しくは地域密着型介護予防サービス又は特定介護予防・日常生活支援総合事業（第115条の45第１項第１号イに規定する第１号訪問事業、同号ロに規定する第１号通所事業又は同号ハに規定する第１号生活支援事業をいう。以下同じ。）を利用できるよう市町村、居宅サービス事業を行う者、地域密着型サービス事業を行う者、介護保険施設、介護予防サービス事業を行う者、地域密着型介護予防サービス事業を行う者、特定介護予防・日常生活支援総合事業を行う者等との連絡調整等を行う者であって、要介護者等が自立した日常生活を営むのに必要な援助に関する専門的知識及び技術を有するものとして第69条の７第１項の介護支援専門員証の交付を受けたものをいう。

６～８〔略〕

（介護給付の種類）

第40条　介護給付は、次に掲げる保険給付とする。

一　居宅介護サービス費の支給

二　特例居宅介護サービス費の支給

三　地域密着型介護サービス費の支給

四　特例地域密着型介護サービス費の支給

五　居宅介護福祉用具購入費の支給

六　居宅介護住宅改修費の支給

七　居宅介護サービス計画費の支給

八　特例居宅介護サービス計画費の支給

九　施設介護サービス費の支給

十　特例施設介護サービス費の支給

十一　高額介護サービス費の支給

十一の二　高額医療合算介護サービス費の支給

十二　特定入所者介護サービス費の支給

十三　特例特定入所者介護サービス費の支給

（居宅介護サービス費の支給）

第41条　市町村は、要介護認定を受けた被保険者（以下「要介護被保険者」という。）のうち居宅において介護を受けるもの（以下「居宅要介護被保険者」という。）が、都道府県知事が指定する者（以下「指定居宅サービス事業者」という。）から当該指定に係る居宅サービス事業を行う事業所により行われる居宅サービス（以下「指定居宅サービス」という。）を受けたときは、当該居宅要介護被保険者に対し、当該指定居宅サービスに要した費用（特定福祉用具の購入に要した費用を除き、通所介護、通所リハビリテーション、短期入所生活介護、短期入所療養介護及び特定施設入居者生活介護に要した費用については、食事の提供に要する費用、滞在に要する費用その他の日常生活に要する費用として厚生労働省令で定める費用を除く。以下この条において同じ。）について、居宅介護サービス費を支給する。ただし、当該居宅要介護被保険者が、第37条第１項の規定による指定を受けている場合において、当該指定に係る種類以外の居宅サービスを受けたときは、この限りでない。

2　居宅介護サービス費は、厚生労働省令で定めるところにより、市町村が必要と認める場合に限り、支給するものとする。

3　指定居宅サービスを受けようとする居宅要介護被保険者は、厚生労働省令で定めるところにより、自己の選定する指定居宅サービス事業者について、被保険者証を提示して、当該指定居宅サービスを受けるものとする。

4　居宅介護サービス費の額は、次の各号に掲げる居宅サービスの区分に応じ、当該各号に定める額とする。

一　訪問介護、訪問入浴介護、訪問看護、訪問リハビリテーション、居宅療養管理指導、通所介護、通所リハビリテーション及び福祉用具貸与　これらの居宅サービスの種類ごとに、当該居宅サービスの種類に係る指定居宅サービスの内容、当該指定居宅サービスの事業を行う事業所の所在する地域等を勘案して算定される当該指定居宅サービスに要する平均的な費用（通所介護及び通所リハビリテーションに要する費用については、食事の提供に要する費用その他の日常生活に要する費用として厚生労働省令で定める費用を除く。）の額を勘案して厚生労働大臣が定める基準により算定した費用の額（その額が現に当該指定居宅サービスに要した費用の額を超えるときは、当該現に指定居宅サービスに要した費用の額とする。）の100分の90に相当する額

二　短期入所生活介護、短期入所療養介護及び特定施設入居者生活介護　これらの居宅サービスの種類ごとに、要介護状態区分、当該居宅サービスの種類に係る指定居宅サービスの事業を行う事業所の所在する地域等を勘案して算定される当該指定居宅サービスに要する平均的な費用（食事の提供に要する費用、滞在に要する費用その他の日常生活に要する費用として厚生労働省令で定める費用を除く。）の額を勘案して厚生労働大臣が定める基準により算定した費用の額（その額が現に当該指定居宅サービスに要した費用の額を超えるときは、当該現に指定居宅サービスに要した費用の額とする。）の100分の90に相当する額

5　厚生労働大臣は、前項各号の基準を定めようとするときは、あらかじめ社会保障審議会の意見を聴かなければならない。

6　居宅要介護被保険者が指定居宅サービス事業者から指定居宅サービスを受けたとき（当該居宅要介護被保険者が第46条第４項の規定により指定居宅介護支援を受けることにつきあらかじめ市町村に届け出ている場合であって、当該指定居宅サービスが当該指定居宅介護支援の対象となっている場合その他の厚生労働省令で定める場合に限る。）は、市町村は、当該居

宅要介護被保険者が当該指定居宅サービス事業者に支払うべき当該指定居宅サービスに要した費用について、居宅介護サービス費として当該居宅要介護被保険者に対し支給すべき額の限度において、当該居宅要介護被保険者に代わり、当該指定居宅サービス事業者に支払うことができる。

7　前項の規定による支払があったときは、居宅要介護被保険者に対し居宅介護サービス費の支給があったものとみなす。

8　指定居宅サービス事業者は、指定居宅サービスその他のサービスの提供に要した費用につき、その支払を受ける際、当該支払をした居宅要介護被保険者に対し、厚生労働省令で定めるところにより、領収証を交付しなければならない。

9　市町村は、指定居宅サービス事業者から居宅介護サービス費の請求があったときは、第4項各号の厚生労働大臣が定める基準及び第74条第2項に規定する指定居宅サービスの事業の設備及び運営に関する基準（指定居宅サービスの取扱いに関する部分に限る。）に照らして審査した上、支払うものとする。

10　市町村は、前項の規定による審査及び支払に関する事務を連合会に委託することができる。

11　前項の規定による委託を受けた連合会は、当該委託をした市町村の同意を得て、厚生労働省令で定めるところにより、当該委託を受けた事務の一部を、営利を目的としない法人であって厚生労働省令で定める要件に該当するものに委託することができる。

12　前各項に規定するもののほか、居宅介護サービス費の支給及び指定居宅サービス事業者の居宅介護サービス費の請求に関して必要な事項は、厚生労働省令で定める。

（特例居宅介護サービス費の支給）

第42条　市町村は、次に掲げる場合には、居宅要介護被保険者に対し、特例居宅介護サービス費を支給する。

一　居宅要介護被保険者が、当該要介護認定の効力が生じた日前に、緊急その他やむを得ない理由により指定居宅サービスを受けた場合において、必要があると認めるとき。

二　居宅要介護被保険者が、指定居宅サービス以外の居宅サービス又はこれに相当するサービス（指定居宅サービスの事業に係る第74条第1項の都道府県の条例で定める基準及び同項の都道府県の条例で定める員数並びに同条第2項に規定する指定居宅サービスの事業の設備及び運営に関する基準のうち、都道府県の条例で定めるものを満たすと認められる事業を行う事業所により行われるものに限る。次号及び次項において「基準該当居宅サービス」という。）を受けた場合において、必要があると認めるとき。

三　指定居宅サービス及び基準該当居宅サービスの確保が著しく困難である離島その他の地域であって厚生労働大臣が定める基準に該当するものに住所を有する居宅要介護被保険者が、指定居宅サービス及び基準該当居宅サービス以外の居宅サービス又はこれに相当するサービスを受けた場合において、必要があると認めるとき。

四　その他政令で定めるとき。

2　都道府県が前項第2号の条例を定めるに当たっては、第1号から第3号までに掲げる事項については厚生労働省令で定める基準に従い定めるものとし、第4号に掲げる事項については厚生労働省令で定める基準を標準として定めるものとし、その他の事項については厚生労働省令で定める基準を参酌するものとする。

一　基準該当居宅サービスに従事する従業者に係る基準及び当該従業者の員数

二　基準該当居宅サービスの事業に係る居室の床面積

三　基準該当居宅サービスの事業の運営に関する事項であって、利用する要介護者のサービスの適切な利用、適切な処遇及び安全の確保並びに秘密の保持等に密接に関連するものとして厚生労働省令で定めるもの

四　基準該当居宅サービスの事業に係る利用定員

3　特例居宅介護サービス費の額は、当該居宅サービス又はこれに相当するサービスについて前条第4項各号の厚生労働大臣が定める基準により算定した費用の額（その額が現に当該居宅サービス又はこれに相当するサービスに要した費用（特定福祉用具の購入に要した費用を除き、通所介護、通所リハビリテーション、短期入所生活介護、短期入所療養介護及び特定施設入居者生活介護並びにこれらに相当するサービスに要した費用については、食事の提供に要する費用、滞在に要する費用その他の日常生活に要する費用として厚生労働省令で定める費用を除く。）の額を超えるときは、当該現に居宅サービス又はこれに相当するサービスに要した費用の額とする。）の100分の90に相当する額を基準として、市町村が定める。

4　市町村長は、特例居宅介護サービス費の支給に関して必要があると認めるときは、当該支給に係る居宅サービス若しくはこれに相当するサービスを担当する者若しくは担当した者（以下この項において「居宅サービス等を担当する者等」という。）に対し、報告若しくは帳簿書類の提出若しくは提示を命じ、若しくは出頭を求め、又は当該職員に関係者に対して質問させ、若しくは当該居宅サービス等を担当する者等の当該支給に係る事業所に立ち入り、その設備若しくは帳簿書類その他の物件を検査させることができる。

5　第24条第3項の規定は前項の規定による質問又は検査について、同条第4項の規定は前項の規定による権限について準用する。

（地域密着型介護サービス費の支給）

第42条の2　市町村は、要介護被保険者が、当該市町村（住所地特例適用被保険者である要介護被保険者（以下「住所地特例適用要介護被保険者」という。）に係る特定地域密着型サービスにあっては、施設所在市町村を含む。）の長が指定する者（以下「指定地域密着型サービス事業者」という。）から当該指定に係る地域密着型サービス事業を行う事業所により行われる地域密着型サービス（以下「指定地域密着型サービス」という。）を受けたときは、当該要介護被保険者に対し、当該指定地域密着型サービスに要した費用（地域密着型通所介護、認知症対応型通所介護、小規模多機能型居宅介護、認知症対応型共同生活介護、地域密着型特定施設入居者生活介護及び地域密着型介護老人福祉施設入所者生活介護に要した費用については、食事の提供に要する費用、居住に要する費用その他の日常生活に要する費用として厚生労働省令で定める費用を除く。以下この条において同じ。）について、地域密着型介護サービス費を支給する。ただし、当該要介護被保険者が、第37条第1項の規定による指定を受けている場合において、当該指定に係る種類以外の地域密着型サービスを受けたときは、この限りでない。

2　地域密着型介護サービス費の額は、次の各号に掲げる地域密着型サービスの区分に応じ、当該各号に定める額とする。

一　定期巡回・随時対応型訪問介護看護及び複合型サービス　これらの地域密着型サービスの種類ごとに、当該地域密着型サービスの種類に係る指定地域密着型サービスの内容、要介護状態区分、当該指定地域密着型サービスの事業を行う事業所の所在する地域等を勘案して算定される当該指定地域密着型サービスに要する平均的な費用（複合型サービス（厚生労働省令で定めるものに限る。次条第2項において同じ。）に要する費用については、食事の提供に要する費用、宿泊に要する費用その他の日常生活に要する費用として厚生労働省令で定める費用を除く。）の額を勘案して厚生労働大臣が定める基準により算定した費用の額（その額が現に当該指定地域密着型サービスに要した費用の額を超えるときは、当該現に指定地域密着型サービスに要した費用の額とする。）の100分の90に相当する額

二　夜間対応型訪問介護、地域密着型通所介護及び認知症対応型通所介護　これらの地域密着型サービスの種類ごとに、当該地域密着型サービスの種類に係る指定地域密着型サービスの内容、当該指定地域密着型サービスの事業を行う事業所の所在する地域等を勘案して算定される当該指定地域密着型サービスに要する平均的な費用（地域密着型通所介護及び認知症対応型通所介護に要する費用については、食事の提供に要する費用その他の日常生活に要する費用として厚生労働省令で定める費用を除

く。）の額を勘案して厚生労働大臣が定める基準により算定した費用の額（その額が現に当該指定地域密着型サービスに要した費用の額を超えるときは、当該現に指定地域密着型サービスに要した費用の額とする。）の100分の90に相当する額

三　小規模多機能型居宅介護、認知症対応型共同生活介護、地域密着型特定施設入居者生活介護及び地域密着型介護老人福祉施設入所者生活介護

　これらの地域密着型サービスの種類ごとに、要介護状態区分、当該地域密着型サービスの種類に係る指定地域密着型サービスの事業を行う事業所の所在する地域等を勘案して算定される当該指定地域密着型サービスに要する平均的な費用（食事の提供に要する費用、居住に要する費用その他の日常生活に要する費用として厚生労働省令で定める費用を除く。）の額を勘案して厚生労働大臣が定める基準により算定した費用の額（その額が現に当該指定地域密着型サービスに要した費用の額を超えるときは、当該現に指定地域密着型サービスに要した費用の額とする。）の100分の90に相当する額

3　厚生労働大臣は、前項各号の基準を定めようとするときは、あらかじめ社会保障審議会の意見を聴かなければならない。

4　市町村は、第2項各号の規定にかかわらず、地域密着型サービスの種類その他の事情を勘案して厚生労働大臣が定める基準により算定した額を限度として、同項各号に定める地域密着型介護サービス費の額に代えて、当該市町村（施設所在市町村の長が第1項本文の指定をした指定地域密着型サービス事業者から指定地域密着型サービスを受けた住所地特例適用要介護被保険者に係る地域密着型介護サービス費（特定地域密着型サービスに係るものに限る。）の額にあっては、施設所在市町村）が定める額を、当該市町村における地域密着型介護サービス費の額とすることができる。

5　市町村は、前項の当該市町村における地域密着型介護サービス費の額を定めようとするときは、あらかじめ、当該市町村が行う介護保険の被保険者その他の関係者の意見を反映させ、及び学識経験を有する者の知見の活用を図るために必要な措置を講じなければならない。

6　要介護被保険者が指定地域密着型サービス事業者から指定地域密着型サービスを受けたとき（当該要介護被保険者が第46条第4項の規定により指定居宅介護支援を受けることにつきあらかじめ市町村に届け出ている場合であって、当該指定地域密着型サービスが当該指定居宅介護支援の対象となっている場合その他の厚生労働省令で定める場合に限る。）は、市町村は、当該要介護被保険者が当該指定地域密着型サービス事業者に支払うべき当該指定地域密着型サービスに要した費用について、地域密着型介護サービス費として当該要介護被保険者に対し支給すべき額の限度において、当該要介護被保険者に代わり、当該指定地域密着型サービス事業者に支払

うことができる。
7　前項の規定による支払があったときは、要介護被保険者に対し地域密着型介護サービス費の支給があったものとみなす。
8　市町村は、指定地域密着型サービス事業者から地域密着型介護サービス費の請求があったときは、第2項各号の厚生労働大臣が定める基準又は第4項の規定により市町村（施設所在市町村の長が第1項本文の指定をした指定地域密着型サービス事業者から指定地域密着型サービスを受けた住所地特例適用要介護被保険者に係る地域密着型介護サービス費（特定地域密着型サービスに係るものに限る。）の請求にあっては、施設所在市町村）が定める額及び第78条の4第2項又は第5項の規定により市町村（施設所在市町村の長が第1項本文の指定をした指定地域密着型サービス事業者から指定地域密着型サービスを受けた住所地特例適用要介護被保険者に係る地域密着型介護サービス費（特定地域密着型サービスに係るものに限る。）の請求にあっては、施設所在市町村）が定める指定地域密着型サービスの事業の設備及び運営に関する基準（指定地域密着型サービスの取扱いに関する部分に限る。）に照らして審査した上、支払うものとする。
9　第41条第2項、第3項、第10項及び第11項の規定は地域密着型介護サービス費の支給について、同条第8項の規定は指定地域密着型サービス事業者について準用する。この場合において、これらの規定に関し必要な技術的読替えは、政令で定める。
10　前各項に規定するもののほか、地域密着型介護サービス費の支給及び指定地域密着型サービス事業者の地域密着型介護サービス費の請求に関して必要な事項は、厚生労働省令で定める。
（特例地域密着型介護サービス費の支給）
第42条の3　市町村は、次に掲げる場合には、要介護被保険者に対し、特例地域密着型介護サービス費を支給する。
一　要介護被保険者が、当該要介護認定の効力が生じた日前に、緊急その他やむを得ない理由により指定地域密着型サービスを受けた場合において、必要があると認めるとき。
二　指定地域密着型サービス（地域密着型介護老人福祉施設入所者生活介護を除く。以下この号において同じ。）の確保が著しく困難である離島その他の地域であって厚生労働大臣が定める基準に該当するものに住所を有する要介護被保険者が、指定地域密着型サービス以外の地域密着型サービス（地域密着型介護老人福祉施設入所者生活介護を除く。）又はこれに相当するサービスを受けた場合において、必要があると認めるとき。
三　その他政令で定めるとき。
2　特例地域密着型介護サービス費の額は、当該地域密着型サービス又はこれに相当するサービスについて前条第２項各号の厚生労働大臣が定める基準により算定した費用の額（その額が現に当該地域密着型サービス又はこれに相当するサービスに要した費用（地域密着型通所介護、認知症対応型通所介護、小規模多機能型居宅介護、認知症対応型共同生活介護、地域密着型特定施設入居者生活介護、地域密着型介護老人福祉施設入所者生活介護及び複合型サービス並びにこれらに相当するサービスに要した費用については、食事の提供に要する費用、居住に要する費用その他の日常生活に要する費用として厚生労働省令で定める費用を除く。）の額を超えるときは、当該現に地域密着型サービス又はこれに相当するサービスに要した費用の額とする。）の100分の90に相当する額又は同条第４項の規定により市町村（施設所在市町村の長が同条第１項本文の指定をした指定地域密着型サービス事業者から指定地域密着型サービスを受けた住所地特例適用要介護被保険者その他の厚生労働省令で定める者に係る特例地域密着型介護サービス費（特定地域密着型サービスに係るものに限る。）の額にあっては、施設所在市町村）が定めた額を基準として、市町村が定める。

3　市町村長は、特例地域密着型介護サービス費の支給に関して必要があると認めるときは、当該支給に係る地域密着型サービス若しくはこれに相当するサービスを担当する者若しくは担当した者（以下この項において「地域密着型サービス等を担当する者等」という。）に対し、報告若しくは帳簿書類の提出若しくは提示を命じ、若しくは出頭を求め、又は当該職員に関係者に対して質問させ、若しくは当該地域密着型サービス等を担当する者等の当該支給に係る事業所に立ち入り、その設備若しくは帳簿書類その他の物件を検査させることができる。

4　第24条第３項の規定は前項の規定による質問又は検査について、同条第４項の規定は前項の規定による権限について準用する。

（居宅介護サービス費等に係る支給限度額）

第43条　居宅要介護被保険者が居宅サービス等区分（居宅サービス（これに相当するサービスを含む。以下この条において同じ。）及び地域密着型サービス（これに相当するサービスを含み、地域密着型介護老人福祉施設入所者生活介護を除く。以下この条において同じ。）について、その種類ごとの相互の代替性の有無等を勘案して厚生労働大臣が定める２以上の種類からなる区分をいう。以下同じ。）ごとに月を単位として厚生労働省令で定める期間において受けた一の居宅サービス等区分に係る居宅サービスにつき支給する居宅介護サービス費の額の総額及び特例居宅介護サービス費の額の総額並びに地域密着型サービスにつき支給する地域密着型介護サービス費の額の総額及び特例地域密着型介護サービス費の額の総額の合計額は、居宅介護サービス費等区分支給限度基準額を基礎として、厚生労働省令で定めるところにより算定した額の100分の90に相当する額を超えることができない。

とができない。

2　前項の居宅介護サービス費等区分支給限度基準額は、居宅サービス等区分ごとに、同項に規定する厚生労働省令で定める期間における当該居宅サービス等区分に係る居宅サービス及び地域密着型サービスの要介護状態区分に応じた標準的な利用の態様、当該居宅サービス及び地域密着型サービスに係る第41条第4項各号及び第42条の2第2項各号の厚生労働大臣が定める基準等を勘案して厚生労働大臣が定める額とする。

3　市町村は、前項の規定にかかわらず、条例で定めるところにより、第1項の居宅介護サービス費等区分支給限度基準額に代えて、その額を超える額を、当該市町村における居宅介護サービス費等区分支給限度基準額とすることができる。

4　市町村は、居宅要介護被保険者が居宅サービス及び地域密着型サービスの種類（居宅サービス等区分に含まれるものであって厚生労働大臣が定めるものに限る。次項において同じ。）ごとに月を単位として厚生労働省令で定める期間において受けた一の種類の居宅サービスにつき支給する居宅介護サービス費の額の総額及び特例居宅介護サービス費の額の総額の合計額並びに一の種類の地域密着型サービスにつき支給する地域密着型介護サービス費の額の総額及び特例地域密着型介護サービス費の額の総額の合計額について、居宅介護サービス費等種類支給限度基準額を基礎として、厚生労働省令で定めるところにより算定した額の100分の90に相当する額を超えることができないこととすることができる。

5　前項の居宅介護サービス費等種類支給限度基準額は、居宅サービス及び地域密着型サービスの種類ごとに、同項に規定する厚生労働省令で定める期間における当該居宅サービス及び地域密着型サービスの要介護状態区分に応じた標準的な利用の態様、当該居宅サービス及び地域密着型サービスに係る第41条第4項各号及び第42条の2第2項各号の厚生労働大臣が定める基準等を勘案し、当該居宅サービス及び地域密着型サービスを含む居宅サービス等区分に係る第1項の居宅介護サービス費等区分支給限度基準額（第3項の規定に基づき条例を定めている市町村にあっては、当該条例による措置が講じられた額とする。）の範囲内において、市町村が条例で定める額とする。

6　居宅介護サービス費若しくは特例居宅介護サービス費又は地域密着型介護サービス費若しくは特例地域密着型介護サービス費を支給することにより第1項に規定する合計額が同項に規定する100分の90に相当する額を超える場合又は第4項に規定する合計額が同項に規定する100分の90に相当する額を超える場合における当該居宅介護サービス費若しくは特例居宅介護サービス費又は地域密着型介護サービス費若しくは特例地域密着型介護サービス費の額は、第41条第4項各号若しくは第42条第3項又は第42条の

２第２項各号若しくは第４項若しくは前条第２項の規定にかかわらず、政令で定めるところにより算定した額とする。

（居宅介護福祉用具購入費の支給）

第44条　市町村は、居宅要介護被保険者が、特定福祉用具販売に係る指定居宅サービス事業者から当該指定に係る居宅サービス事業を行う事業所において販売される特定福祉用具を購入したときは、当該居宅要介護被保険者に対し、居宅介護福祉用具購入費を支給する。

２　居宅介護福祉用具購入費は、厚生労働省令で定めるところにより、市町村が必要と認める場合に限り、支給するものとする。

３　居宅介護福祉用具購入費の額は、現に当該特定福祉用具の購入に要した費用の額の100分の90に相当する額とする。

４　居宅要介護被保険者が月を単位として厚生労働省令で定める期間において購入した特定福祉用具につき支給する居宅介護福祉用具購入費の額の総額は、居宅介護福祉用具購入費支給限度基準額を基礎として、厚生労働省令で定めるところにより算定した額の100分の90に相当する額を超えることができない。

５　前項の居宅介護福祉用具購入費支給限度基準額は、同項に規定する厚生労働省令で定める期間における特定福祉用具の購入に通常要する費用を勘案して厚生労働大臣が定める額とする。

６　市町村は、前項の規定にかかわらず、条例で定めるところにより、第４項の居宅介護福祉用具購入費支給限度基準額に代えて、その額を超える額を、当該市町村における居宅介護福祉用具購入費支給限度基準額とすることができる。

７　居宅介護福祉用具購入費を支給することにより第４項に規定する総額が同項に規定する100分の90に相当する額を超える場合における当該居宅介護福祉用具購入費の額は、第３項の規定にかかわらず、政令で定めるところにより算定した額とする。

（居宅介護住宅改修費の支給）

第45条　市町村は、居宅要介護被保険者が、手すりの取付けその他の厚生労働大臣が定める種類の住宅の改修（以下「住宅改修」という。）を行ったときは、当該居宅要介護被保険者に対し、居宅介護住宅改修費を支給する。

２　居宅介護住宅改修費は、厚生労働省令で定めるところにより、市町村が必要と認める場合に限り、支給するものとする。

３　居宅介護住宅改修費の額は、現に当該住宅改修に要した費用の額の100分の90に相当する額とする。

４　居宅要介護被保険者が行った一の種類の住宅改修につき支給する居宅介護住宅改修費の額の総額は、居宅介護住宅改修費支給限度基準額を基礎として、厚生労働省令で定めるところにより算定した額の100分の90に相当する額を超えることができない。

5　前項の居宅介護住宅改修費支給限度基準額は、住宅改修の種類ごとに、通常要する費用を勘案して厚生労働大臣が定める額とする。

6　市町村は、前項の規定にかかわらず、条例で定めるところにより、第４項の居宅介護住宅改修費支給限度基準額に代えて、その額を超える額を、当該市町村における居宅介護住宅改修費支給限度基準額とすることができる。

7　居宅介護住宅改修費を支給することにより第４項に規定する総額が同項に規定する100分の90に相当する額を超える場合における当該居宅介護住宅改修費の額は、第３項の規定にかかわらず、政令で定めるところにより算定した額とする。

8　市町村長は、居宅介護住宅改修費の支給に関して必要があると認めるときは、当該支給に係る住宅改修を行う者若しくは住宅改修を行った者（以下この項において「住宅改修を行う者等」という。）に対し、報告若しくは帳簿書類の提出若しくは提示を命じ、若しくは出頭を求め、又は当該職員に関係者に対して質問させ、若しくは当該住宅改修を行う者等の当該支給に係る事業所に立ち入り、その帳簿書類その他の物件を検査させることができる。

9　第24条第３項の規定は前項の規定による質問又は検査について、同条第４項の規定は前項の規定による権限について準用する。

（居宅介護サービス計画費の支給）

第46条　市町村は、居宅要介護被保険者が、当該市町村の長又は市町村の長が指定する者（以下「指定居宅介護支援事業者」という。）から当該指定に係る居宅介護支援事業を行う事業所により行われる居宅介護支援（以下「指定居宅介護支援」という。）を受けたときは、当該居宅要介護被保険者に対し、当該指定居宅介護支援に要した費用について、居宅介護サービス計画費を支給する。

2　居宅介護サービス計画費の額は、指定居宅介護支援の事業を行う事業所の所在する地域等を勘案して算定される指定居宅介護支援に要する平均的な費用の額を勘案して厚生労働大臣が定める基準により算定した費用の額（その額が現に当該指定居宅介護支援に要した費用の額を超えるときは、当該現に指定居宅介護支援に要した費用の額とする。）とする。

3　厚生労働大臣は、前項の基準を定めようとするときは、あらかじめ社会保障審議会の意見を聴かなければならない。

4　居宅要介護被保険者が指定居宅介護支援事業者から指定居宅介護支援を受けたとき（当該居宅要介護被保険者が、厚生労働省令で定めるところにより、当該指定居宅介護支援を受けることにつきあらかじめ市町村に届け出ている場合に限る。）は、市町村は、当該居宅要介護被保険者が当該指定居宅介護支援事業者に支払うべき当該指定居宅介護支援に要した費用について、居宅介護サービス計画費として当該居宅要介護被保険者に対し支給すべき額の限度において、当該居宅要介護被保険者に代わり、当該指定居宅介護支援事業者に支払うことができる。

5　前項の規定による支払があったときは、居宅要介護被保険者に対し居宅介護サービス計画費の支給があったものとみなす。

6　市町村は、指定居宅介護支援事業者から居宅介護サービス計画費の請求があったときは、第2項の厚生労働大臣が定める基準及び第81条第2項に規定する指定居宅介護支援の事業の運営に関する基準（指定居宅介護支援の取扱いに関する部分に限る。）に照らして審査した上、支払うものとする。

7　第41条第2項、第3項、第10項及び第11項の規定は、居宅介護サービス計画費の支給について、同条第8項の規定は、指定居宅介護支援事業者について準用する。この場合において、これらの規定に関し必要な技術的読替えは、政令で定める。

8　前各項に規定するもののほか、居宅介護サービス計画費の支給及び指定居宅介護支援事業者の居宅介護サービス計画費の請求に関して必要な事項は、厚生労働省令で定める。

（特例居宅介護サービス計画費の支給）

第47条　市町村は、次に掲げる場合には、居宅要介護被保険者に対し、特例居宅介護サービス計画費を支給する。

一　居宅要介護被保険者が、指定居宅介護支援以外の居宅介護支援又はこれに相当するサービス（指定居宅介護支援の事業に係る第81条第1項の市町村の条例で定める員数及び同条第2項に規定する指定居宅介護支援の事業の運営に関する基準のうち、市町村の条例で定めるものを満たすと認められる事業を行う事業所により行われるものに限る。次号及び次項において「基準該当居宅介護支援」という。）を受けた場合において、必要があると認めるとき。

二　指定居宅介護支援及び基準該当居宅介護支援の確保が著しく困難である離島その他の地域であって厚生労働大臣が定める基準に該当するものに住所を有する居宅要介護被保険者が、指定居宅介護支援及び基準該当居宅介護支援以外の居宅介護支援又はこれに相当するサービスを受けた場合において、必要があると認めるとき。

三　その他政令で定めるとき。

2　市町村が前項第1号の条例を定めるに当たっては、次に掲げる事項については厚生労働省令で定める基準に従い定めるものとし、その他の事項については厚生労働省令で定める基準を参酌するものとする。

一　基準該当居宅介護支援に従事する従業者に係る基準及び当該従業者の

員数
二　基準該当居宅介護支援の事業の運営に関する事項であって、利用する要介護者のサービスの適切な利用、適切な処遇及び安全の確保並びに秘密の保持等に密接に関連するものとして厚生労働省令で定めるもの
3　特例居宅介護サービス計画費の額は、当該居宅介護支援又はこれに相当するサービスについて前条第2項の厚生労働大臣が定める基準により算定した費用の額（その額が現に当該居宅介護支援又はこれに相当するサービスに要した費用の額を超えるときは、当該現に居宅介護支援又はこれに相当するサービスに要した費用の額とする。）を基準として、市町村が定める。
4　市町村長は、特例居宅介護サービス計画費の支給に関して必要があると認めるときは、当該支給に係る居宅介護支援若しくはこれに相当するサービスを担当する者若しくは担当した者（以下この項において「居宅介護支援等を担当する者等」という。）に対し、報告若しくは帳簿書類の提出若しくは提示を命じ、若しくは出頭を求め、又は当該職員に関係者に対して質問させ、若しくは当該居宅介護支援等を担当する者等の当該支給に係る事業所に立ち入り、その帳簿書類その他の物件を検査させることができる。
5　第24条第3項の規定は前項の規定による質問又は検査について、同条第4項の規定は前項の規定による権限について準用する。
（施設介護サービス費の支給）
第48条　市町村は、要介護被保険者が、次に掲げる施設サービス（以下「指定施設サービス等」という。）を受けたときは、当該要介護被保険者に対し、当該指定施設サービス等に要した費用（食事の提供に要する費用、居住に要する費用その他の日常生活に要する費用として厚生労働省令で定める費用を除く。以下この条において同じ。）について、施設介護サービス費を支給する。ただし、当該要介護被保険者が、第37条第1項の規定による指定を受けている場合において、当該指定に係る種類以外の施設サービスを受けたときは、この限りでない。
一　都道府県知事が指定する介護老人福祉施設（以下「指定介護老人福祉施設」という。）により行われる介護福祉施設サービス（以下「指定介護福祉施設サービス」という。）
二　介護保健施設サービス
三　介護医療院サービス
2　施設介護サービス費の額は、施設サービスの種類ごとに、要介護状態区分、当該施設サービスの種類に係る指定施設サービス等を行う介護保険施設の所在する地域等を勘案して算定される当該指定施設サービス等に要する平均的な費用（食事の提供に要する費用、居住に要する費用その他の日常生活に要する費用として厚生労働省令で定める費用を除く。）の額を勘

案して厚生労働大臣が定める基準により算定した費用の額（その額が現に当該指定施設サービス等に要した費用の額を超えるときは、当該現に指定施設サービス等に要した費用の額とする。）の100分の90に相当する額とする。

3　厚生労働大臣は、前項の基準を定めようとするときは、あらかじめ社会保障審議会の意見を聴かなければならない。

4　要介護被保険者が、介護保険施設から指定施設サービス等を受けたときは、市町村は、当該要介護被保険者が当該介護保険施設に支払うべき当該指定施設サービス等に要した費用について、施設介護サービス費として当該要介護被保険者に支給すべき額の限度において、当該要介護被保険者に代わり、当該介護保険施設に支払うことができる。

5　前項の規定による支払があったときは、要介護被保険者に対し施設介護サービス費の支給があったものとみなす。

6　市町村は、介護保険施設から施設介護サービス費の請求があったときは、第２項の厚生労働大臣が定める基準及び第88条第２項に規定する指定介護老人福祉施設の設備及び運営に関する基準（指定介護福祉施設サービスの取扱いに関する部分に限る。）又は第97条第３項に規定する介護老人保健施設の設備及び運営に関する基準（介護保健施設サービスの取扱いに関する部分に限る。）又は第111条第３項に規定する介護医療院の設備及び運営に関する基準（介護医療院サービスの取扱いに関する部分に限る。）に照らして審査した上、支払うものとする。

7　第41条第２項、第３項、第10項及び第11項の規定は、施設介護サービス費の支給について、同条第８項の規定は、介護保険施設について準用する。この場合において、これらの規定に関し必要な技術的読替えは、政令で定める。

8　前各項に規定するもののほか、施設介護サービス費の支給及び介護保険施設の施設介護サービス費の請求に関して必要な事項は、厚生労働省令で定める。

（特例施設介護サービス費の支給）

第49条　市町村は、次に掲げる場合には、要介護被保険者に対し、特例施設介護サービス費を支給する。

一　要介護被保険者が、当該要介護認定の効力が生じた日前に、緊急その他やむを得ない理由により指定施設サービス等を受けた場合において、必要があると認めるとき。

二　その他政令で定めるとき。

2　特例施設介護サービス費の額は、当該施設サービスについて前条第２項の厚生労働大臣が定める基準により算定した費用の額（その額が現に当該施設サービスに要した費用（食事の提供に要する費用、居住に要する費用

参考資料
介護関係

その他の日常生活に要する費用として厚生労働省令で定める費用を除く。）の額を超えるときは、当該現に施設サービスに要した費用の額とする。）の100分の90に相当する額を基準として、市町村が定める。

3　市町村長は、特例施設介護サービス費の支給に関して必要があると認めるときは、当該支給に係る施設サービスを担当する者若しくは担当した者（以下この項において「施設サービスを担当する者等」という。）に対し、報告若しくは帳簿書類の提出若しくは提示を命じ、若しくは出頭を求め、又は当該職員に関係者に対して質問させ、若しくは当該施設サービスを担当する者等の当該支給に係る施設に立ち入り、その設備若しくは帳簿書類その他の物件を検査させることができる。

4　第24条第３項の規定は前項の規定による質問又は検査について、同条第４項の規定は前項の規定による権限について準用する。

（一定以上の所得を有する要介護被保険者に係る居宅介護サービス費等の額）

第49条の２　第１号被保険者であって政令で定めるところにより算定した所得の額が政令で定める額以上である要介護被保険者（次項に規定する要介護被保険者を除く。）が受ける次の各号に掲げる介護給付について当該各号に定める規定を適用する場合においては、これらの規定中「100分の90」とあるのは、「100分の80」とする。

一　居宅介護サービス費の支給　第41条第４項第１号及び第２号並びに第43条第１項、第４項及び第６項

二　特例居宅介護サービス費の支給　第42条第３項並びに第43条第１項、第４項及び第６項

三　地域密着型介護サービス費の支給　第42条の２第２項各号並びに第43条第１項、第４項及び第６項

四　特例地域密着型介護サービス費の支給　第42条の３第２項並びに第43条第１項、第４項及び第６項

五　施設介護サービス費の支給　第48条第２項

六　特例施設介護サービス費の支給　前条第２項

七　居宅介護福祉用具購入費の支給　第44条第３項、第４項及び第７項

八　居宅介護住宅改修費の支給　第45条第３項、第４項及び第７項

２〔略〕

（居宅介護サービス費等の額の特例）

第50条　市町村が、災害その他の厚生労働省令で定める特別の事情があることにより、居宅サービス（これに相当するサービスを含む。以下この条において同じ。）、地域密着型サービス（これに相当するサービスを含む。以下この条において同じ。）若しくは施設サービス又は住宅改修に必要な費用を負担することが困難であると認めた要介護被保険者が受ける前条第１

項各号に掲げる介護給付について当該各号に定める規定を適用する場合（同条の規定により読み替えて適用する場合を除く。）においては、これらの規定中「100分の90」とあるのは、「100分の90を超え100分の100以下の範囲内において市町村が定めた割合」とする。

2　市町村が、災害その他の厚生労働省令で定める特別の事情があることにより、居宅サービス、地域密着型サービス若しくは施設サービス又は住宅改修に必要な費用を負担することが困難であると認めた要介護被保険者が受ける前条第１項各号に掲げる介護給付について当該各号に定める規定を適用する場合（同項の規定により読み替えて適用する場合に限る。）においては、同項の規定により読み替えて適用するこれらの規定中「100分の80」とあるのは、「100分の80を超え100分の100以下の範囲内において市町村が定めた割合」とする。

3〔略〕

（高額介護サービス費の支給）

第51条　市町村は、要介護被保険者が受けた居宅サービス（これに相当するサービスを含む。）、地域密着型サービス（これに相当するサービスを含む。）又は施設サービスに要した費用の合計額として政令で定めるところにより算定した額から、当該費用につき支給された居宅介護サービス費、特例居宅介護サービス費、地域密着型介護サービス費、特例地域密着型介護サービス費、施設介護サービス費及び特例施設介護サービス費の合計額を控除して得た額（次条第１項において「介護サービス利用者負担額」という。）が、著しく高額であるときは、当該要介護被保険者に対し、高額介護サービス費を支給する。

2　前項に規定するもののほか、高額介護サービス費の支給要件、支給額その他高額介護サービス費の支給に関して必要な事項は、居宅サービス、地域密着型サービス又は施設サービスに必要な費用の負担の家計に与える影響を考慮して、政令で定める。

（高額医療合算介護サービス費の支給）

第51条の２　市町村は、要介護被保険者の介護サービス利用者負担額（前条第１項の高額介護サービス費が支給される場合にあっては、当該支給額に相当する額を控除して得た額）及び当該要介護被保険者に係る健康保険法第115条第１項に規定する一部負担金等の額（同項の高額療養費が支給される場合にあっては、当該支給額に相当する額を控除して得た額）その他の医療保険各法又は高齢者の医療の確保に関する法律（昭和57年法律第80号）に規定するこれに相当する額として政令で定める額の合計額が、著しく高額であるときは、当該要介護被保険者に対し、高額医療合算介護サービス費を支給する。

2　前条第２項の規定は、高額医療合算介護サービス費の支給について準用する。

（特定入所者介護サービス費の支給）

第51条の３　市町村は、要介護被保険者のうち所得及び資産の状況その他の事情をしん酌して厚生労働省令で定めるものが、次に掲げる指定施設サービス等、指定地域密着型サービス又は指定居宅サービス（以下この条及び次条第１項において「特定介護サービス」という。）を受けたときは、当該要介護被保険者（以下この条及び次条第１項において「特定入所者」という。）に対し、当該特定介護サービスを行う介護保険施設、指定地域密着型サービス事業者又は指定居宅サービス事業者（以下この条において「特定介護保険施設等」という。）における食事の提供に要した費用及び居住又は滞在（以下「居住等」という。）に要した費用について、特定入所者介護サービス費を支給する。ただし、当該特定入所者が、第37条第１項の規定による指定を受けている場合において、当該指定に係る種類以外の特定介護サービスを受けたときは、この限りでない。

一　指定介護福祉施設サービス

二　介護保健施設サービス

三　介護医療院サービス

四　地域密着型介護老人福祉施設入所者生活介護

五　短期入所生活介護

六　短期入所療養介護

２　特定入所者介護サービス費の額は、第１号に規定する額及び第２号に規定する額の合計額とする。

一　特定介護保険施設等における食事の提供に要する平均的な費用の額を勘案して厚生労働大臣が定める費用の額（その額が現に当該食事の提供に要した費用の額を超えるときは、当該現に食事の提供に要した費用の額とする。以下この条及び次条第２項において「食費の基準費用額」という。）から、平均的な家計における食費の状況及び特定入所者の所得の状況その他の事情を勘案して厚生労働大臣が定める額（以下この条及び次条第２項において「食費の負担限度額」という。）を控除した額

二　特定介護保険施設等における居住等に要する平均的な費用の額及び施設の状況その他の事情を勘案して厚生労働大臣が定める費用の額（その額が現に当該居住等に要した費用の額を超えるときは、当該現に居住等に要した費用の額とする。以下この条及び次条第２項において「居住費の基準費用額」という。）から、特定入所者の所得の状況その他の事情を勘案して厚生労働大臣が定める額（以下この条及び次条第２項において「居住費の負担限度額」という。）を控除した額

３　厚生労働大臣は、食費の基準費用額若しくは食費の負担限度額又は居住費の基準費用額若しくは居住費の負担限度額を定めた後に、特定介護保険

施設等における食事の提供に要する費用又は居住等に要する費用の状況その他の事情が著しく変動したときは、速やかにそれらの額を改定しなければならない。

4　特定入所者が、特定介護保険施設等から特定介護サービスを受けたときは、市町村は、当該特定入所者が当該特定介護保険施設等に支払うべき食事の提供に要した費用及び居住等に要した費用について、特定入所者介護サービス費として当該特定入所者に対し支給すべき額の限度において、当該特定入所者に代わり、当該特定介護保険施設等に支払うことができる。

5　前項の規定による支払があったときは、特定入所者に対し特定入所者介護サービス費の支給があったものとみなす。

6　市町村は、第1項の規定にかかわらず、特定入所者が特定介護保険施設等に対し、食事の提供に要する費用又は居住等に要する費用として、食費の基準費用額又は居住費の基準費用額（前項の規定により特定入所者介護サービス費の支給があったものとみなされた特定入所者にあっては、食費の負担限度額又は居住費の負担限度額）を超える金額を支払った場合には、特定入所者介護サービス費を支給しない。

7　市町村は、特定介護保険施設等から特定入所者介護サービス費の請求があったときは、第1項、第2項及び前項の定めに照らして審査の上、支払うものとする。

8　第41条第3項、第10項及び第11項の規定は特定入所者介護サービス費の支給について、同条第8項の規定は特定介護保険施設等について準用する。この場合において、これらの規定に関し必要な技術的読替えは、政令で定める。

9　前各項に規定するもののほか、特定入所者介護サービス費の支給及び特定介護保険施設等の特定入所者介護サービス費の請求に関して必要な事項は、厚生労働省令で定める。

（特例特定入所者介護サービス費の支給）

第51条の4　市町村は、次に掲げる場合には、特定入所者に対し、特例特定入所者介護サービス費を支給する。

一　特定入所者が、当該要介護認定の効力が生じた日前に、緊急その他やむを得ない理由により特定介護サービスを受けた場合において、必要があると認めるとき。

二　その他政令で定めるとき。

2　特例特定入所者介護サービス費の額は、当該食事の提供に要した費用について食費の基準費用額から食費の負担限度額を控除した額及び当該居住等に要した費用について居住費の基準費用額から居住費の負担限度額を控除した額の合計額を基準として、市町村が定める。

（予防給付の種類）

第52条　予防給付は、次に掲げる保険給付とする。

一　介護予防サービス費の支給

二　特例介護予防サービス費の支給

三　地域密着型介護予防サービス費の支給

四　特例地域密着型介護予防サービス費の支給

五　介護予防福祉用具購入費の支給

六　介護予防住宅改修費の支給

七　介護予防サービス計画費の支給

八　特例介護予防サービス計画費の支給

九　高額介護予防サービス費の支給

九の二　高額医療合算介護予防サービス費の支給

十　特定入所者介護予防サービス費の支給

十一　特例特定入所者介護予防サービス費の支給

（介護予防サービス費の支給）

第53条　市町村は、要支援認定を受けた被保険者のうち居宅において支援を受けるもの（以下「居宅要支援被保険者」という。）が、都道府県知事が指定する者（以下「指定介護予防サービス事業者」という。）から当該指定に係る介護予防サービス事業を行う事業所により行われる介護予防サービス（以下「指定介護予防サービス」という。）を受けたとき（当該居宅要支援被保険者が、第58条第４項の規定により同条第１項に規定する指定介護予防支援を受けることにつきあらかじめ市町村に届け出ている場合であって、当該指定介護予防サービスが当該指定介護予防支援の対象となっているときその他の厚生労働省令で定めるときに限る。）は、当該居宅要支援被保険者に対し、当該指定介護予防サービスに要した費用（特定介護予防福祉用具の購入に要した費用を除き、介護予防通所リハビリテーション、介護予防短期入所生活介護、介護予防短期入所療養介護及び介護予防特定施設入居者生活介護に要した費用については、食事の提供に要する費用、滞在に要する費用その他の日常生活に要する費用として厚生労働省令で定める費用を除く。以下この条において同じ。）について、介護予防サービス費を支給する。ただし、当該居宅要支援被保険者が、第37条第１項の規定による指定を受けている場合において、当該指定に係る種類以外の介護予防サービスを受けたときは、この限りでない。

2　介護予防サービス費の額は、次の各号に掲げる介護予防サービスの区分に応じ、当該各号に定める額とする。

一　介護予防訪問入浴介護、介護予防訪問看護、介護予防訪問リハビリテーション、介護予防居宅療養管理指導、介護予防通所リハビリテーション及び介護予防福祉用具貸与　これらの介護予防サービスの種類ごとに、当該介護予防サービスの種類に係る指定介護予防サービスの内容、当該指定介護予防サービスの事業を行う事業所の所在する地域等を勘案して算定される当該指定介護予防サービスに要する平均的な費用（介護予防通所リハビリテーションに要する費用については、食事の提供に要する費用その他の日常生活に要する費用として厚生労働省令で定める費用を除く。）の額を勘案して厚生労働大臣が定める基準により算定した費用の額（その額が現に当該指定介護予防サービスに要した費用の額を超えるときは、当該現に指定介護予防サービスに要した費用の額とする。）の100分の90に相当する額

二　介護予防短期入所生活介護、介護予防短期入所療養介護及び介護予防特定施設入居者生活介護　これらの介護予防サービスの種類ごとに、要支援状態区分、当該介護予防サービスの種類に係る指定介護予防サービスの事業を行う事業所の所在する地域等を勘案して算定される当該指定介護予防サービスに要する平均的な費用（食事の提供に要する費用、滞在に要する費用その他の日常生活に要する費用として厚生労働省令で定める費用を除く。）の額を勘案して厚生労働大臣が定める基準により算定した費用の額（その額が現に当該指定介護予防サービスに要した費用の額を超えるときは、当該現に指定介護予防サービスに要した費用の額とする。）の100分の90に相当する額

3　厚生労働大臣は、前項各号の基準を定めようとするときは、あらかじめ社会保障審議会の意見を聴かなければならない。

4　居宅要支援被保険者が指定介護予防サービス事業者から指定介護予防サービスを受けたときは、市町村は、当該居宅要支援被保険者が当該指定介護予防サービス事業者に支払うべき当該指定介護予防サービスに要した費用について、介護予防サービス費として当該居宅要支援被保険者に対し支給すべき額の限度において、当該居宅要支援被保険者に代わり、当該指定介護予防サービス事業者に支払うことができる。

5　前項の規定による支払があったときは、居宅要支援被保険者に対し介護予防サービス費の支給があったものとみなす。

6　市町村は、指定介護予防サービス事業者から介護予防サービス費の請求があったときは、第2項各号の厚生労働大臣が定める基準並びに第115条の4第2項に規定する指定介護予防サービスに係る介護予防のための効果的な支援の方法に関する基準及び指定介護予防サービスの事業の設備及び運営に関する基準（指定介護予防サービスの取扱いに関する部分に限る。）に照らして審査した上、支払うものとする。

7　第41条第2項、第3項、第10項及び第11項の規定は、介護予防サービス費の支給について、同条第8項の規定は、指定介護予防サービス事業者について準用する。この場合において、これらの規定に関し必要な技術的読

替えは、政令で定める。

8　前各項に規定するもののほか、介護予防サービス費の支給及び指定介護予防サービス事業者の介護予防サービス費の請求に関して必要な事項は、厚生労働省令で定める。

（特例介護予防サービス費の支給）

第54条　市町村は、次に掲げる場合には、居宅要支援被保険者に対し、特例介護予防サービス費を支給する。

一　居宅要支援被保険者が、当該要支援認定の効力が生じた日前に、緊急その他やむを得ない理由により指定介護予防サービスを受けた場合において、必要があると認めるとき。

二　居宅要支援被保険者が、指定介護予防サービス以外の介護予防サービス又はこれに相当するサービス（指定介護予防サービスの事業に係る第115条の4第1項の都道府県の条例で定める基準及び同項の都道府県の条例で定める員数並びに同条第2項に規定する指定介護予防サービスに係る介護予防のための効果的な支援の方法に関する基準及び指定介護予防サービスの事業の設備及び運営に関する基準のうち、都道府県の条例で定めるものを満たすと認められる事業を行う事業所により行われるものに限る。次号及び次項において「基準該当介護予防サービス」という。）を受けた場合において、必要があると認めるとき。

三　指定介護予防サービス及び基準該当介護予防サービスの確保が著しく困難である離島その他の地域であって厚生労働大臣が定める基準に該当するものに住所を有する居宅要支援被保険者が、指定介護予防サービス及び基準該当介護予防サービス以外の介護予防サービス又はこれに相当するサービスを受けた場合において、必要があると認めるとき。

四　その他政令で定めるとき。

2　都道府県が前項第2号の条例を定めるに当たっては、第1号から第3号までに掲げる事項については厚生労働省令で定める基準に従い定めるものとし、第4号に掲げる事項については厚生労働省令で定める基準を標準として定めるものとし、その他の事項については厚生労働省令で定める基準を参酌するものとする。

一　基準該当介護予防サービスに従事する従業者に係る基準及び当該従業者の員数

二　基準該当介護予防サービスの事業に係る居室の床面積

三　基準該当介護予防サービスの事業の運営に関する事項であって、利用する要支援者のサービスの適切な利用、適切な処遇及び安全の確保並びに秘密の保持等に密接に関連するものとして厚生労働省令で定めるもの

四　基準該当介護予防サービスの事業に係る利用定員

3　特例介護予防サービス費の額は、当該介護予防サービス又はこれに相当

するサービスについて前条第２項各号の厚生労働大臣が定める基準により算定した費用の額（その額が現に当該介護予防サービス又はこれに相当するサービスに要した費用（特定介護予防福祉用具の購入に要した費用を除き、介護予防通所リハビリテーション、介護予防短期入所生活介護、介護予防短期入所療養介護及び介護予防特定施設入居者生活介護並びにこれらに相当するサービスに要した費用については、食事の提供に要する費用、滞在に要する費用その他の日常生活に要する費用として厚生労働省令で定める費用を除く。）の額を超えるときは、当該現に介護予防サービス又はこれに相当するサービスに要した費用の額とする。）の100分の90に相当する額を基準として、市町村が定める。

4　市町村長は、特例介護予防サービス費の支給に関して必要があると認めるときは、当該支給に係る介護予防サービス若しくはこれに相当するサービスを担当する者若しくは担当した者（以下この項において「介護予防サービス等を担当する者等」という。）に対し、報告若しくは帳簿書類の提出若しくは提示を命じ、若しくは出頭を求め、又は当該職員に関係者に対して質問させ、若しくは当該介護予防サービス等を担当する者等の当該支給に係る事業所に立ち入り、その設備若しくは帳簿書類その他の物件を検査させることができる。

5　第24条第３項の規定は前項の規定による質問又は検査について、同条第４項の規定は前項の規定による権限について準用する。

（地域密着型介護予防サービス費の支給）

第54条の２　市町村は、居宅要支援被保険者が、当該市町村（住所地特例適用被保険者である居宅要支援被保険者（以下「住所地特例適用居宅要支援被保険者」という。）に係る特定地域密着型介護予防サービスにあっては、施設所在市町村を含む。）の長が指定する者（以下「指定地域密着型介護予防サービス事業者」という。）から当該指定に係る地域密着型介護予防サービス事業を行う事業所により行われる地域密着型介護予防サービス（以下「指定地域密着型介護予防サービス」という。）を受けたとき（当該居宅要支援被保険者が、第58条第４項の規定により同条第１項に規定する指定介護予防支援を受けることにつきあらかじめ市町村に届け出ている場合であって、当該指定地域密着型介護予防サービスが当該指定介護予防支援の対象となっているときその他の厚生労働省令で定めるときに限る。）は、当該居宅要支援被保険者に対し、当該指定地域密着型介護予防サービスに要した費用（食事の提供に要する費用その他の日常生活に要する費用として厚生労働省令で定める費用を除く。以下この条において同じ。）について、地域密着型介護予防サービス費を支給する。ただし、当該居宅要支援被保険者が、第37条第１項の規定による指定を受けている場合において、当該指定に係る種類以外の地域密着型介護予防サービスを受けたときは、この限りでない。

2　地域密着型介護予防サービス費の額は、次の各号に掲げる地域密着型介護予防サービスの区分に応じ、当該各号に定める額とする。

一　介護予防認知症対応型通所介護　介護予防認知症対応型通所介護に係る指定地域密着型介護予防サービスの内容、当該指定地域密着型介護予防サービスの事業を行う事業所の所在する地域等を勘案して算定される当該指定地域密着型介護予防サービスに要する平均的な費用（食事の提供に要する費用その他の日常生活に要する費用として厚生労働省令で定める費用を除く。）の額を勘案して厚生労働大臣が定める基準により算定した費用の額（その額が現に当該指定地域密着型介護予防サービスに要した費用の額を超えるときは、当該現に指定地域密着型介護予防サービスに要した費用の額とする。）の100分の90に相当する額

二　介護予防小規模多機能型居宅介護及び介護予防認知症対応型共同生活介護　これらの地域密着型介護予防サービスの種類ごとに、要支援状態区分、当該地域密着型介護予防サービスの種類に係る指定地域密着型介護予防サービスの事業を行う事業所の所在する地域等を勘案して算定される当該指定地域密着型介護予防サービスに要する平均的な費用（食事の提供に要する費用その他の日常生活に要する費用として厚生労働省令で定める費用を除く。）の額を勘案して厚生労働大臣が定める基準により算定した費用の額（その額が現に当該指定地域密着型介護予防サービスに要した費用の額を超えるときは、当該現に指定地域密着型介護予防サービスに要した費用の額とする。）の100分の90に相当する額

3　厚生労働大臣は、前項各号の基準を定めようとするときは、あらかじめ社会保障審議会の意見を聴かなければならない。

4　市町村は、第2項各号の規定にかかわらず、地域密着型介護予防サービスの種類その他の事情を勘案して厚生労働大臣が定める基準により算定した額を限度として、同項各号に定める地域密着型介護予防サービス費の額に代えて、当該市町村（施設所在市町村の長が第1項本文の指定をした指定地域密着型介護予防サービス事業者から指定地域密着型介護予防サービスを受けた住所地特例適用居宅要支援被保険者に係る地域密着型介護予防サービス費（特定地域密着型介護予防サービスに係るものに限る。）の額にあっては、施設所在市町村）が定める額を、当該市町村における地域密着型介護予防サービス費の額とすることができる。

5　市町村は、前項の当該市町村における地域密着型介護予防サービス費の額を定めようとするときは、あらかじめ、当該市町村が行う介護保険の被保険者その他の関係者の意見を反映させ、及び学識経験を有する者の知見の活用を図るために必要な措置を講じなければならない。

6　居宅要支援被保険者が指定地域密着型介護予防サービス事業者から指定

地域密着型介護予防サービスを受けたときは、市町村は、当該居宅要支援被保険者が当該指定地域密着型介護予防サービス事業者に支払うべき当該指定地域密着型介護予防サービスに要した費用について、地域密着型介護予防サービス費として当該居宅要支援被保険者に対し支給すべき額の限度において、当該居宅要支援被保険者に代わり、当該指定地域密着型介護予防サービス事業者に支払うことができる。

7　前項の規定による支払があったときは、居宅要支援被保険者に対し地域密着型介護予防サービス費の支給があったものとみなす。

8　市町村は、指定地域密着型介護予防サービス事業者から地域密着型介護予防サービス費の請求があったときは、第2項各号の厚生労働大臣が定める基準又は第4項の規定により市町村（施設所在市町村の長が第1項本文の指定をした指定地域密着型介護予防サービス事業者から指定地域密着型介護予防サービスを受けた住所地特例適用居宅要支援被保険者に係る地域密着型介護予防サービス費（特定地域密着型介護予防サービスに係るものに限る。）の請求にあっては、施設所在市町村）が定める額並びに第115条の14第2項又は第5項の規定により市町村（施設所在市町村の長が第1項本文の指定をした指定地域密着型介護予防サービス事業者から指定地域密着型介護予防サービスを受けた住所地特例適用居宅要支援被保険者に係る地域密着型介護予防サービス費（特定地域密着型介護予防サービスに係るものに限る。）の請求にあっては、施設所在市町村）が定める指定地域密着型介護予防サービスに係る介護予防のための効果的な支援の方法に関する基準及び指定地域密着型介護予防サービスの事業の設備及び運営に関する基準（指定地域密着型介護予防サービスの取扱いに関する部分に限る。）に照らして審査した上、支払うものとする。

9　第41条第2項、第3項、第10項及び第11項の規定は地域密着型介護予防サービス費の支給について、同条第8項の規定は指定地域密着型介護予防サービス事業者について準用する。この場合において、これらの規定に関し必要な技術的読替えは、政令で定める。

10　前各項に規定するもののほか、地域密着型介護予防サービス費の支給及び指定地域密着型介護予防サービス事業者の地域密着型介護予防サービス費の請求に関して必要な事項は、厚生労働省令で定める。

（特例地域密着型介護予防サービス費の支給）

第54条の3　市町村は、次に掲げる場合には、居宅要支援被保険者に対し、特例地域密着型介護予防サービス費を支給する。

一　居宅要支援被保険者が、当該要支援認定の効力が生じた日前に、緊急その他やむを得ない理由により指定地域密着型介護予防サービスを受けた場合において、必要があると認めるとき。

二　指定地域密着型介護予防サービスの確保が著しく困難である離島その

他の地域であって厚生労働大臣が定める基準に該当するものに住所を有する居宅要支援被保険者が、指定地域密着型介護予防サービス以外の地域密着型介護予防サービス又はこれに相当するサービスを受けた場合において、必要があると認めるとき。

三　その他政令で定めるとき。

2　特例地域密着型介護予防サービス費の額は、当該地域密着型介護予防サービス又はこれに相当するサービスについて前条第２項各号の厚生労働大臣が定める基準により算定した費用の額（その額が現に当該地域密着型介護予防サービス又はこれに相当するサービスに要した費用（食事の提供に要する費用その他の日常生活に要する費用として厚生労働省令で定める費用を除く。）の額を超えるときは、当該現に地域密着型介護予防サービス又はこれに相当するサービスに要した費用の額とする。）の100分の90に相当する額又は同条第４項の規定により市町村（施設所在市町村の長が同条第１項本文の指定をした指定地域密着型介護予防サービス事業者から指定地域密着型介護予防サービスを受けた住所地特例適用居宅要支援被保険者その他の厚生労働省令で定める者に係る特例地域密着型介護予防サービス費（特定地域密着型介護予防サービスに係るものに限る。）の額にあっては、施設所在市町村）が定めた額を基準として、市町村が定める。

3　市町村長は、特例地域密着型介護予防サービス費の支給に関して必要があると認めるときは、当該支給に係る地域密着型介護予防サービス若しくはこれに相当するサービスを担当する者若しくは担当した者（以下この項において「地域密着型介護予防サービス等を担当する者等」という。）に対し、報告若しくは帳簿書類の提出若しくは提示を命じ、若しくは出頭を求め、又は当該職員に関係者に対して質問させ、若しくは当該地域密着型介護予防サービス等を担当する者等の当該支給に係る事業所に立ち入り、その設備若しくは帳簿書類その他の物件を検査させることができる。

4　第24条第３項の規定は前項の規定による質問又は検査について、同条第４項の規定は前項の規定による権限について準用する。

（介護予防サービス費等に係る支給限度額）

第55条　居宅要支援被保険者が介護予防サービス等区分（介護予防サービス（これに相当するサービスを含む。以下この条において同じ。）及び地域密着型介護予防サービス（これに相当するサービスを含む。以下この条において同じ。）について、その種類ごとの相互の代替性の有無等を勘案して厚生労働大臣が定める二以上の種類からなる区分をいう。以下この条において同じ。）ごとに月を単位として厚生労働省令で定める期間において受けた一の介護予防サービス等区分に係る介護予防サービスにつき支給する介護予防サービス費の額の総額及び特例介護予防サービス費の額の総額並びに地域密着型介護予防サービスにつき支給する地域密着型介護予防サービス費の額の総額及び特例地域密着型介護予防サービス費の額の総額の合計額は、介護予防サービス費等区分支給限度基準額を基礎として、厚生労働省令で定めるところにより算定した額の100分の90に相当する額を超えることができない。

2　前項の介護予防サービス費等区分支給限度基準額は、介護予防サービス等区分ごとに、同項に規定する厚生労働省令で定める期間における当該介護予防サービス等区分に係る介護予防サービス及び地域密着型介護予防サービスの要支援状態区分に応じた標準的な利用の態様、当該介護予防サービス及び地域密着型介護予防サービスに係る第53条第２項各号及び第54条の２第２項各号の厚生労働大臣が定める基準等を勘案して厚生労働大臣が定める額とする。

3　市町村は、前項の規定にかかわらず、条例で定めるところにより、第１項の介護予防サービス費等区分支給限度基準額に代えて、その額を超える額を、当該市町村における介護予防サービス費等区分支給限度基準額とすることができる。

4　市町村は、居宅要支援被保険者が介護予防サービス及び地域密着型介護予防サービスの種類（介護予防サービス等区分に含まれるものであって厚生労働大臣が定めるものに限る。次項において同じ。）ごとに月を単位として厚生労働省令で定める期間において受けた一の種類の介護予防サービスにつき支給する介護予防サービス費の額の総額及び特例介護予防サービス費の額の総額の合計額並びに一の種類の地域密着型介護予防サービスにつき支給する地域密着型介護予防サービス費の額の総額及び特例地域密着型介護予防サービス費の額の総額の合計額について、介護予防サービス費等種類支給限度基準額を基礎として、厚生労働省令で定めるところにより算定した額の100分の90に相当する額を超えることができないこととすることができる。

5　前項の介護予防サービス費等種類支給限度基準額は、介護予防サービス及び地域密着型介護予防サービスの種類ごとに、同項に規定する厚生労働省令で定める期間における当該介護予防サービス及び地域密着型介護予防サービスの要支援状態区分に応じた標準的な利用の態様、当該介護予防サービス及び地域密着型介護予防サービスに係る第53条第２項各号及び第54条の２第２項各号の厚生労働大臣が定める基準等を勘案し、当該介護予防サービス及び地域密着型介護予防サービスを含む介護予防サービス等区分に係る第１項の介護予防サービス費等区分支給限度基準額（第３項の規定に基づき条例を定めている市町村にあっては、当該条例による措置が講じられた額とする。）の範囲内において、市町村が条例で定める額とする。

6　介護予防サービス費若しくは特例介護予防サービス費又は地域密着型介護予防サービス費若しくは特例地域密着型介護予防サービス費を支給する

ことにより第１項に規定する合計額が同項に現定する100分の90に相当する額を超える場合又は第４項に規定する合計額が同項に規定する100分の90に相当する額を超える場合における当該介護予防サービス費若しくは特例介護予防サービス費又は地域密着型介護予防サービス費若しくは特例地域密着型介護予防サービス費の額は、第53条第２項各号若しくは第54条第３項又は第54条の２第２項各号若しくは第４項若しくは前条第２項の規定にかかわらず、政令で定めるところにより算定した額とする。

（介護予防福祉用具購入費の支給）

第56条　市町村は、居宅要支援被保険者が、特定介護予防福祉用具販売に係る指定介護予防サービス事業者から当該指定に係る介護予防サービス事業を行う事業所において販売される特定介護予防福祉用具を購入したときは、当該居宅要支援被保険者に対し、介護予防福祉用具購入費を支給する。

2　介護予防福祉用具購入費は、厚生労働省令で定めるところにより、市町村が必要と認める場合に限り、支給するものとする。

3　介護予防福祉用具購入費の額は、現に当該特定介護予防福祉用具の購入に要した費用の額の100分の90に相当する額とする。

4　居宅要支援被保険者が月を単位として厚生労働省令で定める期間において購入した特定介護予防福祉用具につき支給する介護予防福祉用具購入費の額の総額は、介護予防福祉用具購入費支給限度基準額を基礎として、厚生労働省令で定めるところにより算定した額の100分の90に相当する額を超えることができない。

5　前項の介護予防福祉用具購入費支給限度基準額は、同項に規定する厚生労働省令で定める期間における特定介護予防福祉用具の購入に通常要する費用を勘案して厚生労働大臣が定める額とする。

6　市町村は、前項の規定にかかわらず、条例で定めるところにより、第４項の介護予防福祉用具購入費支給限度基準額に代えて、その額を超える額を、当該市町村における介護予防福祉用具購入費支給限度基準額とすることができる。

7　介護予防福祉用具購入費を支給することにより第４項に規定する総額が同項に規定する100分の90に相当する額を超える場合における当該介護予防福祉用具購入費の額は、第３項の規定にかかわらず、政令で定めるところにより算定した額とする。

（介護予防住宅改修費の支給）

第57条　市町村は、居宅要支援被保険者が、住宅改修を行ったときは、当該居宅要支援被保険者に対し、介護予防住宅改修費を支給する。

2　介護予防住宅改修費は、厚生労働省令で定めるところにより、市町村が必要と認める場合に限り、支給するものとする。

3　介護予防住宅改修費の額は、現に当該住宅改修に要した費用の額の100

分の90に相当する額とする。

4　居宅要支援被保険者が行った一の種類の住宅改修につき支給する介護予防住宅改修費の額の総額は、介護予防住宅改修費支給限度基準額を基礎として、厚生労働省令で定めるところにより算定した額の100分の90に相当する額を超えることができない。

5　前項の介護予防住宅改修費支給限度基準額は、住宅改修の種類ごとに、通常要する費用を勘案して厚生労働大臣が定める額とする。

6　市町村は、前項の規定にかかわらず、条例で定めるところにより、第4項の介護予防住宅改修費支給限度基準額に代えて、その額を超える額を、当該市町村における介護予防住宅改修費支給限度基準額とすることができる。

7　介護予防住宅改修費を支給することにより第4項に規定する総額が同項に規定する100分の90に相当する額を超える場合における当該介護予防住宅改修費の額は、第3項の規定にかかわらず、政令で定めるところにより算定した額とする。

8　市町村長は、介護予防住宅改修費の支給に関して必要があると認めるときは、当該支給に係る住宅改修を行う者若しくは住宅改修を行った者（以下この項において「住宅改修を行う者等」という。）に対し、報告若しくは帳簿書類の提出若しくは提示を命じ、若しくは出頭を求め、又は当該職員に関係者に対して質問させ、若しくは当該住宅改修を行う者等の当該支給に係る事業所に立ち入り、その帳簿書類その他の物件を検査させることができる。

9　第24条第3項の規定は前項の規定による質問又は検査について、同条第4項の規定は前項の規定による権限について準用する。

（介護予防サービス計画費の支給）

第58条　市町村は、居宅要支援被保険者が、当該市町村（住所地特例適用居宅要支援被保険者に係る介護予防支援にあっては、施設所在市町村）の長が指定する者（以下「指定介護予防支援事業者」という。）から当該指定に係る介護予防支援事業を行う事業所により行われる介護予防支援（以下「指定介護予防支援」という。）を受けたときは、当該居宅要支援被保険者に対し、当該指定介護予防支援に要した費用について、介護予防サービス計画費を支給する。

2　介護予防サービス計画費の額は、指定介護予防支援の事業を行う事業所の所在する地域等を勘案して算定される当該指定介護予防支援に要する平均的な費用の額を勘案して厚生労働大臣が定める基準により算定した費用の額（その額が現に当該指定介護予防支援に要した費用の額を超えるときは、当該現に指定介護予防支援に要した費用の額とする。）とする。

3　厚生労働大臣は、前項の基準を定めようとするときは、あらかじめ社会保障審議会の意見を聴かなければならない。

4　居宅要支援被保険者が指定介護予防支援事業者から指定介護予防支援を受けたとき（当該居宅要支援被保険者が、厚生労働省令で定めるところにより、当該指定介護予防支援を受けることにつきあらかじめ市町村に届け出ている場合に限る。）は、市町村は、当該居宅要支援被保険者が当該指定介護予防支援事業者に支払うべき当該指定介護予防支援に要した費用について、介護予防サービス計画費として当該居宅要支援被保険者に対し支給すべき額の限度において、当該居宅要支援被保険者に代わり、当該指定介護予防支援事業者に支払うことができる。

5　前項の規定による支払があったときは、居宅要支援被保険者に対し介護予防サービス計画費の支給があったものとみなす。

6　市町村は、指定介護予防支援事業者から介護予防サービス計画費の請求があったときは、第２項の厚生労働大臣が定める基準並びに第115条の24第２項に規定する指定介護予防支援に係る介護予防のための効果的な支援の方法に関する基準及び指定介護予防支援の事業の運営に関する基準（指定介護予防支援の取扱いに関する部分に限る。）に照らして審査した上、支払うものとする。

7　第41条第２項、第３項、第10項及び第11項の規定は介護予防サービス計画費の支給について、同条第８項の規定は指定介護予防支援事業者について準用する。この場合において、これらの規定に関し必要な技術的読替えは、政令で定める。

8　前各項に規定するもののほか、介護予防サービス計画費の支給及び指定介護予防支援事業者の介護予防サービス計画費の請求に関して必要な事項は、厚生労働省令で定める。

（特例介護予防サービス計画費の支給）

第59条　市町村は、次に掲げる場合には、居宅要支援被保険者に対し、特例介護予防サービス計画費を支給する。

一　居宅要支援被保険者が、指定介護予防支援以外の介護予防支援又はこれに相当するサービス（指定介護予防支援の事業に係る第115条の24第１項の市町村の条例で定める基準及び同項の市町村の条例で定める員数並びに同条第２項に規定する指定介護予防支援に係る介護予防のための効果的な支援の方法に関する基準及び指定介護予防支援の事業の運営に関する基準のうち、当該市町村の条例で定めるものを満たすと認められる事業を行う事業者により行われるものに限る。次号及び次項において「基準該当介護予防支援」という。）を受けた場合において、必要があると認めるとき。

二　指定介護予防支援及び基準該当介護予防支援の確保が著しく困難である離島その他の地域であって厚生労働大臣が定める基準に該当するもの

に住所を有する居宅要支援被保険者が、指定介護予防支援及び基準該当介護予防支援以外の介護予防支援又はこれに相当するサービスを受けた場合において、必要があると認めるとき。

三　その他政令で定めるとき。

2　市町村が前項第1号の条例を定めるに当たっては、次に掲げる事項については厚生労働省令で定める基準に従い定めるものとし、その他の事項については厚生労働省令で定める基準を参酌するものとする。

一　基準該当介護予防支援に従事する従業者に係る基準及び当該従業者の員数

二　基準該当介護予防支援の事業の運営に関する事項であって、利用する要支援者のサービスの適切な利用、適切な処遇及び安全の確保並びに秘密の保持等に密接に関連するものとして厚生労働省令で定めるもの

3　特例介護予防サービス計画費の額は、当該介護予防支援又はこれに相当するサービスについて前条第2項の厚生労働大臣が定める基準により算定した費用の額（その額が現に当該介護予防支援又はこれに相当するサービスに要した費用の額を超えるときは、当該現に介護予防支援又はこれに相当するサービスに要した費用の額とする。）を基準として、市町村が定める。

4　市町村長は、特例介護予防サービス計画費の支給に関して必要があると認めるときは、当該支給に係る介護予防支援若しくはこれに相当するサービスを担当する者若しくは担当した者（以下この項において「介護予防支援等を担当する者等」という。）に対し、報告若しくは帳簿書類の提出若しくは提示を命じ、若しくは出頭を求め、又は当該職員に関係者に対して質問させ、若しくは当該介護予防支援等を担当する者等の当該支給に係る事業所に立ち入り、その帳簿書類その他の物件を検査させることができる。

5　第24条第3項の規定は前項の規定による質問又は検査について、同条第4項の規定は前項の規定による権限について準用する。

（一定以上の所得を有する居宅要支援被保険者に係る介護予防サービス費等の額）

第59条の2　第1号被保険者であって政令で定めるところにより算定した所得の額が政令で定める額以上である居宅要支援被保険者（次項に規定する居宅要支援被保険者を除く。）が受ける次の各号に掲げる予防給付について当該各号に定める規定を適用する場合においては、これらの規定中「100分の90」とあるのは、「100分の80」とする。

一　介護予防サービス費の支給　第53条第2項第1号及び第2号並びに第55条第1項、第4項及び第6項

二　特例介護予防サービス費の支給　第54条第3項並びに第55条第1項、第4項及び第6項

三　地域密着型介護予防サービス費の支給　第54条の２第２項第１号及び第２号並びに第55条第１項、第４項及び第６項

四　特例地域密着型介護予防サービス費の支給　第54条の３第２項並びに第55条第１項、第４項及び第６項

五　介護予防福祉用具購入費の支給　第56条第３項、第４項及び第７項

六　介護予防住宅改修費の支給　第57条第３項、第４項及び第７項

２〔略〕

（介護予防サービス費等の額の特例）

第60条　市町村が、災害その他の厚生労働省令で定める特別の事情があることにより、介護予防サービス（これに相当するサービスを含む。以下この条において同じ。）、地域密着型介護予防サービス（これに相当するサービスを含む。以下この条において同じ。）又は住宅改修に必要な費用を負担することが困難であると認めた居宅要支援被保険者が受ける前条第１項各号に掲げる予防給付について当該各号に定める規定を適用する場合（同条の規定により読み替えて適用する場合を除く。）においては、これらの規定中「100分の90」とあるのは、「100分の90を超え100分の100以下の範囲内において市町村が定めた割合」とする。

２　市町村が、災害その他の厚生労働省令で定める特別の事情があることにより、介護予防サービス、地域密着型介護予防サービス又は住宅改修に必要な費用を負担することが困難であると認めた居宅要支援被保険者が受ける前条第１項各号に掲げる予防給付について当該各号に定める規定を適用する場合（同項の規定により読み替えて適用する場合に限る。）においては、同項の規定により読み替えて適用するこれらの規定中「100分の80」とあるのは、「100分の80を超え100分の100以下の範囲内において市町村が定めた割合」とする。

３　〔略〕

（高額介護予防サービス費の支給）

第61条　市町村は、居宅要支援被保険者が受けた介護予防サービス（これに相当するサービスを含む。）又は地域密着型介護予防サービス（これに相当するサービスを含む。）に要した費用の合計額として政令で定めるところにより算定した額から、当該費用につき支給された介護予防サービス費、特例介護予防サービス費、地域密着型介護予防サービス費及び特例地域密着型介護予防サービス費の合計額を控除して得た額（次条第１項において「介護予防サービス利用者負担額」という。）が、著しく高額であるときは、当該居宅要支援被保険者に対し、高額介護予防サービス費を支給する。

２　前項に規定するもののほか、高額介護予防サービス費の支給要件、支給額その他高額介護予防サービス費の支給に関して必要な事項は、介護予防サービス又は地域密着型介護予防サービスに必要な費用の負担の家計に与

える影響を考慮して、政令で定める。

（高額医療合算介護予防サービス費の支給）

第61条の2　市町村は、居宅要支援被保険者の介護予防サービス利用者負担額（前条第1項の高額介護予防サービス費が支給される場合にあっては、当該支給額に相当する額を控除して得た額）及び当該居宅要支援被保険者に係る健康保険法第115条第1項に規定する一部負担金等の額（同項の高額療養費が支給される場合にあっては、当該支給額に相当する額を控除して得た額）その他の医療保険各法又は高齢者の医療の確保に関する法律に規定するこれに相当する額として政令で定める額の合計額が、著しく高額であるときは、当該居宅要支援被保険者に対し、高額医療合算介護予防サービス費を支給する。

2　前条第2項の規定は、高額医療合算介護予防サービス費の支給について準用する。

（特定入所者介護予防サービス費の支給）

第61条の3　市町村は、居宅要支援被保険者のうち所得及び資産の状況その他の事情をしん酌して厚生労働省令で定めるものが、次に掲げる指定介護予防サービス（以下この条及び次条第1項において「特定介護予防サービス」という。）を受けたときは、当該居宅要支援被保険者（以下この条及び次条第1項において「特定入所者」という。）に対し、当該特定介護予防サービスを行う指定介護予防サービス事業者（以下この条において「特定介護予防サービス事業者」という。）における食事の提供に要した費用及び滞在に要した費用について、特定入所者介護予防サービス費を支給する。ただし、当該特定入所者が、第37条第1項の規定による指定を受けている場合において、当該指定に係る種類以外の特定介護予防サービスを受けたときは、この限りでない。

一　介護予防短期入所生活介護

二　介護予防短期入所療養介護

2　特定入所者介護予防サービス費の額は、第1号に規定する額及び第2号に規定する額の合計額とする。

一　特定介護予防サービス事業者における食事の提供に要する平均的な費用の額を勘案して厚生労働大臣が定める費用の額（その額が現に当該食事の提供に要した費用の額を超えるときは、当該現に食事の提供に要した費用の額とする。以下この条及び次条第2項において「食費の基準費用額」という。）から、平均的な家計における食費の状況及び特定入所者の所得の状況その他の事情を勘案して厚生労働大臣が定める額（以下この条及び次条第2項において「食費の負担限度額」という。）を控除した額

二　特定介護予防サービス事業者における滞在に要する平均的な費用の額

及び事業所の状況その他の事情を勘案して厚生労働大臣が定める費用の額（その額が現に当該滞在に要した費用の額を超えるときは、当該現に滞在に要した費用の額とする。以下この条及び次条第２項において「滞在費の基準費用額」という。）から、特定入所者の所得の状況その他の事情を勘案して厚生労働大臣が定める額（以下この条及び次条第２項において「滞在費の負担限度額」という。）を控除した額

3　厚生労働大臣は、食費の基準費用額若しくは食費の負担限度額又は滞在費の基準費用額若しくは滞在費の負担限度額を定めた後に、特定介護予防サービス事業者における食事の提供に要する費用又は滞在に要する費用の状況その他の事情が著しく変動したときは、速やかにそれらの額を改定しなければならない。

4　特定入所者が、特定介護予防サービス事業者から特定介護予防サービスを受けたときは、市町村は、当該特定入所者が当該特定介護予防サービス事業者に支払うべき食事の提供に要した費用及び滞在に要した費用について、特定入所者介護予防サービス費として当該特定入所者に対し支給すべき額の限度において、当該特定入所者に代わり、当該特定介護予防サービス事業者に支払うことができる。

5　前項の規定による支払があったときは、特定入所者に対し特定入所者介護予防サービス費の支給があったものとみなす。

6　市町村は、第１項の規定にかかわらず、特定入所者が特定介護予防サービス事業者に対し、食事の提供に要する費用又は滞在に要する費用として、食費の基準費用額又は滞在費の基準費用額（前項の規定により特定入所者介護予防サービス費の支給があったものとみなされた特定入所者にあっては、食費の負担限度額又は滞在費の負担限度額）を超える金額を支払った場合には、特定入所者介護予防サービス費を支給しない。

7　市町村は、特定介護予防サービス事業者から特定入所者介護予防サービス費の請求があったときは、第１項、第２項及び前項の定めに照らして審査の上、支払うものとする。

8　第41条第３項、第10項及び第11項の規定は特定入所者介護予防サービス費の支給について、同条第８項の規定は特定介護予防サービス事業者について準用する。この場合において、これらの規定に関し必要な技術的読替えは、政令で定める。

9　前各項に規定するもののほか、特定入所者介護予防サービス費の支給及び特定介護予防サービス事業者の特定入所者介護予防サービス費の請求に関して必要な事項は、厚生労働省令で定める。

（特例特定入所者介護予防サービス費の支給）

第61条の４　市町村は、次に掲げる場合には、特定入所者に対し、特例特定入所者介護予防サービス費を支給する。

一　特定入所者が、当該要支援認定の効力が生じた日前に、緊急その他やむを得ない理由により特定介護予防サービスを受けた場合において、必要があると認めるとき。

二　その他政令で定めるとき。

2　特例特定入所者介護予防サービス費の額は、当該食事の提供に要した費用について食費の基準費用額から食費の負担限度額を控除した額及び当該滞在に要した費用について滞在費の基準費用額から滞在費の負担限度額を控除した額の合計額を基準として、市町村が定める。

第62条　市町村は、要介護被保険者又は居宅要支援被保険者（以下「要介護被保険者等」という。）に対し、前2節の保険給付のほか、条例で定めるところにより、市町村特別給付を行うことができる。

参考資料8(2)　（介護サービス非課税関係の参考法令等(2)）

生活保護法（昭和25年法律第144号）

最終改正〔令和６年法律第47号〕

（介護扶助）

第15条の２　介護扶助は、困窮のため最低限度の生活を維持することのできない要介護者（介護保険法（平成９年法律第123号）第７条第３項に規定する要介護者をいう。第３項において同じ。）に対して、第１号から第４号まで及び第９号に掲げる事項の範囲内において行われ、困窮のため最低限度の生活を維持することのできない要支援者（同条第４項に規定する要支援者をいう。以下この項及び第６項において同じ。）に対して、第５号から第９号までに掲げる事項の範囲内において行われ、困窮のため最低限度の生活を維持することのできない居宅要支援被保険者等（同法第115条の45第１項第１号に規定する居宅要支援被保険者等をいう。）に相当する者（要支援者を除く。）に対して、第８号及び第９号に掲げる事項の範囲内において行われる。

一　居宅介護（居宅介護支援計画に基づき行うものに限る。）

二　福祉用具

三　住宅改修

四　施設介護

五　介護予防（介護予防支援計画に基づき行うものに限る。）

六　介護予防福祉用具

七　介護予防住宅改修

八　介護予防・日常生活支援（介護予防支援計画又は介護保険法第115条の45第１項第１号ニに規定する第１号介護予防支援事業による援助に相当する援助に基づき行うものに限る。）

九　移送

２　前項第１号に規定する居宅介護とは、介護保険法第８条第２項に規定する訪問介護、同条第３項に規定する訪問入浴介護、同条第４項に規定する訪問看護、同条第５項に規定する訪問リハビリテーション、同条第６項に規定する居宅療養管理指導、同条第７項に規定する通所介護、同条第８項に規定する通所リハビリテーション、同条第９項に規定する短期入所生活介護、同条第10項に規定する短期入所療養介護、同条第11項に規定する特定施設入居者生活介護、同条第12項に規定する福祉用具貸与、同条第15項に規定する定期巡回・随時対応型訪問介護看護、同条第16項に規定する夜間対応型訪問介護、同条第17項に規定する地域密着型通所介護、同条第18

項に規定する認知症対応型通所介護、同条第19項に規定する小規模多機能型居宅介護、同条第20項に規定する認知症対応型共同生活介護、同条第21項に規定する地域密着型特定施設入居者生活介護及び同条第23項に規定する複合型サービス並びにこれらに相当するサービスをいう。

3　第１項第１号に規定する居宅介護支援計画とは、居宅において生活を営む要介護者が居宅介護その他居宅において日常生活を営むために必要な保健医療サービス及び福祉サービス（以下この項において「居宅介護等」という。）の適切な利用等をすることができるようにするための当該要介護者が利用する居宅介護等の種類、内容等を定める計画をいう。

4　第１項第４号に規定する施設介護とは、介護保険法第８条第22項に規定する地域密着型介護老人福祉施設入所者生活介護、同条第27項に規定する介護福祉施設サービス、同条第28項に規定する介護保健施設サービス及び同条第29項に規定する介護医療院サービスをいう。

5　第１項第５号に規定する介護予防とは、介護保険法第８条の２第２項に規定する介護予防訪問入浴介護、同条第３項に規定する介護予防訪問看護、同条第４項に規定する介護予防訪問リハビリテーション、同条第５項に規定する介護予防居宅療養管理指導、同条第６項に規定する介護予防通所リハビリテーション、同条第７項に規定する介護予防短期入所生活介護、同条第８項に規定する介護予防短期入所療養介護、同条第９項に規定する介護予防特定施設入居者生活介護、同条第10項に規定する介護予防福祉用具貸与、同条第13項に規定する介護予防認知症対応型通所介護、同条第14項に規定する介護予防小規模多機能型居宅介護及び同条第15項に規定する介護予防認知症対応型共同生活介護並びにこれらに相当するサービスをいう。

6　第１項第５号及び第８号に規定する介護予防支援計画とは、居宅において生活を営む要支援者が介護予防その他身体上又は精神上の障害があるために入浴、排せつ、食事等の日常生活における基本的な動作の全部若しくは一部について常時介護を要し、又は日常生活を営むのに支障がある状態の軽減又は悪化の防止に資する保健医療サービス及び福祉サービス（以下この項において「介護予防等」という。）の適切な利用等をすることができるようにするための当該要支援者が利用する介護予防等の種類、内容等を定める計画であつて、介護保険法第115条の46第１項に規定する地域包括支援センターの職員及び同法第46条第１項に規定する指定居宅介護支援を行う事業所の従業者のうち同法第８条の２第16項の厚生労働省令で定める者が作成したものをいう。

7　第１項第８号に規定する介護予防・日常生活支援とは、介護保険法第115条の45第１項第１号イに規定する第１号訪問事業、同号ロに規定する第１号通所事業及び同号ハに規定する第１号生活支援事業による支援に相当する支援をいう。

参考資料８(3)　(介護サービス非課税関係の参考法令等(3))

指定居宅サービス等の事業の人員、設備及び運営に関する基準
(平成11年厚生省令第37号)

最終改正〔令和６年厚生労働省令第16号〕

第２章　訪問介護

(利用料等の受領)

第20条　１・２〔略〕

３　指定訪問介護事業者は、前２項の支払を受ける額のほか、利用者の選定により通常の事業の実施地域以外の地域の居宅において指定訪問介護を行う場合は、それに要した交通費の額の支払を利用者から受けることができる。

４〔略〕

第３章　訪問入浴介護

(利用料等の受領)

第48条　１・２〔略〕

３　指定訪問入浴介護事業者は、前２項の支払を受ける額のほか、次の各号に掲げる費用の額の支払を利用者から受けることができる。

一　利用者の選定により通常の事業の実施地域以外の地域の居宅において指定訪問入浴介護を行う場合のそれに要する交通費

二　利用者の選定により提供される特別な浴槽水等に係る費用

４〔略〕

第４章　訪問看護

(利用料等の受領)

第66条　１・２〔略〕

３　指定訪問看護事業者は、前２項の支払を受ける額のほか、利用者の選定により通常の事業の実施地域以外の地域の居宅において指定訪問看護を行う場合は、それに要した交通費の額の支払を利用者から受けることができる。

４〔略〕

第５章　訪問リハビリテーション

(利用料等の受領)

第78条　１・２〔略〕

３　指定訪問リハビリテーション事業者は、前２項の支払を受ける額のほか、利用者の選定により通常の事業の実施地域以外の地域の居宅において指定訪問リハビリテーションを行う場合は、それに要した交通費の額の支払を

利用者から受けることができる。
4〔略〕

第６章　居宅療養管理指導

（利用料等の受領）

第87条　１・２〔略〕

3　指定居宅療養管理指導事業者は、前２項の支払を受ける額のほか、指定居宅療養管理指導の提供に要する交通費の額の支払を利用者から受けることができる。
4〔略〕

第７章　通所介護

（利用料等の受領）

第96条　１・２〔略〕

3　指定通所介護事業者は、前２項の支払を受ける額のほか、次の各号に掲げる費用の額の支払を利用者から受けることができる。
一　利用者の選定により通常の事業の実施地域以外の地域に居住する利用者に対して行う送迎に要する費用
二　指定通所介護に通常要する時間を超える指定通所介護であって利用者の選定に係るものの提供に伴い必要となる費用の範囲内において、通常の指定通所介護に係る居宅介護サービス費用基準額を超える費用
三　食事の提供に要する費用
四　おむつ代
五　前各号に掲げるもののほか、指定通所介護の提供において提供される便宜のうち、日常生活においても通常必要となるものに係る費用であって、その利用者に負担させることが適当と認められる費用
4・5〔略〕

第８章　通所リハビリテーション

（準用）

第119条　第８条から第13条まで、第15条から第17条まで、第19条、第21条、第26条、第27条、第30条の２、第32条、第33条、第35条から第38条まで、第64条、第96条及び第101条から第103条までの規定は、指定通所リハビリテーションの事業について準用する。この場合において、これらの規定中「訪問介護員等」とあるのは「通所リハビリテーション従業者」と、第８条第１項中「第29条」とあるのは「第117条」と、第13条中「心身の状況」とあるのは「心身の状況、病歴」と、第101条第３項及び第４項中「通所介護従業者」とあるのは「通所リハビリテーション従業者」と読み替えるものとする。

第９章　短期入所生活介護

（利用料等の受領）

第127条　１・２〔略〕

３　指定短期入所生活介護事業者は、前２項の支払を受ける額のほか、次の各号に掲げる費用の額の支払を利用者から受けることができる。

一　食事の提供に要する費用（法第51条の３第１項の規定により特定入所者介護サービス費が利用者に支給された場合は、同条第２項第１号に規定する食費の基準費用額（同条第４項の規定により当該特定入所者介護サービス費が利用者に代わり当該指定短期入所生活介護事業者に支払われた場合は、同条第２項第１号に規定する食費の負担限度額）を限度とする。）

二　滞在に要する費用（法第51条の３第１項の規定により特定入所者介護サービス費が利用者に支給された場合は、同条第２項第２号に規定する居住費の基準費用額（同条第４項の規定により当該特定入所者介護サービス費が利用者に代わり当該指定短期入所生活介護事業者に支払われた場合は、同条第２項第２号に規定する居住費の負担限度額）を限度とする。）

三　厚生労働大臣の定める基準に基づき利用者が選定する特別な居室の提供を行ったことに伴い必要となる費用

四　厚生労働大臣の定める基準に基づき利用者が選定する特別な食事の提供を行ったことに伴い必要となる費用

五　送迎に要する費用（厚生労働大臣が別に定める場合を除く。）

六　理美容代

七　前各号に掲げるもののほか、指定短期入所生活介護おいて提供される便宜のうち、日常生活においても通常必要となるものに係る費用であって、その利用者に負担させることが適当と認められるもの

４・５〔略〕

（利用料等の受領）

第140条の６　１・２〔略〕

３　ユニット型指定短期入所生活介護事業者は、前２項の支払を受ける額のほか、次に掲げる費用の額の支払を受けることができる。

一　食事の提供に要する費用（法第51条の３第１項の規定により特定入所者介護サービス費が利用者に支給された場合は、同条第２項第１号に規定する食費の基準費用額（同条第４項の規定により当該特定入所者介護サービス費が利用者に代わり当該ユニット型指定短期入所生活介護事業者に支払われた場合は、同条第２項第１号に規定する食費の負担限度額）を限度とする。）

二　滞在に要する費用（法第51条の３第１項の規定により特定入所者介護サービス費が利用者に支給された場合は、同条第２項第２号に規定する居住費の基準費用額（同条第４項の規定により当該特定入所者介護サービス費

ビス費が利用者に代わり当該ユニット型指定短期入所生活介護事業者に支払われた場合は、同条第2項第2号に規定する居住費の負担限度額）を限度とする。）

三　厚生労働大臣の定める基準に基づき利用者が選定する特別な居室の提供を行ったことに伴い必要となる費用

四　厚生労働大臣の定める基準に基づき利用者が選定する特別な食事の提供を行ったことに伴い必要となる費用

五　送迎に要する費用（厚生労働大臣が別に定める場合を除く。）

六　理美容代

七　前各号に掲げるもののほか、指定短期入所生活介護において提供される便宜のうち、日常生活においても通常必要となるものに係る費用であって、その利用者に負担させることが適当と認められるもの

4・5〔略〕

第10章　短期入所療養介護

（利用料等の受領）

第145条　1・2〔略〕

3　指定短期入所療養介護事業者は、前2項の支払を受ける額のほか、次の各号に掲げる費用の額の支払を利用者から受けることができる。

一　食事の提供に要する費用（法第51条の3第1項の規定により特定入所者介護サービス費が利用者に支給された場合は、同条第2項第1号に規定する食費の基準費用額（同条第4項の規定により当該特定入所者介護サービス費が利用者に代わり当該指定短期入所療養介護事業者に支払われた場合は、同条第2項第1号に規定する食費の負担限度額）を限度とする。）

二　滞在に要する費用（法第51条の3第1項の規定により特定入所者介護サービス費が利用者に支給された場合は、同条第2項第2号に規定する居住費の基準費用額（同条第4項の規定により当該特定入所者介護サービス費が利用者に代わり当該指定短期入所療養介護事業者に支払われた場合は、同条第2項第2号に規定する居住費の負担限度額）を限度とする。）

三　厚生労働大臣の定める基準に基づき利用者が選定する特別な療養室等の提供を行ったことに伴い必要となる費用

四　厚生労働大臣の定める基準に基づき利用者が選定する特別な食事の提供を行ったことに伴い必要となる費用

五　送迎に要する費用（厚生労働大臣が別に定める場合を除く。）

六　理美容代

七　前各号に掲げるもののほか、指定短期入所療養介護において提供される便宜のうち、日常生活においても通常必要となるものに係る費用であ

って、その利用者に負担させることが適当と認められるもの
4・5〔略〕
（利用料等の受領）
第155条の5　1・2〔略〕
3　ユニット型指定短期入所療養介護事業者は、前2項の支払を受ける額のほか、次に掲げる費用の額の支払を受けることができる。
一　食事の提供に要する費用（法第51条の3第1項の規定により特定入所者介護サービス費が利用者に支給された場合は、同条第2項第1号に規定する食費の基準費用額（同条第4項の規定により当該特定入所者介護サービス費が利用者に代わり当該ユニット型指定短期入所療養介護事業者に支払われた場合は、同条第2項第1号に規定する食費の負担限度額）を限度とする。）
二　滞在に要する費用（法第51条の3第1項の規定により特定入所者介護サービス費が利用者に支給された場合は、同条第2項第2号に規定する居住費の基準費用額（同条第4項の規定により当該特定入所者介護サービス費が利用者に代わり当該ユニット型指定短期入所療養介護事業者に支払われた場合は、同条第2項第2号に規定する居住費の負担限度額）を限度とする。）
三　厚生労働大臣の定める基準に基づき利用者が選定する特別な療養室等の提供を行ったことに伴い必要となる費用
四　厚生労働大臣の定める基準に基づき利用者が選定する特別な食事の提供を行ったことに伴い必要となる費用
五　送迎に要する費用（厚生労働大臣が別に定める場合を除く。）
六　理美容代
七　前各号に掲げるもののほか、指定短期入所療養介護において提供される便宜のうち、日常生活においても通常必要となるものに係る費用であって、その利用者に負担させることが適当と認められるもの
4・5〔略〕

第12章　特定施設入所者生活介護

（利用料等の受領）
第182条　1・2〔略〕
3　指定特定施設入居者生活介護事業者は、前2項の支払を受ける額のほか、次に掲げる費用の額の支払を利用者から受けることができる。
一　利用者の選定により提供される介護その他の日常生活上の便宜に要する費用
二　おむつ代
三　前2号に掲げるもののほか、指定特定施設入居者生活介護において提供される便宜のうち、日常生活においても通常必要となるものに係る費

用であって、その利用者に負担させることが適当と認められるもの
4〔略〕

参考資料８⑷　（介護サービス非課税関係の参考法令等⑷）

指定居宅サービス等及び指定介護予防サービス等に関する基準について（抜粋）

平成11年９月17日
老企第25号
（厚生省老人保健福祉局企画課長通知）

〔最終改正〕平成30年３月30日

第３　介護サービス

一　訪問介護

３　運営に関する基準

⑽　利用料等の受領

③　同条（編注：居宅基準第20条）第３項は、指定訪問介護事業者は、指定訪問介護の提供に関して、前２項の利用料のほかに、利用者の選定により通常の事業の実施地域以外の地域の居宅において指定訪問介護を行う場合の交通費（移動に要する実費）の支払を利用者から受けることができることとし、保険給付の対象となっているサービスと明確に区分されないあいまいな名目による費用の支払を受けることは認めないこととしたものである。

二　訪問入浴介護

３　運営に関する基準

⑴　利用料等の受領

②　同条（編注：居宅基準第48条）第３項は、指定訪問入浴介護事業者は、指定訪問入浴介護の提供に関して、利用者の選定により通常の事業の実施地域以外の地域の居宅において指定訪問入浴介護を行う場合の交通費、及び利用者の選定により提供される特別な浴槽水等に係る費用については、前２項の利用料のほかに利用者から支払を受けることができることとし、保険給付の対象となっているサービスと明確に区分されないあいまいな名目による費用の支払を受けることは認めないこととしたものである。

三　訪問看護

３　運営に関する基準

⑵　利用料等の受領

①　居宅基準第66条第１項、第３項及び第４項については、第３の一の３の⑽の①、③及び④を参照されたいこと。

四　訪問リハビリテーション

3　運営に関する基準

(1)　利用料等の受領

居宅基準第78条の規定は、指定訪問看護に係る居宅基準第66条の規定と基本的に同趣旨であるため、第３の三の３の(2)を参照されたいこと。

五　居宅療養管理指導

3　運営に関する基準

(1)　利用料等の受領

③　同条（編注：居宅基準第87条）第３項は、指定居宅療養管理指導の提供に関して、前２項の利用料のほかに、指定居宅療養管理指導の提供に要する交通費（通常の事業の実施地域内の交通費を含む。）の額の支払を利用者から受けることができることとし、保険給付の対象となっているサービスと明確に区分されないあいまいな名目による費用の支払を受けることは認めないこととしたものである。

六　通所介護

3　運営に関する基準

(1)　利用料等の受領

②　同条（編注：居宅基準第96条）第３項は、指定通所介護事業者は、指定通所介護の提供に関して、

イ　利用者の選定により通常の事業の実施地域以外の地域に居住する利用者に対して行う送迎に要する費用

ロ　指定通所介護に通常要する時間を超える指定通所介護であって利用者の選定に係るものの提供に伴い必要となる費用の範囲内において、通常の指定通所介護に係る居宅介護サービス費用基準額を超える費用

ハ　食事の提供に要する費用

ニ　おむつ代

ホ　前各号に掲げるもののほか、通所介護の提供において提供される便宜のうち、日常生活においても通常必要となるものに係る費用であって、その利用者に負担させることが適当と認められるもの

については、前２項の利用料のほかに利用者から支払を受けることができることとし、保険給付の対象となっているサービスと明確に区分されないあいまいな名目による費用の支払を受けることは認めないこととしたものである。なお、ハの費用については、居住、滞在及び宿泊並びに食事の提供に係る利用料等に関する指針（平成17年厚生労働省告示第419号。以下「指針」という。）の定めるところによるものとし、ホの費用の具体的な範囲については、別に通知するところによるものとする。

七　通所リハビリテーション

3　運営に関する基準

⑹　準用

居宅基準第119条の規定により、居宅基準第８条から第13条まで、第15条から第17条まで、第19条、第21条、第26条、第27条、第32条、第33条、第35条から第38条まで、第64条、第65条、第96条及び第101条から第103条までの規定は、指定通所リハビリテーションの事業について準用されるものであることから、第３の一の３の⑴から⑺まで、⑼、⑾、⒁、⒂、㉒及び㉔から㉘まで、第３の三の３の⑵並びに第３の六の３の⑴、⑸及び⑹を参照されたい。この場合において、特に次の点に留意するものとする。

①　居宅基準第13条中「心身の状況」とあるのは「心身の状況、病歴」と読み替えられることに留意されたいこと。

②　準用される居宅基準第101条第１項については、指定通所リハビリテーション事業所ごとに、指定通所リハビリテーション従業者の日々の勤務時間、常勤・非常勤の別、専従の理学療法士、作業療法士、経験看護師等、看護職員及び介護職員の配置、管理者との兼務関係等を勤務表上明確にし、人員に関する基準が満たされていることを明らかにする必要があること。

八　短期入所生活介護

３　運営に関する基準

⑶　利用料等の受領

②　同条（編注：居宅基準第127条）第３項は、指定短期入所生活介護事業者は、指定短期入所生活介護の提供に関して、

イ　食事の提供に要する費用（法第51条の２第１項又は法第61条の２第１項の規定により特定入所者介護サービス費が利用者に支給された場合は、法第51条の２第２項第１号に規定する食費の基準費用額（法第51条の２第４項の規定により当該特定入所者介護サービス費等が利用者に代わり当該指定短期入所生活介護事業者に支払われた場合は、法第51条の２第２項第１号に規定する食費の負担限度額）を限度とする。）

ロ　滞在に要する費用（法第51条の２第１項の規定により特定入所者介護サービス費等が利用者に支給された場合は、法第51条の２第２項第２号に規定する居住費の基準費用額（法第51条の２第４項の規定により当該特定入所者介護サービス費等が利用者に代わり当該指定短期入所生活介護事業者に支払われた場合は、法第51条の２第２項第２号に規定する居住費の負担限度額）を限度とする。）

ハ　厚生労働大臣の定める基準に基づき利用者が選定する特別な居室の提供を行ったことに伴い必要となる費用

ニ　厚生労働大臣の定める基準に基づき利用者が選定する特別な食事

の提供を行ったことに伴い必要となる費用

ホ　送迎に要する費用（厚生労働大臣が別に定める場合を除く。）

へ　理美容代

ト　前各号に掲げるもののほか、指定短期入所生活介護において提供される便宜のうち、日常生活においても通常必要となるものに係る費用であって、その利用者に負担させることが適当と認められるもの

については、前2項の利用料のほかに利用者から支払を受けることができることとし、保険給付の対象となっているサービスと明確に区分されないあいまいな名目による費用の支払を受けることは認めないこととしたものである。なお、イからニまでの費用については、指針及び厚生労働大臣の定める利用者等が選定する特別な居室等の提供に係る基準等（平成12年厚生省告示第123号。以下「特別な居室等の基準等」という。）の定めるところによるものとし、トの費用の具体的な範囲については、別に通知するところによるものとする。

九　短期入所療養介護

2　運営に関する基準

(1)　利用料等の受領

②　同条（編注：居宅基準第145条）第3項は、指定短期入所療養介護事業者は、指定短期入所療養介護の提供に関して、

イ　食事の提供に要する費用（法第51条の2第1項の規定により特定入所者介護サービス費が利用者に支給された場合は、法第51条の2第2項第1号に規定する食費の基準費用額（法第51条の2第4項の規定により当該特定入所者介護サービス費等が利用者に代わり当該指定短期入所療養介護事業者に支払われた場合は、法第51条の2第2項第1号に規定する食費の負担限度額）を限度とする。）

ロ　滞在に要する費用（法第51条の2第1項の規定により特定入所者介護サービス費等が利用者に支給された場合は、法第51条の2第2項第2号に規定する居住費の基準費用額（法第51条の2第4項の規定により当該特定入所者介護サービス費等が利用者に代わり当該指定短期入所療養介護事業者に支払われた場合は、法第51条の2第2項第2号に規定する居住費の負担限度額）を限度とする。）

ハ　厚生労働大臣の定める基準に基づき利用者が選定する特別な療養室等の提供を行ったことに伴い必要となる費用

ニ　厚生労働大臣の定める基準に基づき利用者が選定する特別な食事の提供を行ったことに伴い必要となる費用

ホ　送迎に要する費用（厚生労働大臣が別に定める場合を除く。）

へ　理美容代

ト　前各号に掲げるもののほか、指定短期入所療養介護において提供される便宜のうち、日常生活においても通常必要となるものに係る費用であって、その利用者に負担させることが適当と認められるもの

については、前２項の利用料のほかに利用者から支払を受けることができることとし、保険給付の対象となっているサービスと明確に区分されないあいまいな名目による費用の支払を受けることは認めないこととしたものである。なお、イからニまでの費用については、指針及び特別な居室等の基準等の定めるところによるものとし、トの費用の具体的な範囲については、別に通知するところによるものとする。

十　特定施設入居者生活介護

３　運営に関する基準

(4)　利用料等の受領

②　同条（編注：居宅基準第182条）第３項は、指定特定施設入居者生活介護事業者は、指定特定施設入居者生活介護の提供に関して、

イ　利用者の選定により提供される介護その他の日常生活上の便宜に要する費用

ロ　おむつ代

ハ　前２号に掲げるもののほか、指定特定施設入居者生活介護において提供される便宜のうち、日常生活においても通常必要となるものに係る費用であって、その利用者に負担させることが適当と認められるもの

については、前２項の利用料のほかに、利用者から支払を受けることができることとし、保険給付の対象となっているサービスと明確に区分されないあいまいな名目による費用の支払を受けることは認めないこととしたものである。なお、ハの費用の具体的な範囲については、別途通知するところによるものである。

参考資料８(5)　(介護サービス非課税関係の参考法令等(5))

指定居宅介護支援等の事業の人員及び運営に関する基準（平成11年厚生省令第38号）

最終改正〔令和６年厚生労働省令第16号〕

（利用料等の受領）

第10条〔略〕

2　指定居宅介護支援事業者は、前項の利用料のほか、利用者の選定により通常の事業の実施地域以外の地域の居宅を訪問して指定居宅介護支援を行う場合には、それに要した交通費の支払を利用者から受けることができる。

3〔略〕

参考資料 8 (6)　(介護サービス非課税関係の参考法令等(6))

指定介護老人福祉施設の人員、設備及び運営に関する基準（平成11年厚生省令第39号）

最終改正〔令和６年厚生労働省令第164号〕

（利用料等の受領）

第９条　１・２〔略〕

３　指定介護老人福祉施設は、前２項の支払を受ける額のほか、次に掲げる費用の額の支払を受けることができる。

一　食事の提供に要する費用（法第51条の３第１項の規定により特定入所者介護サービス費が入所者に支給された場合は、同条第２項第１号に規定する食費の基準費用額（同条第４項の規定により当該特定入所者介護サービス費が入所者に代わり当該指定介護老人福祉施設に支払われた場合は、同条第２項第１号に規定する食費の負担限度額）を限度とする。）

二　居住に要する費用（法第51条の３第１項の規定により特定入所者介護サービス費が入所者に支給された場合は、同条第２項第２号に規定する居住費の基準費用額（同条第４項の規定により当該特定入所者介護サービス費が入所者に代わり当該指定介護老人福祉施設に支払われた場合は、同条第２項第２号に規定する居住費の負担限度額）を限度とする。）

三　厚生労働大臣の定める基準に基づき入所者が選定する特別な居室の提供を行ったことに伴い必要となる費用

四　厚生労働大臣の定める基準に基づき入所者が選定する特別な食事の提供を行ったことに伴い必要となる費用

五　理美容代

六　前各号に掲げるもののほか、指定介護福祉施設サービスにおいて提供される便宜のうち、日常生活においても通常必要となるものに係る費用であって、その入所者に負担させることが適当と認められるもの

４・５〔略〕

（利用料等の受領）

第41条　１・２〔略〕

３　ユニット型指定介護老人福祉施設は、前２項の支払を受ける額のほか、次に掲げる費用の額の支払を受けることができる。

一　食事の提供に要する費用（法第51条の３第１項の規定により特定入所者介護サービス費が入居者に支給された場合は、同条第２項第１号に規定する食費の基準費用額（同条第４項の規定により当該特定入所者介護サービス費が入居者に代わり当該ユニット型指定介護老人福祉施設に支

払われた場合は、同条第２項第１号に規定する食費の負担限度額）を限度とする。）

二　居住に要する費用（法第51条の３第１項の規定により特定入所者介護サービス費が入居者に支給された場合は、同条第２項第２号に規定する居住費の基準費用額（同条第４項の規定により当該特定入所者介護サービス費が入居者に代わり当該ユニット型指定介護老人福祉施設に支払われた場合は、同条第２項第２号に規定する居住費の負担限度額）を限度とする。）

三　厚生労働大臣の定める基準に基づき入居者が選定する特別な居室の提供を行ったことに伴い必要となる費用

四　厚生労働大臣の定める基準に基づき入居者が選定する特別な食事の提供を行ったことに伴い必要となる費用

五　理美容代

六　前各号に掲げるもののほか、指定介護福祉施設サービスにおいて提供される便宜のうち、日常生活においても通常必要となるものに係る費用であって、その入居者に負担させることが適当と認められるもの

４・５〔略〕

指定介護老人福祉施設の人員、設備及び運営に関する基準について（抜粋）

平成12年３月17日
老企第43号
（厚生省老人保健福祉局企画課長通知）

第四　運営に関する基準

７　利用料等の受領

(3)　同条（編注：基準省令第９条）第３項は、指定介護福祉施設サービスの提供に関して、

①　食事の提供に要する費用（法第51条の２第１項の規定により特定入所者介護サービス費が入所者に支給された場合は、同条第２項第１号に規定する食費の基準費用額（同条第４項の規定により当該特定入所者介護サービス費が入所者に代わり当該指定介護老人福祉施設に支払われた場合は、同条第２項第１号に規定する食費の負担限度額）を限度とする。）

②　居住に要する費用（法第51条の２第１項の規定により特定入所者介護サービス費が入所者に支給された場合は、同条第２項第２号に規定する居住費の基準費用額（同条第４項の規定により当該特定入所者介護サービス費が入所者に代わり当該指定介護老人福祉施設に支払われた場合は、同条第２項第２号に規定する居住費の負担限度額）を限度とする。）

③　厚生労働大臣の定める基準に基づき入所者が選定する特別な居室の提供を行ったことに伴い必要となる費用

④　厚生労働大臣の定める基準に基づき入所者が選定する特別な食事の提供を行ったことに伴い必要となる費用

⑤　理美容代

⑥　前各号に掲げるもののほか、指定介護福祉施設サービスにおいて提供される便宜のうち、日常生活においても通常必要となるものに係る費用であって、その入所者に負担させることが適当と認められるもの

については、前２項の利用料のほかに入所者から支払を受けることができることとし、保険給付の対象となっているサービスと明確に区分されないあいまいな名目による費用の支払を受けることは認めないこととしたものである。なお、①から④までの費用については、居住、

滞在及び食事の提供に係る利用料等に関する指針（平成17年厚生労働省告示第419号）及び厚生労働大臣の定める利用者等が選定する特別な居室等の提供に係る基準等（平成12年厚生省告示第123号）の定めるところによるものとし、⑥の費用の具体的な範囲については、別に通知するところによるものとする。

参考資料8(8) (介護サービス非課税関係の参考法令等(8))

介護老人保健施設の人員、施設及び設備並びに運営に関する基準

(平成11年厚生省令第40号)

最終改正〔令和6年厚生労働省令第16号〕

第4章 運営に関する基準

(利用料等の受領)

第11条 1・2〔略〕

3 介護老人保健施設は、前2項の支払を受ける額のほか、次に掲げる費用の額の支払を受けることができる。

一 食事の提供に要する費用(法第51条の3第1項の規定により特定入所者介護サービス費が入所者に支給された場合は、同条第2項第1号に規定する食費の基準費用額(同条第4項の規定により当該特定入所者介護サービス費が入所者に代わり当該介護老人保健施設に支払われた場合は、同条第2項第1号に規定する食費の負担限度額)を限度とする。)

二 居住に要する費用(法第51条の3第1項の規定により特定入所者介護サービス費が入所者に支給された場合は、同条第2項第2号に規定する居住費の基準費用額(同条第4項の規定により当該特定入所者介護サービス費が入所者に代わり当該介護老人保健施設に支払われた場合は、同条第2項第2号に規定する居住費の負担限度額)を限度とする。)

三 厚生労働大臣の定める基準に基づき入所者が選定する特別な療養室の提供を行ったことに伴い必要となる費用

四 厚生労働大臣の定める基準に基づき入所者が選定する特別な食事の提供を行ったことに伴い必要となる費用

五 理美容代

六 前各号に掲げるもののほか、介護保健施設サービスにおいて提供される便宜のうち、日常生活においても通常必要となるものに係る費用であって、その入所者に負担させることが適当と認められるもの

4・5〔略〕

第5章 ユニット型介護老人保険施設の基本方針並びに施設、設備及び運営に関する基準

(利用料等の受領)

第42条 1・2〔略〕

3 ユニット型介護老人保健施設は、前2項の支払を受ける額のほか、次に掲げる費用の額の支払を受けることができる。

一 食事の提供に要する費用(法第51条の3第1項の規定により特定入所

者介護サービス費が入居者に支給された場合は、同条第２項第１号に規定する食費の基準費用額（同条第４項の規定により当該特定入所者介護サービス費が入居者に代わり当該ユニット型介護老人保健施設に支払われた場合は、同条第２項第１号に規定する食費の負担限度額）を限度とする。）

二　居住に要する費用（法第51条の３第１項の規定により特定入所者介護サービス費が入居者に支給された場合は、同条第２項第２号に規定する居住費の基準費用額（同条第４項の規定により当該特定入所者介護サービス費が入居者に代わり当該ユニット型介護老人保健施設に支払われた場合は、同条第２項第２号に規定する居住費の負担限度額）を限度とする。）

三　厚生労働大臣の定める基準に基づき入居者が選定する特別な療養室の提供を行ったことに伴い必要となる費用

四　厚生労働大臣の定める基準に基づき入居者が選定する特別な食事の提供を行ったことに伴い必要となる費用

五　理美容代

六　前各号に掲げるもののほか、介護保健施設サービスにおいて提供される便宜のうち、日常生活においても通常必要となるものに係る費用であって、その入居者に負担させることが適当と認められるもの

４・５〔略〕

参考資料８(9)　(介護サービス非課税関係の参考法令等(9))

介護老人保健施設の人員、施設及び設備並びに運営に関する基準について（抜粋）

平成12年３月17日
老企第44号
（厚生省老人保健福祉局企画課長通知）

最終改正〔平成17年老計発1121001号ほか〕

第四　運営に関する基準

６　利用料等の受領

(3)　同条（編注：基準省令第11条）第３項は、介護保健施設サービスの提供に関して、

①　厚生労働大臣の定める基準に基づき入所者が選定する特別な療養室の提供を行ったことに伴い必要となる費用

②　入所者が選定する特別な食事の提供を行ったことに伴い必要となる費用

③　理美容代

④　前各号に掲げるもののほか、介護保健施設サービスにおいて提供される便宜のうち、日常生活においても通常必要となるものに係る費用であって、その入所者に負担させることが適当と認められるもの

については、前２項の利用料のほかに入所者から支払を受けることができることとし、保険給付の対象となっているサービスと明確に区分されないあいまいな名目による費用の支払を受けることは認めないこととしたものである。なお、前記④の費用の具体的な範囲については、別に通知するところによるものである。

○介護医療院の人員、施設及び設備並びに運営に関する基準（抜粋）

（平成30年１月18日　厚生労働省令第５号）
最終改正：令和６年厚生労働省令第16号

（利用料等の受領）
第14条　介護医療院は、法定代理受領サービス（法第48条第４項の規定により施設介護サービス費（同条第１項に規定する施設介護サービス費をいう。以下この項及び第46条第１項において同じ。）が入所者に代わり当該介護医療院に支払われる場合の当該施設介護サービス費に係る介護医療院サービスをいう。以下同じ。）に該当する介護医療院サービスを提供した際には、入所者から利用料（施設介護サービス費の支給の対象となる費用に係る対価をいう。以下同じ。）の一部として、当該介護医療院サービスについて法第48条第２項に規定する厚生労働大臣が定める基準により算定した費用の額（その額が現に当該介護医療院サービスに要した費用の額を超えるときは、当該現に介護医療院サービスに要した費用の額とする。次項及び第46条において「施設サービス費用基準額」という。）から当該介護医療院に支払われる施設介護サービス費の額を控除して得られた額の支払を受けるものとする。
2　介護医療院は、法定代理受領サービスに該当しない介護医療院サービスを提供した際に入所者から支払を受ける利用料の額と、施設サービス費用基準額との間に、不合理な差額が生じないようにしなければならない。
3　介護医療院は、前２項の支払を受ける額のほか、次に掲げる費用の額の支払を受けることができる。
　一　食事の提供に要する費用（法第51条の３第１項の規定により特定入所者介護サービス費が入所者に支給された場合は、同条第２項第１号に規定する食費の基準費用額（同条第４項の規定により当該特定入所者介護サービス費が入所者に代わり当該介護医療院に支払われた場合は、同条第２項第１号に規定する食費の負担限度額）を限度とする。）
　二　居住に要する費用（法第51条の３第１項の規定により特定入所者介護サービス費が入所者に支給された場合は、同条第２項第２号に規定する居住費の基準費用額（同条第４項の規定により当該特定入所者介護サービス費が入所者に代わり当該介護医療院に支払われた場合は、同条第２項第２号に規定する居住費の負担限度額）を限度とする。）
　三　厚生労働大臣の定める基準に基づき入所者が選定する特別な療養室の

提供を行ったことに伴い必要となる費用

四　厚生労働大臣の定める基準に基づき入所者が選定する特別な食事の提供を行ったことに伴い必要となる費用

五　理美容代

六　前各号に掲げるもののほか、介護医療院サービスにおいて提供される便宜のうち、日常生活においても通常必要となるものに係る費用であって、入所者に負担させることが適当と認められるもの

4　前項第1号から第4号までに掲げる費用については、別に厚生労働大臣が定めるところによるものとする。

5　介護医療院は、第3項各号に掲げる費用の額に係るサービスの提供に当たっては、あらかじめ、入所者又はその家族に対し、当該サービスの内容及び費用を記した文書を交付して説明を行い、入所者の同意を得なければならない。ただし、同項第1号から第4号までに掲げる費用に係る同意については、文書によるものとする。

（利用料等の受領）

第46条　ユニット型介護医療院は、法定代理受領サービスに該当する介護医療院サービスを提供した際には、入居者から利用料の一部として、施設サービス費用基準額から当該ユニット型介護医療院に支払われる施設介護サービス費の額を控除して得た額の支払を受けるものとする。

2　ユニット型介護医療院は、法定代理受領サービスに該当しない介護医療院サービスを提供した際に入居者から支払を受ける利用料の額と、施設サービス費用基準額との間に、不合理な差額が生じないようにしなければならない。

3　ユニット型介護医療院は、前2項の支払を受ける額のほか、次に掲げる費用の額の支払を受けることができる。

一　食事の提供に要する費用（法第51条の3第1項の規定により特定入所者介護サービス費が入居者に支給された場合は、同条第2項第1号に規定する食費の基準費用額（同条第4項の規定により当該特定入所者介護サービス費が入居者に代わり当該ユニット型介護医療院に支払われた場合は、同条第2項第1号に規定する食費の負担限度額）を限度とする。）

二　居住に要する費用（法第51条の3第1項の規定により特定入所者介護サービス費が入居者に支給された場合は、同条第2項第2号に規定する居住費の基準費用額（同条第4項の規定により当該特定入所者介護サービス費が入居者に代わり当該ユニット型介護医療院に支払われた場合は、同条第2項第2号に規定する居住費の負担限度額）を限度とする。）

三　厚生労働大臣の定める基準に基づき入居者が選定する特別な療養室の提供を行ったことに伴い必要となる費用

四　厚生労働大臣の定める基準に基づき入居者が選定する特別な食事の提供を行ったことに伴い必要となる費用

五　理美容代

六　前各号に掲げるもののほか、介護医療院サービスにおいて提供される便宜のうち、日常生活においても通常必要となるものに係る費用であって、入居者に負担させることが適当と認められるもの

4　前項第１号から第４号までに掲げる費用については、別に厚生労働大臣が定めるところによるものとする。

5　ユニット型介護医療院は、第３項各号に掲げる費用の額に係るサービスの提供に当たっては、あらかじめ、入居者又はその家族に対し、当該サービスの内容及び費用を記した文書を交付して説明を行い、入居者の同意を得なければならない。ただし、同項第１号から第４号までに掲げる費用に係る同意については、文書によるものとする。

老老発0322第１号
平成30年３月22日

各都道府県介護保険主管部（局）長　殿

厚生労働省老健局老人保健課長
（　公　印　省　略　）

介護医療院の人員、施設及び設備並びに運営に関する基準について（抜粋）

介護保険法（平成９年法律第123号。以下「法」という。）第111条第１項から第３項までの規定に基づく「介護医療院の人員、施設及び設備並びに運営に関する基準」（以下「基準省令」という。）については、平成30年１月18日付け厚生労働省令第５号をもって公布され、平成30年４月１日より施行されるところであるが、基準の趣旨及び内容は左記のとおりであるので、御了知の上、管下市町村、関係団体、関係機関等にその周知徹底を図るとともに、その運用に遺憾のないようにされたい。

記

第１　基準省令の性格

４　療養床等の定義は以下のとおり。

①　療養床

療養室のうち、入所者一人当たりの寝台又はこれに代わる設備の部分をいう。

②　Ⅰ型療養床

療養床のうち、主として長期にわたり療養が必要である者であって、重篤な身体疾病を有する者、身体合併症を有する認知症高齢者等を入所させるためのものをいう。

③　Ⅱ型療養床

療養床のうち、Ⅰ型療養床以外のものをいう。

５　医療機関併設型介護医療院等の形態は以下のとおり。

①　医療機関併設型介護医療院

イ　医療機関併設型介護医療院は、病院又は診療所に併設（同一敷地内又は隣接する敷地において、サービスの提供、夜勤を行う職員の配置等が一体的に行われているものを指すこと。以下同じ。）され、入所者の療養生活の支援を目的とする介護医療院である。

②　併設型小規模介護医療院

イ　併設型小規模介護医療院は、医療機関併設型介護医療院のうち、当該介護医療院の入所定員が19人以下のものをいう。

ロ　併設型小規模介護医療院は、病院又は診療所に１か所の設置とする。

第５　運営に関する基準

８　利用料等の受領

(1)　基準省令第14条第１項は、法定代理受領サービスとして提供される介護医療院サービスについての入所者負担として、法第48条第２項に規定する厚生労働大臣が定める基準により算定した費用（食事の提供に要する費用、居住に要する費用その他の日常生活に要する費用として厚生労働省令で定める費用を除いて算定。）の額を除いた額の１割又は２割（法第50条又は第69条の規定の適用により保険給付の率が９割又は８割でない場合については、それに応じた割合）の支払を受けなければならないことを規定したものである。

(2)　同条第２項は、入所者間の公平及び入所者の保護の観点から、法定代理受領サービスでない介護医療院サービスを提供した際にその入所者から支払を受ける利用料の額と法定代理受領サービスである介護医療院サービスに係る費用の額の間に、一方の管理経費の他方への転嫁等による不合理な差額を設けてはならないこととしたものである。

(3)　同条第３項は、介護医療院サービスの提供に関して、

①　食事の提供に要する費用（法第51条の２第１項の規定により特定入所者介護サービス費が入所者に支給された場合は、同条第２項第１号に規定する食費の基準費用額（同条第４項の規定により当該特定入所者介護サービス費が入所者に代わり当該介護医療院に支払われた場合は、同条第２項第１号に規定する食費の負担限度額）を限度とする。）

②　居住に要する費用（法第51条の２第１項の規定により特定入所者介護サービス費が入所者に支給された場合は、同条第２項第２号に規定する居住費の基準費用額（同条第４項の規定により当該特定入所者介護サービス費が入所者に代わり当該介護医療院に支払われた場合は、同条第２項第２号に規定する居住費の負担限度額）を限度とする。）

③　厚生労働大臣の定める基準に基づき入所者が選定する特別な療養室の提供を行ったことに伴い必要となる費用

④　厚生労働大臣の定める基準に基づき入所者が選定する特別な食事の提供を行ったことに伴い必要となる費用

⑤　理美容代

⑥　前各号に掲げるもののほか、介護医療院サービスにおいて提供さ

れる便宜のうち、日常生活においても通常必要となるものに係る費用であって、その入所者に負担させることが適当と認められるものについては、前2項の利用料のほかに入所者から支払を受けることができることとし、保険給付の対象となっているサービスと明確に区分されないあいまいな名目による費用の支払を受けることは認めないこととしたものである。なお、①から④までの費用については、居住、滞在及び食事の提供に係る利用料等に関する指針（平成17年厚生労働省告示第419号）及び厚生労働大臣の定める利用者等が選定する特別な居室等の提供に係る基準等（平成12年厚生省告示第123号）の定めるところによるものとし、前記⑥の費用の具体的な範囲については、別に通知するところによるものとする。

(4) 基準省令第14条第5項は、介護医療院は、同条第3項の費用の支払を受けるに当たっては、あらかじめ、入所者又はその家族に対して、その額等を記載した書類を交付して、説明を行い、入所者の同意を得なければならないこととしたものである。また、同項第1号から第4号までの利用料に係る同意については、文書によって得なければならないこととしたものである。

第6　ユニット型介護医療院

4　利用料等の受領（基準省令第46条）

第5の8は、ユニット型介護医療院について準用する。この場合において第5の8の(1)及び(4)中「基準省令第14条」とあるのは「基準省令第46条」と読み替えるものとする。

指定地域密着型サービスの事業の人員、設備及び運営に関する基準（平成18年厚生労働省令第34号）

最終改正〔令和６年厚生労働省令第164号〕

第１章の２　定期巡回・随時対応型訪問介護看護

（利用料等の受領）

第３条の19　１・２〔略〕

３　指定定期巡回・随時対応型訪問介護看護事業者は、前２項の支払を受ける額のほか、利用者の選定により通常の事業の実施地域以外の地域の居宅において指定定期巡回・随時対応型訪問介護看護を行う場合は、それに要した交通費の額の支払を利用者から受けることができる。

４〔略〕

第２章　夜間対応型訪問介護

（準用）

第18条　第３条の７から第３条の20まで、第３条の25、第３条の26、第３条の32から第３条の36まで及び第３条の38から第３条の39までの規定は、夜間対応型訪問介護の事業について準用する。この場合において、第３条の７第１項、第３条の17、第３条の30の２第２項、第３条の31第１項並びに第３項第１号及び第３号、第３条の32第１項並びに第３条の38の２第１号及び第３号中「定期巡回・随時対応型訪問介護看護従業者」とあるのは「夜間対応型訪問介護従業者」と、第３条の12中「計画作成責任者」とあるのは「オペレーションセンター従業者（オペレーションセンターを設置しない場合にあっては、訪問介護員等）」と、第３条の25中「定期巡回・随時対応型訪問介護看護従業者」とあるのは「訪問介護員等」と、「定期巡回・随時対応型訪問介護看護（随時対応サービスを除く。）」とあるのは「夜間対応型訪問介護」と読み替えるものとする。

第２章の２　地域密着型通所介護

（利用料等の受領）

第24条　１・２〔略〕

３　指定地域密着型通所介護事業者は、前２項の支払を受ける額のほか、次の各号に掲げる費用の額の支払を利用者から受けることができる。

一　利用者の選定により通常の事業の実施地域以外の地域に居住する利用者に対して行う送迎に要する費用

二　指定地域密着型通所介護に通常要する時間を超える指定地域密着型通所介護であって利用者の選定に係るものの提供に伴い必要となる費用の

範囲内において、通常の指定地域密着型通所介護に係る地域密着型介護サービス費用基準額を超える費用
三　食事の提供に要する費用
四　おむつ代
五　前各号に掲げるもののほか、指定地域密着型通所介護の提供において提供される便宜のうち、日常生活においても通常必要となるものに係る費用であって、その利用者に負担させることが適当と認められる費用
4・5〔略〕
（準用）
第37条の3　第3条の7から第3条の11まで、第3条の13から第3条の16まで、第3条の18、第3条の20、第3条の26、第3条の30の2、第3条の32から第3条の36まで、第3条の38の2、第3条の39、第12条及び第19条、第21条、第22条第4項並びに前節（第37条を除く。）の規定は、共生型地域密着型通所介護の事業について準用する。この場合において、第3条の7第1項中「第3条の29に規定する運営規程」とあるのは「運営規程（第29条に規定する運営規程をいう。第3条の32第1項において同じ。）」と、「定期巡回・随時対応型訪問介護看護従業者」とあるのは「共生型地域密着型通所介護の提供に当たる従業者（以下「共生型地域密着型通所介護従業者」という。）」と、第3条の30の2第2項、第3条の32第1項並びに第3条の38の2第1号及び第3号中「定期巡回・随時対応型訪問介護看護従業者」とあるのは「共生型地域密着型通所介護従業者」と、第22条第4項中「前項ただし書の場合（指定地域密着型通所介護事業者が第1項に掲げる設備を利用し、夜間及び深夜に指定地域密着型通所介護以外のサービスを提供する場合に限る。）」とあるのは「共生型地域密着型通所介護事業者が共生型地域密着型通所介護事業所の設備を利用し、夜間及び深夜に共生型地域密着型通所介護以外のサービスを提供する場合」と、第26条第4号、第27条第5項及び第30条第3項及び第4項並びに第33条第2項第1号及び第3号中「地域密着型通所介護従業者」とあるのは「共生型地域密着型通所介護従業者」と、第36条第2項第2号中「次条において準用する第3条の18第2項」とあるのは「第3条の18第2項」と、同項第4号中「次条において準用する第3条の26」とあるのは「第3条の26」と、同項第4号中「次条において準用する第3条の36第2項」とあるのは「第3条の26」と、同項第5項中「次条において準用する第3条の36第2項」とあるのは「第3条の36第2項」と読み替えるものとする。
（準用）
第40条の16　第3条の8から第3条の11まで、第3条の14から第3条の16まで、第3条の18、第3条の20、第3条の26、第3条の30の2、第3条の32から第3条の36まで、第3条の38の2、第3条の39、第24条（第3項第2

号を除く。)、第25条及び第30条から第35条までの規定は、指定療養通所介護の事業について準用する。この場合において、第3条の30の2第2項、第3条の32第1項並びに第3条の38の2第1号及び第3号中「定期巡回・随時対応型訪問介護看護従業者」とあるのは「療養通所介護従業者」と、第3条の32第1項中「運営規程」とあるのは「第40条の12に規定する重要事項に関する規程」と、第30条第3項及び第4項並びに第33条第2項第1号及び第3号中「地域密着型通所介護従業者」とあるのは「療養通所介護従業者」と、第34条第1項中「地域密着型通所介護について知見を有する者」とあるのは「療養通所介護について知見を有する者」と、「6月」とあるのは「12月」と、同条第3項中「当たっては」とあるのは「当たっては、利用者の状態に応じて」と、第35条第4項中「第22条第4項」とあるのは「第40条の4第4項」と読み替えるものとする。

第3章　認知症対応型通所介護

(準用)

第61条　第3条の7から第3条の11まで、第3条の13から第3条の16まで、第3条の18、第3条の20、第3条の26、第3条の30の2、第3条の32から第3条の36まで、第3条の38の2、第3条の39、第12条、第23条、第24条、第28条及び第30条から第35条までの規定は、指定認知症対応型通所介護の事業について準用する。この場合において、第3条の7第1項中「第3条の29に規定する運営規程」とあるのは「第54条に規定する重要事項に関する規程」と、同項、第3条の30の2第2項、第3条の32第1項並びに第3条の38の2第1号及び第3号中「定期巡回・随時対応型訪問介護看護従業者」とあるのは「認知症対応型通所介護従業者」と、第30条第3項及び第4項並びに第33条第2項第1号及び第3号中「地域密着型通所介護従業者」とあるのは「認知症対応型通所介護従業者」と、第34条第1項中「地域密着型通所介護について知見を有する者」とあるのは「認知症対応型通所介護について知見を有する者」と、第35条第4項中「第22条第4項」とあるのは「第44条第4項」と読み替えるものとする。

第4章　小規模多機能型居宅介護

(利用料等の受領)

第71条　1・2〔略〕

3　指定小規模多機能型居宅介護事業者は、前2項の支払を受ける額のほか、次の各号に掲げる費用の額の支払を利用者から受けることができる。

一　利用者の選定により通常の事業の実施地域以外の地域に居住する利用者に対して行う送迎に要する費用

二　利用者の選択により通常の事業の実施地域以外の地域の居宅において訪問サービスを提供する場合は、それに要した交通費の額

三　食事の提供に要する費用

四　宿泊に要する費用
五　おむつ代
六　前各号に掲げるもののほか、指定小規模多機能型居宅介護の提供において提供される便宜のうち、日常生活においても通常必要となるものに係る費用であって、その利用者に負担させることが適当と認められる費用

4・5〔略〕

第5章　〔略〕

第6章　地域密着型特定施設入居者生活介護

（利用料等の受領）

第117条　1・2〔略〕

3　指定地域密着型特定施設入居者生活介護事業者は、前2項の支払を受ける額のほか、次に掲げる費用の額の支払を利用者から受けることができる。
一　利用者の選定により提供される介護その他の日常生活上の便宜に要する費用
二　おむつ代
三　前2号に掲げるもののほか、指定地域密着型特定施設入居者生活介護において提供される便宜のうち、日常生活においても通常必要となるものに係る費用であって、その利用者に負担させることが適当と認められるもの

4〔略〕

第7章　地域密着型介護老人福祉施設入所者生活介護

（利用料等の受領）

第136条　1・2〔略〕

3　指定地域密着型介護老人福祉施設は、前2項の支払を受ける額のほか、次に掲げる費用の額の支払を受けることができる。
一　食事の提供に要する費用（法第51条の3第1項の規定により特定入所者介護サービス費が入所者に支給された場合は、同条第2項第1号に規定する食費の基準費用額（特定要介護旧措置入所者（施行法第13条第5項に規定する特定要介護旧措置入所者をいう。以下同じ。）にあっては、同項第1号に規定する食費の特定基準費用額。第161条第3項第1号において同じ。）（法第51条の3第4項の規定により当該特定入所者介護サービス費が入所者に代わり当該指定地域密着型介護老人福祉施設に支払われた場合は、同条第2項第1号に規定する食費の負担限度額（特定要介護旧措置入所者にあっては、施行法第13条第5項第1号に規定する食費の特定負担限度額。第161条第3項第1号において同じ。））を限度とする。）
二　居住に要する費用（法第51条の3第1項の規定により特定入所者介護

サービス費が入所者に支給された場合は、同条第２項第２号に規定する居住費の基準費用額（特定要介護旧措置入所者にあっては、施行法第13条第５項第２号に規定する居住費の特定基準費用額。第161条第３項第２号において同じ。）（法第51条の３第４項の規定により当該特定入所者介護サービス費が入所者に代わり当該指定地域密着型介護老人福祉施設に支払われた場合は、同条第２項第２号に規定する居住費の負担限度額（特定要介護旧措置入所者にあっては、施行法第13条第５項第２号に規定する居住費の特定負担限度額。第161条第３項第２号において同じ。））を限度とする。）

三　厚生労働大臣の定める基準に基づき入所者が選定する特別な居室の提供を行ったことに伴い必要となる費用

四　厚生労働大臣の定める基準に基づき入所者が選定する特別な食事の提供を行ったことに伴い必要となる費用

五　理美容代

六　前各号に掲げるもののほか、指定地域密着型介護老人福祉施設入所者生活介護において提供される便宜のうち、日常生活においても通常必要となるものに係る費用であって、その入所者に負担させることが適当と認められるもの

４・５〔略〕

（利用料等の受領）

第161条　１・２〔略〕

３　ユニット型指定地域密着型介護老人福祉施設は、前２項の支払を受ける額のほか、次に掲げる費用の額の支払を受けることができる。

一　食事の提供に要する費用（法第51条の３第１項の規定により特定入所者介護サービス費が入居者に支給された場合は、同条第２項第１号に規定する食費の基準費用額（同条第４項の規定により当該特定入所者介護サービス費が入居者に代わり当該ユニット型指定地域密着型介護老人福祉施設に支払われた場合は、同条第２項第１号に規定する食費の負担限度額）を限度とする。）

二　居住に要する費用（法第51条の３第１項の規定により特定入所者介護サービス費が入居者に支給された場合は、同条第２項第２号に規定する居住費の基準費用額（同条第４項の規定により当該特定入所者介護サービス費が入居者に代わり当該ユニット型指定地域密着型介護老人福祉施設に支払われた場合は、同条第２項第２号に規定する居住費の負担限度額）を限度とする。）

三　厚生労働大臣の定める基準に基づき入居者が選定する特別な居室の提供を行ったことに伴い必要となる費用

四　厚生労働大臣の定める基準に基づき入居者が選定する特別な食事の提

供を行ったことに伴い必要となる費用

五　理美容代

六　前各号に掲げるもののほか、指定地域密着型介護老人福祉施設入所者生活介護において提供される便宜のうち、日常生活においても通常必要となるものに係る費用であって、その入居者に負担させることが適当と認められるもの

4・5〔略〕

第8章　看護小規模多機能型居宅介護

（準用）

第182条　第3条の7から第3条の11まで、第3条の18、第3条の20、第3条の26、第3条の30の2、第3条の32から第3条の36まで、第3条の38から第3条の39、第28条、第30条、第33条、第34条、第68条から第71条まで、第74条から第76条まで、第78条、第79条、第81条から第84条まで、第86条及び第86条の2の規定は、指定看護小規模多機能型居宅介護の事業について準用する。この場合において、第3条の7第1項中「第3条の29に規定する運営規程」とあるのは「第182条において準用する第81条に規定する重要事項に関する規程」と、同項、第3条の30の2第2項、第3条の32第1項並びに第3条の38の2第1号及び第3号中「定期巡回・随時対応型訪問介護看護従業者」とあるのは「看護小規模多機能型居宅介護従業者」と、第28条第2項中「この節」とあるのは「第8章第4節」と、第34条第1項中「地域密着型通所介護について知見を有する者」とあるのは「看護小規模多機能型居宅介護について知見を有する者」と、「6月」とあるのは「2月」と、「活動状況」とあるのは「通いサービス及び宿泊サービスの提供回数等の活動状況」と、第68条中「第63条第12項」とあるのは「第171条第13項」と、第70条及び第78条中「小規模多機能型居宅介護従業者」とあるのは「看護小規模多機能型居宅介護従業者」と、第86条中「第63条第6項」とあるのは「第171条第7項各号」と読み替えるものとする。

指定介護予防サービス等の事業の人員、設備及び運営並びに指定介護予防サービス等に係る介護予防のための効果的な支援の方法に関する基準（平成18年厚生労働省令第35号）

最終改正〔令和６年厚生労働省令第164号〕

第３章　介護予防訪問入浴介護

（利用料等の受領）

第50条　１・２〔略〕

3　指定介護予防訪問入浴介護事業者は、前２項の支払を受ける額のほか、次の各号に掲げる費用の額の支払を利用者から受けることができる。

一　利用者の選定により通常の事業の実施地域以外の地域の居宅において指定介護予防訪問入浴介護を行う場合のそれに要する交通費

二　利用者の選定により提供される特別な浴槽水等に係る費用

4〔略〕

（準用）

第61条　第１節、第４節（第49条の９、第50条第１項、第53条の８第５項及び第６項並びに第55条を除く。）及び前節の規定は、基準該当介護予防訪問入浴介護の事業について準用する。この場合において、第49条の２及び第53条の４第１項中「第53条」とあるのは「第61条において準用する第53条」と、第49条の13第１項中「内容、当該指定介護予防訪問入浴介護について法第53条第４項の規定により利用者に代わって支払を受ける介護予防サービス費の額」とあるのは「内容」と、第50条第２項中「法定代理受領サービスに該当しない指定介護予防訪問入浴介護」とあるのは「基準該当介護予防訪問入浴介護」と、同条第３項中「前２項」とあるのは「前項」と、第50条の２中「法定代理受領サービスに該当しない指定介護予防訪問入浴介護」とあるのは「基準該当介護予防訪問入浴介護」と読み替えるものとする。

第４章　介護予防訪問看護

（利用料等の受領）

第69条　１・２〔略〕

3　指定介護予防訪問看護事業者は、前２項の支払を受ける額のほか、利用者の選定により通常の事業の実施地域以外の地域の居宅において指定介護予防訪問看護を行う場合は、それに要した交通費の額の支払を利用者から受けることができる。

4〔略〕

第５章　介護予防訪問リハビリテーション

（利用料等の受領）

第81条　１・２〔略〕

３　指定介護予防訪問リハビリテーション事業者は、前２項の支払を受ける額のほか、利用者の選定により通常の事業の実施地域以外の地域の居宅において指定介護予防訪問リハビリテーションを行う場合は、それに要した交通費の額の支払を利用者から受けることができる。

４〔略〕

第６章　介護予防居宅療養管理指導

（利用料等の受領）

第90条　１・２〔略〕

３　指定介護予防居宅療養管理指導事業者は、前２項の支払を受ける額のほか、指定介護予防居宅療養管理指導の提供に要する交通費の額の支払を利用者から受けることができる。

４〔略〕

第８章　介護予防通所リハビリテーション

（利用料等の受領）

第118条の２　１・２〔略〕

３　指定介護予防通所リハビリテーション事業者は、前２項の支払を受ける額のほか、次の各号に掲げる費用の額の支払を利用者から受けることができる。

一　利用者の選定により通常の事業の実施地域以外の地域に居住する利用者に対して行う送迎に要する費用

二　食事の提供に要する費用

三　おむつ代

四　前３号に掲げるもののほか、指定介護予防通所リハビリテーションの提供において提供される便宜のうち、日常生活においても通常必要となるものに係る費用であって、その利用者に負担させることが適当と認められる費用

４・５〔略〕

第９章　介護予防短期入所生活介護

（利用料等の受領）

第135条　１・２〔略〕

３　指定介護予防短期入所生活介護事業者は、前２項の支払を受ける額のほか、次の各号に掲げる費用の額の支払を利用者から受けることができる。

一　食事の提供に要する費用（法第61条の３第１項の規定により特定入所者介護予防サービス費が利用者に支給された場合は、同条第２項第１号に規定する食費の基準費用額（同条第４項の規定により当該特定入所者

介護予防サービス費が利用者に代わり当該指定介護予防短期入所生活介護事業者に支払われた場合は、同条第２項第１号に規定する食費の負担限度額）を限度とする。）

二　滞在に要する費用（法第61条の３第１項の規定により特定入所者介護予防サービス費が利用者に支給された場合は、同条第２項第２号に規定する滞在費の基準費用額（同条第４項の規定により当該特定入所者介護予防サービス費が利用者に代わり当該指定介護予防短期入所生活介護事業者に支払われた場合は、同条第２項第２号に規定する滞在費の負担限度額）を限度とする。）

三　厚生労働大臣の定める基準に基づき利用者が選定する特別な居室の提供を行ったことに伴い必要となる費用

四　厚生労働大臣の定める基準に基づき利用者が選定する特別な食事の提供を行ったことに伴い必要となる費用

五　送迎に要する費用（厚生労働大臣が別に定める場合を除く。）

六　理美容代

七　前各号に掲げるもののほか、指定介護予防短期入所生活介護において提供される便宜のうち、日常生活においても通常必要となるものに係る費用であって、その利用者に負担させることが適当と認められるもの

４・５〔略〕

（利用料等の受領）

第155条　１・２〔略〕

３　ユニット型指定介護予防短期入所生活介護事業者は、前２項の支払を受ける額のほか、次に掲げる費用の額の支払を受けることができる。

一　食事の提供に要する費用（法第61条の３第１項の規定により特定入所者介護予防サービス費が利用者に支給された場合は、同条第２項第１号に規定する食費の基準費用額（同条第４項の規定により当該特定入所者介護予防サービス費が利用者に代わり当該ユニット型指定介護予防短期入所生活介護事業者に支払われた場合は、同条第２項第１号に規定する食費の負担限度額）を限度とする。）

二　滞在に要する費用（法第61条の３第１項の規定により特定入所者介護予防サービス費が利用者に支給された場合は、同条第２項第２号に規定する滞在費の基準費用額（同条第４項の規定により当該特定入所者介護予防サービス費が利用者に代わり当該ユニット型指定介護予防短期入所生活介護事業者に支払われた場合は、同条第２項第２号に規定する滞在費の負担限度額）を限度とする。）

三　厚生労働大臣の定める基準に基づき利用者が選定する特別な居室の提供を行ったことに伴い必要となる費用

四　厚生労働大臣の定める基準に基づき利用者が選定する特別な食事の提

供を行ったことに伴い必要となる費用
五　送迎に要する費用（厚生労働大臣が別に定める場合を除く。）
六　理美容代
七　前各号に掲げるもののほか、指定介護予防短期入所生活介護において提供される便宜のうち、日常生活においても通常必要となるものに係る費用であって、その利用者に負担させることが適当と認められるもの

4・5〔略〕

（準用）

第185条　第49条の3から第49条の7まで、第49条の10、第49条の13、第50条の2、第50条の3、第52条、第53条の2の2、第53条の4から第53条の11まで（第53条の8第5項及び第6項並びに第53条の9第2項を除く。）、第120条の2、第120条の4、第128条並びに第4節（第135条第1項及び第142条を除く。）及び第5節の規定は、基準該当介護予防短期入所生活介護の事業について準用する。この場合において、第49条の13第1項中「内容、当該指定介護予防訪問入浴介護について法第53条第4項の規定により利用者に代わって支払を受ける介護予防サービス費の額」とあるのは「内容」と、第50条の2中「法定代理受領サービスに該当しない指定介護予防訪問入浴介護」とあるのは「基準該当介護予防短期入所生活介護」と、第53条の2の2第2項、第53条の4第1項並びに第53条の10の2第1号及び第3号中「介護予防入浴介護従業者」とあるのは「介護予防短期入所生活介護従業者」と、第53条の4第1項中「第53条」とあるのは「第185条において準用する第138条」と、「介護予防訪問入浴介護従業者」とあるのは「介護予防短期入所生活介護従業者」と、第120条の2第3項及び第4項中「介護予防通所リハビリテーション従業者」とあるのは「介護予防短期入所生活介護従業者」と、第135条第2項中「法定代理受領サービスに該当しない指定介護予防短期入所生活介護」とあるのは「基準該当介護予防短期入所生活介護」と、同条第3項中「前2項」とあるのは「前項」と、第139条第2項中「静養室」とあるのは「静養室等」と、第141条第2項第2号及び第4号から第6号までの規定中「次条」とあるのは、「第185条」と、第144条中「第128条」とあるのは「第185条において準用する第128条」と、「前条」とあるのは「第185条において準用する前条」と、第148条中「医師及び看護職員」とあるのは「看護職員」と読み替えるものとする。

第10章　介護予防短期入所療養介護

（利用料等の受領）

第190条　1・2〔略〕

3　指定介護予防短期入所療養介護事業者は、前2項の支払を受ける額のほか、次の各号に掲げる費用の額の支払を利用者から受けることができる。
一　食事の提供に要する費用（法第61条の3第1項の規定により特定入所

者介護予防サービス費が利用者に支給された場合は、同条第2項第1号に規定する食費の基準費用額（同条第4項の規定により当該特定入所者介護予防サービス費が利用者に代わり当該指定介護予防短期入所療養介護事業者に支払われた場合は、同条第2項第1号に規定する食費の負担限度額）を限度とする。）

二　滞在に要する費用（法第61条の3第1項の規定により特定入所者介護予防サービス費が利用者に支給された場合は、同条第2項第2号に規定する滞在費の基準費用額（同条第4項の規定により当該特定入所者介護予防サービス費が利用者に代わり当該指定介護予防短期入所療養介護事業者に支払われた場合は、同条第2項第2号に規定する滞在費の負担限度額）を限度とする。）

三　厚生労働大臣の定める基準に基づき利用者が選定する特別な療養室等の提供を行ったことに伴い必要となる費用

四　厚生労働大臣の定める基準に基づき利用者が選定する特別な食事の提供を行ったことに伴い必要となる費用

五　送迎に要する費用（厚生労働大臣が別に定める場合を除く。）

六　理美容代

七　前各号に掲げるもののほか、指定介護予防短期入所療養介護において提供される便宜のうち、日常生活においても通常必要となるものに係る費用であって、その利用者に負担させることが適当と認められるもの

4・5〔略〕

（利用料等の受領）

第206条　1・2〔略〕

3　ユニット型指定介護予防短期入所療養介護事業者は、前2項の支払を受ける額のほか、次に掲げる費用の額の支払を受けることができる。

一　食事の提供に要する費用（法第61条の3第1項の規定により特定入所者介護予防サービス費が利用者に支給された場合は、同条第2項第1号に規定する食費の基準費用額（同条第4項の規定により当該特定入所者介護予防サービス費が利用者に代わり当該ユニット型指定介護予防短期入所療養介護事業者に支払われた場合は、同条第2項第1号に規定する食費の負担限度額）を限度とする。）

二　滞在に要する費用（法第61条の3第1項の規定により特定入所者介護予防サービス費が利用者に支給された場合は、同条第2項第2号に規定する滞在費の基準費用額（同条第4項の規定により当該特定入所者介護予防サービス費が利用者に代わり当該ユニット型指定介護予防短期入所療養介護事業者に支払われた場合は、同条第2項第2号に規定する滞在費の負担限度額）を限度とする。）

三　厚生労働大臣の定める基準に基づき利用者が選定する特別な療養室等

の提供を行ったことに伴い必要となる費用
四　厚生労働大臣の定める基準に基づき利用者が選定する特別な食事の提供を行ったことに伴い必要となる費用
五　送迎に要する費用（厚生労働大臣が別に定める場合を除く。）
六　理美容代
七　前各号に掲げるもののほか、指定介護予防短期入所療養介護において提供される便宜のうち、日常生活においても通常必要となるものに係る費用であって、その利用者に負担させることが適当と認められるもの
4・5〔略〕

第11章　介護予防特定施設入居者生活介護

（利用料等の受領）

第238条　1・2〔略〕

3　指定介護予防特定施設入居者生活介護事業者は、前2項の支払を受ける額のほか、次に掲げる費用の額の支払を利用者から受けることができる。
一　利用者の選定により提供される介護その他の日常生活上の便宜に要する費用
二　おむつ代
三　前2号に掲げるもののほか、指定介護予防特定施設入居者生活介護において提供される便宜のうち、日常生活においても通常必要となるものに係る費用であって、その利用者に負担させることが適当と認められるもの
4〔略〕

（準用）

第262条　第49条の5、第49条の6、第50条の2から第52条まで、第53条の2の2、第53条の4から第53条の8まで、第53条の10から第53条の11まで、第120条の4、第139条の2、第235条から第238条まで、第239条及び第241条から第243条までの規定は、外部サービス利用型指定介護予防特定施設入居者生活介護の事業について準用する。この場合において、第51条、第53条の2の2第2項並びに第53条の10の2第1号及び第3号中「介護予防訪問入浴介護従業者」とあるのは「指定介護予防特定施設の従業者」と、第53条の4第1項中「第53条」とあるのは「第259条」と、「介護予防訪問入浴介護従業者」とあるのは「外部サービス利用型介護予防特定施設従業者」と、第53条の6中「指定介護予防訪問入浴介護事業所」とあるのは「指定介護予防特定施設及び受託介護予防サービス事業所」と、第139条の2第2項第1号及び第3号中「介護予防短期入所生活介護従業者」とあるのは「外部サービス利用型介護予防特定施設従業者」と、第237条第2項中「指定介護予防特定施設入居者生活介護を」とあるのは「基本サービスを」と、第241条中「指定介護予防特定施設入居者生活介護」とあるのは

「基本サービス」と読み替えるものとする。

指定地域密着型介護予防サービスの事業の人員、設備及び運営並びに指定地域密着型介護予防サービスに係る介護予防のための効果的な支援の方法に関する基準（平成18年厚生労働省令第36号）

最終改正〔令和６年厚生労働省令第16号〕

第２章　介護予防認知症対応型通所介護

（利用料等の受領）

第22条　１・２〔略〕

３　指定介護予防認知症対応型通所介護事業者は、前２項の支払を受ける額のほか、次の各号に掲げる費用の額の支払を利用者から受けることができる。

一　利用者の選定により通常の事業の実施地域以外の地域に居住する利用者に対して行う送迎に要する費用

二　指定介護予防認知症対応型通所介護に通常要する時間を超える指定介護予防認知症対応型通所介護であって利用者の選定に係るものの提供に伴い必要となる費用の範囲内において、通常の指定介護予防認知症対応型通所介護に係る地域密着型介護予防サービス費用基準額を超える費用

三　食事の提供に要する費用

四　おむつ代

五　前各号に掲げるもののほか、指定介護予防認知症対応型通所介護の提供において提供される便宜のうち、日常生活においても通常必要となるものに係る費用であって、その利用者に負担させることが適当と認められる費用

４・５〔略〕

第３章　介護予防小規模多機能型居宅介護

（利用料等の受領）

第52条　１・２〔略〕

３　指定介護予防小規模多機能型居宅介護事業者は、前２項の支払を受ける額のほか、次の各号に掲げる費用の額の支払を利用者から受けることができる。

一　利用者の選定により通常の事業の実施地域以外の地域に居住する利用者に対して行う送迎に要する費用

二　利用者の選択により通常の事業の実施地域以外の地域の居宅において訪問サービスを提供する場合は、それに要した交通費の額

三　食事の提供に要する費用

四　宿泊に要する費用
五　おむつ代
六　前各号に掲げるもののほか、指定介護予防小規模多機能型居宅介護の提供において提供される便宜のうち、日常生活においても通常必要となるものに係る費用であって、その利用者に負担させることが適当と認められる費用

4・5〔略〕

通所介護等における日常生活に要する費用の取扱いについて

（平成12年３月30日　老企第54号）
（各都道府県介護保険主管部（局）長あて厚生省老人保健福祉局企画課長通知）

通所介護、通所リハビリテーション、短期入所生活介護、短期入所療養介護及び特定施設入居者生活介護並びに介護福祉施設サービス、介護保健施設サービス、介護療養施設サービス及び介護医療院サービス並びに認知症対応型通所介護、小規模多機能型居宅介護、認知症対応型共同生活介護、地域密着型特定施設入居者生活介護及び地域密着型介護老人福祉施設入所者生活介護並びに介護予防通所介護、介護予防通所リハビリテーション、介護予防短期入所生活介護、介護予防短期入所療養介護及び介護予防特定施設入居者生活介護並びに介護予防認知症対応型通所介護、介護予防小規模多機能型居宅介護及び介護予防認知症対応型共同生活介護（以下「通所介護等」という。）の提供において利用者、入所者、入居者又は入院患者から受け取ることが認められる日常生活に要する費用の取扱いについては、指定居宅サービス等の事業の人員、設備及び運営に関する基準（平成11年厚生省令第37号。以下「居宅サービス基準」という。）、指定介護老人福祉施設の人員、設備及び運営に関する基準（平成11年厚生省令第39号。以下「福祉施設基準」という。）、介護老人保健施設の人員、施設及び設備並びに運営に関する基準（平成11年厚生省令第40号。以下「保健施設基準」という。）、指定地域密着型サービスの事業の人員、設備及び運営に関する基準（平成18年厚生労働省令第34号。以下「地域密着基準」という。）、指定介護予防サービス等の事業の人員、設備及び運営並びに指定介護予防サービス等に係る介護予防のための効果的な支援の方法に関する基準（平成18年厚生労働省令第35号。以下「介護予防基準」という。）、指定地域密着型介護予防サービスの事業の人員、設備及び運営並びに指定地域密着型介護予防サービスに係る介護予防のための効果的な支援の方法に関する基準（平成18年厚生労働省令第36号。以下「地域密着介護予防基準」という。）及び介護医療院の人員、施設及び設備並びに運営に関する基準（30年厚生労働省令第５号。以下「医療院基準」という。）並びに「指定居宅サービス等及び指定介護予防サービス等に関する基準について」（平成11年９月17日老企第25号厚生省老人保健福祉局企画課長通知）、「指定介護老人福祉施設の人員、設備及び運営に関する基準について」（平成12年３月17日老企第43号厚生省老人保健福祉局企画課長通知）、「介護老人保健施設の人員、施設及び設備並びに運営に関する基準について」（平成12年

3月17日老企第44号厚生省老人保健福祉局企画課長通知)、「指定介護療養型医療施設の人員、設備及び運営に関する基準について」(平成12年3月17日老企第45号厚生省老人保健福祉局企画課長通知)、「指定地域密着型サービス及び指定地域密着型介護予防サービスに関する基準について」(平成18年3月31日老計発第0331003号・老振発第0331004号・老老発第0331017号)及び「介護医療院の人員、施設及び設備並びに運営に関する基準について」(平成30年3月22日老老発0322第1号厚生労働省老健局老人保健課長通知)をもってお示ししているところであるが、通所介護等の提供において提供される便宜のうち、日常生活においても通常必要となるものに係る費用であって、その利用者等に負担させることが適当と認められるもの(以下「その他の日常生活費」という。)の取扱いについては別途通知することとされていたところ、今般、その基本的な取扱いについて左記のとおり定めるとともに、その他の日常生活費の対象となる便宜の範囲について、別紙によりサービス種類ごとに参考例をお示しするので、御了知の上、管下市町村、関係団体、関係機関等にその周知徹底を図るとともに、その運用に遺憾のないようにされたい。

記

1 「その他の日常生活費」の趣旨

「その他の日常生活費」は、利用者、入所者、入居者又は入院患者(以下「利用者等」という。)又はその家族等の自由な選択に基づき、事業者又は施設が通所介護等の提供の一環として提供する日常生活上の便宜に係る経費がこれに該当する。

なお、事業者又は施設により行われる便宜の供与であっても、サービスの提供と関係のないもの(利用者等の嗜好品の購入等)については、その費用は「その他の日常生活費」とは区別されるべきものである。

2 「その他の日常生活費」の受領に係る基準

「その他の日常生活費」の趣旨にかんがみ、事業者又は施設が利用者等から「その他の日常生活費」の徴収を行うに当たっては、以下に掲げる基準が遵守されなければならないものとする。

① 「その他の日常生活費」の対象となる便宜と、保険給付の対象となっているサービスとの間に重複関係がないこと。

② 保険給付の対象となっているサービスと明確に区分されないあいまいな名目による費用の受領は認められないこと。したがって、お世話料、管理協力費、共益費、施設利用補償金といったあいまいな名目の費用の徴収は認められず、費用の内訳が明らかにされる必要があること。

③ 「その他の日常生活費」の対象となる便宜は、利用者等又はその家族等の自由な選択に基づいて行われるものでなければならず、事業者又は施設は「その他の日常生活費」の受領について利用者等又はその家族等

に事前に十分な説明を行い、その同意を得なければならないこと。

④ 「その他の日常生活費」の受領は、その対象となる便宜を行うための実費相当額の範囲内で行われるべきものであること。

⑤ 「その他の日常生活費」の対象となる便宜及びその額は、当該事業者又は施設の運営規程において定められなければならず、また、サービスの選択に資すると認められる重要事項として、施設の見やすい場所に掲示されなければならないこと。ただし、「その他の日常生活費」の額については、その都度変動する性質のものである場合には、「実費」という形の定め方が許されるものであること。

（別紙）

各サービス種類ごとの「その他の日常生活費」の具体的な範囲について

⑴ 通所介護、通所リハビリテーション及び認知症対応型通所介護並びに介護予防通所介護、介護予防通所リハビリテーション及び介護予防認知症対応型通所介護（居宅サービス基準第96条第３項第５号関係及び地域密着基準第49条第３項第５号関係並びに予防基準第100条第３項第４号関係及び地域密着介護予防基準第22条第３項第５号関係）

① 利用者の希望によって、身の回り品として日常生活に必要なものを事業者が提供する場合に係る費用

② 利用者の希望によって、教養娯楽として日常生活に必要なものを事業者が提供する場合に係る費用

⑵ 短期入所生活介護及び短期入所療養介護並びに介護予防短期入所生活介護及び介護予防短期入所療養介護（居宅サービス基準第127条第３項第７号、第140条の６第３項第７号、第145条第３項第７号及び第155条の５第３項第７号関係並びに予防基準第135条第３項第７号、第155条第３項第７号、第190条第３項第７号及び第206条第３項第７号関係）

① 利用者の希望によって、身の回り品として日常生活に必要なものを事業者が提供する場合に係る費用

② 利用者の希望によって、教養娯楽として日常生活に必要なものを事業者が提供する場合に係る費用

⑶ 特定施設入居者生活介護及び地域密着型特定施設入居者生活介護並びに介護予防特定施設入居者生活介護（居宅サービス基準第182条第３項第３号関係及び地域密着基準第117条第３項第３号並びに予防基準第238条第３項第３号関係）

① 利用者の希望によって、身の回り品として日常生活に必要なものを事業者が提供する場合に係る費用

⑷ 介護福祉施設サービス、介護保健施設サービス及び介護医療院サービス並びに地域密着型介護老人福祉施設入所者生活介護（福祉施設基準第９条第３項第６号関係及び第41条第３項第６号関係、保健施設基準第11条第３

項第6号及び第42条第3項第6号関係、医療院基準第14条第3項第6号及び第46条第3項第6号関係並びに地域密着基準第136条第3項第6号及び第161条第3項第6号関係）

① 入所者、入居者又は入院患者（以下「入所者等」という。）の希望によって、身の回り品として日常生活に必要なものを施設が提供する場合に係る費用

② 入所者等の希望によって、教養娯楽として日常生活に必要なものを施設が提供する場合に係る費用

③ 健康管理費（インフルエンザ予防接種に係る費用等）

④ 預り金の出納管理に係る費用

⑤ 私物の洗濯代

(5) 小規模多機能型居宅介護、複合型サービス及び介護予防小規模多機能型居宅介護（地域密着基準第71条第3項第6号及び地域密着介護予防基準第52条第3項第6号関係）

① 利用者の希望によって、身の回り品として日常生活に必要なものを事業者が提供する場合に係る費用

② 利用者の希望によって、教養娯楽として日常生活に必要なものを事業者が提供する場合に係る費用

(6) 認知症対応型共同生活介護及び介護予防認知症対応型共同生活介護（地域密着基準第96条第3項第4号関係及び地域密着介護予防基準第76条第3項第4号関係）

① 利用者の希望によって、身の回り品として日常生活に必要なものを事業者が提供する場合に係る費用

(7) 留意事項

① (1)から(6)の①に掲げる「身の回り品として日常生活に必要なもの」とは、一般的に要介護者等の日常生活に最低限必要と考えられる物品（例えば、歯ブラシや化粧品等の個人用の日用品等）であって、利用者等の希望を確認した上で提供されるものをいう。したがって、こうした物品を事業者又は施設がすべての利用者等に対して一律に提供し、すべての利用者等からその費用を画一的に徴収することは認められないものである。

② (1)、(2)、(4)及び(5)の②に掲げる「教養娯楽として日常生活に必要なもの」とは、例えば、事業者又は施設がサービスの提供の一環として実施するクラブ活動や行事における材料費等が想定されるものであり、すべての利用者等に一律に提供される教養娯楽に係る費用（共用の談話室等にあるテレビやカラオケ設備の使用料等）について、「その他の日常生活費」として徴収することは認められないものである。

③ (4)の④にいう預り金の出納管理に係る費用を入所者等から徴収する場

合には、

イ　責任者及び補助者が選定され、印鑑と通帳が別々に保管されていること、

ロ　適切な管理が行われていることの確認が複数の者により常に行える体制で出納事務が行われること、

ハ　入所者等との保管依頼書（契約書）、個人別出納台帳等、必要な書類を備えていること

等が満たされ、適正な出納管理が行われることが要件となる。

また、入所者から出納管理に係る費用を徴収する場合にあっては、その積算根拠を明確にし、適切な額を定めることとし、例えば、預り金の額に対し、月当たり一定割合とするような取扱いは認められないものである。

④　介護福祉施設サービス、介護保健施設サービス、介護療養施設サービス、介護医療院サービス及び地域密着型介護老人福祉施設入所者生活介護の入所者等並びに短期入所生活介護、短期入所療養介護、介護予防短期入所生活介護及び介護予防短期入所療養介護の利用者のおむつに係る費用については、保険給付の対象とされていることから、おむつ代を始め、おむつカバー代及びこれらに係る洗濯代等おむつに係る費用は一切徴収できないことに留意すること。

⑤　介護老人福祉施設又は地域密着型介護老人福祉施設である特別養護老人ホームは、従来から在宅生活が困難な入所者又は入居者の生活の拠点としての機能を有しており、介護サービスだけでなく、入所者又は入居者の日常生活全般にわたって援助を行ってきたところであり、入所者又は入居者の私物の洗濯等も基本的に施設サービスとして行われてきたものである。したがって⑷の⑤の「私物の洗濯代」については、入所者又は入居者の希望により個別に外部のクリーニング店に取り継ぐ場合のクリーニング代を除き、費用の徴収はできないものであること。なお、このクリーニング代については、サービスの提供とは関係のない実費として徴収することとなること。

〔参考〕

「その他の日常生活費」に係るＱ＆Ａについて

（平成12年３月31日）

（最終改正〔令和７年２月13日事務連絡〕

各都道府県介護保険担当課（室）あて厚生省老人保健福祉局介護保険制度施行準備室）

本年３月30日付けで「通所介護等における日常生活に要する費用の取扱い

について」を厚生省老人保健福祉局企画課長通知（老企第54号）として別添のとおり発出したところであるが、「その他の日常生活費」について想定される照会について、別添の通りQ＆Aを作成しましたので送付します。

各位におかれましては、内容を御了知の上、適切に対応していただきますようよろしくお願い申し上げます。

〔別添〕

「その他の日常生活費」に係るQ＆A

問１　個人用の日用品について、「一般的に要介護者等の日常生活に最低限必要と考えられるもの」としてはどういったものが想定されるのか。

答　歯ブラシ、化粧品、シャンプー、タオル等の日用品であって、利用者に一律に提供されるものではなく、利用者個人又はその家族等の選択により利用されるものとして、事業者（又は施設）が提供するもの等が想定される。

問２　個人用の日用品については、一般的に要介護者等の日常生活に最低限必要と考えられるものに限られることとされているが、それ以外の個人の嗜好に基づくいわゆる「贅沢品」については、費用の徴収ができないのか。

答　サービス提供とは関係のない費用として、徴収は可能である。

問３　個人用の日用品については、一般的に要介護者等の日常生活に必要と考えられるものであれば、例えば病院の売店で利用者が購入する場合であってもその費用は「その他の日常生活費」に該当するのか。

答　このような場合は、「サービス提供の一環として提供される便宜」とは言い難いので、「その他の日常生活費」に該当しない。

問４　個人用の日用品については、一般的に要介護者等の日常生活に必要と考えられるものであれば、ある利用者の個別の希望に応じて、事業者等が当該利用者の代わりにある日用品を購入し、その購入代金を利用者に請求する場合も「その他の日常生活費」に該当するのか。

答　個人のために単に立て替え払いするような場合は、事業者等として提供する便宜とは言えず、その費用は「その他の日常生活費」に該当しないため、サービス提供とは関係のない費用として徴収を行うこととなる。

問５　個人専用の家電製品の電気代は、利用者から徴収できないのか。

答　サービス提供とは関係のない費用として、徴収は可能である。

問６　施設にコインランドリーがある場合、その料金についても「私物の洗濯代」として「その他の日常生活費」に該当するのか。
答　このような場合は、施設が洗濯サービスを提供しているわけではないので、その他の日常生活費には該当しない。

問７　個人の希望に応じて事業者等が代わって購入する新聞、雑誌等の代金は、教養娯楽に係る「その他の日常生活費」に該当するか。
答　全くの個別の希望に答える場合は事業者等として提供する便宜とは言えず、その費用は「その他の日常生活費」に該当せず、サービス提供とは関係のない費用として徴収を行うこととなる。

問８　事業者等が実施するクラブ活動や行事における材料費等は、「その他の日常生活費」に該当するか。
答　事業者等が、サービスの提供の一環として実施するクラブ活動や行事のうち、一般的に想定されるもの（例えば、作業療法等機能訓練の一環として行われるクラブ活動や入所者等が全員参加する定例行事）における材料費等は保険給付の対象に含まれることから別途徴収することはできないが、サービスの提供の一環として実施するクラブ活動や行事のために調達し、提供する材料であって、利用者に負担させることが適当と認められるもの（例えば、習字、お花、絵画、刺繍等のクラブ活動等の材料費）に係る費用は、教養娯楽に要する費用として「その他の日常生活費」に該当する。
　なお、事業者等が実施するクラブ活動や行事であっても、一般的に想定されるサービスの提供の範囲を超えるもの（例えば、利用者の趣味的活動に関し事業者等が提供する材料等や、希望者を募り実施する旅行等）に係る費用については、サービス提供とは関係のない費用として徴収を行うこととなる。
問９　利用者用の居室等における Wi-Fi 等の通信設備の利用料は、利用者から徴収できないのか。
答　サービス提供とは関係のない費用として、徴収は可能である。

老発第0609001号
平成18年６月９日
最終改正　老発0805第３号
令和６年８月５日

各都道府県知事　殿

厚生労働省老健局長

地域支援事業の実施について

標記については、介護保険制度の円滑な実施の観点から、被保険者が要介護状態等となることを予防するとともに、要介護状態等となった場合においても、可能な限り、地域において自立した日常生活を営むことができるよう支援するため、今般、別紙のとおり、「地域支援事業実施要綱」を定め、平成18年４月１日から適用することとしたので通知する。

ついては、本事業の実施に努められるよう特段の御配慮をお願いするとともに、管内市町村に対して、周知徹底を図る等、本事業の円滑な実施について御協力を賜りたい。

別紙

地域支援事業実施要綱

１　目的及び趣旨

地域支援事業は、被保険者が要介護状態又は要支援状態（以下「要介護状態等」という。）となることを予防し、社会に参加しつつ、地域において自立した日常生活を営むことができるよう支援することを目的とし、地域における包括的な相談及び支援体制、多様な主体の参画による日常生活の支援体制、在宅医療と介護の連携体制及び認知症高齢者への支援体制の構築等を一体的に推進するものである。

２　事業構成及び事業内容

⑴　介護保険法（平成９年法律第123号。以下「法」という。）第115条の45第１項に規定する介護予防・日常生活支援総合事業（以下「総合事業」という。）の事業構成及び事業内容は、別記１のとおりとする。

⑵　法第115条の46第１項に規定する包括的支援事業（法第115条の45第２項第４号から第６号に掲げる事業を除く。以下「包括的支援事業（地域包括支援センターの運営）」という。）の事業構成及び事業内容は、別記２のとおりとする。

⑶　法第115条の46第１項に規定する包括的支援事業（法第115条の45第２項第４号から第６号に掲げる事業に限る。）及び法第115条の48第１項に規定する会議を開催する事業（以下「包括的支援事業（社会保障充実分）」という。）の事業構成及び事業内容は、別記３のとおりとする。

⑷　法第115条の45第３項各号に掲げる事業（以下「任意事業」という。）の事業構成及び事業内容は、別記４のとおりとする。

３　実施方法等

⑴　地域支援事業の実施に当たっては、高齢者のニーズや生活実態に基づいて総合的な判断を行い、高齢者に対し、自立した日常生活を営むことができるよう、継続的かつ総合的な支援のための施策を行うことができるよう実施することとする。

⑵　過去に国庫補助金等から一般財源化された事業（「介護予防・地域支え合い事業における一般財源化された事業について」（平成23年10月21日厚生労働省老健局振興課介護サービス振興係地域支援事業担当事務連絡）に掲載した生きがい活動支援通所事業、緊急通報体制等整備事業、外出支援サービス事業、寝具類等洗濯乾燥消毒サービス事業、軽度生活援助事業、訪問理美容サービス事業及び日常生活用具給付等事業並びに高齢者に関する介護知識・技術等普及促進事業、福祉用具・住宅改修研修事業、福祉用具・住宅改修活用広域支援事業、サービス事業者振興事業、高齢者自身の取り組み支援事業及び高齢者訪問支援活動推進事業については、地域支援事業として実施できない（高齢者に関する介護知識・技術等普及促進事業、福祉用具・住宅改修研修事業、福祉用具・住宅改修活用広域支援事業、サービス事業者振興事業、高齢者自身の取り組み支援事業及び高齢者訪問支援活動推進事業については、指定都市（平成18年度以降に指定都市へ移行した自治体も含む。）では一般財源化されているため実施不可であるが、指定都市を除く市町村（特別区、一部事務組合、広域連合等を含む。）は実施可能。）ことに留意する。

⑶　地域共生社会の推進の観点から、地域住民の複合化・複雑化した支援ニーズに対応する包括的な支援体制を整備するため、次に掲げる事業については、対象者の属性を問わない相談支援、参加支援、地域づくりに向けた支援を一体的に行う重層的支援体制整備事業（社会福祉法（昭和26年法律第45号）第106条の４第２項に規定する重層的支援体制整備事業をいう。以下同じ。）として実施することができる。

ア　別記１の３に掲げる一般介護予防事業のうち同⑵ウに掲げる地域介護予防活動支援事業

イ　包括的支援事業（地域包括支援センターの運営）（別記２の２⑴に掲げる第１号介護予防支援事業を除く。）

ウ　別記３の２に掲げる生活支援体制整備事業

4　実施主体

⑴　実施主体は、市町村（特別区、一部事務組合及び広域連合等を含む。以下同じ。）とする。

⑵　市町村は、地域の実情に応じ、利用者、サービス内容及び利用料の決定を除き、包括的支援事業（法第115条の46第1項に規定する包括的支援事業をいう。以下同じ。）の実施について、包括的支援事業の実施に係る方針を示した上で、当該事業を適切、公正、中立かつ効率的に実施することができると認められる老人介護支援センターの設置者（市町村社会福祉協議会、社会福祉法人等）、一部事務組合若しくは広域連合等を組織する市町村、医療法人、当該事業を実施することを目的として設立された民法法人、特定非営利活動法人その他市町村が適当と認める者に委託することができる。

この委託は、包括的支援事業（地域包括支援センターの運営）については、法人に対し、その全てにつき一括して行わなければならない。また、包括的支援事業（社会保障充実分）については、地域包括支援センターの設置者以外に委託することも可能であり、地域の実情に応じてそれぞれの事業の実施要綱に定めるところによるものとする。

なお、委託した場合においても、市町村と委託先は密に連携を図りつつ、事業を実施しなければならない。

⑶　市町村は、地域の実情に応じ、利用者、サービス内容及び利用料の決定を除き、総合事業について、介護保険法施行規則（平成11年厚生省令第36号。以下「省令」という。）第140条の69に定める基準に適合する者（第1号介護予防支援事業（法第115条の45第1項第1号ニに規定する第1号介護予防支援事業をいう。以下同じ。）については、地域包括支援センターの設置者に限る。）に対して、事業の実施を委託することができるものとする。また、総合事業のうち、サービス・活動事業（法第115条の45第1項第1号に規定する第1号事業をいう。以下同じ。）については、市町村が事業者を指定して事業を実施することができる（第1号介護予防支援事業（同号ニに規定する第1号介護予防支援事業という。以下同じ。）については、居宅要支援被保険者（法第53条第1項に規定する居宅要支援被保険者をいう。以下同じ。）に係るものに限る。）ものとする。

⑷　市町村は、地域の実情に応じ、利用者、サービス内容及び利用料の決定を除き、任意事業の全部又は一部について、老人介護支援センターの設置者その他の市町村が適当と認める者に対し、その実施を委託することができるものとする。

⑸　⑵から⑷までの受託者に対して市町村が支払う費用の額については、市町村において、地域の実情に応じて柔軟に決定するものとする。

なお、総合事業については、受託者に対する費用の審査・支払に係る事務を国民健康保険団体連合会（以下「国保連合会」という。）に委託することが可能である。

(6) 法第13条第３項に規定する住所地特例適用被保険者に対する地域支援事業の実施に関しては、法第115条の45第１項により、当該住所地特例適用被保険者が入所又は入居する施設が所在する市町村（以下「施設所在市町村」という。）が行うものとしている。

ただし、任意事業については、転居前の市町村（以下「保険者市町村」という。）も行うことができる仕組みとなっており、事業の内容によっては、引き続き、保険者市町村が行うことができる。

(7) 地域支援事業は、市町村が実施主体となり、保健所その他の関係行政機関、医師会、歯科医師会その他の保健医療関係団体、社会福祉協議会その他の福祉関係団体、介護関係事業者その他の民間事業者、ボランティアを含む地域住民等の協力を得て推進するものとする。

5　利用料

市町村、市町村から地域支援事業の実施について委託を受けた者及び指定を受けて総合事業を実施する者は、地域支援事業（別記１の３(2)アに掲げる介護予防把握事業を除く。）の利用者に対し、利用料を請求することができる。

利用料に関する事項は、地域の実情や各事業の内容に応じて、市町村において決定する。

なお、市町村が地域支援事業の実施について委託する場合は、地方自治法（昭和22年法律第67号）第210条で規定される総計予算主義の原則等を踏まえ、利用料を直接委託先の歳入とすることを前提に利用料を控除した額を委託費とすることは適当ではなく、会計上、委託料と利用料をそれぞれ計上することが適当であることについて、留意する必要がある。

6　評価

地域支援事業の実施状況及び効果に関する評価は、保険者機能強化推進交付金及び介護保険保険者努力支援交付金に関する指標により、毎年度実施する。

なお、総合事業については、法第115条の45の２において、市町村は、定期的に、その実施状況について、調査、分析及び評価を行うとともに、その結果に基づき必要な措置を講ずるよう努めるものとされており、当該調査、分析及び評価事務については、別記１の３(2)エに掲げる一般介護予防事業評価事業として実施することが可能である。

当該評価の実施に当たっては、別添２の「総合事業の事業評価」を踏まえ、適切に行うこと。

また、市町村は、法第115条の46第９項に基づく包括的支援事業（地域包括支援センター）の評価について、「地域包括支援センターの事業評価を通じた機能強化について（通知）」（平成30年７月４日老振発0704第１号厚生労働省老健局振興課長通知）により実施すること。

別記　１～４（略）

社会福祉関係

参考資料1　(非課税となる認可外保育関係(1))

消費税法施行令第14条の3第1号の規定に基づき内閣総理大臣が指定する保育所を経営する事業に類する事業として行われる資産の譲渡等（令和5年厚生労働省告示・第151号により改称）

（平　成17年 3 月31日
厚生労働省告示第128号）

消費税法施行令（昭和63年政令第360号）第14条の3第1号の規定に基づき、消費税法施行令第14条の3第1号の規定に基づき厚生労働大臣が指定する保育所を経営する事業に類する事業として行われる資産の譲渡等を次のように定め、平成17年4月1日から適用する。
＜最終改正＞
令和6年3月29日内閣府告示第27号

児童福祉法（昭和22年法律第164号）第59条の2第1項の規定による届出が行われた施設であって、同法第59条第1項の規定に基づく都道府県知事（地方自治法（昭和22年法律第67号）第252条の19第1項の指定都市若しくは同法第252条の22第1項の中核市又は児童福祉法第59条の4第1項の児童相談所設置市にあっては、それぞれその長。以下「都道府県知事等」という。）の立入調査を受け、次に掲げる施設の区分に応じ、それぞれ次に定める要件を満たし、当該満たしていることにつき都道府県知事等から証明書の交付を受けているもの（当該都道府県知事等から当該証明書を返還することを求められた場合の当該施設を除く。）において、乳児又は幼児（以下「乳幼児」という。）を保育する業務として行われる資産の譲渡等及び児童福祉法施行規則（昭和23年厚生省令第11号）第49条の2第3号に規定する施設であって、就学前の子どもに関する教育、保育等の総合的な提供の推進に関する法律（平成18年法律第77号）第3条第3項の規定による認定を受けているもの又は同条第10項の規定による公示がされているもの（同条第1項の条例で定める要件に適合していると認められるものを除く。）において、乳幼児を保育する業務として行われる資産の譲渡等
第一　一日に保育する乳幼児の数が6人以上である施設　次に掲げる事項のいずれも満たすものであること。
　一　保育に従事する者の数及び資格
　　イ　保育に従事する者の数は、施設の主たる開所時間である11時間（開

所時間が11時間以内である場合にあっては、当該開所時間。以下同じ。）について、乳児おおむね３人につき１人以上、満１歳以上満３歳に満たない幼児おおむね６人につき１人以上、満３歳以上満４歳に満たない幼児おおむね20人につき１人以上、満４歳以上の幼児おおむね30人につき１人以上、かつ、施設１につき２人以上であること。主たる開所時間である11時以外の時間帯については、常時２人（保育されている乳幼児の数が１人である時間帯にあっては、1人）以上であること。また、一日に保育する乳幼児の数が６人以上19人以下の施設における、複数の乳児を保育する時間帯以外の時間帯（安全面の配慮が行われた必要最小限の時間帯に限る。）については、１人以上であること。

ロ　保育に従事する者のうち、その総数のおおむね３分の１（保育に従事する者が２人以下の場合にあっては、1人）以上に相当する数の者が、保育士（国家戦略特別区域法（平成25年法律第107号）第12条の５第５項に規定する事業実施区域内にある施設にあっては、保育士又は当該事業実施区域に係る国家戦略特別区域限定保育士。以下同じ。）又は看護師（准看護師を含む。以下同じ。）の資格を有する者であること。ただし、同法第２条第１項に規定する国家戦略特別区域内に所在する施設であって、次のいずれにも該当し、かつ、本文に規定する事項を満たす施設と同等以上に適切な保育の提供が可能である施設にあっては、この限りでない。

(1)　過去三年間に保育した乳幼児のおおむね半数以上が外国人（日本の国籍を有しない者をいう。以下同じ。）であり、かつ、現に保育する乳幼児のおおむね半数以上が外国人であること。

(2)　外国の保育資格を有する者その他外国人である乳幼児の保育について十分な知識経験を有すると認められる者を十分な数配置していること。

(3)　保育士の資格を有する者を一人以上配置していること。

ハ　保育士でない者について、保育士、保母、保父その他これらに紛らわしい名称が用いられていないこと。

ニ　国家戦略特別区域限定保育士が、その業務に関して国家戦略特別区域限定保育士の名称を表示するときに、その資格を得た事業実施区域を明示し、当該事業実施区域以外の区域を表示していないこと。

二　保育室等の構造、設備及び面積

イ　乳幼児の保育を行う部屋（以下「保育室」という。）のほか、調理室（給食を施設外で調理している場合、乳幼児が家庭から弁当を持参している場合等にあっては、食品の加熱、保存、配膳等のために必要な調理機能を有する設備。以下同じ。）及び便所があること。

ロ　保育室の面積は、乳幼児１人当たりおおむね1.65平方メートル以上であること。

ハ　おおむね１歳未満の乳幼児の保育を行う場所は、その他の幼児の保育を行う場所と区画され、かつ、安全性が確保されていること。

ニ　保育室は、採光及び換気が確保され、かつ、安全性が確保されていること。

ホ　便所用の手洗設備が設けられているとともに、便所は、保育室及び調理室と区画され、かつ、乳幼児が安全に使用できるものであること。

ヘ　便器の数は、幼児おおむね20人につき１以上であること。

三　非常災害に対する措置

イ　消火用具、非常口その他非常災害に際して必要な設備が設けられていること。

ロ　非常災害に対する具体的計画が立てられているとともに、非常災害に備えた定期的な訓練が施されていること。

四　保育室を２階以上に設ける場合の設備等

イ　保育室を２階に設ける建物は、保育室その他の乳幼児が出入りし又は通行する場所に乳幼児の転落事故を防止する設備が設けられていること。なお、当該建物が次の⑴及び⑵のいずれも満たさないものである場合にあっては、三に掲げる設備の設置及び訓練の実施を行うことに特に留意されていること。

⑴　建築基準法（昭和25年法律第201号）第２条第９号の２に規定する耐火建築物又は同条第９号の３に規定する準耐火建築物（同号ロに該当するものを除く。）であること。

⑵　次の表の上欄に掲げる区分ごとに、同表の下欄に掲げる設備（乳幼児の避難に適した構造のものに限る。）のいずれかが、１以上設けられていること。

区分	設備
常用	１　屋内階段 ２　屋外階段
避難用	１　建築基準法施行令（昭和25年政令第338号）第123条第１項に規定する構造の屋内避難階段又は同条第３項に規定する構造の屋内特別避難階段 ２　待避上有効なバルコニー ３　建築基準法第２条第７号の２に規定する準耐火構造の屋外傾斜路又はこれに準ずる設備 ４　屋外階段

ロ　保育室を３階以上に設ける建物は、次の⑴から⑺までに該当するものであること。

(1)　建築基準法第２条第９号の２に規定する耐火建築物であること。

(2)　次の表の上欄に掲げる保育室の階の区分に応じ、同表の中欄に掲げる区分ごとに、同表の下欄に掲げる設備（乳幼児の避難に適した構造のものに限る。）のいずれかが、１以上設けられていること。この場合において、当該設備は、避難上有効な位置に保育室の各部分から当該設備までの歩行距離が30メートル以内となるように設けられていること。

<table>
<tr><td rowspan="2">３階</td><td>常用</td><td>1　建築基準法施行令第123条第１項に規定する構造の屋内避難階段又は同条第３項に規定する構造の屋内特別避難階段
2　屋外階段</td></tr>
<tr><td>避難用</td><td>1　建築基準法施行令第123条第１項に規定する構造の屋内避難階段又は同条第３項に規定する構造の屋内特別避難階段
2　建築基準法第２条第７号に規定する耐火構造の屋外傾斜路又はこれに準ずる設備
3　屋外階段</td></tr>
<tr><td rowspan="2">４階以上</td><td>常用</td><td>1　建築基準法施行令第123条第１項に規定する構造の屋内避難階段又は同条第３項に規定する構造の屋内特別避難階段
2　建築基準法施行令第123条第２項に規定する構造の屋外階段</td></tr>
<tr><td>避難用</td><td>1　建築基準法施行令第123条第１項に規定する構造の屋内避難階段（ただし、当該屋内避難階段の構造は、建築物の１階から保育室が設けられている階までの部分に限り、屋内と階段室とは、バルコニー又は付室（階段室が同条第３項第２号に規定する構造を有する場合を除き、同号に規定する構造を有するものに限る。）を通じて連絡することとし、かつ、同条第３項第３号、第４号及び第10号を満たすものとする。）又は同条第３項に規定する構造の屋内特別避難階段
2　建築基準法第２条第７号に規定する耐火構造の屋外傾斜路
3　建築基準法施行令第123条第２項に規定する構造の屋外階段</td></tr>
</table>

(3)　調理室と調理室以外の部分とが建築基準法第２条第７号に規定す

る耐火構造の床若しくは壁又は建築基準法施行令第112条第１項に規定する特定防火設備によって区画されており、また、換気、暖房又は冷房の設備の風道の当該床若しくは壁を貫通する部分がある場合には、当該部分又はこれに近接する部分に防火上有効なダンパー（煙の排出量及び空気の流量を調節するための装置をいう。）が設けられていること。ただし、次のいずれかに該当する場合においては、この限りでない。

(i) 調理室スプリンクラー設備その他これに類するもので自動式のものが設けられていること。

(ii) 調理室に調理用器具の種類に応じた有効な自動消火装置が設けられ、かつ、当該調理室の外部への延焼を防止するために必要な措置が講じられていること。

(4) 壁及び天井の室内に面する部分の仕上げが不燃材料でなされていること。

(5) 保育室その他乳幼児が出入りし又は通行する場所に乳幼児の転落事故を防止する設備が設けられていること。

(6) 非常警報器具又は非常警報設備及び消防機関へ火災を通報する設備が設けられていること。

(7) カーテン、敷物、建具等で可燃性のものについて防炎処理が施されていること。

五　保育の内容等

イ　保育の内容

(1) 乳幼児１人１人の心身の発育や発達の状況を把握し、保育内容が工夫されていること。

(2) 乳幼児が安全で清潔な環境の中で、遊び、運動、睡眠等がバランスよく組み合わされた健康的な生活リズムが保たれるように、十分に配慮がなされた保育の計画が定められていること。

(3) 乳幼児の生活リズムに沿ったカリキュラムが設定され、かつ、それが実施されていること。

(4) 乳幼児に対し漫然とテレビやビデオを見せ続ける等、乳幼児への関わりが少ない放任的な保育内容でないこと。

(5) 必要な遊具、保育用品等が備えられていること。

ロ　保育に従事する者の保育姿勢等

(1) 乳幼児の最善の利益を考慮し、保育サービスを実施する者として適切な姿勢であること。特に、施設の運営管理の任にあたる施設長については、その職責にかんがみ、資質の向上及び適格性の確保が図られていること。

(2) 保育に従事する者が保育所保育指針（平成29年厚生労働省告示第

117号）を理解する機会を設ける等、保育に従事する者の人間性及び専門性の向上が図られていること。

(3) 乳幼児に身体的苦痛を与えること、人格を辱めること等がないよう、乳幼児の人権に十分配慮されていること。

(4) 乳幼児の身体、保育中の様子又は家族の態度等から虐待等不適切な養育が行われていることが疑われる場合には児童相談所その他の専門的機関と連携する等の体制がとられていること。

ハ　保護者との連絡等

(1) 保護者と密接な連絡を取り、その意向を考慮した保育が行われていること。

(2) 緊急時における保護者との連絡体制が整備されていること。

(3) 保護者や施設において提供されるサービスを利用しようとする者等から保育の様子や施設の状況を確認したい旨の要望があった場合には、乳幼児の安全確保等に配慮しつつ、保育室等の見学に応じる等適切に対応されていること。

六　給食

イ　衛生管理の状況

調理室、調理、配膳、食器等の衛生管理が適切に行われていること。

ロ　食事内容等の状況

(1) 乳幼児の年齢や発達、健康状態（アレルギー疾患等の状態を含む。）等に配慮した食事内容とされていること。

(2) 調理があらかじめ作成した献立に従って行われていること。

七　健康管理及び安全確保

イ　乳幼児の健康状態の観察

乳幼児１人１人の健康状態の観察が乳幼児の登園及び降園の際に行われていること。

ロ　乳幼児の発育状態の観察

身長及び体重の測定等基本的な発育状態の観察が毎月定期的に行われていること。

ハ　乳幼児の健康診断

継続して保育している乳幼児の健康診断が入所時及び１年に２回実施されていること。

ニ　職員の健康診断

(1) 職員の健康診断が採用時及び１年に１回実施されていること。

(2) 調理に携わる職員の検便が、おおむね１月に１回実施されていること。

ホ　医薬品等の整備

必要な医薬品その他の医療品が備えられていること。

ヘ　感染症への対応

乳幼児が感染症にかかっていることが分かった場合には、かかりつけ医の指示に従うよう保護者に対し指示が行われていること。

ト　乳幼児突然死症候群に対する注意

(1)　睡眠中の児童の顔色や呼吸の状態のきめ細かい観察が行われていること。

(2)　乳児を寝かせる場合には仰向けに寝かせることとされていること。

(3)　保育室での禁煙が厳守されていること。

チ　安全確保

(1)　施設の設備の安全点検、職員、乳幼児等に対する施設外での活動、取組等を含めた施設での生活その他の日常生活における安全に関する指導、職員の研修及び訓練その他施設における安全に関する事項についての計画（以下「安全計画」という。）が策定され、当該安全計画に従い、乳幼児の安全確保に配慮した保育の実施が行われていること。

(2)　職員に対し、安全計画について周知されているとともに、安全計画に定める研修及び訓練が定期的に実施されていること。

(3)　保護者に対し、安全計画に基づく取組の内容等について周知されていること。

(4)　事故防止の観点から、施設内の危険な場所、設備等について適切な安全管理が図られていること。

(5)　不審者の施設への立入防止等の対策や緊急時における乳幼児の安全を確保する体制が整備されていること。

(6)　乳幼児の施設外での活動、取組等のための移動その他の乳幼児の移動のために自動車が運行されているときは、乳幼児の乗車及び降車の際に、点呼その他の乳幼児の所在を確実に把握することができる方法により、乳幼児の所在が確認されていること。

(7)　乳幼児の送迎を目的とした自動車（運転者席及びこれと並列の座席並びにこれらより一つ後方に備えられた前向きの座席以外の座席を有しないものその他利用の態様を勘案してこれと同程度に乳幼児の見落としのおそれが少ないと認められるものを除く。）が日常的に運行されているときは、当該自動車にブザーその他の車内の乳幼児の見落としを防止する装置を備え、これを用いて(6)に定める所在の確認（乳幼児の降車の際に限る。）が行われていること。

(8)　事故発生時に適切な救命処置が可能となるよう、訓練が実施されていること。

(9)　賠償責任保険に加入する等、保育中の事故の発生に備えた措置が講じられていること。

(10) 事故発生時に速やかに当該事故の事実を都道府県知事等に報告する体制がとられていること。

(11) 事故が発生した場合、当該事故の状況及び事故に際して採った処置について記録していること。

(12) 死亡事故等の重大事故が発生した施設については、当該事故と同様の事故の再発防止策及び事故後の検証結果を踏まえた措置が講じられていること。

八　利用者への情報提供

イ　施設において提供される保育サービスの内容が、当該保育サービスを利用しようとする者の見やすいところに掲示されているとともに、電気通信回線に接続して行う自動公衆送信（公衆によって直接受信されることを目的として公衆からの求めに応じて自動的に送信を行うことをいい、放送又は有線放送に該当するものを除く。）により公衆の閲覧に供されていること。

ロ　施設において提供される保育サービスの利用に関する契約が成立したときは、その利用者に対し、当該契約の内容を記載した書面（その作成に代えて電磁的記録（電子的方式、磁気的方式その他人の知覚によっては認識することができない方式で作られる記録であって、電子計算機による情報処理の用に供されるものをいう。）を作成する場合における当該電磁的記録を含む。）の交付が行われていること。

ハ　施設において提供される保育サービスを利用しようとする者から利用の申込みがあったときは、その者に対し、当該保育サービスの利用に関する契約の内容等についての説明が行われていること。

九　帳簿の備付け

職員及び保育している乳幼児の状況を明らかにする帳簿が整備されていること。

第二　一日に保育する乳幼児の数が５人以下であり、児童福祉法第６条の３第９項に規定する業務又は同条第12項に規定する業務を目的とする施設次に掲げる事項のいずれも満たすものであること。

一　保育に従事する者の数及び資格

イ　保育に従事する者の数が、乳幼児３人につき１人以上であること。ただし、家庭的保育事業等の設備及び運営に関する基準（平成26年厚生労働省令第61号）第23条第３項に規定する家庭的保育補助者とともに保育する場合には、乳幼児５人につき１人以上であること。

ロ　保育に従事する者のうち、１人以上は、保育士若しくは看護師の資格を有する者又は都道府県知事等が行う保育に従事する者に関する研修（都道府県知事がこれと同等以上のものと認める市町村長（特別区の長を含む。）その他の機関が行う研修を含む。以下同じ。）を修了した者であること。

二　保育室等の構造、設備及び面積

イ　保育室のほか、調理設備及び便所があること。

ロ　保育室の面積は、家庭的保育事業等の設備及び運営に関する基準第22条第２号に規定する基準を参酌して、乳幼児の保育を適切に行うことができる広さが確保されていること。

三　その他

第一の一のハ及びニ、二のニ及びホ、三並びに五から九までに掲げる事項のいずれも満たしていること。この場合において、第一の二のホ中「調理室」とあるのは「調理設備の部分」と、六のイ中「調理室」とあるのは「調理設備」と読み替えるものとする。

第三　児童福祉法第６条の３第11項に規定する業務を目的とする施設であって、複数の保育に従事する者を雇用しているもの　次に掲げる事項のいずれも満たすものであること。

一　保育に従事する者の数が、乳幼児１人につき１人以上であること。ただし、当該乳幼児がその兄弟姉妹とともに利用している等の場合であって、保護者が契約において同意しているときは、これによらないことができる。

二　保育に従事する全ての者（採用した日から１年を超えていない者を除く。）が、保育士若しくは看護師の資格を有する者又は都道府県知事等が行う保育に従事する者に関する研修を修了した者であること。

三　防災上の必要な措置を講じていること。

四　第一の一のハ及びニ、五のイ⑴から⑷まで、ロ並びにハ⑴及び⑵、七のイ、ニ⑴及びヘからチ（⑺を除く。）まで、八並びに九に掲げる事項のいずれも満たしていること。この場合において、第一の五のイ⑵中「なされた保育の計画が定められている」とあるのは「なされている」と、⑶中「カリキュラムが設定され、かつ、それが」とあるのは「保育が」と、ロ⑴中「施設長」とあるのは「施設の設置者又は管理者」と、七のイ中「登園及び降園」とあるのは「預かり及び引渡し」と、ヘ中「乳幼児が感染症にかかっていることが分かった場合には、かかりつけ医の指示に従うよう保護者に対し指示が行われている」とあるのは「感染予防のための対策が行われている」と、ト⑶中「保育室での」とあるのは「保育中の」と、八のイ中「の見やすいところに掲示」とあるのは、「に対し書面等により提示等」と読み替えるものとする。また、食事の提供を行う場合においては、衛生面等必要な注意を払うこと。

第四　児童福祉法第６条の３第11項に規定する業務を目的とする施設であって、第三に掲げる施設以外の施設　次に掲げる事項のいずれも満たすものであること。

一　保育に従事する者の数が、乳幼児１人につき１人以上であること。ただし、当該乳幼児がその兄弟姉妹とともに利用している等の場合であって、保護者が契約において同意しているときは、これによらないことができる。

二　保育に従事する全ての者が、保育士若しくは看護師の資格を有する者又は都道府県知事等が行う保育に従事する者に関する研修を修了した者であること。

三　防災上の必要な措置を講じていること。

四　第一の一のハ及びニ、五のイ(1)から(4)まで、ロ(1)前段、(2)及び(3)並びにハ(1)及び(2)、七のイ、ニ(1)及びヘからチ（(7)を除く。）まで、八並びに九に掲げる事項のいずれも満たしていること。この場合において、第一の五のイ(2)中「なされた保育の計画が定められている」とあるのは「なされている」と、(3)中「カリキュラムが設定され、かつ、それが」とあるのは「保育が」と、七のイ中「登園及び降園」とあるのは「預かり及び引渡し」と、ニ(1)中「採用時及び１年に１回」とあるのは「１年に１回」と、ヘ中「乳幼児が感染症にかかっていることが分かった場合には、かかりつけ医の指示に従うよう保護者に対し指示が行われている」とあるのは「感染予防のための対策が行われている」と、ト(3)中「保育室での」とあるのは「保育中の」と、八のイ中「の見やすいところに掲示」とあるのは「に対し書面等により提示等」と、九中「職員及び保育」とあるのは「保育」と読み替えるものとする。また、食事の提供を行う場合においては、衛生面等必要な注意を払うこと。

参考資料２　（非課税となる認可外保育関係⑵）

一定の認可外保育施設の利用料に係る消費税の非課税措置の施行について

雇児保発第0331003号
平成17年３月31日
（厚生労働省雇用均等・児童家庭局保育課長通知）

<最終改正>
令和６年３月29日　こ成保第219号

消費税法施行令の一部を改正する政令（平成17年政令第102号。以下「改正政令」という。）が平成17年３月31日に公布され、これに伴い、消費税法施行令第14条の３第１号の規定に基づき厚生労働大臣が指定する保育所を経営する事業に類する事業として行われる資産の譲渡等（平成17年厚生労働省告示第128号。令和５年３月31日付改正により「消費税法施行令第14条の３第１号の規定に基づき内閣総理大臣が指定する保育所を経営する事業に類する事業として行われる資産の譲渡等」と改められた。以下「消費税告示」という。）が同日付で公示され、平成17年４月１日（以下「施行日」という。）より施行・適用されることとなったところである。

これにより、「認可外保育施設指導監督基準を満たす旨の証明書の交付について」（令和６年３月29日こ成保第218号成育局長通知。以下「証明書通知」という。）に基づき、各都道府県知事等から「認可外保育施設に対する指導監督の実施について」（令和６年３月29日こ成保第206号成育局長通知。以下「指導監督基準通知」という。）の別添「認可外保育施設指導監督基準」（以下「指導監督基準」という。）を満たす旨の証明書（以下「証明書」という。）の交付を受けた認可外保育施設については、その利用料に係る消費税が非課税とされることとなった。

また、平成25年度税制改正の大綱（平成25年１月29日閣議決定）において、「消費税が非課税とされる社会福祉事業等の範囲に、幼稚園併設型認可外保育施設のうち一定の基準を満たすものが行う資産の譲渡等を加える」こととされたことに伴い、消費税告示の一部改正が行われ、平成25年４月１日より、認可外保育施設のうち、幼稚園型認定こども園を構成する幼稚園併設型施設についても、その利用料に係る消費税が非課税とされることとなった。

さらに、令和２年度税制改正の大綱（令和元年12月20日閣議決定）において、「消費税が非課税とされる社会福祉事業等の範囲に、１日当たり５人以下の乳幼児を保育する認可外保育施設のうち一定の基準を満たすものとして都道府県知事等から当該基準を満たす旨の証明書の交付を受けたものにおいて行われる保育を加える」こととされたことに伴い、消費税告示の一部改正が行われ、令和２年10月１日（以下「令和２年一部改正の施行日」という。）より、１日当たり５人以下の乳幼児を保育する認可外保育施設のうち一定の当該基準を満たす施設についてはその利用料に係る消費税が非課税とされることとなった。

令和５年度税制改正の大綱（令和４年12月23日閣議決定）において、「都道府県知事等から国家戦略特別区域内に所在する場合の外国の保育士資格を有する者の人員配置基準等の一定の基準を満たす旨の証明書の交付を受けた認可外保育施設において行われる保育について、消費税を非課税とする。」こととされたことに伴い、消費税告示の一部改正が行われ、令和５年４月１日より、都道府県知事等から国家戦略特別区域内に所在する場合の外国の保育士資格を有する者の人員配置基準等の一定の基準を満たす旨の証明書の交付を受けた施設についてはその利用料に係る消費税が非課税とされることとなった。

ついては、下記事項に留意の上、適切な取扱いに遺漏のないよう配慮されたい。

なお、本通知の発出に当たっては、事前に国税庁課税部消費税室に通知済みであることを申し添える。

記

第１　消費税の非課税措置の内容

１　非課税の対象となる認可外保育施設について

非課税の対象となる認可外保育施設（以下「非課税対象認可外保育施設」という。）は、次の⑴及び⑵に限られること。

⑴　児童福祉法（昭和22年法律第164号。以下「法」という。）第59条の２第１項（認可外保育施設の届出）の規定による届出が行われた施設であって、法第59条第１項の規定に基づく都道府県知事（地方自治法第252条の19第１項の指定都市、同法第252条の22第１項の中核市又は法第59条の４第１項の児童相談所設置市にあっては、それぞれその長。以下同じ。）の立入調査を受け、消費税告示中第一から第四までの施設の区分に応じ、それぞれに定める要件のすべてを満たし、当該満たしていることにつき当該都道府県知事から証明書の交付を受けているもの

⑵　児童福祉法施行規則（昭和23年厚生省令11号）第49条の２第３号に規定する施設であって、就学前の子どもに関する教育、保育等の総合的な提供の推進に関する法律（平成18年法律第77号。以下「認定こども園法」という。）第３条第３項の規定による認定（以下「認定」という。）を受けているもの又は同条第10項の規定による公示（以下

「公示」という。）がされているもの（同条第１項の条例で定める要件に適合していると認められるものを除く。）

なお、消費税告示中第一から第四までの施設の区分に応じ、それぞれに定める要件は、指導監督基準と同じ内容であること。

ただし、当該都道府県知事から当該証明書を返還することを求められた場合の当該施設については、当該返還することを求められた日以後においては非課税の対象となる認可外保育施設に該当しないこと。

（注１）　法第59条の２第１項の規定に基づく届出施設の範囲については、指導監督基準通知、「児童福祉法施行規則及び厚生労働省の所管する法令の規定に基づく民間事業者等が行う書面の保存等における情報通信の技術の利用に関する省令の一部を改正する省令の公布について」（令和元年９月27日子発0927第６号子ども家庭局長通知）を参照されたい。

なお、認可外保育施設の届出の対象となる幼稚園併設施設は、具体的には、幼稚園における子育て支援活動等と独立して実施されており、余裕教室や敷地内の別の建物など在園児と区分された専用のスペースで専従の職員による保育が実施されているものを想定している。

（注２）　当該都道府県知事から当該証明書を返還することを求められた場合とは、証明書通知の別紙「認可外保育施設指導監督基準を満たす旨の証明書交付要領」の第２の４により証明書の返還を求められた場合をいう。

２　非課税の対象となる利用料について

非課税の対象となる資産の譲渡等（非課税となる利用料を対価とするサービス）は、非課税対象認可外保育施設において乳児又は幼児を保育する業務として行う資産の譲渡等（保育サービス）に限られること。

この場合の乳児又は幼児を保育する業務として行う資産の譲渡等には、児童福祉法に規定する保育所における保育サービスと同様のサービスが該当するのであり、具体的には次に掲げる料金等（利用料）を対価とする資産の譲渡等が該当すること。

①　保育料（延長保育、一時保育、病児保育に係るものを含む。）

②　保育を受けるために必要な予約料、年会費、入園料（入会金・登録料）、送迎料、法第６条の３第11項に規定する業務を目的とする施設において保育に従事する者（以下「ベビーシッター」という。）が乳児、幼児又は児童の居宅まで移動する際に必要となる交通費

（注１）　給食費、おやつ代、施設に備え付ける教材を購入するために徴収する教材費、傷害・賠償保険料の負担金、施設費（暖房費、光熱水費）等のように通常保育料として領収される料金等につい

ては、これらが保育料とは別の名目で領収される場合であっても、保育に必要不可欠なものである限りにおいては、上記①②と同様に取り扱われる。

他方、例えば、当該施設において施設利用者に対して販売する教材等の販売代金（※参照）のほか次に掲げるような料金等を対価とする資産の譲渡等は、これに該当しない。

① 施設利用者の選択により付加的にサービスを受けるためのクリーニング代、オムツサービス代、スイミングスクール等の習い事の講習料等

② バザー収入

③ 炊事、洗濯、掃除、買物その他の家事を代行し、又は補助する業務（非課税とされる保育サービスを除く。）に係る料金

（注２） マッチングサイト運営者（インターネットを通じてベビーシッターとその利用者の仲立ちをするサービスを提供する事業者）が、ベビーシッターの利用者から受領する「マッチングサイトの手数料」については、「マッチングサイトを利用させるという役務提供の対価」であり、「保育する業務として行われる資産の譲渡等」の対価に該当しないことから、非課税とならない。

※ 施設運営者自らが行う取引ではない金銭の受取について

施設運営者自らが行う取引ではない金銭の受取（例えば、施設運営者が、施設利用者の求める教材等について、当該教材等の販売業者への注文や施設利用者からの代金の集金を代行して行う場合における代金の受取など）を行う場合には、施設運営者においては「預り金」として経理しておくなど、施設の収入である保育料等とは区分して、収入以外の金銭の受取であることが明らかとなるよう経理を行う必要がある。

また、証明書の交付を受けた認可外保育施設が都道府県知事から当該証明書の返還を求められた場合には、当該返還を求められた日以後においては上記の資産の譲渡等であっても非課税とはならないこと（１の（注２）参照）。

3 非課税となった認可外保育施設の利用料の額の設定について

非課税対象認可外保育施設においては、当該施設の利用料に係る消費税が非課税とされることから、施設の運営事業者が消費税の納税義務者（第２参照）である場合の当該施設については、非課税となったことを踏まえた利用料の額の見直しを行う等の対応が適切に行われる必要があること。

なお、その場合においても、仕入れ（保育材料費・水道光熱費・備品等購入費など）に係る消費税相当分は当該利用料に転嫁することは適切

な処理であること。

第２　消費税の納税義務等

１　消費税の納税義務について

事業者は、課税期間（個人事業者は暦年、法人は事業年度をいう。以下同じ。）の基準期間（個人事業者はその年の前々年をいい、法人はその事業年度の前々事業年度をいう。以下同じ。）における利用料収入（非課税となる前の利用料収入）などの課税売上高が1,000万円を超える場合、消費税の納税義務者となり、課税期間の課税売上げに係る消費税について、所轄の税務署に確定申告書を提出し、その納付すべき消費税を金融機関又は税務署の窓口で納付する必要がある。なお、納付すべき消費税額は、課税売上げに係る消費税額から課税仕入れ（保育材料費・水道光熱費・備品等購入費など（ただし、給与などの人件費はこれに該当しない。））に係る消費税額を控除した残額であること。

（注１）　課税仕入れに係る消費税額を控除するためには、帳簿の記帳及び請求書などの保存が必要となる。

（注２）　簡易課税制度を選択した場合には、「課税売上げに係る消費税額×みなし仕入率（保育サービスはサービス業に該当し、50％）」を課税仕入れに係る消費税額とみなして、納付すべき消費税額を計算する。

２　課税期間の途中において証明書の交付若しくは返還又は認定若しくは公示若しくはその取消があった場合の消費税の取扱いについて

施設の運営事業者が納税義務者である場合の当該事業者が、課税期間の途中において証明書の交付を受けた場合又は認定を受け若しくは公示がされた場合にあっては当該証明書の交付を受けた日又は認定を受け若しくは公示がされた日以後の利用料が、また、課税期間の途中において証明書の返還を求められた場合又は認定こども園法第７条第１項の規定による認定の取消（以下「認定の取消」という。）若しくは同条第３項の規定による公示の取消（以下「公示の取消」という。）がされた場合にあっては当該証明書の返還を求められた日又は認定の取消若しくは公示の取消の日の前日までの利用料が、それぞれ非課税となるものであって、これ以外の期間の利用料については課税期間の課税売上高に含める必要があること。

第３　証明書事務等の適切な実施及び施設運営者に対する周知について

消費税の非課税措置には、証明書の交付が密接に関連することから、証明書の交付に関し各都道府県等を通じて統一的な取扱いが求められること。

また、証明書を交付した事実の公表については、利用者への情報提供として、各都道府県等のインターネットのホームページへの掲載等が行われることとなっているが、税務上の取扱いを明確にする観点からも、証明書の交付の事実については速やかに公表されることが求められること。

施設の運営事業者に対しては、証明書を交付する際その他の機会をとらえ、本通知記載の消費税の取扱い等について的確に周知することが必要であること。

以上

「一定の認可外保育施設の利用料に係る消費税の非課税措置の施行について」の一部改正について

こ成保第219号
令和６年３月29日
こども家庭庁成育局保育政策課認可外保育施設担当室長

今般、消費税法施行令第14条の３第１号の規定に基づき内閣総理大臣が指定する保育所を経営する事業に類する事業として行われる資産の譲渡等の一部を改正する件（令和６年内閣府告示第27号。以下「告示改正」という。）が令和６年４月１日から適用されることを受け、「一定の認可外保育施設の利用料に係る消費税の非課税措置の施行について」（平成17年３月31日付け雇児保発第0331003号厚生労働省雇用均等・児童家庭局保育課長通知。以下「施行通知」という。）の一部を別紙のとおり改正したので、御了知の上、各都道府県におかれては、貴管内市町村（特別区を含み、指定都市、中核市及び児童相談所設置市を除く。）に周知を図るとともに、その運用に遺漏のないよう配慮されたい。

なお、本通知の発出に当たっては、事前に国税庁課税部消費税室に通知済であることを申し添える。

記

第一　施行通知の改正内容

児童福祉法（昭和22年法律第164号）第６条の３第11項に規定する業務を目的とする認可外保育施設（以下「ベビーシッター事業者」という。）であって複数の保育従事者を雇用している場合には、保育従事者について、新型コロナウイルス感染症の発生又はまん延に起因するやむを得ない理由により、消費税法施行令第14条の３第１号の規定に基づき内閣総理大臣が指定する保育所を経営する事業に類する事業として行われる資産の譲渡等（平成17年厚生労働省告示第128号。以下「消費税告示」という。）第三の二に定める「都道府県知事等が行う保育に従事する者に関する研修」の修了が困難であると都道府県知事等が認めるときは、当分の間、当該保育に従事する者を当該研修を修了した者であるものとみなして、当該基準を満たすかどうかの判定を行うものとする経過措置（以下「コロナ特例措置」という。）が令和２年10月から、消費税告示附則に置かれていた。

一方で、

①「新型コロナウイルス感染症の感染症法上の位置づけの変更等に関す

る対応方針について」（令和５年１月27日新型コロナウイルス感染症対策本部決定。）に記載のとおり、オミクロン株とは大きく病原性が異なる変異株が出現するなどの特段の事情が生じない限り、新型コロナウイルス感染症（COVID-19）は、令和５年５月８日から、感染症の予防及び感染症の患者に対する医療に関する法律上の新型インフルエンザ等感染症に該当しないものとし、５類感染症に位置づけることとされたことや、

② 認可外保育施設の保育従事者に対する研修については、国としてその種類や研修の実施主体となる法人がオンラインにより実施する場合の留意点等を示してきたほか、令和５年度予算案において、研修機会を増加させるための民間事業者を活用した研修等事業を新たに盛り込んでいるところであり、今後研修の受講機会の確保が推進されていくこと

を踏まえ、コロナ特例措置を令和６年３月31日をもって廃止する予定である旨を、令和５年４月１日付の施行通知の一部改正通知において、予告していたところ。

今般、令和６年３月31日を迎えることから、コロナ特例措置を廃止することとしたため、施行通知から該当の記載を削除する。

第二　告示改正の内容

⑴　保育サービス内容等のインターネット掲載

令和５年６月に公布された「デジタル社会の形成を図るための規制改革を推進するためのデジタル社会形成基本法等の一部を改正する法律」（令和５年法律第63号）において、各制度で、認定証や標識等について書面で掲示すること等を義務付けている規制については、当該掲示に加えて、その内容をインターネットを利用して公衆の閲覧に供しなければならないこととする改正（「書面掲示規制」の見直し）を行い、認可外保育施設における保育サービス内容等の書面掲示に係る規定（児童福祉法第59条の２の２）も改正されたところ（令和６年４月１日施行）。

消費税告示においても、認可外保育施設における保育サービス内容等の掲示に関する基準が設けられているところ、当該基準について、利用者の見やすいところに書面掲示することに加え、その内容をインターネットを利用して公衆の閲覧に供することとする改正を行った。

⑵　送迎用バスへの安全装置の装備

令和４年９月に静岡県牧之原市の幼保連携型認定こども園において、送迎用バスに園児が置き去りにされ、亡くなる事案が起きたことを受け、同年10月に取りまとめられた「こどものバス送迎・安全徹底プラン～バス送迎に当たっての安全管理の徹底に関する緊急対策～」（令和４年10月12日、内閣官房・内閣府・文部科学省・厚生労働省・国土交通省・警察庁）において、保育所や認定こども園、認可外保育施設等に対して、令和５年４月

から以下①②を義務付けること、そのうち②については、１年間の経過措置を設け、安全装置を装備するまでの間は、降車後に車内の確認を怠ることがないようにするための所要の代替措置を可とすることが盛り込まれた。

①降車時等に点呼等により幼児等の所在を確認

②送迎用バスへの安全装置の装備（居宅訪問型保育事業等は除く。）

今般、上記②に係る経過措置の期限を迎え、令和６年４月から、認可外保育施設について、ベビーシッター事業者である場合を除いて送迎バスの安全装置の装備が義務付けられることから、消費税告示においても、送迎用バスへの安全装置の装備に係る基準を追加する改正を行った。

⑶　コロナ特例措置の廃止

第一のとおり、消費税告示附則に置かれていたコロナ特例措置を廃止する改正を行った。

第三　施行日

第一及び第二の内容は、令和６年４月１日から施行する。

参考資料４　（非課税となる包括的支援事業関係）

消費税法施行令第14条の３第５号の規定に基づき厚生労働大臣が指定する資産の譲渡等

（平　成18年３月31日
厚生労働省告示第311号）

消費税法施行令（昭和63年政令第360号）第14条の３第５号の規定に基づき、厚生労働大臣が指定する資産の譲渡等を次のように定め、平成18年４月１日から適用する。

<最終改正>

令和５年５月10日厚生労働省告示第187号

次に掲げる事業として行われる資産の譲渡等（消費税法（昭和63年法律第108号）別表第二第７号ロに掲げるものを除く。）

一　地域の老人の福祉に関する各般の問題につき、老人、その者を現に養護する者（以下「養護者」という。）、地域住民その他の者からの相談に応じ、介護保険法（平成９年法律第123号）第24条第２項に規定する介護給付等対象サービス（以下「介護給付等対象サービス」という。）その他の保健医療サービス又は福祉サービス、権利擁護のための必要な援助等の利用に必要な助言を行う事業

二　地域における保健医療、福祉の関係者その他の者との連携体制の構築及びその連携体制の活用、居宅への訪問等の方法による主として居宅において介護を受ける老人（以下「介護を受ける老人」という。）に係る状況の把握を行う事業

三　介護給付等対象サービスその他の保健医療サービス又は福祉サービス、権利擁護のための必要な援助等を利用できるよう、介護を受ける老人又は養護者と市町村、老人居宅生活支援事業を行う者、老人福祉施設、医療施設、老人クラブその他老人の福祉を増進することを目的とする事業を行う者等との連絡調整を行う事業

四　その他介護を受ける老人又は養護者に必要な援助として行う次に掲げる事業

イ　介護を受ける老人が要介護状態又は要支援状態（以下「要介護状態等」という。）となることを予防するため、その心身の状況、その置かれている環境その他の状況に応じて、その選択に基づき、介護予防に関する事業（介護保険法第18条第２号に規定する予防給付に係るものを除

く。）その他の適切な事業が包括的かつ効率的に提供されるよう必要な援助を行う事業（介護保険法第115条の45第１項第１号に規定する介護予防・日常生活支援総合事業に係る事業を除く。）

ロ　介護保険法第７条第５項に規定する介護支援専門員への支援、介護給付等対象サービスその他の保健医療サービス又は福祉サービス等の連携体制の確保等により、介護を受ける老人が地域において自立した日常生活を営むことができるよう、包括的かつ継続的な支援を行う事業

ハ　医療に関する専門的知識を有する者が、介護サービス事業者、居宅における医療を提供する医療機関その他の関係者の連携を推進するものとして、介護保険法施行規則（平成11年厚生省令第36号）第140条の62の８各号に掲げる事業を行う事業（ロに掲げる事業を除く。）

ニ　介護を受ける老人の地域における自立した日常生活の支援及び要介護状態等となることの予防又は要介護状態等の軽減若しくは悪化の防止に係る体制の整備その他のこれらを促進する事業

ホ　保健医療及び福祉に関する専門的知識を有する者による認知症の早期における症状の悪化の防止のための支援その他の認知症である又はその疑いのある介護を受ける老人に対する総合的な支援を行う事業

参考資料５　（非課税となる障害福祉サービス事業等関係⑴）

消費税法施行令第14条の３第８号の規定に基づき内閣総理大臣及び厚生労働大臣が指定する資産の譲渡等

（平成３年６月７日
厚生省告示第129号）

消費税法施行令（昭和63年政令第360号）第14条の２第５号〔現行＝14条の３第８号〕の規定に基づき、厚生大臣が指定する資産の譲渡等を次のように定め、平成３年10月１日から適用する。

＜最終改正＞

令和６年３月15日内閣府・厚生労働省告示第１号

次に掲げる事業（消費税法（昭和63年法律第108号）別表第二第７号ロに掲げる事業を除く。）のうち、その要する費用の２分の１以上が国又は地方公共団体により負担される事業として行われる資産の譲渡等

一　身体に障害のある18歳に満たない者若しくはその者を現に介護する者、知的障害の18歳に満たない者若しくはその者を現に介護する者、身体障害者福祉法（昭和24年法律第283号）第４条に規定する身体障害者（以下「身体障害者」という。）若しくはその者を現に介護する者、知的障害者若くはその者を現に介護する者、精神保健及び精神障害者福祉に関する法律（昭和25年法律第123号）第５条第１項に規定する精神障害者（以下「精神障害者」という。）若しくはその者を現に擁護する者、身体上又は精神上の障害があるために日常生活を営むのに支障のある65歳以上の者（65歳未満であって特に必要があると認められる者を含む。以下同じ。）若しくはその者を現に養護する者、母子及び父子並びに寡婦福祉法（昭和39年法律第129号）第６条第１項に規定する配偶者のない女子若しくはその者に現に扶養されている20歳に満たない者、65歳以上の者のみにより構成される世帯に属する者、同条第２項に規定する配偶者のない男子に現に扶養されている20歳に満たない者若しくはその者を扶養している当該配偶者のない男子又は父及び母以外の者に現に扶養されている20歳に満たない者若しくはその者を扶養している者に対して行う次に掲げる事業

イ　居宅において入浴、排せつ、食事等の介護その他の日常生活を営むのに必要な便宜を供与する事業

ロ　施設に通わせ、入浴、食事の提供、機能訓練、介護方法の指導その他の便宜を供与する事業

ハ　居宅において介護を受けることが一時的に困難になった者を、施設に短期間入所させ、養護する事業

二　身体障害者、知的障害者又は精神障害者が共同生活を営むべき住居において相談、入浴、排せつ若しくは食事の介護その他の日常生活上の援助を行い、又はこれに併せて、居宅における自立した日常生活への移行を希望する入居者につき、当該日常生活への移行及び移行後の定着に関する相談、住居の確保に係る援助その他居宅における自立した生活への移行及び移行後の定着に必要な援助を行う事業

三　原子爆弾被爆者に対する援護に関する法律（平成６年法律第117号）第１条に規定する被爆者であって、居宅において介護を受けることが困難な者を施設に入所させ、養護する事業

四　身体に障害がある児童、身体障害者、身体上若しくは精神上の障害があるために日常生活を営むのに支障のある65歳以上の者又は65歳以上の者のみにより構成される世帯に属する者（以下「身体に障害がある児童等」という。）に対してその者の居宅において入浴の便宜を供与する事業

五　身体に障害がある児童等に対してその者の居宅において食事を提供する事業

○授産施設、小規模作業所等において作業に従事する障害者に対する労働基準法第9条の適用について

（平成19年5月17日）
（基発第0517002号）
（都道府県労働局長あて厚生労働省労働基準局長通知）

標記については、障害者自立支援法に基づく就労継続支援事業を実施している施設以外にも、いわゆる授産施設、小規模作業所等の形態により、障害者が物品の生産等の作業に従事している施設（以下「小規模作業所等」という。）が見受けられるが、これら小規模作業所等において作業に従事する障害者が、労働基準法第9条の労働者に当たるか否かについて、疑義が生じていることから、今後、その判断に当たっては、下記によることとしたので、了知の上、その運用に遺憾なきを期されたい。

記

1　基本的な考え方

労働基準法第9条において、「労働者」とは「事業又は事務所に使用される者で、賃金を支払われる者」と定義されており、この労働者性の判断は、使用従属性があるか否かを労務提供の形態や報酬の労務対償性及びこれらに関連する諸要素を勘案して総合的に判断するものである。

小規模作業所等における作業に従事している障害者の多くは、当該作業に従事することを通じて社会復帰又は社会参加を目的とした訓練等（以下「訓練等」という。）を行うことが期待されている場合が多く、障害者の労働習慣の確立、職場規律や社会規律の遵守、就労意欲の向上等を主たる目的として具体的な作業指示が行われているところである。このため、このような作業については訓練等を目的としているとしても、使用従属関係下において行われているか否かを判断することが困難な場合が多い。

このため、小規模作業所等において作業に従事する障害者の労働者性の判断に当たっては、以下により取り扱うこと。

なお、当該小規模作業所等における事業収入が一般的な事業場に比較して著しく低い場合には、事業性を有しないと判断される場合があることに留意すること。

2　訓練等の計画が策定されている場合

①小規模作業所等において行われる作業が訓練等を目的とするものである旨が定款等の定めにおいて明らかであり、②当該目的に沿った訓練等の

計画（下記３の(1)から(4)の要素が含まれていないものに限る。）が策定され、③小規模作業所等において作業に従事する障害者又はその保護者との間の契約等において、これら訓練等に従事することの合意が明らかであって、④作業実態が訓練等の計画に沿ったものである場合には、当該作業に従事する障害者は、労働基準法第９条の労働者ではないものとして取り扱うこと。

3　訓練等の計画が策定されていない場合

訓練等の計画が策定されていない小規模作業所等において作業に従事する障害者については、次の(1)から(4)のいずれかに該当するか否かを、個別の事案ごとに作業実態を総合的に判断し、使用従属関係下にあると認められる場合には、労働基準法第９条の労働者であるものとして取り扱うこと。

(1)　所定の作業時間内であっても受注量の増加等に応じて、能率を上げるため作業が強制されていること

(2)　作業時間の延長や、作業日以外の日における作業指示があること

(3)　欠勤、遅刻・早退に対する工賃の減額制裁があること

(4)　作業量の割当、作業時間の指定、作業の遂行に関する指導命令違反に対する工賃の減額や作業品割当の停止等の制裁があること

4　その他

授産施設において作業を行う障害者の労働基準法第９条の適用については、昭和26年10月25日付け基収第3821号「授産事業に対する労働基準法の適用除外について」（以下「26年通達」という。）に従い判断しているところであるが、昭和26年当時と異なり、福祉の場における障害者の就労実態が大きく変化し、26年通達を適用する意義が失われていることから、26年通達は、本通達をもって廃止することとし、今後は、本通達に基づき判断すること。

消費税法施行令第14条の４の規定に基づき内閣総理大臣及び厚生労働大臣が指定する身体障害者用物品及びその修理

（平成３年６月７日
厚生省告示第130号）

消費税法施行令（昭和63年政令第360号）第14条の３第１項及び第２項の規定に基づき、厚生大臣が指定する身体障害者用物品及びその修理を次のように定め、平成３年10月１日から適用する。
＜最終改正＞
令和７年３月31日／内閣府・厚生労働省告示第１号

１　身体障害者用物品
一　義肢
二　装具
上肢、下肢又は体幹の機能に障害のある者に装着することにより、当該機能の低下を抑制し、又は当該機能を補完するためのものであって、補装具の種目、購入等に要する費用の額の算定等に関する基準（平成18年厚生労働省告示第528号。第８号及び第12号において「補装具告示」という。）の別表の１の(3)及び(4)に定めるものに限る。
三　姿勢保持装置
機能障害の状況に適合させるため、体幹、股関節等を固定するためのパッド等の付属装置を装備し、安定した座位、立位、臥位等の保持を可能にする機能を有するもの
三の二　車載用姿勢保持装置
機能障害の状況に適合させるため、体幹、股関節等を固定するためのパッド等を装備し、乗車中の姿勢の保持を可能にする機能を有する車載用の装置
四　視覚障害者安全つえ
五　義眼
六　眼鏡
弱視眼鏡及び遮光眼鏡に限る。
七　点字器
八　補聴器
補装具告示の別表の１の(8)のその他の表の補聴器の項に掲げるものに

限る。

九　人工喉頭

十　車椅子

十一　電動車椅子

十二　歩行器

補装具告示の別表の１の(8)のその他の表の歩行器の項に掲げるものに限る。

十三　頭部保護帽

ヘルメット型で、転倒の際に頭部を保護できる機能を有するものであって、スポンジ及び革又はプラスチックを主材料にして製作され、歩行が困難な者の頭部を保護することのみを目的とするものに限る。

十四　装着式収尿器

十五　ストマ用装具

十六　歩行補助つえ

松葉づえ、カナディアン・クラッチ、ロフストランド・クラッチ及び多脚つえに限る。

十七　起立保持具

足首、膝関節、大腿等をベルト等により固定することにより、起立困難な児童の起立を補助する機能を有するもの

十八及び十九　削除

二十　排便補助具

身体に障害を有する児童の排便を補助するものであって、パッド等を装着することにより、又は背もたれ及び肘掛けを有する椅子状のものであることにより、座位を保持しつつ、排便をすることを可能にする機能を有するもので、移動可能なものに限る。

二十一　視覚障害者用ポータブルレコーダー

音声により操作ボタン及び操作方法に関する案内を行う機能を有し、かつ、DAISY 方式による録音又は再生が可能な機能を有する製品であって、別表第一に掲げるものに限る。

二十二　視覚障害者用時計

腕時計又は懐中時計であって、文字盤に点字等があり、文字盤及び針に直接触れることができる構造を有するものに限る。

二十三　削除

二十四　点字タイプライター

点字の六点に対応したレバーを叩き、点字のみで印字する機能を有するもの

二十五　視覚障害者用電卓

入力結果及び計算結果を音声により伝える機能を有するもの

二十六　視覚障害者用体温計

検温結果を、音声により伝える機能を有するもの

二十七　視覚障害者用秤

家庭用上皿秤であって、点字、凸線等により操作ボタンが知覚でき、計測結果を音声により伝える機能を有するもの又は文字盤に点字等があり、文字盤及び針に直接触れることができる構造を有するもの

二十八　点字図書（消費税法（昭和63年法律第108号）別表第二第12号に規定する教科用図書に該当するものを除く。）

二十八の二　視覚障害者用体重計

計測結果を音声により伝える機能を有するもの又は文字盤に点字等があり、静止させた文字盤及び針に直接触れることができる構造を有するもの

二十八の三　視覚障害者用読書器

視力に障害を有する者の読書等を容易にする製品であって、文字等を撮像し、モニター画面に拡大して映し出すための映像信号に変換して出力する機能を有するもの又は撮像した活字を文字として認識し、音声信号に変換して出力する機能を有するもので、別表第二に掲げるものに限る。

二十八の四　歩行時間延長信号機用小型送信機

電波を利用して、符号を送り、歩行者の前方の信号機の表示する信号が青色である時間を延長することができるもの

二十八の五　点字ディスプレイ

文字等のコンピュータの画面情報を点字等により示す機能を有するもの

二十八の六　視覚障害者用活字文書読上げ装置

視力に障害を有する者の情報の入手を容易にする製品であって、文字情報と同一紙面上に記載された当該文字情報を暗号化した情報を読み取り、音声信号に変換して出力する機能を有するもの

二十八の七　視覚障害者用音声ＩＣタグレコーダー

視力に障害を有する者の物の識別を容易にする製品であって、点字、凸線等により操作ボタンが知覚でき、かつ、ＩＣタグその他の集積回路とアンテナを内蔵する物品の持つ識別情報を無線により読み取り、当該識別情報と音声データを関連付け、音声データを音声信号に変換して出力する機能及び音声により操作方法に関する案内を行う機能を有するもので、別表第二の二に掲げるものに限る。

二十八の八　視覚障害者用音声方位磁石

視力に障害を有する者の方角に関する情報の入手を容易にすることのみを目的とする製品であって、点字、凸線等により操作ボタンが知覚で

き、かつ、触覚や音声信号により情報を確認できる機能を有するものに限る。

二十八の九　視覚障害者用音声色彩識別装置

視力に障害を有する者の色に関する情報の入手を容易にすることのみを目的とする製品であって、点字、凸線等により操作ボタンが知覚でき、かつ、触覚や音声信号により情報を確認できる機能を有するものに限る。

二十八の十　視覚障害者用携帯型歩行支援装置

視力に障害を有する者の歩行に必要な情報の入手を容易にする製品であって、音声、振動等の視覚情報以外の方法のみにより情報を確認できる機能を有し、人工衛星を利用した情報通信ネットワーク等を通じて地図情報及び位置情報を受信する機能又は超音波を利用して障害物を検知する機能を有するものに限る。

二十八の十一　視覚障害者用携帯型日本銀行券種類識別装置

視力に障害を有する者の日本銀行券の種類の識別を容易にすることのみを目的とする製品であって、点字、凸線等により操作ボタンが知覚でき、かつ、触覚や音声信号により情報を確認できる機能を有するものに限る。

二十九　聴覚障害者用屋内信号装置

音声等による信号を感知し、光や振動に変換して、伝達する機能を有する持ち運び可能な器具であって、別表第三に掲げる製品に限る。

二十九の二　聴覚障害者用情報受信装置

字幕及び手話通訳付きの聴覚障害者用番組並びにテレビ番組に字幕及び手話通訳の映像を合成したものを画面に出力する機能を有し、かつ、災害時の聴覚障害者向け緊急信号を受信する製品であって、別表第三の二に掲げるものに限る。

三十　特殊寝台

身体に障害を有する者が家庭において使用する寝台であって、身体に障害を有する者の頭部及び脚部の傾斜角度が調整できる機能を有するもので、次に掲げる条件の全てを満たすものに限る。

イ　本体の側板の外縁と側板の外縁との幅が百センチメートル以下のもの

ロ　サイドレールが取り付けてあるもの又は取り付け可能なもの

ハ　キャスターを装着していないもの又はキャスターを装着している折畳み式のものであって折畳み時にのみキャスターが接地するもの

三十一　特殊尿器

排尿を感知し、尿を自動的に吸入する機能を有するものに限る。

三十二　体位変換器

空気パッドにロッドを差し込んだものを身体の下に挿入することによ

り、又は身体の下にあらかじめ空気パッドを挿入し膨らませることにより、身体に障害を有する者の体位を容易に変換できる機能を有するもの

三十三　重度障害者用意思伝達装置

両上下肢の機能を全廃し、かつ、言語機能を喪失した者のまばたき等の残存機能による反応を、センサーにより感知して、ディスプレイ等に表示すること等により、その者の意思を伝達する機能を有する製品であって、別表第四に掲げるものに限る。

三十三の二　携帯用会話補助装置

発声、発語に著しい障害を有する者の意思を音声又は文字に変換して伝達する機能を有する製品であって、別表第五に掲げるものに限る。

三十三の三　移動用リフト

床走行式、固定式又は据置式であり、かつ、身体をつり具でつり上げ又は体重を支える構造を有するものであって、その構造により、自力での移動が困難な者の寝台と車椅子との間等の移動を補助する機能を有するもの

三十四　透析液加温器

透析液を41度を上限として加温し、一定の温度に保つ機能を有するものであって、持ち運び可能なもの

三十五　福祉電話器

音声を振動により骨に伝える機能、上肢機能に障害を有する者が足等を使用して利用できる機能、又は聴覚障害者が筆談できる機能等を有する特殊な電話器であって、別表第六に掲げる製品に限る。

三十六　視覚障害者用ワードプロセッサー

点字方式により入力する機能、入力結果が音声により確認できる機能、入力結果が点字変換される機能、又は入力結果が点字で印字される機能を有する製品であって、別表第七に掲げるものに限る。

三十七　身体に障害を有する者による運転に支障がないよう、道路交通法（昭和35年法律第105号）第91条の規定により付される運転免許の条件の趣旨に従い、当該身体に障害を有する者の身体の状態に応じた、次に掲げる補助手段が講じられている自動車

イ　手動装置

車両本体に設けられたアクセルペダルとブレーキペダルを直接下肢で操作できない場合、下肢に代えて上肢で操作できるように設置されるもの

ロ　左足用アクセル

右下肢に障害があり既存のアクセルペダルが操作できない場合、左下肢で操作できるように設置されるもの

ハ　足踏式方向指示器

右上肢に障害がありステアリングホイルの右側に設けられている既存の方向指示器が操作できない場合、下肢で操作できるように設置されるもの

ニ　右駐車ブレーキレバー

左上肢に障害があり運転座席の左側に設けられている既存の駐車ブレーキレバーが操作できない場合、右上肢で操作できるよう運転者席の右側に設置されるもの

ホ　足動装置

両上肢に障害があり既存の車では運転操作ができない場合、上肢に代えて両下肢で運転操作ができるようにするもの

ヘ　運転用改造座席

身体に障害があり、安定した運転姿勢が確保できない場合、サイドボートを付加した座席に交換することにより、安定した運転姿勢を確保できるよう設置されるもの

三十八　車椅子及び電動車椅子（以下この号において「車椅子等」という。）を使用する者を車椅子等とともに搬送できるよう、車椅子等昇降装置を装備し、かつ、車椅子等の固定等に必要な手段を施した自動車（乗車定員11人以上の普通自動車については、車椅子等を使用する者を専ら搬送するものに限る。）

2　身体障害者用物品の修理

前項第１号から第20号までに掲げるものに係る修理、第37号に掲げる補助手段に係る修理並びに第38号に掲げる車椅子等昇降装置及び必要な手段に係る修理

別表第一　視覚障害者用ポータブルレコーダー（第二十一号関係）

製品名（品番）	販売元	販売元の住所又は所在地
プレクストークPTN3	シナノケンシ株式会社	長野県上田市上丸子1078番地
プレクストークポータブルレコーダーPTR3	シナノケンシ株式会社	長野県上田市上丸子1078番地
Envoy Connect	株式会社システムギアビジョン	兵庫県宝塚市高司一丁目６番11号
Envoy Connect Ｌモデル	株式会社システムギアビジョン	兵庫県宝塚市高司一丁目６番11号
ポケブック VineC1	株式会社システムギアビジョン	兵庫県宝塚市高司一丁目６番11号
センスプレーヤーライト	有限会社エクストラ	静岡県静岡市清水区草薙一丁目19番11号

別表第二　視覚障害者用読書器（第二十八号の三関係）

製品名（品番）	販売元	販売元の住所又は所在地
OrCam MyReader 2	ケージーエス株式会社	埼玉県比企郡小川町小川1004
OrCam MyReader 2	株式会社システムギアビジョン	兵庫県宝塚市高司一丁目６番11号
OrCam MyReader 2	株式会社リライアント	東京都港区赤坂八丁目11番16号乃木坂ハイツ301
OrCam MyReader 2	じぶんテック株式会社	東京都中央区銀座一丁目22番12号藤和銀座一丁目ビル８Ｆ
OrCam MyEye 2	ケージーエス株式会社	埼玉県比企郡小川町小川1004
OrCam MyEye 2	株式会社システムギアビジョン	兵庫県宝塚市高司一丁目６番11号
OrCam MyEye 2	株式会社リライアント	東京都港区赤坂八丁目11番16号乃木坂ハイツ301
OrCam MyEye 2	じぶんテック株式会社	東京都中央区銀座一丁目22番12号藤和銀座一丁目ビル８Ｆ

ルッキープラス	株式会社システムギアビジョン	兵庫県宝塚市高司一丁目6番11号
コンパクト5HD	株式会社システムギアビジョン	兵庫県宝塚市高司一丁目6番11号
コンパクト6HD	株式会社システムギアビジョン	兵庫県宝塚市高司一丁目6番11号
コンパクト7HD	株式会社システムギアビジョン	兵庫県宝塚市高司一丁目6番11号
ズーマックス　スノー	株式会社システムギアビジョン	兵庫県宝塚市高司一丁目6番11号
クリアビュープラス　HD　22型　LCD　モニタモデル	株式会社システムギアビジョン	兵庫県宝塚市高司一丁目6番11号
コンパクトミニ	株式会社システムギアビジョン	兵庫県宝塚市高司一丁目6番11号
ズーマックス　スノー　7HD	株式会社システムギアビジョン	兵庫県宝塚市高司一丁目6番11号
ビズム　イーケア3.5	株式会社システムギアビジョン	兵庫県宝塚市高司一丁目6番11号
クリアビューC HD22	株式会社システムギアビジョン	兵庫県宝塚市高司一丁目6番11号
クリアビューC HD24	株式会社システムギアビジョン	兵庫県宝塚市高司一丁目6番11号
クローバー3	株式会社システムギアビジョン	兵庫県宝塚市高司一丁目6番11号
トラベラーHD	株式会社システムギアビジョン	兵庫県宝塚市高司一丁目6番11号
クリアビューC One22	株式会社システムギアビジョン	兵庫県宝塚市高司一丁目6番11号
クローバー4	株式会社システムギアビジョン	兵庫県宝塚市高司一丁目6番11号
メゾ・フォーカス	株式会社システムギアビジョン	兵庫県宝塚市高司一丁目6番11号

クリアビューCスピーチ	株式会社システムギアビジョン	兵庫県宝塚市高司一丁目6番11号
クリアリーダープラス	株式会社システムギアビジョン	兵庫県宝塚市高司一丁目6番11号
クリアリーダープラス　フィーチャーパックセット	株式会社システムギアビジョン	兵庫県宝塚市高司一丁目6番11号
クローバー10	株式会社システムギアビジョン	兵庫県宝塚市高司一丁目6番11号
クローバー7S	株式会社システムギアビジョン	兵庫県宝塚市高司一丁目6番11号
クローバー10　専用スタンドモデル	株式会社システムギアビジョン	兵庫県宝塚市高司一丁目6番11号
トラベラーHD読書専用スタンドモデル	株式会社システムギアビジョン	兵庫県宝塚市高司一丁目6番11号
メゾ・フォーカス24	株式会社システムギアビジョン	兵庫県宝塚市高司一丁目6番11号
クローバー4　専用ハンドルモデル	株式会社システムギアビジョン	兵庫県宝塚市高司一丁目6番11号
ズーマックス　スノー12	株式会社システムギアビジョン	兵庫県宝塚市高司一丁目6番11号
コンパクト10　スピーチ	株式会社システムギアビジョン	兵庫県宝塚市高司一丁目6番11号
クローバー6	株式会社システムギアビジョン	兵庫県宝塚市高司一丁目6番11号
クローバーブック	株式会社システムギアビジョン	兵庫県宝塚市高司一丁目6番11号
クローバーブック・ライト	株式会社システムギアビジョン	兵庫県宝塚市高司一丁目6番11号
クローバーブック・プロ	株式会社システムギアビジョン	兵庫県宝塚市高司一丁目6番11号
OrCam　Read	株式会社システムギアビジョン	兵庫県宝塚市高司一丁目6番11号

OrCam　Read	じぶんテック株式会社	東京都中央区銀座一丁目22番12号藤和銀座一丁目ビル８Ｆ
OrCam　Read	株式会社リライアント	東京都港区赤坂八丁目11番16号乃木坂ハイツ301
OrCam　Read	ケージーエス株式会社	埼玉県比企郡小川町小川1004
OrCam　Read	有限会社エクストラ	静岡県静岡市清水区草薙一丁目19番11号
天使眼（エンジェルアイスマートリーダー）	株式会社システムギアビジョン	兵庫県宝塚市高司一丁目６番11号
天使眼（エンジェルアイスマートリーダー）	じぶんテック株式会社	東京都中央区銀座一丁目22番12号藤和銀座一丁目ビル８Ｆ
エンジェルビジョン　グラスリーダー	株式会社システムギアビジョン	兵庫県宝塚市高司一丁目６番11号
エンジェルビジョン　グラスリーダー	株式会社 KOSUGE	東京都板橋区氷川町11番11号
エンジェルビジョン　デスクトップリーダー	株式会社システムギアビジョン	兵庫県宝塚市高司一丁目６番11号
クローバーブック・メイト	株式会社システムギアビジョン	兵庫県宝塚市高司一丁目６番11号
クローバーブックXL・プロ	株式会社システムギアビジョン	兵庫県宝塚市高司一丁目６番11号
アイビジョンデジタル５Ｎ―NOTE―VOICE	アイネットワーク有限会社	東京都日野市西平山五丁目23番地の12
アイビジョンデジタル通帳読み上げ	アイネットワーク有限会社	東京都日野市西平山五丁目23番地の12
アイビジョンデジタル見る・書く・動く・液晶式・机上型	アイネットワーク有限会社	東京都日野市西平山五丁目23番地の12

アイビジョンデジタル見る・書く・軽い・テレビ画面型	アイネットワーク有限会社	東京都日野市西平山五丁目23番地の12
アイビジョンデジタル見る・書く・すべらせ式・方位自由型	アイネットワーク有限会社	東京都日野市西平山五丁目23番地の12
アイビジョンデジタル聞く・見る・21型	アイネットワーク有限会社	東京都日野市西平山五丁目23番地の12
acrobat　HD	株式会社日本テレソフト	東京都杉並区桃井二丁目１番３号
pebble　HD　ベーシック	株式会社日本テレソフト	東京都杉並区桃井二丁目１番３号
Smart　Reader HD	株式会社日本テレソフト	東京都杉並区桃井二丁目１番３号
ｉ―loview13	株式会社日本テレソフト	東京都杉並区桃井二丁目１番３号
ｉ　―loview13 Premium	株式会社日本テレソフト	東京都杉並区桃井二丁目１番３号
ｉ　―loview16 Premium	株式会社日本テレソフト	東京都杉並区桃井二丁目１番３号
amigo8	株式会社日本テレソフト	東京都杉並区桃井二丁目１番３号
LUNA6	株式会社日本テレソフト	東京都杉並区桃井二丁目１番３号
LUNA8	株式会社日本テレソフト	東京都杉並区桃井二丁目１番３号
LUNAS	株式会社日本テレソフト	東京都杉並区桃井二丁目１番３号
LUNAEye	株式会社日本テレソフト	東京都杉並区桃井二丁目１番３号

Merlin HD 24インチ HD パック付き	株式会社日本テレソフト	東京都杉並区桃井二丁目１番３号
Merlin HD 24インチ HD パックなし	株式会社日本テレソフト	東京都杉並区桃井二丁目１番３号
オニキス	有限会社エクストラ	静岡県静岡市清水区草薙一丁目19番11号
サファイア	有限会社エクストラ	静岡県静岡市清水区草薙一丁目19番11号
ルビー	有限会社エクストラ	静岡県静岡市清水区草薙一丁目19番11号
オニキスデスクセット　17インチタイプ	有限会社エクストラ	静岡県静岡市清水区草薙一丁目19番11号
オニキスデスクセット　19インチタイプ	有限会社エクストラ	静岡県静岡市清水区草薙一丁目19番11号
オニキスデスクセット　22インチタイプ	有限会社エクストラ	静岡県静岡市清水区草薙一丁目19番11号
トパーズ	有限会社エクストラ	静岡県静岡市清水区草薙一丁目19番11号
トパーズスイベルモニタ　19インチタイプ	有限会社エクストラ	静岡県静岡市清水区草薙一丁目19番11号
トパーズスイベルモニタ　22インチタイプ	有限会社エクストラ	静岡県静岡市清水区草薙一丁目19番11号
トパーズ XLHD プレミアム　20インチタイプ	有限会社エクストラ	静岡県静岡市清水区草薙一丁目19番11号
ルビーHD　５インチ	有限会社エクストラ	静岡県静岡市清水区草薙一丁目19番11号
オニキスデスクセット HD	有限会社エクストラ	静岡県静岡市清水区草薙一丁目19番11号

ルビーHD　4.3インチ	有限会社エクストラ	静岡県静岡市清水区草薙一丁目19番11号
トパーズ PHD	有限会社エクストラ	静岡県静岡市清水区草薙一丁目19番11号
オニキスポータブル HD	有限会社エクストラ	静岡県静岡市清水区草薙一丁目19番11号
トパーズ HD アドバンス	有限会社エクストラ	静岡県静岡市清水区草薙一丁目19番11号
ルビーHD　7インチ	有限会社エクストラ	静岡県静岡市清水区草薙一丁目19番11号
ブレイズ ET	有限会社エクストラ	静岡県静岡市清水区草薙一丁目19番11号
ブレイズ EZ	有限会社エクストラ	静岡県静岡市清水区草薙一丁目19番11号
オムニリーダー	有限会社エクストラ	静岡県静岡市清水区草薙一丁目19番11号
エンビジョングラス	有限会社エクストラ	静岡県静岡市清水区草薙一丁目19番11号
ルビー10スピーチ	有限会社エクストラ	静岡県静岡市清水区草薙一丁目19番11号
トパーズ XLHD20インチ	有限会社エクストラ	静岡県静岡市清水区草薙一丁目19番11号
トパーズ XLHD22インチ	有限会社エクストラ	静岡県静岡市清水区草薙一丁目19番11号
トパーズ XLHD24インチ	有限会社エクストラ	静岡県静岡市清水区草薙一丁目19番11号
センスプレーヤー	有限会社エクストラ	静岡県静岡市清水区草薙一丁目19番11号
オニキスデスクセット HD22インチ	有限会社エクストラ	静岡県静岡市清水区草薙一丁目19番11号
オニキスデスクセット HD24インチ	有限会社エクストラ	静岡県静岡市清水区草薙一丁目19番11号
エンビジョングラスリードエディション	有限会社エクストラ	静岡県静岡市清水区草薙一丁目19番11号

コンパクト８	有限会社エクストラ	静岡県静岡市清水区草薙一丁目19番11号
ルビー10	有限会社エクストラ	静岡県静岡市清水区草薙一丁目19番11号
エキスプロ５	株式会社アメディア	東京都練馬区豊玉上一丁目15番６号第10秋山ビル１階
エキスプロ８	株式会社アメディア	東京都練馬区豊玉上一丁目15番６号第10秋山ビル１階
ハンドズーム	株式会社アメディア	東京都練馬区豊玉上一丁目15番６号第10秋山ビル１階
よむべえスマイル YS―3100	株式会社アメディア	東京都練馬区豊玉上一丁目15番６号第10秋山ビル１階
快速よむべえ一体モデル YK―3100―S	株式会社アメディア	東京都練馬区豊玉上一丁目15番６号第10秋山ビル１階
快速よむべえ読み上げモデル YK―3100	株式会社アメディア	東京都練馬区豊玉上一丁目15番６号第10秋山ビル１階
快速よむべえ拡大モデル YK―3100―D21	株式会社アメディア	東京都練馬区豊玉上一丁目15番６号第10秋山ビル１階
よむべえミニ	株式会社アメディア	東京都練馬区豊玉上一丁目15番６号第10秋山ビル１階
音声拡大読書器とうくんライト	株式会社アイフレンズ	大阪府大阪市此花区西九条一丁目33番13号
音声拡大読書器とうくん	株式会社アイフレンズ	大阪府大阪市此花区西九条一丁目33番13号
ヴィゾルクスデジタル HD	株式会社エッシェンバッハ光学ジャパン	東京都千代田区神田司町二丁目15番４号
ヴィゾルクスデジタル XL　FHD	株式会社エッシェンバッハ光学ジャパン	東京都千代田区神田司町二丁目15番４号
スマートルクスデジタル２	株式会社エッシェンバッハ光学ジャパン	東京都千代田区神田司町二丁目15番４号
RETISSA　ON HAND	株式会社 QD レーザ	神奈川県川崎市川崎区南渡田町１番１号

アイアイサポーター２	合同会社ブラインド・ソリューション	東京都江戸川区西葛西六丁目20番13号

別表第二の二　視覚障害者用音声ICタグレコーダー（第二十八号の七関係）

製品名（品番）	販売元	販売元の住所又は所在地
タッチボイス	株式会社システムギアビジョン	兵庫県宝塚市高司一丁目６番11号
タッチボイス・プラス	株式会社システムギアビジョン	兵庫県宝塚市高司一丁目６番11号
タッチスピーク	株式会社システムギアビジョン	兵庫県宝塚市高司一丁目６番11号
タッチスピーク・プラス	株式会社システムギアビジョン	兵庫県宝塚市高司一丁目６番11号
G— Talk6	株式会社 FICP	東京都世田谷区喜多見８－12－18コスモパレス401
G— Talk4	株式会社 FICP	東京都世田谷区喜多見８－12－18コスモパレス401
C － Blind Reader	株式会社 FICP	東京都世田谷区喜多見８－12－18コスモパレス401
ペニートーク	株式会社アメディア	東京都練馬区豊玉上一丁目15番６号第10秋山ビル１階
ペニートークプラス	株式会社アメディア	東京都練馬区豊玉上一丁目15番６号第10秋山ビル１階

別表第三　聴覚障害者用屋内信号装置（第二十九号関係）

製品名（品番）	販売元	販売元の住所又は所在地
おしらせらんぷ BA —05	リオン株式会社	東京都国分寺市東元町三丁目20番41号
回転呼び出し灯	株式会社アシスト	東京都杉並区下井草五丁目18番14号
守護神（しゅごしん）	株式会社アシスト	東京都杉並区下井草五丁目18番14号
ベルマンビジットシステム	mimi こむ株式会社	東京都中央区日本橋蛎殻町一丁目32番２－901号

セントラルアラート	mimi こむ株式会社	東京都中央区日本橋蛎殻町一丁目32番２－901号
ベルマンアラームクロックスペシャル	mimi こむ株式会社	東京都中央区日本橋蛎殻町一丁目32番２－901号
ベルマンモバイル	mimi こむ株式会社	東京都中央区日本橋蛎殻町一丁目32番２－901号
AP コールテレフォン発信器	mimi こむ株式会社	東京都中央区日本橋蛎殻町一丁目32番２－901号
AP コールフラッシュ受信器	mimi こむ株式会社	東京都中央区日本橋蛎殻町一丁目32番２－901号
AP コールモバイル発信器	mimi こむ株式会社	東京都中央区日本橋蛎殻町一丁目32番２－901号
AP コール発信器	mimi こむ株式会社	東京都中央区日本橋蛎殻町一丁目32番２－901号
双方向シルウォッチ	株式会社東京信友	埼玉県入間市東藤沢１－３－25
NEW シルウォッチシステム	株式会社東京信友	埼玉県入間市東藤沢１－３－25
シルウォッチシステムセットＲ0201セット	株式会社東京信友	埼玉県入間市東藤沢１－３－25
シルウォッチシステムセットＲ0202セット	株式会社東京信友	埼玉県入間市東藤沢１－３－25
シルウォッチシステムセットＲ0203セット	株式会社東京信友	埼玉県入間市東藤沢１－３－25
シルウォッチシステムセットＲ0204セット	株式会社東京信友	埼玉県入間市東藤沢１－３－25
シルウォッチシステムセットＲ0701セット	株式会社東京信友	埼玉県入間市東藤沢１－３－25

シルウォッチシステムセットR0702セット	株式会社東京信友	埼玉県入間市東藤沢1－3－25
フラッシュライトスタンダードセット	株式会社エスケープランニング	千葉県松戸市松飛台535番地1白鵬ビル1階
フラッシュライトスタンダードプラスセット	株式会社エスケープランニング	千葉県松戸市松飛台535番地1白鵬ビル1階
フラッシュライトファミリーセット	株式会社エスケープランニング	千葉県松戸市松飛台535番地1白鵬ビル1階
フラッシュライトシンプルセット	株式会社エスケープランニング	千葉県松戸市松飛台535番地1白鵬ビル1階
フラッシュライトシンプルプラスセット	株式会社エスケープランニング	千葉県松戸市松飛台535番地1白鵬ビル1階
知らせる君	Ronk 株式会社	神奈川県相模原市緑区西橋本五丁目4番30号
知らせる君　押しボタンセット	Ronk 株式会社	神奈川県相模原市緑区西橋本五丁目4番30号

別表第三の二　聴覚障害者用情報受信装置（第二十九号の二関係）

製品名（品番）	販売元	販売元の住所又は所在地
アイ・ドラゴン4	株式会社アステム	大阪府大阪市北区東天満二丁目7番12号

別表第四　重度障害者用意思伝達装置（第三十三号関係）

製品名（品番）	販売元	販売元の住所又は所在地
伝の心	株式会社日立ケーイーシステムズ	千葉県習志野市東習志野七丁目1番1号
伝の心（呼鈴分岐機能付）	株式会社日立ケーイーシステムズ	千葉県習志野市東習志野七丁目1番1号
「新心語り」YN—502K	ダブル技研株式会社	神奈川県藤沢市長後903番地の3
新心語り（単語発信プラス）	ダブル技研株式会社	神奈川県藤沢市長後903番地の3

MCTOS Model FX	株式会社テクノスジャパン	兵庫県姫路市北条978番地
話想	企業組合 S.R.D	群馬県前橋市日吉町四丁目32番地12
マイトビー I－15	株式会社クレアクト	東京都品川区東五反田一丁目８番13号
TC スキャン	株式会社クレアクト	東京都品川区東五反田一丁目８番13号
マイトビー I－16	株式会社クレアクト	東京都品川区東五反田一丁目８番13号
TD パイロット Talk	株式会社クレアクト	東京都品川区東五反田一丁目８番13号
OriHime eye ＋ switch	株式会社オリィ研究所	東京都中央区日本橋本町三丁目８番３号
Cyin 福祉用モデル	CYBERDYNE 株式会社	茨城県つくば市学園南二丁目２番地１
ｍｉｙａｓｕｋｕ EyeConSW	株式会社ユニコーン	広島県広島市安佐北区可部南一丁目27番20号
ｍｉｙａｓｕｋｕ EyeConSW―N	株式会社ユニコーン	広島県広島市安佐北区可部南一丁目27番20号
ｍｉｙａｓｕｋｕ ＥｙｅＣｏｎＳＷ ―TB	株式会社ユニコーン	広島県広島市安佐北区可部南一丁目27番20号
ｍｉｙａｓｕｋｕ ＥｙｅＣｏｎＳＷ ―TC	株式会社ユニコーン	広島県広島市安佐北区可部南一丁目27番20号
eeyes	株式会社オレンジアーチ	東京都足立区千住一丁目４番１号東京芸術センター10階
eeyesMini	株式会社オレンジアーチ	東京都足立区千住一丁目４番１号東京芸術センター10階
eeyes／Ｓ３	株式会社オレンジアーチ	東京都足立区千住一丁目４番１号東京芸術センター10階
eeyesMini／Ｓ３	株式会社オレンジアーチ	東京都足立区千住一丁目４番１号東京芸術センター10階

PuCom for Life	株式会社コマス	神奈川県横浜市港北区新横浜三丁目７番18号
ファイン・チャット	アクセスエール株式会社	大阪府茨木市西駅前町６－22－301

別表第五　携帯用会話補助装置（第三十三号の二関係）

製品名（品番）	販売元	販売元の住所又は所在地
Voice Carry PECHARA	パシフィックサプライ株式会社	大阪府大阪市北区天神橋一丁目18番18号
アイトークウィズレベル	パシフィックサプライ株式会社	大阪府大阪市北区天神橋一丁目18番18号
クイックトーカー７	パシフィックサプライ株式会社	大阪府大阪市北区天神橋一丁目18番18号
クイックトーカー12	パシフィックサプライ株式会社	大阪府大阪市北区天神橋一丁目18番18号
クイックトーカー23	パシフィックサプライ株式会社	大阪府大阪市北区天神橋一丁目18番18号
トークトラック	パシフィックサプライ株式会社	大阪府大阪市北区天神橋一丁目18番18号
ステップバイステップチョイスウィズレベル	パシフィックサプライ株式会社	大阪府大阪市北区天神橋一丁目18番18号
スーパートーカーFT	パシフィックサプライ株式会社	大阪府大阪市北区天神橋一丁目18番18号
トーキングブリックス２	パシフィックサプライ株式会社	大阪府大阪市北区天神橋一丁目18番18号
アイトーク４	パシフィックサプライ株式会社	大阪府大阪市北区天神橋一丁目18番18号
VOCA ― PEN シールセット	株式会社コムフレンド	京都府京都市下京区中堂寺粟田町93京都リサーチパーク４号館３階
ボイスルーラー	株式会社コムフレンド	京都府京都市下京区中堂寺粟田町93京都リサーチパーク４号館３階

トーキングエイドプラス	株式会社ユープラス	東京都葛飾区立石七丁目７番９号
トーキングエイドプラスＳパッケージ	株式会社ユープラス	東京都葛飾区立石七丁目７番９号
かんたんトーク２	mimi こむ株式会社	東京都中央区日本橋蛎殻町一丁目32番２－901号
かんたんトーク２アルファ	mimi こむ株式会社	東京都中央区日本橋蛎殻町一丁目32番２－901号
SC タブレット	株式会社クレアクト	東京都品川区東五反田一丁目８番13号
SC タブレット Mini	株式会社クレアクト	東京都品川区東五反田一丁目８番13号
TD　Navio タブレット	株式会社クレアクト	東京都品川区東五反田一丁目８番13号
TD　Navio タブレット Mini	株式会社クレアクト	東京都品川区東五反田一丁目８番13号

別表第六　福祉電話器（第三十五号関係）

製品名（品番）	販売元	販売元の住所又は所在地
シルバーホンひびき	東日本電信電話株式会社	東京都新宿区西新宿三丁目19番２号
シルバーホンひびき	西日本電信電話株式会社	大阪府大阪市都島区東野田町四丁目15番82号
シルバーホンひびきＳ	東日本電信電話株式会社	東京都新宿区西新宿三丁目19番２号
シルバーホンひびきＳ	西日本電信電話株式会社	大阪府大阪市都島区東野田町四丁目15番82号
シルバーホンふれあい	東日本電信電話株式会社	東京都新宿区西新宿三丁目19番２号
シルバーホンふれあい	西日本電信電話株式会社	大阪府大阪市都島区東野田町四丁目15番82号
シルバーホンふれあいＳ	東日本電信電話株式会社	東京都新宿区西新宿三丁目19番２号
シルバーホンふれあいＳ	西日本電信電話株式会社	大阪府大阪市都島区東野田町四丁目15番82号

シルバーホンひびきＳⅡ	東日本電信電話株式会社	東京都新宿区西新宿三丁目19番２号
シルバーホンひびきＳⅡ	西日本電信電話株式会社	大阪府大阪市都島区東野田町四丁目15番82号
シルバーホンひびきＳⅢ	東日本電信電話株式会社	東京都新宿区西新宿三丁目19番２号
シルバーホンひびきＳⅢ	西日本電信電話株式会社	大阪府大阪市都島区東野田町四丁目15番82号
シルバーホンふれあいＳⅡ	東日本電信電話株式会社	東京都新宿区西新宿三丁目19番２号
シルバーホンふれあいＳⅡ	西日本電信電話株式会社	大阪府大阪市都島区東野田町四丁目15番82号

別表第七　視覚障害者用ワードプロセッサー（第三十六号関係）

製品名（品番）	販売元	販売元の住所又は所在地
ブレイルメモスマート　16	ケージーエス株式会社	埼玉県比企郡小川町小川1004
ブレイルメモスマート　40	ケージーエス株式会社	埼玉県比企郡小川町小川1004
ブレイルメモスマート　Air16	ケージーエス株式会社	埼玉県比企郡小川町小川1004
ブレイルメモスマート　Air32	ケージーエス株式会社	埼玉県比企郡小川町小川1004
ブレイルセンス日本語版	有限会社エクストラ	静岡県静岡市清水区草薙一丁目19番11号
ボイスセンス	有限会社エクストラ	静岡県静岡市清水区草薙一丁目19番11号
ブレイルセンスプラス日本語版	有限会社エクストラ	静岡県静岡市清水区草薙一丁目19番11号
ブレイルセンスオンハンド日本語版	有限会社エクストラ	静岡県静岡市清水区草薙一丁目19番11号
ブレイルセンスＵ２日本語版	有限会社エクストラ	静岡県静岡市清水区草薙一丁目19番11号
ブレイルセンスポラリス日本語版	有限会社エクストラ	静岡県静岡市清水区草薙一丁目19番11号

ブレイルセンスポラリスミニ日本語版	有限会社エクストラ	静岡県静岡市清水区草薙一丁目19番11号
ブレイルセンスシックス日本語版	有限会社エクストラ	静岡県静岡市清水区草薙一丁目19番11号
ブレイルセンスシックスミニ日本語版	有限会社エクストラ	静岡県静岡市清水区草薙一丁目19番11号
ブレイルエモーション40	有限会社エクストラ	静岡県静岡市清水区草薙一丁目19番11号
オービット20標準パック	株式会社アメディア	東京都練馬区豊玉上一丁目15番6号第10秋山ビル1階
清華 miniPlus	株式会社日本テレソフト	東京都杉並区桃井二丁目1番3号
清華 mini24Plus	株式会社日本テレソフト	東京都杉並区桃井二丁目1番3号
清華 Studio	株式会社日本テレソフト	東京都杉並区桃井二丁目1番3号

参考資料８　（身体障害者用物品関係⑵）

消費税法の一部を改正する法律（平成３年法律第73号）の施行に伴う身体障害者用物品の非課税扱いについて（抜粋）

（平成３年９月26日社更第199号・児障第29号・児母衛第32号
厚生省社会局更生・児童家庭局障害福祉・母子衛生課長連名通知）

<最終改正>　令和７年３月31日　障企発0331第２号・こ支障第74号

第１　共通的事項

１　改正の概要

身体障害者の使用に供するための特殊な性状、構造又は機能を有する物品として内閣総理大臣及び厚生労働大臣が財務大臣と協議して指定したものに係る譲渡、貸付け、製作の請負及び一定の物品に係る一定の修理が非課税となるものであること。

２　一般的注意事項

⑴　非課税対象となるのは、消費税法施行令第14条の４の規定に基づき内閣総理大臣及び厚生労働大臣が指定する身体障害者用物品及びその修理（平成３年厚生省告示第130号。以下、「告示」という。）に該当する物品（当該物品と一体として譲渡等がなされる一定の付属品を含む。）であって、部品、付属品のみの単体の譲渡等は、非課税対象とはならないものであること。

⑵　障害者の日常生活及び社会生活を総合的に支援するための法律（以下、「障害者総合支援法」という。）に基づく補装具費支給制度及び日常生活用具給付等事業の対象物品とは必ずしも一致しないものであり、これらの制度の対象となっていない物品であっても、非課税対象となるものもあること。

⑶　障害者総合支援法に基づく補装具費支給制度及び日常生活用具給付等事業の対象物品のみならず、一般購入した場合であっても非課税となるものであって、非課税措置を受けるに当たっては、購入時に身体障害者手帳を提示するなどの手続きは不要であること。

⑷　資産の譲渡等の時期は、原則として実際に物品の引渡しがあった時点であること。

第２　対象物品の具体的範囲（改造自動車に係るものを除く。）

非課税対象となる身体障害者用物品は、告示に示されたとおりであるが、その具体的内容及び留意事項は以下のとおりである。

1　義肢

2　装具

⑴　補装具の種目、購入等に要する費用の額の算定等に関する基準（平成18年厚生労働省告示第528号。以下、「補装具告示」という。）の別表の１の⑶及び⑷に定めるものに限られるものであること。

⑵　採寸等を行う者は、製作業者本人に限られず、医師等が行うものも含まれること。

⑶　非課税扱いとするためには、医師が作成する処方箋又は個別に採寸等を行った記録を保管しておく必要があること。

3　姿勢保持装置

機能障害の状況に適合させるため、体幹、股関節等を固定するためのパッド等の付属装置を装備し、安定した座位、立位、臥位等の保持を可能にする機能を有するものであること。

4　視覚障害者安全つえ

5　義眼

6　眼鏡

⑴　弱視眼鏡及び遮光眼鏡に限られ、色めがね、矯正眼鏡及びコンタクトレンズは含まれないこと。

⑵　弱視眼鏡とは、弱視者が医師の処方により使用するもので、対物レンズ及び接眼レンズからなる掛け眼鏡式又は焦点調整式の単眼鏡をいうものであること。

⑶　遮光眼鏡とは、網膜色素変性症、白子症、先天無虹彩症及び錐体杆体ジストロフィー等により羞明感がある者が医師の処方により使用するもので、可視光のうちの一部の透過を抑制し、分光透過率曲線が公表されているものであること。

⑷　レンズ及び枠が一体となった構造を有するものであること。

7　点字器

8　補聴器

補装具告示の別表の１の⑻の補聴器の項に掲げるものに限られるものであること。

9　人工喉頭

10　車椅子

⑴　介助用の手押し型車椅子も含まれるものであること。

⑵　シャワーチェアー等の屋内用のキャスター付きの椅子は該当しないものであること。

11　電動車椅子

12　歩行器

補装具告示の別表の１の⑻のその他の表の歩行器の項に掲げるものに限

られるものであること。

13　頭部保護帽

(1)　ヘルメット型で、転倒の際に頭部を保護できる機能を有するものであって、スポンジ及び革又はプラスチックを主材料にして製作され、歩行が困難な者の頭部を保護することのみを目的とするものに限られるものであること。

(2)　採寸等を行う者は、製作業者本人に限られず、医師等が行うものも含まれること。

(3)　非課税扱いとするためには、医師が作成する処方箋又は個別に採寸等を行った記録を保管しておく必要があること。

14　装着式収尿器

15　ストマ用装具

16　歩行補助つえ

松葉づえ、カナデイアン・クラッチ、ロフストランド・クラッチ及び多脚つえに限られ、それ以外のつえは、該当しないものであること。

17　起立保持具

足首、膝関節、大腿等をベルト等により固定することにより、起立困難な児童の起立を補助する機能を有するものであること。

18及び19　削除

20　排便補助具

(1)　身体に障害を有する児童の排便を補助するものであって、パッド等を装着することにより、又は背もたれ及び肘掛けを有する椅子状のものであることにより、座位を保持しつつ、排便をすることを可能にする機能を有するもので、移動可能なものに限られるものであること。

(2)　据付式のものは含まれないこと。

(3)　便座の内孔の左右の最大径の幅が15cm 以下のものに限られるものであること。

21　視覚障害者用ポータブルレコーダー

音声により操作ボタン及び操作方法に関する案内を行う機能を有し、かつ、DAISY 方式による録音又は再生が可能な機能を有する製品であって、告示別表に掲げるものに限られるものであること。

22　視覚障害者用時計

腕時計又は懐中時計であって、文字盤に点字等があり、文字盤及び針に直接触れることができる構造を有するものに限られるものであること。

23　削除

24　点字タイプライター

点字の6点に対応したレバーを叩き、点字のみで印字する機能を有するものであること。

25　視覚障害者用電卓

入力結果及び計算結果を音声により伝える機能を有するものであること。

26　視覚障害者用体温計

検温結果を、音声により伝える機能を有するものであること。

27　視覚障害者用秤

家庭用上皿秤であって、点字、凸線等により操作ボタンが知覚でき、計測結果を音声により伝える機能を有するもの又は文字盤に点字等があり、文字盤及び針に直接触れることができる構造を有するものであること。

28　点字図書

(1)　点字で説明等が施されている凸図表を含むものであること。

(2)　図書には、パンフレット等も含むものであること。

(3)　消費税法別表第2第12号に規定する教科用図書は含まれないものであること。

28の2　視覚障害者用体重計

計測結果を音声により伝える機能を有するもの又は文字盤に点字等があり、静止させた文字盤及び針に直接触れることができる構造を有するものであること。

28の3　視覚障害者用読書器

視力に障害を有する者の読書等を容易にする製品であって、文字等を撮像し、モニター画面に拡大して映し出すための映像信号に変換して出力する機能を有するもの又は撮像した活字を文字として認識し、音声信号に変換して出力する機能を有するもので、告示別表に掲げるものに限られるものであること。

28の4　歩行時間延長信号機用小型送信機

電波を利用して、符合を送り、歩行者の前方の信号機の表示する信号が青色である時間を延長することができるものであること。

28の5　点字ディスプレイ

文字等のコンピュータの画面情報を点字等により示す機能を有するものであること。

28の6　視覚障害者用活字文書読上げ装置

視力に障害を有する者の情報の入手を容易にする製品であって、文字情報と同一紙面上に記載された当該文字情報を暗号化した情報を読み取り、音声信号に交換して出力する機能を有するものであること。

28の7　視覚障害者用音声ICタグレコーダー

視力に障害を有する者の物の識別を容易にする製品であって、点字、凸線等により操作ボタンが知覚でき、かつ、ＩＣタグその他の集積回路とアンテナを内蔵する物品の持つ識別情報を無線により読み取り、当該識別情報と音声データを関連付け、音声データを音声信号に変換して出力する機能及び音声により操作方法に関する案内を行う機能を有するもので、告示別表に掲げるものに限られるものであること。

28の8　視覚障害者用音声方位磁石

視力に障害を有する者の方角に関する情報の入手を容易にすることのみを目的とする製品であって、点字、凸線等により操作ボタンが知覚でき、かつ、触覚や音声信号により情報を確認できる機能を有するものに限られるものであること。

28の9　視覚障害者用音声色彩識別装置

視力に障害を有する者の色に関する情報の入手を容易にすることのみを目的とする製品であって、点字、凸線等により操作ボタンが知覚でき、かつ、触覚や音声信号により情報を確認できる機能を有するものに限られるものであること。

28の10　視覚障害者用携帯型歩行支援装置

視力に障害を有する者の歩行に必要な情報の入手を容易にする製品であって、音声、振動等の視覚情報以外の方法のみにより情報を確認できる機能を有し、人工衛星を利用した情報通信ネットワーク等を通じて地図情報及び位置情報を受信する機能又は超音波を利用して障害物を検知する機能を有するものに限られるものであること。

28の11　視覚障害者用携帯型日本銀行券種類識別装置

視力に障害を有する者の日本銀行券の種類の識別を容易にすることのみを目的とする製品であって、点字、凸線等により操作ボタンが知覚でき、かつ、触覚や音声信号により情報を確認できる機能を有するものに限られるものであること。

29　聴覚障害者用屋内信号装置

(1)　音声等による信号を感知し、光や振動に変換し、伝達する機能を有する持ち運び可能な器具であって、告示別表に掲げる製品に限られるものであること。

(2)　非課税対象となるのは、聴覚障害者用屋内信号装置として一体で譲渡等されるシステム又は単体で装置としての機能を有するものであって、システムの構成品単体の譲渡等は非課税対象にはならないものであること。

29の2　聴覚障害者用情報受信装置

字幕及び手話通訳付きの聴覚障害者用番組並びにテレビ番組に字幕及び手話通訳の映像を合成したものを画面に出力する機能を有し、かつ、災害時の聴覚障害者向け緊急信号を受信する製品であって、告示別表に掲げるものに限られるものであること。

30　特殊寝台

身体に障害を有する者が家庭において使用する寝台であって、身体に障害を有する者の頭部及び脚部の傾斜角度が調整できる機能を有するもので、次に掲げる条件の全てを満たすものに限られるものであること。

イ　本体の側板の外縁と側板の外縁との幅が100cm 以下のものであること。

ロ　サイドレールが取り付けてあるもの又は取り付け可能なものであること。

ハ　キャスターを装着していないもの又はキャスターを装着している折畳み式のものであって折畳み時にのみキャスターが接地するものであること。

31　特殊尿器

排尿を感知し、尿を自動的に吸入する機能を有するものに限られるものであること。

32　体位変換器

空気パッドにロッドを差し込んだものを身体の下に挿入することにより、又は身体の下にあらかじめ空気パッドを挿入し膨らませることにより、身体に障害を有する者の体位を容易に変換できる機能を有するものであること。

33　重度障害者用意思伝達装置

(1)　両上下肢の機能を全廃し、かつ、言語機能を喪失した者のまばたき等の残存機能による反応を、センサーにより感知して、ディスプレイ等に表示すること等により、その者の意思を伝達する機能を有する製品であって、告示別表に掲げるものに限られるものであること。

(2)　非課税対象となるのは、重度障害者用意思伝達装置として一体で譲渡等されるシステムであって、システムの構成品単体の譲渡等は非課税対象にはならないものであること。

33の２　携帯用会話補助装置

(1)　発声、発語に著しい障害を有する者の意思を音声又は文字に変換して伝達する機能を有する製品であって、告示別表に掲げるものに限られるものであること。

(2)　非課税対象となるのは、携帯用会話補助装置として一体で譲渡等されるシステムであって、システム構成品単体の譲渡等は非課税対象にはならないものであること。

33の３　移動用リフト

(1)　床走行式、固定式又は据置式であり、かつ、身体をつり具でつり上げ又は体重を支える構造を有するものであって、その構造により、自力での移動が困難な者の寝台と車椅子との間等の移動を補助する機能を有するものであること。

(2) 「寝台と車椅子との間等の移動を補助する機能」とは、寝台、浴槽、自動車又は車椅子等の製品間において、身体が一方の製品から他方の製品へ移動することを補助する機能をいう。

34 透析液加温器

透析液を41度を上限として加温し、一定の温度に保つ機能を有するものであって、持ち運び可能なものであること。

35 福祉電話器

(1) 音声を振動により骨に伝える機能、上肢機能に障害を有する者が足等を使用して利用できる機能、又は聴覚障害者が筆談できる機能等を有する特殊な電話器であって、告示別表に掲げる製品に限られるものであること。

(2) 上肢機能に障害を有する者が足等を使用して利用できる機能を有する電話器にあっては、足等で操作するための機器と一体で譲渡等される場合のみ、非課税対象となるものであること。

36 視覚障害者用ワードプロセッサー

(1) 点字方式により入力する機能、入力結果が音声により確認できる機能、入力結果が点字変換される機能、又は入力結果が点字で印字される機能を有する製品であって、告示別表に掲げるものに限られるものであること。

(2) 非課税対象となるのは、入力、入力内容の確認及びその保存機能を有する単体又はシステム（一体として取引される点字プリンタ等を含む。）であること。

なお、点字プリンタ、点字キーボード等のシステムの構成品単体の譲渡等は非課税対象にはならないものであること。

第3 修理の範囲（改造自動車に係るものを除く）

1 非課税対象となる修理の範囲は、告示第1項第1号から第20号までに掲げるものに係る修理に限られるものであること。

2 障害者総合支援法に基づき、支給等の対象となるものであっても、以下に掲げるものは、非課税対象となる修理に該当しないものであること。

(1) 断端袋の交換

(2) 視覚障害者安全つえのマグネット付石突交換

(3) 眼鏡の枠交換（遮光用及び弱視用に係るものを除く。）、レンズ交換（遮光用レンズ及び遮光矯正用レンズに係るものを除く。）

(4) 補聴器の重度難聴用イヤホン交換、眼鏡型平面レンズ交換、骨導式ポケット型レシーバー交換、骨導式ポケット型ヘッドバンド交換、ワイヤレスマイク充電用ＡＣアダプタ交換、イヤホン交換

(5) 車椅子のクッション（カバー付き）、背クッション、枕（レディメイド）、テーブル、杖たて、栄養パック取り付け用ガートル架、点滴ポール及び日よけ、雨よけ、スポークカバー、リフレクタの交換（オーダーメイドで製作されたものを除く。）

(6) 電動車椅子の延長スイッチ交換、バッテリ交換（リチウムイオン電池、ニッケル水素電池）、外部充電器交換、ジョイスティックノブ交換、スイッチゴム交換

(7) 歩行補助つえの凍結路面用滑り止め（非ゴム系）交換

3 支給等の対象とならないものについても、2(1)から(7)に準じた取扱いになるので留意すること。

4 修理用部品の譲渡等は非課税扱いにはならないものであること。

第4 その他

改造自動車に係る消費税の非課税措置については、平成3年9月20日社更第196号社会局更生課長通知「消費税法の一部を改正する法律（平成3年法律第73号）の施行に伴う改造自動車の非課税扱いについて」を参照されたい。

社会福祉事業の委託に関する消費税の取扱いについて

(平成9年9月29日　障企第389号、社援企第174号、老計第123号、児企第24号　厚生省大臣官房障害保健福祉部企画課長、厚生省社会・援護局企画課長、厚生省老人保健福祉局老人福祉計画課長、厚生省児童家庭局企画課長通知)(抜粋)

社会福祉事業に関する消費税の取扱いについては、平成3年6月7日付け老福第131号・健医発第737号・社庶第135号・児発第530号厚生省大臣官房老人保健福祉部長・保健医療局長・社会局長・児童家庭局長連名通知により通知しているところであるが、同通知の別紙一「消費税制度改正の概要について(社会福祉関係)」の一の㈠のなお書きについては、種々問合せがあることから、その趣旨は下記のとおりであることを改めて通知するので、この旨事業者に対し指導し、又は、関係団体を通じて事業者に対し周知徹底させ、その運用に遺憾のないようにされたい。

なお、左記については、税務当局と協議済みであることを申し添える。

記

1　地方公共団体が設置した社会福祉施設の経営を社会福祉事業団等に委託する場合に、地方公共団体から当該社会福祉事業団等に支払われる委託料は、社会福祉事業として行われる資産の譲渡等に当たることから、消費税法別表第一号第7号イの規定に該当し、非課税となる。

2　民間の事業者(社会福祉法人を含む。)等が、地方公共団体又は地方公共団体が設置した社会福祉施設の経営を委託された社会福祉事業団等から、送迎サービス等の社会福祉施設に係る業務の一部を委託された場合又は社会福祉施設で使用する物品の納入等に係る資産の譲渡等を行う場合は、社会福祉事業の委託ではなく、通常のサービス、物品の購入にあたることから、当該委託料又は資産の譲渡等の対価は、前記1には該当せず、課税対象となる。

(注1)　前記1及び2の消費税の課税関係を整理すれば、別紙のとおりである(別紙省略)。

(注2)　前記2に該当する例としては、以下のようなものがある。

社会福祉施設の運営事業のうち、以下のようなサービスなど、その一部のみを委託した場合

・　送迎サービス
・　給食サービス

・　洗濯サービス
・　清掃サービス

参考資料10 （社会福祉事業の委託関係(2)）

社会福祉事業等の委託に関する消費税の取扱いに係る問答集について（抜粋）

平成10年６月30日　事務連絡

厚生省大臣官房障害保健福祉部企画課長
厚生省社会・援護局企画課長
厚生省老人保健福祉局老人福祉計画課長　通知
厚生省老人保健福祉局老人福祉振興課長
厚生省児童家庭局企画課長

（別紙）社会福祉事業等の委託に関する消費税の取扱いに係る問答集
《凡例》
・「法」：消費税法（昭和63法律第108号）
・「告示」：消費税法施行令第14条の２第５号の規定に基づき、厚生大臣が指定する資産の譲渡等を定める件（平成３年６月厚生省告示第129号）
・「通知」：社会福祉事業の委託に関する消費税の取扱いについて（平成９年９月29日障企第389号・社援企第174号・老計第123号・児企第24号厚生省大臣官房障害保健福祉部企画課長・社会・援護局企画課長・老人保健福祉局老人福祉計画課長・児童家庭局企画課長連名通知）
・「社会福祉事業」：社会福祉事業法（昭和26年法律第45号）第２条に規定する社会福祉事業

〈問１〉
市町村がその運営する特別養護老人ホームにおける調理業務や清掃業務を社会福祉法人や民間事業者に委託する場合、委託料に対しては、消費税が課税されるのですか。

市町村（特別養護老人ホーム） → 調理業務・清掃業務 → 社会福祉法人 民間事業者

〈答〉
消費税の非課税措置の対象となる事業には、「社会福祉事業」等が含まれます（法別表第一）。しかしながら、特別養護老人ホームにおける調理業務や清掃業務は、特別養護老人ホームを経営する事業の一部であって当該事業全体ではないため、「社会福祉事業」に該当しない（通知記２）ほか、その他の消費税の非課税措置の対象となる事業にも該当しません。したがって、消費税が課税されます。

〈問２〉

市町村が特別養護老人ホームの運営を社会福祉事業団に委託し、社会福祉事業団が特別養護老人ホームにおける調理業務や清掃業務を社会福祉法人や民間事業者に委託する場合、委託料や再委託料に対しては、消費税が課税されるのですか。

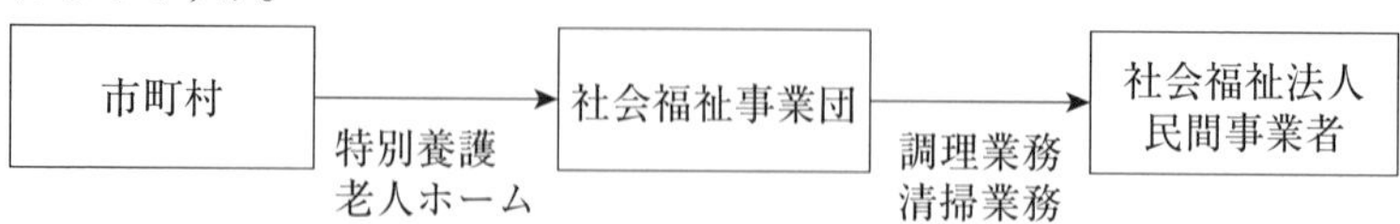

〈答〉

⑴　委託料の取扱い

「社会福祉事業」は、消費税の非課税措置の対象となっており（法別表第一第７号イ)、特別養護老人ホームを経営する事業は、これに該当します。したがって、消費税が課税されません。

⑵　再委託料の取扱い

消費税の非課税措置の対象となる事業には、「社会福祉事業」等が含まれます（法別表第一)。しかしながら、特別養護老人ホームにおける調理業務や清掃業務は、特別養護老人ホームを経営する事業の一部であって当該事業全体ではないため、「社会福祉事業」に該当しない（通知記２）ほか、その他の消費税の非課税措置の対象となる事業にも該当しません。したがって、消費税が課税されます。

〈問３〉

市町村がその運営する老人デイサービス事業のうち訪問事業としての入浴サービスや給食サービスを社会福祉法人や民間事業者に委託する場合、委託料に対しては、消費税が課税されるのですか。

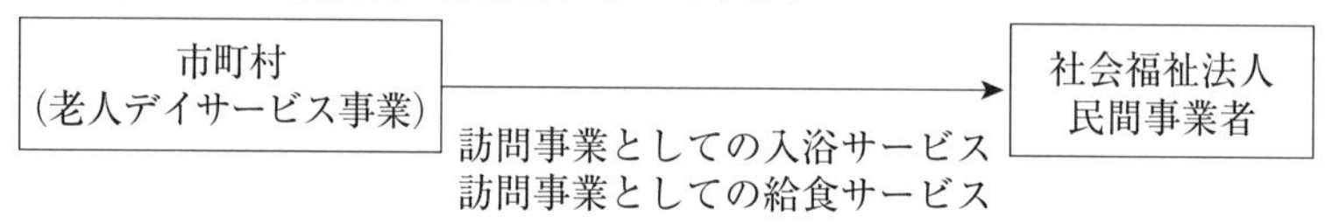

〈答〉

「社会福祉事業」は、消費税の非課税措置の対象となっています（法別表第一第７号イ）が、老人デイサービス事業における訪問事業としての入浴サービスや給食サービスは、老人デイサービス事業の一部であって当該事業全体ではないため、「社会福祉事業」には該当しません（通知記２)。

しかしながら、別途、「身体に障害がある児童等に対してその者の居宅において入浴の便宜を供与する事業」や「身体に障害がある児童等に対してその者の居宅において食事を提供する事業」のうち、「その要する費用の2分の1以上が国又は地方公共団体により負担される事業」は、消費税の非課税措置の対象となります（告示第4号および第5号）。したがって、再委託の対象となる訪問事業としての入浴サービスや給食サービスがこれらに該当する場合には、消費税は課税されません。

※「身体に障害がある児童等」には、身体に障害がある児童のほか、①身体障害者、②身体上又は精神上の障害があるために日常生活を営むのに支障のある65歳以上の者、③65歳以上の者のみにより構成される世帯に属する者が含まれます（告示第4号）。

〈問4〉

市町村が老人デイサービス事業を社会福祉法人や民間事業者に委託し、社会福祉法人や民間事業者がそのうち訪問事業としての入浴サービスや給食サービスを他の社会福祉法人や民間事業者に再委託する場合、委託料や再委託料に対しては、消費税が課税されるのですか。

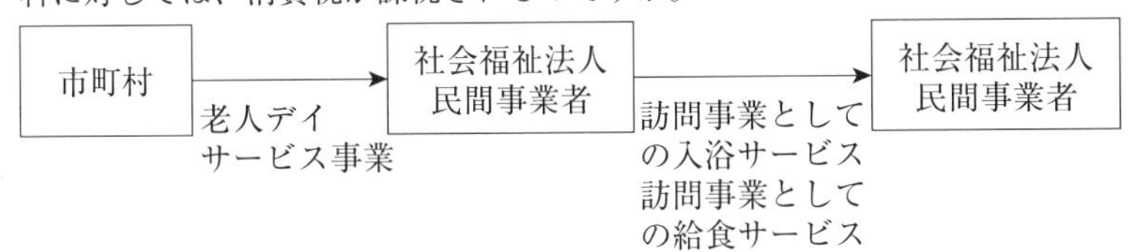

〈答〉

⑴　委託料の取扱い

「社会福祉事業」は、消費税の非課税措置の対象となっており（法別表第一第7号イ）、老人デイサービス事業は、これに該当します。したがって、消費税が課税されません。

⑵　再委託料の取扱い

「社会福祉事業」は、消費税の非課税措置の対象となっています（法別表第一第7号イ）が、老人デイサービス事業における訪問事業としての入浴サービスや給食サービスは、老人デイサービス事業の一部であって当該事業全体ではないため、「社会福祉事業」に該当しません（通知記2）。

しかしながら、別途、「身体に障害がある児童等に対してその者の居宅において入浴の便宜を供与する事業」や「身体に障害がある児童等に対してその者の居宅において食事を提供する事業」のうち、「その要する費用の2分の1以上が国又は地方公共団体により負担される事業」は、消費税の非課税措置の対象となります（告示第4号および第5号）。したがって、再委託の対象となる訪問事業としての入浴サービスや給食サービスがこれらに該当する場合には、消費税は課税されません。

※「身体に障害がある児童等」には、身体に障害がある児童のほか、①身体障害者、②身体上又は精神上の障害があるために日常生活を営むのに支障のある65歳以上の者、③65歳以上の者のみにより構成される世帯に属する者が含まれます（告示第４号)。

〈問５〉

市町村がその運営する老人デイサービス事業のうち通所事業としての給食サービスや訪問事業としての洗濯サービスを社会福祉法人や民間事業者に委託する場合、委託料に対しては、消費税が課税されるのですか。

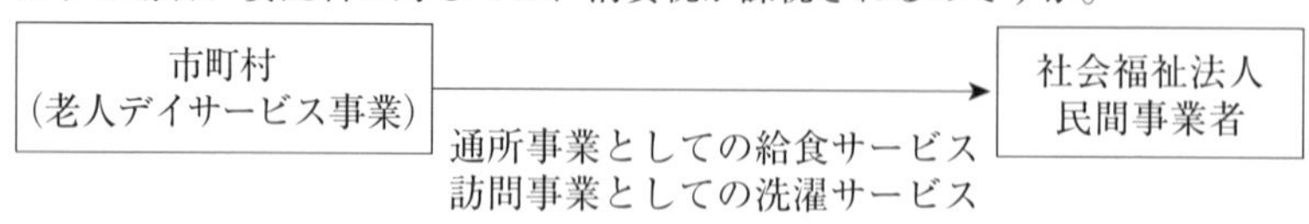

〈答〉

消費税の非課税措置の対象となる事業には、「社会福祉事業」等が含まれます（法別表第一）。しかしながら、老人デイサービス事業における通所事業としての給食サービスや訪問事業としての洗濯サービスは、老人デイサービス事業の一部であって当該事業全体ではないため、「社会福祉事業」に該当しない（通知記２）ほか、その他の消費税の非課税措置の対象となる事業にも該当しません。したがって、消費税が課税されます。

〈問６〉

市町村が老人デイサービス事業を社会福祉法人や民間事業者に委託し、社会福祉法人や民間事業者がそのうち通所事業としての給食サービスや訪問事業としての洗濯サービスを他の社会福祉法人や民間事業者に再委託する場合、委託料や再委託料に対しては、消費税が課税されるのですか。

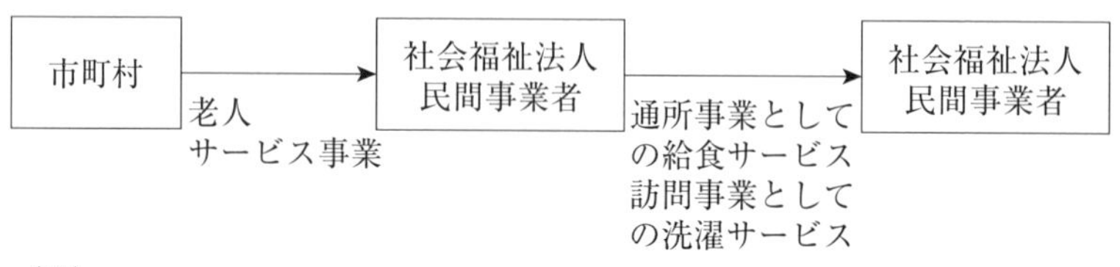

〈答〉

⑴　委託料の取扱い

「社会福祉事業」は、消費税の非課税措置の対象となっており（法別表第一第７号イ)、老人デイサービス事業は、これに該当します。したがって、消費税が課税されません。

(2) 再委託料の取扱い

消費税の非課税措置の対象となる事業には、「社会福祉事業」等が含まれます（法別表第一）。しかしながら、老人デイサービス事業における通所事業としての給食サービスや訪問事業としての洗濯サービスは、老人デイサービス事業の一部であって当該事業全体ではないため、「社会福祉事業」に該当しない（通知記２）ほか、その他の消費税の非課税措置の対象となる事業にも該当しません。したがって、消費税が課税されます。

〈問７〉

訪問入浴サービス事業や配食サービス事業について、市町村が社会福祉法人や民間事業者に委託する場合、委託料に対しては、消費税が課税されるのですか。

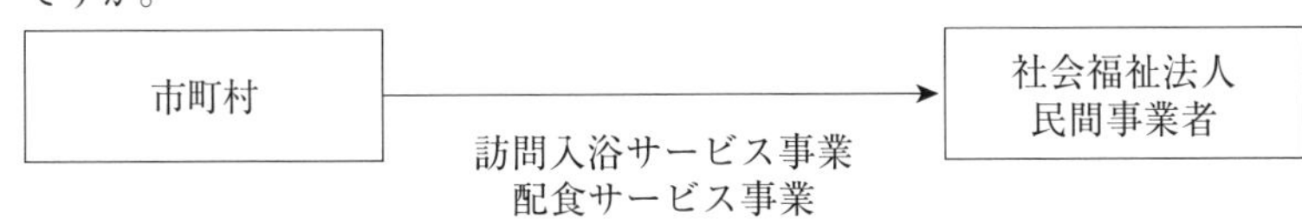

〈答〉

「社会福祉事業」は、消費税の非課税措置の対象となっています（法別表第一第７号イ）が、訪問入浴サービス事業や配食サービス事業は、「社会福祉事業」に該当しません。

しかしながら、別途、「身体に障害がある児童等に対してその者の居宅において入浴の便宜を供与する事業」や「身体に障害がある児童等に対してその者の居宅において食事を提供する事業」のうち、「その要する費用の２分の１以上が国又は地方公共団体により負担される事業」は、消費税の非課税措置の対象となります（告示第４号および第５号）。したがって、委託の対象となる訪問入浴サービスや配食サービスがこれらに該当する場合には、消費税は課税されません。

※「身体に障害がある児童等」には、身体に障害がある児童のほか、①身体障害者、②身体上又は精神上の障害があるために日常生活を営むのに支障のある65歳以上の者、③65歳以上の者のみにより構成される世帯に属する者が含まれます（告示第４号）。

〈問８〉

訪問入浴サービス事業や配食サービス事業について、市町村が社会福祉協議会や福祉公社に委託し、社会福祉協議会や福祉公社が社会福祉法人や民間事業者に再委託する場合、委託料や再委託料に対しては、消費税が課税されるのですか。

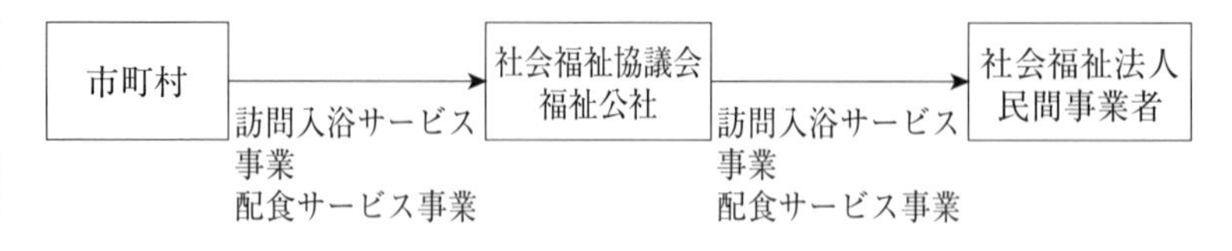

〈答〉

(1)　委託料の取扱い

「社会福祉事業」は、消費税の非課税措置の対象となっています（法別表第一第７号イ）が、訪問入浴サービス事業や配食サービス事業は、「社会福祉事業」に該当しません。

しかしながら、別途、「身体に障害がある児童等に対してその者の居宅において入浴の便宜を供与する事業」や「身体に障害がある児童等に対してその者の居宅において食事を提供する事業」のうち、「その要する費用の２分の１以上が国又は地方公共団体により負担される事業」は、消費税の非課税措置の対象となります（告示第４号および第５号）。したがって、委託の対象となる訪問入浴サービスや配食サービスがこれらに該当する場合には、消費税は課税されません。

※「身体に障害がある児童等」には、身体に障害がある児童のほか、①身体障害者、②身体上又は精神上の障害があるために日常生活を営むのに支障のある65歳以上の者、③65歳以上の者のみにより構成される世帯に属する者、が含まれます（告示第４号）。

(2)　再委託料の取扱い

「社会福祉事業」は、消費税の非課税措置の対象となっています（法別表第一第７号イ）が、訪問入浴サービス事業や配食サービス事業は、「社会福祉事業」に該当しません。

しかしながら、別途、「身体に障害がある児童等に対してその者の居宅において入浴の便宜を供与する事業」や「身体に障害がある児童等に対してその者の居宅において食事を提供する事業」のうち、「その要する費用の２分の１以上が国又は地方公共団体により負担される事業」は、消費税の非課税措置の対象となります（告示第４号および第５号）。したがって、再委託の対象となる訪問入浴サービスや配食サービスがこれらに該当する場合には、消費税は課税されません。

※「身体に障害がある児童等」には、身体に障害がある児童のほか、①身体障害者、②身体上又は精神上の障害があるために日常生活を営むのに支障のある65歳以上の者、③65歳以上の者のみにより構成される世帯に属する者が含まれます（告示第４号）。

〈問９〉

寝具乾燥消毒サービス事業や移送サービス事業について、市町村が社会福祉法人や民間事業者に委託する場合、委託料に対しては、消費税が課税されるのですか。

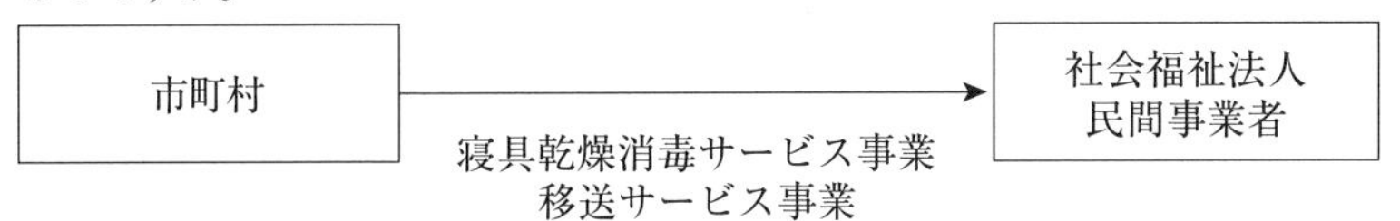

〈答〉

消費税の非課税措置の対象となる事業には、「社会福祉事業」等が含まれます（法別表第一）。しかしながら、寝具乾燥消毒サービス事業や移送サービス事業は、「社会福祉事業」に該当しないほか、その他の消費税の非課税措置の対象となる事業にも該当しません。したがって、消費税が課税されます。

〈問10〉

寝具乾燥消毒サービス事業や移送サービス事業について、市町村が社会福祉協議会や福祉公社に委託し、社会福祉協議会や福祉公社が社会福祉法人や民間事業者に再委託する場合、委託料や再委託料に対しては、消費税が課税されるのですか。

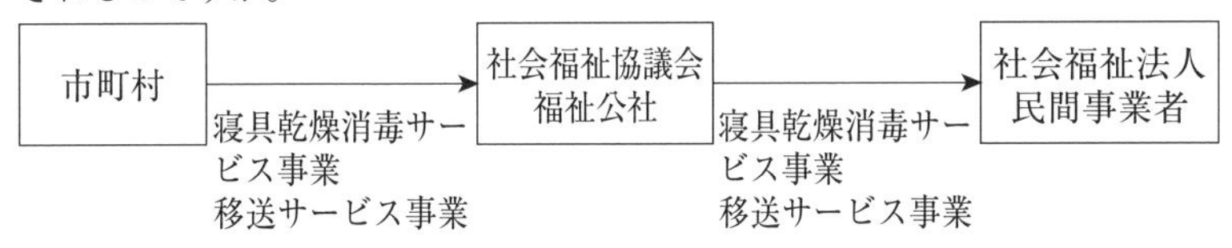

〈答〉

⑴　委託料の取扱い

消費税の非課税措置の対象となる事業には、「社会福祉事業」等が含まれます（法別表第一）。しかしながら、寝具乾燥消毒サービス事業や移送サービス事業は、「社会福祉事業」に該当しないほか、その他の消費税の非課税措置の対象となる事業にも該当しません。したがって、消費税が課税されます。

⑵　再委託料の取扱い

消費税の非課税措置の対象となる事業には、「社会福祉事業」等が含まれます（法別表第一）。しかしながら、寝具乾燥消毒サービス事業や移送サービス事業は、「社会福祉事業」に該当しないほか、その他の消費税の非課税措置の対象となる事業にも該当しません。したがって、消費税が課税されます。

《注》

1　問１及び問２における「特別養護老人ホーム」は、例示であり、
①児童福祉法（昭和22年法律第164号）第39条に規定する保育所
②身体障害者福祉法（昭和24年法律第283号）第５条に規定する身体障害者更生援護施設
③生活保護法（昭和25年法律第144号）第38条に規定する保護施設
④売春防止法（昭和31年法律第118号）第36条に規定する婦人保護施設
⑤知的障害者福祉法（昭和35年法律第37号）第５条に規定する知的障害者援護施設
⑥老人福祉法（昭和38年法律第133号）第５条の３に規定する老人福祉施設（特別養護老人ホームを除く。）
も同様の取扱いとなる。

また、児童福祉法第７条に規定する児童福祉施設（保育所を除く。）における清掃業務も、同様の取扱いとなる。

2　問３から問６までにおける「老人デイサービス事業」は例示であり、老人福祉法第20条の２の２に規定する老人デイサービスセンターも、同様の取扱いとなる。

また、問５及び問６については、
①児童福祉法第６条の２第３項に規定する児童デイサービス事業
②身体障害者福祉法第４条の２第３項に規定する身体障害者デイサービス事業
③「在宅知的障害者デイサービス事業の実施について」（平成３年９月30日付け児発第832号児童家庭局長通知）別紙（在宅知的障害者デイサービス事業実施要綱）に基づく在宅知的障害者デイサービス事業
における通所事業としての給食サービスも、同様の取扱いとなる。

子ども・子育て支援に係る税制上の取扱い（通知）（抜粋）

平成26年11月18日
府政共生1093号
26初幼教第19号
雇児保発1118第1号

内閣府政策統括官（共生社会政策担当）付
参事官（少子化対策担当）
文部科学省初等中等教育局幼児教育課長
厚生労働省雇用均等・児童家庭局保育課長

子ども・子育て支援新制度に係る税制上の取扱いについて（通知）

平成26年度税制改正要望において、子ども・子育て支援新制度の施行に伴い必要となる事項として、幼保連携型認定こども園、幼保連携型認定こども園以外の認定こども園の教育・保育機能部分、市町村認可事業として位置付けられる小規模保育事業等、病児保育事業及び子育て援助活動支援事業並びに子どものための教育・保育給付の対象となる施設・事業者を利用した場合の保育料等に対する税制上の所要の措置について要望していたところです。これに関し、関係法令が改正されました（別紙１～３参照）。その内容及び税制上の取扱いに関する留意点は下記のとおりですので、貴職におかれては、十分ご了知の上、関係部局や管内の市町村、事業者等へ周知し、その運用に遺漏のないようご配慮いただけるようお願いします。なお、こうした取扱いについては、財務省及び総務省とも協議済である旨申し添えます。

記

１～４略

５　施設型給付費及び地域型保育給付費等の対象となる施設・事業者を利用した場合の保育料等に係る消費税の非課税措置

消費税法施行令の一部を改正する政令（平成26年政令第141号）による改正後の消費税法施行令（昭和63年政令第360号。以下「新消費税法施行令」という。）第14条の３第６号の規定により、子ども・子育て支援法に基づく施設型給付費、特例施設型給付費、地域型保育給付費及び特例地域型保育給付費の支給に係る事業として行われる資産の譲渡等について、消費税が非課税とされたこと。

※　消費税法（昭和63年法律第108号）別表第一第７号ロ及び第11号イ並びに新消費税法施行令第14条の３第１号に掲げるものについては、引き続き当該規定により非課税対象となること。

※　地域型保育事業又は認定こども園における延長保育事業についても、従来保育所で行われている延長保育事業と同様、非課税となること。

※　子ども・子育て支援法に基づく確認を受ける幼稚園における食事の提供に要する費用や当該幼稚園に通う際に提供される便宜に要する費用等の特定教育・保育施設及び特定地域型保育事業の運営に関する基準（平成26年内閣府令第39号。以下「運営基準」という。）第13条第４項に規定するものについては、施設型給付費等の支給に係る事業として行われる資産の譲渡等として非課税となること。

※　教育・保育の質の向上を図る上で特に必要であると認められる対価として運営基準第13条第３項に規定する額として、同基準第20条に規定する運営規程において定められているものについて、非課税となること。

※　認定こども園における子育て支援事業については、非課税となること。

（添付資料）別紙１～３略

参考資料12(1)　(社会福祉事業非課税の参考法令等(1))

更生保護事業法（平成７年法律第86号）

最終改正〔令和４年法律第67号〕

（目的）

第１条　この法律は、更生保護事業に関する基本事項を定めることにより、更生保護事業の適正な運営を確保し、及びその健全な育成発達を図るとともに、更生保護法（平成19年法律第88号）その他更生保護に関する法律とあいまって、犯罪をした者及び非行のある少年が善良な社会の一員として改善更生することを助け、もって個人及び公共の福祉の増進に寄与することを目的とする。

（定義）

第２条　この法律において「更生保護事業」とは、宿泊型保護事業、通所・訪問型保護事業及び地域連携・助成事業をいう。

2　この法律において「宿泊型保護事業」とは、次に掲げる者であって現に改善更生のための保護を必要としているものを更生保護施設に宿泊させて、その者に対し、教養訓練、医療又は就職を助け、職業を補導し、社会生活に適応させるために必要な生活指導又は特定の犯罪的傾向を改善するための援助を行い、生活環境の改善又は調整を図る等その改善更生に必要な保護を行う事業をいう。

一　保護観察に付されている者

二　拘禁刑又は拘留につき、刑の執行を終わり、その執行の免除を得、又はその執行を停止されている者

三　拘禁刑につき刑の全部の執行猶予の言渡しを受け、刑事上の手続による身体の拘束を解かれた者（第１号に該当する者を除く。次号及び第５号において同じ。）

四　拘禁刑につき刑の一部の執行猶予の言渡しを受け、その猶予の期間中の者

五　罰金又は科料の言渡しを受け、刑事上の手続による身体の拘束を解かれた者

六　労役場から出場し、又は仮出場を許された者

七　直ちに訴追を必要としないと認められ、刑事上の手続による身体の拘束を解かれた者

八　少年院から退院し、又は仮退院を許された者（第１号に該当する者を除く。）

九　国際受刑者移送法（平成14年法律第66号）第16条第１項第１号若しく

参考資料

社会福祉関係

は第２号の共助刑の執行を終わり、若しくは同法第25条第２項の規定によりその執行を受けることがなくなり、又は同法第21条の規定により適用される刑事訴訟法（昭和23年法律第131号）第480条若しくは第482条の規定によりその執行を停止されている者

3　この法律において「通所・訪問型保護事業」とは、前項に規定する者を更生保護施設その他の適当な施設に通わせ、又は訪問する等の方法により、その者に対し、宿泊場所への帰住、教養訓練、医療又は就職を助け、職業を補導し、社会生活に適応させるために必要な生活指導又は特定の犯罪的傾向を改善するための援助を行い、生活環境の改善又は調整を図り、金品を給与し、又は貸与し、生活の相談に応ずる等その改善更生に必要な保護を行う事業をいう。

4　この法律において「地域連携・助成事業」とは、次に掲げる事業をいう。

一　第２項各号に掲げる者の改善更生に資する援助を行う公共の衛生福祉に関する機関その他の者との地域における連携協力体制の整備を行う事業

二　第２項各号に掲げる者の改善更生に資する活動への地域住民の参加の促進を行う事業

三　宿泊型保護事業、通所・訪問型保護事業その他第２項各号に掲げる者の改善更生を助けることを目的とする事業に従事する者の確保、養成及び研修を行う事業

四　前三号に掲げるもののほか、宿泊型保護事業、通所・訪問型保護事業その他第２項各号に掲げる者の改善更生を助けることを目的とする事業に関する啓発、連絡、調整又は助成を行う事業

5　この法律において「被保護者」とは、宿泊型保護事業又は通所・訪問型保護事業における保護の対象者をいう。

6　この法律において「更生保護法人」とは、更生保護事業を営むことを目的として、この法律の定めるところにより設立された法人をいう。

7　この法律において「更生保護施設」とは、被保護者の改善更生に必要な保護を行う施設のうち、被保護者を宿泊させることを目的とする建物及びそのための設備を有するものをいう。

（国の措置等）

第３条　国は、更生保護事業が保護観察、更生緊急保護その他の国の責任において行う改善更生の措置を円滑かつ効果的に実施する上で重要な機能を果たすものであることにかんがみ、更生保護事業の適正な運営を確保し、及びその健全な育成発達を図るための措置を講ずるものとする。

2　地方公共団体は、更生保護事業が犯罪をした者及び非行のある少年の改善更生を助け、これにより犯罪を防止し、地域社会の安全及び住民福祉の向上に寄与するものであることにかんがみ、その地域において行われる更

生保護事業に対して必要な協力をすることができる。

3　更生保護事業を営む者は、その事業を実施するに当たり、被保護者の人権に配慮するとともに、国の行う改善更生の措置及び社会福祉、医療、保健、労働その他関連施策との有機的な連携を図り、地域に即した創意と工夫を行い、並びに地域住民等の理解と協力を得るよう努めなければならない。

参考資料12(2)　(社会福祉事業非課税の参考法令等(2))

社会福祉法（昭和26年法律第45号）

最終改正〔令和６年法律第47号〕

（定義）

第２条　この法律において「社会福祉事業」とは、第一種社会福祉事業及び第二種社会福祉事業をいう。

２　次に掲げる事業を第一種社会福祉事業とする。

一　〔略〕

二　児童福祉法（昭和22年法律第164号）に規定する乳児院、母子生活支援施設、児童養護施設、障害児入所施設、児童心理治療施設又は児童自立支援施設を経営する事業

三～七　〔略〕

３　次に掲げる事業を第二種社会福祉事業とする。

一・一の二　〔略〕

二　児童福祉法に規定する障害児通所支援事業、障害児相談支援事業、児童自立生活援助事業、放課後児童健全育成事業、子育て短期支援事業、乳児家庭全戸訪問事業、養育支援訪問事業、地域子育て支援拠点事業、一時預かり事業、小規模住居型児童養育事業、小規模保育事業、病児保育事業、子育て援助活動支援事業、親子再統合支援事業、社会的養護自立支援拠点事業、妊産婦等生活援助事業、子育て世帯訪問支援事業、児童育成支援拠点事業、親子関係形成支援事業又は乳児等通園支援事業、同法に規定する助産施設、保育所、児童厚生施設、児童家庭支援センター又は里親支援センターを経営する事業及び児童の福祉の増進について相談に応ずる事業

二の二　就学前の子どもに関する教育、保育等の総合的な提供の推進に関する法律（平成18年法律第77号）に規定する幼保連携型認定こども園を経営する事業

三～十三　〔略〕

４　この法律における「社会福祉事業」には、次に掲げる事業は、含まれないものとする。

一　更生保護事業法（平成７年法律第86号）に規定する更生保護事業（以下「更生保護事業」という。）

二　実施期間が６月（前項第13号に掲げる事業にあっては、３月）を超えない事業

三　社団又は組合の行う事業であって、社員又は組合員のためにするもの

四　第２項各号及び前項第１号から第９号までに掲げる事業であって、常時保護を受ける者が、入所させて保護を行うものにあっては５人、その他のものにあっては20人（政令で定めるものにあっては、10人）に満たないもの

五　〔略〕

参考資料12(3)　（社会福祉事業非課税の参考法令等(3)）

児童福祉法（昭和22年法律第164号）

最終改正〔令和６年法律第47号（令和７年４月１日に施行されているもの)〕

〔児童福祉施設等〕

第７条　この法律で、児童福祉施設とは、助産施設、乳児院、母子生活支援施設、保育所、幼保連携型認定こども園、児童厚生施設、児童養護施設、障害児入所施設、児童発達支援センター、児童心理治療施設、児童自立支援施設、児童家庭支援センター及び里親支援センターとする。

②　この法律で、障害児入所支援とは、障害児入所施設に入所し、又は独立行政法人国立病院機構若しくは国立研究開発法人国立精神・神経医療研究センターの設置する医療機関であって内閣総理大臣が指定するもの（以下「指定発達支援医療機関」という。）に入院する障害児に対して行われる保護、日常生活における基本的な動作及び独立自活に必要な知識技能の習得のための支援並びに障害児入所施設に入所し、又は指定発達支援医療機関に入院する障害児のうち知的障害のある児童、肢体不自由のある児童又は重度の知的障害及び重度の肢体不自由が重複している児童（以下「重症心身障害児」という。）に対し行われる治療をいう。

〔都道府県の措置〕

第27条　都道府県は、前条第１項第１号の規定による報告又は少年法第18条第２項の規定による送致のあった児童につき、次の各号のいずれかの措置を採らなければならない。

一　児童又はその保護者に訓戒を加え、又は誓約書を提出させること。

二　児童又はその保護者を児童相談所その他の関係機関若しくは関係団体の事業所若しくは事務所に通わせ当該事業所若しくは事務所において、又は当該児童若しくはその保護者の住所若しくは居所において、児童福祉司、知的障害者福祉司、社会福祉主事、児童委員若しくは当該都道府県の設置する児童家庭支援センター若しくは当該都道府県が行う障害者等相談支援事業に係る職員に指導させ、又は市町村、当該都道府県以外の者の設置する児童家庭支援センター、当該都道府県以外の障害者等相談支援事業を行う者若しくは前条第１項第２号に規定する内閣府令で定める者に委託して指導させること。

三　児童を小規模住居型児童養育事業を行う者若しく里親に委託し、又は乳児院、児童養護施設、障害児入所施設、児童心理治療施設若しくは児童自立支援施設に入所させること。

四　家庭裁判所の審判に付することが適当であると認める児童は、これを家庭裁判所に送致すること。

② 都道府県は、肢体不自由のある児童又は重症心身障害児については、前項第３号の措置に代えて、指定発達支援医療機関に対し、これらの児童を入院させて障害児入所施設（第42条第２号に規定する医療型障害児入所施設に限る。）におけると同様な治療等を行うことを委託することができる。

③〜⑥ 〔略〕

〔一時保護〕

第33条　児童相談所長は、必要があると認めるときは、第26条第１項の措置を採るに至るまで、児童の安全を迅速に確保し適切な保護を図るため、又は児童の心身の状況、その置かれている環境その他の状況を把握するため、児童の一時保護を行い、又は適当な者に委託して、当該一時保護を行うことができる。

② 都道府県知事は、必要があると認めるときは、第27条第１項又は第２項の措置（第28条第４項の規定による勧告を受けて採る指導措置を除く。）を採るに至るまで、児童の安全を迅速に確保し適切な保護を図るため、又は児童の心身の状況、その置かれている環境その他の状況を把握するため、児童相談所長をして、児童の一時保護を行わせ、又は適当な者に当該一時保護を行うことを委託させることができる。

③〜⑫ 〔略〕

〔児童福祉施設の設置等〕

第35条 〔略〕

② 〔略〕

③ 市町村は、厚生労働省令の定めるところにより、あらかじめ、厚生労働省令で定める事項を都道府県知事に届け出て、児童福祉施設を設置することができる。

④ 国、都道府県及び市町村以外の者は、厚生労働省令の定めるところにより、都道府県知事の認可を得て、児童福祉施設を設置することができる。

⑤〜⑫ 〔略〕

〔保育所〕

第39条　保育所は、保育を必要とする乳児・幼児を日々保護者の下から通わせて保育を行うことを目的とする施設（利用定員が20人以上であるものに限り、幼保連携型認定こども園を除く。）とする。

② 〔略〕

〔立入調査等〕

第59条　都道府県知事は、児童の福祉のため必要があると認めるときは、第６条の３第９項から第12項まで若しくは第36条から第44条まで（第39条の２を除く。）に規定する業務を目的とする施設であって第35条第３項の届出若しくは認定こども園法第16条の届出をしていないもの又は第34条の15第２項若しくは第35条第４項の認可若しくは認定こども園法第17条第１項の認可を受けていないもの（前条の規定により児童福祉施設若しくは家庭的保育事業等の認可を取り消されたもの又は認定こども園法第22条第１項の規定により幼保連携型認定こども園の認可を取り消されたものを含む。）については、その施設の設置者若しくは管理者に対し、必要と認める事項の報告を求め、又は当該職員をして、その事務所若しくは施設に立ち入り、その施設の設備若しくは運営について必要な調査若しくは質問をさせることができる。この場合においては、その身分を証明する証票を携帯させなければならない。

②〜⑨ 〔略〕

〔認可外保育施設の届出〕

第59条の２ 第６条の３第９項から第12項までに規定する業務又は第39条第１項に規定する業務を目的とする施設（少数の乳児又は幼児を対象とするものその他の内閣府令で定めるものを除く。）であって第34条の15第２項若しくは第35条第４項の認可又は認定こども園法第17条第１項の認可を受けていないもの（第58条の規定により児童福祉施設若しくは家庭的保育事業等の認可を取り消されたもの又は認定こども園法第22条第１項の規定により幼保連携型認定こども園の認可を取り消されたものを含む。）については、その施設の設置者は、その事業の開始の日（第58条の規定により児童福祉施設若しくは家庭的保育事業等の認可を取り消された施設又は認定こども園法第22条第１項の規定により幼保連携型認定こども園の認可を取り消された施設にあっては、当該認可の取消しの日）から１月以内に、次に掲げる事項を都道府県知事に届け出なければならない。

一　施設の名称及び所在地

二　設置者の氏名及び住所又は名称及び所在地

三　建物その他の設備の規模及び構造

四　事業を開始した年月日

五　施設の管理者の氏名及び住所

六　その他内閣府令で定める事項

②・③ 〔略〕

第59条の２の２ 前条第１項に規定する施設の設置者は、次に掲げる事項について、当該施設において提供されるサービスを利用しようとする者の見やすい場所に掲示するとともに、内閣府令で定めるところにより、電気通信回線に接続して行う自動公衆送信（公衆によって直接受信されることを目的として公衆からの求めに応じ自動的に送信を行うことをいい、放送又は有線放送に該当するものを除く。）により公衆の閲覧に供しなければならない。

一　設置者の氏名又は名称及び施設の管理者の氏名
二　建物その他の設備の規模及び構造
三　その他内閣府令で定める事項

参考資料12(4)　(社会福祉事業非課税の参考法令等(4))

児童福祉法施行規則（昭和23年厚生省令第11号）

最終改正〔令和６年内閣府令第78号〕

〔厚生労働省令で定める施設〕

第49条の２　法第59条の２第１項に規定する内閣府令で定めるものは、次の各号のいずれかに該当する施設（子ども・子育て支援法第59条の２に規定する仕事・子育て両立支援事業に係るものを除く。）とする。

一～二〔略〕

三　認定子ども園法第３条第３項に規定する連携施設を構成する保育機能施設

※　認定こども園法とは「就学前の子どもに関する教育、保育等の総合的な提供の推進に関する法律（平成18年法律第77号）」のことです。同法については、次頁以下を参照。

就学前の子どもに関する教育、保育等の総合的な提供の推進に関する法律（平成18年法律第77号）

最終改正〔令和６年法律第53号（令和７年４月１日に施行されているもの）〕

（幼保連携型認定こども園以外の認定こども園の認定等）

第３条　幼稚園又は保育所等の設置者（都道府県及び地方自治法（昭和22年法律第67号）第252条の19第１項の指定都市又は同法252条の22第１項の中核市（以下「指定都市等」という。）を除く。）は、その設置する幼稚園又は保育所等が都道府県（当該幼稚園又は保育所等が指定都市等所在施設（指定都市等の区域内に所在する施設であって、都道府県が単独で又は他の地方公共団体と共同して設立する公立大学法人（地方独立行政法人法（平成15年法律第118号）第68条第１項に規定する公立大学法人をいう。以下同じ。）が設立する施設以外のものをいう。以下同じ。）である場合にあっては、当該指定都市等）の条例で定める要件に適合している旨の都道府県知事（当該幼稚園又は保育所等が指定都市等所在施設である場合にあっては、当該指定都市等の長）（保育所に係る児童福祉法の規定による認可その他の処分をする権限に係る事務を地方自治法第180条の２の規定に基づく都道府県知事又は指定都市等の長の委任を受けて当該都道府県又は指定都市等の教育委員会が行う場合その他の主務省令で定める場合にあっては、都道府県又は指定都市等の教育委員会。以下この章及び第４章において同じ。）の認定を受けることができる。

２　前項の条例で定める要件は、次に掲げる基準に従い、かつ、主務大臣が定める施設の設備及び運営に関する基準を参酌して定めるものとする。

一　当該施設が幼稚園である場合にあっては、幼稚園教育要領（学校教育法第25条の規定に基づき幼稚園に関して文部科学大臣が定める事項をいう。第10条第２項において同じ。）に従って編成された教育課程に基づく教育を行うほか、当該教育のための時間の終了後、当該幼稚園に在籍している子どものうち保育を必要とする子どもに該当する者に対する教育を行うこと。

二　当該施設が保育所等である場合にあっては、保育を必要とする子どもに対する保育を行うほか、当該保育を必要とする子ども以外の満３歳以上の子ども（当該施設が保育所である場合にあっては、当該保育所が所在する市町村（特別区を含む。以下同じ。）における児童福祉法第24条第４項に規定する保育の利用に対する需要の状況に照らして適当と認められる数の子どもに限る。）を保育し、かつ、満３歳以上の子どもに対し学校教育法第23条各号に掲げる目標が達成されるよう保育を行うこと。
三　子育て支援事業のうち、当該施設の所在する地域における教育及び保育に対する需要に照らし当該地域において実施することが必要と認められるものを、保護者の要請に応じ適切に提供し得る体制の下で行うこと。
3　幼稚園及び保育機能施設のそれぞれの用に供される建物及びその附属設備が一体的に設置されている場合における当該幼稚園及び保育機能施設（以下「連携施設」という。）の設置者（都道府県及び指定都市等を除く。）は、その設置する連携施設が都道府県（当該連携施設が指定都市等所在施設である場合にあっては、当該指定都市等）の条例で定める要件に適合している旨の都道府県知事（当該連携施設が指定都市等所在施設である場合にあっては、当該指定都市等の長）の認定を受けることができる。
4　前項の条例で定める要件は、次に掲げる基準に従い、かつ、主務大臣が定める施設の設備及び運営に関する基準を参酌して定めるものとする。
一　次のいずれかに該当する施設であること。
イ　当該連携施設を構成する保育機能施設において、満３歳以上の子どもに対し学校教育法第23条各号に掲げる目標が達成されるよう保育を行い、かつ、当該保育を実施するに当たり当該連携施設を構成する幼稚園との緊密な連携協力体制が確保されていること。
ロ　当該連携施設を構成する保育機能施設に入所していた子どもを引き続き当該連携施設を構成する幼稚園に入園させて一貫した教育及び保育を行うこと。
二　子育て支援事業のうち、当該連携施設の所在する地域における教育及び保育に対する需要に照らし当該地域において実施することが必要と認められるものを、保護者の要請に応じ適切に提供し得る体制の下で行うこと。
5　都道府県知事（指定都市等所在施設である幼稚園若しくは保育所等又は連携施設については、当該指定都市等の長。第８項及び第９項、次条第１項、第７条第１項及び第２項並びに第８条第１項において同じ。）は、国（国立大学法人法（平成15年法律第112号）第２条第１項に規定する国立大学法人を含む。以下同じ。）、市町村（指定都市等を除く。）及び公立大学法人以外の者から、第１項又は第３項の認定の申請があったときは、第１項又は第３項の条例で定める要件に適合するかどうかを審査するほか、次に掲げる基準（当該認定の申請をした者が学校法人（私立学校法（昭和24年法律第270号）第３条に規定する学校法人をいう。以下同じ。）又は社会福祉法人（社会福祉法（昭和26年法律第45号）第22条に規定する社会福祉法人をいう。以下同じ。）である場合にあっては、第４号に掲げる基準に限る。）によって、その申請を審査しなければならない。

一　第１項若しくは第３項の条例で定める要件に適合する設備又はこれに要する資金及び当該申請に係る施設の経営に必要な財産を有すること。
二　当該申請に係る施設を設置する者（その者が法人である場合にあっては、経営担当役員（業務を執行する社員、取締役、執行役又はこれらに準ずる者をいう。）とする。次号において同じ。）が当該施設を経営するために必要な知識又は経験を有すること。
三　当該申請に係る施設を設置する者が社会的信望を有すること。
四　次のいずれにも該当するものでないこと。
イ　申請者が、禁錮以上の刑に処せられ、その執行を終わり、又は執行を受けることがなくなるまでの者であるとき。
ロ　申請者が、この法律その他国民の福祉若しくは学校教育に関する法律で政令で定めるものの規定により罰金の刑に処せられ、その執行を終わり、又は執行を受けることがなくなるまでの者であるとき。
ハ　申請者が、労働に関する法律の規定であって政令で定めるものにより罰金の刑に処せられ、その執行を終わり、又は執行を受けることがなくなるまでの者であるとき。
ニ　申請者が、第７条第１項の規定により認定を取り消され、その取消しの日から起算して５年を経過しない者（当該認定を取り消された者が法人である場合においては、当該取消しの処分に係る行政手続法（平成５年法律第88号）第15条の規定による通知があった日前60日以内に当該法人の役員（業務を執行する社員、取締役、執行役又はこれらに準ずる者をいい、相談役、顧問その他いかなる名称を有する者であるかを問わず、法人に対し業務を執行する社員、取締役、執行役又はこれらに準ずる者と同等以上の支配力を有するものと認められる者を含む。ホ及び第17条第２項第７号において同じ。）又はその事業を管理する者その他の政令で定める使用人（以下この号において「役員等」という。）であった者で当該取消しの日から起算して５年を経過しないものを含み、当該認定を取り消された者が法人でない場合においては、当該通知があった日前60日以内に当該事業の管理者であった者で当該取消しの日から起算して５年を経過しないものを含む。）であるとき。ただし、当該認定の取消しが、認定こども園の認定の取消しのうち当該認定の取消しの処分の理由となった事実及び当該事実の発生を防止するための当該認定こども園の設置者による業務管理体制の整備についての取組の状況その他の当該事実に関して当該認定こども園の設置者が有していた責任の程度を考慮して、ニ本文に規定する認定の取消しに該当しないこととすることが相当であると認められるものとして主務省令で定めるものに該当する場合を除く。
ホ　申請者と密接な関係を有する者（申請者（法人に限る。以下ホにおいて同じ。）の役員に占めるその役員の割合が２分の１を超え、若しくは当該申請者の株式の所有その他の事由を通じて当該申請者の事業を実質的に支配し、若しくはその事業に重要な影響を与える関係にある者として主務省令で定めるもの（以下ホにおいて「申請者の親会社等」という。）、申請者の親会社等の役員と同一の者がその役員に占める割合が２分の１を超え、若しくは申請者の親会社等が株式の所有その他の事由を通じてその事業を実質的に支配し、若しくはその事業に重要な影響を与える関係にある者として主務省令で定めるもの又は当該申請者の役員と同一の者がその役員に占める割合が２分の１を超え、若しくは当該申請者が株式の所有その他の事由を通じてその事業を実質的に支配し、若しくはその事業に重要な影響を与える関係にある者として主務省令で定めるもののうち、当該申請者と主務省令で定める密接な関係を有する法人をいう。）が、第７条第１項の規定により認定を取り消され、その取消しの日から起算して５年を経過していないとき。ただし、当該認定の取消しが、認定こども園の認定の取消しのうち当該認定の取消しの処分の理由となった事実及び当該事実の発生を防止するための当該認定こども園の設置者による業務管理体制の整備についての取組の状況その他の当該事実に関して当該認定こども園の設置者が有していた責任の程度を考慮して、ホ本文に規定する認定の取消しに該当しないこととすることが相当であると認められるものとして主務省令で定めるものに該当する場合を除く。

ヘ　申請者が、認定の申請前５年以内に教育又は保育に関し不正又は著しく不当な行為をした者であるとき。

ト　申請者が、法人で、その役員等のうちにイからニまで又はへのいずれかに該当する者のあるものであるとき。

チ　申請者が、法人でない者で、その管理者がイからニまで又はへのいずれかに該当する者であるとき。

6　都道府県知事は、第１項又は第３項の認定をしようとするときは、主務省令で定めるところにより、あらかじめ、当該認定の申請に係る施設が所在する市町村の長に協議しなければならない。

7　指定都市等の長は、第１項又は第３項の認定をしようとするときは、その旨及び次条第１項各号に掲げる事項を都道府県知事に通知しなければならない。

8　都道府県知事は、第１項又は第３項及び第５項に基づく審査の結果、その申請が第１項又は第３項の条例で定める要件に適合しており、かつ、その申請をした者が第５項各号に掲げる基準（その者が学校法人又は社会福祉法人である場合にあっては、同項第４号に掲げる基準に限る。）に該当すると認めるとき（その申請をした者が国、市町村（指定都市等を除く。）

又は公立大学法人である場合にあっては、その申請が第１項又は第３項の条例で定める要件に適合していると認めるとき）は、第１項又は第３項の認定をするものとする。ただし、次に掲げる要件のいずれかに該当するとき、その他の都道府県子ども・子育て支援事業支援計画（子ども・子育て支援法（平成24年法律第65号）第62条第１項の規定により当該都道府県が定める都道府県子ども・子育て支援事業支援計画をいう。以下この項及び第17条第６項において同じ。）（指定都市等の長が第１項又は第３項の認定を行う場合にあっては、同法第61条第１項の規定により当該指定都市等が定める市町村子ども・子育て支援事業計画。以下この項において同じ。）の達成に支障を生ずるおそれがある場合として主務省令で定める場合に該当すると認めるときは、第１項又は第３項の認定をしないことができる。

一　当該申請に係る施設の所在地を含む区域（子ども・子育て支援法第62条第２項第１号により当該都道府県が定める区域（指定都市等の長が第１項又は第３項の認定を行う場合にあっては同法第61条第２項第１号の規定により当該指定都市等が定める教育・保育提供区域）をいう。以下この項において同じ。）における特定教育・保育施設（同法第27条第１項に規定する特定教育・保育施設をいう。以下この項及び第17条第６項において同じ。）の利用定員の総数（同法第19条第１号に掲げる小学校就学前子どもに係るものに限る。）が、都道府県子ども・子育て支援事業支援計画において定める当該区域の特定教育・保育施設の必要利用定員総数（同号に掲げる小学校就学前子どもに係るものに限る。）に既に達しているか、又は当該申請に係る施設の認定によってこれを超えることになると認めるとき。

二　当該申請に係る施設の所在地を含む区域における特定教育・保育施設の利用定員の総数（子ども・子育て支援法第19条第２号に掲げる小学校就学前子どもに係るものに限る。）が、都道府県子ども・子育て支援事業支援計画において定める当該区域の特定教育・保育施設の必要利用定員総数（同号に掲げる小学校就学前子どもに係るものに限る。）に既に達しているか、又は当該申請に係る施設の認定によってこれを超えることになると認めるとき。

三　当該申請に係る施設の所在地を含む区域における特定教育・保育施設の利用定員の総数（子ども・子育て支援法第19条第３号に掲げる小学校就学前子どもに係るものに限る。）が、都道府県子ども・子育て支援事業支援計画において定める当該区域の特定教育・保育施設の必要利用定員総数（同号に掲げる小学校就学前子どもに係るものに限る。）に既に達しているか、又は当該申請に係る施設の認定によってこれを超えることになると認めるとき。

9　都道府県知事は、第１項又は第３項の認定をしない場合には、申請者に対し、速やかに、その旨及び理由を通知しなければならない。

10　都道府県知事又は指定都市の長は、当該都道府県又は指定都市等が設置する施設のうち、第１項又は第３項の当該都道府県又は指定都市等の条例で定める要件に適合していると認めるものについては、これを公示するものとする。

11　指定都市等の長は、前項の規定による公示をしたときは、速やかに、次条第１項各号に掲げる事項を記載した書類を都道府県知事に提出しなければならない。

参考資料12(6)　(社会福祉事業非課税の参考法令等(6))

障害者の日常生活及び社会生活を総合的に支援するための法律

(平成17年法律第123号)

最終改正〔令和4年法律第104号〕

第5条　この法律において「障害福祉サービス」とは、居宅介護、重度訪問介護、同行援護、行動援護、療養介護、生活介護、短期入所、重度障害者等包括支援、施設入所支援、自立訓練、就労移行支援、就労継続支援、就労定着支援、自立生活援助及び共同生活援助をいい、「障害福祉サービス事業」とは、障害福祉サービス（障害者支援施設、独立行政法人国立重度知的障害者総合施設のぞみの園法（平成14年法律第167号）第11条第1号の規定により独立行政法人国立重度知的障害者総合施設のぞみの園が設置する施設（以下「のぞみの園」という。）その他主務省令で定める施設において行われる施設障害福祉サービス（施設入所支援及び主務省令で定める障害福祉サービスをいう。以下同じ。）を除く。）を行う事業をいう。

2～9　〔略〕

10　この法律において「施設入所支援」とは、その施設に入所する障害者につき、主として夜間において、入浴、排せつ又は食事の介護その他の主務省令で定める便宜を供与することをいう。

11～28　〔略〕

(介護給付費又は訓練等給付費)

第29条　市町村は、支給決定障害者等が、支給決定の有効期間内において、都道府県知事が指定する障害福祉サービス事業を行う者（以下「指定障害福祉サービス事業者」という。）若しくは障害者支援施設（以下「指定障害者支援施設」という。）から当該指定に係る障害福祉サービス（以下「指定障害福祉サービス」という。）を受けたとき、又はのぞみの園から施設障害福祉サービスを受けたときは、主務省令で定めるところにより、当該支給決定障害者等に対し、当該指定障害福祉サービス又は施設障害福祉サービス（支給量の範囲内のものに限る。以下「指定障害福祉サービス等」という。）に要した費用（食事の提供に要する費用、居住若しくは滞在に要する費用その他の日常生活に要する費用又は創作的活動若しくは生産活動に要する費用のうち主務省令で定める費用（以下「特定費用」という。）を除く。）について、介護給付費又は訓練等給付費を支給する。

2～8　〔略〕

(特例介護給付費又は特例訓練等給付費)

第30条　市町村は、次に掲げる場合において、必要があると認めるときは、主務省令で定めるところにより、当該指定障害福祉サービス等又は第２号に規定する基準該当障害福祉サービス（支給量の範囲内のものに限る。）に要した費用（特定費用を除く。）について、特例介護給付費又は特例訓練等給付費を支給することができる。

一　支給決定障害者等が、第20条第１項の申請をした日から当該支給決定の効力が生じた日の前日までの間に、緊急その他やむを得ない理由により指定障害福祉サービス等を受けたとき。

二　支給決定障害者等が、指定障害福祉サービス等以外の障害福祉サービス（次に掲げる事業所又は施設により行われるものに限る。以下「基準該当障害福祉サービス」という。）を受けたとき。

イ　第43条第１項の都道府県の条例で定める基準又は同条第２項の都道府県の条例で定める指定障害福祉サービスの事業の設備及び運営に関する基準に定める事項のうち都道府県の条例で定めるものを満たすと認められる事業を行う事業所（以下「基準該当事業所」という。）

ロ　第44条第１項の都道府県の条例で定める基準又は同条第２項の都道府県の条例で定める指定障害者支援施設等の設備及び運営に関する基準に定める事項のうち都道府県の条例で定めるものを満たすと認められる施設（以下「基準該当施設」という。）

三　その他政令で定めるとき。

２～４　〔略〕

独立行政法人国立重度知的障害者総合施設のぞみの園法（平成14年法律第167号）

最終改正〔令和4年法律第68号〕

（のぞみの園の目的）

第3条　独立行政法人国立重度知的障害者総合施設のぞみの園（以下「のぞみの園」という。）は、重度の知的障害者に対する自立のための先導的かつ総合的な支援の提供、知的障害者の支援に関する調査及び研究等を行うことにより、知的障害者の福祉の向上を図ることを目的とする。

（業務の範囲）

第11条　のぞみの園は、第3条の目的を達成するため、次の業務を行う。

一　重度の知的障害者に対する自立のための先導的かつ総合的な支援を提供するための施設を設置し、及び運営すること。

二　知的障害者の自立と社会経済活動への参加を促進するための効果的な支援の方法に関する調査、研究及び情報の提供を行うこと。

三　障害者支援施設（障害者の日常生活及び社会生活を総合的に支援するための法律（平成17年法律第123号）第5条第11項に規定する障害者支援施設をいう。次号において同じ。）において知的障害者の支援の業務に従事する者の養成及び研修を行うこと。

四・五　〔略〕

参考資料12(8)　（社会福祉事業非課税の参考法令等(8)）

知的障害者福祉法（昭和35年法律第37号）

最終改正〔令和４年法律第104号〕

（障害者支援施設等への入所等の措置）

第16条　市町村は、18歳以上の知的障害者につき、その福祉を図るため、必要に応じ、次の措置を採らなければならない。

一　知的障害者又はその保護者を知的障害者福祉司又は社会福祉主事に指導させること。

二　やむを得ない事由により介護給付費等（療養介護等に係るものに限る。）の支給を受けることが著しく困難であると認めるときは、当該市町村の設置する障害者支援施設若しくは障害者の日常生活及び社会生活を総合的に支援するための法律第５条第６項の主務省令で定める施設（以下「障害者支援施設等」という。）に入所させてその更生援護を行い、又は都道府県若しくは他の市町村若しくは社会福祉法人の設置する障害者支援施設等若しくはのぞみの園に入所させてその更生援護を行うことを委託すること。

三　知的障害者の更生援護を職親（知的障害者を自己の下に預かり、その更生に必要な指導訓練を行うことを希望する者であって、市町村長が適当と認めるものをいう。）に委託すること。

２　〔略〕

介護保険法（平成９年法律第123号）

最終改正〔令和５年法律第31号〕

（地域包括支援センター）

第115条の46　地域包括支援センターは、第１号介護予防支援事業（居宅要支援被保険者に係るものを除く。）及び第115条の45第２項各号に掲げる事業（以下「包括的支援事業」という。）その他厚生労働省令で定める事業を実施し、地域住民の心身の健康の保持及び生活の安定のために必要な援助を行うことにより、その保健医療の向上及び福祉の増進を包括的に支援することを目的とする施設とする。

２　市町村は、地域包括支援センターを設置することができる。

３　次条第１項の規定による委託を受けた者（第115条の45第２項第４号から第６号までに掲げる事業のみの委託を受けたものを除く。）は、包括的支援事業その他第１項の厚生労働省令で定める事業を実施するため、厚生労働省令で定めるところにより、あらかじめ、厚生労働省令で定める事項を市町村長に届け出て、地域包括支援センターを設置することができる。

４～12　〔略〕

（実施の委託）

第115条の47　市町村は、老人福祉法第20条の７の２第１項に規定する老人介護支援センターの設置者その他の厚生労働省令で定める者に対し、厚生労働省令で定めるところにより、包括的支援事業の実施に係る方針を示して、当該包括的支援事業を委託することができる。

２　前項の規定による委託は、包括的支援事業（第115条の45第２項第４号から第６号までに掲げる事業を除く。）の全てにつき一括して行わなければならない。

３～10　〔略〕

参考資料12⑽　（社会福祉事業非課税の参考法令等⑽）

老人福祉法（昭和38年法律第133号）

最終改正〔令和５年法律第31号〕

（老人介護支援センター）

第20条の７の２　老人介護支援センターは、地域の老人の福祉に関する各般の問題につき、老人、その者を現に養護する者、地域住民その他の者からの相談に応じ、必要な助言を行うとともに、主として居宅において介護を受ける老人又はその者を現に養護する者と市町村、老人居宅生活支援事業を行う者、老人福祉施設、医療施設、老人クラブその他老人の福祉を増進することを目的とする事業を行う者等との連絡調整その他の厚生労働省令で定める援助を総合的に行うことを目的とする施設とする。

２　〔略〕

子ども・子育て支援法（平成24年法律第65号）

最終改正〔令和６年法律第47号〕（令和７年４月１日に施行されているもの）

第１章　総則

（定義）

第６条　この法律において「子ども」とは、18歳に達する日以後の最初の３月31日までの間にある者をいい、「小学校就学前子ども」とは、子どものうち小学校就学の始期に達するまでの者をいう。

２　〔略〕

第７条　この法律において「子ども・子育て支援」とは、全ての子どもの健やかな成長のために適切な環境を等しく確保するとともに、子どもを持つことを希望する者が安心して子どもを生み、育てることができる環境を整備するため、国若しくは地方公共団体又は地域における子育ての支援を行う者が実施する子ども及び子どもの保護者に対する支援をいう。

２　この法律において「教育」とは、満３歳以上の小学校就学前子どもに対して義務教育及びその後の教育の基礎を培うものとして教育基本法（平成18年法律第120号）第６条第１項に規定する法律に定める学校において行われる教育をいう。

３　この法律において「保育」とは、児童福祉法第６条の３第７項第１号に規定する保育をいう。

４　この法律において「教育・保育施設」とは、就学前の子どもに関する教育、保育等の総合的な提供の推進に関する法律（平成18年法律第77号。以下「認定こども園法」という。）第２条第６項に規定する認定こども園（以下「認定こども園」という。）、学校教育法（昭和22年法律第26号）第１条に規定する幼稚園（認定こども園法第３条第１項又は第３項の認定を受けたもの及び同条第11項の規定による公示がされたものを除く。以下「幼稚園」という。）及び児童福祉法第39条第１項に規定する保育所（認定こども園法第３条第１項の認定を受けたもの及び同条第10項の規定による公示がされたものを除く。以下「保育所」という。）をいう。

５　この法律において「地域型保育」とは、家庭的保育、小規模保育、居宅訪問型保育及び事業所内保育をいい、「地域型保育事業」とは、地域型保育を行う事業をいう。

６　この法律において「家庭的保育」とは、児童福祉法第６条の３第９項に規定する家庭的保育事業として行われる保育をいう。

7　この法律において「小規模保育」とは、児童福祉法第6条の3第10項に規定する小規模保育事業として行われる保育をいう。

8　この法律において「居宅訪問型保育」とは、児童福祉法第6条の3第11項に規定する居宅訪問型保育事業として行われる保育をいう。

9　この法律において「事業所内保育」とは、児童福祉法第6条の3第12項に規定する事業所内保育事業として行われる保育をいう。

10　この法律において「子ども・子育て支援施設等」とは、次に掲げる施設又は事業をいう。

一　認定こども園（保育所等（認定こども園法第2条第5項に規定する保育所等をいう。第5号において同じ。）であるもの及び第27条第1項に規定する特定教育・保育施設であるものを除く。第30条の11第1項第1号、第58条の4第1項第1号、第58条の10第1項第2号、第59条第3号ロ及び第6章において同じ。）

二　幼稚園（第27条第1項に規定する特定教育・保育施設であるものを除く。第30条の11第1項第2号、第3章第2節（第58条の9第6項第3号ロを除く。）、第59条第3号ロ及び第6章において同じ。）

三　特別支援学校（学校教育法第1条に規定する特別支援学校をいい、同法第76条第2項に規定する幼稚部に限る。以下同じ。）

四　児童福祉法第59条の2第1項に規定する施設（同項の規定による届出がされたものに限り、次に掲げるものを除く。）のうち、当該施設に配置する従業者及びその員数その他の事項について内閣府令で定める基準を満たすもの

イ　認定こども園法第3条第1項又は第3項の認定を受けたもの

ロ　認定こども園法第3条第10項の規定による公示がされたもの

ハ　第59条の2第1項の規定による助成を受けているもののうち政令で定めるもの

五　認定こども園、幼稚園又は特別支援学校において行われる教育・保育（教育又は保育をいう。以下同じ。）であって、次のイ又はロに掲げる当該施設の区分に応じそれぞれイ又はロに定める一日当たりの時間及び期間の範囲外において、家庭において保育を受けることが一時的に困難となった当該イ又はロに掲げる施設に在籍している小学校就学前子どもに対して行われるものを提供する事業のうち、その事業を実施するために必要なものとして内閣府令で定める基準を満たすもの

イ　認定こども園（保育所等であるものを除く。）、幼稚園又は特別支援学校　当該施設における教育に係る標準的な一日当たりの時間及び期間

ロ　認定こども園（保育所等であるものに限る。）　イに定める一日当たりの時間及び期間を勘案して内閣府令で定める一日当たりの時間及び

期間
六　児童福祉法第６条の３第７項に規定する一時預かり事業（前号に掲げる事業に該当するものを除く。）
七　児童福祉法第６条の３第13項に規定する病児保育事業のうち、当該事業に従事する従業者及びその員数その他の事項について内閣府令で定める基準を満たすもの
八　児童福祉法第６条の３第14項に規定する子育て援助活動支援事業（同項第１号に掲げる援助を行うものに限る。）のうち、市町村が実施するものであることその他の内閣府令で定める基準を満たすもの

第２章　子ども・子育て支援給付

第４節　子どものための教育・保育給付

第１款　通則

（子どものための教育・保育給付）
第11条　子どものための教育・保育給付は、施設型給付費、特例施設型給付費、地域型保育給付費及び特例地域型保育給付費の支給とする。

第２款　教育・保育給付認定等

（支給要件）
第19条　子どものための教育・保育給付は、次に掲げる小学校就学前子どもの保護者に対し、その小学校就学前子どもの第27条第１項に規定する特定教育・保育、第28条第１項第２号に規定する特別利用保育、同項第３号に規定する特別利用教育、第29条第１項に規定する特定地域型保育又は第30条第１項第４号に規定する特例保育の利用について行う。
一　満３歳以上の小学校就学前子ども（次号に掲げる小学校就学前子どもに該当するものを除く。）
二　満３歳以上の小学校就学前子どもであって、保護者の労働又は疾病その他の内閣府令で定める事由により家庭において必要な保育を受けることが困難であるもの
三　満３歳未満の小学校就学前子どもであって、前号の内閣府令で定める事由により家庭において必要な保育を受けることが困難であるもの

第３款　施設型給付費及び地域型保育給付費等の支給

（施設型給付費の支給）
第27条　市町村は、教育・保育給付認定子どもが、教育・保育給付認定の有効期間内において、市町村長（特別区の区長を含む。以下同じ。）が施設型給付費の支給に係る施設として確認する教育・保育施設（以下「特定教育・保育施設」という。）から当該確認に係る教育・保育（地域型保育を除き、第19条第１号に掲げる小学校就学前子どもに該当する教育・保育給付認定子どもにあっては認定こども園において受ける教育・保育（保育にあっては、同号に掲げる小学校就学前子どもに該当する教育・保育給付認

定子どもに対して提供される教育に係る標準的な一日当たりの時間及び期間を勘案して内閣府令で定める一日当たりの時間及び期間の範囲内において行われるものに限る。）又は幼稚園において受ける教育に限り、同条第２号に掲げる小学校就学前子どもに該当する教育・保育給付認定子どもにあっては認定こども園において受ける教育・保育又は保育所において受ける保育に限り、満３歳未満保育認定子どもにあっては認定こども園又は保育所において受ける保育に限る。以下「特定教育・保育」という。）を受けたときは、内閣府令で定めるところにより、当該教育・保育給付認定子どもに係る教育・保育給付認定保護者に対し、当該特定教育・保育（保育にあっては、保育必要量の範囲内のものに限る。以下「支給認定教育・保育」という。）に要した費用について、施設型給付費を支給する。

２～８　〔略〕

（特例施設型給付費の支給）

第28条　市町村は、次に掲げる場合において、必要があると認めるときは、内閣府令で定めるところにより、第１号に規定する特定教育・保育に要した費用、第２号に規定する特別利用保育に要した費用又は第３号に規定する特別利用教育に要した費用について、特例施設型給付費を支給することができる。

一　教育・保育給付認定子どもが、当該教育・保育給付認定子どもに係る教育・保育給付認定保護者が第20条第１項の規定による申請をした日から当該教育・保育給付認定の効力が生じた日の前日までの間に、緊急その他やむを得ない理由により特定教育・保育を受けたとき。

二　第19条第１項第１号に掲げる小学校就学前子どもに該当する教育・保育給付認定子どもが、特定教育・保育施設（保育所に限る。）から特別利用保育（同号に掲げる小学校就学前子どもに該当する教育・保育給付認定子どもに対して提供される教育に係る標準的な一日当たりの時間及び期間を勘案して内閣府令で定める一日当たりの時間及び期間の範囲内において行われる保育（地域型保育を除く。）をいう。以下同じ。）を受けたとき（地域における教育の体制の整備の状況その他の事情を勘案して必要があると市町村が認めるときに限る。）。

三　第19条第２号に掲げる小学校就学前子どもに該当する教育・保育給付認定子どもが、特定教育・保育施設（幼稚園に限る。）から特別利用教育（教育のうち同号に掲げる小学校就学前子どもに該当する教育・保育給付認定子どもに対して提供されるものをいい、特定教育・保育を除く。以下同じ。）を受けたとき。

２～５　〔略〕

（地域型保育給付費の支給）

第29条　市町村は、満３歳未満保育認定子どもが、教育・保育給付認定の有効期間内において、市町村長が地域型保育給付費の支給に係る事業を行う者として確認する地域型保育を行う事業者（以下「特定地域型保育事業者」という。）から当該確認に係る地域型保育（以下「特定地域型保育」という。）を受けたときは、内閣府令で定めるところにより、当該満３歳未満保育認定子どもに係る教育・保育給付認定保護者に対し、当該特定地域型保育（保育必要量の範囲内のものに限る。以下「満３歳未満保育認定地域型保育」という。）に要した費用について、地域型保育給付費を支給する。

２～８　〔略〕

（特例地域型保育給付費の支給）

第30条　市町村は、次に掲げる場合において、必要があると認めるときは、内閣府令で定めるところにより、当該特定地域型保育（第３号に規定する特定利用地域型保育にあっては、保育必要量の範囲内のものに限る。）に要した費用又は第４号に規定する特例保育（第19条第２号又は第３号に掲げる小学校就学前子どもに該当する教育・保育給付認定子ども（以下「保育認定子ども」という。）に係るものにあっては、保育必要量の範囲内のものに限る。）に要した費用について、特例地域型保育給付費を支給することができる。

一　満３歳未満保育認定子どもが、当該満３歳未満保育認定子どもに係る教育・保育給付認定保護者が第20条第１項の規定による申請をした日から当該教育・保育給付認定の効力が生じた日の前日までの間に、緊急その他やむを得ない理由により特定地域型保育を受けたとき。

二　第19条第１号に掲げる小学校就学前子どもに該当する教育・保育給付認定子どもが、特定地域型保育事業者から特定地域型保育（同号に掲げる小学校就学前子どもに該当する教育・保育給付認定子どもに対して提供される教育に係る標準的な一日当たりの時間及び期間を勘案して内閣府令で定める一日当たりの時間及び期間の範囲内において行われるものに限る。次項及び附則第９条第１項第３号イにおいて「特別利用地域型保育」という。）を受けたとき（地域における教育の体制の整備の状況その他の事情を勘案して必要があると市町村が認めるときに限る。）。

三　第19条第２号に掲げる小学校就学前子どもに該当する教育・保育給付認定子どもが、特定地域型保育事業者から特定利用地域型保育（特定地域型保育のうち同号に掲げる小学校就学前子どもに該当する教育・保育給付認定子どもに対して提供されるものをいう。次項において同じ。）を受けたとき（地域における同号に掲げる小学校就学前子どもに該当する教育・保育給付認定子どもに係る教育・保育の体制の整備の状況その他の事情を勘案して必要があると市町村が認めるときに限る。）。

四　特定教育・保育及び特定地域型保育の確保が著しく困難である離島そ

の他の地域であって内閣総理大臣が定める基準に該当するものに居住地を有する教育・保育給付認定保護者に係る教育・保育給付認定子どもが、特例保育（特定教育・保育及び特定地域型保育以外の保育をいい、第19条第１号に掲げる小学校就学前子どもに該当する教育・保育給付認定子どもに係るものにあっては、同号に掲げる小学校就学前子どもに該当する教育・保育給付認定子どもに対して提供される教育に係る標準的な一日当たりの時間及び期間を勘案して内閣府令で定める一日当たりの時間及び期間の範囲内において行われるものに限る。以下同じ。）を受けたとき。

２～５　〔略〕

第３章　特定教育・保育施設及び特定地域型保育事業者並びに特定子ども・子育て支援施設等

第一節　特定教育・保育施設及び特定地域型保育事業者

第１款　特定教育・保育施設

（特定教育・保育施設の確認）

第31条　第27条第１項の確認は、内閣府令で定めるところにより、教育・保育施設の設置者（国（国立大学法人法（平成15年法律第112号）第２条第１項に規定する国立大学法人を含む。第58条の９第２項、第３項及び第６項、第65条第４号及び第５号並びに附則第７条において同じ。）及び公立大学法人（地方独立行政法人法（平成15年法律第118号）第68条第１項に規定する公立大学法人をいう。第58条の４第１項第１号、第58条の９第２項並びに第65条第３号及び第４号において同じ。）を除き、法人に限る。以下同じ。）の申請により、次の各号に掲げる教育・保育施設の区分に応じ、当該各号に定める小学校就学前子どもの区分ごとの利用定員を定めて、市町村長が行う。

一　認定こども園　第19条各号に掲げる小学校就学前子どもの区分

二　幼稚園　第19条第１号に掲げる小学校就学前子どもの区分

三　保育所　第19条第２号に掲げる小学校就学前子どもの区分及び同条第３号に掲げる小学校就学前子どもの区分

２・３　〔略〕

特定教育・保育施設及び特定地域型保育事業並びに特定子ども・子育て支援施設等の運営に関する基準

(平成26年4月30日内閣府令第39号)

最終改正〔令和7年内閣府令第7号〕

(利用者負担額等の受領)

第13条　特定教育・保育施設は、特定教育・保育を提供した際は、教育・保育給付認定保護者(満3歳未満保育認定子どもに係る教育・保育給付認定保護者に限る。)から当該特定教育・保育に係る利用者負担額(満3歳未満保育認定子どもに係る教育・保育給付認定保護者についての法第27条第3項第2号に掲げる額をいう。)の支払を受けるものとする。

2　特定教育・保育施設は、法定代理受領を受けないときは、教育・保育給付認定保護者から、当該特定教育・保育に係る特定教育・保育費用基準額(法第27条第3項第1号に掲げる額をいう。次項において同じ。)の支払を受けるものとする。

3　特定教育・保育施設は、前2項の支払を受ける額のほか、特定教育・保育の提供に当たって、当該特定教育・保育の質の向上を図る上で特に必要であると認められる対価について、当該特定教育・保育に要する費用として見込まれるものの額と特定教育・保育費用基準額との差額に相当する金額の範囲内で設定する額の支払を教育・保育給付認定保護者から受けることができる。

4　特定教育・保育施設は、前3項の支払を受ける額のほか、特定教育・保育において提供される便宜に要する費用のうち、次の各号に掲げる費用の額の支払を教育・保育給付認定保護者から受けることができる。

一　日用品、文房具その他の特定教育・保育に必要な物品の購入に要する費用

二　特定教育・保育等に係る行事への参加に要する費用

三　食事の提供に要する費用(次に掲げるものを除く。)

イ　次の⑴又は⑵に掲げる満3歳以上教育・保育給付認定子どものうち、その教育・保育給付認定保護者及び当該教育・保育給付認定保護者と同一の世帯に属する者に係る市町村民税所得割合算額がそれぞれ⑴又は⑵に定める金額未満であるものに対する副食の提供

⑴　法第19条第1号に掲げる小学校就学前子どもに該当する教育・保育給付認定子ども　77,101円

⑵　法第19条第１項第２号に掲げる小学校就学前子どもに該当する教育・保育給付認定子ども（特定満３歳以上保育認定子どもを除く。ロ⑵において同じ。）　57,700円（令第４条第２項第６号に規定する特定教育・保育給付認定保護者にあっては、77,101円）

ロ　次の⑴又は⑵に掲げる満３歳以上教育・保育給付認定子どものうち、負担額算定基準子ども又は小学校第三学年修了前子ども（小学校、義務教育学校の前期課程又は特別支援学校の小学部の第一学年から第三学年までに在籍する子どもをいう。以下ロにおいて同じ。）が同一の世帯に３人以上いる場合にそれぞれ⑴又は⑵に定める者に該当するものに対する副食の提供（イに該当するものを除く。）

⑴　法第19条第１号に掲げる小学校就学前子どもに該当する教育・保育給付認定子ども　負担額算定基準子ども又は小学校第三学年修了前子ども（そのうち最年長者及び二番目の年長者である者を除く。）である者

⑵　法第19条第１項第２号に掲げる小学校就学前子どもに該当する教育・保育給付認定子ども　負担額算定基準子ども（そのうち最年長者及び二番目の年長者である者を除く。）である者

ハ　満３歳未満保育認定子どもに対する食事の提供

四　特定教育・保育施設に通う際に提供される便宜に要する費用

五　前４号に掲げるもののほか、特定教育・保育において提供される便宜に要する費用のうち、特定教育・保育施設の利用において通常必要とされるものに係る費用であって、教育・保育給付認定保護者に負担させることが適当と認められるもの

５・６　〔略〕

（運営規程）

第20条　特定教育・保育施設は、次の各号に掲げる施設の運営についての重要事項に関する規程（第23条において「運営規程」という。）を定めておかなければならない。

一　施設の目的及び運営の方針

二　提供する特定教育・保育の内容

三　職員の職種、員数及び職務の内容

四　特定教育・保育の提供を行う日（法第19条第１号に掲げる小学校就学前子どもの区分に係る利用定員を定めている施設にあっては、学期を含む。以下この号において同じ。）及び時間、提供を行わない日

五　第13条の規定により教育・保育給付認定保護者から支払を受ける費用の種類、支払を求める理由及びその額

六　第４条第２項各号に定める小学校就学前子どもの区分ごとの利用定員

七　特定教育・保育施設の利用の開始、終了に関する事項及び利用に当た

っての留意事項（第６条第２項及び第３項に規定する選考方法を含む。）
八　緊急時等における対応方法
九　非常災害対策
十　虐待の防止のための措置に関する事項
十一　その他特定教育・保育施設の運営に関する重要事項

参考資料　（特定収入に係る課税仕入れ等に係る税額の調整関係）

計算表１　資産の譲渡等の対価の額の計算表

内容			税率6.24％適用分 A	税率7.8％適用分 B	合計 C
課税売上げ	通常の課税売上げ・役員への贈与及び低額譲渡	①	円	円	円
	課税標準額に対する消費税額の計算の特例適用の課税売上げ	②			
免税売上げ（輸出取引等）		③			
非課税売上げ		④			
国外における資産の譲渡等の対価の額		⑤			
資産の譲渡等の対価の額の合計額		⑥			計算表３①、計算表４①へ

（注）　1　各欄の金額は、いずれも消費税額及び地方消費税額に相当する額を含みません。

2　各欄の金額について、売上げに係る対価の返還等の額がある場合でも、売上げに係る対価の返還等の額を控除する前の金額を記入してください。

3　非課税売上げについては、譲渡の対価の額をそのまま記入してください（課税売上割合を計算する場合とは異なります。）。

4　②欄には、消費税法施行規則の一部を改正する省令（平成15年財務省令第92号）附則第２条《課税標準額に対する消費税額の計算の特例》の適用を受けるものを記載します（この規定は、令和５年９月30日までの間に行われる課税資産の譲渡等に適用されます。）。

計算表２　特定収入の金額及びその内訳書

(1)　特定収入、課税仕入れ等に係る特定収入、課税仕入れ等に係る特定収入以外の特定収入の内訳書

内　　容		資産の譲渡等の対価以外の収入	左のうち特定収入 A	うち税率6.24％が適用される課税仕入れ等にのみ使途が特定されている金額（「課税仕入れ等に係る特定収入」） B	うち税率7.8％が適用される課税仕入れ等にのみ使途が特定されている金額（「課税仕入れ等に係る特定収入」） C	A－（B＋C）（「課税仕入れ等に係る特定収入以外の特定収入」） D
租税	①	円	円	円	円	円
補助金・交付金等	②					
他会計からの繰入金	③					
寄附金	④					
出資に対する配当金	⑤					
保険金	⑥					
損害賠償金	⑦					
会費・入会金	⑧					
喜捨金	⑨					
債務免除益	⑩					
借入金	⑪					
出資の受入れ	⑫					
貸付回収金	⑬					
受益者負担金	⑭					
消費税還付金	⑮					
	⑯					
合　　計	⑰		計算表３②へ	計算表５(1)②、(3)②へ	計算表５(1)④、(3)④へ	計算表４②へ

(注)　免税事業者である課税期間において行った課税仕入れ等を借入金等で賄い、その後、課税事業者となった課税期間において当該借入金等の返済のために交付を受けた補助金等は特定収入に該当しません。

計算表２　特定収入の金額及びその内訳書（個別対応方式用）

(2)　課税売上げにのみ要する課税仕入れ等にのみ使途が特定されている特定収入、課税・非課税売上げに共通して要する課税仕入れ等にのみ使途が特定されている特定収入の内訳書

※　この表は、課税期間中の課税売上高が５億円超又は課税売上割合が95％未満で個別対応方式を採用している場合のみ、使用します。

内容		課税仕入れ等（税率6.24％）に係る特定収入（計算表２(1)B）	うち課税売上げにのみ要する課税仕入れ等にのみ使途が特定されている特定収入 E	うち課税・非課税売上げに共通して要する課税仕入れ等にのみ使途が特定されている特定収入 F	課税仕入れ等（税率7.8％）に係る特定収入（計算表２(1)C）	うち課税売上げにのみ要する課税仕入れ等にのみ使途が特定されている特定収入 G	うち課税・非課税売上げに共通して要する課税仕入れ等にのみ使途が特定されている特定収入 H
租税	①	円	円	円	円	円	円
補助金・交付金等	②						
他会計からの繰入金	③						
寄附金	④						
出資に対する配当金	⑤						
保険金	⑥						
損害賠償金	⑦						
会費・入会金	⑧						
喜捨金	⑨						
債務免除益	⑩						
借入金	⑪						
出資の受入れ	⑫						
貸付回収金	⑬						
	⑭						
	⑮						
	⑯						
合計	⑰		計算表５(2)②へ	計算表５(2)④へ		計算表５(2)⑥へ	計算表５(2)⑧へ

(注)　免税事業者である課税期間において行った課税仕入れ等を借入金等で賄い、その後、課税事業者となった課税期間において当該借入金等の返済のために交付を受けた補助金等は特定収入に該当しません。

計算表３　特定収入割合の計算表

内　容		金　額　等
資産の譲渡等の対価の額の合計額（計算表１⑥Ｃ）	①	円
特定収入の合計額（計算表２(1)⑰Ａ）	②	
分母の額（①＋②）	③	
特定収入割合（②÷③）	④	％

（注）　④欄は、小数点第４位以下の端数を切り上げて、百分率で記入してください。

○　特定収入割合が

・５％を超える場合　⇒　課税仕入れ等の税額の調整が必要です。引き続き「計算表４、５」の作成を行います。

・５％以下の場合　⇒　課税仕入れ等の税額の調整は不要です。通常の計算により計算した課税仕入れ等の税額の合計額を控除対象仕入税額として申告書の作成を行います。
ただし、取戻し対象特定収入がある場合には、「計算表５、５－２」の作成することで、控除対象外仕入れに係る調整を行うことができます。

計算表４　調整割合の計算表

内　　　　　　　容		金　　額　　等
資産の譲渡等の対価の額の合計額（計算表１⑥C）	①	円
課税仕入れ等に係る特定収入以外の特定収入（計算表２(1)⑰D）	②	
分母の額（①＋②）	③	
調整割合（②の金額／③の金額）	④	計算表５(1)⑦、(2)⑭、(3)⑨へ

計算表５　控除対象仕入税額の調整計算表

(1)　課税期間中の課税売上高が５億円以下、かつ、課税売上割合が95％以上の場合

内　容		税率6.24％適用分	税率7.8％適用分
調整前の課税仕入れ等の税額の合計額	①	円	円
課税仕入れ等（税率6.24％）にのみ使途が特定されている特定収入（「課税仕入れ等に係る特定収入」）（計算表２(1)⑰Ｂ）	②		
②×$\frac{6.24}{108}$（１円未満の端数切捨て）	③		
課税仕入れ等（税率7.8％）にのみ使途が特定されている特定収入（「課税仕入れ等に係る特定収入」）（計算表２(1)⑰Ｃ）	④		
④×$\frac{7.8}{110}$（１円未満の端数切捨て）	⑤		
①－③、①－⑤	⑥	①－③	①－⑤
調整割合（計算表４④）	⑦		
⑥×⑦（１円未満の端数切捨て）	⑧		
特定収入に係る課税仕入れ等の税額（③＋⑧、⑤＋⑧）	⑨	③＋⑧	⑤＋⑧
控除対象外仕入れに係る調整対象額の合計額（計算表５－２(2)⑳、計算表５－２(3)－1⑮、計算表５－２(4)－1⑩）（複数枚作成している場合は、全ての合計額）	⑩		
控除対象仕入税額（①＋⑩－⑨）	⑪		

(注)　⑥、⑧、⑨、⑪欄の計算結果がマイナスの場合には、「△」で表示します。

○　税率6.24％適用分の⑪欄の金額が
- プラスの場合　⇒　「申告書付表２－３」の㉖Ａ欄及び「申告書付表１－３」の④Ａ欄〔控除対象仕入税額〕へ転記します。
- マイナス（△）の場合　⇒　「申告書付表２－３」の㉗Ａ欄〔控除過大調整税額〕へ転記します。

○　税率7.8％適用分の⑪欄の金額が
- プラスの場合　⇒　「申告書付表２－３」の㉖Ｂ欄及び「申告書付表１－３」の④Ｂ欄〔控除対象仕入税額〕へ転記します。
- マイナス（△）の場合　⇒　「申告書付表２－３」の㉗Ｂ欄〔控除過大調整税額〕へ転記します。

計算表５　控除対象仕入税額の調整計算表（個別対応方式用）

(2)　課税期間中の課税売上高が５億円超又は課税売上割合が95％未満で個別対応方式を採用している場合

内　容		税率6.24％適用分	税率7.8％適用分
調整前の課税仕入れ等の税額の合計額	①	円	円
課税売上げにのみ要する課税仕入れ等（税率6.24％）にのみ使途が特定されている特定収入（計算表２(2)⑰E）	②		
②× $\frac{6.24}{108}$ （１円未満の端数切捨て）	③		
課税・非課税売上げに共通して要する課税仕入れ等（税率6.24％）にのみ使途が特定されている特定収入（計算表２(2)⑰F）	④		
④× $\frac{6.24}{108}$ （１円未満の端数切捨て）	⑤		
課税売上げにのみ要する課税仕入れ等（税率7.8％）にのみ使途が特定されている特定収入（計算表２(2)⑰G）	⑥		
⑥× $\frac{7.8}{110}$ （１円未満の端数切捨て）	⑦		
課税・非課税売上げに共通して要する課税仕入れ等（税率7.8％）にのみ使途が特定されている特定収入（計算表２(2)⑰H）	⑧		
⑧× $\frac{7.8}{110}$ （１円未満の端数切捨て）	⑨		
課税売上割合（準ずる割合の承認を受けている場合はその割合）	⑩		
⑤×⑩、⑨×⑩（いずれも１円未満の端数切捨て）	⑪	⑤×⑩	⑨×⑩
③＋⑪、⑦＋⑪	⑫	③＋⑪	⑦＋⑪
①－⑫	⑬		
調整割合（計算表４④）	⑭		
⑬×⑭（１円未満の端数切捨て）	⑮		
特定収入に係る課税仕入れ等の税額（⑫＋⑮）	⑯		
控除対象外仕入れに係る調整対象額の合計額（計算表５－２(2)⑳、計算表５－２(3)－1⑮、計算表５－２(4)－1⑩）（複数枚作成している場合は、全ての合計額）	⑰		
控除対象仕入税額（①＋⑰－⑯）	⑱		

(注)　⑬、⑮、⑯、⑱欄の計算結果がマイナスの場合には、「△」で表示します。

○　税率6.24％適用分の⑱欄の金額が
- ・プラスの場合　⇒　「申告書付表２－３」の㉖A欄及び「申告書付表１－３」の④A欄〔控除対象仕入税額〕へ転記します。
- ・マイナス（△）の場合　⇒　「申告書付表２－３」の㉗A欄〔控除過大調整税額〕へ転記します。

○　税率7.8％適用分の⑱欄の金額が
- ・プラスの場合　⇒　「申告書付表２－３」の㉖B欄及び「申告書付表１－３」の④B欄〔控除対象仕入税額〕へ転記します。
- ・マイナス（△）の場合　⇒　「申告書付表２－３」の㉗B欄〔控除過大調整税額〕へ転記します。

計算表５　控除対象仕入税額の調整計算表（一括比例配分方式用）

(3)　課税期間中の課税売上高が５億円超又は課税売上割合が95％未満で一括比例配分方式を採用している場合

内　容		税率6.24％適用分	税率7.8％適用分
調整前の課税仕入れ等の税額の合計額	①	円	円
課税仕入れ等（税率6.24％）にのみ使途が特定されている特定収入（「課税仕入れ等に係る特定収入」）（計算表２(1)⑰Ｂ）	②		
②×$\frac{6.24}{108}$（１円未満の端数切捨て）	③		
課税仕入れ等（税率7.8％）にのみ使途が特定されている特定収入（「課税仕入れ等に係る特定収入」）（計算表２(1)⑰Ｃ）	④		
④×$\frac{7.8}{110}$（１円未満の端数切捨て）	⑤		
課税売上割合	⑥	――	
③×⑥、⑤×⑥（いずれも１円未満の端数切捨て）	⑦	③×⑥	⑤×⑥
①－⑦	⑧		
調整割合（計算表４④）	⑨	――	
⑧×⑨（１円未満の端数切捨て）	⑩		
特定収入に係る課税仕入れ等の税額（⑦＋⑩）	⑪		
控除対象外仕入れに係る調整対象額の合計額（計算表５－２(2)⑳、計算表５－２(3)－1⑮、計算表５－２(4)－1⑩）（複数枚作成している場合は、全ての合計額）	⑫		
控除対象仕入税額（①＋⑫－⑪）	⑬		

(注)　⑧、⑩、⑪、⑬欄の計算結果がマイナスの場合には、「△」で表示します。

○　税率6.24％適用分の⑬欄の金額が
・プラスの場合　⇒　「申告書付表２－３」の㉖Ａ欄及び「申告書付表１－３」の④Ａ欄〔控除対象仕入税額〕へ転記します。
・マイナス（△）の場合　⇒　「申告書付表２－３」の㉗Ａ欄〔控除過大調整税額〕へ転記します。

○　税率7.8％適用分の⑬欄の金額が
・プラスの場合　⇒　「申告書付表２－３」の㉖Ｂ欄及び「申告書付表１－３」の④Ｂ欄〔控除対象仕入税額〕へ転記します。
・マイナス（△）の場合　⇒　「申告書付表２－３」の㉗Ｂ欄〔控除過大調整税額〕へ転記します。

参考資料　申告関係

計算表５－２(1)　取戻し対象特定収入の判定表

この計算表による取戻し対象特定収入の判定は、課税仕入れ等に係る特定収入ごとに行います。

課税仕入れ等に係る特定収入の種類・名称等	
課税仕入れ等に係る特定収入のあった課税期間	自　年　月　日　至　年　月　日

内容		判定
課税仕入れ等に係る特定収入により支出された課税仕入れに係る支払対価の額の合計額	①	円
課税仕入れ等に係る特定収入により支出された控除対象外仕入れに係る支払対価の額の合計額	②	
取戻し対象特定収入の判定（②÷①）	③	%

取戻し対象特定収入の判定（③）が、

○　**５％を超える場合　⇒　次の区分に応じ、控除対象外仕入れに係る調整を行うことができます。**

- 取戻し対象特定収入のあった課税期間中の課税売上高が５億円以下、かつ、課税売上割合が95%以上の場合
  ⇒　引き続き「計算表５－２（2）」の作成を行います。
- 取戻し対象特定収入のあった課税期間中の課税売上高が５億円超又は課税売上割合が95%未満で個別対応方式を採用している場合
  ⇒　引き続き「計算表５－２（3）」の作成を行います。
- 取戻し対象特定収入のあった課税期間中の課税売上高が５億円超又は課税売上割合が95%未満で一括比例配分方式を採用している場合
  ⇒　引き続き「計算表５－２（4）」の作成を行います。

○　**５％以下の場合　⇒　控除対象外仕入れに係る調整を行うことはできません。**

計算表５－２(2)　取戻し対象特定収入がある場合の控除対象外仕入れに係る調整対象額の計算表

取戻し対象特定収入があった課税期間中の課税売上高が５億円以下、かつ、課税売上割合が95%以上の場合の控除対象外仕入れに係る調整計算表

この計算表による控除対象外仕入れに係る調整対象額の計算は、取戻し対象特定収入ごとに行います。

取戻し対象特定収入のあった課税期間の調整割合	①	―――
1－①	②	―――

28年改正法附則第52条第１項（80%控除）又は第53条第１項（50%控除）の規定の適用を受けない控除対象外仕入れ用			
内　　容		税率6.24%適用分	税率7.8%適用分
控除対象外仕入れに係る支払対価の額（税率6.24%）の合計額	③	円	
③ × $\frac{6.24}{108}$（１円未満の端数切捨て）	④		
控除対象外仕入れに係る支払対価の額（税率7.8%）の合計額	⑤		円
⑤ × $\frac{7.8}{110}$（１円未満の端数切捨て）	⑥		
控除対象外仕入れに係る調整対象額（④×②、⑥×②）（いずれも１円未満の端数切捨て）	⑦	④×②	⑥×②

※　③、⑤欄には、28年改正法附則第52条第１項又は第53条第１項の規定の適用を受けるものを含めず記載します。

28年改正法附則第52条第１項（80%控除）の適用を受ける控除対象外仕入れ用			
内　　容		税率6.24%適用分	税率7.8%適用分
28年改正法附則第52条第１項（80%控除）の適用を受ける控除対象外仕入れに係る支払対価の額（税率6.24%）の合計額	⑧		
⑧ × $\frac{6.24}{108}$（１円未満の端数切捨て）	⑨		
28年改正法附則第52条第１項（80%控除）の適用を受ける控除対象外仕入れに係る支払対価の額（税率7.8%）の合計額	⑩		
⑩ × $\frac{7.8}{110}$（１円未満の端数切捨て）	⑪		
⑨×②、⑪×②（いずれも１円未満の端数切捨て）	⑫	⑨×②	⑪×②
控除対象外仕入れに係る調整対象額（⑫× $\frac{20}{100}$）（１円未満の端数切捨て）	⑬		

28年改正法附則第53条第１項（50%控除）の適用を受ける控除対象外仕入れ用			
内　　容		税率6.24%適用分	税率7.8%適用分
28年改正法附則第53条第１項（50%控除）の適用を受ける控除対象外仕入れに係る支払対価の額（税率6.24%）の合計額	⑭		
⑭ × $\frac{6.24}{108}$（１円未満の端数切捨て）	⑮		
28年改正法附則第53条第１項（50%控除）の適用を受ける控除対象外仕入れに係る支払対価の額（税率7.8%）の合計額	⑯		
⑯ × $\frac{7.8}{110}$（１円未満の端数切捨て）	⑰		
⑮×②、⑰×②（いずれも１円未満の端数切捨て）	⑱	⑮×②	⑰×②
控除対象外仕入れに係る調整対象額（⑱× $\frac{50}{100}$）（１円未満の端数切捨て）	⑲		

控除対象外仕入れに係る調整対象額の合計額（⑦＋⑬＋⑲）	⑳		

計算表５－２(3)－１　取戻し対象特定収入がある場合の控除対象外仕入れに係る調整対象額の計算表（個別対応方式用）

取戻し対象特定収入があった課税期間中の課税売上高が５億円超又は課税売上割合が95％未満で個別対応方式を採用している場合の控除対象外仕入れに係る調整計算表（28年改正法附則第52条第１項（80％控除）又は第53条第１項（50％控除）の規定の適用を受けない控除対象外仕入れ用）

この計算表による控除対象外仕入れに係る調整対象額の計算は、取戻し対象特定収入ごとに行います。

内　容		税率6.24％適用分	税率7.8％適用分
課税資産の譲渡等にのみ要する控除対象外仕入れに係る支払対価の額（税率6.24％）の合計額	①	円	
① × $\frac{6.24}{108}$ （１円未満の端数切捨て）	②		
課税・非課税売上げに共通して要する控除対象外仕入れに係る支払対価の額（税率6.24％）の合計額	③		
③ × $\frac{6.24}{108}$ （１円未満の端数切捨て）	④		
課税資産の譲渡等にのみ要する控除対象外仕入れに係る支払対価の額（税率7.8％）の合計額	⑤		円
⑤ × $\frac{7.8}{110}$ （１円未満の端数切捨て）	⑥		
課税・非課税売上げに共通して要する控除対象外仕入れに係る支払対価の額（税率7.8％）の合計額	⑦		
⑦ × $\frac{7.8}{110}$ （１円未満の端数切捨て）	⑧		
取戻し対象特定収入のあった課税期間の課税売上割合（準ずる割合の承認を受けている場合はその割合）	⑨	―――	
④×⑨、⑧×⑨（いずれも１円未満の端数切捨て）	⑩	④×⑨	⑧×⑨
②＋⑩、⑥＋⑩	⑪	②＋⑩	⑥＋⑩
取戻し対象特定収入のあった課税期間の調整割合	⑫	―――	
１－⑫	⑬	―――	
控除対象外仕入れに係る調整対象額（⑪×⑬）（１円未満の端数切捨て）	⑭		

※　①、③、⑤、⑦欄には、28年改正法附則第52条第１項又は第53条第１項の規定の適用を受けるものを含めず記載します。

控除対象外仕入れに係る調整対象額の合計額（⑭＋計算表５－２（3）－２⑮＋計算表５－２（3）－３⑮）	⑮		

計算表５－２(3)－2　取戻し対象特定収入がある場合の控除対象外仕入れに係る調整対象額の計算表
（個別対応方式・80%控除適用分用）

取戻し対象特定収入があった課税期間中の課税売上高が５億円超又は課税売上割合が95%未満で個別対応方式を採用している場合の控除対象外仕入れに係る調整計算表（28年改正法附則第52条第１項（80%控除）の適用を受ける控除対象外仕入れ用）

この計算表による控除対象外仕入れに係る調整対象額の計算は、取戻し対象特定収入ごとに行います。

内容		税率6.24%適用分	税率7.8%適用分
28年改正法附則第52条第１項（80%控除）の適用を受ける課税資産の譲渡等にのみ要する控除対象外仕入れに係る支払対価の額（税率6.24%）の合計額	①	円	
① × $\frac{6.24}{108}$ （１円未満の端数切捨て）	②		
28年改正法附則第52条第１項（80%控除）の適用を受ける課税・非課税売上げに共通して要する控除対象外仕入れに係る支払対価の額（税率6.24%）の合計額	③		
③ × $\frac{6.24}{108}$ （１円未満の端数切捨て）	④		
28年改正法附則第52条第１項（80%控除）の適用を受ける課税資産の譲渡等にのみ要する控除対象外仕入れに係る支払対価の額（税率7.8%）の合計額	⑤		円
⑤ × $\frac{7.8}{110}$ （１円未満の端数切捨て）	⑥		
28年改正法附則第52条第１項（80%控除）の適用を受ける課税・非課税売上げに共通して要する控除対象外仕入れに係る支払対価の額（税率7.8%）の合計額	⑦		
⑦ × $\frac{7.8}{110}$ （１円未満の端数切捨て）	⑧		
取戻し対象特定収入のあった課税期間の課税売上割合（準ずる割合の承認を受けている場合はその割合）	⑨		
④×⑨、⑧×⑨（いずれも１円未満の端数切捨て）	⑩	④×⑨	⑧×⑨
②＋⑩、⑥＋⑩	⑪	②＋⑩	⑥＋⑩
取戻し対象特定収入のあった課税期間の調整割合	⑫		
１－⑫	⑬		
⑪×⑬（いずれも１円未満の端数切捨て）	⑭		
控除対象外仕入れに係る調整対象額（⑭× $\frac{20}{100}$ ）（１円未満の端数切捨て）	⑮		

参考資料　申告関係

計算表５－２(3)－3　取戻し対象特定収入がある場合の控除対象外仕入れに係る調整対象額の計算表
（個別対応方式・50%控除適用分用）

取戻し対象特定収入があった課税期間中の課税売上高が５億円超又は課税売上割合が95%未満で個別対応方式を採用している場合の控除対象外仕入れに係る調整計算表（28年改正法附則第53条第１項（50%控除）の適用を受ける控除対象外仕入れ用）

この計算表による控除対象外仕入れに係る調整対象額の計算は、取戻し対象特定収入ごとに行います。

内　容		税率6.24%適用分	税率7.8%適用分
28年改正法附則第53条第１項（50%控除）の適用を受ける課税資産の譲渡等にのみ要する控除対象外仕入れに係る支払対価の額（税率6.24%）の合計額	①	円	
① × $\frac{6.24}{108}$ （１円未満の端数切捨て）	②		
28年改正法附則第53条第１項（50%控除）の適用を受ける課税・非課税売上げに共通して要する控除対象外仕入れに係る支払対価の額（税率6.24%）の合計額	③		
③ × $\frac{6.24}{108}$ （１円未満の端数切捨て）	④		
28年改正法附則第53条第１項（50%控除）の適用を受ける課税資産の譲渡等にのみ要する控除対象外仕入れに係る支払対価の額（税率7.8%）の合計額	⑤		円
⑤ × $\frac{7.8}{110}$ （１円未満の端数切捨て）	⑥		
28年改正法附則第53条第１項（50%控除）の適用を受ける課税・非課税売上げに共通して要する控除対象外仕入れに係る支払対価の額（税率7.8%）の合計額	⑦		
⑦ × $\frac{7.8}{110}$ （１円未満の端数切捨て）	⑧		
取戻し対象特定収入のあった課税期間の課税売上割合（準ずる割合の承認を受けている場合はその割合）	⑨	――――	
④×⑨、⑧×⑨（いずれも１円未満の端数切捨て）	⑩	④×⑨	⑧×⑨
②＋⑩、⑥＋⑩	⑪	②＋⑩	⑥＋⑩
取戻し対象特定収入のあった課税期間の調整割合	⑫	――――	
１－⑫	⑬	――――	
⑪×⑬（１円未満の端数切捨て）	⑭		
控除対象外仕入れに係る調整対象額（⑭× $\frac{50}{100}$ ）（１円未満の端数切捨て）	⑮		

計算表５－２(4)－１　取戻し対象特定収入がある場合の控除対象外仕入れに係る調整対象額の計算表（一括比例配分方式用）

取戻し対象特定収入があった**課税期間**中の課税売上高が５億円超又は課税売上割合が95％未満で**一括比例配分方式**を採用している場合の控除対象外仕入れに係る調整計算表（28年改正法附則第52条第１項（80％控除）又は第53条第１項（50％控除）の規定の適用を受けない控除対象外仕入れ用）

この計算表による控除対象外仕入れに係る調整対象額の計算は、取戻し対象特定収入ごとに行います。

内容		税率6.24％適用分	税率7.8％適用分
控除対象外仕入れに係る支払対価の額（税率6.24％）の合計額	①	円	
① × $\frac{6.24}{108}$ （１円未満の端数切捨て）	②		
控除対象外仕入れに係る支払対価の額（税率7.8％）の合計額	③		円
③ × $\frac{7.8}{110}$ （１円未満の端数切捨て）	④		
取戻し対象特定収入のあった課税期間の課税売上割合	⑤	――	
②×⑤、④×⑤（いずれも１円未満の端数切捨て）	⑥	②×⑤	④×⑤
取戻し対象特定収入のあった課税期間の調整割合	⑦	――	
１－⑦	⑧	――	
控除対象外仕入れに係る調整対象額（⑥×⑧）（１円未満の端数切捨て）	⑨		

※　①、③欄は、28年改正法附則第52条第１項又は第53条第１項の規定の適用を含めず記載します。

内容		税率6.24％適用分	税率7.8％適用分
控除対象外仕入れに係る調整対象額の合計額（⑨＋計算表５－２（4）－2⑩＋計算表５－２（4）－3⑩）	⑩		

計算表５－２(4)－２　取戻し対象特定収入がある場合の控除対象外仕入れに係る調整対象額の計算表（一括比例配分方式・80%控除適用分用）

<u>取戻し対象特定収入があった課税期間</u>中の課税売上高が５億円超又は課税売上割合が95%未満で<u>一括比例配分方式を採用</u>している場合の控除対象外仕入れに係る調整計算表（28年改正法附則第52条第１項<u>（80%控除）の適用を受ける</u>控除対象外仕入れ用）

この計算表による控除対象外仕入れに係る調整対象額の計算は、取戻し対象特定収入ごとに行います。

内　容		税率6.24%適用分	税率7.8%適用分
28年改正法附則第52条第１項（80%控除）の適用を受ける控除対象外仕入れに係る支払対価の額（税率6.24%）の合計額	①	円	
① × $\frac{6.24}{108}$ （１円未満の端数切捨て）	②		
28年改正法附則第52条第１項（80%控除）の適用を受ける控除対象外仕入れに係る支払対価の額（税率7.8%）の合計額	③		円
③ × $\frac{7.8}{110}$ （１円未満の端数切捨て）	④		
<u>取戻し対象特定収入のあった課税期間</u>の課税売上割合	⑤	――――	
②×⑤、④×⑤（いずれも１円未満の端数切捨て）	⑥	②×⑤	④×⑤
<u>取戻し対象特定収入のあった課税期間</u>の調整割合	⑦	――――	
１－⑦	⑧	――――	
⑥×⑧（１円未満の端数切捨て）	⑨		
控除対象外仕入れに係る調整対象額（⑨× $\frac{20}{100}$ ）（１円未満の端数切捨て）	⑩		

計算表５－２(4)－３　取戻し対象特定収入がある場合の控除対象外仕入れに係る調整対象額の計算表
（一括比例配分方式・50%控除適用分用）

取戻し対象特定収入があった課税期間中の課税売上高が５億円超又は課税売上割合が95%未満で一括比例配分方式を採用している場合の控除対象外仕入れに係る調整計算表（28年改正法附則第53条第１項（50%控除）の適用を受ける控除対象外仕入れ用）

この計算表による控除対象外仕入れに係る調整対象額の計算は、取戻し対象特定収入ごとに行います。

内　容		税率6.24%適用分	税率7.8%適用分
28年改正法附則第53条第１項（50%控除）の適用を受ける控除対象外仕入れに係る支払対価の額（税率6.24%）の合計額	①	円	
① × $\frac{6.24}{108}$ （１円未満の端数切捨て）	②		
28年改正法附則第53条第１項（50%控除）の適用を受ける控除対象外仕入れに係る支払対価の額（税率7.8%）の合計額	③		円
③ × $\frac{7.8}{110}$ （１円未満の端数切捨て）	④		
取戻し対象特定収入のあった課税期間の課税売上割合	⑤		
②×⑤、④×⑤（いずれも１円未満の端数切捨て）	⑥	②×⑤	④×⑤
取戻し対象特定収入のあった課税期間の調整割合	⑦		
１－⑦	⑧		
⑥×⑧（１円未満の端数切捨て）	⑨		
控除対象外仕入れに係る調整対象額（⑨× $\frac{50}{100}$ ）（１円未満の端数切捨て）	⑩		

参考資料

申告関係

索　引

【あ】

預り金に係る管理料…………………… 257
新たに設立された法人等…………… 419

【い】

医学雑誌……………………………… 574
医業未収金債権……………………… 132
医師会………………………………… 568
維持費………………………………… 579
意思表明等支援事業………………… 282
一時預かり事業………………… 282, 319
一時保護……………………………… 284
一時保護事業………………………… 284
一括比例配分方式…………………… 523
一棟借り……………………………… 556
一般課税……………………………… 608
一般診療所…………………………… 624
一般相談支援事業…………………… 283
一般的不妊治療……………………… 117
移動支援事業………………………… 283
医薬品等の適用税率………………… 460
医薬品の課税仕入れの用途区分…… 551
医薬品の治験………………………… 102
医療機器の下取り…………………… 572
医療に附帯するサービス業………… 624
医療扶助……………………………… 112
医療法人成り…………………… 136, 413
飲食料品の提供に係る委託………… 479
インターナショナルスクール……… 311
インプラント……………………… 83, 482
インボイス制度……… 416, 486, 501, 524, 611, 669, 772

【う】

齲蝕……………………………………73

【え】

栄養ドリンク………………………… 461
栄養補助食品………………………… 461
益税……………………………………12
MS 法人 …………………………… 134
延長保育……………………………… 318

【お】

親子関係形成支援事業……………… 282
親子再統合支援事業………………… 282

【か】

開業医の法人成り…………………… 413
介護医療院サービス…………… 167, 283
外交官等免税………………………… 126
外国人旅行者に対する診療………… 125
介護職員処遇改善加算等…………… 259
介護保健施設サービス……………… 167
介護予防居宅療養管理指導…… 168, 175
介護予防サービス計画費…………… 169
介護予防サービス費………………… 168
介護予防支援………………………… 169
介護予防小規模多機能型居宅介護 ………………………………… 169, 176
介護予防短期入所生活介護…… 169, 175
介護予防短期入所療養介護…… 169, 176
介護予防通所リハビリテーション ………………………………… 169, 175
介護予防特定施設入居者生活介護 ………………………………… 169, 176
介護予防・日常生活支援総合事業 ………………………………… 169, 221
介護予防認知症対応型共同生活介護… 169
介護予防認知症対応型通所介護 ………………………………… 169, 176

介護予防福祉用具購入費の支給…… 237
介護予防福祉用具貸与……………… 237
介護予防訪問看護……………… 168, 174
介護予防訪問入浴介護………… 168, 174
介護予防訪問リハビリテーション
……………………………… 168, 175
介護老人保健施設………… 166, 283, 641
回収特例…………………… 506, 588, 590
介助犬訓練事業……………………… 283
学習支援……………………………… 345
課税売上割合………………………… 517
課税売上割合に準ずる割合…… 523, 555
課税期間……………………………… 371
課税期間の特例……………………… 376
課税仕入れ…………………………… 495
課税事業者選択届出書……………… 376
課税事業者選択不適用届出書……… 379
学校医………………………………… 368
学校法人……………………………… 685
合併…………………………………… 386
家庭的保育事業……………………… 299
寡婦日常生活支援事業……………… 283
借上料………………………………… 579
簡易課税制度…………………… 608, 689
簡易住宅……………………………… 283
看護師等養成奨学金………………… 130
患者申出療養…………………………52
間接消費税…………………………… 3
還付……………………………… 405, 678

【き】

企業主導型保育施設………………… 351
基金拠出型社団医療法人
……………………… 393, 407, 409, 414
基準期間……………………………… 371
基準期間における課税売上高……… 371
寄附金……………………… 662, 685, 687
救護施設……………………………… 282
給仕等の役務………………………… 458
吸収合併……………………………… 387
吸収分割……………………………… 388
給食費………………………………… 324
共同事業……………………………… 368
共同生活援助………………………… 285
居住用賃貸建物…………… 251, 578, 775
居住用賃貸建物の取得に係る仕入税
額控除制度の不適用……………… 497
居住用賃貸建物を課税転用した場合
等………………………………… 546
居宅介護……………………………… 285
居宅介護サービス計画費…………… 169
居宅介護サービス費…………… 162, 221
居宅介護支援………………………… 169
居宅介護福祉用具購入費の支給…… 237
居宅サービス……………… 162, 194, 221
居宅訪問型保育事業………………… 296
居宅要支援被保険者等……………… 226
居宅療養管理指導……………… 164, 195
金属床総義歯…………………………73
金地金スキーム……………………… 597

【く】

区分記載請求書等……………… 442, 511
区分記載請求書等保存方式………… 501

【け】

軽減税率………………………… 27, 457
継続保護事業………………………… 284
ケータリング………………………… 468
軽費老人ホーム……………………… 282
化粧品………………………………… 461
健康相談施設………………………… 625
健康保険組合………………………… 783

建設仮勘定…… 594
現物出資…… 388

【こ】

公益法人…… 676, 681, 689
高額特定資産…… 399, 401, 698
高額特定資産の取得に係る課税事業者である旨の届出書…… 400
高額な金地金等の取得による３年縛り…… 601
公共交通機関特例…… 506
公共法人等…… 683
控除対象外消費税額等…… 12, 764, 775
更生施設…… 282
行動援護…… 285
公売…… 430
公費負担医療……65
交付した適格請求書等の写しの保存 484
国内取引…… 364
子育て援助活動支援事業…… 282
子育て世帯訪問支援事業…… 282
子育て短期支援事業…… 282
子ども・子育て支援新制度…… 270, 293
古物特例…… 506
個別対応方式…… 522
５類移行に伴うワクチン接種……58

【さ】

サービス付き高齢者向け住宅…… 648
災害届出特例…… 614
再診料……71
在宅医療・介護連携支援センター… 342
差額ベッド代…… 71, 640, 641
里親支援センター…… 282
産業医…… 94, 368
産後ケア…… 77, 276, 285, 304, 326, 358
酸素の販売…… 111
残存リース料…… 137
３年縛り…… 601

【し】

仕入控除税額の調整…… 539, 546
仕入税額控除…… 495
歯科技工業…… 636, 638
歯科矯正…… 482
資格証明書……87
歯科差額……73
歯科診療所…… 624
時間外診察料……71
事業区分判定フローチャート…… 621
事業者向け電気通信利用役務…… 365
事業者免税点制度…… 394, 400～404, 424, 467, 486
事業譲渡…… 645
事業所内保育事業…… 313
事業を承継した相続人…… 420
自己建設高額特定資産…… 399, 499
事後設立…… 388
施設介護サービス費…… 165
施設型給付費…… 285
施設サービス…… 165
施設障害福祉サービス…… 285
下取り…… 572
視聴覚障害者情報提供施設…… 283
市町村特別給付…… 233
実費精算の出張旅費…… 582
指定介護福祉施設サービス…… 167
指定介護予防支援…… 228
指定介護老人福祉施設…… 166
指定管理者…… 649
指定居宅介護支援事業者…… 228
指定発達支援医療機関…… 284
児童育成支援拠点事業…… 282

児童家庭支援センター……………… 282
児童厚生施設…………………… 282, 303
児童自立支援施設…………………… 282
児童自立生活援助事業……………… 282
児童心理治療施設…………………… 282
児童の福祉の増進について相談に応
　ずる事業…………………………… 282
自動販売機特例………………… 507, 590
児童福祉業…………………………… 625
児童福祉施設を経営する事業… 284, 286
児童養護施設………………………… 282
自賠責保険……………………………88
資本的支出…………………………… 497
社員食堂……………………………… 481
社会医療法人………………………… 411
社会的養護自立支援拠点事業……… 282
社会保険事業団体…………………… 625
社会保障充実分……………………… 182
社会保障目的税化……………………… 5
社宅…………………………………… 578
従業員寮……………………… 128, 578
住宅改修費…………………………… 244
住宅の貸付け……………… 251, 498, 557
重度訪問介護………………………… 285
収用…………………………………… 549
就労移行支援………………………… 281
就労継続支援………………………… 281
就労継続支援Ｂ型事業に係る工賃… 562
就労支援事業の工賃………………… 687
授産活動……………………………… 281
授産施設………………… 281, 282, 302
受託経営……………………………… 360
出資の金額…………………………… 392
出張費等特例…………………… 507, 584
受配者指定寄附金…………………… 685
腫瘍マーカー検査……………………72
手話通訳事業………………………… 283
障害児相談支援事業………… 282, 356
障害児通所支援事業………………… 282
障害児入所施設……………………… 282
障害者支援施設……………………… 281
障害者相談支援事業………………… 354
障害者福祉事業……………………… 626
紹介受診重点医療機関………………72
障害福祉サービス事業…… 281, 283, 285
奨学金………………………………… 130
少額特例………………… 429, 508, 592
小窩裂溝填塞…………………………73
小規模住居型児童養育事業………… 282
小規模多機能型居宅介護……… 168, 173
小規模多機能型居宅介護事業……… 283
小規模保育事業………………… 282, 298
消費税課税期間特例選択届出書…… 377
消費税課税事業者選択届出書……… 376
消費税課税事業者選択不適用届出書
　…………………………………… 379
消費税課税事業者届出書…………… 408
消費税簡易課税制度選択届出書…… 611
消費税簡易課税制度選択不適用
　届出書…………………………… 615
消費税経理通達……………………… 760
消費税の新設法人に該当する旨の届
　出書……………………………… 393
食事の提供の対価…………………… 473
助産……………………………………76
助産・看護業………………………… 624
助産施設……………………………… 282
初診料…………………………………71
女性自立支援施設…………………… 282
所有権移転外ファイナンス・リース

取引……………………………… 560
新型コロナウイルス感染症
……………………… 795, 799, 801, 803
新型コロナワクチン……………………58
新型出生前診断（NIPT） ………… 118
人件費…………………………………… 134
人工妊娠中絶……………………………76
申告期限……………………… 780, 782
新設合併………………………………… 387
新設分割………………………………… 388
新設法人……………………… 391, 696
身体障害者生活訓練等事業………… 283
身体障害者の更生相談に応ずる事業
…………………………………………… 283
身体障害者福祉センター…………… 283
身体障害者用自動車………… 332, 334
診断書……………………………………83

【す】

出納管理を代行するサービス……… 257
出納整理期間………………………… 783
水平的公平……………………………… 3
スクールバス代………………… 321, 324
ストレスチェック………………………95

【せ】

生活介護………………………………… 281
生活困窮者自立支援法……………… 269
生活困難者のための診療…………… 283
生活支援員……………………………… 361
生活に関する相談に応ずる事業…… 282
生活福祉資金貸付制度……………… 307
請求書等積上げ方式………………… 515
請求書等の追記……………………… 606
請求書等の保存……………………… 502
税込経理方式………………………… 760
生産活動………………………………… 281
生殖補助医療………………………… 117
税抜経理方式………………………… 760
成年後見事業………………………… 349
成年後見人…………………………… 347
生命保険会社からの依頼による審査…83
施術業…………………………………… 624
セミナー参加費……………………… 438
選定療養………………………… 52, 89
先発医薬品の処方を希望した時の特
別料金…………………………………74

【そ】

総額表示………… 36, 785, 789, 792, 793
総額割戻し方式……………… 462, 515
総合事業………………………………… 178
相続……………………………… 384, 540
その他の社会保険・社会福祉・介護
事業…………………………………… 626
その他の認定こども園……………… 294
その他の保健衛生…………………… 625
損税………………………………………12

【た】

第一号介護予防支援事業……… 170, 225
第一号生活支援事業………………… 170
第一号通所事業……………………… 170
第一号訪問事業……………………… 170
第一種社会福祉事業………………… 282
体外受精………………………………… 117
第二種社会福祉事業………………… 282
胎盤処理費…………………………… 123
代理交付………………………………… 429
短期入所………………………………… 285
短期入所生活介護…………… 165, 195
短期入所療養介護…………… 165, 195

【ち】

地域医療支援病院………………………72

地域型保育給付費……………………… 285
地域型保育事業………………………… 297
地域活動支援センター………… 281, 283
地域子育て支援拠点事業…………… 282
地域支援事業……………… 177, 223, 328
地域包括支援センター…… 180, 221, 223, 225, 228, 285
地域密着型介護サービス費………… 168
地域密着型介護予防サービス費…… 169
地域密着型介護老人福祉施設入所者生活介護……………………… 168, 173
地域密着型通所介護…………… 168, 172
地域密着型特定施設入居者生活介護……………………………………… 168, 173
治験依頼者が支出する負担金……… 102
知的障害者の更生相談に応ずる事業……………………………………… 283
駐車場………………………………… 336
調剤他薬局仕入れ…………………… 552
調剤問屋仕入れ……………………… 552
調剤薬局……………………………… 552
調整対象基準税額…………………… 538
調整対象固定資産…… 396, 535, 600, 698
調整対象自己建設高額特定資産…… 402
聴導犬訓練事業……………………… 283
帳簿積上げ方式……………………… 515
帳簿の保存…………………………… 501
帳簿のみの保存で仕入税額控除が認められる場合……………………… 581
調理業務……………………………… 480
直接消費税……………………………… 3
賃貸借処理…………………………… 560

【つ】

通勤手当……………………………… 587
通算課税売上割合…………………… 537
通算課税期間………………………… 537
通所介護……………………… 164, 195
通所リハビリテーション……… 164, 195
積上げ計算 ………………… 463, 524

【て】

定期巡回・随時対応型訪問介護看護……………………………… 168, 172
テイクアウト………………………… 789
デイサービス………………………… 646
DPC 対象病院から受領する報酬 … 105
適格簡易請求書……………… 428, 436, 440
適格請求書…………………… 427, 496
適格請求書等積上げ方式…………… 463
適格請求書等保存方式……………… 501
適格請求書発行事業者………… 20, 417
適格請求書発行事業者以外の者からの課税仕入れ……………………… 508
適格返還請求書……………………… 426
電子帳簿保存法……………… 427, 506
電子取引……………………………… 506
電子版………………………………… 574
店内飲食……………………………… 789

【と】

同行援護……………………………… 285
登録の取りやめ（適格請求書発行事業者）……………………………… 421
特定役務の提供……………………… 365
特定介護予防福祉用具……………… 237
特定課税仕入れ……… 20, 365, 455, 497
特定期間……………………… 383, 413
特定期間における課税売上高……… 382
特定機能病院…………………………72
特定健康診査………………………… 100
特定仕入れ…………………………… 365
特定資産の譲渡等……………… 20, 365

特定支出…………………………… 657
特定施設入居者生活介護……… 165, 196
特定収入…………………… 37, 656, 687
特定収入がある法人の簡易課税制度
　の選択適用……………………… 634
特定収入割合……………………… 654
特定新規設立法人………………… 395
特定相談支援事業………………… 283
特定非常災害……………… 380, 423, 614
特定福祉用具……………………… 237
特定保健指導……………………… 100
特定保健用食品…………………… 461
特定要件…………………… 390, 395
特別な食事の提供………………… 214
特別養護老人ホーム……… 257, 282, 360
特例介護予防サービス計画費……… 169
特例介護予防サービス費…………… 169
特例居宅介護サービス計画費……… 169
特例居宅介護サービス費…………… 168
特例施設介護サービス費…………… 168
特例施設型給付費………………… 285
特例地域型保育給付費……………… 285
特例地域密着型介護サービス費…… 168
特例地域密着型介護予防サービス費… 169
届出特例…………………………… 613
共働き等家庭……………………… 295
取戻し対象特定収入………… 40, 669

【な】

内定者等への出張旅費……………… 584

【に】

日常生活上の便宜に要する費用…… 201
日常生活に要する費用…… 192, 198, 213
日当……………………………… 581
日本標準産業分類………………… 622
入院時食事療養……………………69
入院時生活療養……………………70
乳児院…………………………… 282
乳児家庭全戸訪問事業…………… 282
乳児等通園支援事業……………… 282
2割特例………………… 466, 489, 613
2割特例を適用できない課税期間
　………………………………… 486
任意事業………………………… 184
任意の中間申告制度………………33
認可外保育施設の利用料
　……………… 274, 287, 309, 311, 350
人間ドック…………………………83
妊娠検査薬……………………… 122
妊娠中毒症……………………… 119
認知症高齢者グループホーム……… 250
認知症対応型共同生活介護…… 168, 216
認知症対応型通所介護………… 168, 172
認知症対応型老人共同生活援助事業… 283
認定生活困窮者就労訓練事業……… 281
妊婦検診………………………… 120

【の】

納税義務者……………………… 413
納税義務の免除………………… 413
納税義務の免除を受けないこととな
　った場合……………………… 539

【は】

パート医………………………… 566
媒介者交付特例………………… 429
配食サービス…………………… 235
白内障……………………………74
端数処理………………………… 445
歯の矯正治療…………………… 482
判定対象者……………………… 395

【ひ】

B類疾病…………………………58

被保険者資格証明書……………………87
180日を超える入院 ……………………72
病院……………………………… 624
病院食…………………………… 478
病院内保育所運営費補助金………… 690
評価療養………………………… 52, 89
病児保育事業…………………… 282, 320
美容整形…………………………83

【ふ】

複合型サービス…………… 168, 173, 218
複合型サービス福祉事業…………… 283
福祉サービス利用援助事業………… 283
福祉事務所……………………… 625
福祉人材センター………………… 338
福祉ホーム……………………… 283
福祉目的化……………………… 5
福祉有償運送事業………………… 340
福祉用具の貸与………………… 237, 242
複数税率………………………… 457
父子家庭日常生活支援事業………… 283
フッ化物局所応用……………………73
不妊治療………………………… 117
プラットフォーム課税……………… 365
フリースクール…………………… 345
分割控除……………………… 137, 560
分割等…………………………… 388

【へ】

ベッド等のレンタル料……………… 642
ベビーシッター…………… 275, 323, 324

【ほ】

保育所…………………………… 282
保育ママ……………………… 275, 324
放課後児童健全育成事業……… 282, 356
包括的支援事業… 180, 182, 184, 223, 225, 290
法人成り………………………… 136
訪問介護……………………… 163, 194
訪問看護……………………… 163, 194
訪問入浴介護…………………… 163, 194
訪問リハビリテーション……… 164, 194
保険外併用療養制度……………… 52, 89
保険外併用療養費………………… 81, 89
保健所…………………………… 625
母子家庭日常生活支援事業………… 283
母子生活支援施設………………… 282
母子・父子福祉施設……………… 283
補助金…………………………… 680
補助金等の使途…………… 659, 679, 692
補装具製作施設…………………… 283
補聴器…………………………… 114
本則課税………………………… 608

【ま】

麻酔科医が他の医療機関で行う役務の提供……………………………… 108

【み】

みなし仕入率……………………… 617

【め】

免税事業者……………………… 401
免税事業者が適格請求書発行事業者となった場合の調整……………… 543
免税事業者等からの仕入れ……………………………… 501, 508, 516
メンテナンスリース……………… 332

【も】

盲導犬訓練施設…………………… 283

【や】

夜間対応型訪問介護…………… 168, 172
薬品の課税仕入れ………………… 552
家賃……………………………… 578

【ゆ】
郵便特例……………………………… 507
有料老人ホーム……… 201, 203, 471, 473
輸入取引……………………………… 366
【よ】
養育支援訪問事業…………………… 282
要介護認定…………………………… 248
養護老人ホーム……………………… 282
養子縁組のあっせん………………… 283
羊水検査……………………………… 118
幼稚園の給食費……………………… 321
幼稚園併設型認可外保育施設……… 268
幼保連携型認定子ども園……… 282, 294
予防接種………………… 85, 92, 100, 209
予防接種の委託料…………………… 367
予約診察料……………………………71
【り】
リース…………………………… 136, 570
リバースチャージ方式………… 365, 700
理美容サービス……………………… 212
旅費…………………………………… 581
隣保事業……………………………… 283
【れ】
連携病理診断………………………… 107
レンタル料…………………………… 642
連絡助成事業………………………… 284
【ろ】
老人介護支援センター………… 223, 283
老人居宅介護等事業………………… 283
老人居宅生活支援事業……………… 285
老人短期入所事業…………………… 283
老人短期入所施設…………………… 283
老人デイサービス事業……………… 283
老人デイサービスセンター………… 283
老人福祉・介護事業………………… 626
老人福祉センター……………… 283, 306
老人ホーム用建物…………………… 556
【わ】
ワクチンの接種事業…………… 58, 803

〔著　者〕

齋藤　文雄（さいとう　ふみお）

国税庁課税部消費税課課長補佐、東京国税局調査第二部・調査第三部統括国税調査官、税務大学校教育第二部・研究部教授、総合教育部主任教授、新津税務署長、東村山税務署長、練馬東税務署長等を経て、現在、税理士。

主な著書

「(改訂版) 不動産取引と消費税」(大蔵財務協会)

「(改訂版) 消費税　簡易課税制度の実務」(大蔵財務協会)

「国際取引における消費税」(大蔵財務協会)

「消費税の実務と申告」(共著、大蔵財務協会)

「疑問・難問突破シリーズ　消費税務」(ぎょうせい)

(第４版)

消費税　医療・介護・福祉における実務

令和７年５月16日　初版印刷

令和７年６月２日　初版発行

著　者　齋藤文雄

(一財)大蔵財務協会 理事長

発行者　木村幸俊

発行所　一般財団法人　大蔵財務協会

〔郵便番号　130-8585〕

東京都墨田区東駒形１丁目14番１号

TEL (販売部) 03(3829)4141　(出版編集部) 03(3829)4142

FAX (販売部) 03(3829)4001　(出版編集部) 03(3829)4005

https://www.zaikyo.or.jp

落丁・乱丁はお取替えいたします。

印刷　恵友社

ISBN978-4-7547-3354-4